马克思主义发展史

第 八 卷

马克思主义在非社会主义国家的
传播与发展

（1923 年以来）

总主编 庄福龄 杨瑞森 梁树发 郝立新 张 新

本卷主编 黄继锋　　副主编 张秀琴

人民出版社

中国人民大学科学研究基金项目成果

（批准号：15XNLG03 ）

总　序

19世纪40年代，马克思和恩格斯创立了他们的伟大科学学说——马克思主义。马克思主义的产生是人类思想史上的伟大变革。它对自然界、人类社会和人的思维的本质与规律作了科学回答，使社会主义由空想发展为科学，无产阶级革命实践从此有了科学理论的指导。

马克思主义自形成以来，在世界历史、人类生活、科学和思想文化的发展中，在指导无产阶级实现自身解放的伟大斗争中，留下了深刻的印记，形成了一部内容极其丰富、壮观，既充满曲折又创新不止的历史画卷。正如习近平总书记所说："一部马克思主义发展史就是马克思、恩格斯以及他们的后继者们不断根据时代、实践、认识发展而发展的历史，是不断吸收人类历史上一切优秀思想文化成果丰富自己的历史。"①

马克思主义发展史是马克思主义理论研究的基础。马克思主义发展的经验和规律、关于什么是马克思主义和怎样对待马克思主义的确切答案，就在马克思主义发展的历史中，需要通过对马克思主义发展史的研究获得。

一旦我们进入马克思主义发展史研究，就会发现以下事实：

第一，无论是两位马克思主义伟大创始人，还是他们的战友、学生和后继者中的严格的马克思主义理论家，无不重视对马克思主义发展史的研究，无不是马克思主义理论和马克思主义发展史修养兼备的理论家。

第二，马克思主义发展史作为历史进程中发展着的马克思主义，是马克思主义理论发展史和实践发展史的有机统一。也就是说，完整意义上的马克思主义发展史，既不是单纯的马克思主义理论史，也不是单纯的马克思主义实践

---

① 习近平：《在纪念马克思诞辰200周年大会上的讲话》，人民出版社2018年版，第9页。

史。这决定了马克思主义发展史研究和书写的基本方法论原则是理论与实践的统一。

第三，马克思主义发展史的存在形式是具体的和多样的，有实践的也有理论的，有文本性的也有非文本性的。马克思主义创始人和马克思主义理论家们始终在利用一切可能的形式进行他们的马克思主义理论研究、创造、阐释和传播。一部在内容上充分而且准确地反映马克思主义实际发展过程的马克思主义史，必定是对它的尽可能多的存在形式研究的结果。

第四，以马克思和恩格斯的战友、学生为主体的早期的马克思主义研究，其主要形式和成就正是马克思主义发展史研究。具体表现为：

（1）多种版本的马克思主义创始人传记问世。马克思主义创始人、其他马克思主义经典作家和无产阶级革命领袖的传记，是马克思主义发展史的存在形式之一，因而也是它的研究形式之一。它是在关于马克思主义创始人、其他马克思主义经典作家和无产阶级革命领袖的生平、事业、思想、著作的生成、演变与发展的历史记忆和追述中展示马克思主义形成与发展的过程。恩格斯是马克思传记的第一位作者。他的《卡尔·马克思》和其他未出版的马克思传记作品，在详尽介绍马克思作为伟大无产阶级革命家和理论家如何为无产阶级和全人类的解放而斗争一生的同时，阐述了以唯物史观、剩余价值学说为标志的他的理论、思想形成与发展过程。《弗里德里希·恩格斯》是列宁在 1895 年恩格斯逝世一个月后写的一篇悼文，它向读者介绍了恩格斯的生平、活动，特别是他实现哲学和政治转变的过程。《卡尔·马克思》是 1914 年列宁应邀为《格拉纳特百科词典》撰写的一个词条，在这里他提出马克思主义"是马克思的观点和学说的体系"[①]命题，强调了马克思主义的整体性；把阶级斗争和无产阶级使命的理论纳入"新的世界观"范畴，凸显马克思主义哲学的实践性；阐明无产阶级斗争策略是马克思主义理论体系中不可忽视的内容，凸显马克思主义的现实性。

（2）初步提出马克思主义发展规律问题。当考茨基还是一位马克思主义者的时候，他发表了一篇题为《马克思主义的三次危机》的文章，以纪念马克思逝世 20 周年。在这篇文章中，他用 19 世纪中叶以来欧洲发生的"三个事件"的命运——1848 年欧洲革命的失败、1871 年巴黎公社的失败和 19 世纪末修正

---

① 《列宁选集》第 2 卷，人民出版社 2012 年版，第 418 页。

主义的出现——说明所谓马克思主义"危机"的发生。在他看来，"危机"虽然不是马克思主义发展中的积极现象，但是也不必把它看作威胁到马克思主义命运的现象。它只是表现了马克思主义发展的曲折性。他认为，在上述每一事件发生的前后，马克思主义其实都经历过一个由高潮到危机、再由危机到高潮的过程，并且在危机被克服之后，马克思主义"总是赢得了新的基地"①。这种关于马克思主义"高潮—危机—高潮"的周期性变化、发展的认识，表明考茨基已经有了关于马克思主义发展规律的意识。同时期德国另一位著名马克思主义理论家罗莎·卢森堡善于在马克思主义发展的历史经验中理解马克思主义发展规律。在《马克思主义的停滞和进步》一文中，她通过对造成马克思主义发展中"停滞"现象的原因的分析而阐明了实质说来是马克思主义理论与实践的关系的独特见解。她认为，一定时期和一定地区的马克思主义发展中的"停滞"，原因往往不在于马克思的理论落后于工人阶级的"现阶段斗争"，而在于"现阶段斗争"以及"作为实际斗争政党的我们"的行为落后于马克思的理论。她说："如果我们现在因此而觉察出运动中存在理论停滞状况，这并不是由于我们赖以生存的马克思理论无力向前发展或是它本身已经'过时'，相反，是由于我们已经把现阶段斗争必须的思想武器从马克思的武库取来却又不充分运用；这并不是由于我们在实际斗争中'超越'了马克思，相反，是由于马克思在科学创造中事先已经超越了作为实际斗争政党的我们；这并不是由于马克思不再能满足我们的需要，而是由于我们的需要还没有达到运用马克思思想的程度。"②这就是说，在理论与实践的关系上，虽然一般说来实践是主要的决定的方面，理论来源于实践，接受实践的检验。但就19世纪末20世纪初这一时期的马克思主义发展来说，在卢森堡看来，则是实践落后于理论，落后于马克思的"科学创造"。卢森堡的这个观点在马克思主义理论家中引起了争议。曾是德国共产党理论家的卡尔·柯尔施在题为《关于"马克思主义和哲学"问题的现状（1930年）》中谈到"马克思的马克思主义理论同后来工人阶级运动的表现形式的关系"问题时，对卢森堡的这个观点提出了批评，认为它"头足倒置地改变了理论对实践的关系"③，并把它"变为一种体系"，然后再用这个体

---

① ［德］卡·考茨基：《马克思主义的三次危机》，载《国际共运史研究资料》第3辑，人民出版社1981年版，第238页。
② 《卢森堡文选》上卷，人民出版社1984年版，第476页。
③ ［德］卡尔·柯尔施：《马克思主义和哲学》，重庆出版社1989年版，第67页注⑪。

系解释马克思主义"停滞"的原因。他说，马克思主义"不是一种能够神话般地预见将来一个长时期里工人运动的未来发展的理论。因而不能说随后的无产阶级的实际进步，实际上落在了它自己的理论后面，或者它只能逐渐充实由理论给它规定的构架"①。列宁是把马克思主义发展史研究推向新的高度的马克思主义理论家。《马克思主义和修正主义》、《论马克思主义历史发展中的几个特点》、《马克思学说的历史命运》等是关于马克思主义发展史问题的著名篇章，它们从不同方面阐述了马克思主义发展规律。在《马克思主义和修正主义》中，列宁根据马克思主义发展的经验，得出马克思主义"在其生命的途程中每走一步都得经过战斗"②的结论。在《论马克思主义历史发展中的几个特点》中，列宁提出在"具体的社会政治形势改变了，迫切的直接行动的任务也有了极大的改变"的情况下，"马克思主义这一活的学说的各个不同方面也就不能不分别提到首要地位"。③

（3）阐述了马克思主义发展阶段思想。在《马克思主义的三次危机》中，考茨基关于马克思主义在危机与高潮交替中运行与发展的认识实际包含了马克思主义发展阶段思想。他是把马克思主义发展的高潮时期的起点理解为马克思主义发展新阶段的起点。他认为，马克思主义发展的第一个时期是1848年革命失败以前；第二个时期的开端是新高潮在60年代初到来的时候，止于1871年巴黎公社的失败；第三个时期是"1874年德国社会民主党在选举中赢得了辉煌的胜利"和1875年在抵抗普鲁士政府对它的迫害中"敌对的弟兄们"联合起来的时候，止于19世纪末由于修正主义的产生导致的马克思主义的"第三次危机"。考茨基指出，在马克思逝世20周年的时候，马克思主义正处于这次危机的结尾，意味着马克思主义的一个新的发展时期的到来。列宁总是"从世界各国的革命经验和革命思想的总和中"④理解马克思主义的形成和发展，理解马克思主义发展的阶段性。在《马克思学说的历史命运》中，他按照世界历史的"三个主要时期"的划分，即从1848年革命到巴黎公社（1871年），从巴黎公社到俄国革命（1905年），从这次俄国革命至1913年撰写该文时，阐述马克思主义在每一时期的发展状况，并从中得出总的结论："自马克思主

---

① ［德］卡尔·柯尔施：《马克思主义和哲学》，重庆出版社1989年版，第67页。

② 《列宁选集》第2卷，人民出版社2012年版，第1页。

③ 《列宁选集》第2卷，人民出版社2012年版，第279页。

④ 《列宁全集》第27卷，人民出版社2017年版，第15页。

义出现以后，世界历史的这三大时期中的每一个时期，都使它获得了新的证明和新的胜利。"①

（4）提出正确对待马克思主义的问题。马克思主义发展的经验表明，正确认识马克思主义和正确对待马克思主义是实现马克思主义对于实践的正确指导和在实践中获得发展的两个密切联系的基本原则。就其对于实践的指导和马克思主义的自身发展来说，它们具有同等重要的意义。在马克思主义经典著作研读和马克思主义理论学习中，我们会发现马克思主义经典作家对于正确对待马克思主义问题的强调，较之如何认识马克思主义问题来得更多更为迫切。马克思主义发展史的这一现象其实是有来自现实生活的根据。首先，它是问题本身与具体的无产阶级实践的关联。这个关联就是如何正确对待马克思主义的问题往往是在具体的实践中提出的，是实践中的问题。在这个意义上，我们说，怎样对待马克思主义的问题，直接地是一个理论与实践的关系问题。其次，它是马克思主义在发展中发生曲折的主要原因。这个原因往往不在于关于马克思主义的认识，而在于对待马克思主义的方式、态度。前面曾经提到的卢森堡关于马克思主义发展中"停滞"问题的分析，"停滞"的原因在卢森堡看来，就是德国共产党人对待马克思主义的方式与态度不正确。列宁关于正确对待马克思主义的思想则更为充分、鲜明。他认为马克思主义者从马克思的理论中"只是借用了宝贵的方法"②；强调"在分析任何一个社会问题时，马克思主义理论的绝对要求，就是要把问题提到一定的历史范围之内"③；主张要保卫马克思主义，使之"不被歪曲，并使之继续发展"④。

俄国十月社会主义革命胜利以后，世界范围的马克思主义发展史研究形势发生了根本性变化，特别表现在研究领域、主题的广泛拓展，研究的科学性和系统性的极大提升，研究中心有了强大的社会主义制度的支撑。这里首先应该提到的是俄国马克思主义科学研究中心的建立。这个中心的基础是于1918年成立的俄国社会主义学院，特别是它所属的成立于1919年的马克思主义理论、历史和实践研究室，在该室基础上1921年1月成立了马克思恩格斯研究院。该院在列宁的支持和协助下开始了马克思和恩格斯的遗著、遗稿和专用藏

① 《列宁选集》第2卷，人民出版社2012年版，第308页。
② 《列宁全集》第1卷，人民出版社2013年版，第166页。
③ 《列宁全集》第25卷，人民出版社2017年版，第232页。
④ 《列宁全集》第6卷，人民出版社2013年版，第251页。

书的搜集、出版，并开展了主题明确的马克思主义发展史研究。此后苏联红色教授学院、斯维尔德洛夫共产主义大学、莫斯科大学和苏维埃共和国其他城市的大学和研究机构也都开展了马克思主义发展史的研究和教学。至第二次世界大战前，苏联在马克思主义发展史研究方面值得提到的主要成就有：马克思和恩格斯的大量著作、文献的发现和系统发表，特别是《马克思恩格斯全集》、《列宁全集》、马克思诞辰和逝世周年纪念文集的出版，以及俄共（布）中央主办的理论刊物《在马克思主义旗帜下》的创刊、马克思恩格斯研究院机关刊物《马克思恩格斯文库》和《马克思主义年鉴》这两个"马克思学"文献的发表。马克思主义经典著作和纪念性书刊和文献的出版，标志着俄国马克思主义从普及到科学研究的过渡；马克思主义发展的列宁主义阶段的提出与共识；马克思主义与其之前优秀思想成果的关系问题的提出和科学阐释，包括马克思的哲学先驱者黑格尔、费尔巴哈和空想社会主义代表人物的著作的出版和研究；关于《西欧哲学史》的讨论使马克思主义哲学的起源和马克思哲学变革的实质问题成为苏联哲学界和理论界注意的中心；"三大重要手稿"（《黑格尔法哲学批判》、《1844年经济学哲学手稿》、《德意志意识形态》）得到集中而深入的研究；马克思主义政治经济学思想的形成与发展、《资本论》创作史研究，以及恩格斯经济学思想研究得到重视；继卢那察尔斯基、梁赞诺夫、阿多拉茨基、波格罗夫斯基、德波林之后，亚历山大罗夫、伊利切夫、康斯坦丁诺夫、米丁、尤金等一批新的马克思主义理论家成长起来，马克思主义史的学者队伍不断形成；《马克思主义形成与发展史略》、《马克思主义哲学的形成（19世纪30年代中期至1848年）》等著作出版。

法国著名马克思主义研究者奥古斯特·科尔纽从20世纪50年代初开始撰写的多卷本的《马克思恩格斯传》，其实是一部马克思和恩格斯思想史著作，特别是马克思主义形成史著作。50年代以后，一批综合性的马克思主义发展史研究著作陆续出版，如A.G.迈耶的《共产党宣言以来的马克思主义》（1954）、R.N.C.亨特的《马克思主义的过去和现在》（1963）、B.D.沃尔夫的《马克思主义学说百年历程》（1971）、S.阿维内里的《马克思主义的不同流派》（1978）。

这里，我们特别要提到国外马克思主义发展史研究的几部著作。第一部是南斯拉夫著名马克思主义哲学家普雷德腊格·弗兰尼茨基的《马克思主义史》，该书先后出了四版。第一版于1961年问世，第二版于1970年出版，1975年发行的第三版是第二版的重印，1977 年出了第四版。1963 年我国三联书店曾分上下卷出版了该书中文版。1986 年和 1988 年根据该书 1977 年版人民出版社先后出版了中文版第一、二卷，1992 年出版了中文版第三卷。弗兰尼茨基的《马克思主义史》（三卷本）是国外较早出版的论述马克思主义发展史的多卷本著作，曾被译成多国文字，在我国和世界其他国家的理论界产生过较大影响。

　　第二部是英国肯特大学政治学教授、国际著名马克思主义研究者戴维·麦克莱伦的《马克思以后的马克思主义》。该书于 1979 年由伦敦和巴辛斯托克麦克米兰出版公司出版。1980 年和 1998 年先后出了第二、三版。1984 年该书根据 1979 年版译成中文，1986 年由中国社会科学出版社出版。著名马克思主义哲学家、马克思主义哲学史家黄枬森教授写了《〈马克思以后的马克思主义〉一书评介》，载于该书。黄枬森教授指出该书有三个特点：它所涉及的范围十分广泛，几乎包括了马克思主义哲学、政治经济学和科学社会主义在马克思逝世后近百年来在世界各国的传播和发展；它用比较客观的态度提供了丰富的思想材料，对作者显然不同意的观点也能如实地进行介绍；它不仅提供了马克思主义发展史的丰富材料，而且提供了进一步研究的线索。2008 年中国人民大学出版社出版了该书第三版。

　　第三部是英国著名马克思主义史学家埃里克·霍布斯鲍姆的《如何改变世界——马克思和马克思主义的传奇》。该书收录了霍布斯鲍姆 1956—2009 年间在马克思主义发展史领域所写的部分作品，它们"实质上是对马克思（和不可分开的恩格斯）思想发展及其后世影响的研究"①。全书分两个部分，共 16 章。第一部分是"马克思和恩格斯"，从"今日的马克思"谈起，涉及"马克思、恩格斯与马克思之前的社会主义"、"马克思、恩格斯与政治"等专题，然后是"论"马克思和恩格斯的几部代表性著作文章，但这个论述已经不限于对著作内容、结构和知识点的介绍，而涉及更广泛的内容，特别是它们在国际共产主义运动史和马克思主义发展史上的影响、它们的文献学意义等。第二部分是"马克思主义"。从每一章的标题可以看出，其主题是马克思主义发展史各个时期的重要问题。所以，严格来说，它不是一部我们印象中的系统的马克

---

① ［英］埃里克·霍布斯鲍姆：《如何改变世界——马克思和马克思主义的传奇》，中央编译出版社 2014 年版，"前言"第 1 页。

思主义发展史著作，而是关于马克思主义发展史重要问题的研究性著作。但是，这并不影响它的实际的系统性，因为作者讨论的问题所在时期是连贯的。霍布斯鲍姆还乐观地谈到 21 世纪马克思主义前景，指出："经济自由主义和政治自由主义，无论是单独还是结合起来，都不可能为 21 世纪的种种问题提供解决的方案。现在又是应该认真地对待马克思的时候了。"① 从占有材料的规范性、问题分析的透彻与精到、见解的鲜明与深刻来看，这是一部难得的马克思主义发展史著作。

第四部是莱泽克·科拉科夫斯基的三卷本的《马克思主义的主要流派》。这是一部大部头的马克思主义发展史著作，也是一部颇有争议的著作。该书第一卷写于 1968 年，第二卷和第三卷分别写于 1976 年和 1978 年。全书在英国出版于 1978 年。莱泽克·科拉科夫斯基 1927 年 10 月 23 日出生于波兰，曾担任华沙大学哲学系教授、系主任，系"东欧新马克思主义"代表人物。1968 年被解除华沙大学教职后，先后去了德国、加拿大、美国，最后定居英国，在牛津大学任教。《马克思主义的主要流派》的结构特征是，除个别章节是理论专题外，其他均按人物排列。这些人物都是重要的马克思主义发展史人物，在科拉科夫斯基看来，他们还是某一马克思主义流派的代表。这些人在政治上和理论上当然有其个性，并具有较大影响力，但其中有的硬被说成某一马克思主义流派的代表，或者为其硬要搞出一个所谓马克思主义流派，实属牵强，表明他关于马克思主义流派的划分具有很大的随意性。作为"东欧新马克思主义"代表人物，他的观点与"西方马克思主义"的人本主义流派和西方"马克思学"的观点基本一致，但对于同样坚持人道主义立场的某些"西方马克思主义"人物，如马尔库塞、萨特等，他还是进行了严厉批评，原因很大程度不在于其理论观点，而在于他们与苏联的关系。科拉科夫斯基对社会主义国家的马克思主义和经济、政治体制的认识有很大片面性，许多观点是错误的。但该书在马克思主义发展史研究方面还是提供了丰富的资料，也使我们能够更广泛地了解国外马克思主义发展史研究的动态。

1978—1982 年，意大利埃伊纳乌迪（Einaudi）出版社出版了一部多卷本的《马克思主义史》，霍布斯鲍姆称其是一项"最雄心勃勃的马克思主义史计

---

① ［英］埃里克·霍布斯鲍姆：《如何改变世界——马克思和马克思主义的传奇》，中央编译出版社 2014 年版，第 385 页。

划"。他是该书的联合策划者和联合主编，并参加了第一卷的写作。该书没有中文版。

总的来说，我国的马克思主义发展史研究起步较晚。1964年6月，原高等教育部根据中共中央决定批准中国人民大学成立马列主义发展史研究所，标志着我国系统的马克思主义发展史研究的开始。建所之初，马列主义发展史研究所的干部和教师以饱满的热情积极投入到马克思主义发展史资料的搜集、翻译和整理工作中。由于"十年动乱"和中国人民大学解散，还没有进入实际过程的马克思主义发展史研究不得不停步。实际的系统的马克思主义发展史研究是在1978年中国人民大学复校后马列主义发展史研究所由外校迁回后开始的。70年代末至整个80年代，马列主义发展史研究所在不太长的时间内发表了一批在学术界有较大影响的研究成果。先后有马列主义发展史研究所组编的《马克思恩格斯思想史》和《列宁思想史》出版；有在国内最早开启的马克思早期思想研究著作《马克思早期思想研究》和《〈资本论〉创作史》的出版，特别是在《马克思主义哲学史纲要》和《科学社会主义史纲》编写基础上，完成并出版了国内第一部综合性的马克思主义发展史著作《马克思主义发展史》，有《马克思主义与当代辞典》的编写和出版。20世纪90年代是研究所的高产期，仅在前半期就有《被肢解的马克思》、《新视野：〈资本论〉哲学新探》、《毛泽东哲学思想史》（三卷本）、《马克思主义经济思想史》、《〈资本论〉方法论研究》、《马克思"不惑之年"的思考》、《恩格斯与现时代》、《第二国际若干人物的思想研究》、《20世纪马克思主义史——从十月革命到中共十四大》、《马克思主义哲学史辞典》和几部马克思主义经典作家传记的出版。这些著作的出版为90年代初启动的四卷本《马克思主义史》的编写做了理论上的准备。四卷本的《马克思主义史》由中国人民大学马列主义发展史研究所组织编写，庄福龄教授主编，人民出版社1995年、1996年出版。这是由国内学者编写的第一部较大部头的马克思主义发展史著作，出版后获中宣部"五个一工程"奖和国家图书奖提名奖。

《马克思主义史》（四卷本）的出版距今已近30年，其间经历了世纪交替，马克思主义逐渐从苏联东欧社会主义制度解体造成的冲击和困境中走出并重新活跃起来，马克思主义研究在更广范围内和更深层次上展开并取得重要成果。一方面对马克思主义理论和马克思主义发展史有了新的认识；另一方面积累了马克思主义创新发展的丰富经验，尤其是马克思主义中国化时代化的经验，从而凸显编写一部反映马克思主义发展最新理论成果、内容更加充实、更高质量的马克思主义发展史著作的必要性。参加十卷本《马克思主义发展史》编写者们对完成这一任务的意义有自觉的意识：

第一，它是适应 21 世纪变化了的世界历史形势和这一形势下无产阶级认识世界和改变世界的伟大实践，特别是当代中国特色社会主义实践需要的。马克思主义的创新发展是在对客观历史形势的正确反映和根据这种反映对世界的积极改造中实现的，是在马克思主义基本原理同各国实际的结合中实现的。马克思主义发展史著作对这个过程的研究、书写，特别是对它的经验和规律的揭示，将为我们正确认识和面对新世纪客观形势的变化，并根据这种变化确定我们的实践主题、发展道路、发展战略提供启示。

第二，它是发展当代中国马克思主义、二十一世纪马克思主义的需要。一般地说，马克思主义发展史的研究对象是历史上的和世界性的马克思主义发展过程，是马克思主义发展的基本经验和规律。但是，从马克思主义的实践的和理论的发展目的出发，这种研究方法又必须是面对现实和面向未来的，因此是"大历史"的，是历史主义与现实主义的统一。而从这一原则和视野出发，我们的马克思主义发展史的研究和书写，一是要特别关注"我们自己正在做的事情"，从理论方面讲，就是要特别关注中国马克思主义的发展，关注马克思主义中国化时代化的历史进程；二是要关注马克思主义的当下发展状况和未来发展趋势。就研究者身在 21 世纪的现实来说，就是要研究二十一世纪马克思主义。关于"二十一世纪马克思主义"这个命题，我们还是要从总体上认识，即要看到它所表征的总的精神是面向马克思主义的未来发展。它既表明二十一世纪马克思主义主体对未来马克思主义发展、马克思主义命运信心满满，又表征对未来马克思主义发展提出更高要求，即它是能够回答新的时代之问的马克思主义发展新境界。

第三，它是对中国人民大学优良传统的继承和发扬。中国人民大学是中国共产党创办的第一所新型正规大学，有着用马克思主义指导办学的传统和经验。这个传统和经验，首先是坚持政治性与学理性的统一。坚持这个统一，既表现在办学方针，教育和教学的指导思想和根本方法上，也表现在科学研究所应坚持的根本方向、目标和方法上。对于马克思主义研究来说，就是为无产阶级革命、社会主义建设和改革的实践服务。这是我们从事马克思主义教育与研究的宗旨。这个宗旨在马列主义发展史研究所成立时就明确了。

1964 年前后，中央强调系统的马克思主义发展史研究，其直接原因在于当时国际政治形势的变化、国际的和社会主义阵营内部的意识形态斗争。中央批准成立中国人民大学马列主义发展史研究所的直接意图就是为了适应这一需要。对此，马列主义发展史研究所的干部和教师的认识是十分明确的。其次是始终坚持用马克思主义指导学校全面工作，把马克思主义贯彻教书育人的全过程，积极打造和夯实马克思主义教学与研究高地，为推进马克思主义中国化时代化进程贡献力量。这个传统是用中国人民大学师生的具体行动铸成的。中国人民大学为国家输送的马克思主义理论人才、为其他高校和教育单位输送的马克思主义理论教育人才、为高校马克思主义理论教学编写的教材、出版的各类马克思主义理论著作，特别是不同版本的马克思主义发展史著作，发挥了极其重要的作用。继四卷本的《马克思主义史》之后，我们今天编写十卷本的《马克思主义发展史》，既是对中国人民大学传统的继承和发扬，也是作为"人大人"的我们这一代马克思主义理论教育者和研究者的责任。

第四，它是适应马克思主义理论学科发展的需要。马克思主义理论学科有七个二级学科，马克思主义发展史是其中之一。相较于其他六个学科的发展现状，马克思主义发展史学科相对薄弱，这与马克思主义中国化研究和国外马克思主义研究从马克思主义发展史的结构中独立出来有关。原来的学科内容变窄了，但研究难度增加了（特别是马克思、恩格斯和列宁著作的研究难度）；马克思主义中国化研究和国外马克思主义研究这两门离我们时间和空间较近的学科从传统的马克思主义发展史体系中划分出来，使之具有的现实性受到一定程度的影响，降低了学科对学生的吸引力。但是，主要原因在于在马克思主义理论学科建立前国内学界缺乏对马克思主义发展史的研究，以致于在马克思主义理论学科建立后，出现许多学校开不出马克思主义发展史课程，甚至在其学校的马克思主义理论学科中排除马克思主义发展史学科的局面。马克思主义理论学科的专家们没有不说马克思主义发展史学科重要的，但真正从事这一学科研究的学者则相对较少。我们希望《马克思主义发展史》（十卷本）的编写能够对这一学科的发展起到推动作用。

根据 20 余年来我们的作者们关于马克思主义发展史研究成果与研究经验的积累，根据中国人民大学现有研究力量，我们认为完成这一编写任务的条件已经成熟。首先是四卷本《马克思主义史》的主编庄福龄教授提议，然后是学校和学院两级领导的支持和学院广大教师的积极响应，2014年元月正式启动了十卷本《马克思主义发展史》的编写。

经讨论，我们对《马克思主义发展史》（十卷本）的编写主旨取得共识：在客观准确地反映和阐述马克思主义形成与发展的全过程的基础上，特别着眼于对马克思主义发展的新主题的发掘、新材料的吸收、新观点新思想的阐发和新经验的总结，反映和吸收国内和国际马克思主义发展的最新成果，为时代、为人民、为我们的伟大事业贡献一部高质量的马克思主义发展史著作。

为此，我们对《马克思主义发展史》（十卷本）编写提出以下具体要求：

第一，强化马克思主义形成史研究。在对马克思主义形成过程的研究中，实现对尽可能丰富的马克思主义来源的深刻认识，在将马克思主义的产生放到整个欧洲文化乃至人类文化传统中认识时，注意区分马克思主义的来源与对马克思主义的产生发生影响的文化因素，强化对马克思主义形成中马克思和恩格斯与同时代思想家的关系的研究，着力揭示特定历史条件下新思潮产生和思想变革的规律。为实现这一要求，第一卷的编写在深化对马克思主义的"三个来源"的研究的同时，增加了马克思和恩格斯同时代人鲍威尔、赫斯、卢格、施蒂纳、契希考夫斯基和科本等对他们早期思想发生影响的内容。

第二，坚持以无产阶级革命和社会主义建设与改革的重大实践为主导线索。坚持以问题为中心，贯彻理论与实践、历史与现实相统一的原则。要注意认识和总结中国特色社会主义建设和改革开放过程中取得的马克思主义理论创新成果，特别是新时代中国特色社会主义建设实践中取得的马克思主义理论创新最新成果，还要善于从各个历史时期取得的马克思主义理论创新成果中认识和总结马克思主义发展的经验和规律。习近平总书记在党的二十大报告中指出："坚持和发展马克思主义，必须同中国具体实际相结合。我们坚持以马克思主义为指导，是要运用其科学的世界观和方法论解决中国的问题，而不是要背诵和重复其具体结论和词句，更不能把马克思主义当成一成不变的教条。我们必须坚持解放思想、实事求是、与时俱进、求真务实，一切从实际出发，着眼解决新时代改革开放和社会主义现代化建设的实际问题，不断回答中国之问、世界之问、人民之问、时代之问，作出符合中国实际和时代要求的正确回答，得出符合客观规律的科学认识，形成与时俱进的理论成果，更好指导中国实践。"①习近平总书记在这里提出的坚持和发展马克思主义的根本的方法论原则，也是指导我们从事马克思主义发展史研究的根本的方法论原则，只有坚持这个原则，我们才能写出一部反映马克思主义发展真实过程，适应无产阶级革命和社会主义建设与改革实践要求，适应不断开辟当代中国马克思主义、二十一世纪马克思主义新境界要求的马克思主义发展史。

第三，根据俄国十月社会主义革命胜利后马克思主义发展主题的转换，着重研究社会主义建设和改革的理论及其发展历程，高度重视和阐发中国特色社会主义理论体系的形成与发展对于马克思主义发展的意义，特别是习近平新时代中国特色社会主义思想对马克思主义发展的重大意义。习近平新时代中国特色社会主义思想是马克思主义中国化时代化的最新理论成果。为此，第十卷用主要篇幅充分阐释了习近平新时代中国特色社会主义思想形成、发展过程及其对马克思主义发展的重大贡献。

第四，着眼于国内外马克思主义研究最新成果的发现与研究，尤其是关于马克思主义基础理论、马克思主义文本文献、当代资本主义、当代社会主义、新科技革命、世界发展趋势、当代社会思潮等问题上的研究成果。本来的和完整意义的马克思主义发展史研究是关于马克思主义的过去、现在和未来发展的研究。21世纪以来的马克思主义实践和理论发展自然应该进入我们的研究视野，并成为理解总体的马克思主义发展史的坐标。

第五，立足于马克思主义整体发展的研究，但不忽略对马克思主义的各个组成部分、各个学科发展的研究。马克思主义主要由它的哲学、政治经济学和科学社会主义三大部分构成，马克思主义发展史研究和书写给予其较多关注是应该的，但是不能由此而忽略马克思主义多学科发展事实。例如，第二卷注意揭示"马克思主义的全面拓展过程"，在关注马克思和恩格斯的自然观和科学观形成与发展的同时，也考察了他们在伦理观、宗教观、美学和文艺观、军事理论等方面的发展。第六卷在系统考察马克思主义在哲学、政治经济学方面的发展的同时，还考察了马克思主义在文艺学、史学方面的发展。

第六，在着重认识与阐释马克思主义在革命、建设和改革的实践中发展的

---

① 习近平：《高举中国特色社会主义伟大旗帜　为全面建设社会主义现代化国家而团结奋斗——在中国共产党第二十次全国代表大会上的报告》，人民出版社2022年版，第17—18页。

同时，也对专业性的马克思主义理论研究成果给予必要关注。注意总结不同类型的主体的马克思主义创新经验，注意从不同形式的马克思主义文本中认识马克思主义的新发展。例如，根据包括本卷作者在内的学界最新研究成果，第三卷增加了马克思和恩格斯关于科学技术的社会性质和社会功能、从自然运动向社会运动过渡的理论内容。

第七，关注当代世界马克思主义思潮，在总体的马克思主义发展历史进程中认识国外马克思主义。为此，第七、八、九卷对各国共产党和进步组织、国外各马克思主义研究流派、世界社会主义运动的马克思主义研究等进行了深入考察。要求对它们要有分析、有鉴别，既不能采取一概排斥的态度，也不能搞全盘照搬。

第八，不回避马克思主义研究中的理论难题，敢于以鲜明的态度在重大理论问题上发声。检视在重大问题上的传统认识，善于结合新的实际作出新的判断。既注意总结正确认识马克思主义的经验，也注意总结正确对待马克思主义的经验。着力分清哪些是必须长期坚持的马克思主义基本原理，哪些是需要结合新的实际加以丰富发展的理论判断，哪些是必须破除的对马克思主义的教条式的理解，哪些是必须澄清的附加在马克思主义名下的错误观点。为此，第五卷特别设置了"马克思主义基本原理、本质特征和历史命运的科学阐述"一章，系统阐释列宁的马克思主义观，展示列宁科学认识和对待马克思主义的经验。

本书的卷次划分遵循实践逻辑、历史逻辑和理论逻辑的统一。这个统一特别表现为马克思主义在无产阶级革命和社会主义运动实践中实现发展的若干重要阶段之间的关系。因此，每一卷次标示的时间阶段实质说来不是自然时间，而是历史时间，表征马克思主义发展的一定的阶段性。

阶段的划分是相对的，并且是分层次的。有大阶段，也有大阶段包含的小阶段、次级阶段。马克思主义发展史的大阶段是马克思和恩格斯对马克思主义的创立与发展、列宁主义的形成与发展、以中国马克思主义为标志的当代马克思主义发展。它们分别包含若干小阶段。比如，第一个大阶段包括马克思主义的创立、马克思主义的丰富与系统化、马克思和恩格斯晚年对马克思主义的深化三个小阶段。这三个阶段构成本书的第一至三卷。第二国际马克思主义（1889—1914 年）是马克思和恩格斯创立的原初马克思主义与列宁主义之间的过渡。虽然这一时期马克思主义缺乏突出发展，但是由于这个时期的人物、思潮和流派之间的复杂关系以及马克思主义多向演变与发展的可能而凸显其对于马克思主义发展史的特殊意义。基于此,马克思主义在这一时期的发展与演变被设置为独立的一卷(第四卷)。马克思主义发展的列宁主义阶段以俄国十月社会主义革命胜利为界划分为两个阶段,时间段分别为:19世纪末—1917年、1917—1945年。前一阶段是列宁主义的形成及其在十月革命前的发展,后一阶段是列宁主义在十月革命胜利后的发展。这个阶段的内容包括列宁晚年关于社会主义发展道路的探索、苏联社会主义模式的形成。这两个阶段还分别包括马克思主义在中国的初期、早期传播和马克思主义中国化的第一个伟大理论成果——毛泽东思想的形成。这就是本书第五、六卷的内容。第七、九、十卷的内容是马克思主义在第二次世界大战后的发展。它们的时间段分别是:1945—1978年、1978—21世纪初、1989年以来。每一卷所包含的内容都是在相应时间段内马克思主义的发展状况,其中主要是苏联和东欧各国对社会主义的探索、中国共产党人和马克思主义者对中国社会主义发展道路的探索,特别是改革开放以来邓小平理论、"三个代表"重要思想、科学发展观和习近平新时代中国特色社会主义思想的形成与发展。为了体现马克思主义发展的连续性,第九卷在着重阐述邓小平理论形成发展过程外,用适当篇幅阐述了苏东剧变过程中及之后非资本主义国家马克思主义的曲折发展和理论反思,时间延续到21世纪初。为了完整地和集中地阐释马克思主义中国化时代化最新理论成果,第十卷聚焦中国特色社会主义理论体系的跨世纪发展,对当代中国马克思主义、二十一世纪马克思主义做了重点阐释。马克思主义在非社会主义国家的研究情况比较复杂,时间跨度比较长,为方便读者阅读和了解社会主义国家之外的非社会主义国家的马克思主义研究和发展状况,安排第八卷为1923年以来"马克思主义在非社会主义国家的传播与发展"专卷。

"实践没有止境,理论创新也没有止境。"[①] 理论创新没有止境,马克思主义发展史研究就不能停滞不前。十卷本《马克思主义发展史》的出版,不是我们的马克思主义发展史研究的结束,而是新的研究的起点。我们需要根据马克思主义在新的时期新的实践中的发展把马克思主义发展史研究继续下去。

---

① 习近平:《高举中国特色社会主义伟大旗帜　为全面建设社会主义现代化国家而团结奋斗——在中国共产党第二十次全国代表大会上的报告》,人民出版社2022年版,第18页。

　　《马克思主义发展史》（十卷本）的作者们对编写工作提出了很高要求，力求为推动二十一世纪马克思主义发展、开辟马克思主义中国化时代化新境界，奉献一部能够经得起时间考验的马克思主义发展史著作。但是，由于我们的水平有限，马克思主义发展史的有些方面和问题还未完全掌握和深入研究，呈现在广大读者面前的这份研究成果是否能够承担起它应承担的这样一个使命，是否能够为广大读者满意，我们心怀忐忑。我们愿意听到读者的批评意见。

本书总主编

2023 年 9 月 15 日

（梁树发执笔）

目　录

Contents

卷 首 语

　　本卷主要反映 20 世纪 20 年代以来马克思主义在西方的演化以及在非洲和拉丁美洲的传播和影响。

　　20 世纪 20 年代，随着第一次世界大战爆发导致第二国际的终结、俄国十月革命的胜利及其对西方共产主义运动影响的扩大，以及随后德国、意大利、匈牙利等国家社会主义革命的受挫，"西方马克思主义"应运而生。以卢卡奇、柯尔施、葛兰西为代表的早期"西方马克思主义"理论家重估科学社会主义理论，并对马克思主义"正统性"进行重新解释。在他们看来，资本主义之所以没有在当时危机重重的局面中崩溃，是因为无产阶级没有形成肩负历史使命的自觉阶级意识，而第二国际（包括第三国际）机械的马克思主义对此负有不可推卸的责任。为此，他们试图通过揭示马克思的黑格尔根源来恢复马克思主义的辩证法，进而在社会经济条件和自觉阶级行动之间建立起一种有机的联系。卢卡奇的总体性辩证法，柯尔施对马克思主义哲学向度的强调，葛兰西的实践哲学和"文化领导权"理论，都是这一努力的体现。这些理论赋予了主体、意识、理论在历史中以重要地位。

　　受早期西方马克思主义的影响，也由于 1932 年马克思《巴黎手稿》的公开发表，1930 年形成于法兰克福社会研究所的法兰克福学派和之后的存在主义马克思主义进一步延续和发展了马克思主义的人道主义趋向。它们把苏联马克思主义作为主要批判对象，并从人道主义马克思主义的立场出发，对当代资本主义非人性反人道的实质进行了深刻的揭露和批判。在法兰克福学派理论家看来，当代发达资本主义国家凭借理性的工具化，把既有物质需求又有精神需求的人变成受效率精神驱动的"单向度的人"，从而成功地消除了各种反对的声音。由于看不到无产阶级革命的可能性，法兰克福学派理论家从早期西方马克思主义的政治乐观主义陷入政治悲观主义。他们放弃了为无产阶级革命提供策略指导的努力，并把注意力转向对当代资本主义意识形态和文化的批判上来。同样，活跃于法国思想界的存在主义马克思主义者致力于把青年马克思主义人道主义思想与存在主义思想相结合，试图把马克思主义还原为主观性的哲学。他们把西方消费资本主义社会作为主要现实批判对象，寻找一种在微观的社会生活实践中替代资本主义和传统社会主义的乌托邦。人道主义马克思主义的理论对 1968 年声势浩大的学生造反运动起到直接的推动作用。

20 世纪 50 年代以来，"西方马克思主义"的另一思潮即科学主义马克思主义也逐步发展起来，新实证主义马克思主义和结构主义马克思主义是这一思潮的主要代表。它们反对 20 年代以来在西方广泛弥漫的用黑格尔的眼光看待马克思、把马克思主义人道主义化的倾向，主张恢复马克思主义的科学性，使之再次成为进行真正的阶级分析和预言的决定性的认识武器。同时，它们也力图克服第二国际理论家和苏联马克思主义决定论的缺陷。新实证主义马克思主义者反对第二国际一些理论家把事实判断与价值判断相分离的做法，认为马克思对资本主义的研究及其结果既是科学的，同时又是价值判断。马克思所描述的科学真理，实际上表现了工人阶级日益增长的不满和社会主义抱负。这一理论是符合科学逻辑的。结构主义马克思主义宣称马克思主义是一种"理论上的反人道主义"，并从结构整体的角度维护马克思历史理论的科学性，同时也试图避免陷入机械决定论，"多元决定论"的提出就体现了这种旨趣。

1968 年法国"五月风暴"的失败，标志着以学生和工人为主体的传统社会运动的失败，同时也标志着旨在唤醒工人群众阶级意识的早期西方马克思主义的终结。在资本主义世界，以新中间阶级主导的和平运动、生态运动、女权运动等各种新社会运动代替传统的学生和工人运动而成为左派政治主流。一些西方马克思主义理论家在研究路径上开始发生转变，即理论研究日益与新社会运动联系起来，生态学马克思主义和女性主义马克思主义作为西方马克思主义发展的新形态由此走上历史舞台。而新社会运动呈现出来的多元的反对资本主义的主体，也成为之后的后现代马克思主义产生的背景。70 年代后期，欧洲主要发达资本主义国家的共产党根据形势的变化，努力探索一条符合本国实际的社会主义革命的途径。这一理论探索与实践活动被称作"欧洲共产主义"。

与欧洲大陆相比，英美地区的马克思主义研究在 20 世纪 50 年代前相对薄弱。英国共产党于 1920 年成立后一直追随苏（俄）共，在理论上缺乏创新。
30 年代中后期，随着大批左派知识分子加入英共，这种局面有所改观。第二
次世界大战结束后，开始产生一批致力于用马克思主义理论解决英国本土问题
的研究成果。1956 年苏共二十大以后，英国新左派运动兴起。第一代新左派
思想家着手反思、清算斯大林主义，并形成了把马克思主义基本原理与英国实
际相结合的具有鲜明本土特色的文化马克思主义。20 世纪六七十年代，英国
第二代新左派崛起，新一代新左派更多吸收和借鉴欧陆"西方马克思主义"的
思想资源，特别是受结构主义马克思主义的影响，逐渐扬弃和超越本土的文化
马克思主义传统，建构理论性更强的革命的和科学的马克思主义。20 世纪 70
年代中后期，具有分析哲学传统的英美一些哲学家运用分析方法研究马克思主
义历史理论和政治哲学，形成了"分析的马克思主义"流派。20 世纪 80 年代
以后，英美马克思主义阵营呈现多样化的局面，尤其是受新社会运动的启发和
后现代主义的影响，出现了"后马克思主义"理论趋向。这一理论趋向体现了
在"晚期资本主义"的背景下坚持和发展马克思主义的努力，但也在很大程度
上突破了马克思主义的底线。

在经济学研究方面，关于资本主义的发展阶段和历史命运，关于经济落后
国家的经济和社会发展道路，关于发达资本主义国家与经济落后国家之间的不
平衡关系等问题，都引起马克思主义经济学家的深入思考，产生了具有重要影
响的"依附理论"、"世界体系理论"等成果，拓展了马克思主义政治经济学新
的研究领域。

本卷的前七章分别对以上内容做了详细的论述。最后一章，简要地叙述了
马克思主义在非洲和拉丁美洲的传播和发展的历史。

第一章　西方马克思主义的形成

20 世纪 20 年代前后，为总结俄国十月革命胜利和德国、意大利、匈牙利等欧洲国家革命失败的经验教训，以卢卡奇[①]、柯尔施[②]和葛兰西[③]等人为代表的欧洲共产党人分别发表《历史与阶级意识》（1923）[④]、《马克思主义和哲学》（1923）[⑤]和《狱中札记》（1927—1937）[⑥]等著作。他们重新思考"什么是真正的马克思主义"的问题，并向第二国际和第三国际的"正统"理论提出了挑战：

[①]　[匈] 卢卡奇（1885—1971）出生在匈牙利布达佩斯一个富有的犹太家庭，1906 年在科罗茨瓦获法学博士学位，1909 年又从布达佩斯大学获得了哲学博士学位。1912 年至 1917 年，一直生活在德国海德堡的卢卡奇，深受德国古典哲学的影响。

[②]　[德] 柯尔施（1886—1961）出生于德国汉堡附近的一个中产阶级家庭，先后就读于慕尼黑、柏林、日内瓦和耶拿等大学，主要学习法学、经济学和哲学。1910 年，他获得耶拿大学法学博士学位。

[③]　[意] 葛兰西（1891—1937）生于撒丁岛的阿莱斯镇。1903 年，12 岁的葛兰西小学毕业，因为家境困难辍学，在地产登记处做工。1908 年，葛兰西开始接触撒丁岛的社会党人，阅读马克思和克罗齐的著作。1911 年 10 月，进入都灵大学语言系学习。

[④]　《历史与阶级意识》是一个论文集，收集了作者在 1919 年至 1922 年间写下的八篇文章。1923 年 5 月，该论文集经过修改，以《历史与阶级意识》为书名，由柏林马立克出版社作为该社的"革命小丛书"出版，被誉为"西方马克思主义"的"圣经"，陆续被翻译成多国语言。1967 年作者又为其再版写了新的序言（即"1967 年序言"）。

[⑤]　《马克思主义和哲学》，起初是柯尔施 1923 年发表在《社会主义和工人运动史文库》（由法兰克福学派的格律恩堡主编）中的一篇长论文，同年发行同名单行本。

[⑥]　该书意大利文版于 1948 年由都灵艾伊纳乌迪出版社按内容分 6 卷陆续出版。1975 年，《狱中札记》四卷本由都灵艾伊纳乌迪出版社出版。1977 年，《狱中札记》新专题六卷本由罗马联合出版社出版。2007 年，葛兰西著作国家版《狱中札记》译文卷分上、下册出版。

卢卡奇尝试重建马克思主义"辩证法";柯尔施力图恢复马克思主义的"哲学"维度;葛兰西强调马克思主义是"实践哲学"。这三种回答皆旨在恢复马克思主义的总体辩证法原则,拒斥忽视人的主体性的机械决定论。他们的理论构成了后人所称之的早期"西方马克思主义",对于之后的西方马克思主义流派尤其是人道主义马克思主义各个流派产生了深刻的影响。

第一节 卢卡奇:重建马克思主义"辩证法"

卢卡奇 1918 年加入匈牙利共产党,1919 年任匈牙利苏维埃共和国人民教育委员。革命失败后流亡维也纳。在卢卡奇看来,当时匈牙利和欧洲其他国家革命之所以没有成功,是因为无产阶级缺乏应有的阶级意识,而以正统马克思主义自居的第二国际理论家的经济决定论和宿命论对此负有不可推卸的责任。为此,卢卡奇试图通过恢复马克思的总体性辩证法,消除第二国际理论家造成的无产阶级"意识形态的危机",进而唤起无产阶级的阶级意识和推翻资产阶级的历史使命感。

在被奉为西方共产主义"圣经"的《历史与阶级意识》中,卢卡奇指出:"马克思主义问题中的正统仅仅是指方法。它是这样一种科学的信念,即辩证的马克思主义是正确的研究方法,这种方法只能按其创始人奠定的方向发展、扩大和深化"[1]。卢卡奇把马克思主义的正统或本质,理解为作为方法的辩证法(为此,他给自己本书所命名的副标题就是"马克思主义辩证法研究");而且,这种方法还不是自封为"正统"派的第二国际某些理论家(卢卡奇称其为德国社会民主党中的机会主义者[2]),甚至第三国际(也即由苏联主导的共产国际)某些理论家[3]

---

[1] [匈] 卢卡奇:《历史与阶级意识》,杜章智等译,商务印书馆 1992 年版,第 48 页。

[2] 在《历史与阶级意识》成书和公开发表时期,也即 20 世纪 20—30 年代,这主要指的是考茨基和伯恩施坦等人;而非主要指同为第二国际理论家阵营的梅林、普列汉诺夫等人,对于后者,卢卡奇的评价还是比较高的。

[3] 卢卡奇这里主要指的是布哈林等人。

所说的"辩证法",而是来自于对马克思主义"创始人"(卢卡奇实际指的是马克思本人)的辩证法思想的正确"发展、扩大和深化"。那么,谁会是这个方向的正确的发展者呢? 在稍后(约于1924年)成书的《列宁》一书中,卢卡奇作出了回答:"列宁的实践就使辩证法比他从马克思和恩格斯那里继承时,具有了一种更广阔、更完全和理论上更发展的形式",因此,"列宁主义是唯物主义的辩证法发展中的一个新阶段"。① 问题是,到底怎样一种辩证法,才可以算得上是作为真正的马克思主义本质的"辩证法"? 卢卡奇为何会得出结论说只有列宁的辩证法思想才是唯物主义辩证法发展的新阶段? 实际上,在卢卡奇看来,作为马克思主义本质方法的辩证法,是总体的,并因此是社会—历史的,也即主体—总体的、具体—历史的和革命的。简言之,这是一种总体辩证法。

首先,辩证法应该是总体(totality)。正如后来卢卡奇自己总结的,"毫无疑问,《历史与阶级意识》的重大成就之一,在于使那曾被社会民主党机会主义的'科学性'打入冷宫的总体范畴,重新恢复了它在马克思全部著作中一向占有的方法论的核心地位",卢卡奇甚至"将总体在方法论上的核心地位与经济的优先性对立起来"②。对他来说,"总体"实际上具有了本体论意义上的第一性意义。所以他认为,不是"经济",而是"总体"在历史解释中的首要地位,使得马克思主义同一切其他资产阶级科学之间存在着决定性的区别。所以,"总体范畴,是马克思取自黑格尔并独创性地改造成一门全新科学的基础的方法的本质"③。卢卡奇不仅认定总体是马克思全新科学的本质,而且还指认这一总体概念继承于黑格尔。因此,"要正确对待具体的、历史的辩证法,若不比较详细地考察这一方法的创始人黑格尔及其与马克思的关系是办不到的"④。这样,一方面,总体辩证法同时被描述为具体的、历史的辩证法,因此它与一切僵化的实体化(乃至机械化)的倾向都是格格不入的;另一方面,卢卡奇也公开确认了马克思总体辩证法思想的黑格尔之源,进而换一个方式呈现了不懂黑格尔就不懂马克思的黑格尔主义的路径——稍后(20世纪30年代成书),他在《青年黑格尔》和《青年马克思》中的相关探索应该皆属此列——并被指认为黑格尔主义马克思

---

① [匈] 卢卡奇:《列宁:关于列宁思想统一性的研究》,张翼星译,台湾远流出版公司1991年版,第103—104页。

② [匈] 卢卡奇:《历史与阶级意识》,杜章智等译,商务印书馆1992年版,第15页。

③ [匈] 卢卡奇:《历史与阶级意识》,杜章智等译,商务印书馆1992年版,第76页。

④ [匈] 卢卡奇:《历史与阶级意识》,杜章智等译,商务印书馆1992年版,第42页。

主义的创始人之一。即便是在晚期的自我批评之中，他本人也丝毫没有对此表示后悔过，甚至认为，"毋庸置疑，在《历史与阶级意识》对以后思想界的影响中，这种方法论上的谬误起了并非不重要的，而且在许多方面甚至是进步的作用。因为黑格尔辩证法的复活狠狠打击了修正主义的传统"①。卢卡奇承认，在自己的《历史与阶级意识》中，让"黑格尔辩证法复活"的做法虽然在方法论上是"谬误"的，但却是"进步"的。这种进步当然是从反对第二、三国际机械唯物主义意义上来说的。因此，其进步性本身也遵循着具体—历史原则。

其次，这种遵从总体原则的辩证法，是社会—历史的，并因此是革命的。卢卡奇声称，"唯物主义辩证法是一种革命的辩证法"，其最根本的方面，是"历史过程中的主体和客体之间的辩证关系"②。对总体辩证法的社会—历史性的强调，不过是对上述的具体的、历史的属性的再次呈现：即坚持"摒弃社会结构的僵化性、自然性和非生成性，它揭示了社会结构是历史地形成了的，因此在任何一方面都是要服从历史的变化的，因此也必定要历史地走向灭亡的"③。这就把（在机械唯物主义那里变得）固定化的社会，因辩证法的引入而变得流动起来；而我们知道，在社会中行走的，不是别的，正是人——是人通过自己的实践活动（生活、生产和劳动）构成的社会，与此同时，人也获得了自己的主体地位身份。卢卡奇甚至因此不满恩格斯的自然辩证法——因为后者没有主体与客体之间的辩证关系，也即相互作用置于核心的方法论的地位，从而没有摆脱机械唯物主义的宿命论，也即没有凸显主体的能动性，亦即革命性。也正是通过对于作为社会—历史主体的人的能动性的强调，使得卢卡奇被认为是人道主义马克思主义创始人之一，与此同时，也具有了制造马克思、恩格斯对立和制造两个马克思（特别是以青年马克思取代晚年马克思的指责）的嫌疑④。而卢卡奇成就这一点主要归功于他在《历史与阶级意识》中对于物化（异化）和

---

① ［匈］卢卡奇：《历史与阶级意识》，杜章智等译，商务印书馆 1992 年版，第 15 页。

② ［匈］卢卡奇：《历史与阶级意识》，杜章智等译，商务印书馆 1992 年版，第 48、50 页。

③ ［匈］卢卡奇：《历史与阶级意识》，杜章智等译，商务印书馆 1992 年版，第 100 页。

④ 他自己后来提供的辩解是："我将马克思的早期著作放到他的世界观的完整画面之中，而在我这样做时，大多数马克思主义者只愿意把它们仅仅看作是马克思个人发展的历史文献。至于几十年后，这种关系发生了颠倒，青年马克思被看作真正的哲学家，而成熟时期著作则受到忽视，那么，这不能责怪《历史与阶级意识》，因为在那里，不管正确与否，我们始终把马克思的世界观看作本质上是一个不分割的整体。"（参见同上书，1967 年序言，第 22 页）

阶级意识问题的探讨。换言之，卢卡奇的总体辩证法的社会历史性和革命性，是通过他对异化（物化）概念和阶级意识形态问题的论述来得以呈现的。如他自己后来的回顾，异化，在《历史与阶级意识》中"被当作对资本主义进行革命批判的中心问题，而且它的理论史的和方法论的根据被追溯到黑格尔的辩证法"。虽然，在哲学（在卢卡奇这里，哲学、辩证法和革命，都是同义语）上对异化问题的揭示，很快使它成了"那种旨在探讨人在资本主义中的状况的文化批判的中心问题"①，并由此开辟了西方马克思主义"文化转向"（佩里·安德森语），但卢卡奇自己却认为自己所坚持的社会—历史的方法，使得《历史与阶级意识》中的对于异化的考察，"与黑格尔的辩证法逻辑有着明显的不同"，因为，自己所坚持的马克思主义的方法，即对"现实的辩证唯物主义理解"，是"从阶级的观点中，从无产阶级的斗争观点中"产生出来的，"放弃这一点就是离开历史唯物主义"②。可见，以阶级分析为基础的革命性，恰是卢卡奇对黑格尔式思辨辩证法的世俗化改造。或许，他也正是在这里找到了列宁思想的伟大之处。

　　显然，我们可以在卢卡奇《历史与阶级意识》中对于马克思主义本质是作为方法的辩证法的上述界定中，看到更多黑格尔在《精神现象学》中的影子（特别是其关于总体辩证法本质和异化问题的分析），但如他自己所评判的，"对于任何想要回到马克思主义的人来说，恢复马克思主义的黑格尔传统是一项迫切的义务。《历史与阶级意识》代表了当时想要通过更新和发展黑格尔的辩证法和方法论来恢复马克思主义理论的革命本质的也许是最激进的尝试"。更何况，将辩证法赋予社会（主体）—（具体）历史的场域，进而以阶级意识命题赋予其革命内涵，至少让青年卢卡奇当时走出了一条反资本主义之路，虽然他身上还带有"从黑格尔那里获得来的伦理唯心主义"的"浪漫"③。

　　总之，《历史与阶级意识》以及这一时期卢卡奇的其他论述的主题即在于：马克思主义的本质或正统，是辩证法，而且是一种革命的辩证法；这种革命的辩证法，是基于总体化逻辑（历史的维度）的社会辩证法，也即社会的人在既有历史条件下自己创造自己历史的行动和过程；因此它显然不是只遵循自然规律的单纯自然辩证法的逻辑，而是诉诸主体能动性积极发挥的主体（社会的维

---

① ［匈］卢卡奇：《历史与阶级意识》，杜章智等译，商务印书馆1992年版，第17、19页。

② ［匈］卢卡奇：《历史与阶级意识》，杜章智等译，商务印书馆1992年版，第19、72页。

③ ［匈］卢卡奇：《历史与阶级意识》，杜章智等译，商务印书馆1992年版，第15—16、3页。

度）辩证法的逻辑。卢卡奇之所以有这样的论断，在理论上主要基于如下考虑，即第二、三国际理论家的机械（经济）决定论及其对马克思主义辩证法严重误读，会直接延误甚至误导欧洲无产阶级的现实问题，这个现实问题，就是通过革命来改变（资本主义的）社会现实。因此，从哲学上来看，这个现实问题也即主客体关系问题，特别是主体能动性在当前工人阶级实践中的地位和作用问题，也即当前使得欧洲无产阶级革命成为可能的阶级意识问题——辩证法，于是和无产阶级的阶级意识（作为革命的条件）联系在了一起。所以，这个辩证法（也即卢卡奇理解的辩证法——来自于黑格尔、更来自于马克思），既是总体的历史辩证法（理论层面），又是革命的社会具体辩证法（实践层面）。因为，毕竟辩证法直接和当前欧洲无产阶级革命的可能性问题联系在一起，即阶级意识的养成，有助于工人阶级正确理解自身的社会地位和历史使命，也即对社会现实的主客体关系有更深入的认识，从而更有利于推动革命行动的开展和成功。如卢卡奇自己所总结的，"我的伦理观要求转向实践、行动，从而转向政治。这反过来又使我转向经济学，转向在理论上进行深入研究和最终转向马克思主义哲学"[1]，因此，"从黑格尔研究开始，经过对经济学和辩证法的关系的考察，而达到我今天建立一种关于社会存在的本体论的尝试"[2]。也就是说，晚年的卢卡奇依然继续着早期的探索，只不过更加致力于用社会具体的维度（即他的社会存在本体论）来替代总体辩证法中的黑格尔因素，特别是其唯意志论的色彩，而这一切都是为了距离黑格尔更远、距离马克思更近。

第二节　柯尔施：恢复马克思主义的"哲学"维度

卢卡奇力图通过恢复辩证法的总体逻辑原则来重建作为方法的马克思主义的本质，与他同时期的柯尔施则试图通过恢复马克思主义的"哲学"维度

---

① ［匈］卢卡奇：《历史与阶级意识》，杜章智等译，商务印书馆1992年版，第4页。
② ［匈］卢卡奇：《历史与阶级意识》，杜章智等译，商务印书馆1992年版，第34页。

而达到同样的目标。他于 1923 年出版的《马克思主义和哲学》、1930 年写的反批评材料，以及 1938 年出版的《卡尔·马克思》等都是围绕这一旨趣的。

柯尔施在 1930 年的反批评材料中指出，"我在《马克思主义和哲学》中提出的论点在许多方面与卢卡奇在更广泛的哲学基础上所确立的命题相一致；这些命题是他在辩证法研究中发现的，并写进大约与我的书同时出版的《历史与阶级意识》一书当中"，"我基本上同意卢卡奇的观点"，虽然"我们之间依然存在""方法和内容上的特殊分歧"①。这里所说的一致性，指的就是对于什么是真正的马克思主义，也即马克思主义本质观的基本认识，柯尔施明确说："《马克思主义和哲学》提出一种马克思主义观，认为马克思主义是完全非教条和反教条的、历史的和批判的，因而是最严格意义上的历史唯物主义，是把唯物史观应用于唯物史观本身"②。可以发现，无论是这一时期的卢卡奇，还是柯尔施，在回答什么是真正的马克思主义这个涉及马克思主义本质的问题时，虽然都有明确的"内容"指向，即作为方法的辩证法和哲学维度的强调，但却并没有在马克思主义体系名称上有新的尝试，基本都沿用"辩证唯物主义"或"唯物辩证法"这一第二、三国际理论家惯用的称法。当然为了与当时正在形成中的苏联教科书版的"辩证唯物主义＋历史唯物主义"体系命名相区别（当然，这是后来的事了，即 1938 年苏联教科书体系命名法定型之后，早期西方马克思主义学者才会在自己的相关论述中更多出现程度不同的反对后者的相关论述，此前，他们的论述中出现的可能是"列宁主义的马克思主义"、"俄国的马克思主义"、第三国际或共产国际理论家的马克思主义等称谓），他们更愿意在这些名称前面加上"新的"或"真正的"等限定词，并着力强调其和历史唯物主义本质上的一致性。

那么，柯尔施为什么要在《马克思主义和哲学》中力图恢复马克思主义的"哲学"维度呢？实际上，其理论和实践旨趣或和卢卡奇也是一样的，即面临当时来自各方面的对马克思主义本质的误认，试图在理论上予以澄清，并在实践中有利于凸显辩证法及其革命意义。如柯尔施在 20 世纪 20 年代所开宗明义地指出，"直到最近，不论是资产阶级的还是马克思主义的思想家们，对于马克思主义和哲学之间的关系可能会提出一个非常重要的理论的和实践的问题这一事实，都没有较多的了解。对于资产阶级的教授们来说，马克思主义充

① ［德］柯尔施：《马克思主义和哲学》，王南湜等译，重庆出版社 1989 年版，第 58 页。
② ［德］柯尔施：《马克思主义和哲学》，王南湜等译，重庆出版社 1989 年版，第 58—59 页。

其量不过是 19 世纪哲学史中的一个相当不重要的分支，因而就把它当作'黑格尔主义的余波'而不予考虑。但是，'马克思主义者们'也不想大力强调他们理论的'哲学方面'，尽管这是出于完全不同的理由"。因此，鉴于当时"马克思主义内部的各个派别忽视并且极度轻视马克思和恩格斯学说的革命的哲学内容"，"对比之下，《马克思主义和哲学》的目的在于重新强调马克思主义的这个哲学的方面"①。这就是马克思主义和哲学的关系问题提出的背景。

在柯尔施的时代，第二国际时期（1889—1914）的正统的马克思主义者们越来越遗忘和忽视辩证法在马克思主义理论中的最初意义。为反对这种遗忘症，辩证法（卢卡奇讨论的主题）与"哲学"再次几乎在相同的意义上被柯尔施使用。在他看来，忘记辩证法就是忘记哲学。柯尔施认为，自己（和卢卡奇）的任务即"以辩证法的被抛弃"来解释"马克思主义哲学的独立本质"的"被压抑"②。问题是，辩证法为何会被抛弃，并因此导致哲学本质的被压抑？柯尔施分析说，一方面，"自从 19 世纪中叶以来，全部资产阶级哲学，尤其是资产阶级的哲学史著作，出于社会经济的原因，已经抛弃了黑格尔哲学和辩证的方法"，"这些历史学家们以一种完全观念形态的和无可救药的非辩证的方式，把哲学思想的发展表述为纯粹的'观念的历史'的过程"③。可见，在柯尔施这里，哲学的，就是辩证法的，那种与真正的哲学相反的非辩证的思想，是一种拒绝革命即拒绝改变资本主义现实的表现，因为"思想形式的革命"也是整个社会现实革命过程的一个客观的组成部分④。因此，拒绝辩证法，就是拒绝哲学，就是拒绝革命。显然，和卢卡奇一样，柯尔施也坚持一种"哲学＝辩证法＝革命"的逻辑。只不过，与前者通过异化（物化）和阶级意识问题来进行具体分析和论证的模式（这亦可被称为卢卡奇式的异化逻辑）不同，柯尔施更关注国家问题。因为在他看来，对待马克思主义和哲学（辩证法）的关系，"在很大程度上涉及到像马克思主义和国家的关系"，因为，马克思主义的"现实主义"即"辩证唯物主义"，而且是一种"新的辩证唯物主义"⑤。另一方面，柯尔施也因此批评第二国际理论家对辩证法、哲学和（国家与）革命问题的误认。

① ［德］柯尔施：《马克思主义和哲学》，王南湜等译，重庆出版社 1989 年版，第 1—2、71 页。
② ［德］柯尔施：《马克思主义和哲学》，王南湜等译，重庆出版社 1989 年版，第 6 页。
③ ［德］柯尔施：《马克思主义和哲学》，王南湜等译，重庆出版社 1989 年版，第 7、8 页。
④ ［德］柯尔施：《马克思主义和哲学》，王南湜等译，重庆出版社 1989 年版，第 10 页。
⑤ ［德］柯尔施：《马克思主义和哲学》，王南湜等译，重庆出版社 1989 年版，第 16—17 页。

虽然不像卢卡奇那样对列宁充满褒奖之词，甚至随后对列宁采取了更为严厉的批评言辞（与卢卡奇对列宁的器重不同，柯尔施对列宁采取了十分严厉的批评态度，而且，在柯尔施看来，列宁的唯物主义哲学判断，是不符合 1892 年恩格斯的《社会主义从空想到科学的发展》英文版序言中的相关言论的），但在这里，柯尔施还是借用列宁之言，来批评第二国际理论家就像忽视国家问题那样，忽视了哲学问题。同时，也和卢卡奇一样，柯尔施强调作为新的辩证唯物主义的马克思主义，是总体的：它"在理论上以辩证的方式，在实践上以革命的方式理解的唯物史观"，且"与那些孤立的、自发的各个知识分支，与作为脱离革命实践的科学上的目标的纯理论考察，都是不相容的"。这里，再次和卢卡奇一样，柯尔施把唯物史观和辩证法密切联系在一起。并因此断定，"在马克思和恩格斯那里本质上是辩证的唯物史观，最后在他们的追随者那里变成了某种非辩证的东西"①。这显然主要是针对第二国际理论家的批判，也即机械唯物主义在本质上是非马克思主义的，是非革命的，因此他们（如梅林、考茨基②和希法亭等）在对国家问题上的分析也就是靠不住的。然而，柯尔施说，"第二国际的大多数马克思主义理论家对哲学问题的极度轻视，仅仅是丧失马克思主义运动的实践的、革命的特征的部分表现"，"为了恢复被其追随者败坏和庸俗化了的马克思理论的正确和充分的意义，对马克思主义和哲学问题的再考察，甚至在理论水平上也是必需的"，因此，"我们以辩证唯物主义的方式必须解决的不仅是'国家对于社会革命和社会革命对于国家的关系问题（列宁语），而且还有'意识形态对于社会革命和社会革命对于意识形态的问题'"③。

就像卢卡奇借助于对辩证法的凸显而最终将革命落实到对于物化和阶级意识④的强调一样，柯尔施也借助于对哲学维度的凸显而终于将革命落实到国家和意识形态问题领域。实际上，在柯尔施看来，这是马克思主义哲学（也即他这里所谓"现代辩证唯物主义"）应有之义："对现代辩证唯物主义来说，重

---

① ［德］柯尔施：《马克思主义和哲学》，王南湜等译，重庆出版社 1989 年版，第 25、27 页。

② 关于考茨基，柯尔施认为他"剥夺了马克思主义理论的本质上是革命的特征"（［德］柯尔施：《马克思主义和哲学》，王南湜等译，重庆出版社 1989 年版，第 64 页）。

③ ［德］柯尔施：《马克思主义和哲学》，王南湜等译，重庆出版社 1989 年版，第 31、33 页。

④ 而且，柯尔施也会论及阶级意识问题，比如他说"着手变革这种资产阶级生产方式的无产阶级在政治经济学批判中，阐明了它的革命的阶级意识"（参见［德］柯尔施：《卡尔·马克思：马克思主义的理论和阶级运动》，熊子云等译，重庆出版社 1993 年版，第 61 页）。

要的是，在理论上要把哲学和其他意识形态体系当作现实来把握，并且在实践上这样对待它们"，马克思恩格斯就"总是把意识形态——包括哲学——当作具体的现实而不是空洞的幻想来对待的"①。由于"马克思和恩格斯的辩证唯物主义按其基本性质来说，是彻头彻尾的哲学"，"它是一种革命的哲学"，"它的任务是以一个特殊的领域——哲学——里的战斗来参加在社会的一切领域里进行的反对整个现存秩序的革命斗争"②。在柯尔施这里，马克思主义哲学化，是为了革命的目的，是为了更好地与作为现实的意识形态作斗争。因为意识形态，也是现存秩序的一部分，因此是具有现实性的（"具体的现实性"），而非空洞的幻想。这种对于意识形态所具有的"具体的现实性"的强调，如前所述，在卢卡奇那里也有类似的旨趣，不过前者的这一对于意识形态的强调工作是通过辩证法（特别是主客体辩证法）视角中的阶级意识的中介作用来完成的。当然，这种对于意识形态(从哲学和辩证法的维度来理解的这个范畴)的现实性，而非仅仅在决定论意义上的能动性的大力强调③，贯穿并构成了随后整个西方马克思主义的发展与演变基调。而且，与卢卡奇类似，柯尔施对于意识形态的这种重视，是放在唯物史观的范畴中加以考察的（也就是他在 1930 年反批评材料中所说的把唯物史观运用于唯物史观本身），即强调的是其社会—历史属性："真正的辩证唯物主义的历史观（肯定地说，马克思和恩格斯的唯物主义）不可能不认为哲学意识形态，或者一般的意识形态是一般的社会—历史现实的一个是在的组成部分——即，一个必须在唯物主义理论中把握并由唯物主义实践来消灭的现实部分"④。在强调马克思主义(特别是其哲学）的社会—历史性时，柯尔施必然会涉及对恩格斯自然辩证法理论的评价，值得注意的是，柯尔施并非如卢卡奇那样贬低恩格斯⑤，而是将其和马克思的辩证法思想一起统称

① ［德］柯尔施：《马克思主义和哲学》，王南湜等译，重庆出版社 1989 年版，第 35 页。
② ［德］柯尔施：《马克思主义和哲学》，王南湜等译，重庆出版社 1989 年版，第 37、38 页。
③ 对于柯尔施来说，类似于卢卡奇式的阶级意识的获得，正是为了无产阶级革命，而这场革命的目标"将通过革命阶级参加物质的和精神的、实践的和理论的活动而实现"（［德］柯尔施：《马克思主义和哲学》，王南湜等译，重庆出版社 1989 年版，，第 56 页）。
④ ［德］柯尔施：《马克思主义和哲学》，王南湜等译，重庆出版社 1989 年版，第 38—39 页。
⑤ 而且柯尔施也并不否认恩格斯、晚年马克思对马克思主义理论的重大贡献。柯尔施非常明确地认为自己和卢卡奇不一样，即不认为恩格斯的观点和马克思的观点之间存在"基本区别"，虽然，不能因此判定马克思和恩格斯的观点就此"成了完全自明的不可动摇的信条"（参见 ［德］柯尔施：《马克思主义和哲学》，王南湜等译，重庆出版社 1989 年版，第 63 页，第 75 页注释 20）。

为真正的、新的或现代的辩证唯物主义①。总之，如柯尔施稍后在1930年的一个反批评材料中所总结的，《马克思主义和哲学》是"一本关于'理论上和实践上最重要的问题即马克思主义和哲学之间的关系'的书"，该书是"对精神现实的承认"和"主张全面摧毁和废除这些精神现实及其物质基础"②。因此，和卢卡奇一样，柯尔施实际上也把马克思主义作为一个总体来对待，认为马克思主义是革命的、活的"总体"③。正是基于这样的认识，柯尔施继而对列宁主义的非哲学、非辩证法和非总体特征进行了批判分析。

与卢卡奇在通过辩证法完成同样任务时对列宁思想的褒奖态度不同，柯尔施似乎并不看好列宁对马克思主义哲学思想的理解，在他看来，列宁主义"轻视马克思和恩格斯在他们革命发展开始时发现的辩证唯物主义世界观。这种世界观按其本性不可避免是'哲学的'，但它却表示了对哲学的完全否定；它在哲学领域留下了一项唯一的革命任务，即通过进行更高水平的详细阐释来发展这种世界观。列宁把从黑格尔的唯心主义辩证法到马克思和恩格斯的辩证唯物主义的转变仅仅看作是这样一种转变：由不再是'唯心主义的'而是'唯物主义的'新的哲学世界观取代植根于黑格尔辩证法的唯心主义世界观。他看来没有意识到，对黑格尔唯心主义哲学的这种'唯物主义的颠倒'至多只涉及到一种术语上的变化，用所谓'物质'的绝对存在取代所谓'精神'的绝对存在"；因此"列宁的唯物主义甚至有一个更严重的缺点。因为他不仅取消了马克思和恩格斯对黑格尔辩证法的唯物主义的颠倒；而且他把唯物主义和唯心主义的全部争论拖回到从康德到黑格尔的德国唯心主义已经超越了的历史阶段"④。也就是说，柯尔施要恢复的哲学，是从观念的辩证的自我运动，到历史的现实的运动，而非物质的绝对运动。他认为，这才是对马克思主义哲学的真正把握，也才是真正的马克思主义，也即真正的辩证唯物主义。俨然，在柯尔施这里，列宁主义不是马克思主义哲学的真正发展，因为列宁的这种唯物主义"不再是完整意义的辩证法，更不用说辩证唯物主义了。列宁和他的追随者片面地把辩证法变成了客体、自然和历史，他们把认识仅仅描绘成主观意识对客观存在的被动的镜子式反映。这样一来，他们既破坏了存在和意识的辩证的相互关系，而且作为一

---

① 〔德〕柯尔施：《马克思主义和哲学》，王南湜等译，重庆出版社1989年版，第50页。
② 〔德〕柯尔施：《马克思主义和哲学》，王南湜等译，重庆出版社1989年版，第55—56页。
③ 〔德〕柯尔施：《马克思主义和哲学》，王南湜等译，重庆出版社1989年版，第65页。
④ 〔德〕柯尔施：《马克思主义和哲学》，王南湜等译，重庆出版社1989年版，第81页。

个必然的结果，又破坏了理论和实践的辩证的相互关系"；"他们还放弃了历史存在的整体和所有在历史上流行的意识形式之间的关系这个问题"，并"以一种倒退的形式通过把这个问题变成主体和客体之间的关系这样一个更狭义的认识论或'知识论的'问题而修正了它"①。可见，对于列宁主义的反对，柯尔施基于对其非哲学、非辩证法，因此非总体性的不满。柯尔施认为列宁主义是一种从"辩证法到唯物主义"的错误转移，而且"这种从辩证法到唯物主义的着重点转移还有另外一个必然结果"，即"它使唯物主义哲学无法促进经验的自然科学和社会科学的进一步发展"，因为"在辩证法中，方法和内容是不可分割地联系着的"，"因而上述着重点转移的结果完全违反了辩证法尤其是唯物主义辩证法的精神，它使辩证唯物主义的'方法'同时把这一方法运用于哲学和科学所获得的主观结果对立起来"②。不仅如此，柯尔施还分析了列宁与恩格斯的不同之处，他说，"列宁后来的观点乍一看也许像恩格斯的观点，但它们实际上有天壤之别。恩格斯认为，唯物辩证法的决定任务是'从德国唯心主义哲学中拯救出自觉的辩证法并且把它转为唯物主义的自然观和历史观。列宁的做法正相反。对他来说，主要任务是坚持和拥护谁也没有严格地去质疑的唯物主义主张'"③。

因此，与卢卡奇致力于区分马克思早期和晚期、马克思和恩格斯、马克思主义和第二、三国际理论家（如考茨基、布哈林等）思想之间的区别不同，柯尔施更多致力于区分马克思主义创始人（马克思和恩格斯）特别是后者与列宁思想之间的差异。但他们都求助于以马克思主义思想的黑格尔之源④ 来力图恢复马克思主义的本真状态——辩证法，抑或哲学。并在这一过程中，力主把意

---

① ［德］柯尔施：《马克思主义和哲学》，王南湜等译，重庆出版社 1989 年版，第 82—83 页。

② ［德］柯尔施：《马克思主义和哲学》，王南湜等译，重庆出版社 1989 年版，第 83 页。

③ ［德］柯尔施：《马克思主义和哲学》，王南湜等译，重庆出版社 1989 年版，第 85 页。因此，虽然恩格斯晚年的几封通信中有关于历史唯物主义的若干自我批评意见，但在柯尔施看来，"马克思和恩格斯的唯物主义历史观所谓的片面性，实际上仅仅表现在它们过分地从哲学上的表述；这种表述对于它们的同时代人，尤其是对于较后的、毫不了解黑格尔的几辈人来说是无法理解的"（参见 ［德］柯尔施：《卡尔·马克思：马克思主义的理论和阶级运动》，熊子云等译，重庆出版社 1993 年版，第 171 页）。

④ 和卢卡奇一样，柯尔施也时常强调马克思哲学的黑格尔之源，正如有论者所指出的，柯尔施认为"黑格尔的辩证法是马克思主义理论核心。虽然他也看到了黑格尔式的辩证法只是马克思理论的形式，其内容来自于现实的工人阶级斗争"（参见 Douglas Kellner, edited, *Karl Korsch: Revolutionary Theory*, University of Texas Press, Austin & London, 1977, p.33）。

识形态（含哲学和马克思主义哲学）当作社会现实的一部分来对待，而非当作空想和虚幻。认为这才是真正符合辩证法精神的历史观、社会观和革命态度。因为只有这样，才会给主客体辩证关系中的主体一维发挥其真正的能动作用提供合适的舞台和合法的哲学方法论依据。更何况，这在很大程度上又是更符合作者们所在的西欧（匈牙利和德国）实践境遇的理论表达。同时，与卢卡奇不同，柯尔施也并不认为马克思早期和晚期思想之间存在着多大的本质差别，在他看来，马克思晚期著作特别是其政治经济著作并非对其哲学（集中在早期）思想的任何背离，《卡尔·马克思》（1938）一书旨在对此予以说明①，在这里，柯尔施认为"马克思对社会研究最重要的贡献在于：他1）把社会的生活过程的一切现象溯源于经济；2）还从社会角度去理解经济；3）历史地判定一切社会现象，也就是说判定为革命的发展，它的客观基础在于人们的物质生产力的发展，而它的主体承担者是社会的阶级"②，总体的、社会和历史的维度再次凸显，这与《马克思主义和哲学》的旨趣并无多大不同——除却具体关注领域和视角的差异之外。正如柯尔施研究者道格拉斯·凯尔纳所总结的，柯尔施是"革命的马克思主义者"，他的理论有助于推动马克思主义"革命理论"的发展③。而这样的革命旨趣，何尝又不是柯尔施同时代的其他西方马克思主义创始人（如卢卡奇和下文即将探讨的葛兰西）的共同追求呢——只不过，他们的革命又都非常明显地与哲学和政治意识形态斗争联系在一起。与卢卡奇（甚至与葛兰西）相比，柯尔施并非最优秀的辩证法研究者，实际上他更关心的是自己理论活动的"政治后果"，而非"哲学成分"。也就是说，当卢卡奇谈辩证法的时候，他是在谈哲学；而柯尔施在谈哲学的时候，他其实是在谈政治。然而，这并不妨碍这二位早期西方马克思主义创始人共同遵循"辩证法＝哲学＝革命"的总体逻辑。只不过，（落脚点）革命的承担者，不是被落实在无产阶级身上，而是被落实在无产阶级阶级意识的身上（卢卡奇）；不是被落实到实现社会主义和共产主义的现

---

① 值得一提的是，柯尔施在该书中对马克思政治经济学思想的研究，并未脱离马克思早期相关手稿，并已开始援引 MEGA1 相关资料（参见［德］柯尔施：《卡尔·马克思：马克思主义的理论和阶级运动》，熊子云等译，重庆出版社 1993 年版，第 34 页注释 2）。

② ［德］柯尔施：《卡尔·马克思：马克思主义的理论和阶级运动》，熊子云等译，重庆出版社 1993 年版，第 178 页。

③ Douglas Kellner, edited, *Karl Korsch: Revolutionary Theory*, University of Texas Press, Austin & London, 1977, p.3.

实运动那里，而是被落实到国家意识形态斗争领域（柯尔施）。也正是在这个意义上，总体革命的重担，实际上主要被安置在文化和上层建筑（也即意识形态）领域，其政治效应也主要在这个领域中得到呈现——也即文化研究范式。

第三节　葛兰西："实践哲学"是一种 "绝对的历史主义"

早期西方马克思主义另一代表人物是意共创始人之一葛兰西。他在 20 世纪二三十年代（特别是 1927—1937 年的狱中生活间）所写的系列文字材料后来被编辑成《狱中札记》予以公开出版。葛兰西将马克思主义解释为一种"实践哲学"，并认为它是一种"绝对的历史主义"。

葛兰西认为，马克思主义作为一种哲学，首先要遵循实践的原则，即一种"实践哲学"。所谓实践哲学（除却葛兰西在狱中为避讳而对马克思主义的一种别称之外，更多的是作者自己对马克思主义本来面目的一种正名），即旨在"为改变、纠正或完善存在于任何特定时代的世界观，从而也改变和这些世界观一起的行为准则，换言之，为改变整个实践活动而采取的尝试和意识形态上的主动精神的历史"[1]。可见，"实践"，这里指的是改变、纠正合乎完善世界观以及与世界观相关的行为准则的活动，这种活动显然从根本上说是一种政治活动；而"哲学"则是为此而采取的尝试和意识形态上的主动精神的历史。"所以，一个历史时代的哲学，无非是那个时代本身的'历史'，无非是领导集团成功地加诸于从以往承受下来的现实的大量变动"[2]。葛兰西于是将哲学与历史几乎相等同，他直接明示："在这个意义上，历史和哲学是不可分割的：它们形成一个集团"，这个集团（他也称之为"历史集团"[3]）可大

---

[1]　[意] 葛兰西：《实践哲学》，徐崇温译，重庆出版社 1990 年版，第 27 页。

[2]　[意] 葛兰西：《实践哲学》，徐崇温译，重庆出版社 1990 年版，第 27 页。

[3]　葛兰西说，"'历史集团'这个概念，即自然和精神之间（经济基础和上层建筑）的统一、矛盾与区别之间的统一"（参见 [意] 葛兰西：《狱中札记》，曹雷雨等译，中国社会科学出版社 2000 年版，第 100 页）。

体区分为："作为哲学家的哲学，作为领导集团的世界观（哲学文化），以及作为广大群众的宗教"①。实践哲学，就是"所有这些要素的结合②过程，这个过程在一种全面的趋向中达到顶峰，在这种趋向中这种顶峰变成为集体活动的标准，变成具体的和完全（完整）的'历史'"③。葛兰西以这种方式来呈现卢卡奇和柯尔施所力主的总体原则，同时也以这种方式来凸显主体原则和社会人本学原则——在葛兰西这里，后者是从属于前者的，因为在他这里，总体原则更多地表现为历史原则，也即"绝对历史主义"或"历史集团"概念，因为除了哲学特别是实践哲学是历史的，人的本性，也即社会性也是历史的。当然，这不过是对总体原则的另一种称谓罢了。于是，卢卡奇和柯尔施共同遵守的"辩证法＝哲学＝革命"的总体逻辑，被葛兰西替换成了"辩证法＝实践＝历史"——虽然，历史在卢卡奇和柯尔施那里，也会被得到强调，如同革命在葛兰西这里同样会得到关注（以在市民社会开展文化领导权的方式）。

其次，这样的实践哲学，是一种"绝对的历史主义"④。所谓历史主义，就是要从历史的全部发展和真正的辩证的观点来观察，并对事物做一个"辩证的—历史的"评价⑤。这里所说的事物，也包括实践哲学本身，即"实践哲学是以一种历史主义的方式思考它自身，把它自己看成是哲学思想的一个暂时的阶段"⑥。这和柯尔施说的要把真正的辩证唯物主义用于辩证唯物主义自身，是一个道理。和卢卡奇、柯尔施一样，葛兰西也把这种被他叫作绝对的历史主义的总体原则的思想之源，溯及黑格尔。他说，实践哲学是"从对黑格尔主义的批判中产生"出来的，虽然历史主义来自于黑格尔，也即"黑格尔的内在论变成历史主义"，"但只在实践哲学那里，它才是绝对的历史主义——绝对的历史主义或绝对的人道主义"。在这种意义上，"实践哲学是黑格尔主义的一种改革和一种发展"，即"实践哲学继续了内在性的哲学，但清除它的一切形而上学

---

① ［意］葛兰西：《实践哲学》，徐崇温译，重庆出版社 1990 年版，第 27 页。
② 这里的"结合"，也译作"接合"或"链接"（articulation），它是葛兰西对其历史主义的总体辩证法原则予以具体阐释的核心范畴。
③ ［意］葛兰西：《实践哲学》，徐崇温译，重庆出版社 1990 年版，第 27 页。
④ ［意］葛兰西：《实践哲学》，徐崇温译，重庆出版社 1990 年版，第 108 页。
⑤ ［意］葛兰西：《实践哲学》，徐崇温译，重庆出版社 1990 年版，第 144 页。
⑥ ［意］葛兰西：《实践哲学》，徐崇温译，重庆出版社 1990 年版，第 93 页。

装置，并把它带到具体的历史领域中"①。显然，和卢卡奇、柯尔施一样，葛兰西在这里强调了历史具体性。他提出，之所以这样做，是为了肃清马克思主义在他生活的时代所遭遇的不当修正，即实践哲学遭到了双重的修正，一方面，"它的某些要素，或明或暗地被若干唯心主义思潮所吸收和并吞"；另一方面，所谓的正统派所关心的却是"要找到一种比对历史的'简单'解释来的更加广泛的哲学"，他们认为"他们自己在把这种哲学基本上和传统唯物主义等同起来方面是正统的"。这种所谓的"正统"其实代表的是"决定论、宿命论和机械论的要素"，它们"是从实践哲学中、颇像从宗教或药物那里散发出来的（在其使人麻醉的效果中）一种直接的意识形态带上的'芳香'"②；而第一方面的论者却误把"同历史经济主义"的斗争，当作为"在反击历史唯物主义"③。为强调起见，葛兰西指出，"方法论上的反历史主义是十足的形而上学"。因此，为避免带有这种倾向的"唯物论，同时又避免包含在认为思维是一种感受的和整理的活动的机械论概念，就必须用一种'历史主义的'方式提出问题，同时又把'意志'（归根到底它等于实践活动或政治活动）作为哲学的基础"④。可见，用历史主义的方式甚至是绝对历史主义的方式提出问题，其实就是遵循总体辩证法原则。在葛兰西看来，这不仅是马克思主义理论体系本身的特点所致，也是他所生活的时代文化社会发展的要求。

最后，葛兰西赋予马克思主义以实践哲学的称谓，并将之定性为一种绝对的历史主义，目的是为了强调马克思主义的总体辩证法原则，也即社会—历史主体性原则。在这一点上，可以认为，除了称谓上的变化，几乎和其他两位西方马克思主义形成期的创始人卢卡奇和柯尔施没有什么大的区别。然而，与他们稍显不同的是，葛兰西特别重视大众文化研究⑤，他所说的"实践"，很多的时候被认为是一种"意志"活动，而且这种意志活动又被落实在"上层建筑"

---

① [意] 葛兰西：《实践哲学》，徐崇温译，重庆出版社 1990 年版，第 108、93—94、145 页。

② [意] 葛兰西：《实践哲学》，徐崇温译，重庆出版社 1990 年版，第 76—77、17 页。

③ [意] 葛兰西：《狱中札记》，曹雷雨等译，中国社会科学出版社 2000 年版，第 127 页。

④ [意] 葛兰西：《实践哲学》，徐崇温译，重庆出版社 1990 年版，第 143、28 页。

⑤ 因此，佩里·安德森诉诸卢卡奇的西方马克思主义所开宗的"文化转向"，在葛兰西这里真正地被当作一个重要议题，而且是大众文化议题被正式纳入议程——虽然，对于文化和上层建筑的强调，作为对社会—历史也即主体原则的一个贯彻，同样是卢卡奇和柯尔施的力主（如卢卡奇的阶级意识论和柯尔施对马克思主义哲学维度的强调）。

(特别是他在其中安放的"市民社会")领域，也即，这是一种文化活动，而且，是一种必须包含了大众常识和世界观改造在内的文化斗争的辩证法。在他看来，这就是改变现实的政治活动的要旨。他用自己的"市民社会"概念和"文化领导权"① 理论来说明这一问题②。

实际上，与其说葛兰西是在哲学视域中来讨论文化，毋宁说他是在文化史特别是大众文化的视域中来探讨哲学，特别是实践哲学的问题。他认为，哲学作为一种世界观，它的实践就是"改变群众的'心态'"，是开展"一场文化上的战斗"。然而，由于"实践哲学是现代文化的一个'要素'"，而且这个"现代文化，是以唯心主义为标志的"，所以"文化必须大众化、变成学校教育课程和大纲，或变成直接的政策的时候，才会对青年有影响"。为此，"实践哲学有两项工作要做：战胜最精致形式的现代意识形态，以便能够组成它自己独立的知识分子集团；以及教育其文化还是中世纪的人民大众"③。实践哲学之所以具有如此能力，是因为它本身遵循的是历史主义的原则，即"实践哲学是以所有这一切过去的文化为前提的：文艺复兴和宗教改革，德国哲学和法国革命，喀尔文主义和英国古典经济学，世俗的自由主义和作为整个现代生活观的根子的这种历史主义。实践哲学是这整个精神的和道德的改革运动的顶峰，它使大众文化和高级文化之间的对照成为辩证的。它既是政治的哲学，又是哲学的政治"；"实践哲学是从历史主义的最伟大形式，从任何形式的抽象的意识形态主义中全面解放出来，对历史世界的真正的征服，一种新的文明的开端"④。那么，通过谁(革命承担者或主体问题)、在什么地方、以什么方式来获得改变现实之斗争的胜利呢？葛兰西提供的方案是：以跨越阶级界限的知识分子为主体、在市民社会领域、通过夺取文化领导权斗争来实现这一目标。如此一来，刚刚因为强调大众文化而与其同伴卢卡奇和柯尔施稍显接地气的葛兰西，依然回到了有文化精英主义之嫌的知识分子论中来。当然，知识分子的舞台是市民社会。

葛兰西所说的市民社会，是居于上层建筑领域、介于经济基础和国家暴力

---

① "领导权"概念，也译作"霸权"。
② 无论是"市民社会"还是"领导权"概念，葛兰西承认，克罗齐都做过相关论述和区分（参见 ［意］葛兰西：《狱中札记》，曹雷雨等译，中国社会科学出版社 2000 年版，第 226 页）。
③ ［意］葛兰西：《实践哲学》，徐崇温译，重庆出版社 1990 年版，第 31、76、80—81 页。
④ ［意］葛兰西：《实践哲学》，徐崇温译，重庆出版社 1990 年版，第 83、88 页。

机器之间的夹层位置："我们目前可以确定两个上层建筑'阶层'：一个可称作'市民社会'，即通常称作'私人的'组织的总和，另一个是'政治社会'或'国家'。这两个阶层一方面相当于统治集团通过社会行使的'霸权'职能，另一方面相当于通过国家和'司法'政府所行使的'直接统治'或管辖职能'"①。可见，葛兰西认为，领导权（即这里中译的"霸权"，全文同）是在市民社会领域，也即上层建筑的中间层面出现的，而非国家层面——虽然它们之间都是有组织的、相互关联的——这就与柯尔施的国家理论有着稍显不同的侧重点。因为，虽然，"一个社会集团的霸权地位体现在以下两个方面，即'统治'和'智识与道德的领导权'"②，然而，一旦国家政权（通过强力机构的设置）建立后，统治集团的工作重心就应该转移到前者，也即市民社会领域，在这里，建立自己新的社会领导权，如此方能取得自己的持久合法性。那么，该如何实施呢？方法即在于葛兰西所说的建立自己"独立的知识分子集团"（而不是卢卡奇的阶级意识的教化和培养），来教育和引导在文化上尚处不同历史阶段的大众，主要是根据统治集团的世界观，包括引导大众对统治集团"强加于社会生活的总方向"予以"自发的"首肯③。这就是知识分子的职能，显然它所行使的是一种社会领导权（霸权）职能。正如有论者所总结的，"所谓霸权就是葛兰西所说的统治集团行使的'思想和道德领导权'与'占支配地位的基本集团强加给社会生活的总体方向'"④。换言之，统治集团的工作重心从过去夺取政权时期的政治工作，转移到了市民社会（上层建筑）领域的文化工作中来。葛兰西指出，这也是现代国家政党（葛兰西有时称之为"现代君主"）所力主的工作重点："对一切集团而言，政党的作用便是在市民社会行使与国家同样的职能，只不过后者是在政治领域，其综合的程度更高、规模更大而已"；而且，"精神和道德改革必须同经济改革纲领发生联系——实际上经济改革纲领正是精神和道德改革自我体现的具体方式"。当然，这种转移并不意味着彻底的替代式"颠倒"或二元论式的"分裂"，而依然遵循历史主义（也即总体辩证法）的原则，因为"根本的历史统一具体来自于国家或政治社会与'市民社会'之间的有机

---

① ［意］葛兰西：《狱中札记》，曹雷雨等译，中国社会科学出版社 2000 年版，第 7 页。

② ［意］葛兰西：《狱中札记》，曹雷雨等译，中国社会科学出版社 2000 年版，第 38 页。

③ ［意］葛兰西：《狱中札记》，曹雷雨等译，中国社会科学出版社 2000 年版，第 7 页。

④ ［埃］霍布斯鲍姆：《如何改变世界：马克思和马克思主义的传奇》，吕增奎译，中央编译出版社 2014 年版，第 303 页。

关系"①。统治集团也需遵循"历史集团"（也即自然与精神、或曰经济基础与上层建筑的统一）的原则，或者说它们本身就是后者的一部分。显然，"历史集团"在这里充当着"总体"概念的辩证法职能。

鉴于市民社会是现代国家最主要的文化表达，同时也是社会矛盾最突出的呈现平台，为此，知识分子就需要在市民社会领域开展文化斗争。这首先"离不开对过去的批判；目的是破坏和消除对过去的记忆"，因为"人民群众在世界观转变方面比较缓慢，而且，人民群众世界观的转变永远也不会在以'纯粹'形式接受新世界观的意义上，而总是且仅仅是在把新世界观当作一种或多或少异质的和稀奇古怪的接合的意义上去改变世界观的"。为此，马克思主义理论也即实践哲学"在开始的时候，不得不呈现出一副论战的和批判的样子，把自己表现成现存的思维方式和现存的具体思想（现存的文化世界）的替代。所以，它首先必须是对'常识'的一种批判，尽管，在最初它把自身建立在常识的基础上，以便证明'人人'都是哲学家，因而，也就不是把科学的思维方式引进到每个人的个人生活中来的问题，而是对已经存在的活动加以革新，并且使之称谓'批判的'这样的问题。然后，就是对从中发展出哲学史的知识分子的哲学的批判"②。可见，批判只是走向"自我意识的第一步"，继而，还需要通过文化上的"领导权"来超越对常识的批判③，从而实现理论与实践的统一，而不是让前者成为后者的附属物。那么，那些机构或组织可资为文化斗争的平台呢？换言之，市民社会的主要载体是什么呢？葛兰西认为，就是学校、教会和媒体等。卢卡奇的阶级意识和柯尔施的国家意识形态，在葛兰西这里被具体地落实到了市民社会之中，政治斗争也被进一步明确地替换为文化领导权之争。

总之，正如葛兰西自己所总结的，这一时期，他的主要目标就是要"系统地对'领导权'和文化领导要素进行重新估价，以消灭对'经济决定论'的机械论的和宿命论的观念。其实，最新的实践哲学的根本要素就是关于'领导权'的历史—政治观"④。而这又与他所主张的对马克思主

---

① ［意］葛兰西：《狱中札记》，曹雷雨等译，中国社会科学出版社 2000 年版，第 10、95、35 页。
② ［意］葛兰西：《狱中札记》，曹雷雨等译，中国社会科学出版社 2000 年版，第 219、250、211 页。
③ ［意］葛兰西：《狱中札记》，曹雷雨等译，中国社会科学出版社 2000 年版，第 244 页。
④ ［意］葛兰西：《葛兰西 1932 年 5 月 2 日致塔齐娅娜的信》，参见《葛兰西文选：1916—1935》，中央编译局国际共运史研究所编译，人民出版社 1992 年版，第 583—584 页。

义正统的实践哲学体系的理解是一致的，因为作为实践哲学的马克思主义，不是思辨哲学，而是绝对历史主义，即"完全摆脱一切先验论和神学痕迹的历史主义"[1]。显然，这正是卢卡奇和柯尔施所强调的作为马克思主义本质的辩证法和哲学维度。可见，无论是"辩证法"、"哲学"还是"实践"（"绝对的历史主义"或"历史集团"）正名工作，都旨在恢复马克思主义本真面貌，即直面"什么是真正的马克思主义"这一 20 世纪马克思主义发展的重大问题。

第四节　第二、三国际理论家与西方马克思主义的形成

西方马克思主义早期思想的形成，除了这一时期思想家们所面临的国际和各自国内社会历史和时代背景[2]，从思想史角度来说，也与之前出现的马克思主义的历史发展密切相关，了解这一点很重要，"因为只有这样才能使我们看到他们所代表的那种类型的特殊新颖之处"[3]。而在马克思和恩格斯身后所出现的直接继承者（也即第一代马克思主义者），毫无疑问指的是活跃于 19 世纪末 20 世纪初期的第二国际理论家团体和稍晚的（也即在 20 世纪一二十年代活跃于国际马克思主义理论界的）第三国际理论家[4] 团体：前者包括梅林、考茨

---

① ［意］葛兰西：《葛兰西 1932 年 5 月 2 日致塔齐娅娜的信》，参见《葛兰西文选：1916—1935》，中央编译局国际共运史研究所编译，人民出版社 1992 年版，第 586 页。

② 特别是 20 世纪初期发生的第一次世界大战、俄国十月革命、资本主义在欧洲各国的最新不平衡发展及其危机、由德国社会民主党为主导所成立的第二国际（1889—1919）和由俄国布尔什维克所成立的共产国际也即第三国际（1919 年形式上成立）在欧洲乃至全球工人和左派运动中的影响等等。

③ ［英］佩里·安德森：《西方马克思主义探讨》，高铦等译，人民出版社 1981 年版，第 7 页。

④ 1924 年（列宁逝世）之后，"列宁主义的政治思想刚在俄国以外的地方得到传播，就被第三国际的斯大林化所瘫痪，第三国际不断使得它下属各党的政策服从于苏联外交政策的目标"（参见［英］佩里·安德森：《西方马克思主义探讨》，高铦等译，人民出版社 1981 年版，第 31 页）。

基、普列汉诺夫、拉布里奥拉、卢森堡和希法亭等人①；后者包括列宁、布哈林和德波林等人。实际上，正是在同第二、三国际理论家的论争中，西方马克思主义逐渐形成了具有自身学术传统的共同体。从中我们可以看到西方马克思主义在最初的形成期（即 20 世纪 20 年代至"二战"前）与第二、三国际思想家群体之间的思想史关系：通过批判第二国际的庸俗马克思主义，力图恢复马克思主义的总体原则；通过批判第三国际的直观唯物主义，解释什么是真正的辩证唯物主义。而这正是西方马克思主义创始人为以后受其影响的诸流派所奠定的学术传统。

一、批判第二国际的庸俗马克思主义，恢复马克思主义的总体原则

西方马克思主义早期创始人卢卡奇、柯尔施和葛兰西，分别在其《历史与阶级意识》（1923）、《马克思主义和哲学》（1923）、《实践哲学》等著述中（1927—1937），对以伯恩施坦和考茨基等为代表的第二国际理论家的相关理论（及其著述）展开了批判，指责其为"庸俗的马克思主义"；认为他们"忽视"或"丢掉"了真正的马克思主义的本质特征，即总体（社会—主体和历史—具体）辩证法原则。因此，为重建马克思主义正统，而不是被第二国际理论家"肤浅化"了的所谓"正统"，他们有必要致力于恢复马克思主义的辩证法研究（卢卡奇）、马克思主义的哲学维度（柯尔施）和马克思主义的实践意义（葛兰西）。当然，这样的重建工作，在很大程度上是与他们对第二国际理论家群体的一般性评论以及针对后者中的个别人的具体评价工作（后者，如卢卡奇对卢森堡的褒奖和对伯恩施坦的批判，柯尔施对考茨基的批判，以及葛兰西对拉布里奥拉的褒奖等）密切联系在一起的。可以说，正是基于这样的论争工作，他们才得以完成重新解释马克思主义的工作，即逐渐清晰恢复了总体原则在马克思主义中的本质属性地位（无论是通过"辩证法"、"哲学"还是"实践"的途径）。

---

① 伯恩施坦、倍倍尔、李卜克内西、拉法格、弗兰尼茨基等基本属于同时代人。且这些人中有许多（如梅林等）都曾直接与恩格斯有过通信联系。

首先，卢卡奇承认，自己的总体辩证法观，就是建立在对第二国际理论家罗莎·卢森堡相关思想的继承之上的。1967 年在给《历史与阶级意识》所写的新序言中他回顾说，"罗莎·卢森堡的著作"，"在大战期间和战后的头几年对我的思想起着决定性的影响"①。实际上，在他思想形成的 20 世纪 20 年代的《历史与阶级意识》一书中，就有专门的篇目 ② 用来评论卢森堡的相关思想。通过这些评论，卢卡奇认为，卢森堡坚持的是马克思的总体辩证法，她的努力，是向马克思本人的复归。卢卡奇指出，"罗莎·卢森堡在她早期同伯恩施坦论战时就已经强调指出总体的历史考察和局部的历史考察、辩证的历史考察和机械的历史考察（这种考察不是机会主义的就是暴动主义的）之间的本质区别"③。而且，"罗莎·卢森堡在与伯恩施坦论争时，曾尖锐地指出和平地'长入'社会主义的思想站不住脚。她令人信服地证明了，历史是以辩证的方式前进的，资本主义制度的内在矛盾是不断加剧的"。由此，卢森堡被卢卡奇誉为"卓越的先知、永世难忘的革命马克思主义的导师和领袖"和"伟大的辩证法家"，因为她"比任何人都更清楚地看到了群众行动的意义"④。

与对卢森堡的赞赏形成对比的是，卢卡奇在自己思想的形成期，就已然不能同意伯恩施坦的观点，对考茨基也没有好感，甚至认为自己的写作动机都部分源自于德国社会民主党的理论（特别是考茨基的解释）给他造成的"厌恶"⑤感。不满意伯恩施坦，是因为卢卡奇认为伯恩施坦在第二国际开启了一个与总体辩证法原则相左的庸俗马克思主义传统。卢卡奇指出，是"伯恩施坦 ⑥ 的《社会主义的前提》第一次明确而公开地使马克思主义肤浅化，把马克思主义

---

① ［匈］卢卡奇：《历史与阶级意识》，杜章智等译，商务印书馆 1992 年版，第 2 页。

② 分别是《作为马克思主义者的罗莎—卢森堡》、《对罗莎—卢森堡〈论俄国革命〉的批评意见》，其实，相关的章节还包括《关于组织问题的方法论》等。

③ ［匈］卢卡奇：《历史与阶级意识》，杜章智等译，商务印书馆 1992 年版，第 92 页。

④ ［匈］卢卡奇：《历史与阶级意识》，杜章智等译，商务印书馆 1992 年版，第 365—366、388 页。

⑤ ［匈］卢卡奇：《历史与阶级意识》，杜章智等译，商务印书馆 1992 年版，第 2 页。

⑥ 卢卡奇指出，"大约从伯恩施坦开始，社会主义理论的一部分也越来越厉害地处在资产阶级的影响之下"（参见 ［匈］卢卡奇：《历史与阶级意识》，杜章智等译，商务印书馆 1992 年版，第 310 页）。

歪曲成资产阶级的'科学'"①。因而，在卢卡奇看来，由伯恩施坦等人所开辟的、以奥拓·鲍威尔等人所代表的庸俗经济学家②的经济宿命论，是与马克思的总体辩证法精神不符合的。所以在强调了不是"经济动机"，而是"总体的观点"使马克思主义同资产阶级科学有"决定性的区别"之后，卢卡奇肯定地说，"在马克思主义被庸俗化数十年以后，罗莎·卢森堡的主要著作《资本积累》开始研究关于这一点的问题"，即卢森堡"根据马克思的思想把他的未竟之作思考到底，并按照他的精神对它作了补充"——可惜卢森堡的批评者（主要来自第二国际理论家成员内部）"漫不经心地忽略了"她的这一贡献的重要③。换句话说，卢卡奇认为，在马克思身后的马克思主义者中，惟有卢森堡（以其《资本积累》为例）和列宁（以其《国家与革命》为例）"没有离开马克思的传统"，"是向原来的、未被歪曲的马克思主义的复归：向马克思本人的表述方式的复归"④。然而，我们知道，卢森堡实际上是不同意列宁的一些看法的，因此她写的《论俄国革命》也同样遭到了来自第二国际理论家集团的抨击，对此，卢卡奇认为，卢森堡对列宁和俄国革命的指责，表明她"对俄国的真实情况了解不够"，而且"过高估计历史发展的有机性质"——即认为历史"同任何真正的社会需要一起产生出满足这种需要的手段，同任务一起同时产生出解决办法"。因而"这种对革命的自发力量，尤其是被历史赋予领导使命的阶级中的自发力量的过高估计，决定了她对制宪议会的态度。她指责列宁和托洛茨基持有'公式化的僵硬的观点'"。但即便如此，卢卡奇也认为，"罗莎·卢森堡的思想即使在错误时也带有她特有的冷静的逻辑性"⑤。至此，卢卡奇也没有放弃对卢森堡的褒奖态度。

为了论证自己对马克思主义正统的重新解释的合法性，卢卡奇不仅不满意伯恩施坦，也同样"厌恶"考茨基，而且对其他第二国际理论家也表达了自己

① ［匈］卢卡奇：《历史与阶级意识》，杜章智等译，商务印书馆1992年版，第79页。
② 卢卡奇甚至将考茨基和希法亭等都纳入庸俗的资产阶级经济学家的范畴——因其不懂真正的辩证法，也即卢卡奇意义上的总体辩证法原则（参见 Georg Lukacs, *Tailism and the Dilectic,* translated by Esther Leslie, London and New York: Verso, 2000, p.113）。
③ ［匈］卢卡奇：《历史与阶级意识》，杜章智等译，商务印书馆1992年版，第76、81、79页。
④ ［匈］卢卡奇：《历史与阶级意识》，杜章智等译，商务印书馆1992年版，第83、86页。
⑤ ［匈］卢卡奇：《历史与阶级意识》，杜章智等译，商务印书馆1992年版，第361、365—369页。

的保留意见。因为在他看来，虽然在这方面"回到恩格斯和普列汉诺夫的马克思解释传统去具有实际的重要性"①，但"甚至像普列汉诺夫和梅林这样最优秀、最有才干的马克思主义者，也未能足够深刻地把握住马克思主义作为世界观的普遍性质"。虽然，卢卡奇承认，"毕竟，梅林或考茨基的著作（虽然我们断定梅林在科学上有个别缺点，或者认为考茨基的一些历史著作并非无可指责）为唤醒无产阶级的阶级意识作出了不朽的贡献；它们作为阶级斗争的工具和这一斗争的动力，给其作者带来了不朽的荣誉，这种荣誉即使在后代的评价中也将足以抵消他们在科学上所带有的缺陷"②。相形之下，对卢森堡的"贬也是褒"，和对普列汉诺夫等人的"褒也是贬"的评论，显示出卢卡奇自己的理论倾向，当然，这在很大程度上与个人交往的好恶无关，而与他对自己所提供的总体—历史辩证法这一马克思主义正统的重新解释之理论旨趣更相关。

其次，和卢卡奇一样，为恢复马克思主义的正统（即重新回答什么是真正的马克思主义），柯尔施也对第二国际理论家提出了不满，同样指责他们是"庸俗的马克思主义"。柯尔施说，在1923年出版的《马克思主义和哲学》中尽管"第二国际的理论家"致力于"恢复'马克思的真正学说'"，但马克思主义理论（这里指的是第二国际马克思主义理论）依然在"19世纪下半叶逐渐地贫困化，并堕落成为庸俗马克思主义"③。柯尔施认为，这种堕落虽然主要原因在于以梅林和考茨基等为代表"第二国际"理论家忽视了马克思主义的"哲学"问题，就像列宁所批评的他们对"国家"问题的忽视一样；但也不要忘记："马克思主义理论是一种把社会发展作为活的整体来理解和把握的理论；或者更确切地说，它是一种把社会革命作为活的整体来把握和实践的理论"④。这就意味着，根据柯尔施对马克思主义哲学的总原则的理解，一方面，要允许马克思和恩格斯创立的马克思主义理论在整个19世纪的下半叶（这实际上是相当不革命的）的漫

---

① [匈]卢卡奇：《历史与阶级意识》，杜章智等译，商务印书馆1992年版，第43页。
② [匈]卢卡奇：《历史与阶级意识》，杜章智等译，商务印书馆1992年版，第35、324页。或许是受苏联理论界对于自己的批评的打击，卢卡奇于20世纪30年代开始逐渐退回书房，专门研究美学理论。
③ [德]柯尔施：《马克思主义和哲学》，王南湜等译，重庆出版社1989年版，第22页，第21页注释。
④ [德]柯尔施：《马克思主义和哲学》，王南湜等译，重庆出版社1989年版，第3、19、22—23页。

长时期中，根据时代的变迁而"不可避免地经历重大的变化"，但这种变革决然不能以牺牲基本原则——即总体原则为代价，所以柯尔施反对以希法亭等为代表的马克思主义庸俗经济学家却把这种革命理论的整体（即总体）"割裂成了碎片"①。可见，在对第二国际理论家特别是其马克思主义庸俗经济学家的批判态度上，柯尔施与卢卡奇是站在一起的，这样的批判往往又以马克思主义哲学与科学或政治经济学之间的关系问题为名，在随后进一步探讨中持续发酵。

这种立场与卢卡奇和柯尔施对马克思主义革命主题的关切密不可分。柯尔施分析说，"这个时期所谓的正统的马克思主义（现在是纯粹庸俗的马克思主义）在很大程度上表现为理论家由于传统的重压而企图以纯粹的理论形态来保持构成马克思主义的最早形态的社会革命理论"，然而，他们这样做却是"全然抽象的和没有实际结果的"，"历史运动的真正特征"也被他们表述为"非马克思主义的"，"这恰恰就是为什么在一个新的革命时期中，第二国际的正统马克思主义者们不可避免地最无能力处理诸如国家和无产阶级革命之间的关系这些问题的缘故"②。几乎和卢卡奇同时，柯尔施在这个问题上，将卢森堡和列宁奉为标杆，他说："德国的罗莎·卢森堡和俄国的列宁"则致力于将马克思主义从"第二个时期的社会民主党的幽闭性的传统中解放出来"，因此"为了恢复被其追随者败坏和庸俗化了的马克思理论的正确和充分的意义，对马克思主义和哲学问题的再考察，甚至在理论水平上也是必需的"，因此，"我们以辩证唯物主义的方式必须解决的不仅是'国家对于社会革命和社会革命对于国家的关系问题（列宁语）'，而且还有'意识形态对于社会革命和社会革命对于意识形态的问题'"。柯尔施指出，"我在《马克思主义和哲学》中提出的论点在许多方面与卢卡奇在更广泛的哲学基础上所确立的命题相一致；这些命题是他在辩证法研究中发现的"③，而柯尔施自己则是在恢复马克思主义的哲学维度的努力中来实现这一任务的。

为完成自己从哲学的维度重新恢复马克思主义正统的理论目标，柯尔施和卢卡奇一样，对考茨基的观点表达了不满，他的表达更加直接。在1930年写的一个"反批评"材料中，柯尔施一直在反击考茨基对自己的指责，如对马克

---

① ［德］柯尔施：《马克思主义和哲学》，王南湜等译，重庆出版社1989年版，第23、25—26页。

② ［德］柯尔施：《马克思主义和哲学》，王南湜等译，重庆出版社1989年版，第29页。

③ ［德］柯尔施：《马克思主义和哲学》，王南湜等译，重庆出版社1989年版，第31、33、58页。

思"青年时期"的界定，以及马克思和恩格斯思想关系等问题。柯尔施说，自己并不否认马克思晚期著作的贡献，也不否认马克思和恩格斯思想之间的连续性和一致性。但他却不能同意考茨基所说的"第二国际的理论始终基本上是马克思主义"的论断，相反，他指出，"关于正统的马克思主义者对马克思主义真正的历史发展怀有的偏见，考茨基是最明显的例子"，"他的最新的主要著作《唯物主义历史观》，排除了马克思主义理论和无产阶级斗争的任何基本的联系"；"他针对我的所谓马克思和恩格斯使马克思主义枯竭化和平庸化的'指责'的整个抗议，无非是要掩盖他故弄玄虚和教条主义地使自己对马克思主义的背叛立足于马克思和恩格斯的'权威'之上罢了。他和其他人一样伪装接受马克思主义的理论，但早已改变了马克思主义的性质，不再承认它，现在已经抛弃了它的最后一点残余"。因此，在柯尔施看来，"考茨基的'正统的马克思主义'"就是"伯恩施坦修正主义的理论翻版和对称物"，而且，考茨基"对我的书的评价"，"既曲解了我的观点，又对俄国的主要状况抱有某种幻想"①。可见，就像卢卡奇将主要指责言辞聚焦伯恩施坦一样，柯尔施选择的目标（作为"反批评"的对象）则对准了考茨基，可以说是把卢卡奇对后者的"厌恶"更加具体明确地表述出来了。

最后，如同卢卡奇对罗莎·卢森堡的推崇一样，葛兰西表达了对拉布里奥拉的推崇。他将后者视为"唯一的试图科学地建立实践哲学的人"②。柯尔施认为"拉布里奥拉和普列汉诺夫"是马克思和恩格斯"最好的门徒"，他们"发展了"马克思主义理论中的"黑格尔哲学倾向"③。然而，与卢卡奇和柯尔施（后者态度稍显消极）对于普列汉诺夫的赞赏不同，葛兰西对普列汉诺夫的态度更为消极，他认为"普列汉诺夫以典型的实证主义方法提出问题，并证明了他在思辨和写史方面能力的贫乏"④。

实际上，葛兰西在其《实践哲学》中把马克思主义解释为一种"绝对的历史主义"大部分是从拉布里奥拉等人的"意大利的马克思主义传统"那里"承

---

① ［德］柯尔施：《马克思主义和哲学》，王南湜等译，重庆出版社 1989 年版，第 63、66、90 页。

② ［意］葛兰西：《狱中札记》，曹雷雨等译，中国社会科学出版社 2000 年版，第 299 页。

③ ［德］柯尔施：《马克思主义和哲学》，王南湜等译，重庆出版社 1989 年版，第 61 页和注释。因此，和卢卡奇一样，柯尔施似乎对普列汉诺夫颇有好感。

④ ［意］葛兰西：《狱中札记》，曹雷雨等译，中国社会科学出版社 2000 年版，第 299 页。

袭的"[①]。因为就像柯尔施将哲学纳入马克思主义视域以便恢复马克思主义的总体维度，将"实践"纳入马克思主义视域，也是为了同样的目的（即把实践当作一个历史的总体），即拒绝第二国际的机械唯物主义的形而上学残余。而葛兰西实际上也正是在接受普列汉诺夫关于"历史唯物主义和辩证唯物主义不可分"的基本原则下，赋予了马克思主义（也即实践哲学）更多"革命"也即"政治"的维度[②]，葛兰西甚至因此被认为是西方的列宁主义者——在列宁是普列汉诺夫学生的意义上；而且，葛兰西在实践哲学框架下所讨论的领导权概念，也来自于普列汉诺夫的"首先使用"[③]。和卢卡奇和柯尔施相似，葛兰西对于希法亭（和柯尔施一样，他也把希法亭称之为奥地利马克思主义者）也表达了不满[④]。而正是由于这种不满所引发的葛兰西式马克思主义政治经济学研究，被后来的评论者认为，"自二十年以来，西方马克思主义渐渐地不再从理论上正视重大的经济或政治问题了。西方马克思主义思想家在著作中直接讨论阶级斗争中心问题的，葛兰西是最后一人。然而，从分析生产方式本身的运动规律这一经典意义来说，他的著作也没有论述资本主义经济本身"，结果，"西方马克思主义作为一个整体，当它从方法问题进而涉及实质问题时，就几乎倾全力研究上层建筑了"[⑤]。由此可见，葛兰西实践哲学视域中（通过领导权概念）对于作为上层建筑的市民社会（及其文化力量）的强调，也就在情理之中了。

二、批判第三国际的直观唯物主义：解释什么是真正的辩证唯物主义

如果说对第二国际理论家的庸俗马克思主义（特别是表现为经济决定论的庸俗唯物主义）的批判性论争，使得形成中的西方马克思主义对自己需要重新

---

① ［法］阿尔都塞等：《读〈资本论〉》，李其庆等译，中央编译出版社 2008 年版，第 143 页。

② 参见 Leonardo Paggi, "Gramisci's general theory of marxism", in *Gramisci and Marxist Theory*, pp.113–114。

③ ［英］佩里·安德森：《西方马克思主义探讨》，高铦等译，人民出版社 1981 年版，第 101 页。

④ 参见［意］葛兰西：《狱中札记》，曹雷雨等译，中国社会科学出版社 2000 年版，第 299 页注释。

⑤ ［英］佩里·安德森：《西方马克思主义探讨》，高铦等译，人民出版社 1981 年版，第 96 页。

解释的马克思主义总体辩证法的正统有了日益清晰的紧迫感的话，那么，稍后他们对第三国际理论家机械唯物主义（表现为技术决定论等）的异见，则使他们对于自己的这一重建任务有了更加深刻和具体的认识。后者是前者的继续和延伸。这样的延伸，使得西方马克思主义早期创始人的思想作为一种较为系统的学术传统而得以正式形成。

首先，卢卡奇的这一工作，主要是通过对布哈林和德波林等人的机械宿命论式技术决定论的批判而展开的。正如他在1967年给《历史与阶级意识》写新序言时回顾的，自该书（即《历史与阶级意识》）之后几年写的文章中，"就其本质而言，关于布哈林的评论可能是这些作品中最有分量的一篇"，"这篇评论最积极的部分在于，我关于经济的观点变得具体化了。这首先表现在我对当时广泛流行于庸俗唯物主义的共产党人和资产阶级实证主义者中间的观点的激烈抨击。这种观点认为，技术是一种主要的因素，它在客观上决定着生产力的进步。这种观点明显地导向历史宿命论，导向对人和社会实践的取消"，"比之《历史与阶级意识》的大部分有关内容，我的批判不仅在更加具体的历史水平上取得了进展，而且在同上述机械宿命论的抗衡中，我也很少使用唯意志论的思想砝码。我试图表明经济力量决定着社会的过程，从而也决定着技术的进步"①。在1970年接受《新左派评论》记者访问时，卢卡奇又回顾说，"我对布哈林的评价可以在我1925年写的一篇批评他的马克思主义的文章中看到"②。这实际上指的是他当时给布哈林的《历史唯物主义理论：马克思主义社会学通俗读本》③一书写的书评。

卢卡奇指出，"布哈林的理论宗旨不同于从马克思和恩格斯经过梅林和普列汉诺夫到列宁和罗莎·卢森堡的历史唯物主义的伟大传统"，而是一种"直观的唯物主义"做法④。因此，布哈林的这部著作虽然"多少是马克思主义

---

① [匈] 卢卡奇：《历史与阶级意识》，杜章智等译，商务印书馆1992年版，第30页。

② [匈] 卢卡奇：《答英国〈新左派评论〉记者问》（1970年进行，1971年7—8月发表在《新左派评论》第68期，发表时的题目为《卢卡奇谈自己的生活和工作》），载《卢卡奇自传》，李渚青等译，社会科学文献出版社1986年版，第299页。

③ 也译为《通俗手册》。

④ [匈] 卢卡奇：《技术装备和社会关系》，载《论布哈林和布哈林思想》（中国社会科学院马列主义毛泽东思想研究所编译——孟北译自《新左派评论》1966年9—10月第39期英文版），贵州人民出版社1982年版，第227页。

的"，"作为一部教材，这本书可喜地达到了它的目的"，但却犯了"把问题本身简单化的危险"错误，即"摒弃了马克思的方法中导源于古典德国哲学的一切因素"，"完全忽视了费尔巴哈的人道主义和马克思的辩证法的关系问题"，甚至"在并非不重要的几个问题上，背离了历史唯物主义的真正传统"，因此"在许多方面他并没有达到普列汉诺夫和梅林已达到的水平"，而"同资产阶级自然科学唯物主义"更"接近"①。其中最大的错误，就是"布哈林赋予技术装备以太过分的决定作用，就完全失去辩证唯物主义的精神"。因为在卢卡奇看来，这种"把技术装备与生产力等同起来的作法，既不可靠，也不是马克思主义的"，因为技术只是生产力的一部分，但却不是"社会生产力改变的最后或绝对因素"。另外，对于布哈林的社会学观点和历史观，卢卡奇也不能同意。他说，布哈林"要把辩证法变成一门'科学'的企图。这种倾向在科学理论中的表现就是他关于马克思主义是'一般社会学'这一概念"，而"他对自然科学的倾向同他往往很敏锐的辩证本能在这里不可避免发生矛盾"，这使他"摇摆于不同结论之间"②。可见，同布哈林的论争依然主要围绕着先前建立的总体辩证法原则而展开。这是对 1923 年成果的一种捍卫：总体辩证法既然不能同意经济主义独断论，当然亦不能同意技术主义独断论。

实际上，20 世纪 20 年代卢卡奇（特别是其 1923 年的《历史与阶级意识》）及其"同伙"柯尔施（其同年发表的《马克思主义和哲学》）等"教授"的论点，理所当然会遭到来自苏联（即本文中所说的第三国际）理论家们的反对。这种反对在列宁去世后，变得更加言辞激烈。即便是在 20 世纪二三十年代参与苏联那场著名的关于大辩论中代表辩证法一派的德波林也对卢卡奇所重建的马克思主义辩证法大为不满。因为在德波林看来，卢卡奇在《历史与阶级意识》中"将恩格斯和马克思对立起来"，即强调"辩证法对于自然界的应用问题上恩格斯和马克思不同的地方"，换言之，"卢卡奇一概反对唯物主义或辩证法对于自然界的

① ［匈］卢卡奇：《技术装备和社会关系》，载《论布哈林和布哈林思想》（中国社会科学院马列主义毛泽东思想研究所编译——孟北译自《新左派评论》1966 年 9—10 月第 39 期英文版），贵州人民出版社 1982 年版，第 216—219 页。
② ［匈］卢卡奇：《技术装备和社会关系》，载《论布哈林和布哈林思想》（中国社会科学院马列主义毛泽东思想研究所编译——孟北译自《新左派评论》1966 年 9—10 月第 39 期英文版），贵州人民出版社 1982 年版，第 219、220、224 页。

应用"①。在德波林看来，卢卡奇只"承认历史的唯物主义，但是却否认了哲学的唯物主义"，在这一点上，"卢卡奇和他的同道者对于普列汉诺夫和恩格斯的自然主义的玄学的笑骂，又完全和马克思主义的资产阶级的批评者不谋而合"。而且，德波林指出，作为卢卡奇的"信徒"，柯尔施也"是倾向于他的"。总之，"卢卡奇同志深信恩格斯离开了马克思，改变了他的朋友（马克思）的观点。马克思是把辩证法的应用限制在社会历史的事实中的，而同时恩格斯是拉大了辩证法一直应用到自然界去"。德波林得出结论说，卢卡奇的这种做法是"躲在马克思的广阔的背后""来嘲笑恩格斯"，是"可笑且无聊"的"唯心主义"做法②。

对此，卢卡奇回应说，德波林等人"对我《历史与阶级意识》一书所提出的批评，使我不得不做出回应"。而且自己的回应并非旨在"为该书本身提供捍卫"，而是担忧德波林对自己批判的目的即"证明布尔什维主义的组织和策略在方法论上是马克思主义唯一可能的结果"实际并未达到。因为德波林"对我的批评走向了相反的方向"，即德波林"用自己的问题将孟什维克的因素混杂在马克思主义和列宁主义之中，这使我不得不反击德波林公开的孟什维克主义"③。在卢卡奇看来，德波林不仅是一个孟什维克主义者，还是一个他在《历史与阶级意识》一书中早已批判过的机会主义者。他说，"每一次来自机会主义的攻击都聚焦于革命辩证法，而其掩体则是：反对主观主义"，伯恩施坦反对马克思是这样做的，考茨基反对列宁也是这样做的，德波林也正是这样"反对我的"。卢卡奇指出，德波林所持不过是庸俗的资产阶级的立场，即"僵化和机械的"立场，这种立场将"主客体截然二分"。由此，"德波林否认了社会是一个历史过程，也就改变了主客体关系"，否认了阶级斗争，把社会看成一个纯粹的"表象系统"，所以，在他那里，"主体＝个人"、"客体＝自然"。卢卡奇说，这是一种"康德式的"、"非辩证的"看待主客体关系的视角和立场。

① ［俄］德波林：《乔治·卢卡奇和他的马克思主义的批评》，载德波林：《哲学与马克思主义》，张斯伟译，上海乐群书店 1930 年版，第 151、153、154 页。原译文中将"恩格斯"译成"恩格尔斯"，这里统一为现通行译法。全文同。德波林说卢卡奇"在自然界的问题上是个空想主义者，但是对于社会历史的事实，他是个辩证法的唯物主义者"（参见同上书，第 154 页）。

② ［俄］德波林：《乔治·卢卡奇和他的马克思主义的批评》，载德波林：《哲学与马克思主义》，张斯伟译，上海乐群书店 1930 年版，第 153—154、155—156、185 页。

③ Georg Lukacs, *Tailism and the Dilectic*, p.47. 在卢卡奇看来，德波林"一直是一个孟什维克主义者"，所以德波林根本"没有弄懂"自己在《历史与阶级意识》一书中所谈论的问题（Ibid., p.48）。

同时，卢卡奇也不同意德波林给自己戴的"主观主义者"这项帽子，他说，自己的确主张"辩证法是历史发展的产物"，但"这并不意味着辩证法就可以是一个纯'主观'的东西：地租、资本和利润等等，也都是这一历史发展的产物，能说它们都是纯主观的东西吗"？所以，卢卡奇说，"辩证法是经济和人类历史发展的产物，而非纯粹主观的东西"①。

　　其次，与卢卡奇的《历史与阶级意识》一书出版后的命运相似，柯尔施的《马克思主义和哲学》1923 年出版后，在 1924 年召开的德国社会民主党党代会和共产国际第五次世界代表大会上，都遭到了"内容"上"完全一致"的"谴责"。以德波林和布哈林等为代表的批评家们将柯尔施的观点谴责为"异端邪说"。柯尔施认为，这些谴责与对卢卡奇的"迫害"有关，而且也只是对考茨基"陈旧论点"的"复述和展开"。在柯尔施看来，这些批评"绝大多数毫不关心"这本小册子所提出的核心问题，即马克思主义与哲学的关系问题，甚至把这个问题"丢掉"了②。与卢卡奇对列宁和罗莎·卢森堡在这一问题上的褒奖态度不同，柯尔施认为自己对第二国际其他理论家的这一批判，"同样适用于"罗莎·卢森堡和列宁。虽然"像他的哲学导师普列汉诺夫"一样，"列宁很严肃地想成为一个马克思主义者，同时保留黑格尔的哲学"，但列宁的"唯物主义哲学"不能成为"适应今天需要的革命的无产阶级的哲学"，也与恩格斯的观点有着"天壤之别"，因为"第三国际中对原初马克思主义理论的明显复兴，只不过是这样一个事实的结果：在新的革命时期，不仅工人运动自身，而且还有表达它的共产主义者的理论概念，都需要采取一个明确的革命形式"。而关于第二国际和第三国际理论家之间的关系，柯尔施说，"考茨基和他的《新时代》在所有理论问题上都完全赞同正统的俄国马克思主义。诚然，就其理论所涉及的哲学基础来说，德国正统马克思主义所受到俄国马克思主义的影响比受它自身的影响更多些，因为在很大程度上德国人是受俄国理论家普列汉诺夫支配的"③。显然，

---

① Georg Lukacs, *Tailism and the Dilectic*, pp.48, 49, 101–102.
② ［德］柯尔施：《马克思主义和哲学》，王南湜等译，重庆出版社 1989 年版，第 56、57—58 页。
③ ［德］柯尔施：《马克思主义和哲学》，王南湜等译，重庆出版社 1989 年版，第 68、80、85、31、88—89 页。安德森后来则评价说，"卢森堡的政治著作从来达不到列宁那样的严谨和深度"；安德森还指出，与第三国际马克思主义者相比，第二国际理论家"在一个相对平静的时期里"形成（参见［英］佩里·安德森：《西方马克思主义探讨》，高铦等译，人民出版社 1981 年版，第 21、14 页）。

与卢卡奇相比，柯尔施并没有在第二国际和第三国际之间作出太多的区分，当然，他对列宁的态度也就没有卢卡奇那么积极了。

最后，葛兰西和卢卡奇一样，对布哈林的《历史唯物主义理论：马克思主义社会学通俗读本》进行了专门的批判性评注。在他看来，布哈林该书的第一个错误是把大众文化（即葛兰西所说的"常识"）和知识分子的文化（即系统哲学）相对立，他认为这是《通俗读本》的"一个危险"。葛兰西说，布哈林在该书中把马克思主义哲学"归结为一种形式的社会学"，具体地代表了恩格斯"已经批判过的那种退化倾向"，其错误就在于"把一种世界观归结为一个机械公式，给人以整个历史尽在掌握的印象"[1]。而实际上，在葛兰西看来，该书中"没有任何一种辩证法的论述。辩证法被以一种非常浅薄的方式假设，但却没有得到阐述"，与其书名中所包含的应有之义相比，葛兰西认为这是"很荒谬的"做法[2]。葛兰西分析说，这其中的根源在于作者（即布哈林）将马克思主义理论人为地分成了两个"要素"：一是建立在"最粗俗的实证主义意义上"的"社会学的历史和政治理论"；二是"形而上学的或机械的（庸俗的）唯物主义""哲学本身"。也即把马克思主义哲学分裂成两部分："一种关于历史和政治的学说，和一种哲学"。这是布哈林的全部错误的"根源"。此外，葛兰西也不能同意布哈林对"过去哲学"的"浅薄批判"。而且"《手册》所谓结构、上层建筑、技术工具究竟指的是什么，这很难说。它的所有的一般概念都是模糊不清的。用这样一种一般方式来设想技术工具，使它能够意指任何形式的装备或器具，包括科学家在其实验中使用的工具和……乐器，这种对待问题的方式就使事情毫无益处复杂起来了"。因此，"十分明显，《手册》中关于技术工具的全部理论都是一派胡言"，是"对实践哲学的一种幼稚的偏离"[3]。可见，无论是在卢卡奇这里，还是在柯尔施和葛兰西这里，对于直观唯物主义的批判，都是为了强调把总体原则运用于马克思主义自身，即反对将马克思主义总体分立为所谓辩证唯物主义和历史唯物主义两大块（或其他类似做法），因

---

[1]　[意] 葛兰西：《狱中札记》，曹雷雨等译，中国社会科学出版社2000年版，第334、335、343页。葛兰西说，"旧形而上学在《通俗手册》中最显著的痕迹之一，就是企图把一切东西都归于一个最终的和最后的简单原因"（参见同上书，第354页）。

[2]　[意] 葛兰西：《狱中札记》，曹雷雨等译，中国社会科学出版社2000年版，第350页。

[3]　[意] 葛兰西：《狱中札记》，曹雷雨等译，中国社会科学出版社2000年版，第350—351、352、366、378—379页。

为它们本来就是总体，这才是真正的辩证唯物主义（如果我们坚持用这个术语来代表马克思主义的话）。

综上所述，第二、三国际理论家（特别是前者）的庸俗唯物主义，对于西方马克思主义早期创始人提出自己的重建马克思主义正统之任务提供了理论动力（在思想史的意义上）；而他们（尤其是后者）对于西方马克思主义早期创始人的批评，则在很大程度上让这一重建工作更加明确具体。正如有论者指出的，虽然葛兰西的思想早期形成，是在"第二国际之外"，但这"并不意味着葛兰西可以不直面与之相关的问题"而独立成形①。这在某种意义上同样适用于卢卡奇和柯尔施思想的形成。当然，诚如佩里·安德森所看到的，第二国际的"著作的主要方向事实上可以视为恩格斯本人最后时期的继续。换句话说，他们关心以不同的方式将历史唯物主义作为有关人和自然的全面理论而加以系统化，使之能替代对立的资产阶级学科，并为工人运动提供其战斗者们易于掌握的广泛而一贯的世界观"，为此他们写的著作"给人的总的感觉是，它们是马克思遗产的总括而不是发展"；而在变化了世界和革命主题的时代（也包括地缘）中正在形成中的西方马克思主义群体，却是以"对恩格斯的哲学遗产发出决定性的双重批驳"而开始的，当然，这是借助于对前马克思的思想家特别是黑格尔而完成的，而"第二国际从来没有广泛地研究过黑格尔"，因此，虽然"自二十年代以来，西方马克思主义已经不再从理论上重视重大的经济和政治问题了"，转而"自始至终主要关注文化和意识形态问题"，但"在它本身所选择的领域中，这种马克思主义较之以往所有阶段的历史唯物主义都更为深刻细致"②。当然，这样的深刻和细致，多少是以实践中的斗争形式从无产阶级转向知识分子（即从战场到书房或讲堂的转移）的理论主义和以理论中的溯源前马克思思想根源的唯意志论的双重危险倾向为代价的。

卢卡奇之后回顾说，"在二十年代，柯尔施、葛兰西和我曾企图以不同的方式解释第二国际流传下来的社会必然性和对它的机械解释的问题。我们继承了这个问题，但我们谁也没有解决它，葛兰西也许是我们三人中最好的

---

① Leonardo Paggi, "Gramisci's general theory of marxism", in *Gramisci and Marxist Theory*, p.113.

② [英] 佩里·安德森：《西方马克思主义探讨》，高铦等译，人民出版社1981年版，第13—14、78—79、96、100、119页。

一个，但是他也未能解决"①。而且，卢卡奇后来还是在认真研究了列宁思想，特别是如他自己所声称的在读了列宁的《唯物主义和经验批判主义》之后，做了一个"自我批评"——虽然，在1967年给自己的新版《历史与阶级意识》所写的新序言中，他吐露了自己当初的这个"自我批评"的"策略性"考虑或者说某种"不得已"。与稍后时期不得不辗转"流放"于苏联的卢卡奇相比，后来移居美国的柯尔施则在对待第三国际的态度上如同对待第二国际整体一样坚定，他明确表示"我基本上同意卢卡奇的观点"，虽然"我们之间依然存在""方法和内容上的特殊分歧"②。而主要在牢狱中写作的葛兰西则表现出更接近于卢卡奇的立场和态度。总体来看，形成期的西方马克思主义者在总体上对第二国际的反感，超过了对第三国际的反感——当然，这又不能排除他们自己的思想形成直接受前者（特别是其中具体人物）的影响（如卢森堡对卢卡奇的影响、拉布里奥拉对葛兰西的影响等），以及在正是通过与后者的论争而使得自己的问题域更加清晰具体（如卢卡奇、柯尔施和葛兰西与布哈林和德波林的论争等）。然而，虽然在对待第三国际时期的列宁的态度上，三人之间稍有差异，但不可否认的是，十月革命之后逐渐成形的"列宁主义"，不仅是其思想形成的历史事件背景，也是交织在其思想形成本身之中的要素。或许正因此，他们也被不同的评论者分别称之为"列宁主义者"。这也正是对他们对马克思主义传统——革命主题——的坚持的一种褒奖，虽然革命的阵地（即从政治经济领域转向哲学文化领域）已经开始转移，但政治议题从未消失，也从不像第二国际那样接受"改良主义"③。正是因为这个原因，他们的思想在西方对后人一直产生影响④，因为他们"已经成为我们思想世界的一部分"⑤。

---

① ［匈］卢卡奇：《答英国〈新左派评论〉记者问》（1970年进行，1971年7—8月发表在《新左派评论》第68期，发表时的题目为《卢卡奇谈自己的生活和工作》），载《卢卡奇自传》，李渚青等译，社会科学文献出版社1986年版，第293页。

② ［德］柯尔施：《马克思主义和哲学》，王南湜等译，重庆出版社1989年版，第58页。

③ ［英］佩里·安德森：《西方马克思主义探讨》，高铦等译，人民出版社1981年版，第117页。

④ 参见 Slavoj Zizek, "Postface: Georg Lukacs as a Philosopher of Leninism", in Georg Lukacs, *Tailism and the Dilectic,* translated by Esther Leslie, London and New York: Verso, 2000, p.157。

⑤ ［埃］埃里克·霍布斯鲍姆：《如何改变世界：马克思和马克思主义的传奇》，吕增奎译，中央编译出版社2014年版，第297页。

第二章　法兰克福学派的社会批判理论

　　由早期西方马克思主义开启的人道主义马克思主义趋向，在法兰克福学派那里得到了进一步的发酵和发展。法兰克福学派孕育于法兰克福社会研究所。该研究所成立于1923年，最初对马克思主义阵营内部的各种倾向持中立的立场。1930年霍克海默接任所长后，他为研究所重新规划了方向，并确立了社会批判的理论趣旨，法兰克福学派由此形成并一直延续至今。该流派先后出现了三代代表人物，其理论在西方社会产生了广泛的影响。

　　第一代法兰克福学派理论家继承早期西方马克思主义开启的人道主义马克思主义传统，对现代资本主义社会特别是二战后西方工业社会展开深刻的批判。法兰克福学派理论家把现代资本主义社会看作是人的本质全面丧失的"一体化"社会。"一体化"意味着人的本质的彻底沦丧，意味着人已经丧失对现实的批判和否定能力。法兰克福学派理论家认为，现代资本主义"一体化"主要是通过"工具理性"来实现的。"工具理性"意味着目的与手段的分离，即专注于工作效率而不问政治价值。在"工具理性"的支配下，社会已经成为单向度的极权主义社会，人已经成为受效率精神驱使的单向度的人。为此，法兰克福学派理论家力图通过恢复马克思主义总体辩证法即恢复马克思主义的辩证理性观，对工具理性支配下的现代资本主义展开批判，从而提升人们对自身异化状态的认识和对资产阶级的反抗意识。因此，辩证理性在法兰克福学派那里扮演着当代资本主义批判也即社会批判理论的任务。

　　法兰克福学派的辩证理性观的内容可分为三个部分：其一，20世纪三四十年代启蒙理性批判与社会批判理论的提出（1937年的霍克海默的《传统理论与批判理论》、1937年霍克海默和马尔库塞合著的《哲学与批判理论》、1941

年马尔库塞的《理性和革命》和 1947 年霍克海默与阿多尔诺合著的《启蒙辩证法》等）；其二，20 世纪 50—70 年代将辩证法引入理性原则的一种新的辩证理性观的持续尝试（1951 年霍克海默的《论理性的概念》、1966 年阿多尔诺的《否定的辩证法》等）；其三，社会批判理论的交往理性阶段：20 世纪七八十年代以后哈贝马斯时期的法兰克福学派理性和辩证法观（哈贝马斯 1981 年的《交往行动理论》等）。

20 世纪 30—70 年代，以霍克海默、阿多尔诺和马尔库塞等为主要代表的法兰克福学派的辩证理性观（以及第二代代表人物哈贝马斯的"交往理性"），是在"社会批判理论"的名义下遵循总体辩证法逻辑，对资本主义工具理性（或启蒙理性）展开批判。在这一过程中，他们对马克思总体辩证法的社会与历史维度的凸显，特别是对主体性原则的弘扬，使这一时期（20 世纪 30—40 年代，直至 20 世纪 70 年代末期）的法兰克福学派呈现出典型的人道主义马克思主义的特征。

第一节　20 世纪 30—40 年代：启蒙理性批判与社会批判理论的提出

20 世纪三四十年代（特别是 20 世纪 30 年代中后期），是法兰克福学派的创始人（霍克海默）和其合作者（阿多尔诺和马尔库塞）提出"社会批判理论"的时期。对于以黑格尔哲学为巅峰代表的德国唯理论哲学传统中的形而上学倾向（也即"同一性"原则），法兰克福学派创始人表示了担忧和程度不同的拒斥，并因此反对具有相似品格的启蒙式理性主义，主张将辩证法引入理性概念自身，成就一种辩证理性原则，以（1）破除形而上学神话（也即理性同一性原则），从而（2）力图探索一条介于"哲学"（唯理论传统意义上的）和"科学"（唯名论传统意义上的）之间的"第三条道路"。他们也因此（3）希冀马克思主义也能成为这样的标杆，以便成为他们理想中的真正的辩证唯物主义。上述第一点也即是该学派从事启蒙理性批判的主旨所在；第二点则标志着他们开创了人道主义与科学主义"交融"之先河；第三点事实上构成了他们对历史唯物主义的重建。

这一时期霍克海默、阿多尔诺和马尔库塞的相关论著主要包括：1937年霍克海默的《传统理论与批判理论》、1937年霍克海默和马尔库塞合著的《哲学与批判理论》、1941年马尔库塞的《理性和革命》和1947年霍克海默与阿多尔诺合著的《启蒙辩证法》等。

一、霍克海默：20世纪30—40年代的理性与辩证法观

在1932年的《黑格尔与形而上学》、1933年的《唯物主义与形而上学》、1934年的《当代哲学中的理性主义论争》、1937年的《传统理论与批判理论》和1947年的《理性之蚀》等著述中，霍克海默以相对"温和"的方式要求真正的唯物主义也即辩证唯物主义（他稍后——大约在1937年——称之为"社会批判理论"），在批判继承形而上学（即针对以黑格尔为代表的思辨哲学，祛除其同一性原则，而继承其辩证法思想）有益成分的基础上，坚持"科学与哲学的统一"原则。这实际上是对理性同一性原则的初步批判，同时对辩证理性的初步论述。在这样的原则下，马克思主义（霍克海默有时称之为"辩证唯物主义"或真正的唯物主义）不能全然接受自笛卡尔以来的理性主义传统，也不能以同样的态度对待以尼采等为代表的现代非理性主义，因为它们在霍克海默看来，都是"形而上学"，真正的唯物主义（也即辩证唯物主义）必须在"抽象"与"分析"相结合、"思辨"与"经验"相统一，特别是要将理性建立在辩证法基础之上，才是真正可取的做法，也即社会批判理论所要力图完成的任务。

与20世纪二三十年代卢卡奇等人出于纠偏的目的，强调总体概念的社会—历史维度并因此对于具有辩证法内涵的哲学概念（即哲学＝辩证法＝总体）加以凸显的做法稍有不同，霍克海默虽然也强调社会—历史维度，但却对在传统那里多少被形而上学化（无论表现为理性主义还是非理性主义、唯心主义还是唯物主义）的总体概念心存警惕（后来阿多尔诺干脆将这种警惕明确化，主张一种"绝对否定的"、"非同一性"的辩证法以及在此基础上的理性观）。当然，这并非不妨碍他们对（人的主体活动在其中创造历史的）辩证理性（也即总体

辩证法）的坚守。正因此，以霍克海默等为代表的法兰克福学派才会归属于共同的人道主义西方马克思主义一派。

首先，就在强调马克思思想的黑格尔思想之源时，刚刚（1930）继任法兰克福社会研究所所长一职的霍克海默却已开始反思黑格尔的"同一性"哲学：他在1932年的《黑格尔与形而上学》①中，就已表现出对同一性哲学（也即"形而上学"——这在稍后也即1947年他与阿多尔诺合著的《启蒙辩证法》中被表述为"理性同一性"原则）的反感。霍克海默（1932）指出，"黑格尔论证现实的合理性所运用的"是"同一性体系的知识概念"，这样，"源自同一性原理的范畴构成了真正的现实和纯属'偶然'的实存的区分标准。它们规定了立足于终极现实之上的理性"，因此，黑格尔"看重理性"②。显然，这样的理性所坚守的是一种"理性同一性"的原则：即现存（或曰"实存"）源于（且立足于）作为"真正"的和"终极"的"存在"的理性。这样一来，霍克海默似乎就是在向具有同一性原则的形而上学理性观（具体到黑格尔这里，就是对具有思维和存在同一性的绝对精神体系）提出挑战了。

实际上，霍克海默承认，一方面，"黑格尔的体系对于当代哲学意义首先在于它十分明晰，因此，形而上学与关于思维和存在同一性的唯心主义神话联系到了一起"；另一方面，"在黑格尔的著作中，在本质上讲还有经验的一面的"，"也就是经验的这一面脱离了形而上学整体，因而使意义发生了变化"："有了理性的狡诈，信仰消失了"——也即放弃对同一性（绝对精神）的信仰。而且，"思想和存在如此，历史也不例外"。而同一性学说的瓦解，也"因此导致了黑格尔哲学大厦"的"崩溃"③。可见，霍克海默还是看到了黑格尔哲学也即绝对精神版本的"辩证理性"观的二面性的（只不过，在这里，霍克海默把这种二面性单纯理解为"形而上学"和"经验"的猫鼠游戏），所以他评论说，"经验是一回事，而形而上学又是一回事。虽然黑格尔始终不渝地追求最终的同一性"，然而，"我们必须提防思想的逻辑过程作为作用力和'理性'被掺杂

---

① ［德］霍克海默：《霍克海默集》，渠东等译，上海远东出版社1997年版，第32—42页。

② ［德］霍克海默：《黑格尔与形而上学》，载《霍克海默集》，渠东等译，上海远东出版社1997年版，第34页。

③ ［德］霍克海默：《黑格尔与形而上学》，载《霍克海默集》，渠东等译，上海远东出版社1997年版，第35、37、38页。

到发生领域中去"①，也即以具有丰富性和溢出特征的"经验"来反对理性同一性原则，而不是反过来。这就必然会牵涉如何把经验和形而上学真正统一起来（注意：不是同一起来！）的问题，霍克海默认为，在这方面做的最好的当然要数马克思主义的辩证唯物主义。虽然，这样的成果的达致，也必须是在批判黑格尔的坚持理性同一性原则的形而上学基础之上获得的。由此，卢卡奇等人的经济主义和技术主义等机械唯物主义的努力，在霍克海默这里就变成了反形而上学理性观（也即同一性原则）的立场。

在稍后的《唯物主义与形而上学》②一文中，霍克海默继续反思形而上学体系构建的危险（如黑格尔所做的，尽管这绝非意味着这一工作毫无意义）："现实与理性之间不可跨越的横沟，使任何想以哲学方式把二者等同起来的企图，或那种只想通过概念工作就把它们二者联系起来的企图，都变得声名狼藉"③。以这样的方式来质疑德国古典哲学甚或整个哲学传统体系，不过是把哲学当作形而上学的代名词罢了——当然，这也或许是随后提出来的以跨学科为特征的"社会批判理论"所致力于"超越哲学"的努力的动因之一。因为在霍克海默看来，"在这种把精神文化的历史变为一种新的形而上学的活动中，哲学挽救了'灵魂的统一'，然而也阻碍了它自身去接近历史—文化中介这个重要对象"④。这样，卢卡奇所开创的对历史—社会为中介的"绝对精神"的"现身"版的关注，在霍克海默这里就被转述成了"历史—文化"中介。然而霍克海默认为，在那种坚持唯物主义与唯心主义相对立的意义上，无论是唯物主义还是唯心主义，都是形而上学。因为真正的唯物主义（如辩证的唯物主义）并不会与唯心主义相对立，而只是会和唯灵论（也即彻彻底底的唯心主义）相对立。这样的论述，就如同卢卡奇所强调的主客体之总体辩证法中的主客体之间的不可分割，以及他晚年的《社会存在本体

① ［德］霍克海默：《黑格尔与形而上学》，载《霍克海默集》，渠东等译，上海远东出版社1997年版，第40—41页。

② ［德］霍克海默：《唯物主义与形而上学》，载《批判理论：霍克海默选集》，李小兵等译，重庆出版社1989年版。

③ ［德］霍克海默：《唯物主义与形而上学》，载《批判理论：霍克海默选集》，李小兵等译，重庆出版社1989年版，第10页。

④ ［德］霍克海默：《唯物主义与形而上学》，载《批判理论：霍克海默选集》，李小兵等译，重庆出版社1989年版，第11页。

论》中对社会存在概念的再次确认中所力图强调的，在基本旨趣上都是一致的，即：反对唯物与唯心的二元对立说，以及由此所延伸出来的主客体之间、思维与存在之间所谓非此即彼的替代说，后者，在论者看来都是一种形而上学。

对形而上学的反感，是与理性（以某种特定形式存在的理性，如纯粹思辨理性——作为一种理性同一性原则）联系在一起的，即"形而上学把整个世界看作理性的产物，因为理性所完美认识的仅仅是它自身"。而破除这一形而上学理性观的武器，依然是辩证法，因为真正的唯物主义"坚持认为概念与客体之间具有不可规约的对立，因此，唯心主义要具有与心灵无限性这种信念斗争的批判武器"，这个武器就是"辩证法"，"辩证的过程从否定方面看是以这样的事实为标志：即它并不被看作单个不变因素的结果。而从肯定方面看，它的成分在过程中不断变化，互相影响，因而它们甚至不可能严格地相互区分"，因此，"绝不会以完美的清晰性主体与客体区分开来"①。显然，霍克海默这里坚守的依然是一种卢卡奇所开创或至少得到不可忽视的强调的主张主客体统一的总体辩证法观（虽然更多时候，这被认为是对黑格尔遗产的某种继承），认为这才是真正的也即辩证的唯物主义的本质，是祛除形而上学（以康德的《纯粹理性批判》为代表的思辨哲学和与此相对的庸俗唯物主义）的良药。霍克海默认为，即便是康德之后的黑格尔也未能幸免地沦落为一个形而上学者，而"当费尔巴哈、马克思以及恩格斯使辩证法摆脱其唯心主义的形式后，唯物主义获得了对其学说与现实之间所存在的那种变动不居而又不可避免的冲突的领域，而且，在此过程中得到了自己的知识概念"，这是对形而上学及其社会功能的一种"批判"的旨趣，"它不能建立在普遍原则的基础上"，"它所关注的是变革人由之受苦受难的具体条件"。当然，"必须补充的是，许多唯心主义体系，都包含了大量唯物主义知识；后者具有体系本身的形而上学目的，但却表现出科学过程中的重要成分。辩证法本身起源于唯心主义，而且，许多现代形而上学的理论架构对建构判断当代人的模式来说，具有极为重大的意义"②。可见，霍克海默并没有一味拒斥形而上学（及其唯心主

---

① ［德］霍克海默：《唯物主义与形而上学》，载《批判理论：霍克海默选集》，李小兵等译，重庆出版社1989年版，第25、26页。

② ［德］霍克海默：《唯物主义与形而上学》，载《批判理论：霍克海默选集》，李小兵等译，重庆出版社1989年版，第31—32页。

义代表）。这或许是他以及和他较为类似的卢卡奇等这些黑格尔主义派的马克思主义者们的共同特征。

之所以还称他（和卢卡奇等）为马克思主义者，乃是因为霍克海默依然坚持主张一种真正的唯物主义的马克思主义，当然这样的马克思主义需要"哲学与科学的统一"①。他说，"尽管实证主义对科学进步充满信心，但它必然会以一种非历史的方式理解科学本身"，这样一来，"经验批判论也就在某种程度上等同于唯心主义的形而上学，因为假定了一个独立于时间而存在的主体"②。而"黑格尔对启蒙运动"的"抨击"，"今天可以首先用来反对实证主义。实证主义当然产生于启蒙运动"，"不过，尽管黑格尔敌视启蒙运动，然他比实证主义更接近于真正的启蒙运动，因为他承认人类知识中并没有不可企及的东西"，而"实证主义倒十分注意在这方面保持它的宽容态度"。因此，"实证主义与其说接近唯物主义，毋宁说更接近直觉的形而上学"——在霍克海默看来，真正的唯物主义不会使"感觉绝对化"。总之，"当代唯物主义的根本特点，并不在于它与唯心主义形而上学相对立的那些形式化的特质。它的特点毋宁说是在其内容：即社会的经济理论"，"作为区分过去哲学观点的标志，这在今天具有重要意义"③。实际上，正如霍克海默在就任法兰克福社会学研究所时所发表的就职演说时所说的，社会研究所的任务就是要将实证研究方法引入社会哲学研究之中（哈贝马斯后来更是将此发挥到极致），这当然会涉及一个广泛的跨学科的研究任务和旨趣——这也是该学派一直致力于的核心任务和风格。虽然如此，霍克海默还是坚持认为"唯物主义既不能由一般形而上学去理解，也不能由文化史去理解"④。如上所示，这种"第三条道路"的立场是显见的。而这样的立场虽然有时在对形而上学本身的态度（比如对总体概念的暧昧理解）上显得有些犹豫不决，但其反对唯心主义的决心却总是显得十分强烈。

---

① ［德］霍克海默：《唯物主义与形而上学》，载《批判理论：霍克海默选集》，李小兵等译，重庆出版社 1989 年版，第 32 页。

② ［德］霍克海默：《唯物主义与形而上学》，载《批判理论：霍克海默选集》，李小兵等译，重庆出版社 1989 年版，第 32、34 页。

③ ［德］霍克海默：《唯物主义与形而上学》，载《批判理论：霍克海默选集》，李小兵等译，重庆出版社 1989 年版，第 36、37、40、43 页。

④ ［德］霍克海默：《唯物主义与形而上学》，载《批判理论：霍克海默选集》，李小兵等译，重庆出版社 1989 年版，第 44 页。

因此，在 1934 年的《当代哲学中的理性主义论争》①中，霍克海默在对他同时代的理性主义之争进行梳理时指出如下论点也就不足为奇了，即他认为，源自于笛卡尔的现代哲学意义上的理性主义之争（自从 17 世纪以来），无论是唯理论还是唯名论，都具有唯心主义的共同理性观。在这里，世界被划分为独立的"精神实体"和"肉体的或外部实体"，如果说在笛卡尔那里，这两个世界有时还会暧昧地统一于"大脑"的话，那么，他的后继者则干脆将这两个世界彻底独立开来，由此也开启了唯心主义哲学的理性观传统，也即在"人类实践范围之外"，来讨论"观念与现实"的关系问题的理性主义传统。在霍克海默看来，自那以后，关于理性主义（也即唯理论）所展开的论争（包括敌对性的，比如英国经验论和大陆唯理论之间的论战），其实"并未触及根本"，因为双方都有一个共同点，即"为了维护观念的建构而过低估计了经验的事实"，而"资产阶级生产方式的日益发展"，却使得人们不得不开始关注后者（也即经验事实）"从洛克到斯密的英国哲学"的发展就是明例；而且，"和笛卡尔一样，英国经验论者把人的存在视为个体意识、'我思'过程的组成部分"——只不过，"在经验论者看来"，关于真理的观念"来自于感性材料"，是对感性材料的一种抽象；而"在唯理论者看来，它们根本就是统一在理性之中的"。根据霍克海默的梳理，不仅是笛卡尔，实际上"整个现代哲学都与理性主义（rationalism）一词密切相关"。而且，"自从 1900 年以来，在哲学和其他文化领域中发生的几乎所有反对理性主义的斗争也都与笛卡尔主义脱不开干系"。在霍克海默看来，无论是笛卡尔的理性主义传统、英国经验论，还是其后的非理性主义（如尼采、柏格森等人），都具有一个共同特点，那就是"唯心主义的特质"，即认为"灵魂或精神可以揭示永恒的真理"。而这种唯心主义基础，也正是唯物主义所要反对的。"在唯物主义看来，纯粹思维、意识哲学意义上的抽象、非理性主义意义上的直觉，都无法在个体和永恒的存在结构之间建立关系"。②因此，根据霍克海默的理解，理性主义和非理性主义都是形而上学，只不过它们"彼此忽略了对方的形而上学主张"；与之相反的唯物主义，特别是辩证的唯物

① Max Horkheimer, "The Rationalism Debate in Contemporary Philosophy", in *Between Philosophy and Social Science: Selected Early Writings,* translated by G. Frederick Hunter etc., The MIT Press,1993, pp.217–264.

② Max Horkheimer, "The Rationalism Debate in Contemporary Philosophy", in *Between Philosophy and Social Science: Selected Early Writings,* pp.217–219, 220–223.

主义，则不仅从黑格尔那里继承了辩证法，而且不拒绝分析的方法，这样"唯物主义的辩证法就与黑格尔式的辩证法有了根本的区别"①。霍克海默分析说，在黑格尔那里，"逻辑被理解为纯粹理性的体系、纯粹思维的王国"，因此，辩证法在这里是封闭的；而在唯物主义这里，代替观念的现实，却不具有这种终结性（无论是在本质上还是表象上），在这里，一切都发生在"有限的和历史的人类存在"过程之中，"'从事思维活动的是人，不是自我，也不是理性'"②。换言之，"辩证唯物主义并不把思维的主体理解成对它自身的抽象，如'人性'本质，而是理解成在一个有限的历史时期中的人类存在"，这样的存在中既有精神的东西，也有物质的东西；既是意识的，又是自然的；既是个体的，又是社会的。因此，辩证唯物主义，"与非理性主义不同，会试图超越分析思维的单向度性，同时又不会整个地放弃分析思维"——"当然，辩证理论本身也具有抽象特征"。总之，辩证唯物主义"既不能赞成理性主义，也不能同意非理性主义"，"今天，理性主义中所固有的理性存在于这样的理论之中，即它的理性主义方法本身应该是在辩证法中孕育的"③。这显然是对总体的辩证理性的呼唤。其基本旨趣与西方马克思主义（特别是其人道主义一派的）开创人卢卡奇之间（无论是他的《历史与阶级意识》还是《社会存在本体论》）并无太多不一致的地方。即借助于将辩证法引入理性本身，试图走出一条既不同于唯理论传统（霍克海默称之为"理性主义"传统），也不同于唯名论传统（霍克海默称之为经验论传统）的总体理性观（或新的辩证理性观），为此，不仅要反对唯物论与唯心论之间的二元对立，也要反对哲学与科学之间的非此即彼论（尤以社会—历史为场景）。这样，马克思主义（作为真正的唯物主义）就被赋予了这样的新理论形态的期望。而有鉴于实际存在的"马克思主义"的诸多令人不满的现状，霍克海默决定还是以"批判理论"（也即社会批判理论）的名义以示区别（特别是区别与它不同的所有其他理论，也即霍克海默所说的传统理论）。

　　于是，在1937年《传统理论和批判理论》中，霍克海默指出，"传统的理

---

① Max Horkheimer, "The Rationalism Debate in Contemporary Philosophy", in *Between Philosophy and Social Science: Selected Early Writings,* pp.227,238.

② Max Horkheimer, "The Rationalism Debate in Contemporary Philosophy", in *Between Philosophy and Social Science: Selected Early Writings*, pp.239-240.

③ Max Horkheimer, "The Rationalism Debate in Contemporary Philosophy", in *Between Philosophy and Social Science: Selected Early Writings*, pp.240,244, 262,264.

论"，"目的在于建立纯数学的符号系统"，"逻辑运算本身也相当地理性化了"，"理论形式已经变成了数学结构"。因此，在这种传统的理论当中，"科学之真正的社会功能并未得以阐明；它不谈论理论在人类生活中意味着什么，而只谈论在由于历史的原因它在其中产生的孤立的领域里意味着什么"①。可见，反对传统理论，首先是反对数学化的实证主义和经验主义，从而重申西方马克思主义的总体辩证法原则主张。实际上，正如在卢卡奇那里所表现的那样，这样的总体辩证法原则，多是立足于唯理论传统对唯名论或经验论的改造式吸收，也因此，他们表现出人道主义马克思主义所特有的对经验实证主义的"反感"。在他看来，"当代人的自我认识并不是自称为永恒的逻各斯的数学，而是关于现存社会的批判理论，它关注的是社会的合理状态"②。这样作为与传统理论不同的新理论也即法兰克福学派所力主的批判理论或社会批判理论作为替代就出场了。霍克海默指出，"在黑格尔那里"，"理性不必再以纯粹批判的形式面对自身"（如在康德那里那样），"甚至在人们断定现实的合理性之前，理性就成了肯定的东西"，他认为这是黑格尔以"哲学家"的身份与"非人的世界"之间达成的"个人和平协议"③。这一协议最终承认的是理性的力量，也即人类思想的能力（主体性的再现），然而，这样的能力随着实证主义和经验主义的兴起（这在黑格尔逝世后 10 年时就已开始）而逐渐在退减，即"思想的能力"衰退了。霍克海默说，不可否认，传统理论也会以批判的形式，在当代"发挥着积极的社会作用"，"代表了""文化总体的一部分"，它会认为"资产阶级时代的技术和工业成就恰恰证明了其自身的合理性，还可以确认其自身的价值"，尽管"其中包含的不确定性并不比理性所需的更大"④。无论如何，霍克海默作为德国思想家，还是表达出了自己哲学上的优越感，对伴随着资本主义而兴盛起来的经验实证主义自始至终保持着谨慎的距离，虽然也一直试图吸取其"精

---

① ［德］霍克海默：《传统理论和批判理论》，载《霍克海默集》，渠东等译，上海远东出版社 1997 年版，第 169、174 页。

② ［德］霍克海默：《传统理论和批判理论》，载《霍克海默集》，渠东等译，上海远东出版社 1997 年版，第 176 页。

③ ［德］霍克海默：《传统理论和批判理论》，载《霍克海默集》，渠东等译，上海远东出版社 1997 年版，第 180 页。

④ ［德］霍克海默：《传统理论和批判理论》，载《霍克海默集》，渠东等译，上海远东出版社 1997 年版，第 180—181 页。

华"（特别是对"经验"，也即社会生活实践的重视）。

与经验实证主义等为代表的传统理论相对，霍克海默指出，"以社会本身为其对象的人类活动"，即"'批判'活动"主张者也即"批判理论认为，受个体活动的盲目的相互作用所限制的整个社会结构（即现存的劳动分工和阶级划分）是一种起源于人类活动的功能，它完全能够有计划地作出决定，并合理地确定目标"，"对那些采取了批判态度的人来说，现存形态的社会总体的两重性成了一种有意识的对立"，"他们认同这个社会总体并认为它就是意志和理性。这个总体是他们自己的世界"①。在这里，霍克海默所主张的批判理论的社会生活实践维度是明显的，他指出，批判理论并非排除经验，而是通过劳动与经验联系在一起，即"思想力量从未在社会现实里控制自己，它一直是作为劳动过程中非独立的环节而起作用"②，这样的批判理论被叫做"社会批判理论"也就不足为奇了；作为一种社会批判理论，批判理论不仅不排除经验，"社会批判理论同样始于抽象的规定；在研究当代时，它则以对以交换为基础的经济特征的描述为出发点。当具体的社会关系被判定为交换关系时，当出现货物的商品特征时，马克思所使用的那些概念，如商品、价值、货币等就可以起到种的概念的作用"。这里，被某种意义上当作马克思主义理论代名词的"社会批判理论"（就像"实践哲学"在葛兰西那里的代用）"旨在说明"："社会关系的特殊变化直接起因于经济的发展，并最直接地表现在统治阶级的构成中，这种变化不只影响了文化的某些领域"，因此，"批判理论总是以不断重复出现的事件为基础，因而是以自我复制的总体性为基础的"。也就是说，批判理论是社会的（会有抽象）、实践的（会包含有经验）、变化的（因而是历史的和否定的——即"唯心主义的理性概念的唯物主义内容"）③，综合所有这些，就是总体的概念（或曰主张总体辩证法的"总体理性"原则）。

---

① 霍克海默在此指出，这种活动被称为"批判"活动，"在这里我不是在唯心主义的纯粹理性批判的意义上来使用这个术语，而是在政治经济学的辩证批判的意义上来使用这个术语。它直指辩证社会理论的根本方面"（参见 ［德］霍克海默：《传统理论和批判理论》，载《霍克海默集》，渠东等译，上海远东出版社 1997 年版，第 182 页注释 1、第 182—183 页）。

② ［德］霍克海默：《传统理论和批判理论》，载《霍克海默集》，渠东等译，上海远东出版社 1997 年版，第 186 页。

③ ［德］霍克海默：《传统理论和批判理论》，载《霍克海默集》，渠东等译，上海远东出版社 1997 年版，第 196—197、207、210 页。

二、霍克海默与马尔库塞：1937 年《哲学与批判理论》中的辩证理性观

同样是在 1937 年，在霍克海默与马尔库塞合著的《哲学与批判理论》中，作者开门见山地指出，"一开始，批判的社会理论就总是包含着哲学的和社会的难题和争议"①。而"一旦批判理论已经认识到经济条件对现存秩序整体的责任并把握了现实得以组织的社会架构之后，哲学就成为多余的东西了"，"涉及人的潜能和理性的潜能的那些问题，现在已可从经济的角度去考察了"，"因此，哲学就表现为唯物主义理论的经济概念形式"，致力于"从人的历史存在出发去解释人及其世界的整体"。由此作者给社会批判理论（也即"真正唯物主义"）做了一个界定："批判的社会理论就其对它的创始者的信仰来看，根本上是与唯物主义相联系的"，它聚焦于"对人的幸福的关注"和"深信这种幸福只有通过变革生存的物质条件才能达到"，因此，"当理性作为人类的合理组织被实现时，哲学就没有任何对象可供研究了"②。这样一来，法兰克福学派所特有的哲学优越感似乎要被自己引入的辩证理性所去除了。不过，在他们看来，就哲学与理性的关系问题，哲学的生命力或活力在于"理性尚未变成现实"。也即是说，"理性，是哲学思维的根本范畴，是哲学与人类命运联系的唯一方式"③。显然，作者这里所说的哲学，指的是传统哲学，也即"试图去发现存在的最终极和最普遍的根基"的那种哲学（其实就是上文中所批判的形而上学），它"以理性的名义，领悟到本真的存在概念，在这种本真的存在观念中，一切重大的对立（主体与客体、本质与现象、思维与存在）都和谐一致"，为此，现存的一切都必须"带到理性面前"经过理性的审判，也即世界"依附于理性"。理性也因此"被构建为一个批判的法庭"，而理性哲学也就成了批判的哲学，"在资产阶级时代的哲学中，理性采取的是合理的主体性的

---

① ［德］霍克海默、［美］马尔库塞：《哲学与批判理论》，载《现代文明与人的困境：马尔库塞文集》，李小兵等译，上海三联书店 1989 年版，第 173 页。

② ［德］霍克海默、［美］马尔库塞：《哲学与批判理论》，载《现代文明与人的困境：马尔库塞文集》，李小兵等译，上海三联书店 1989 年版，第 173—174、182、174 页。

③ ［德］霍克海默、［美］马尔库塞：《哲学与批判理论》，载《现代文明与人的困境：马尔库塞文集》，李小兵等译，上海三联书店 1989 年版，第 175 页。

形式。人、个体，必将借助其知识所给予的力量，审视和判断现存的一切东西。因此，理性的概念遂包含着自由的概念"①。换言之，以理性为名义的哲学，也即批判的哲学，当其作为一种知识形式并内化为人的社会化因素（特别是通过行动表现其自身）时，它体现的是主体的自由，亦即主体性原则。

因此，"当黑格尔把理性等同于自由时，他仅仅是从整个哲学传统中抽绎出一个结论。自由是理性的'核心因素'，是理性的存在可能采用的唯一形式"。而"随着作为自由的理性的提出，哲学似乎就走到了它的极限。理性的实现留下来的未竟之业便不属于哲学的任务了"②。在一个理性未竟的世界里，"理性仅仅表现为一种貌似的合理性"，成为个人"只有在自己内部完成的工作"③。而"唯心论的理性主义"由于取消了"自由与必然的既存对立"，"以至自由绝无触动必然的可能"，由此成就了"唯心的理性主义对现存状况的依附"。此时，真理性、主体性和确定性是三位一体的，所有的最高存在就是在自身之中的存在。因此，"理性所欲完成的事业不外乎是为自我构造世界。理性被认为创造了普遍性和共通性"。"无疑，所有这些特征都说明唯心的理性论是资产阶级哲学"。也即是说，"西方哲学把理性构建为本真的现实。在资产阶级时代，理性的现实成为自由的个人应予完成的任务"，"主体是理性的立足之地，是使客观性成为合理的过程的起源"，而现在，"假如理性的含义是依照人们在其认识的基础上所作出的自由决断去改造生活"的话，"那么，对理性的渴求因而就意味着创造一种社会组织形式"，让个体可以"经由集体的努力去规划他们的生活"，"随着理性在这个社会中的实现，哲学就会消亡"，未竟的事业"正好成为社会理论的任务"④。可见，这是要用批判的社会理论来代替思辨的和虚假的传统哲学（分别表现为唯心主义和唯物主义）。因为后者已无法完成理性的"未

① ［德］霍克海默、［美］马尔库塞：《哲学与批判理论》，载《现代文明与人的困境：马尔库塞文集》，李小兵等译，上海三联书店1989年版，第176页。

② ［德］霍克海默、［美］马尔库塞：《哲学与批判理论》，载《现代文明与人的困境：马尔库塞文集》，李小兵等译，上海三联书店1989年版，第177页。

③ ［德］霍克海默、［美］马尔库塞：《哲学与批判理论》，载《现代文明与人的困境：马尔库塞文集》，李小兵等译，上海三联书店1989年版，第176、177页。

④ ［德］霍克海默、［美］马尔库塞：《哲学与批判理论》，载《现代文明与人的困境：马尔库塞文集》，李小兵等译，上海三联书店1989年版，第178、180—181、183页。

竟事业"。当然，在这种社会理论中，哲学的"坚贞不渝的"属性还会继续保持，也即"反对以拍马屁的实证主义的方式把现实变为一种标准"，同时保持"关于人的哲学的兴趣"，并因而呈现出"批判理论"的性质。因此，一些哲学概念比如"理性、精神、道德、知识"作为"全人类关注之所在"，也"必须保留"。作者认为，这是出于这一原因，法兰克福学派及其机关刊物《社会研究杂志》会"着手谈论一些基本的哲学概念"，如"理性论与非理性论"、"形而上学与实证主义"等概念，而且这些概念的探讨，也并非仅仅是从"社会学"角度来进行的，也即"由物质生活条件去解释"，因为"哲学的历史形式，也包含着对人的条件和客观条件的洞见"。当然，"批判理论在把知识的普遍性问题同作为普遍性主体的社会的问题联系起来时，并不想提供一种更好的哲学解释"，而只为"揭示特定的社会条件"，以实现其"对人类解放的旨趣"。因此，"批判理论在原则上避免了对科学的致命的拜物教"，"既然科学和技术的前景依赖于人，因此，科学与技术就不可能作为批判理论的先验概念模式"，"总之，批判理论是对自身的批判，是对那些构成它自己基础的社会因素的批判。该理论中的哲学成分，采取了一种抗拒新的'经济决定论'的形式"。① 这既是对资本主义科学与技术理性的批判，又是对机械唯物主义庸俗经济决定论的反驳。同时，哲学、理性与人的自由（也即主体性原则）也因此在社会批判理论中得到了彰显。

三、马尔库塞论辩证理性观：1941 年的《理性和革命》

由社会批判理论创始人霍克海默所倡导的辩证理性观对于总体原则（以哲学、理性和自由与真理的名义）的坚守，虽然如前所述，一方面反对黑格尔的同一性原则，但另一方面，其理论上的优越感和自信心在很大程度上又是来自于黑格尔哲学遗产的。这一遗产因 20 世纪三四十年代法西斯主义的出现而变得十分重要。因为黑格尔哲学，因其理性特别是辩证理性的革命性而具有反法西斯主义的功效。1941 年，马尔库塞的《理性和革命》一书即旨在强调这样

---

① ［德］霍克海默、［美］马尔库塞：《哲学与批判理论》，载《现代文明与人的困境：马尔库塞文集》，李小兵等译，上海三联书店 1989 年版，第 184—186、190—193、197、202 页。

一种理性观：对现实采取"辩证的"、"批判的"乃至"否定的"原则，因而是革命的原则。为此，马尔库塞力主从黑格尔哲学那里找到"渊源"和"依据"。由此，在西方马克思主义创始人之后，马尔库塞掀起了又一轮"回到黑格尔"的思想运动（而不是像卢卡奇他们那样，是为更好地"回到马克思"）。只不过，这一次他是想通过"对黑格尔哲学"的"重新解释"以反对当时"法西斯主义的复活"，因为在马尔库塞看来，"黑格尔哲学的基本思想"与法西斯主义是相"敌对的"；同时，和卢卡奇等人一样，马尔库塞的努力也是为了证明黑格尔哲学与"马克思的理论发展的一致性"，因为，"黑格尔的批判的和理性的原则，尤其是他的辩证法，必然与普遍的社会现实发生冲突"，也即黑格尔的反对派所说的黑格尔哲学是一种"否定的哲学"[1]。这样，"辩证法"就被引入了"理性"范畴，而理性（即辩证理性）也因此具有"批判的"或曰"否定的"成了近义词，其实践维度则是与"普遍"、"现实"的"冲突"，或曰"革命"（也即对现实的否定）。显然，这依然是延续的一种至少类似卢卡奇等人的思路，即强调辩证法＝哲学——源于黑格尔哲学（以一种"否定的哲学"的身份）的政治属性也即革命性。

　　由此，马尔库塞认为，理性概念是以黑格尔为代表的德国古典哲学的核心范畴，它所代表的是为自由和合理生活秩序的顽强抗争，是理论上的"法国大革命"。他指出，"德国唯心主义哲学"是"法国大革命的理论"，因为二者对"在理性基础上建立国家和社会，以便使社会制度和政治制度能够符合个人的自由和利益的法国大革命"的理想旨趣之间，是相一致的。只不过，"当法国革命已经开始宣布自由实现的时候，德国唯心主义者只是在观念中占据自由的思维。建立合理的社会形式的具体的历史的努力，在这里变成了哲学的反思和建立理性观念的艰难劳作"。因此，"理性的概念是黑格尔哲学的核心"，在黑格尔那里，历史"只涉及理性"，"而国家则是理性的实现"，所以，"只要理性被认为是一个纯粹的形而上学的概念，那么，就黑格尔的理念来说，尽管表现为唯心主义的形式，但仍然蕴含着为自由和合理生活秩序的顽强抗争"[2]。这样的一种将理性与自由相连的做法，在与霍克海默合作的《哲学与批判理论》

① ［美］马尔库塞：《理性和革命：黑格尔和社会理论的兴起》，程志民等译，重庆出版社1993年版，"作者序言"第1页。

② ［美］马尔库塞：《理性和革命：黑格尔和社会理论的兴起》，程志民等译，重庆出版社1993年版，第3、4页。

（1937）中就已初见端倪。马尔库塞所做的只是更为明确地把理性视为黑格尔哲学的革命性遗产。当然，也与霍克海默对黑格尔更为谨慎的态度稍有不同，马尔库塞更为看好黑格尔理性观的积极性——仿佛卢卡奇对黑格尔辩证法的器重态度那样。

而且，在马尔库塞看来，他对黑格尔哲学的革命性所作出的上述判断，不是没有依据的，实际上，黑格尔本人就论述了他的理性概念和法国大革命的关系问题，"以黑格尔的观点来看，法国大革命所带来的历史的决定性转变，就是人类达到对精神的依赖，并且敢于使既定的现实服从于理性的原则。黑格尔进一步论述了事物的发展取决于矛盾，即理性的运用和生活中传统习惯的屈从之间的冲突"，也即"人类开始根据他们自由的合理的思维的要求，而不是仅仅根据现存的秩序和流行的价值观来组织安排现实"，总之，"人类是理性的存在物"[1]。所谓人类是理性的存在物的论断，其实就是要求以理性为标准来安排实际生活的诉求，当然，在黑格尔这里，最高的理性即绝对精神。由此黑格尔"得出理性能够主宰现实这一论断。这个思想包含在能够构成黑格尔哲学核心的论断中"[2]。这里所说的"现实"大约实际指的是"现存"（或实际存在），不过，理性如何才能做到这一点呢？马尔库塞解读认为，"对于黑格尔来说，除非现实自身变成合乎理性，否则理性就不能主宰现实。只有通过主体渗入自然和历史的全部容量才能使得理性支配现实得以成为可能"，即"存在本质上是'主体'"。这就把理性原则和主体原则进行了贯通。换言之，"理性实现了自由，而自由恰恰是主体的存在"，"理性仅仅自身通过它的理性实现和它成为真实的过程而存在"。且"理性和现实的直接统一体不是从来就有的，而是经过漫长的过程才产生的"，因此，"黑格尔的理性概念具有鲜明的批判和辩证的特征"[3]。显然，这一"理性原则"经由"主体原则"中介而得以呈现自身（现存化）的逻辑，与卢卡奇等人的总体原则经由主体原则之中介而得以世俗化的逻辑，是一致的。那么，这一呈现、表象

---

[1] ［美］马尔库塞：《理性和革命：黑格尔和社会理论的兴起》，程志民等译，重庆出版社1993年版，第5页。

[2] ［美］马尔库塞：《理性和革命：黑格尔和社会理论的兴起》，程志民等译，重庆出版社1993年版，第6页。

[3] ［美］马尔库塞：《理性和革命：黑格尔和社会理论的兴起》，程志民等译，重庆出版社1993年版，第7、9、10页。

或世俗化的过程到底是怎样的？根据马尔库塞的解读，黑格尔的"逻辑学揭示出，真实的存在即为理性，但是这种理性将它本身表现为空间（如在自然界中）和时间（如精神）的状态之中"，"多种精神形式在时间中表现其自身"，"辩证法因此开始从时间上考察实在"，因此，如果说"《逻辑学》已说明了理性的结构"，那么，"《历史哲学》则是揭示了理性的历史内容"。由此，"由哲学向国家和社会领域的过渡已经成为黑格尔体系的一个本质部分"。然而，马尔库塞指出，虽然"法国启蒙哲学和法国革命的继承者们的哲学都断定理性是客观的历史的力量"，而且"黑格尔哲学的批判倾向被马克思的社会理论所采纳并继承发展下去"，但是，"与此同时，在所有其他方面，黑格尔主义的历史变成了反对黑格尔的斗争的历史，在反对黑格尔的斗争历史中，对于所有新的理性的努力所反对的一切（某种程度上也是实践的政治的努力所反对的）来说，黑格尔只是被作为一个标志"[①]。与其说这是马尔库塞在感慨黑格尔革命精神的式微，毋宁说是在叹息黑格尔的革命的（几乎具有理论上的法国大革命性质的）辩证理性观的"龙种之虫化过程"，从而为法兰克福学派的社会批判理论所主打的启蒙理性批判（也即工具或技术理性批判）提供合法性和必要性依据。

为此，马尔库塞试图为理性概念提供一个定义。马尔库塞首先确认了近代理性概念的资产阶级属性。他认为，从 17 世纪开始，哲学就已经很鲜明地表达了正在兴起的资产阶级的利益诉求，而理性则是资产阶级批判一切妨碍自身政治和经济利益诉求的反对派的斗争口号，并因此"理性广泛服务于科学和哲学与宗教的斗争中，服务于法国启蒙运动对专制主义的抨击中，服务于自由主义与重商主义的辩争之中"——虽然此时的理性并没有鲜明而单一的定义，而只是"随着资产阶级地位的变化而变化"。但对于近代以来的理性概念，马尔库塞还是试图给出一个定义，即：1）"理性的概念并不是必然反宗教的"；2）"人类的理性不止一次地限制了已建立的社会或其他秩序"；3）"理性包含着普遍性"；4）"思想不仅统一了自然的多样性，而且统一了社会历史世界的各方面"，"理性的概念包含着按照理性行动的自由"；5）"依照

[①] ［美］马尔库塞：《理性和革命：黑格尔和社会理论的兴起》，程志民等译，重庆出版社1993年版，第 203、229、6、230 页。马尔库塞认为，"黑格尔是最后一个把世界解释为理性，使自然和历史同样服从于思维和自由的准则的人"（参见同上书，第 230 页）。

理性行动的自由在自然科学的实践中被认为是一种尝试"①。马尔库塞认为，其中，第 3 条可能是遭受更多贬斥的原则，实际上，"反理性主义对普遍性的攻击在近代欧洲思想发展中变得日益重要。对于普遍理性的攻击很容易嬗变成对这一普遍性理性的积极的社会意义的攻击"，"理性的概念，如同人的本质的平等、法律的统治和国家及社会中的理性原则一样，是与进步的思想联系在一起的。西方的理性主义因此很鲜明地与自由主义社会的根本制度相联系。在意识形态领域内，反对自由主义的斗争开始于对理性主义的攻击"。马尔库塞紧接着指出，"存在主义"就是一种典型的反理性主义，因为它首先"否定了普遍的尊严和实在，这导致了对国家和社会的任何普遍有效的理性准则的拒绝"；其次，它"认为，个体、国家和民族不可能被联结成人类的整体，每个特殊存在的条件都不能被服从于理性的普遍判断"②。在这里，马尔库塞给存在主义的定义是一种反理性主义。对存在主义（以及由其所演变的法国存在主义马克思主义乃至一切有海德格尔主义倾向的存在主义）心存警惕，几乎是所有法兰克福学派成员的"通病"，而且在这一点上，他们也和卢卡奇是一致的，虽然没有卢卡奇那么"严厉"，并因此与同属人道主义马克思主义大派的他们的法国存在主义马克思主义同行之间，保持着一种纠结的"异见"。

由上述可见，作为"包含按照理性行动的自由"之内涵的理性概念（人的主体性原则也即在这里呈现），其在人类历史实践中的呈现，依然需要依靠辩证法的动力机制，马尔库塞认为，黑格尔就是这样做的，即通过辩证法，把历史变成理性的"内容"，并认为人已经有能力和条件通过自身的社会和政治实践去实现理性原则。然而，可惜的是，并不是所有人都能正确地理解黑格尔，因为"黑格尔哲学对社会理论的影响，及现代社会理论的特殊作用，只有在黑格尔哲学的充分表现形式中和它的批判趋向的充分表现形式中才能得到理解，因为它们已成为了马克思理论的组成部分"③。这似乎是在为法兰

---

① [美] 马尔库塞：《理性和革命：黑格尔和社会理论的兴起》，程志民等译，重庆出版社 1993 年版，第 231—233 页。

② [美] 马尔库塞：《理性和革命：黑格尔和社会理论的兴起》，程志民等译，重庆出版社 1993 年版，第 242—243 页。

③ [美] 马尔库塞：《理性和革命：黑格尔和社会理论的兴起》，程志民等译，重庆出版社 1993 年版，第 234 页。

克福学派的社会批判理论寻找马克思主义的合法性及其黑格尔哲学之源，特别是其革命（通过理性以及借助于辩证法而在历史中得以贯彻的理性）旨趣的可取性。这样的做法，显然不是马尔库塞首创的，早在卢卡奇等那里，已表露无遗。而且，同样的相似性还包括，和早期创始人一样，马尔库塞也十分关注马克思的与黑格尔的辩证法之间的质的区别，马尔库塞指出，虽然马克思深受黑格尔的影响，特别是"马克思关于现实的辩证思想"（即"现实的否定特性"）就是受黑格尔对这一思想论述的影响，其重要意义就在于，马克思因此得以在社会领域中找到了否定性力量的实际承担者，这就是"阶级社会的矛盾"，而对于后者的指认就意味着"保存了社会过程的动力"机制，然而，需要注意的是，"只有在抽象的过程中，社会领域方能变成一个否定的整体。而抽象过程是被抽象的主体关系和资本主义社会的结构强加于辩证法的。我们更可以说，抽象是资本主义的杰作，而马克思的方法则追寻这一过程"，即对资本主义的批判的分析，必须"首先遵循构成世界的抽象，因而必须脱离这些抽象关系以便实现它的真正内容。其次，是要从抽象中获得抽象，或扬弃虚假的具体，以便真正的具体可得到复兴"。因此，"对于黑格尔来说，整体就是理性的整体，一个封闭的观念体系"，马克思则"从观念的基础中获得了辩证法"，"马克思的辩证法所涉及的整体就是阶级社会的整体，所涉及的形成其辩证的矛盾的否定性和限定其内容的否定性就是阶级关系的否定。辩证法的整体也包括自然，但仅涉及进入社会再生产的历史过程的自然和成为社会再生产的历史过程的条件的自然"，"辩证法因此由于其性质而成为一个历史的方法"。可见，"马克思的辩证法的历史特征包含着普遍的否定性，也包含着自身的否定"。"因而马克思的理论是与命定论的决定论完全不相容的"，虽然历史唯物主义中的确也包括决定论的原则，即社会存在决定社会意识，然而，"这种原则的所阐明的必然性适用于'史前史'的生活——阶级社会的生活"。[①] 这样，从理性的普遍性原则，经过理性借由辩证法在历史中的渗入，进而将否定性（自由和革命）的因素引入历史唯物主义原则之中，以反对机械论（或宿命论）。这几乎是所有西方马克思主义（特别是其人道主义一派）的主旨，如前所述，他们的创始人正是以此来反对第二和第

---

① ［美］马尔库塞：《理性和革命：黑格尔和社会理论的兴起》，程志民等译，重庆出版社1993 年版，第 283—285、288 页。

三国际的马克思主义的，也是在这个意义上要求程度不同的"回到黑格尔"（当然，他们的最终目的都是为了"回到马克思"——"回到黑格尔"只是手段，而不是目的）。而他们阵营内部所不同的，主要就在于对这个"否定性"（自由和革命）的界限问题的认识，也即，它是否可以自由到突破普遍性原则本身的限度。这既牵涉对辩证法能量的理解，也牵涉到对形而上学的态度，而无论如何，这都会牵涉对理性的定义：即维护一种辩证理性观，还是抱持一种形而上学理性观。

当然，绝大部分的西方马克思主义者都会承认，真正的马克思主义在这个问题上是应该把握好度的。不过，这种一味回溯到黑格尔的做法，必然会在具体论述中涉及关于黑格尔和马克思的思想关系问题。就此，马尔库塞认为，"从黑格尔到马克思的转变"，"依据哲学是难以解释"的，因为"马克思理论的所有哲学概念都是社会的和经济的范畴，然而，黑格尔的社会的和经济范畴都是哲学的概念。即使马克思的早期著作也不是哲学著作。它们表述的是哲学的否定，尽管它们是用哲学的语言表述的"，因此，虽然马克思也从黑格尔那里借用一些旧概念，但"在马克思理论中，任何一个简单概念都有一个本质不同的基础"[①]。这样的论述使得马尔库塞在某种意义上看起来似乎更像一个阿尔都塞主义者，当然比阿尔都塞更极端的是，马尔库塞认为这种"断裂"是从马克思早期著作（一般指的是 1845 年之前）中就已经开始了（而且再次和马克思主义与哲学的关系问题相牵连）。所以，"就所有的概念都是对现存秩序总体的一个谴责而言，马克思的理论是一个'批判'的理论"[②]。这显然是在为法兰克福学派的社会批判理论寻找马克思主义内部的合法性依据，也即强调马克思理论的批判性维度——批判的理论（从哲学批判到社会和经济的批判）因此得以与哲学否定、政治革命实践联系在一起，或简直成了同义语。

---

① [美] 马尔库塞：《理性和革命：黑格尔和社会理论的兴起》，程志民等译，重庆出版社 1993 年版，第 235 页。

② [美] 马尔库塞：《理性和革命：黑格尔和社会理论的兴起》，程志民等译，重庆出版社 1993 年版，第 236 页。

四、霍克海默和阿多尔诺:《启蒙辩证法》等中的辩证法理性观

20 世纪 40 年代末期，霍克海默在其《理性之蚀》（1947）及与（其继任者）阿多尔诺一起合著的《启蒙辩证法》（1947）[①]，继 20 世纪 30 年代提出社会批判理论的任务之后，再次为西方马克思主义人道主义的理性与辩证法观贡献了新的思想成果。在这里，将辩证法引入理性概念的辩证理性观设想（以社会批判理论的名义），被落实到对近代以来的启蒙理性（也即工具理性或技术理性）的批判中来，而且这种批判不仅局限于哲学，更是社会和经济的维度（特别是工业文化维度）——在他们看来，这才是真正的马克思主义的做法。

在《理性之蚀》[②] 中，霍克海默（见写于 1946 年的该书序言中）指出，该书的目的就是要"探索我们当代工业文化中的理性概念，以期揭示它所包含的缺陷是否已伤其根本"[③]。这即是对工业化文化所代表的工具理性（启蒙理性）的公开宣战。为此，霍克海默把自古以来的理性概念史划分为"主观理性"和"客观理性"两种，并认为，从柏拉图、亚里士多德到德国观念论哲学体系，其基础都是一种"客观理性论"，即认为"人的生活的合理程度，应该根据其与总体的和谐度来判定"，虽然"这一理性观从不会排斥主观理性"，"但后者仅仅被理解为对普遍理性的部分的和有限的表达——这个普遍理性为万物提供标准"，因此，其聚焦点"从来不是行为和目的的合作，而是观念"——如"至善"的观念、"人类的命运"以及"最终目的的实现"等（这实际上是一种客观唯心主义的理性观）。然而，在"主观理性论"看来（洛克等英国哲学的传统），主体本身即是理性，它所关注的是方式或手段，而不是目的本身（这更像是主观唯心主义理性观）。霍克海默指出，"这两种理性观之间并非简单的对立关系。历史上来看，主观理性和客观理性一开始就是并存的，前者对于后者的胜利也经历了很长一段时期"，而且，"随着理性的不断主观化，它也在不断

---

① ［德］霍克海默、阿多尔诺:《启蒙辩证法》，渠敬东等译，上海人民出版社 2006 年版。
② Max Horkheimer, *Eclipse of Reason*, London and New York: Continuum, 2004.（1947 年牛津大学版的新版。）其德文本书名为《工具理性批判》。
③ Max Horkheimer, *Eclipse of Reason*, "Preface", p.v. 霍克海默还在这里承认，自己这本书中很多内容都来自于 1944 年左右在美国期间所做的讲座发言稿，其中，阿多尔诺的哲学思想贡献也是很大的，以至于几乎很难分清哪些是他自己的，哪些是阿多尔诺的。

形式化"，以至于它现在开始裁决"人类行为和生活方式"、规制"人类的偏好，以及我们与其他人、与自然的关系"。总之，理性被认为是一种"实体"、是"每个人身上的精神力量"。① 霍克海默认为这种"理性＝主体＝实体"论实质上是一种形而上学理性观，而非辩证理性观。

当然，它们在历史上也是发挥了不可忽视的作用的，比如，"客观理性以哲学思维和洞见取代了传统宗教"就是其进步意义；然而它也因此"将自身全然变成传统"，并在现代日益"呈现出丧失其自身客观内容之趋势"，大有"向'非理性'投降"之势。因为，"当哲学开始取代宗教时，其意并非旨在废除客观真理，而只是试图为其提供一个新的理性基础"。所以当"启蒙哲学家们以理性的名义攻击宗教"时，他们最终消灭的，"不是教堂，而是形而上学和客观理性论本身"——"这些本是他们自己的力量源泉"（那是理性作为哲学的一个基本概念），这样，"作为感知现实真实本质和确定人类生活指导原则的有机体的理性，变成了绝对。思辨成了形而上学的同义语，而形而上学又成了神学和迷信的同义语"。由此，宗教反而从这种"形式化的理性"运动（自从"休谟的实证主义"以来）中"受益匪浅"。霍克海默认为，这一"理性主义者的形而上学，其政治蕴含在 18 世纪通过美国革命和法国革命走上历史舞台前沿"，即自此之后，"民族国家概念（concept of nation）"取代宗教，日益成为"人类生活中最终的、超越个体的动机"和"主导原则"。② 而由此所带来的必然是"抽象的自我利益原则下的个体帝国主义"，作为"自由主义官方意识形态的核心"，它激发了"这一意识形态和工业化民族国家的社会条件之间的分化"，藉此，"丧失了自主性的理性，必然会成为工具"——因为，"在主观理性的形式的方面（被实证主义所强化），它与客观内容之间的非联系性被加以强调；在其工具性方面（被实用主义所强化），它对他律内容的屈从性被加以强调"。③ "理性变成了社会进步的彻底有害物"？"其操作性价值，它在控制自然和人方面所扮演的角色，成了唯

---

① Max Horkheimer, *Eclipse of Reason*, London and New York: Continuum, pp.4–7.

② Max Horkheimer, *Eclipse of Reason*, London and New York: Continuum, pp.12–13. 即"民族是从理性而非相关性（revelation）获取其权威性的"（ibid）。

③ Max Horkheimer, *Eclipse of Reason*, London and New York: Continuum, pp.14–15. 霍克海默在这里不仅对休谟和卢梭以来的实证主义有条件地表达了不满，也对詹姆士和杜威等当代美国的实用主义同样表达了反驳意见，甚至称"实证主义是一种哲学技术"（参见 Ibid., p.41）。

一的标准",据此,"一切事物和所有的人,都会被分级和贴标签"。根据霍克海默的分析,"如果理性本身被工具化了,它就会表现为一种物质性和盲目性,成为一种拜物教,一种只能被接受而不能被理智所体验的神秘的实体",诸如"正义、平等、幸福和宽容"等概念,就是在这种情况下"失去其理智根源"的,即它们虽然还是人类追求的目标,但却已失去了与现实相联系的自主性权威和评价权力。① 总之,工业化民族国家(也即现代国家或资本主义国家)的理性范畴,会因为自主性的丧失,而丧失其革命性和对自由与真理的真正诉求,因为它本身变成了新的神(即所谓宗教般的"形式化"或形而上学化)。

正是出于对这种形而上学理性(形式化理性)自身合法性的维护,"今天,存在着这样一种一般性趋势,即复兴过去的客观理性论,以便赋予急剧分化的共同价值观序列以某种哲学基础",以至于一些"类宗教"的或"半科学"的思潮(如占星术等中世纪时期的各种神秘学说)大行其道,为"现代所用"。在霍克海默看来,这种"从客观理性向主观理性的转换,并非偶然",理由是:"如果说是以启蒙为形式的主观理性瓦解了构成西方文化核心要素的哲学信仰基础的话,那么,它之所以能够这样做,也是因为它所提供的这一基础过于孱弱"。实际上,"客观主义者的哲学、宗教或迷信等的复兴"(如以新托马斯主义为例),"其社会功能即旨在使个体思维受制于大众操纵的现代形式"②。霍克海默认为,无论是表现为启蒙运动的主观理性及其当代表现(也即资本主义的理论与实践——特别是实证主义和实用主义),还是表现为新托马斯主义的客观理性的某种"当代复兴",它们都是"有局限的",都"忽略了其自身固有的原则性矛盾"。也即它们对矛盾和复杂性采取了过于简单化的处理方式。在这一"处理"过程中,理性一方面成为解决各种问题(从政治建制到文化危机)的"万灵药",另一方面又会招致"自然的反抗"。因为,"如果理性宣布无力决定生活的最终目标,那它就一定会自欺欺人地将自己所面临的一切还原为纯粹的工具,它唯一剩下的目标就是将其合作行为永久化"。而"这一行为一旦被归咎为自主的'主体',主体化的过程就会影响所有的哲学范畴:它没有在更为结构化的思维统一体中将这些范畴统辖和关联在一起,而是将它们简化为

---

① Max Horkheimer, *Eclipse of Reason*, London and New York: Continuum, pp.15-16.

② Max Horkheimer, *Eclipse of Reason*, London and New York: Continuum, pp.42,43,45.

目录化的事实状态"①。霍克海默指出，自康德以来的"辩证哲学"或"思辨哲学"（或"批判哲学"）的"主体"概念就是明例，在这样的框架中，"自然"成了"无法真正超越、或征服，而只能是被压制"的存在②。而"理性行为逐渐代替自然选择"，正是文明进程的重大因素之一③。由此，每个个体的行为的合理性依据也有待于在整体的理性进程中找到"和谐点"或"妥协点"。这样，"形式化的理性、主体性的胜利，也是这一事实的胜利，即将主体绝对化和超级化的胜利"，其代表（或"代理人"）如"生产的绝对标准"和"普遍捆绑的观念"，这些都使得"人越来越具有依附性"。理性本身（而且是通过其或主体化或形式化的代言人）变成了裁判员，作为人的思维（特别是反思能力）之重要体现和产物的理性，如今成了判定人类思维是否合理的最高法官。在霍克海默看来，这是当代文化（特别是哲学）中的一种最深刻、最严重的异化（也即理性的异化）。这种理性的异化或"理性危机"，在霍克海默看来，体现在"个体危机"之中，因为后者是前者"发展出来的代理人"。④ 也就是说，理性的危机或异化，体现的是人的危机和异化。这样，卢卡奇等人所引发的并因为马克思《巴黎手稿》的发现而得到加强的马克思理论中的异化主题，在这一语境中得到延伸性解读。只不过，这一次不再局限于卢卡奇的阶级意识，而是把斗争的战线拓展到整个启蒙史。

这样的解读在《启蒙辩证法》中得到了贯彻。该书反对以"理性同一性"（也即上文中所说的形式化理性）观念为准则的"启蒙"，认为这种主张"抽象同一性"的启蒙，是"包罗万象的体系"，是"一致性"的新"神话"。作者认为，"启蒙"、"总是"、"用主体来折射自然界"，"进而把只有在整体中才能被理解的东西称之为存在和事件：启蒙的理想就是要建立包罗万象的体系"，它因而"带有破坏性的理性原则"、"带有集权主义的性质"。这样，人道主义

---

① Max Horkheimer, *Eclipse of Reason*, London and New York: Continuum, pp.55, 63. 霍克海默指出，这也体现在"主体范畴"中，自康德以来的辩证哲学莫不如此（ibid）。

② Max Horkheimer, *Eclipse of Reason*, London and New York: Continuum, p.64. 基于这种压制的"抵制和反抗"，伴随着"文明"发展的始终（ibid）。霍克海默认为，对自然的漠视，其实不过是"作为一个整体的西方文明的典型的实用主义态度的一个变种"（ibid., p.71）。

③ Max Horkheimer, *Eclipse of Reason*, London and New York: Continuum, p.65. 霍克海默说，人类改造自然的历史，不过是人类改造人类自身的历史，"自我概念的演化即反映的是这种双重的历史"（ibid., p.72）。

④ Max Horkheimer, *Eclipse of Reason*, London and New York: Continuum, pp.66, 87.

高扬整体也即总体原则的旗帜是鲜明的，即反对那种把"历史""简化为事实"，把"事物""简化为物质"的"算计世界的公式"化做法①；同时，这种总体又不能堕落为形而上学的（内在的或抽象的）"同一性"，作者把这称之为"理性的同一性"观念。所谓"同一性"，"即是体系"："康德、莱布尼茨和笛卡尔都认为理性是由'完整的体系联系'组成的"，因此"从启蒙的意义上来理解，思想是统一科学秩序的创造物，是从原理中派生出来的实际知识，不管后者是被阐释为任意设定的公理、内在观念和更高层次的抽象"，总之，"同一性存在于一致性之中"，而"理性所能提供仅仅是体系同一性的观念和具体概念关系的形式的因素"②。也就是说，理性在启蒙运动中，并不具有总体属性，而只具有同一性属性，这使理性几乎堕落为一种形式理性（而非辩证理性），也即新的神话观念，在这里，"自然变成了纯粹的客观性"。然而，在作者看来，这样的自然观是不对的，因为"自然"并非纯粹的客观对象，只有当以"抽象"为"工具"的启蒙（凭借"内在性原则"）将其作为"再现"（或外显）时，它才变成这种纯粹的客观对象。作者认为，这种主张"理性同一性"观念的启蒙，之所以是新的神话，系因它"牺牲了质的多样性的自然统一性"，"即变成了抽象的同一性"。因此，"如同神话已经实现了启蒙一样，启蒙也一步步深深地卷入神话。启蒙为了粉碎神话，吸取了神话中的一切东西，甚至把自己当做审判者陷入了神话的魔掌"，因为"启蒙运动推翻神话想象依靠的是内在性原则，即把每一事件都解释为再现，这种原则实际上就是神话自身的原则"。和马尔库塞一样，霍克海默和阿多尔诺把"抽象"认定为启蒙运动的"工具"，即"抽象的同一支配使得每一种自然事物变成可以再现的，并把这一切都用到工业的支配过程，在这两种支配下，正是获得自由的人最终变成了'群氓'"。可见，作者们依然要反对的是启蒙的工具即抽象（及其通过内在性原则所实施的"再现"——外显或外化）对人的自由的抹杀（这既与人道主义的主题相契合，也与同期马尔库塞关于理性与抽象的关系的理解旨趣相一致）。霍克海默等进一步分析说，"主体和客体之间的距离是抽象的前提，它是以占有者以其通过占有物而获得的事物之间的距离为基础的"，这会使得"主体和客体都将变得虚

---

① ［德］霍克海默、阿多尔诺：《启蒙辩证法》，渠敬东等译，上海人民出版社 2006 年版，第 4 页。

② ［德］霍克海默、阿多尔诺：《启蒙辩证法》，渠敬东等译，上海人民出版社 2006 年版，第 71 页。

无",因为在这种情况下,"所谓主体理性的胜利都归属于逻辑形式主义的实在,都以理性对既定事物的直接顺从为代价"。① 显然,在这里,(辩证)理性依然被要求是一种对现实的"否定",特别是对同一性(抽象)原则的否定。

由于同一性原则多少会和宗教及普遍性原则相关,因此对理性的反思也必然会涉及考察理性与宗教、理性与普遍性的关系问题。这和马尔库塞在《理性和革命》中的处理方式相似。《启蒙辩证法》并不排斥理性与宗教的关联,同时也认为理性和普遍性相连:"整体作为整体,作为对其内在理性的证明,就必然会成为特殊性的表现。对个体而言,统治表现为普遍性,即现实中的理性"②。然而,与《理性和革命》中的马尔库塞相比,《启蒙辩证法》对于黑格尔的评价似更低一些:"黑格尔通过'确定的否定性'这一概念","把体系与历史中的总体性最终化作一种绝对的做法","又使自身陷入了神话学"③。而针对资本主义经济及其理论代言人"实证主义",《启蒙辩证法》和《理性和革命》都保持了同样的反对态度,认为,在它们那里,"理性自身已经成为万能经济机器的辅助工具。理性成了一切制造其他工具的工具"。因此,"随着资产阶级商品经济的发展,神话昏暗的地平线被计算理性的阳光照亮了,而在这阴冷的光线背后,新的野蛮种子正在生根结果"。这是对工具理性(计算理性或"技术理性")的批判,它构成了整个法兰克福学派社会批判理论的核心。因为在该学派看来,在这种工具理性之中,"理性取代了模仿,但它并不是模仿的对立面。理性本身就是模仿:即对死亡的模仿"。因为"主观精神只有通过模仿呆板的自然,使其自身非精神化,才能彻底消灭自然之灵,从而主宰非精神化的自然。这样,模仿就变成了一种支配手段,人在人的面前也变成了一种拟人化的人"。④ 这是通过对工具理性(以实证主义为其理论表现形式)及其实践(也即资本主义的经济)的批判,试图引出工具理性条件下人的异化状态(这种异

① [德]霍克海默、阿多尔诺:《启蒙辩证法》,渠敬东等译,上海人民出版社2006年版,第6—9、20页。
② [德]霍克海默、阿多尔诺:《启蒙辩证法》,渠敬东等译,上海人民出版社2006年版,第14、16页。
③ [德]霍克海默、阿多尔诺:《启蒙辩证法》,渠敬东等译,上海人民出版社2006年版,第18页。
④ [德]霍克海默、阿多尔诺:《启蒙辩证法》,渠敬东等译,上海人民出版社2006年版,第23、25、124、46—47页。

化状态与工具理性将主体和客体虚无化的逻辑之间也是一致的）。这也正是《理性之蚀》的主旨，不过，与马克思《巴黎手稿》中的"劳动异化"主题相比，这里的主旨是在讨论"理性异化"，而不是劳动异化。

之所以要反对启蒙，是因为以理性同一性为核心观念的启蒙（即工具理性，也称"启蒙理性"）所遵守的是"自我持存"（selbsterhaltung）原则，这样，"在奴隶主、自由企业家和管理人员中出现的成功的资产者形象，就成为了启蒙的逻辑主体"，而"理性概念的难题之所以形成，是因为理性的主体，即这种理性的持有者与理性自身之间实际上是处于对立状态"。"汹涌澎湃的市场经济既成了理性的现实形式，又成了破坏这种理性的力量"。"事实上，自我持存在市场经济中已经遭到了彻底破坏"，"由理性确定的自我持存，即资产阶级个体的对象化冲动展现为具有破坏力的自然力，该力量已无法与自我毁灭区别开来。这两种破坏性相互紧密地交织在一起。纯粹理性变成了非理性，变成了一种完美无缺却又虚幻无实的操作方式"。于是理性完成了"将自身转变为非理性的经世体系"，"但是，一旦理性求助于情感，它就违背了其特有的中介，即思想，与此同时，理性本身，即自我异化的理性无时无刻不对这种中介，即思想投去怀疑的目光"。"换言之，启蒙自身，一旦用于压迫的统治体系，就会反对资产阶级本身"，"启蒙的反权威倾向"，"依然在理性概念中与乌托邦思想有着千丝万缕的联系"，"最终不得不转变成为它的对立面，转变成为反对理性立法的倾向"。这就是启蒙理性的自反性和悖论。①

同时，在这种对理性同一性原则的批判中，必然会涉及与理性相关的启蒙与主体性构成问题。《启蒙辩证法》之所以会反对启蒙理性的异化，乃是因为该异化造成了主体性的虚无化。而这种虚无化与人道主义马克思主义对主体性的弘扬主旨之间是根本相违背的。作者指出，"理性对立于一切非理性的原则，并成为启蒙与神话相互对立的真正基础"，"与此相反，启蒙则把一致、意义和生活统统归结为主体性，而主体性也恰恰正是在上述过程中才开始构成。对主体性而言，理性是某种化学试剂，它汲取了个别的物质实体，并在纯粹理性的自律性中将其挥发出来。为了逃避对自然的迷信和恐怖，理性将客观有效的同一性和形式统统转变成一种混沌物质的迷雾，把它对人性产生的影响咒骂为一

① ［德］霍克海默、阿多尔诺：《启蒙辩证法》，渠敬东等译，上海人民出版社2006年版，第79、72、78—81页。

种奴役，直到主体在观念中完全变成独一无二的、无拘无束的、却又空洞乏味的权威"①。这种由启蒙理性所造成的主体性的虚无化，在《启蒙辩证法》的"文化工业：作为大众欺骗的启蒙"中进行了很好的阐释。因为在晚期资本主义社会，为配合理性同一性原则，"文化给一切事物都贴上了同样的标签"，"在这里，普遍性和特殊性已经假惺惺地统一起来了"，"所有的大众文化都是一致的"，"文化工业的技术，通过祛除掉社会劳动和社会系统这两种逻辑之间的区别，实现了标准化和大众生产"。借此，"文化工业取得了双重胜利：它从外部祛除了真理，同时又在内部用谎言把真理重建起来"，在这里，"艺术和消遣这两种不可调和的文化因素都服务于同一个目标，都服从于同一套虚假程式：即所谓文化工业的总体性"，即"商业性"。而且，虽然文化工业还保留有娱乐的成分，但"晚期资本主义的娱乐是劳动的延伸"，即"人们追求它是为了从机械劳动中解脱出来，养精蓄锐以便再次投入劳动"。然而，文化工业或大众文化的欺骗，还"不在于文化工业为人们提供了娱乐，而在于它彻底破坏了娱乐"，也即使"商业""吞噬"了"娱乐"。② 更进一步地，这种文化工业化（借助于商业化的大众化，并呈现出娱乐化的"过滤"形式）还会对人的情感产生"净化"、对人的现实日常行为产生"教化"（通过"模仿"和"幻想"）的功效，"文化工业把人当成了类成员"，这就使每个人都实际成为了一个可代替的复制品，"对那些常看电影的人来说，生活变得更加容易了"，"因为，社会的力量是完全按照合理性的方向发展的"，"也正因为如此，社会已经完全丧失了理性因素，人们完全变成了社会为行使某种职能而不断加以培训或肯定的产物"，"于是，我们对自己的社会产生了虚假的记忆"③。也正是在人们的"软弱"中，"社会发现了自己的强大，并赋予每个人以力量。人们只有逆来顺受，才能有所倚靠"；"今天，悲剧变成了个人与社会之间毫无意义的虚假同一性"④。这样

---

① [德] 霍克海默、阿多尔诺：《启蒙辩证法》，渠敬东等译，上海人民出版社 2006 年版，第78 页。

② [德] 霍克海默、阿多尔诺：《启蒙辩证法》，渠敬东等译，上海人民出版社 2006 年版，第107—108、121—123、128—129 页。

③ [德] 霍克海默、阿多尔诺：《启蒙辩证法》，渠敬东等译，上海人民出版社 2006 年版，第131、132、135 页。

④ [德] 霍克海默、阿多尔诺：《启蒙辩证法》，渠敬东等译，上海人民出版社 2006 年版，第139 页。

的理性分析，与马克思在《巴黎手稿》中的异化批判理论之间，有着异曲同工之效。只不过，在这里的具体异化逻辑是：由启蒙理性（理性同一性观念）所导致的人与社会的虚假同一性（其最严重的后果是人的个性乃至蕴含于其中的反抗力量的泯灭，也即真正的批判性、否定性或革命性的消失）——其中介则是大众文化（或文化工业），而不是劳动及其背后的财产所有制形式。这或许就是所谓西方马克思主义"文化转向"的含义之一。因此，根据《启蒙辩证法》，在文化工业社会中，所有的个性都是"一种幻象"："这不仅是因为生产方式已经被标准化"，而且"个人只有与普遍性完全达成一致"，"才是没有问题的"正常的人。这种虚假的个性，就是"流行"，"就是普遍性的权力为偶然发生的细节印上的标签"，个人只是"普遍化趋势汇集的焦点"，这就是"资产阶级'个体'的虚假特征"："他们看似自由自在，实际上却是经济和社会机制的产品"。作者们有时也称此为"经济理性"①——作为启蒙理性的工具之一。按照萨特的话来说，就是每个人都成了虚假的个体，也即一种"共性个体"。实际上，正是基于此，法国存在主义马克思主义才进一步将反对同一性原则的理性对人的自由的压制提上新的议事日程，以一种比法兰克福学派更为极端的方式，要求破除同一性原则，后者为此甚至将总体概念区分为"总体性"和"总体化"，认为前者依然有同一性原则嫌疑，进而以过程和关系替代一切静态的同一性规约。

第二节　20 世纪 50—70 年代：将辩证法引入理性原则的一种新的辩证理性观的持续尝试

　　基于 20 世纪上半叶（特别是 20 世纪三四十年代）对启蒙理性（以及其所导致的理性异化框架下的文化异化和人的异化）的反思，法兰克福学派的社会批判理论随即开始着力恢复理性的未竟事业。只是主要代表人物的着力点有所

---

① ［德］霍克海默、阿多尔诺：《启蒙辩证法》，渠敬东等译，上海人民出版社 2006 年版，第 140、187 页。

不同：与（霍克海默和）阿多尔诺继续致力于在总体上批判启蒙理性将理性工具化，恢复哲学（特别是辩证法）的否定的方面（《否定的辩证法》等）的主要旨趣不同，马尔库塞则更多借鉴精神分析学的方法，聚焦于人的异化（即"单向度的人"）的分析（《单向度的人》和《爱欲与文明》）——稍后（20世纪80年代初）的哈贝马斯则力主以交往理性来取代启蒙理性（《交往行动理论》）。

一、阿多尔诺20世纪50—70年代著述中的辩证理性观

鉴于20世纪50年代之前的相关论述中，总会涉及哲学与理性（和辩证法）的关系（其肇始源头最近可溯及卢卡奇提出的马克思主义辩证法研究议题和柯尔施提出的马克思主义与哲学的关系议题）问题，在1966年的《否定的辩证法》中，阿多尔诺提出了哲学在当代生存的可能性议题，他说："一度似乎过时的哲学由于那种借以实现它的要素未被人们所把握而生存下来。总的裁决是，它只是解释了世界，在现实面前畏缩不前导致它弄残了自身。但这一裁决成了理性在没有从事改变世界的尝试前就提出的失败主义"[1]。他认为，哲学的"批判的自我反思不应该在达到它的历史最高峰之前就突然中断。正像康德在批判了理性主义之后去探索形而上学的可能性一样，它的任务是探索一下自黑格尔哲学衰落之后，哲学是否存在和如何存在。如果黑格尔的辩证法是不成功的用哲学概念去结合所有与哲学概念相异质的东西的尝试，那么就得说明他的失败尝试与辩证法的关系"[2]。在这里，和霍克海默一样，虽然对哲学（以及与之相关的理性、形而上学和辩证法概念等）心存疑虑，但依然认为哲学的任务（特别是其反思批判的任务）仍是一项未竟的事业——这在某种程度上不得不让人以为是对德国古典哲学遗产的某种"怀乡病"情绪，当然更是对"柯尔施问题"的深入推进：即从"马克思主义是哲学"，到"马克思主义是什么样的哲学"的进一步理论探索，且这一探索也会随着"马克思思想的黑格尔之源"问题的纠缠而不得不进行进一步的澄清。而从论战的角度来看，这样的理论推

---

① ［德］阿多尔诺：《否定的辩证法》，张峰译，重庆出版社1993年版，第1页。

② ［德］阿多尔诺：《否定的辩证法》，张峰译，重庆出版社1993年版，第2页。

进工作，既与第三国际的马克思主义的机械论有关，也与资本主义世界的核心价值也即经验实证主义的兴盛有关——因为在法兰克福学派看来，后两者都是非哲学的，因此是非辩证理性的，换言之，没有真的把辩证法引入理性概念。

就此，与其他同道（无论是霍克海默还是马尔库塞）多聚焦于论证理性概念不同，阿多尔诺似是更关注何为辩证法，他对此的回答是：辩证法就是反对总体同一性，即"辩证法是始终如一的对非同一性的意识"。阿多尔诺认为，"每一种理论都是处在互相竞争的意见中的一种可能性而提出来的"，"思想不能戴上眼罩而对此闭目不视"，虽然"同一性的外表是思想本身、思想的纯形式内在固有的"，但"从一开始，辩证法的名称就意味着客体不会一点不拉地完全进入客体的概念中"，因此，辩证法"表明同一性是不真实的，即概念不能穷尽被表达的事物"，而"矛盾就是非同一性"。显然，在他这里，（作为非同一性原则也即矛盾原则的）辩证法是理性同一性原则的解毒剂。阿多尔诺同时也认识到，这样的论断是一种"现实的规律"，而不是"思索的规律"。在阿多尔诺看来，之所以要再次强调这个主题，系因为"随着辩证法的唯心主义形式成为一种文化财富，它的非唯心主义形式却退化成一种教条"，因此，"重新开始的辩证法的过程将不唯一是对哲学的一种历史传统的现实性做出裁决，也不是对认知对象的哲学结构的现实性做出裁决"①，这显然是对苏联马克思主义和资产阶级实证主义皆为不满——因此也在这一意义上，这是对卢卡奇等人的总体辩证法任务的继续（虽然因其多义性和细分性，"总体"、"哲学"、"理性"和"辩证法"都要被具体地加以审视）。

同样的不满，阿多尔诺也表达给了黑格尔，他说：由于"黑格尔内容哲学的基础和结构是主体的第一性"，也即"同一性和非同一性之间的同一性"，或曰"确定的个别是可被精神来规定的"，而哲学真正感兴趣的是，是黑格尔所不感兴趣的"非概念、个别性和特殊性"。这貌似是要比马尔库塞等更加具有反形而上学的倾向，并由此似乎要投向德国存在主义（或现象学）的怀抱（像法国存在主义者萨特等人所做的那样），由黑格尔主义倒向海德格尔主义之嫌，然而，阿多尔诺却同时也把柏格森和胡塞尔当成传统形而上学之列来加以批判，认为他们虽然观照到了无法被概念化的存在，但却又回到了传统形而上学的路径，即都"唯心主义"地"依据意识的直接材料"，因而都"停留在内在

---

① ［德］阿多尔诺：《否定的辩证法》，张峰译，重庆出版社1993年版，第3—5页。

主观性的范围之内"。这样，对论敌戴上唯心主义的帽子，似乎成了阿多尔诺的杀手锏。当然，阿多尔诺也承认，他们（指论敌们）所面临的这种矛盾，是哲学在"表达不可表达的东西"时所不得不面对的"哲学本身的矛盾"，即"概念能够超越概念"，因而"能达到非概念之物"。黑格尔就是这样借助于辩证法赋予精神以这样的权力和能力的。现在，"唯心主义向主体和精神领域投射的实在性强制状态必须从这个领域中再译成原文。唯心主义还剩下的东西是：精神的客观决定因素即社会既是主体的一个缩影，又是主体的否定"。① 由此可见，和霍克海默一样，阿多尔诺反对形而上学，并在更为决绝的意义上主张一种否定的辩证法观以及与之密切相关的哲学观（也即否定的哲学），为的是批判肯定的和实证主义的理性观（就像卢卡奇等人对第二、三国际机械主义的批判那样）。因为同样，在阿多尔诺看来，主张肯定性也即同一性思维的实证主义理性观，是与资产阶级利益相一致的。他指出："那种与资产阶级的阶级利益相符合的理性已经粉碎了封建的秩序和这种秩序的思想反映形式，即经院哲学的本体论"，而"与资产阶级的阶级利益相符合的理性畏惧混乱，感觉到了毁灭，而这种毁灭是它自身的产物"，这样，"资产阶级理性着手从自身之中产生它在自身之外曾否定的秩序"，"理性作为一个体系而盛行，最终消除到它涉及的一切质的规定，因而和客观性发生不可调和的冲突，它打算靠把握客观性来侵犯客观性"。② 阿多尔诺这是从另外一个角度重申《启蒙辩证法》中对作为同一性的现代资产阶级理性原则(也即启蒙理性或工具理性）的摒弃。而且，同样他也得出结论认为，理性作为体系，并非可以简单地予以抛弃。因为体系本身不仅具有二重性，而且具有二律背反性。因此，"辩证法作为对体系的批判的要求有处于体系之外的东西，而使认识中的辩证运动获得解放的力量同时也是反抗体系的力量"③。而且这样的"反抗"，几乎就是借助于哲学对自身的反思（以辩证法的形式），从而超越同一性原则（特别是主客体同一性原则）而得以实现的。这样一来，引入辩证法的理性（和哲学）都会因为其自身所获得的"否定性"力量而得以超越（即"反抗"）其自身(无论是作为"体系"、"概念"还是理论形态的"真理"）。换言之，真正的辩证理性是打不死的，不可以予以

① ［德］阿多尔诺:《否定的辩证法》，张峰译，重庆出版社 1993 年版，第 6—9 页。
② ［德］阿多尔诺:《否定的辩证法》，张峰译，重庆出版社 1993 年版，第 19—20 页。
③ ［德］阿多尔诺:《否定的辩证法》，张峰译，重庆出版社 1993 年版，第 30 页。

简单抛弃的，这就为"理性是一项未竟事业"提供了合法性依据，实际上法兰克福学派也因此为自己的"重建历史唯物主义"工作提供了可能性。这样的一种新历史唯物主义，不会在物质和意识之间制造人为的和虚幻的二元对立，也不会因此将任何一方圣化从而绝对化。

当然，在这样做时，阿多尔诺无论如何有存在主义式的对具体—辩证法倚重的嫌疑，实际上他认为，这也符合意识本身的"流动性"这一永恒特点。然而，虽然他这里强调的是个性、特殊性和甚至非概念性等从"具体事物出发"的原则，但依然难免有内在性原则为主导的（黑格尔式）意识哲学的特点。所以他又说，"通过使思想脱离第一性和固定性我们就不会使思想绝对化，像自由飘荡一样。这种脱离把思想固定在它不是的东西上，并消除了思想的自给自足的幻想"，而"如果理性忘记了这一点，如果理性通过使思想的产物、即抽象实体化而反对思想的意义，那么理性就成了不合理的"①。显然，这是要求以流动性（即以时间为内容的飘荡性）、变化性和偶然性，来强化否定性的力量和权力。值得注意的是，这一切虽然以否定的旨趣出现，并力主从个体性和非概念性的具体的事物出发，但却依然在围绕着"思想"这个隐形的同一性之轴而旋转，以确保阿多尔诺式的否定辩证法不至于因为失去同一性立场而"令人眩晕"。总之，在他看来，"辩证法是同相对主义严格对立的，同时也是同绝对主义严格对立的。但辩证法并不在相对主义和绝对主义之间寻找一个中间地带，而是通过这两个极端本身、靠它们自身的观念来证明它们的非真理性"。自身的合法性本身，也是一个"流动"或"飘荡"的过程。不过，"未被束缚的辩证法"（或曰"否定的辩证法"），"并非没有任何稳固的东西"，而只是"不再赋予这种东西以第一性"。②换言之，所谓的稳固性本身也是暂时的、非绝对化的。因此，无论如何，阿多尔诺反对形而上学的同一性原则（无论表现为经院哲学的本体论还是表现为理性主义的本体论）的立场，十分显见。在这里，虽然阿多尔诺也认为黑格尔对于否定的辩证法思想有着一定的贡献（同样也借助于对青年黑格尔的"实证"或"经验"概念的解读），但黑格尔"仍然让主体具有毫无疑义地高于客体的第一性。他仅仅是以半神学的'精神'一词来伪装它而已，而精神又带有抹不去的

---

① ［德］阿多尔诺:《否定的辩证法》，张峰译，重庆出版社1993年版，第33页。

② ［德］阿多尔诺:《否定的辩证法》，张峰译，重庆出版社1993年版，第34—35、37页。

个人主观性的印记"①。阿多尔诺这是要打破保留在黑格尔绝对精神体系中的最后的"第一性"稻草。当然，这并非要彻底放弃黑格尔式的辩证理性概念。实际上，通过上述分析，阿多尔诺得出结论："像概念一样，非理性本身依然是理性的一种功能，是理性自我批判的对象"，因此，"在今天就像在康德的时代一样，哲学要求对理性进行合理批判而不是放逐它或废除它"。也即尽力发挥理性反思的能力。因为如果"理性不能竭尽全力去思考，理性本身变成了坏的了"。因此，在这里，不是海德格尔式的企图"靠放弃思想来思考不可表达之物"的打算，而是要重振思想（理性）的力量。这正是阿多尔诺的否定的辩证法批判本体论（和形而上学）的目的。也即他所主张的"在批判本体论时，我们并不打算建立另一种本体论，甚至一种非本体论的本体论"。也即放弃一种作为同一性的形而上学哲学。他认为这样的努力，（自黑格尔之后）在马克思那里已十分明显，然而，"首先是卡尔·柯尔施，后来是辩证唯物主义者提出异议，认为由于其内在批判和理论的特点，向非同一性的转向是新黑格尔主义或历史上已过时的黑格尔左派的一个微不足道的变化。仿佛马克思对哲学的批判没有这种变化"②。这明显是对马克思身后的诸多马克思主义（无论是创始人阶段的西方马克思主义特别是柯尔施，还是苏联马克思主义）者的不满，认为他们都没有能够超越马克思本人的批判境界。

那么，他自己提出的否定辩证法是否就能够延续马克思的真谛？何为否定的辩证法呢？在阿多尔诺看来，这种"辩证法既不是一种方法，也不是一种现实"：不是方法，是因为"未被调和的事物"是"矛盾的"，"从而抵制任何一致性解释的企图"；"辩证法也不是简单的事实"，"因为矛盾性是一个反思范畴，是概念和事物在思想上的对立"，这种辩证法，也即否定的辩证法，是"不能再与黑格尔和好的"。在这样的辩证法中，需要注意的是：一方面，虽然反对同一性，反对把同一性定义为"自在之物与其概念的符合"，但也"不应简单地抛弃同一性的理想"③；另一方面，也不能因此全然无视"同一性哲学的否定的动机仍然是有力量的"。总之，否定的辩证法坚持的是一种辩证

① [德] 阿多尔诺：《否定的辩证法》，张峰译，重庆出版社 1993 年版，第 38 页。

② [德] 阿多尔诺：《否定的辩证法》，张峰译，重庆出版社 1993 年版，第 82、102、108、133、140 页。

③ [德] 阿多尔诺：《否定的辩证法》，张峰译，重庆出版社 1993 年版，第 141—142、146—147 页。

的矛盾观，这种"辩证的矛盾既不是一种呆板的概念形态对事物的纯粹投射，也不是一种胡作非为的形而上学"。阿多尔诺指出，虽然"黑格尔是第一个正视矛盾的人。但今天矛盾的分量比在黑格尔的时代更重"，即"尽管矛盾一度是全盘同一化的一个运载工具，但它已变成了同一化的不可能性的推理法"。换言之，"辩证法倾向于不同一的东西。辩证的运动作为哲学的自我批判依然是哲学的"。因此，需要否弃的不是同一性或总体性本身，而是辩证法自身，因为"当一个范畴"发生变化时，"一切范畴的星丛、因而每一范畴也会有所变化"，"如同一性和总体性范畴在否定的辩证法中"那样。① 这有点类似于阿尔都塞所说的问题范式（或总问题框架）的变化会导致过去的旧概念在新框架中具有全新的含义的意思。基于此，关于主体和客体的辩证法这一重建历史唯物主义的核心议题，阿多尔诺认为，主体和客体，"它们既不是一种终极的二元性，也不是一道掩盖终极同一性的屏幕。二者互相构成，就像它们由于互相构成而互相分离一样"。他说，"正是转向客体的优先地位，辩证法才变成了唯物主义的"，"马克思已经划清历史唯物主义与庸俗的形而上学唯物主义的界限，因而他使历史唯物主义卷进哲学的疑难问题中，庸俗的唯物主义却在哲学的这一方教条地嬉闹"，"霍克海默的短语'批判理论'并非想使唯物主义成为可接受的，而是用它来达到理论上的自我意识。由此，唯物主义不仅同科学的'传统理论'区别开来，同时也同对世界的笨拙解释区别开来"。② 和其他所有西方马克思主义（特别是《历史与阶级意识》中的卢卡奇等）一样，阿多尔诺既不喜欢实证主义（以科学的名义出现），也不喜欢庸俗唯物主义（以所谓辩证唯物主义的名义出现）。并力图在这二者之外寻找哲学突围的第三条道路，即批判理论的道路（只不过在这里，批判乃至革命更多地被否定所同义化）。

二、马尔库塞 20 世纪 50—70 年代著述中的辩证理性观

延续霍克海默和阿多尔诺对现代理性的批判原则，马尔库塞在其 1955 年

① ［德］阿多尔诺:《否定的辩证法》，张峰译，重庆出版社 1993 年版，第 149、150、164 页。
② ［德］阿多尔诺:《否定的辩证法》，张峰译，重庆出版社 1993 年版，第 172、190、195 页。

《爱欲与文明》和1964年《单向度的人》中，也对此进行了类似的分析（如果说，前者那里多以"启蒙辩证法"的形式出现，那么在后者这里则多以"文明辩证法"的形式出现——当然，我们可以将之都归纳为一种"文化辩证法"范式，以区别于传统或正统马克思主义的"劳动"或"生产方式"——生产力和生产关系——辩证法逻辑。这也是西方马克思主义具有其标签特征的对于社会—历史的关注切入点），只不过，在后者这里，弗洛伊德式的精神分析的方法更多见（因为在他看来，弗洛伊德的理论"在本质上是'社会学的'"，而非如"修正主义的新弗洛伊德主义"所认为的那样是纯"生物主义"的①）——虽然，在整个法兰克福学派中，心理分析的因素从来就没有缺席过。

在《爱欲与文明》中，马尔库塞指出，"自由与压抑"、"生产与破坏"、"统治与进步"之间的相互关系实际上已经构成了在现代理性（也即现代文明）的基本原则②。换言之，文明是克制的理性化，也即马尔库塞所谓"文明的辩证法"（强调快乐原则的爱欲解放与强调现实原则的异化或压抑之间的辩证法——也即突破或超越现实原则支配的爱欲反对理性暴政的革命）。可见，与启蒙辩证法的社会批判理论的逻辑一致，马尔库塞将现代工业文明定义为一种在现实原则支配下的压抑的或异化的文明过程，并力图通过"文明辩证法"的梳理（特别是通过爱欲的解放来达到对合理化的现实原则也即理性暴政的反攻），力图达到一种新的理性观，也即满足的合理化的过程，也即快乐原则对于现实原则的超越之路。这样，马克思《巴黎手稿》中的异化主题，被心理学的解释所"填补"。人的异化（及自由）问题，也遭遇了弗洛伊德式人学话语的"填充"。

正是在这一背景下，马尔库塞认为，现代文明是一种理性的暴政。他的这一结论即是从分析弗洛伊德的人的学说开始的，"弗洛伊德认为，人的历史就是人被压抑的历史"，因为"人的首要目标是各种需要的完全满足，而文明是以彻底抛弃这个目标为出发点的"，也即人从遵从本能的动物性的人转向社会人的第一步，就是要完成"从快乐原则到现实原则的转变"，然而在这一过程中，"现实原则所改变的不只是快乐的形式及获得快乐的时间，而且是快乐的

---

① [美]马尔库塞：《爱欲与文明：对弗洛伊德思想的哲学探讨》，黄勇等译，上海译文出版社1987年版，第19—20页。

② [美]马尔库塞：《爱欲与文明：对弗洛伊德思想的哲学探讨》，黄勇等译，上海译文出版社1987年版，第19页。

实质"。这样，"在现实原则的指导下，人类发展了理性的功能：学会了'检验'现实，区分好坏、真假和利弊"，"人获得了注意、记忆和判断诸机能，成了一个有意识的思想主体，并且做到了与外部强加于他的合理性步调一致"。① 显然，根据其对弗洛伊德的解读，马尔库塞实际上是把理性的过程（也即黑格尔意义上的从原子化的个体到社会化的人，也即类的转化过程）视为一种文明的压抑的结果（由于受现实原则的支配）。这明显对理性采取的是一种悲观主义的态度，这种态度认为，只要无法逃脱现实原则的支配，就是对快乐原则的伤害，实际上，在马尔库塞看来，"唯一与理性这个心理机制的新组织相'分离'而继续不受现实原则支配的思想活动是幻想"②，此外皆受现实原则的支配。根据马尔库塞的解读，弗洛伊德"反对把理性等同于作为文化意识形态基础的压抑"，而认为，"不自由和压抑"是文化"必须付出的代价"③。然而，借用弗洛伊德的爱欲概念的马尔库塞，却旨在揭示现代文明是如何"陷入破坏性的辩证法之中"的，因为"对爱欲的持久约束最终将削弱生命的本能，从而强化并释放那些要求对它们进行约束的力量，即破坏力量"④。这里的"破坏性辩证法"在字面意义上虽然不同于阿多尔诺的"否定的辩证法"，但在基本宗旨上却与后者有异曲同工之用，也即马尔库塞不仅要揭示并批判作为文明而行进的理性（现代理性）的崩溃逻辑（以快乐原则服从于现实原则为例），而且还要辩证地看待这种以崩溃逻辑所表征出的破坏性力量本身的解放因素，这一点尤其在他对"多余的"或"额外压抑"概念的使用上体现出来，换言之，他并不否认必要的压抑的进步意义或合理性价值，而是要反对那些额外的压抑。这就为理性的重建提供了可能性，正如霍克海默的启蒙辩证法所要力主的那样，认为理性是一个未竟的事业。

---

① ［美］马尔库塞：《爱欲与文明：对弗洛伊德思想的哲学探讨》，黄勇等译，上海译文出版社 1987 年版，第 3—5 页。关于记忆，马尔库塞认为，虽然记忆总是以恢复的名义进行的一种重建式幻想，并因此有解放的内涵，但随着文明的进程，"理性和理性化的记忆本身也屈从于现实原则了"（参见同上书，第 20 页）。

② ［美］马尔库塞：《爱欲与文明：对弗洛伊德思想的哲学探讨》，黄勇等译，上海译文出版社 1987 年版，第 5 页。

③ ［美］马尔库塞：《爱欲与文明：对弗洛伊德思想的哲学探讨》，黄勇等译，上海译文出版社 1987 年版，第 8 页。

④ ［美］马尔库塞：《爱欲与文明：对弗洛伊德思想的哲学探讨》，黄勇等译，上海译文出版社 1987 年版，第 28 页。

　　同样，也和启蒙辩证法的逻辑，也即反对工具和技术理性的逻辑类似，马尔库塞将现实原则归入"操作原则"："操作原则是一个不断发展的、进取的对抗性社会的原则。它的前提是，在长期的发展中，统治将变得越来越合理，因为对社会劳动的控制现在正以更大的规模、更好的条件再生出社会来"；"这是一种个体若想生存就必须屈从于它的独立的力量，而且劳动分工越专门，他们的劳动就越异化。人们并不是在过自己的生活，而只是在履行某种事先确立的功能"。这就将对现代理性的批判与异化劳动概念联系在了一起。马尔库塞认为，这种异化劳动是"对快乐原则的否定"，"在操作原则统治下，人的身心都成了异化劳动的工具"。这显然延续的是一种工具理性批判的逻辑——实际上，马尔库塞在这里援引了霍克海默对科学技术理性的相关批判分析。因此，马尔库塞认为，"不可避免地要发生冲突的两者不是工作（现实原则）和爱欲（快乐原则），而是异化劳动（操作原则）与爱欲"。① 这是马尔库塞对弗洛伊德的"文明辩证法"的一种修正。在这种经过修正的文明的辩证法中，合理化（无论是以技术的形式还是别的什么有组织的形式），不仅是现实原则对快乐原则的破坏力（虽然这种破坏力在弗洛伊德那里是文明前行的必要的代价），而且同时也更重要的是，"文明的进步将会使这种合理性变得荒谬了"。因此，"在一个异化的世界上，爱欲的解放必将成为一种致命的破坏力量，必将全盘否定支配着压抑性现实的原则"——如哲学和文学就是"对现实原则的彻底的否定"和抵抗。② 赋予哲学特别是文学（审美批判）以最后的解放的使命，几乎是所有法兰克福学派学者，乃至人道主义一派的共同乌托邦。当然，在这一乌托邦中，异化劳动再次被纳入批判对象，如马克思《巴黎手稿》所做的那样，只是这里，批判的范式是从所有制（生产方式）转换到了文化（启蒙和文明）。这或许就是马尔库塞所说的要改变辩证法本身的含义所在。

　　既然服务于现实原则（表现为异化劳动）的"人类理性从其功能上说乃是压抑性的"，那么，反对现代文明的理性暴政，就必须以快乐原则超越现实原则，以期重建一种新理性观。和其他法兰克福学派学者一样，马尔库塞

---

① ［美］马尔库塞：《爱欲与文明：对弗洛伊德思想的哲学探讨》，黄勇等译，上海译文出版社 1987 年版，第 28—29 页，第 30 页注释 1。

② ［美］马尔库塞：《爱欲与文明：对弗洛伊德思想的哲学探讨》，黄勇等译，上海译文出版社 1987 年版，第 65、67、74 页。

对于新理性观的确立，是从对传统理性观的批判分析为出发点的。而关于传统理性观，马尔库塞指出，"自亚里士多德将逻辑定于一尊以来，逻各斯一词已与整理、划分、控制的理性没有区别了。这种理性观与那些接受性的而非生产性的、趋于满足的而非超越的机能与态度，处于越来越激烈的对抗之中。这些机能和态度成了不合理的和非理性的东西，因此为了理性的进步，必须予以征服和克制。理性将更有效地改造和开发自然，以确保人类潜能的实现。但在此过程中，目的与手段似乎易位了"，"逻各斯表现为统治的逻辑"。[1] 这样的理性概念史梳理，与霍克海默关于主观理性和客观理性的历史梳理，具有大致相同的旨趣，而在转向黑格尔时，又与阿多尔诺有着更为接近的态度，即马尔库塞认为，"亚里士多德的思想几经变换，仍富有活力。在理性时代之末，在黑格尔那里，西方思想做了最后和最大的努力来证明其范畴及支配世界的原则的有效性，结果却仍然诉诸于这个神的努斯"："实现仍被交给绝对观念和绝对知识"，"世界这个普遍的理性之圈中，所有异化都得到了辩护，同时也被取消了。但现在，哲学把握住了理性大厦得以建立的历史基础"——"'精神现象学'把理性的结构作为统治的结构、作为对这种统治的克服而加以揭示"。[2] 这是对黑格尔辩证理性观的定性分析。我们可以发现，马尔库塞对黑格尔以及其之前整个西方哲学传统的理性观的指认，确立了理性概念的核心地位，进而和他的同门（阿多尔诺和霍克海默）一样，对黑格尔本身的理性观进行了各有褒贬的分析。特别是和阿多尔诺一样，马尔库塞在黑格尔的著述（如《精神现象学》）中阅读到了否定性概念的伟大意义，然而，他们以为这种伟大却并不能改变黑格尔哲学的基本特点（也即其缺陷），即将最高形式的存在、最高形式的理性定义为精神的理念论模式。因此，"解放乃是一个精神的事件"，故而"黑格尔的辩证法仍然未能突破由现存的现实原则所确定的框架"[3]。然而，与阿多尔诺把对黑格尔的超越之功归于马克思不同的是，马尔库塞将这一功劳颁

---

① ［美］马尔库塞：《爱欲与文明：对弗洛伊德思想的哲学探讨》，黄勇等译，上海译文出版社1987年版，第78、79页。

② ［美］马尔库塞：《爱欲与文明：对弗洛伊德思想的哲学探讨》，黄勇等译，上海译文出版社1987年版，第80页。

③ ［美］马尔库塞：《爱欲与文明：对弗洛伊德思想的哲学探讨》，黄勇等译，上海译文出版社1987年版，第84页。

给了尼采。

在马尔库塞看来，尼采是从一个与西方文明的现实原则根本对立的原则立论的，因此"他抛弃了理性的传统形式"。所以可以认为，超出西方哲学理性体系局限的努力，虽然源自于黑格尔，但却是在尼采这里才得以真正实现。其标志就是"传统本体论遭到了非议：与以逻各斯为基础的传统存在观相抗衡，出现了一种以非逻辑的东西即以意志和快乐为根据的存在观"——虽然"这股逆流也想努力表明其自身的逻各斯，即满足的逻各斯"，而"弗洛伊德理论发展到最后也成了这种哲学原动力的一部分"，换言之，在马尔库塞看来，弗洛伊德虽然在某种意义上采取的是尼采式的对传统理性的"反动"，但他却日渐"关心的是已占统治地位的现实原则的合理性，而不再是对爱欲的形而上学沉思"，"而我们现在需做的，正是要恢复他这种形而上学沉思的全部内容"。① 就这样，马尔库塞将一直支配西方文明进步的现实原则（也即理性）定义为操作原则（表现为异化劳动），并力图从新的爱欲观出发对传统理性原则进行反思，这就是他所谓的形而上学沉思。马尔库塞说，"代表着西方文明的哲学提出了一个理性概念，它表达了操作原则的主要特征。但正是这同一种哲学最后也看到了一种较高形式的理性，而它恰恰否定了这些特征，即接受、沉思和享受"。由此，马尔库塞力图纠正弗洛伊德的文明辩证法，也即那种"把现存的现实原则（即操作原则）同现实原则本身等同起来"的错误做法，转而"努力从本能的历史变迁中'发现'本能的非压抑性发展的可能性"，也即"借快乐原则之名对现存现实原则作批判，是对普遍存在于人类生存的这两个方面之间的对抗关系作重新评估"。② 虽然弗洛伊德本人也在一定程度上这样做了，也即"在弗洛伊德的理论中，与现实原则对立的心理力量的主要表现是降入无意识，并在无意识中发挥作用"，由此赋予"幻想"（想象）以"摆脱现实原则的心理活动"的权利，并创造性地将其与快乐原则联系在一起；但马尔库塞似乎对此并不能满意，而要把弗洛伊德在"'本能压抑——于社会有用的劳动——文明'这三者之间的相互关系转换成'本能的解放——于社会有用的工

---

① ［美］马尔库塞：《爱欲与文明：对弗洛伊德思想的哲学探讨》，黄勇等译，上海译文出版社1987年版，第87、89、90页。

② ［美］马尔库塞：《爱欲与文明：对弗洛伊德思想的哲学探讨》，黄勇等译，上海译文出版社1987年版，第93—95页。

作——文明'这样的相互关系"①。因为如前所述，在马尔库塞看来，现行的压抑，主要不是弗洛伊德所谓的必要的代价，而是额外压抑，为消除这样的压抑，唯有消除造成这一压抑的社会组织，从而通过爱欲的解放创造新的工作关系和新的文明辩证法，也即新理性。这种新的理性，与传统理性不是一回事，它会使记忆、幻想和想象，在坚持一种新的现实原则时"不受操作原则的支配"。然而，正如马尔库塞所认识到的，这样做并不容易，因为如前所述，"理性就是操作原则的合理化"，"本能、感性领域被看作始终对立于理性，有害于理性的"，"凡属于感性、快乐、冲动领域的东西都意味着与理性相对抗的，是必须予以征服和压制的东西"，马尔库塞称此为"压抑性的理性统治"，并指出这种理性统治"无论在理论上还是实践上，都从来不是完全的"和"没有争议的"。弗洛伊德为"幻想"（想象）所"保留"的"一个与理性不符"的"真理"身份，也即保护了受理性压抑的"欲望"的真理因素（一个"伟大的拒绝"的真理），就是典型案例。此外，和其他人道主义者一样，马尔库塞也赋予审美以这样的爱欲解放功能。马尔库塞认为，自己这样做是为了试图从一个非压抑的文化观中来"建立本能与理性之间的新联系"，也即让"本能摆脱了压抑性理性的暴政，走向自由的、持久的生存关系，就是说，它们将产生一种新的现实原则"。② 这几乎是要继将辩证法引入理性之后，再将本能引入辩证理性之中。前者是为了破除理性自身的神话（和绝对化），后者是要驱除神话所带来的压抑性。无论如何，这都是异化批判主题的子课题。这一子课题在随后的《单向度的人》中被赋予一个新的称谓："单向度"批判。

在《单向度的人》中，马尔库塞将工业的资本主义社会定义为一种单向度的社会，也即"批判的停顿"和"没有反对派的""非理性"的社会。这是对他在《爱欲与文明》中所批判的以现实原则为指导的传统理性暴政社会实践的具体批判。马尔库塞进而认为："面对发达工业社会成就的总体性，批判理论失去了超越这一社会的理论基础"，因为"批判理论的范畴实质上是用来规范 19 世纪欧洲社会实际矛盾的否定概念和反对概念"。而随着工业社会的一

---

① ［美］马尔库塞：《爱欲与文明：对弗洛伊德思想的哲学探讨》，黄勇等译，上海译文出版社 1987 年版，第 101、112 页。

② ［美］马尔库塞：《爱欲与文明：对弗洛伊德思想的哲学探讨》，黄勇等译，上海译文出版社 1987 年版，第 112—116、144 页。

体化发展，"这些范畴正在失去它们的批判性涵义，而趋于变成描述性、欺骗性和操作性的术语"，而那种"想重新获得这些范畴的批判性内容"的努力"似乎一开始就是一种倒退"，即"从政治经济学的批判向哲学倒退"。① 这显然是对思辨哲学及其在当代表现形式的一种严重不满。而关于马克思思想中的哲学阶段和政治经济学批判阶段的"阶段论"再次得到指认。显然，与政治经济学批判相对的哲学，不是卢卡奇和柯尔施意义上的总体的哲学，而主要是思辨哲学。而与思辨哲学（名）相对的则是具体生活本身（实）。由此，马尔库塞将焦点对准"发达工业社会"（先前曾被称为文化工业或工业文化社会）本身。认为发达工业社会这个拥有极权主义特征的社会的统治系统，是通过技术来完成的。"作为一个技术世界，发达工业社会是一个政治的世界"，"在技术的媒介作用中，文化、政治和经济都并入了一个无所不在的制度"。由此，"技术的合理性变成政治的合理性"。这样，对技术理性的批判就进入了对政治理性的批判。因为这样的理性所造成的是一个总体压抑的社会，或单向度的社会。在马尔库塞看来，"把理性强加于整个社会是一种荒谬而又有害的观念"，因为"抑制性的社会管理愈是合理、愈是有效、愈是技术性强、愈是全面，受管理的个人用以打破奴隶状态并获得自由的手段与方法就愈是不可想象"。② 因此，单向度的理性社会，实际上是一个不合理的合理社会，在这里，人们的思维也会变成单向度的，因而成为单向度的人。"'理性的狡诈'正如它往常的所作所为那样，是有利于现存的力量的"③。也即他在《爱欲与文明》中所说的现代社会的理性暴政，换言之，理性沦为控制技术和工具，是对现存现实原则的遵循。而且，这种"新的技术工作世界因而强行削弱了工人阶级的否定地位：工人阶级似乎不再与已确立的社会相矛盾"，"技术的面纱掩盖了不平等和奴役的再生产"，"物化有可能凭借其技术形式而成为极权主义"。④

---

① ［美］马尔库塞：《单向度的人：发达工业社会意识形态研究》，刘继译，上海译文出版社1989年版，第1、5—6页。

② ［美］马尔库塞：《单向度的人：发达工业社会意识形态研究》，刘继译，上海译文出版社1989年版，第7—8页。

③ ［美］马尔库塞：《单向度的人：发达工业社会意识形态研究》，刘继译，上海译文出版社1989年版，第16页。马尔库塞指出，"马克思曾经在他的'废除劳动'的学说中预见到这一阶段"（参见同上）。

④ ［美］马尔库塞：《单向度的人：发达工业社会意识形态研究》，刘继译，上海译文出版社1989年版，第30—32页。

总之，包括文化艺术在内的一切，都要屈从于技术理性的进程。此时，在《爱欲与文明》中所倡导的快乐原则，也因爱欲的被改变，也即被技术和政治征服，使得快乐原则被"调整"和被"俗化"。甚至语言也概莫能外，被理性操控的"功能性语言是一种极端反历史的语言：操作理性几乎不为历史理性留下地盘和发挥作用的机会"——虽然"这并不意味着历史（个人的和普遍的）从话语领域消失"，因为"过去"还"常常被人们唤起"，如"引证马克思—恩格斯—列宁"，但"被唤起的记忆也是被仪式化了的，它不允许记忆内容的发展：单纯的召唤往往起到阻碍记忆内容发展的作用，而正是记忆内容的发展将表现出它的历史性错误"。而且，被理性管理后的社会的语言，不仅是这种控制的反映，也"仍然是一种控制手段"，"语言的控制是通过下列途径来实现的：减少语言形式和表征反思、抽象、发展、矛盾的符号，用形象取代概念。这种语言否定或吞没超越性语言；它不探究而只是确认真理和谬误并把它们强加于人"。马尔库塞认为，这种被管控的语言的魔力就在于，虽然人们并不相信它，但却"仍然在根据它行动"。如此一来，"人们在单向度的世界里受到忘记过去的训练，受到把否定事物说成肯定事物的训练"，故而思想和现实之间的紧张关系得到了缓解。①

为此，和阿多尔诺一样，马尔库塞也专门讨论了否定性思维问题，他说："理性＝真理＝现实的公式把主观世界和客观世界结合成一个对立面的统一体，在这个公式中，理性是颠覆性的力量，是'否定性的力量'；它作为理论理性和实践理性而确定人和事物的真理——即确定人和事物在其中显露出其本来面目的条件"，而"极权主义技术合理性领域是理性观念演变的最新结果"。马尔库塞认为，"直到发达工业文明的成就导致单向度现实取得对各种矛盾的胜利为止，稳定的趋势同理性的破坏性要素、肯定性思维的力量同否定性思维的力量都是相冲突的"②。和《爱欲与文明》中的叙述类似，马尔库塞诉诸于对哲学史的梳理来探索理性的演化与技术理性的缘起（马尔库塞称之为"前技术的合理性"与"技术的合理性"时代），并指出，"逻各斯和爱洛斯这两个重要术语指明了两种否定方式。爱欲和逻辑的知识损害了对已确立的、偶然的

① ［美］马尔库塞：《单向度的人：发达工业社会意识形态研究》，刘继译，上海译文出版社1989年版，第70、90页注释1、94、95页。

② ［美］马尔库塞：《单向度的人：发达工业社会意识形态研究》，刘继译，上海译文出版社1989年版，第111、112页。

现实的信念，并努力寻求与现实不相容的真理。逻各斯和爱洛斯是主客观的结合"，是辩证理性的开始（也即形式逻辑向辩证逻辑的转换——在这里，逻辑是前技术理性时代的核心范畴，其基本倾向是本体论偏好），正是"辩证思想把'是'和'应当'之间的批判紧张关系首先理解为存在自身结构的本体论状况"。① 在马尔库塞看来，这样的辩证思维"仍然是非科学的"，因为它的判断的客观性，是从外部强加给辩证思维的，只有"当历史内容进入辩证概念并从方法论上决定其发展和功能时，辩证思维就达到了把思维结构同实在结构联系在一起的具体性。于是逻辑的真理变成历史的真理"，这就是"本体论辩证法向历史辩证法的转变"，在这一转变中，"作为批判性、否定性思维的双向度哲学思想保存了下来"，直到从前技术理性时代向技术理性时代的转换。然而，马尔库塞指出，"在社会现实中，不管发生什么变化，人对人的统治都是联结前技术理性和技术理性的历史连续性"。② 因此，"在发达工业社会中，先前那些否定的、超越性的力量同已确立制度的一体化似乎在创造一种新的社会结构"，也即否定性的一面在向肯定的一面转换，因为"政治意图已经不断渗进处于不断进步中的技术，技术的逻各斯被转变成依然存在的奴役状态的逻各斯。技术的解放力量——使事物工具化——转让成为解放的桎梏，即使人也工具化"。③ 和在《爱欲与文明》中的观点类似，马尔库塞认为，所谓否定性思维，指的是一种"处于对立面的思维方式"，"'否定的力量'是支配概念发展的原则"，"而矛盾则是理性的重要性质"（黑格尔），但"思想的这一性质并不局限于某种理性主义"，"它也曾是经验主义传统中的决定性因素"，换言之，"经验主义并不必然是肯定的"④。但在今天，它们都被理性的暴政所收编，都成为一种单向度的肯定性思维，因为"在自身现实化的基础上，理性抵制了超越"。这样，"实证主义对大脑的清洗则使大脑同有限经验相一致"，"经验世界就是这样一种不完

① ［美］马尔库塞：《单向度的人：发达工业社会意识形态研究》，刘继译，上海译文出版社1989年版，第114—115、120页。

② ［美］马尔库塞：《单向度的人：发达工业社会意识形态研究》，刘继译，上海译文出版社1989年版，第126、127、129页。

③ ［美］马尔库塞：《单向度的人：发达工业社会意识形态研究》，刘继译，上海译文出版社1989年版，第130、143页。

④ ［美］马尔库塞：《单向度的人：发达工业社会意识形态研究》，刘继译，上海译文出版社1989年版，第154页。

整的形式变成肯定性思维的对象"，甚至"把批判性思维改造成肯定性思维"（通过"对普遍性概念的治疗性处理"，也即把"普遍概念转译成操作术语和行为术语"）。马尔库塞重申，理性概念起源于价值判断，"真理概念不能与理性的价值相分离"。在这样的逻辑框架下，和其他法兰克福学派学者一样，马尔库塞将实证主义（包括新实证主义）视为肯定性思维的代言人，认为"肯定性思维和它的新实证主义哲学反对合理性的历史内容"。① 因此，接下来的任务是要将批判、矛盾和超越等否定性要素引入哲学概念之中，并破除肯定性思维要素的暴政统治，以期恢复理性一直受压抑和破坏的历史功能，如怀特海所坚守的，"理性仍然有待于发现、认识和实现"。然而，由于"发达的单向度社会改变着合理性与不合理性之间的关系"，"与这一社会合理性奇异而又疯狂的面貌相对照，不合理性的领域成为真正合理性的归宿"，即"在一种对任何事情（不包括反对现实的精神）都进行辩护和开脱的现实中，这里说话的不再是想象，而是理性。想象正在让位给现实，现实正在追赶和压倒想象"，"如同已确立社会中的其他东西一样，想象也被有系统地滥用着"。这是一种《爱欲与文明》中现实原则（也即工具理性）的胜利场景。因为，"在这里"，"技术的合理性""仍然是独一无二的标准和指针"。所以，"社会批判理论并不拥有能在现在和未来之间架设桥梁的概念；它不作许诺，不指示成功，它仍然是否定的。它要仍然忠诚于那些不抱希望，已经并还在献身于大拒绝的人们"。② 大拒绝，也即否定，一种拒绝为任何形式的肯定所收编的否定。以这样的方式，马尔库塞因对技术理性的批判，而与阿多尔诺的否定性思维（也即否定辩证法）并肩前行；同时，他的技术理性批判，也在哈贝马斯那里被继而表述为"作为意识形态的科学与技术"，只不过后者是在交往理性的范式下予以论证的。

---

① ［美］马尔库塞：《单向度的人：发达工业社会意识形态研究》，刘继译，上海译文出版社1989年版，第155、164—165、199、202页。

② ［美］马尔库塞：《单向度的人：发达工业社会意识形态研究》，刘继译，上海译文出版社1989年版，第205、222—223、226、231页。

第三节 交往理性的提出：哈贝马斯论理性与辩证法

在完成于 1981 年的《交往行动理论》中，哈贝马斯继续探索理性之未竟事业（而且是在对几乎整个西方马克思主义——从卢卡奇到阿多尔诺——理性观进行梳理的基础之上），即试图以交往理性作为可替代方案。哈贝马斯说，"我认为，交往行动理论不是理论的理论，而是一种试图提出批判尺度的社会理论的开端"。哈贝马斯指出，他的交往行为理论首先是与交往合理性（也即"交往理性"）概念密切相关的，因此他要探索交往理性概念的方方面面。为此，他注意到了"60 年代末以来"，"西方理性主义的遗产已遭到人们的驳斥"，[①] 由此，让他更加注意到理性的潜力，也即"按照交往合理性的意义重建理性概念"[②]。这是对法兰克福学派继续理性之未竟事业之担当。

和其他法兰克福学派学者一样，哈贝马斯认为，理性是一个基本的和核心的哲学范畴，是哲学把握世界的形而上学设定和本体论基础。理性概念也因此是认识论的和价值论的核心范畴。他说，"哲学的基本论题就是理性"，也即"试图通过解释自身理性经验的途径，来思考世界的存在或世界的统一性"，构成了过去的哲学的共同点[③]。虽然如此，哈贝马斯自己却力图从社会学的角度来建立一种交往合理性的理论。因此，他主张一种狭义的合理性概念，"即认为合理性概念仅涉及所描述知识的运用"，并将之与第一代法兰克福学派学者的工具理性概念区别开来，认为"合理性概念归根到底就是通过论证演说促使自愿联合和获得认可的力量的中心经验"，"总之，我们把合理性理解为具有语

---

① ［德］哈贝马斯：《交往行动理论》（第一卷），洪佩郁等译，重庆出版社 1994 年版，"第一版前言"第 5—7 页。

② ［德］哈贝马斯：《交往行动理论》（第一卷），洪佩郁等译，重庆出版社 1994 年版，第 11 页。

③ ［德］哈贝马斯：《交往行动理论》（第一卷），洪佩郁等译，重庆出版社 1994 年版，第 14 页。

言能力和行动能力的主体的一种素质"，也即一种主体间性的属性。① 哈贝马斯实际上用交往理性概念来对此予以表征。因为在他看来，"在哲学中并没有制定出一个既包括论及社会和主观世界关系，也包括论及客观世界关系的相应概念。交往行动理论应该弥补这个缺陷"②。交往行动理论所诉求的交往理性，则需要借助于"命题真实性、规范正确性和表情真实性"来获得。所谓命题（也成论断）的真实性，就意味着"被论断的事态是客观世界中存在的事物"；规范正确性则意味着"所构成的个人内部的关系被认可为生活世界的合法组成部分"；表情真实性（或"主观正确性"）则指的是："一个想表达一种思想、一种愿望、一种情感，想在别人面前展示自己一部分主观性的带表情的表述"的真实可靠性或曰可通约性。它们所对应的分别是客观世界、主观世界和社会世界（以及与之分别相对应的客观理性、主观理性和社会理性）。在这三者基础之上可形成的是交往合理性相对应的生活世界，因为"进行交往行动的主体始终是在生活世界范围内相互理解的"。根据哈贝马斯的理解（基于他对皮亚杰相关理论的解读），"与通过工具性行动所形成的与外部自然界的交往关系促使思想上获得'理性的规范体系'，而与其他人所进行的内部活动则为思想上渗入社会公认的'道德规范体系'铺平道路"，哈贝马斯就是要在此基础上提出自己的这一主张，即"世界观的分散化和生活世界的合理化是一种解放了的社会的必要条件"。③ 哈贝马斯这是继霍克海默区分客观理性和主观理性之后，又添加了社会理性概念，并认为自己的交往理性是建立在这三者基础之上的（且以对主体间性的强调为基本特色）。

从具体论述来看，哈贝马斯并非自诩（实际也不是）首创交往理性概念，而是要致力于"准确的解释"合理性概念。虽然他也承认韦伯是"唯一想摆脱历史哲学思维前提和演变论基本假设，并想把旧欧洲社会现代化理解为一种一般历史合理化过程的结果的社会学家"。哈贝马斯指出：

---

① ［德］哈贝马斯：《交往行动理论》（第一卷），洪佩郁等译，重庆出版社 1994 年版，第 25、40 页。哈贝马斯明示，是"皮亚杰区分了物质客体的交往与社会客体的交往，就是说，区分了'主体和客体之间的相互作用主体和其他主体之间的相互作用'"（参见同上书，第 99 页）。

② ［德］哈贝马斯：《交往行动理论》（第一卷），洪佩郁等译，重庆出版社 1994 年版，第 69 页。

③ ［德］哈贝马斯：《交往行动理论》（第一卷），洪佩郁等译，重庆出版社 1994 年版，第 75—78、101、100、107 页。

"韦伯分析了那种宗教史上摆脱巫术的过程，这种过程应该为西方理性主义的出现提供必要的内部条件，并且是借助一种复杂的，即使完全是未加解释的合理性概念；与此相反，韦伯在分析社会合理化是如何在现代贯彻的时候，是受到目的合理性这种观念局限的。韦伯和马克思一样，对这个概念的理解，是与霍克海默和阿多尔诺不同的另一个方面"①。

这就既对韦伯的合理化概念给予了肯定，又对其目的合理性观念表达了不满，并力图将之与法兰克福学派的论点进行比较。哈贝马斯解读说，"按照马克思的意见，社会合理化是直接通过生产力的发展而贯彻的"，生产关系"只能通过生产力的合理化压力进行革命化"；而韦伯则"不同"，"他认为，资本主义经济和现代国家的机制并不是作为束缚合理化潜力的生产关系，而是作为西方理性主义在其中进行社会发展的目的合理行动的从属体系"，并同时担心"社会关系"的"物化"（如官僚主义）会"窒息合理安排生活的动员的推动力"；"霍尔海默、阿多尔诺，以后也包括马尔库塞，就是按照这种韦伯的展望来解释马克思的"②。这就把自己前辈同道的相关理论贡献纳入韦伯式的遗产继承者的角色。这也为日后的相关论者，尤其是英美学界提供了口实（甚至卢卡奇也被纳入这一韦伯后继者的阵营）。实际上，关于自己的法兰克福学派前辈的工具理性批判（作为一种社会批判理论），哈贝马斯是这样评价的：

"按照一种独立化工具性的理性的标准，把自然统治的合理性与阶级统治的非合理性溶合在一起，被解放了的生产力稳定化了正在异化的生产关系。《启蒙辩证法》消除了马克斯·韦伯对合理化过程还怀有的矛盾情绪，并且立即转向了对马克思的积极评价。马克思认为科学和技术，是一种明显的解放的潜力，但是科学和技术本身又变成了社会镇压的媒体"③。

在哈贝马斯看来，上述这"三种观点"（即马克思的、韦伯的和以霍克海默为代表的法兰克福学派前辈们的）都具有共同的弱点，即一方面，他们都"把社会合理化与行动联系的工具性和策略性的增长等同起来了"；另

---

① [德] 哈贝马斯：《交往行动理论》（第一卷），洪佩郁等译，重庆出版社1994年版，第107、193—194页。

② [德] 哈贝马斯：《交往行动理论》（第一卷），洪佩郁等译，重庆出版社1994年版，第194页。

③ [德] 哈贝马斯：《交往行动理论》（第一卷），洪佩郁等译，重庆出版社1994年版，第194—195页。

一方面，"他们都幻想，是否通过自有生产者联合的概念"，会呈现出一种"普遍的社会合理性"。哈贝马斯认为：首先，他们的行动理论框架都太"狭窄"了，即"不能通过社会行动把所有的社会合理化能借以体现的方面都包括在内"；其次，他们把"行动理论基本概念与体系理论基本概念相混淆"了，"就是说，行动方向和生活世界结构的合理化，与行动体系的复合性的增长并不是同样的一回事"。根据哈贝马斯的理解，"理论理性与实践理性"之间的"辩证的中介"，在黑格尔的法哲学中已经得到了研究，后来马克思"又在社会理论中发现了这种中介的入门，并且是以双重的方式"，然而，由于马克思理论之"规范基础"的"晦涩难懂"，这使得一方面"马克思的社会理论分裂成社会研究和伦理社会主义"，另一方面则不仅与"黑格尔正统地联系起来"（卢卡奇、柯尔施），也与"19世纪比较强大的自然主义的发展理论同化"（恩格斯、考茨基）。① 可见，哈贝马斯虽然不能尽然同意自己前辈同道的论点，但在对创始人阶段的西方马克思主义和第二、三国际马克思主义的不满，却与同道们保持着一致。这种不满甚至加诸于韦伯和马克思本人那里。

正是由于不满韦伯在梳理西方理性主义概念时的"混乱"，哈贝马斯借用"帕森斯②以来"的相关理论成果，将合理化概念划分为三个领域，即"社会"、"文化"和"个人"维度，并力图对其加以澄清和评判。哈贝马斯指出，"韦伯类似马克思，把社会现代化理解为资本主义经济与现代国家的分离"，资本主义经济、现代国家以及二者之间的相互关系，这三个因素构成了"社会合理化"的基本内容，他说，这是韦伯解释其他两个领域的合理化也即文化合理化和个人合理化的基础，并共同构成了韦伯所理解的"西方理性主义的表现"，换言之，"西方理性主义也是通过这三个因素表现出来的"。由此，"韦伯从现代科学和技术、自主的艺术宗教依据的进行原则指导的伦理学，吸取了文化的合理化"；而这种伦理理性主义的文化合理化对个人

① [德] 哈贝马斯：《交往行动理论》（第一卷），洪佩郁等译，重庆出版社1994年版，第195、201—202页。

② 根据哈贝马斯的观察，"韦伯是从意识结构方面提出合理化难题的"，而帕森斯，则"是从个人和文化方面提出合理化难题的"；换言之，"韦伯是根据一种在基督伦理生活指导的历史形式中所体现的，联结手段合理性、目的合理性和价值合理性的行动类型，来制定实践合理性概念"，"韦伯想解释的合理化现象"，在"社会方面"（参见同上书，第234页）。

生活的指导便是个人层面的合理化。[①] 换言之，西方理性主义表现为现代化的社会合理化过程，这个过程分别呈现在社会、文化和个人等具体领域。根据哈贝马斯的解读（这一解读实际是以韦伯为个案的对整个西方理性主义的理解），韦伯的合理性概念主要侧重社会的维度，或曰是以社会为出发点的（这构成了韦伯的现代化理论）。由此，"韦伯把文化价值领域的区分看作为解释西方理性主义的关键，并且把文化价值领域的区分又理解为一种内部历史，就是说，世界观合理化的结果"，因此，"如果我们不借助于价值实现的哲学观点来解释生活秩序的社会学观点，我们从一开始就会误解韦伯的合理化理论"[②]。这就是说，韦伯所侧重的社会合理化，实际是一种社会文化（价值）合理化。看来，西方马克思主义从创始人时期就已开始的"文化转向"，原来都是受韦伯的合理化概念的影响，也即将合理化主要理解为文化合理化。根据哈贝马斯的理解，韦伯的"出发点是，'文化人'或社会化的个人，一方面具有需要满足的需求，另一方面处于要求解释和确立意义的意义联系中"，这里既有"物质利益"，也有"思想利益"。也即是说，"文化"概念既包含了物质，也包含了意识（思想）。这在哈贝马斯看来，不过是"马克思早在《德法年鉴》中已阐述的这种普遍的展望，被马克斯·韦伯做了轻易的唯心主义的改变"[③]。哈贝马斯和阿多尔诺一样，喜欢给论敌戴上"唯心主义"的帽子。在他看来，就是这样，韦伯把现代化理解为社会合理化（也即以基督教伦理为核心的现代社会或资本主义社会对以宗教形而上学为基础的封建社会的取代）。由前述可见，在法兰克福学派前辈们看来，这就是一个工具理性化的过程，但哈贝马斯似乎并不满意这样的单纯解释，在他看来，这是"理性本身分裂为价值领域的多元性，并且丧失它自身的普遍性"的过程——虽然韦伯也是"按照目的合理行动方面的机制化的特点，来研读资本主义的形成和发展的"，但与法兰克福学派主要聚焦于"经济和国家中的认识的工具性合理性"的批判分析不同，韦伯则更多聚焦于这样的工具合理性

---

① ［德］哈贝马斯：《交往行动理论》（第一卷），洪佩郁等译，重庆出版社1994年版，第209、210—211、217页。

② ［德］哈贝马斯：《交往行动理论》（第一卷），洪佩郁等译，重庆出版社1994年版，第243页。

③ ［德］哈贝马斯：《交往行动理论》（第一卷），洪佩郁等译，重庆出版社1994年版，第245、246页。

是怎样借助于基督教伦理和法律而得以"机制化"的。简言之，韦伯是按照目的合理性的理论来考察社会合理化的（也即现代化或资本主义化）。而哈贝马斯自己要做的，就是要"把韦伯在文化分析中所运用的合理性的复合概念补进行动理论中"。换言之，"从目的论的行动的模式，变化到交往行动的模式"。① 这或许也是对法兰克福学派乃至整个西方马克思主义（特别是人道主义一派）（多少带有唯心主义的要素）文化合理化路径的一次反拨。企图用交往合理性原则来纠偏文化研究的唯心主义色彩。

这样的反拨，根据哈贝马斯的理解，并非源于自己，而要归功于马克思，因为在《资本论》中，"马克思已经发现了对社会合理化辩证法的适应"，即"他根据一种经济体系的自我分化的运动，研究了社会合理化的矛盾过程，这种经济体系在雇佣劳动的基础上，组织了作为交换价值生产的物质生产，从而分散地干预了参与这种交易的阶级的生活关系。马克思认为，社会主义处于一种随着资本主义的解体，丧失传统生活形式的生活世界合理化的溃败路线中"。不过，哈贝马斯自己所着力的并非在马克思和韦伯之间做出系统区分，而是要对自卢卡奇以来的"西方马克思主义"对韦伯合理化理论的"接受"（也即文化转向以及其所延伸的对资本主义的大规模所谓批判研究——以各种形式的异化主题出现）进行研判。在哈贝马斯看来，"卢卡奇，霍克海默和阿多尔诺按照马克思主义的观点对韦伯合理化的吸收"，作为"一种整体辩证概念的片段"（甚至在马克思本人那里也是这样），他们的工具理性批判，是有局限性的。这样，通过对西方马克思主义语境中的韦伯问题的梳理，哈贝马斯指出，阿多尔诺和霍克海默在 20 世纪 40 年代所阐发的批判理论，是用"韦伯合理化论题与工具性理性对马克思－卢卡奇传统路线进行批判"。因为"霍克海默与韦伯同样地认为，形式合理性是'现代工业文化的基础'"，所不同的是："韦伯强调"了"合理性的增长"以及这种增长可以"按照形式合理性的意义加以计算和改进"；而"霍克海默相反地强调合理性的丧失"，而"合理性的丧失""也同样只能按照认识角度加以评判"，这样，"霍克海默把目的合理性与'工具性理性'等同起来"。②

① ［德］哈贝马斯:《交往行动理论》（第一卷），洪佩郁等译，重庆出版社 1994 年版，第 315、317、361、429 页。
② ［德］哈贝马斯:《交往行动理论》（第一卷），洪佩郁等译，重庆出版社 1994 年版，第 433—435 页。

由此，"以卢卡奇 ① 所建议的对作为物化的资本主义合理化的解释为基础"，霍克海默论及"思想的丧失"（通过把工具理性"引用为"主观理性，并把主观理性与客观理性相对立 ②）和"自由的丧失"（在这里，霍克海默以与韦伯"类似的方式"思考问题，"即使他更多的是以心理分析的概念，而不是通过行动理论的概念"）问题。这样，"在评判认识、规范和带表情的价值领域方面，霍克海默和韦伯的观点是不相同的"。在哈贝马斯看来，"霍克海默和阿多尔诺把他们对工具性理性的批判理解为一种'对物化的否定'"——虽然他们在"追随卢卡奇的论断"时仍显得"迟疑不决"。③ 换言之，在哈贝马斯的指认中，就对韦伯的合理化概念的"接受"情况来看，阿多尔诺和霍克海默，与卢卡奇之间，还是有区别的。

那么，作为人道主义马克思主义创始人的卢卡奇是怎么解释韦伯的合理化概念的呢？根据哈贝马斯的考证，"卢卡奇和霍克海默一样坚持黑格尔的思想，认为在人与人，以及人与自然（与外部自然界和人们自己内部的自然）的关系中，理性客观化了，即使是越来越非理性化"，"用我们的话来说，在资本主义社会中占统治地位的对象性形式预先判断了世界关系"，"卢卡奇论断，我们可以把这种预先判断解释为'物化'，就是说与我们可以知觉和支配的客体的同化"。这样，"卢卡奇把合理化和物化理解为同一过程的两个方面，并为之准备好了两个论据，这两个论据是以韦伯的分析为基础的，但却是反对韦伯分析的结论的"，即"韦伯借助形式合理性的概念，对其他生活领域中的目的合理的经济行动作了结构的类比"，卢卡奇则"错误地""使'物化的想象与它们存在的经济基础'相脱离，并且把物体现象永恒化为'人类关系可能性无时间性的典型'"，不过，卢卡奇也指出，"社会合理化的过程对于整个资本主义社会，具有一种构成结构的意义"。也就是说，"卢卡奇也利用了形式合理性概念"，

① 哈贝马斯指出，物化这个概念是"卢卡奇在《历史和阶级意识》中"用来"使韦伯的社会合理化的分析，脱离它的行动理论领域，并且涉及经济体系中的类似价值化过程"的基本概念（参见 [德] 哈贝马斯：《交往行动理论》（第一卷），洪佩郁等译，重庆出版社1994年版，第448页）。

② [德] 哈贝马斯：《交往行动理论》（第一卷），洪佩郁等译，重庆出版社1994年版，第436页。

③ [德] 哈贝马斯：《交往行动理论》（第一卷），洪佩郁等译，重庆出版社1994年版，第445、438、448页。

而且，"通过这个途径，卢卡奇把对象性形式的概念，引进了认识论的关系，他悄悄地引用了这个概念，重新返回来，从黑格尔批判康德的哲学远景，来进行物化批判"，借此，卢卡奇"隐含地否定了韦伯的中心论断，即认为形而上学所考虑的理性与独特文化价值领域的交错出现的统一最终瓦解了"。① 由此，哈贝马斯得出结论说，"卢卡奇的特殊成就在于，把韦伯和马克思十分紧密的联系在一起，他同时按照两个方面，即物化方面和合理化方面，来考察社会劳动领域脱离生活世界关系"②。这样的论断，借助于卢卡奇的物化概念，把他对韦伯的合理化概念和马克思的劳动概念进行了简单的对接：引入辩证法的理性概念在这一场对接活动中总是被随心所欲地放置在不同的场域（文化或经济、劳动或生活世界）。

至于自己的法兰克福学派前辈们，哈贝马斯则指出，他们的工具理性批判，"是一种对于卢卡奇继承韦伯有联系的物化批判"，但他们"并不接受""一种客观主义的历史哲学的结论"。因为"霍克海默和阿多尔诺认为有必要，更深刻地确立物化批判的基础，并且把工具理性从整体上扩大为一种世界历史文明过程的范畴"，但"这样一来就威胁到理解理性概念的轮廓"。因此，哈贝马斯得出结论说，"通过从卢卡奇到阿多尔诺继承韦伯的合理化理论，可以清楚地看到，社会合理化始终被考察为意识的合理化"，这也表明，"通过意识哲学的概念性手段是不能对这个论题进行令人满意的研究的"。③ 也即是说，在哈贝马斯看来，人道主义马克思主义前辈们（从卢卡奇到霍克海默、阿多尔诺和马尔库塞及其物化概念和工具理性批判）都不过遵循的是一种意识哲学的传统德国古典哲学范式，是一种唯心主义目的论的辩证理性观范式（换言之，西方马克思主义的理性观，是一种对韦伯式合理化概念的借鉴，但这样的借鉴将目的合理性完全等同于工具合理性，从而局限在意识哲学的困境之中），是很难取得成功的。因此，哈贝马斯开始研究米勒和涂尔干等人的社会学路径（也即借助于社会学基础，实现从"目的活动"到"交往行动"的

① ［德］哈贝马斯：《交往行动理论》（第一卷），洪佩郁等译，重庆出版社 1994 年版，第 449—451 页。

② ［德］哈贝马斯：《交往行动理论》（第一卷），洪佩郁等译，重庆出版社 1994 年版，第 454 页。

③ ［德］哈贝马斯：《交往行动理论》（第一卷），洪佩郁等译，重庆出版社 1994 年版，第 462—463、507 页。

范式转换①）对摆脱这一困境的新尝试，并力图从中找到自己交往行动理论作为替代方案（也即交往理性作为社会批判理论的新继续）的可能性与合法性。不难发现，虽然和自己的法兰克福学派前辈一样具有走出意识哲学传统的冲动，但这种冲动在霍克海默那里还只是表现为要求哲学与科学的相结合（或相统一），而在哈贝马斯这里则被更强烈地得到主张，甚至是要对社会学和实用主义的"归宗"献媚。

如果按照哈贝马斯所说的，"在20世纪初，意识哲学的主客体模式是被两个战线运用的"，也即被以维特根斯坦为代表的语言分析哲学和以米勒为代表的社会心理行动理论所分别运用（虽然它们都共同源起于"皮尔斯的实用主义"）②，那么，哈贝马斯自己则从这两个战线都收获了构成其交往理性(行动理论）的必要因素。由此，哈贝马斯研究了交往的媒介和交往的规范以及由这些因素所构建的交往的社会结构分析。正如他在指出米勒的功过时所指出的，"工具性行动的职能范围不能脱离共同劳动的结构进行分析，而共同劳动却要求一种调节集团的积极性的社会控制"③。就在读者会以为哈贝马斯即将由此进入马克思主义式的劳动和阶级理论分析语境的时候（因而部分意义上实践法兰克福学派所倡导的科学与哲学的相结合，或可曰，逆转从政治经济学批判向哲学批判的后退倾向——哈贝马斯除了称此为意识哲学传统的困境，也称之为历史哲学思维的圈套），他却将目光转向了涂尔干，认为涂尔干的宗教理论（及其中的集体意识）可以"完善"米勒的"重建纲领"——虽然哈贝马斯也承认涂尔干"并未摆脱历史哲学思维的圈套"。哈贝马斯这是要"把社会同时构思为体系和生活世界"，从而"可以按交往理论的方式解决物化的难题"。哈贝马斯因此概括说，"生活世界"作为"交往行动的一种补充的概念"，是"交往行动者'一直已经'在其中运动的视野"，它是其他三个世界（即上述的客观世界、主观世界和社会世界）的"基础"，是作为"关系"而表现出来的，是对社会的同一化认识。因为，在交往行动中，参与者是"同时"与这三个世界"发生关系"；而"理解"和"意见一致"则意味着"赞同"

① ［德］哈贝马斯：《交往行动理论》（第二卷），洪佩郁等译，重庆出版社1994年版，第3页。
② ［德］哈贝马斯：《交往行动理论》（第二卷），洪佩郁等译，重庆出版社1994年版，第4—5页。
③ ［德］哈贝马斯：《交往行动理论》（第二卷），洪佩郁等译，重庆出版社1994年版，第58页。

和"认可"。① 生活世界概念的引入（以及三个世界的划分），无疑会使人联想到站在他右边的自己的法兰克福学派前辈和站在他左边的法国存在主义马克思主义者（乃至后者的德国现象学一派）在反对形而上学（表现为同一性原则的理性观）时所做的类似努力。

实际上，哈贝马斯也承认，自己的"生活世界"概念"借"自于胡塞尔等人，是将胡塞尔相关概念的"意识哲学"内核祛除，然后辅之以从"文化传统和语言组织"的解释模式来理解生活世界概念。换言之，哈贝马斯力图借此强调，"交往行动者总是在他们的生活世界的视野内运动；他们不能脱离这种视野"，这也就同时意味着，理性（实际是交往理性）意味着参与者必须同时与主观、客观和社会这三个世界（也即生活世界）"相适应"。而非仅仅目的合理性（如工具理性所诉求的那样）。如此一来，交往理性所涵盖的内容就更为丰富和具体，其所昭示的世界结构也更为复杂和多元，这也是哈贝马斯一再主张走出单纯的目的理性（工具理性）批判（认为这是一种意识哲学和历史哲学的片面诉求），而走向交往理性范式的原因所在。按照哈贝马斯自己的设想，交往理性范式下的生活世界概念，因此是从"意识哲学中产生的"，但同时也具有了"现象学"的分析维度。② 在这里，哈贝马斯的交往理性不仅力图在人道主义（体现在法兰克福学派的尽管跨学科、但却无论如何以哲学为指导的社会批判理论之中，也即工具理性批判之中——同时也就是哈贝马斯所指责的意识哲学的范式）和科学主义（主要是以涂尔干等人为代表的社会学维度）之间寻找"融合之道"，而且也准备在黑格尔主义（历史哲学范式）和海德格尔主义（现象学）之间走出一个更为稳妥（实际是周全）的"第三条道路"。

据此，哈贝马斯总结说："在理解的职能方面，交往行动服务于文化知识的传统和更新；在行动合作化方面，交往的行动服务于社会统一和联合的形成；最后在社会化方面，交往行动服务于个人同一性的形成。生活世界的象征性结构，是通过有效知识的连续化，集团联合的稳定化，和具有责任能力的行动者的形成的途径再生产出来的"，"文化、社会和个人"就这样"作为生活世

---

① ［德］哈贝马斯：《交往行动理论》（第二卷），洪佩郁等译，重庆出版社1994年版，第60、111、164、165、167页。

② ［德］哈贝马斯：《交往行动理论》（第二卷），洪佩郁等译，重庆出版社1994年版，第172、174、186页。

界的结构因素与文化再生产、社会统一和社会化的这些过程相适应"①。

哈贝马斯解释说，自己所说的"文化"即指的是"知识储备"，是参与者理解事物的前提条件；"社会"则指"合法的秩序"；"个人"或"个性"指的是"主体在语言能力和行动能力方面具有的权限"。由此，哈贝马斯反对那种仅仅将交往行动指认为一种"理解过程"的"文化主义生活世界概念"的片面性做法；也反对（以韦伯和涂尔干等为代表的）将之单纯归结为"社会"（和社会中的"个人"）层面的"社会理论"（其实是"社会心理学"的）做法。在哈贝马斯看来，即使是"在米勒那里也表现出了对工具理性批判的指责"，因为这种批判，"在原则上是对资产阶级文化的批判"；而真正的马克思主义的批判，应该是"对生产关系的批判"。② 这样的论断，使得哈贝马斯看起来会比自己的同道（主张的是文化理性观）更加接近马克思（主张的是生产关系理性观）。然而，我们还需认真阅读他对马克思"1859 年发表的序言"中关于基础—上层建筑的重新厘清（这也是他重建历史唯物主义的基础）："因此"，哈贝马斯说：

> "我们可以把机制复合体，即以生活世界中演变引导的体系机制为基础，从而描述了在一种社会形态中可能发生的复合性上升的活动空间的机制复合体，理解为'基础'。这首先说明，如果我们用考茨基的话来说，就是为'基础'和'上层建筑'的区分提供了一种演变理论的说明。按照这种说明，基础的概念区分了问题的领域，要解释一种社会形态向另一种社会形态的过渡，必须研究这些问题。就是说，在基础领域中，形成了一些体系的问题，这些体系问题，只有通过演变的更新，就是说，只有当出现了体系更高级方面的机制化，才能解决"③。

哈贝马斯力图用自己的交往理性理论来重建历史唯物主义的努力可见一斑。在他看来，"马克思是根据一个社会的生产方式，来描述一种社会的基础机制"的，马克思也是"生产力的发展状况，以及通过社会交往的一定形式，就是说，通过生产关系来说明生产方式的"；然而，社会虽然的确是由基础和

---

① ［德］哈贝马斯：《交往行动理论》（第二卷），洪佩郁等译，重庆出版社 1994 年版，第 188—189 页。

② ［德］哈贝马斯：《交往行动理论》（第二卷），洪佩郁等译，重庆出版社 1994 年版，第 189、191—192、199—200 页。

③ ［德］哈贝马斯：《交往行动理论》（第二卷），洪佩郁等译，重庆出版社 1994 年版，第 223 页。

上层建筑构成的，但"在传统社会中，生产关系是在政治的整个秩序中体现出来的，而宗教世界观是承担意识形态职能的"，"只有在资本主义社会中，即市场也体现了稳定的阶级关系职能时，生产关系才采取了经济的形式。相应地，基础领域与上层建筑相区别；并且是传统的国家权力与那种使统治秩序合法化的宗教世界观相区别"。这就是哈贝马斯所说的社会的机制化，这样的机制化因为法律和道德的发展而使生活世界的合理化达到了相应的水平，然后，体系区别才能日益走向更为高级的机制化。也即社会结构的日益复杂化和区别化，直至生活世界被下降为体系的一个下属系统："一般来说，表现在资产阶级文化理想中的生活世界，被马克思贬值为社会文化的上层建筑"，"只有在一种社会主义社会中，按照马克思的观点，才可能使依附于生活世界的体系道路开启，才可以使上层建筑依赖性脱离基础"。①哈贝马斯借此也希望自己的交往行动概念能把这样的理论发展过程梳理清楚，以便能够将脱节的体系（国家和经济）与生活世界（私人领域和公共领域）（在资本主义的现代社会表现为顶峰阶段，其在理论上的表现就是行动理论和体系理论的分离）再度联系起来。然而，这岂非一种更加宏观的历史哲学尝试？

综上所述，借助于经韦伯中介的、对马克思的西方马克思主义式解读历程的梳理和对西方现代社会学理论的梳理，哈贝马斯力图说明自己的交往理性既继承了他们的思想，也是对他们的一个批判。他认为，"卢卡奇已经把韦伯的合理化理论，与马克思的政治经济学十分紧密的联系在一起"，"实际上，在马克思那里，是从分析商品形式直接导致分析生活形式的物质贫困的，而卢卡奇却从商品形式下劳动力所包含的内容中，推论出一种对象性的形式，他想借助于这种对象性的形式揭露'资产阶级社会主体性的'一切'形式'。卢卡奇早已按照以下观点对一般主体性做了一种客观主义的改形，即认为意识的物化把资产阶级文化和科学以及资产阶级阶层的心理状态，理解为工人运动的经济主义和改良主义的自我理解"②，而"只有与阶级意识这种理论相联系，物化理论才能使一种包含一切的合理化归结为阶级结构，在这种阶级结构的条件下，在

---

① ［德］哈贝马斯：《交往行动理论》（第二卷），洪佩郁等译，重庆出版社1994年版，第223—224、244—245页。

② ［德］哈贝马斯：《交往行动理论》（第二卷），洪佩郁等译，重庆出版社1994年版，第428页。

资本主义的社会中进行了现代化的过程"①。然而，在哈贝马斯看来，卢卡奇的
"这种黑格尔化的历史哲学"所做出来的结论是"站不住脚的"，因此，"这些
结论促使霍克海默和阿多尔诺放弃了阶级意识的理论"，而"更加明确地依赖
韦伯"，"把生活秩序的合理化理解为目的合理的行动的机制化"，"把意识的物
化普遍化为工具理性的表达"，这样卢卡奇的物化理论就"过渡为"工具理性
批判，也即过渡为"完全物化的世界的幻想，在这种幻想中目的合理性与统治
相互交融在一起"。在哈贝马斯看来，工具理性批判的"优点"在于："它能使
人们的目光转向一种不再是阶级特有的，在体系上归纳的交往结构化的生活联
系的特征"；其"弱点"则在于："它把生活世界的腐蚀归结为一种神秘化工具
理性的目的合理性的魔术。从而，工具理性的批判就像韦伯的理论一样犯了同
样的错误"，即"混淆"了"体系合理性与行动合理性"。总之，"霍克海默和
阿多尔诺错误地认识了一种生活世界的交往合理性"，这一方面因为他们"非
批判地对待马克思"的"价值理论"；另一方面则因为他们"非批判"地对待
"韦伯"，而没有能够"把工具理性的批判扩展为一种功能主义理性批判"。因
此，哈贝马斯断言，"在社会科学发展到今天的状况下，有必要和有可能"，对
马克思的"价值理论""加以代替"：即"一方面，与新经典的经济理论相联系，
另一方面与社会科学功能主义相联系，形成一种体系理论的研究原理"，"最
后，由想象学、解释学和象征性内部主义的活动中，发展出一种行动理论的原
理"。② 这显然是一种更加强调科学主义倾向的跨学科努力，并且被冠之以非
意识哲学的行动理论的旗号。

　　根据这样的立场再来反思此前西方马克思主义，特别是法兰克福学派前辈
在 20 世纪三四十年代的研究纲领，哈贝马斯指出，当马尔库塞说理性是哲学
思维的基本范畴的时候，其所代表的批判理论还是"以马克思主义的历史哲学
为基础"的，"就是说，深信生产力发展了一种客观突破的力量"，因此，"30
年代的研究纲领是随着历史哲学的研究而出现和落入一种资产阶级文化的理性
潜力的"。然而，由于"历史哲学基础的破裂"，以其为基础的社会批判理论的
"尝试"也"必然会失败"，这就是为什么"霍克海默和阿多尔诺把这种通过思

---

① ［德］哈贝马斯：《交往行动理论》（第二卷），洪佩郁等译，重庆出版社 1994 年版，第
　　429 页。

② ［德］哈贝马斯：《交往行动理论》（第二卷），洪佩郁等译，重庆出版社 1994 年版，第
　　429、430、478、481—482 页。

辨的考察的‘启蒙辩证法’的纲领又回转过来了。关于生产力和生产关系的辩证关系的历史唯物主义观点，变成了通过伪规范的论断关于历史的一种客观的合目的论的论断。这种论断成了一种在资产阶级思想中有双重意义的理性的实现。批判理论只能从历史哲学角度证明它的规范基础。这个基础是不适用于一种经验的研究纲领的"①。这实际上是否定了法兰克福学派前辈们的批判纲领，特别是其工具理性批判（也即启蒙理性批判）纲领。实际上，哈贝马斯明确指出，自己的任务就是要"试图使历史唯物主义摆脱它的历史哲学的负担"，这样的努力也试图进行"两种抽象"，即"认识结构的发展从事件的历史动力的抽象"和"社会演变从生活形式的历史具体的抽象"，但这两种抽象都排除了历史哲学思维的基础——虽然批判理论的纲领仍然部分地有"教益"②。因此，他自己引入的交往行动理论，即旨在为批判理论提供一种新的规范基础，从而"对已经站不住脚的历史哲学进行一种选择"，并"借助于交往的、通过以理解为方向的语言运用的理性"，"对哲学重新提出体系的任务加以研究"。也即是说，在这里，交往行动理论并非一味进行经验研究，它也要与哲学合作，但只是和以"研究合理性"为任务的哲学"建立合作的关系"③。可见，哈贝马斯所部分继承的批判理论的纲领，就是跨学科研究的纲领，特别是其中社会学的纲领，然而，与前辈们不同的是，经验研究而非哲学研究（特别是传统意识哲学和历史哲学研究）的要素更多了。

---

① ［德］哈贝马斯：《交往行动理论》（第二卷），洪佩郁等译，重庆出版社 1994 年版，第488—489 页。

② ［德］哈贝马斯：《交往行动理论》（第二卷），洪佩郁等译，重庆出版社 1994 年版，第489—490 页。

③ ［德］哈贝马斯：《交往行动理论》（第二卷），洪佩郁等译，重庆出版社 1994 年版，第506 页。

第三章　存在主义马克思主义

第二次世界大战之后，在法国共产党内以及知识界占主流的是苏联模式的马克思主义。但随着法国理论界对黑格尔哲学与日俱增的兴趣，特别是随着马克思的《1844年经济学哲学手稿》在法国翻译出版，人道主义马克思主义思潮在法国逐渐占了上风，并产生了把马克思主义与当时盛行的存在主义进行结合的存在主义马克思主义流派[1]。该流派从战后到1968年五月风暴前后十分活跃，在法国知识界产生了重大的影响。

存在主义马克思主义产生的历史背景主要是：首先，正如该流派主要代表萨特深切地体会到的那样，工人运动这一不断体验和实行着马克思主义的现实，暴露了资本主义的全部矛盾，打破了资产阶级的"乐观的人道主义"，"远远地对小资产阶级知识分子发挥出不可抗拒的吸引力"[2]；其次，两次世界大战以及资本主义的全新现实使得一些存在主义者认识到，仅仅停留于为人的自

---

[1] 关于法国的马克思主义与存在主义的关系演变趋势，按照波斯特的概括，经历了这样几个阶段：第一是20世纪30—40年代的平行发展或并行存在阶段，甚至存在主义表现得比马克思主义还"进步"一些；第二是1944—1948年法共与法国马克思主义（以列斐伏尔等人为代表）抨击存在主义（以萨特为代表）与存在主义反击阶段；第三是1950—1956年存在主义（以萨特为代表）主动转向马克思主义的阶段；第四是1956—1968年间被存在主义化的马克思主义者（Existentialized Marxists）（以争鸣集团为代表）与马克思主义化的存在主义者（以萨特为代表）从对立走向互相融合、从而终于形成法国的"存在主义马克思主义"（Existential Marxism）的阶段。具体内容参见 Mark Poster, *Existential Marxism in Postwar Frence: From Satre to Althusser*, Princeton University Press, Princeton, 1975, pp.105, 109, 161, 209 等处。

[2] ［法］萨特：《辩证理性批判·方法问题》，徐懋庸译，商务印书馆1963年版，第16页。

由、超越等生存理想做形而上学的本体论和抽象思辨的生存论论证是软弱无力的，自由无法离开社会和历史的语境获得独立的存在。由于上述两点原因，很多存在主义者自觉走向了马克思主义。同时应该看到，存在主义和马克思主义的融合是一个双向的过程。由于第二国际以及斯大林主义等"正统马克思主义"的意识形态陷入某种庸俗的自然决定论和经济决定论的教条之中，存在主义不可能接受这种决定论式的马克思主义，于是尝试着用存在主义中的主体性要素来补充和改造马克思主义；与此同时，法国马克思主义内部的一部分不满意于教条主义束缚的思想家们也不约而同地选择了用存在主义来补充与完善马克思主义的意向。

存在主义马克思主义代表人物主要有亨利·列斐伏尔、梅洛－庞蒂与萨特及其弟子高兹等人。其思想主旨是把青年马克思的人道主义思想与存在主义思想相结合，把苏联马克思主义作为其主要理论批判对象，把战后西方消费资本主义社会作为主要现实批判对象，从而寻找一种在微观的社会生活实践中替代资本主义与传统社会主义的乌托邦。

第一节　列斐伏尔的日常生活批判哲学及其对资本主义社会的批判

亨利·列斐伏尔是 20 世纪日常生活批判哲学转向的奠基人。在其年逾九旬、漫长而富有传奇的生涯中，他先后参与或影响了法国超现实主义思潮的兴起、法国马克思主义的创立、法国共产党的理论建设与宣传、存在主义与马克思主义的冲突与融合、法国抵抗法西斯的地下运动、1968 年的学生造反、20世纪 70 年代西欧的绿党和平运动及无政府主义运动、20 世纪七八十年代城市化与全球化问题的研究、后现代思想转向的讨论，乃至于对苏联东欧剧变的思考等众多的重要历史活动。列斐伏尔为后人留下了 60 多部著作、300 余篇论文，其治学遍涉马克思主义、哲学、文学、美学、社会学、历史学、经济学、政治学、地理学、城市学、语言学、生态学、身体理论、空间理论、大众文化等众多领域，是西方学界公认的"日常生活批判理论巨擘"、"现代法国辩证法之父"，区域社会学（特别是城市社会学理论）的重要奠基人。

一、列斐伏尔前期日常生活批判的概念与任务

1947 年，列斐伏尔的《日常生活批判》第一卷问世。列斐伏尔也因这部著作而成为 20 世纪西方哲学与社会理论的"日常生活批判"转向的最杰出的代表之一。它启迪了尔后的赫勒、科西克、哈贝马斯、德塞图等人的日常生活批判研究。

《日常生活批判》第一卷写于 1945 年，1947 年由加塞特出版社出版。1958 年再版，加了一个篇幅很长的序言。第一卷可看作是列斐伏尔在抵抗法西斯运动时期，流亡法国南部比利牛斯山区时所进行的农村社会学调查，以及因为战争所中断的马克思辩证法研究相结合的产物。列斐伏尔从事日常生活批判研究有两个目标，一个是要证明以异化理论为基础对上层建筑问题进行马克思主义分析的价值（当时苏联日丹诺夫主义正在泛滥一时）；另一个目标是向哲学家们证明，哲学理论研究不要把日常生活弃之如敝屣，而要充分重视新兴的社会学与历史学所关注的这个重大而基本的社会现实问题。

为了向世人证明他的日常生活批判概念的合法性有效性，列斐伏尔强调，日常生活乃是我们辩证地批判进入到最深刻的最直接的外部世界与社会世界的汇聚地。这也是人类的本性欲望的所在地与入口处。人们的各种权力潜能都由此而形成而发展和具体地实现。这也正是他对日常生活概念基本内涵的初步阐述："日常生活在某种意义上是一种剩余物，即它是被所有那些独特的、高级的、专业化的结构性活动挑选出来用于分析之后所剩下来的'鸡零狗碎'，因此也就必须对它进行总体性的把握。而那些出于专业化与技术化考虑的各种高级活动之间也因此留下了一个'技术真空'，需要日常生活来填补。日常生活与一切活动有着深层次的联系，并将它们之间的种种区别与冲突一并囊括于其中。日常生活是一切活动的汇聚处，是它们的纽带，它们的共同的根基。也只有在日常生活中，造成人类的和每一个人的存在的社会关系总和，才能以完整的形态与方式体现出来。在现实中发挥出整体作用的这些联系，也只有在日常生活中才能实现与体现出来，虽然通常是以某种总是局部的不完整的方式实

现出来，这包括友谊、同志关系、爱、交往的需求以及游戏等等。"①

《日常生活批判》第一卷概括起来涵盖了如下几个基本问题：一是"为什么 20 世纪的现代主义文学首先发现了日常生活，却不理解日常生活并将其神秘化"？二是"为什么以往的哲学（包括马克思主义与存在主义），都不同程度上忽略了或误解了日常生活"？三是"为什么说马克思的异化劳动理论是研究日常生活批判问题的根本方法论"？四是"现代社会日常生活问题的主要表现是什么"？五是"列斐伏尔前期日常生活批判的理想或归宿是什么"？

在列斐伏尔看来，存在主义与马克思主义在日常生活问题上的对立与各自缺陷就在于，存在主义将个体人的生存体验即"私人意识"孤立化神秘化了，而无视个人的日常生活的社会关系总体性特点，而马克思主义的问题在于它将无产阶级或任何一个社会群体的社会意识抽象化神秘化，而脱离开了个体人的具体的日常生活。仅仅从抽象的阶级分析高度与生产关系高度这种政治经济学批判的方法出发不足以回答日常生活问题，一种旨在解决某阶级解放问题的宏观理性哲学，不可能包办该阶级中每个具体人的具体而微观的日常生活问题，必须分析无产阶级个体的具体的日常生活条件，而不能满足于抽象的一般的阶级生活状况的逻辑与心理推理。因为无论如何，一个人的意识、他的状况、他的可能性不是建立于某些永恒的理性、永恒的人性基础之上，或某些预先已经准备好的本质或自由命运之上。他的意识立足于他的真实的生活、他的日常生活基础之上。而"一种生活的意义不可能在别处而只能在生活本身中才能发现"。意义只能在生活深处而不会超出生活之外。意义不能与生活相分裂：这是其方向与运动，除此之外没有更多的东西。无产阶级生活的意义只能在其生活本身之中才能发现：在绝望之中或相反的追求自由的实践之中②。

但是，要想理解与发现日常生活的真相，我们首先要通过批判日常生活的意识形态神秘性，揭露其如何控制人们的头脑而使人们无法正视日常生活的真相。日常生活的神秘性就在于，它的神秘化与其现实性并非是截然分明的"水"与"油"的关系，而是浑然一体的"酒"与"水"的关系。其表现在，虽然一个无产阶级的最真实的日常生活存在是其经济地位经济需要——养家糊口，但

①　Henri Lefebvre, *Critique of Everyday Life, Vol. I: Introduction*, trans. John Moore, Preface by Michel Trebtish, Verso Press, London and New York, 1991, p.97.

②　Henri Lefebvre, *Critique of Everyday Life, Vol. I: Introduction*, trans. John Moore, Preface by Michel Trebtish, Verso Press, London and New York, 1991, pp.144–145.

是如果一个无产者只是简单地将自己比作是一个与其他公民相比较而存在的公民，或者将自己的工作劳动理解为一种永恒存在的养家糊口之必需的活动，他的存在其实便被神秘化了。如果仅仅就在他的劳动是辛勤的、不堪重负的或迫于无奈与压力这一点而言，他就忽略了他的劳动得以进行的社会历史条件，而仅仅将自己的生存状况归于某种不幸与命运①。一切日常生活的神秘化现象均源于个人对自己生活的社会历史条件的封闭的非历史化的抽象与直观。

列斐伏尔其实是把马克思的政治经济学批判理论视野中的商品拜物教与劳动异化理论，改造成为一门激进的革命的理想的日常生活批判理论。他说，马克思主义通过改变现实的方法来理解现实，在改变日常生活的基础上对社会的日常生活进行描述与分析。它描述与分析工人阶级自身的日常生活。这就是使他们与其生产资料相脱离的与资本家的雇佣劳动关系，与其劳动条件之间的异化关系。工人实际的日常生活是被赋予的商品化日常生活，是一种痛苦的日常生活。"马克思主义作为一个整体，实际上是一种日常生活批判的知识"。这种渗透在贯穿于个人、日常生活之中的辩证方法是如此的不同寻常，它是这样的具有绝对必要性，以至于可以将马克思主义概括成为一种日常生活批判理论②。列斐伏尔这里向我们列出了以下几个范畴或问题框架：

第一，个体性批判，或者对自由主义与存在主义的"本真性"自我意识的批判。列斐伏尔针对古典自由主义与存在主义所津津乐道的"个体存在"及其意识而指出，私人意识不是一种天性，而是现代社会化发展所导致一种封闭孤独异化的生活幻觉。使人成为一种社会的人类的存在的特殊因素，并不是与生俱来的自然属性与生物特性、自然生活，而是他的工作、它的社会活动、他在整个社会中的地位，特别是按照一定的通行的社会组织起来的劳动方式而限制与规定他的存在物。涂尔干认为劳动分工是个人化的基础。马克思主义则回答说劳动的局部化仅仅为人的个性形成提供了否定性的基础。在今天的社会生产关系中，个人受外部影响而形成一种"内向的"私人的意识。个人与其丰富的具体的生活条件相脱离而形成了一种独立的纯粹内向的自足的私人意识。这种私人的意识，作为思想的与文学的虚构，实际上是一种被剥夺了实际生活内容

① Henri Lefebvre, *Critique of Everyday Life, Vol. I: Introduction*, trans. John Moore, Preface by Michel Trebtish, Verso Press, London and New York, 1991, pp.145-147.

② Henri Lefebvre, *Critique of Everyday Life, Vol. I: Introduction*, trans. John Moore, Preface by Michel Trebtish, Verso Press, London and New York, 1991, p.161.

与现存生活条件的抽象意识形态，一种被异化了的实际生活的抽象颠倒的反映。这种异化的生活往往被一分为二或变成矛盾对立的两极：工作与休息，公共生活与私人生活，公共场合与私人场合，偶然的与内部的秘密，幸运与命运，理想的与真实的，奇异的与平常的。与努力改变这个外部世界的社会实践要求相反，私人意识往往缩回到内心世界之中。并且，越往回缩便越显得是"个人的"、"自己的"。意识观念思想看起来似乎是"个人的"、"私人的"财产。比如这是"他的"妻子、儿子，"他的"钱。因此，每个人就"是"他自己的存在，而没有更多的内容。

列斐伏尔的结论是：正是资本主义条件下个人生活与其社会生产条件、社会生活条件的分离，这种个体与社会、内部与外部、私人与公共领域的机械二分与严重分裂，造成今天我们仍然在日常生活的矛盾深处苦苦挣扎。一方面使我们每个人成为人，另一方面使我们成为"非人"。我们一定要淘汰"私人意识"①。日常生活批判的首要任务就是要揭穿这种"本真的"、"独立的"私人意识的"天经地义"的虚假外观。

第二，对"被神秘化"的意识的批判。列斐伏尔深刻地看到，私人意识的存在并不全是一种自我幻觉，而是有其强大的社会基础，马克思主义无法取消私人生活与私人意识，每个人都必须过自己的私人生活。一个人不仅在日常生活中必须作为个体而存在，而且在其经济与政治生活中，也必须作为个体而存在。我们已经注意到，无产阶级不可能完全逃脱私人意识的陷阱。是的，我们都会同意他的工作永远是集体的，而这种活动也在不断地强化他对社会与社会活动作为一个整体的意识。但不要忘记了，工人的工作甚至是工厂里的工作也是普遍地被局部化了或碎片化肢解化了。最为确凿无疑的集体性工作的流水作业线工作，也是最让人精疲力竭的。工人们之间的交往恰恰是工作之余而不是生产过程之中，不是在工厂里而是在咖啡馆、电影院、体育场进行的。这就使得工人阶级的社会关系的发生似乎是以一个小资产阶级的私人身份来进行的。虽然现代生产的物质条件倾向于形成一种社会性的与人类的意识，其第一个阶段是阶级意识，但这种形态并不是不可避免的。阶级意识不能自发地形成，而必须通过长期的斗争，也通过组织化才能在日常生活中发生作用。无产阶级并

① Henri Lefebvre, *Critique of Everyday Life, Vol. I: Introduction*, trans. John Moore, Preface by Michel Trebtish, Verso Press, London and New York, 1991, p.150.

不具有一种现成的本质或意识，而只有将人性作为一个整体，只有作为一种总体的社会活动才成为可能①。

更为重要的原因在于，资产阶级也经常把个人主义作为一种阶级思想武器来利用，以便麻醉无产阶级的阶级意识，作为一种组织日常生活的实际方式而起着现实作用。在现代世界中，意识形态的神秘化以私人意识为先决条件并以此为标志。个人是一种被剥夺了人类的真实性因而也被剥夺了真理的存在。他从他的具体的人类与社会的现实中被隔离出来，被祛除了实践的历史的与社会整体的意识。由于与社会相隔绝，个人反过来求诸内心世界，试图在内心世界构造一个堡垒以求得平安。私人意识与被神秘化的意识携手而行，彼此相互强化，并深入到真实的生活根源处而不仅仅在思想中发挥作用。

第三，对拜物教与经济异化的批判。列斐伏尔的这第三个批判主题，已经不再局限于对日常生活神秘化意识形态的批判，而是要寻找与重建日常生活的现实社会经济基础。他说，小资产阶级由于其经济地位决定了它的软弱与伤感，以及它对社会的普遍的嫉妒心理。所以它才称生活中"最美好的东西"莫过于自由。而马克思主义者却把重新占有财富当成其要务。马克思主义认为，对权力与财富的追求并不是一件什么罪恶的事情。马克思主义坚持财富占有面前人人平等。

但列斐伏尔并没有将占有仅仅局限于经典马克思主义的生产资料所有权领域，而是进一步拓展说，按照马克思的观点，人与物之间的关系并不等于是一种占有关系。最重要的问题并不是我拥有一种对象物，而是能够用一种全面的人性来欣赏对象物。我能够拥有与对象之间的最复杂的最丰富的快乐与幸福的关系："为了人并且通过人对人的本质和人的生命、对象性的人和人的作品的感性的占有，不应当仅仅被理解为直接的、片面的享受，不应当仅仅被理解为占有、拥有。人以一种全面的方式，就是说，作为一个总体的人，占有自己的全面的本质。"②

列斐伏尔这里采纳了一种类似弗洛姆式与青年马克思式的"非占有性"的爱与生存观念：人与物的关系不能等同于一种私人拥有关系。重要的不是我对

---

① Henri Lefebvre, *Critique of Everyday Life, Vol. I: Introduction*, trans. John Moore, Preface by Michel Trebtish, Verso Press, London and New York, 1991, p.151.

② 《马克思恩格斯全集》第 3 卷，人民出版社 2002 年版，第 303 页。

物的资本主义法权方式的拥有，而是我以全身心的快乐，用最丰富的人性方式来享受与体验物的意义与价值。"重要的问题不是我拥有一座高山，而是高山向我的开放，成为我滑雪与爬山的场所"[1]。这就是说，经济领域内的个人与集体占有式自由其实是一种表现的狭隘的自由，是一种深层次的异化，而只有人与自然、人与社会之间的全面的取用或拥有关系才是真正的自由。

第四，需求的批判或心理学的与道德异化批判。列斐伏尔的这个批判主题，显然是对马克思异化劳动批判逻辑的一种广泛运用与拓展——不仅劳动领域而且消费领域，不仅经济领域而且日常生活的道德与心理领域，都表现为一种全面的异化。列斐伏尔认为，人的本质存在确实是一种"有"，是一种需要，但在资本主义条件下，这种"有"片面地表现为对物的私人占有，这种需要仅仅表现为人对物的占有性需求。这就使得人性倒退到粗俗的动物状态，由此导致了人的心理与道德的深度异化。

列斐伏尔运用青年马克思的观点说："一个人需求越多他便越能够存在，他能够行使的权力与天性越多，他便越自由。"这句格言是对资本主义需求领域的狭隘性的一种辛辣的讽刺。在这样的领域内，资产阶级的政治经济学创造了一种单一的需求——对金钱的追求。对象世界变得越大，对金钱需求便变得越大。每种存在物都被抽象为一种价值或者说市场价值。货币，人的本质的异化。对金钱的需求，其实是金钱自身需求的一种表现。另一方面，每一种努力都是在制造一种虚假的、矫揉造作的与想象的需求。资本主义生产过程并没有实现与满足人类的真实欲望，并且没有把人的"粗俗的"需求改造成为真正的人的需求，却使一切完全颠倒过来。也就是说，资本主义创造出了最为复杂的需求体系，却使人的需求倒退到最简单的最原始的状态。唯心主义表面上在追求一种最精致的、最复杂的、最高雅的精神需求，结果却导致了人的精神的蒙昧与神秘化。在物的世界与物的需求异常丰富的统治面前，人甚至变得比动物还粗俗[2]。

第五，工作异化批判。这第五个批判主题仍然是列斐伏尔对青年马克思所说的"人的活动本质的异化"、"人的类本质异化"和"人同人相异化"的一

---

[1]　Henri Lefebvre, *Critique of Everyday Life, Vol. I: Introduction*, trans. John Moore, Preface by Michel Trebtish, Verso Press, London and New York, 1991, p.158.

[2]　Henri Lefebvre, *Critique of Everyday Life, Vol. I: Introduction*, trans. John Moore, Preface by Michel Trebtish, Verso Press, London and New York, 1991, pp.161-162.

种日常生活化的改写。马克思认为："人同自己的劳动产品、自己的生命活动、自己的类本质相异化的直接结果就是人同人相异化"①。列斐伏尔的推理是：私人意识的异化、社会意识的神秘化、人的需求的异化、商品的异化说到底都是日常生活中人与社会之间的一种异化关系的表现，都是两个阶级关系的一种日常生活表现。个人与社会的关系，日常生活中每一个很不起眼的行为举止与社会网络的关系，不能等同于部分与整体的关系。工人表面上是为他的老板而工作，是一种个人的行为，其实从一开始便是社会的活动，也就是说，工人的劳动从一开始并不是为"某个人"，而是为整个资产阶级或资本家阶级而工作或卖命的。社会关系的总和，并不是每个个人的关系的机械累加，而是不可还原的客观的质的总体性。这种总体性或者整合超出了个人的意志与私人的意识而发生着。所谓的"个人的"资本家与"个人的"无产阶级一样，都是一种无视资本主义社会化发展规律事实的错误的虚幻的意识②。作为"某个人"，一个资本家可能是或愚蠢或聪明，或善良或恶毒，或外向或内向的，或积极或消极或活力或乏力。他并不知道他的本质性实在是某个社会阶级中的一员。个人主义意识之所以能够发生也正在于，在资本主义社会中，人们所处的社会关系与社会条件，不依赖于个人的意识并以个人所意识不到的方式盲目而神秘地起着作用。也就是说，个人的纯粹自我意识是对人的被孤立与原子化的异化现实的真实的、然而是颠倒的抽象的神秘化的反映。挣工资的工人与其老板之间的直接的与即刻的关系，是一种模糊的形式上的和欺骗性的关系，这种关系掩盖了真实的内容。挣工资的人与整个社会的关系通过与其雇主通过货币与工资这种中介而得以实现。但在日常生活中，这种深层的客观的关系被伪装成一种直接的、紧密的表面上真实的关系，只有批判的认识论才能穿透或洞悉这种真实性③。

显然在这里，列斐伏尔既看到了异化的社会本质，但确实又发现人在日常生活中必须作为一个人而存在的这样的无奈的异化命运与处境。这一点应当说是对青年马克思关于"人的现实存在是现实的个人生活实践"观点的进一步阐发。

---

① 《马克思恩格斯选集》第 1 卷，人民出版社 2012 年版，第 58 页。

② Henri Lefebvre, *Critique of Everyday Life, Vol. I: Introduction*, trans. John Moore, Preface by Michel Trebtish, Verso Press, London and New York, 1991, p.164.

③ Henri Lefebvre, *Critique of Everyday Life, Vol. I: Introduction*, trans. John Moore, Preface by Michel Trebtish, Verso Press, London and New York, 1991, p.165.

　　第六，自由异化的批判。列斐伏尔的第六个批判主题，既是马克思主义历史观的"终极关怀"或最高问题，也是资产阶级日常生活意识形态中最具有欺骗性与神秘性的一个问题。列斐伏尔首先发问道："自由是由什么构成的"？1793年的宪法或《人权宣言》说过，自由是属于人的至高无上的权利，任何其他权利都不能伤害这种权利；也可理解为自由是一种"己所不欲、勿施于人"的权利关系。一个人行使自己的权利是以不能伤害他的权利为先决条件的！马克思一针见血地说，这种自由权利其实是社会条件对个人的自由限制的权利，是社会对原子的单子的个人限制的权利。人权其实就是私有财产权不受侵犯的权利。所以资产阶级的自由权利是狭隘的与可怜的。而对于马克思来说，自由的王国建立在人的权利作为目的本身而不断的发展过程的基础之上。这种自由开端建立于人对自然的征服利用的权利基础之上。没有现成可用的自由。不能形而上学地规定一种"要么全有要么全无"的"绝对自由"与"绝对必然性"。它只能通过社会化的个人而获得。对于权利来说，或更确切地说，构成自由的权利总和属于一个社会中人们集体的合作，而不是孤立的个人①。

　　总之，首先，自由与权利不是天赋而是赢得的。其次，自由是通过他所属于的社会集团而获得的。再次，自由与其说是单个的权利不如说是复数的总和综合的。不存在孤立的经济或政治的自由。自由是全面的整体。是多方面的统一。这里没有形而上学的二难推理——"要么是绝对地自由，要么是绝对地听天由命"②。

　　由是观之，以《导论》为代表与核心的前期列斐伏尔日常生活批判概念，仍然是对物质生活压迫与宗教欺骗为主导形态的传统社会现实的一种哲学批判。前期列斐伏尔的日常生活批判是以某种含混的个体人道主义哲学为基础的，是以传统的物质生活方式与文化风俗为主要对象的，是以马克思的总体性辩证法与异化批判逻辑为理论框架，而对早期现代日常生活消极现实的诗性反抗与浪漫重建。这与其后来以资本主义高度发达所引起的消费社会形态为主要对象的现代性日常生活批判视野是明显不同的。

①　Henri Lefebvre, *Critique of Everyday Life, Vol. I: Introduction*, trans. John Moore, Preface by Michel Trebtish, Verso Press, London and New York, 1991, pp.171-172.

②　Henri Lefebvre, *Critique of Everyday Life, Vol. I: Introduction*, trans. John Moore, Preface by Michel Trebtish, Verso Press, London and New York, 1991, p.172.

二、列斐伏尔中后期日常批判理论

列斐伏尔的前后期思想有一个明显但曲折、深刻而复杂的转变过程，这就是从一般意义上的日常生活之哲学批判，转向现代性意义上的日常生活的社会批判。具体表现在以《日常生活批判》第一卷为代表的前期列斐伏尔对日常生活主要采取了一种相对比较哲学化的与乐观化的立场：认为被异化的日常生活世界既包括着被压迫的因素，也包括着解放的因素；日常生活是各种社会活动与社会制度结构的最深层次连接处，是一切文化现象的共同基础，也是导致总体性革命的策源地。而以《现代世界的日常生活》为标志的后期列斐伏尔，则对日常生活理解得更加微观与社会学化一些，也相对悲观了一些。他认为在发达资本主义社会，现代日常生活被全面地纳入到生产与消费的总体环节中。现代社会成了一个"消费被控制的官僚社会"（The Bureaucratic Society of Controlled Consumption ／ ciete bureaucratique de consommation dirigee），而不是一个可供人们自由选择的休闲社会、丰裕社会。

在西方马克思主义史上，列斐伏尔第一个把发达资本主义社会本质特征明确地指认为"消费社会"。他在 20 世纪 60 年代首次提出，现代社会是一个"消费被控制的科层制社会"[1]。其要义是：新资本主义发展与统治的重心已经从生产转向消费，所以应当确立以日常生活为核心的社会批判理论视野。"列斐伏尔的日常生活概念取代了马克思的工厂作为社会的敏感核心地带，成为人类的意志能够选择革命的地点，在这里，一种新的异化形式已经成为最富压抑性与显眼的东西"[2]。

按照列斐伏尔深入而细致的洞察，"消费被控制的科层制社会"之主要现

---

[1] 这是列斐伏尔在该书中独创出的一个非常重要的核心概念，其法语原文是 societe bureaucratique de consommation dirigee，英语对此词迄今为止主要有两种译法：一为该英译本的译者拉宾诺维奇（Sacha Rabinovitch）所选择的：the bureaucratic society of controlled consumption，此译法译成中文便是"消费被控制的（或被引导的）科层制社会"；另外一个常见的译法是 bureaucratic society of organized cosumption，译成中文即"消费被组织化的科层制社会"，基本意思差不多。

[2] Mark Poster, *Existential Marxism in Postwar Frence: From Satre to Althusser*, Princeton University Press, Princeton, 1975, pp.246–247.

象特征就是：（1）日常生活的碎片化神秘化；（2）这是一个欲望被制造被引导的心理躁动世界；（3）符号—想象的"假装"成为"现实"；（4）形形色色的时尚或流行的符号体系，成为控制现代日常生活世界的最高物神。

从客观角度来看，现代日常生活世界是被各种消费体制所操纵的"碎片化"状态与过程。依他之见，现代社会并非经典社会理论所说的由某种体系制度整合与控制而成的政治经济文化统一体，也并非经典社会理论家所想象的政治经济制度（国家）与物质生产生活过程（市民社会）的截然二分的功能结构，或者经济政治文化制度对物质生产过程的直接而公开的控制与压迫所造成的等级结构，而是大量流行的无形的隐性的次体系（即"不在场"的准体系）对日常生活的无孔不入的渗透与控制。据此，他发现，新资本主义社会的主要矛盾，即技术—官僚体制和消费体制与日常生活现实之间的对立。① 在这里，日常生活已经成为组织化的对象或客体，而不复是活生生的、具有创造性原发性的主体或文化源泉。具有讽刺意味的是，此时此处，宏观的现代性组织体制（官僚机构），倒是在认真执行着马克思主义当年未竟的"解放日常生活"的"革命理想"，而将日常生活重新加以组织化——日常生活不再是一个独立的、被边缘化的领域，而是被瓦解成为无数个从属于各种次体系的碎片②。

也就是说，现代世界是各种各样的次体系或体系的替代物所构成的多层异质性现实的笼统总称，是一个各种体系相互掩盖罪行、推脱责任、总体瓦解或"不在场"的社会（比如，技术性是技术官僚的无罪证明，精英文化与大众文化互为无罪证明③）；是"符号"冒名顶替"物"的存在的"超现实"世界，即一个巨大的彻头彻尾的"假装的世界"。所谓的"社会现实"其实都是冒名顶替的，都是对"不出场"的"现实"的符号化替代。用阿尔都塞和后来的齐泽克的观点说，唯一的社会"现实"就是"物质化"、"机构化"

---

① Henri Lefebvre, *Everyday life in the Modern World*, trans. Sacha Rabinovitch, Transaction Publishers, New Brunswick and London, 1984, p.79.

② Henri Lefebvre, *Everyday life in the Modern World*, trans. Sacha Rabinovitch, Transaction Publishers, New Brunswick and London, 1984, p.70.

③ Henri Lefebvre, *Everyday life in the Modern World*, trans. Sacha Rabinovitch, Transaction Publishers, New Brunswick and London, 1984, p.71.

的意识形态①。其意识形态化表现就是符号的消费或符号的编码化。在这里，"每种物体和产品都获得了双重性的存在，即可见的和假装的存在；凡能够被消费的都变成了消费的符号，消费者靠符号，靠灵巧和财富的符号、幸福和爱的符号为生；符号和意谓取代了现实，这就有了大量的替代物，大批的变形物，除了被旋转着的令人发晕的漩涡所创造的幻觉外，什么也没有"②。

从主体角度来看，这则是一个欲望躁动不安的心理—想象世界，人们并不关心自己真实的生活处境与真实的需要，而只是担心与害怕自己会被"流行时尚"所抛弃；他们不担心"贫困"、"专制"，而生怕"落伍"、"过时"、"老土"。"是时尚还是过时，这是哈姆雷特问题的现代版本。时尚通过排斥日常生活而统治日常生活，因为日常生活不够时尚所以不能够存在"③。对于日常生活之中的个体来讲，控制社会的主导力量不再是古典资本主义意义上的国家政权或理性意识形态（诸如个人主义的道德法律与宗教观念），而是流行的消费心理观念与大众化媒体所编织设计的时尚体系。在列斐伏尔看来，消费社会的到来、巩固和图像—符号消费这些情境的并存，并不让人感觉到惊讶。这种图像与符号以最小的成本无休无止地自我复制，其重要性可与具体有形的物质生产过程难分高低。这种从有形的物质消费到无形的图像消费的转换，只是从生产到消费这个更加普遍的新资本主义经济发展过程的一个部分。商品以及剧增的商品的拟像化过程，目前已经成为交换与沟通的根本中介。为了得以延存，消费主义需要的是制造铺天盖地、倾盆大雨一样的伪装与幻觉，让它们见缝插针，侵入日常生活的每一个场合与机会。这些让人信以为真的商业泡沫，使人已经真假难辨、是非不分了。当然，无休止的图像消费导致了一片沮丧与乏味，因为它们与其说满足了人们的真实需求，不如说是制造虚假的需求。这个持续不断地通过对人的需求进行控制与剥削的过程，导致了列斐伏尔所说的"需求弃绝（过时）论（obsolescence of needs）"④或者说"虚假"的或"假装的"（make-believe）

---

① 参见［斯洛文尼亚］齐泽克主编：《图绘意识形态》，方杰译，南京大学出版社 2002 年版。

② Henri Lefebvre, *Everyday life in the Modern World*, trans. Sacha Rabinovitch, Transaction Publishers, New Brunswick and London, 1984, p.108.

③ Henri Lefebvre, *Everyday life in the Modern World*, trans. Sacha Rabinovitch, Transaction Publishers, New Brunswick and London, 1984, p.165.

④ Henri Lefebvre, *Everyday life in the Modern World*, trans. Sacha Rabinovitch, Transaction Publishers, New Brunswick and London, 1984, p.82, p.84 及 p.108 等处。

欲望的普遍化①。

　　一言以蔽之，现代社会不复是一个"贫困的但有风格的生活世界"，或者一座"巨大的工厂"，而是一个被"餍足型"消费逻辑所引导着的，也就是可怕的"时尚"这种生产消费周期所牵引的、焦虑不安的文化心理世界。日常生活自身的秩序节奏已经被资本主义的生产消费的循环周期所完全同化与控制，日常生活世界已经成为一个被虚假的欲望符号体系所操纵所奴役的地带，即被时装、休闲、旅游、汽车、广告、电视、网络等流动着的无形的次体系或准体系所控制的世界。这样，从现象形态来看，现代日常生活世界就成了马克思所说的资本主义作为"巨大的商品化堆积物世界"发展的极端形态，也就是种种物体系、符号体系（鲍德里亚语）所拼凑而成的万花筒世界，特别是情景主义国际（德博特）所说的"景观（展览）的社会"。

　　所以，不再有本质统一的社会现实结构，也不再有共同的历史进步与发展的理想或价值目标，也没有了统一的自觉的阶级意识或意识形态，而只有流行的消费导向和盲目从众的文化无意识。真可谓"历史已终结"，"主体在死亡"，"社会现实正消失"，"符号—欲望（超现实）称霸一时"！这就是说，不仅宏观的历史与阶级主体被瓦解了，甚至连个体的理性主体或创造性自我意识也被蒸发了。不仅人"类""死"了，而且"个人"也"死"了！"生产之镜"破碎了，也就是说生产关系已经消失（"尽管在知识领域内并没有完全消失"），只剩下"消费关系"或"消费之镜"：但"消费什么也没有创造；甚至连消费者之间的关系也没有创造出来，有的只是消费；尽管消费行为在这个所谓的消费的社会中有足够的意义，但只是一种孤零零的行为而已，只作为一种镜像效果而被传播着，即一种借或通过其他消费者为镜子的游戏。连同生产的现实性一起，活动的想象与概念，富有创造性与生产性的'人'趋于消失，随之而来的便是作为有机体（统一体）的社会的想象与概念的消失"②。从前的"生产的意识形态和创造性活动旨趣已经变成了一种消费的意识形态"，这种消费的意识形态"已经取代了那个作为能动人的消费者的想象，这个消费者曾经拥有着充分

---

① Henri Lefebvre, *Everyday life in the Modern World,* trans. Sacha Rabinovitch, Transaction Publishers, New Brunswick and London, 1984, p.85. 以下内容，并看 Michael E Gardiner, Critique of Everyday Life, Routledge, New York, 2000, p.93。

② Henri Lefebvre, *Everyday life in the Modern World,* trans. Sacha Rabinovitch, Transaction Publishers, New Brunswick and London, 1984, p.115.

的快乐和健全的理性……在这种想象中，不仅消费者甚至连被消费物本身都变得无关紧要，重要的是作为一种消费的艺术而存在的消费者和消费过程的幻觉。在这种意识形态的替代与置换过程中，人对自身异化的醒悟被某种作为对旧的异化补充的新异化形式所压抑着，或甚至可以说被隐匿了"。①"新的异化形式已经同旧的异化联为一体，丰富了异化的类型学：政治的、意识形态的、技术的、官僚的、都市化的等等。……异化正在扩展并日益强大，以至于它消除了异化的所有痕迹或对异化的意识"②。但请注意的是，这并不意味着列斐伏尔走向了一种悲观主义，由于他并不认为现代社会现实是同质化的铁板一块，而是异质性的、相互冲突与矛盾的多层现实，所以社会主体便具有多种造反的可能机会、空间或缝隙。这种看法显然不同于法兰克福学派阿道诺式的悲观主义，在后者看来，现代社会具有着"无所不在"的"同一性体系"，本质上是"无可反抗"的。列斐伏尔的独特性就在于，他一方面不再承认现代社会具有总体性统一的现实，但另一方面却仍然坚持一种总体性的社会批判方案与解放的辩证想象。

总之，"消费被控制的科层社会"理论，一是确立了以日常生活为中心视野的、微观的主体向度的社会批判理论，而取代了传统马克思主义以社会结构为主要对象的、宏观的客观的社会批判理论，生产的社会关系即经济的根基和主导地位被日常生活的根基意义与突出批判地位所取代；二是将现代社会理解为消费被控制的各种日常生活的次体系，而不再是以生产为基础的经济政治文化制度所构成的统一体，经典的社会现实本质统一假说被现代性的异质性、超现实话语所突破，生产条件与劳动过程的异化现象批判理论被消费过程的异化批判分析所接替；三是将新资本主义社会的主要统治形式与意识形态表现从生产领域及国家上层建筑转向消费领域，将现代资本主义社会主要理解为一个消费社会，进而又将消费社会本质地理解为符号消费体制与消费意识形态占主导地位的日常生活世界，马克思的商品拜物教批判逻辑被进一步抽象成为景观与符号的拜物教批判框架。

---

① Henri Lefebvre, *Everyday life in the Modern World*, trans. Sacha Rabinovitch, Transaction Publishers, New Brunswick and London, 1984, p.56.

② Henri Lefebvre, *Everyday life in the Modern World*, trans. Sacha Rabinovitch, Transaction Publishers, New Brunswick and London, 1984, p.94.

三、城市革命与日常生活批判的"空间化"转向

在 1967—1974 年这 7 年间，列斐伏尔集中研究了空间与城市问题。《都市革命》无疑是其中的一部重要著作。在列斐伏尔于巴黎十大（楠特尔大学）工作这 7 年间，他先后写过了 6 部相关的著作：这一系列以《论城市的权利》（1968）一书开始，之后是《从乡村到都市》（1970）、《都市革命》（1970）、《马克思主义思想与城市》（1972）、《空间与政治》即《论城市的权利》的第二卷（1973），最后集大成者是《空间的生产》（1974）。

《都市革命》一书并不是字面上或者它所诞生时代的街头游行暴动意义上那种直观现象的革命，而是意味着人类新的历史阶段与生活方式想象的革命。列斐伏尔严格区分了工业社会以及以往社会的城市与他心目中的未来新社会的都市。此书一上来提出这样一个假设：

都市并不是从来就有的永恒的现象，而是非连续性的历史阶段或者关键阶段意义上的现象，一个潜在的未来的社会现实，一种设计、一种探索，乃至一种思想的构成。这种思想的运动接近于某种"具体"，乃至接近于那个"具体现实"。都市社会作为可能的未来现实，要与工程师设计师主观意义上的设计区别开来 ①。

列斐伏尔通过一个从百分之零到百分之百这样演变的时间轴线来设想都市形成的过程。这条轴线表示我们所指涉的对象，都市（都市现实），它既是"空间的"、又是"时间的"，谓其是"空间的"，是因为这一进程在空间中展开，它改造了空间；曰其是"时间的"，是因为它在时间中发展，它一开始只是次要的方面，但在后来成为了实践和历史的主导。这样一部历史经历了从古代的政治城市到中世纪晚期开始的商业城市，又到资本主义社会的工业城市，再到未来意义上的批判性空间。在近代之前，城市作为自然与农业世界的从属与边缘而存在，但自从资本主义社会以来，正如马克思所说的原来是工业作为农业的一个部门，现在情况颠倒为农业成为工业的一个部门，土地完全从属于城市。除了对都市作了一个阶段性的假设定义以及历史阶段性的划界之外，列斐伏尔还提出了本书的研究核心问题，这就是都市总问题式（problématique

---

① 参见 Henri Lefebvre, *La révolution urbaine*, Gallimard, 1970，p.12, 5。

urbaine)①。都市不仅是工业与资本主义的上层建筑，而且也变成了生产力与生产关系的一部分。

从历史角度与共时性角度来看，存在着三个领域、时期与层次，即农业、工业与都市。类似于科学中的数学、物理与历史社会科学之相应的发现。它们之间并不完全连续而是充满着裂缝与盲区。其中的农业是自然的、一个异质的循环着的世界，而工业是同质化的、设计的、管理的世界，而都市则是充满着差异的，包括异位的空间与具体的矛盾，具有不期而遇的同时性聚合性这样的都市形式特征。这种时空是一种不同于农业时空（周而复始和并置的地域特殊性）和工业时空（趋向于同质性，趋向于合理的和被规划的强制统一性）的布局。一旦我们不用工业理性——它的同质性规划——去规定它，都市时空就表现为差异，每一处和每一时刻只在一个总体中存在，通过对比和对立使之与别处和其他时刻相连并与之相区别。

从历史角度来看，社会可分为乡村、工业与都市三个阶段。从共时性来看，都市社会则有三个层次，即整体性、混合性与私人性。其中整体性是国家制度层面的，而混合性则是都市自身层次的，而私人性即建筑层面的。列斐伏尔最为关心的层次是私人的层次即作为栖居的层次。在《都市革命》这本书中，列斐伏尔显然在其所理解的一部从虚拟到现实的都市历史观中，这样来看待栖居的重要性的，这就是"第一个关键时期（农业的从属于工业化的），第二个关键时期先是第一步（a）工业化从属于都市化，而第二步则是（b）整体性从属于都市的和都市从属于栖居的"②。一直是被认为并不重要的层次，即栖居，已经变成本质性的。

马克思运用辩证法批判资本主义社会历史局限性并提出用社会主义取而代之的方案。列斐伏尔认为，今天我们要用辩证法批判都市形式及相应的专业化的技术思维，都市革命与具体的民主相一致，即以民众的日常生活的都市实践反抗资本主义社会占统治地位的都市科技设计。都市革命作为一种总体性战略，它并不是居高临下的设计，而是遍及任何地方与时刻的微观实践活动。社会主义有三种可能性选择方案：一种是用工业化管理取代城市化管理的体制化模式，即因袭传统工业化意识形态而都市总问题式被扼杀；第二

---

① 参见 Henri Lefebvre, *La révolution urbaine*, Gallimard, 1970，p.25。

② Henri Lefebvre, *La révolution urbaine*, Gallimard, 1970，p.13.

种是都市革命的生活冲动将冲决传统计划管理体制模式的束缚，重建市民社会，即马克思所预言的"国家消亡"；第三种建立合法机制突出都市的总问题式，用合法化手段相应地提出各种可能解决之道。真正意义上的都市革命何在呢？政治战略是都市问题突出，都市自治与扩大到城市权力系统之中①。

列斐伏尔曾多次表明，日常生活批判理论是他对马克思主义社会理论的最重要贡献。但20世纪七八十年代以后，他的思想发生了一次转变。这就是把马克思的社会历史辩证法翻转成为一种"空间化本体论"，或将历史辩证法"空间化"。列斐伏尔对马克思辩证法的新解释是，确立一种空间的知识而不是历史性的辩证法。他预言说："辩证法又回到了议事日程上了。只不过这已经不再是马克思的辩证法，就像马克思的辩证法不再是黑格尔的一样……今天的辩证法不再与历史性与历史性时间相关联，或者诸如'正—反—合'或'肯定—否定—否定之否定'之类的时段性机制有什么关系了……因此，这就出现了所谓的新的与悖论式的辩证法：辩证法不再听命于时间性。因此，对历史唯物主义或对黑格尔的历史性的驳斥，已经不再对辩证法的批判奏效了。认识到空间，认识到发生了什么或在什么地方发生以及通常是指什么，这就是对辩证法的恢复……这就是从精神的空间走向社会空间的过程……在中心与边缘之间的……特殊矛盾中……在政治科学中，在城市现实的理论中，在对所有的社会的和精神过程的分析中……我们不再说什么空间的科学，而只说关于空间的生产的知识（理论）……这个最普遍的产物。"②

尽管如此，列斐伏尔晚年并没有放弃日常生活批判，而只是改变了日常生活批判的理论视野。在他看来，"日常生活"、"都市"、"重复与差异"、"战略"、"空间"与"空间的生产"是一些"近似问题"（approximations），其母体就是马克思的社会关系生产与再生产的辩证法理论③。按照列斐伏尔的理解，作为马克思历史辩证法的最高形态与核心形态，社会生产关系的再生产辩证法的进一步发展就是"空间的生产"的辩证法。资本主义的物的生产关系与生产力的极端与高度发展，最终必然是超越空间中的物的生产界限，变为"空间本身"，

---

① 参见 Henri Lefebvre, *La révolution urbaine,* Gallimard, 1970, pp.196, 150。

② 参见 Henri Lefebvre, The Survival of Capitalism, Reproduction of the Relations of Production, trans. Frank Bryant, Allison & Busby, London, 1978, p.14, pp.17–18。

③ 参见 Henri Lefebvre, *The Survival of Capitalism, Reproduction of the Relations of Production,* trans. Frank Bryant, Allison & Busby, London, 1978, pp.7–8。

即生产关系本身的再生产。马克思当年所谓的"资本越发展……资本同时也就越是力求在空间上更加扩大市场，力求用时间去更多地消灭空间"[1]，其实就已经预感到资本主义的生产必然要突破自然界的空间中的物的生产限制，而寻求在一种社会关系所生产出的社会空间本身中实现自我的无限生产。经典马克思主义的问题是"资本主义生产就是要'用时间消灭空间的限制'"，而在他的"后马克思哲学"问题式看来，所谓"消灭空间的限制"其实就是"创造出新的空间"。资本主义"为什么幸存而没有灭亡"就在于资本主义对空间的占有，"通过占有空间，通过生产空间"[2]。

列斐伏尔夸张空间在历史唯物主义中的基础与总体性意义。他认为，空间在社会经济世界中能够发挥多种多样的作用。第一，它起着许多生产力中的一种生产力的作用（传统意义上的其他生产力包括工厂、工具与机器等等）。第二，空间本身可以作为大量地生产出来供人们消费的商品而存在（例如去迪斯尼乐园旅游）。它也被用于生产性的消费过程（如用于开设工厂的场地之用）。第三，它可以充当政治性的工具，以更便于体系的控制（如建筑公路，便于警察镇压游行示威者）。第四，空间充当巩固生产力与财产关系的基础作用（如豪华社区为富人，而贫民窟为穷人）。第五，空间可以充当上层建筑的一个形式。如表面上中立实际上掩盖经济基础的形式的产生，这一点足以表明它远非中立的。比如公路系统看上去中立，其实却为资本主义企业提供便利。它让更多的原料源源不断地、轻捷便利地、物美价廉地供应给资本主义市场。第六，在空间中始终具有某些肯定性的潜能，比如真正的人类创造性才能就潜存于其中，还有某些正在复活返璞之中的空间所包含着的无限潜能，均可以为那些遭受压迫与控制之苦的人们带来福祉[3]。

列斐伏尔关于"空间的生产"思想，有四条规则[4]：一是物质即自然的空间正在消失。二是任何一个社会、任何一种生产方式，都会产生出自身的空

---

[1] 参见《马克思恩格斯全集》第30卷，人民出版社1995年版，第538页。

[2] Henri Lefebvre, *The Survival of Capitalism, Reproduction of the Relations of Production,* trans. Frank Bryant, Allison & Busby, London 1978, p.21.

[3] 参见 Henri Lefebvre, *The Production of Space,* trans. Donald Nicholson-Smith, Blackwell Ltd., 1991, p.349。

[4] Henri Lefebvre, *The Production of Space*, trans. Donald Nicholson-Smith, Blackwell Ltd., 1991, pp.30–64.

间。社会空间包含着生产关系与再生产关系，并赋予这些关系以合适的场所。三是要从关注"空间中的事物"转移到关注"空间的生产"。四是如果每一种生产方式都有自己的独特的空间，那么，从一种生产方式转到另一种生产方式，必然伴随着新空间的生产。所以问题就在于如何判定新空间的出现？新空间在什么时候意味着新的生产方式的产生？厘清这些问题，也就厘清了相应的历史分期。列斐伏尔非常重要的一个贡献就是提出"空间生产的历史方式"概念即"空间的历史"（L'histoire de l'espace）概念。这是列斐伏尔在《空间的生产》一书中精心设计的一个关键词。它既是对马克思的经济社会形态历史观的"空间化"改写，也是对海德格尔晚年的"存在历史观"思想的蓄意和挑战性的模仿。在列氏看来，迄今为止人类的空间历史先后经历了并存在着如下形态：1. 绝对空间（l'espace absolu）：自然，各式各样空间的滥觞与原型；2. 神圣空间（espace sacre）：城邦、暴君与神圣国王，古埃及王朝；3. 历史性空间（espace historique）：政治国家、希腊城邦、罗马帝国，可透视空间；4. 抽象空间（espace abstrait）：资本主义、财产等等的政治经济空间；5. 矛盾空间（l'espace contradictoire）：质与量的矛盾、使用价值与交换价值的矛盾、当代全球化资本主义与地方性意义的对立；6. 差异空间（d'espace differentiel）：未来的能够体现差异与新鲜体验的空间 ①。

列斐伏尔的空间化辩证法是一种三重性辩证法（Une dialectique de triplicite ／triple dialectic）。三重性的空间辩证法不等于是黑格尔—马克思式的否定之否定的三个阶段或层次，而是彼此不可分离的同时并存的三个面向维度。这就是：

第一，物质性的空间实践（Spatial practice），它是指那些发生在空间中的并穿越过空间的自然的与物质的流动、传输与相互作用等方式，保证着生产与社会再生产的需要。空间的实践，作为社会空间性的物质形态的制造过程，因而既表现为人类活动、行为与经验的一种中介，也表现为其一种结果。这相当于马克思的直接的与自然打交道的物质生产实践的空间化重述与改写。

第二，空间的表象（Representations of space），它是任何一个社会中（或生产方式）占主导地位的空间，是知识权利的仓库。这相当于马克思的生产关系、社会结构与上层建筑。这种空间被社会的精英阶层构想成为都市的规划设

---

① 参见 Rob Shields, Lefebvre, *Love and Struggle,* Spatial Dialectics, Routledge, London and New York, 1999, pp.170–172。

计与建筑。他们把这种空间视为"真正的空间"。他们经常把对空间的表象作为达到与维持其统治的手段。因此，例如都市化设计者规划者与建筑师们一度有这样一种流行的城市更新模式，即拆迁原有的贫困人口居住区，取而代之以现代化的高层建筑社区。这就是美其名曰的都市化迁移。这个过程更多考虑的是中产阶级与既得利益阶层的生存需要、发展利益与生活兴趣，而穷人则非其所愿地被赶到所谓新居：那狭小而拥挤的、火柴盒般的高层建筑群中。他们被迫过上一种拥挤但是没有邻居的、孤独的、离群索居的生活。所以穷人的"空间的实践"，被那些支持创造都市空间规划改造的成功人士们梦想的"空间的表象"所残酷地剧烈地改变了。这是消费社会、都市化时代资本主义生产关系上层建筑对穷人们的日常生活的一次次严重的空间化控制与剥削。

第三，表征性空间（Space of representation / representational spaces），即精神的虚构物（代码，符号，"空间性的话语"，乌托邦计划，想象的风景，甚至还有诸如象征性的空间、特殊的建筑背景，绘画，博物馆等等这样一些物质性建筑物），以便为空间性实践提供某些具有崭新意义或可能性的想象[1]。表征性空间同时包含着所有"他者的"、亦真亦幻的空间。空间的表象所控制的不仅是空间性实践，而且还有各种各样的表征性空间。当统治阶级成功人士们兴高采烈地创造出自己的空间的表象时，表征性空间则从人们的实际生活体验中悄然隐去了。已如上述，空间的表象总被那些手握重权的社会阶层视为"唯一真实的空间"，与此同时表征性空间则透露出"空间的真理"。这就是说它们反映了人们的真实的生活体验，而不是本质上的那种被某些都市规划者们所创造出来以便于统治的抽象真理。不过，在当代世界里，表征性空间如同空间的实践一样，它们均受着空间的表象专制垄断的统治之苦。事实上，列斐伏尔观点已经悲观到如此地步，以至于认为，"表征性空间已经消失在空间的表象之中"[2]，技术设计的"真实空间"（true space）正在冒名顶替人们身体要体验的"空间真理"（truth of space）[3]。

---

[1] 参见 Henri Lefebvre, *The Production of Space*, trans. Donald Nicholson-Smith, Blackwell Ltd.,1991, p.33。

[2] [美]乔治·瑞泽尔、D.L.古特曼：《现代社会学理论》（英文影印版），北京大学出版社 2004年版，第162页。

[3] Henri Lefebvre, *The Production of Space*, trans. Donald Nicholson-Smith, Blackwell Ltd.,1991, pp.397–400.

列斐伏尔其实是把空间的以上三个维度的认识特征分别概括为感知、认知与体验：作为物质性空间实践（materialized spatial practice）的被感知空间（the perceived space），作为空间的表象物（representation of space）的认知性空间（the conceived space），以及作为表征性空间（spaces of representation／representational space）的亲历性空间（the lived space）。但这种三重性空间辩证法的争议之处在于，它只是相对主义强调了体验、感知与想象之间具有辩证的、而不是因果决定论的关系，因而仍然遗留下了含糊其词的东西。而在经典马克思主义看来，三重性空间辩证法如果成立，那也是建立在物质性空间实践这个"归根结底"的决定因素基础之上。但三重性空间辩证法中却有这样一个暗示性的预先性，即不是出于本体论的预先性或优先性，而是出于政治选择的考虑，空间性想象位于其思想的核心。"由于政治选择的考虑才使列斐伏尔对表征性空间与亲身体验的空间以特别的关注。由此出发寻找一种出发点，一种同时改变整个空间的阿尔法点。是生动的亲历的社会空间，而不是其他任何空间，才是列斐伏尔的无限的阿尔法点。"①而实际上，列斐伏尔的后学者们所看好的，正是他的表征性空间理论。如索亚将其重述为"第三种空间理论"，而詹姆逊则把它改造成为"认知图绘理论"，等等。

列斐伏尔所说的表征性空间，既是对历史上抽象的资本主义社会空间表象的批判性重建扬弃与超越，更是对物质性的空间实践这个开端与基础的创造性重建与回复。关键是再现身体化空间这个本真状态，或者说是创造性重建人的生命体验过程与空间的本真性联系的生产—本体论，解构各种抽象的符号空间的统治。

列斐伏尔转向对"空间的生产"之分析，问题并不仅仅是要获得一种总体性的空间知识或建构一种空间维度的新本体论，其目的是想得出一种激进的政治结论，或者说提出一种新的政治构想。他不仅不满意马克思的政治经济学批判的经济决定论的本质主义痕迹，而且批评了马克思的国家学说不重视空间的统治问题。从社会空间理论到社会空间革命实践，从历史的解放到空间政治学，这就是列斐伏尔日常生活批判哲学的最后思路之一。

列斐伏尔模仿马克思的语气说，正如每个社会形态都有自己相应的社会空间一样，"社会主义的社会也必须生产自己的空间"。没有空间的生产便没有真

---

① E. W. Soja, *Thirdspace, Journey to Los Angeles and Other Real-and-Imagined Places*, Blackwell Publisher Inc. Cambridge, Massachusetts, 1996, p.68.

正的社会主义革命，"如果不曾生产一个合适的空间，那么'改变生活方式'、'改变社会'等便都是空话。""为了改变生活……我们必须首先改变空间。""一场没有创造出新的空间的革命其实是并没有充分地实现其潜能的革命；这实际上是无力改变生活本身，而只是改变了意识形态的上层建筑，社会制度或政治设施。具有真正的革命特征的社会变革，必须体现在它对日常生活、语言和空间所具有的创造性影响的能力——虽然它的实际影响在每个地方，不一定在同样的水平上发挥或以相同的力量来发生"①。也就是说，"一个正在将自己转向社会主义的社会……不能接受资本主义所生产的空间……社会主义空间的生产，意味着私有财产，以及国家对空间之政治性支配的终结"，这又意味着从对自然的支配统治关系（the domination of nature）转向对自然的一种平等取用（the appropriation of nature）关系②，以及使用优先于交换。社会主义的空间生产不再是资本主义式同质化的抽象空间及其无法消除与克服的矛盾的空间，而是异质性并存的、"和而不同"的"差异性空间"③。

第二节　梅洛－庞蒂的存在主义马克思主义

梅洛－庞蒂是 20 世纪中期活跃于法国哲学舞台上的存在主义哲学家与现象学家。他的《知觉现象学》（1945）以及《可见与不可见》（1964）是世界现象学运动史上的奠基性经典，但他同时又是一位存在主义马克思主义者。正是他于 1955 年出版的《辩证法的探险》一书首次把卢卡奇的《历史和阶级意识》所代表的思潮概括为"西方马克思主义"。梅洛－庞蒂的"含混

---

① Henri Lefebvre, *The Production of Space*, trans. Donald Nicholson-Smith, Blackwell Ltd.,1991, p.190, p.54.

② 参见 Henri Lefebvre, *The Production of Space,* trans. Donald Nicholson-Smith, Blackwell Ltd.,1991, p.165, p.343。

③ 参见 [法] 列斐伏尔：《空间：社会产物与使用价值》，载包亚明主编：《现代性与空间的生产》，上海教育出版社 2003 年版，第 47—58 页。

哲学"① 和由此而产生的方法论的折衷主义，是"存在主义的马克思主义"的哲学基础。存在主义的马克思主义只是梅洛－庞蒂思想发展过程中的一个阶段。大致上说，从 1947 年至 1955 年这一时期，梅洛－庞蒂的著述与马克思主义有关，此前与之后则都是一个比较严格的现象学哲学家。在此期间的主要著作是《人道主义与恐怖》(1947)、《意义与无意义》(1948)、《哲学赞词》(1952)以及《辩证法的历险》(1955)。并且即使在这短短的 8 年间，梅洛－庞蒂也走过了一个从马克思主义的观望者、同情者到马克思主义的彻底批判者与否定者的过程。正像雷蒙·阿隆所说，这是一个"从马克思主义的观望主义到非共产主义"的过程。梅洛－庞蒂与萨特各自走过了方向完全相反的对马克思主义的存在主义理解的道路。"前者 1948 年写《人道主义与恐怖》时是一个马克思主义的观望主义者，而七年之后写《辩证法的冒险》时则变成了一位非马克思主义者"。而萨特则是在梅洛－庞蒂的影响（并且是在后者与马克思主义渐行渐远的情况）下走向马克思主义的。"从马克思主义的观望主义到非共产主义的转变，从对苏联的先天好感到双重拒绝与双重批判的转变，从一致行动或者进步主义到非共产主义的左派的转变"②，这大概就是梅洛－庞蒂的这一段思想历程轨迹。而他的存在主义马克思主义的基本观点是：(1) 马克思主义与存在主义是可以"统一"起来的；(2) 马克思主义并不是历史决定论，而是历史哲学；(3) 马克思主义是一种"特殊的"人道主义。

一、从存在主义立场出发的马克思主义与存在主义"统一"论

马克思主义和存在主义本是两种不同的思想体系，梅洛－庞蒂力图把它们结合起来，并认为它们有结合的基础。这个基础首先是它们在主体性问题上的共同点，这特别表现在它们都是反对反映论的。他明确指出，以反对反映为前提的

---

① 关于梅洛－庞蒂哲学的模糊性特征，可参看杨大春：《感性的诗学——梅洛－庞蒂与法国哲学主流》，人民出版社 2005 年版；[法] 安德烈·罗宾耐：《模糊暧昧的哲学——梅洛－庞蒂传》，宋刚译，北京大学出版社 2006 年版。

② [法] 雷蒙·阿隆：《想象的马克思主义：从一个神圣家族到另一个神圣家族》，姜志辉译，上海译文出版社 2012 年版，第 30、38 页。

哲学、与直观的东西发生关系的存在主义，"与最纯粹的马克思主义是不矛盾的"①。存在主义之所以反对反映论哲学，是因为这种哲学"对它想要掌握的东西——即人的存在——是不适当的，因为它本身就是某种与世界和历史相脱离的存在方式"②。梅洛－庞蒂认为，这也是马克思主义的看法。二者在反对主体哲学与反对反映论哲学上的一致，就在于它们都坚持"不使主观成为一种反映"的哲学立场。

在讨论主体性问题时，梅洛－庞蒂进一步谈到了实践范畴。按照黑格尔主义，他把实践理解为"综合"和"超越"，并把它与存在主义的"责任"范畴联系起来，指出在这个问题上，"克尔恺郭尔和马克思这两个黑格尔主义后裔走到了一起"③。在实践问题上，梅洛－庞蒂提出了意识在历史运动中的意义问题，即所谓"必须知道这种历史运动是什么"和"我们还必须知道做什么"的问题。它是个人在实践中"去理解和作出决定"④的问题。他认为："没有人能抛弃自我的理智活动和否认意识，否则就不再知道他所说的是什么并抛弃一切主张甚至唯物主义的主张"⑤。对主体性的肯定，其本身就是对个人意识的强调。"如果他的生活对自己有政治意义，那是因为他通过自己的决定而赋予生活以这种意义"⑥。

---

① Maurice Merleau-Ponty, *Sense and Non-Sense*, trans. Hubert L. Deryfus & Patricia Allen Dreyfus, Northwestern University Press, 1964, p.79；[加] 本·阿格尔：《西方马克思主义概论》，慎之等译，中国人民大学出版社 1991 年版，第 389 页。

② Maurice Merleau-Ponty, *Sense and Non-Sense*, trans. Hubert L. Deryfus & Patricia Allen Dreyfus, Northwestern University Press, 1964, p.78；[加] 本·阿格尔：《西方马克思主义概论》，慎之等译，中国人民大学出版社 1991 年版，第 390 页。

③ Maurice Merleau-Ponty, *Sense and Non-Sense*, trans. Hubert L. Deryfus & Patricia Allen Dreyfus, Northwestern University Press, 1964, p.79；[加] 本·阿格尔：《西方马克思主义概论》，慎之等译，中国人民大学出版社 1991 年版，第 390 页。

④ Maurice Merleau-Ponty, *Sense and Non-Sense*, trans. Hubert L. Deryfus & Patricia Allen Dreyfus, Northwestern University Press, 1964, p.79；[加] 本·阿格尔：《西方马克思主义概论》，慎之等译，中国人民大学出版社 1991 年版，第 391 页。

⑤ Maurice Merleau-Ponty, *Sense and Non-Sense*, trans. Hubert L. Deryfus & Patricia Allen Dreyfus, Northwestern University Press, 1964, p.79；[加] 本·阿格尔：《西方马克思主义概论》，慎之等译，中国人民大学出版社 1991 年版，第 391 页。

⑥ Maurice Merleau-Ponty, *Sense and Non-Sense*, trans. Hubert L. Deryfus & Patricia Allen Dreyfus, Northwestern University Press, 1964, p.80；[加] 本·阿格尔：《西方马克思主义概论》，慎之等译，中国人民大学出版社 1991 年版，第 391—392 页。

梅洛－庞蒂还从承认个人存在的客观性和个人意识的意义的角度说明存在主义与马克思主义的"一致性"。作为一位存在主义的哲学家，梅洛－庞蒂特别强调个人的存在。他谈到，一旦人被作为历史主体来理解，就不能仅仅介绍集体的人或阶级的人，而应把有权服务于或背叛自己的阶级的个人也包括在内。而在他看来，所谓个人存在，其实质就是个人意识的存在。所以，他接着说："这个意义上的个人是根据自己的意愿而加入阶级的"。"马克思虽然根据个人在生产循环中的有效地位给我们提供了关于阶级的客观定义，但他在别处又告诉我们说，阶级不能成为一个决定性的历史和革命的因素，除非个人意识到这一点"①。个人意识成为决定人的阶级属性的因素。

梅洛－庞蒂用存在主义和马克思主义在诸如主体性、个人和个人意识等问题上的观点的所谓一致性，说明马克思主义与存在主义这两种思想体系的一致性。为此，他提出："充满生机的马克思主义应'保留'存在主义的探讨并与之相结合而不是去窒息它。"②

应当看到，梅洛－庞蒂关于存在主义与马克思主义的"统一性"的论证是缺乏说服力的。因为在这种论证中，他不是从马克思主义理论本来的内容和性质出发，而是从对它的过度诠释出发。例如，关于反映论，这是唯物主义认识论的根本观点，对此，一般的唯心主义者也是不怀疑的。但是，梅洛－庞蒂则坚持这样一种看法："认为一切哲学所以是唯心主义的，是因为哲学总是以反映为前提，即不与直观的东西发生关系"③。而在我们看来，以反映为前提的认识就是唯物主义的认识，它是在"与直观的东西发生关系"的基础上产生的认识，所以二者不是对立的，坚持反映论前提也不会导致唯心主义。他的看法表明其对反映论并不了解。梅洛－庞蒂对马克思主义的误解还表现在他在关于认

① Maurice Merleau-Ponty, *Sense and Non-Sense*, trans. Hubert L. Deryfus & Patricia Allen Dreyfus, Northwestern University Press, 1964, p.80；[加] 本·阿格尔：《西方马克思主义概论》，慎之等译，中国人民大学出版社 1991 年版，第 392 页。

② Maurice Merleau-Ponty, *Sense and Non-Sense*, trans. Hubert L. Deryfus & Patricia Allen Dreyfus, Northwestern University Press, 1964, p.82；[加] 本·阿格尔：《西方马克思主义概论》，慎之等译，中国人民大学出版社 1991 年版，第 394 页。

③ Maurice Merleau-Ponty, *Sense and Non-Sense*, trans. Hubert L. Deryfus & Patricia Allen Dreyfus, Northwestern University Press, 1964, p.78；[加] 本·阿格尔：《西方马克思主义概论》，慎之等译，中国人民大学出版社 1991 年版，第 389 页。

识发生和认识性质的理解上的主观唯心主义。他认为："每个人，甚至马克思主义者，都不得不同意笛卡尔的下述观点，即我们对外部某一现实的认识取决于我们在心里对我们据以进行了解的那个过程的理解。"此外，"我们对其意义的理解也取决于我们之间彼此看法的一致"①。

当然，同时还必须承认，梅洛－庞蒂在论证存在主义与马克思主义的所谓"一致性"的时候，他对人的本质特别是人在资本主义状况下的表现的分析以及阶级怎样成为一个历史因素的见解，尽管是以极其抽象的语言表达的，但还是具有一定的启发意义。他认为，人在一定条件下特别是在资本主义条件下，其本质与存在有一个"历史阶段"的分离，因此人应在改造世界的过程中证明自己的本质。他批评思辨哲学观念力图把握人和世界的永恒本质。这种观念本身证明"那些逐渐意识到自己是虚无和自由的哲学家"，"不愿从构成他思想基础的存在的角度去致力于改造世界，证实他在通过劳动和实践创造自身而不是寻求一劳永逸地界定自身的真正人性面前感到空虚。实现哲学寻求的目的——完全把握世界——的唯一途径是把我们自身同历史联结起来而不是对历史进行沉思"②。从这段论述可以看出，梅洛－庞蒂关于人的本质及其实现的思想与马克思主义是比较接近的。

梅洛－庞蒂关于作为历史因素的阶级与个人的关系的论述总的来说是不正确的，但其中也包含某些合理因素。在阶级成为历史因素的问题上，就片面强调个人和个人意识的作用而言，梅洛－庞蒂的观点的性质是存在主义的。但是，他关于"意识本身有社会动机"的观点，关于"作为一种历史因素的阶级，既不是一个简单的客观事实，也不是由孤立意识所随意选择的简单价值"的结论无疑是正确的。而关于"主体在确立作为历史因素的阶级中的作用"这一提法，实际上则提出了一个历史进程中的阶级主体与个人主体之间的关系问题。尽管他没有回答这个问题。但是，其主要意义在于提出了这个问题。个人是从属于阶级的，个人是什么取决于阶级是什么。但是，个人在阶级成为历史因素

① Maurice Merleau-Ponty, *Sense and Non-Sense*, trans. Hubert L. Deryfus & Patricia Allen Dreyfus, Northwestern University Press, 1964, p.79；[加] 本·阿格尔：《西方马克思主义概论》，慎之等译，中国人民大学出版社 1991 年版，第 391 页。

② Maurice Merleau-Ponty, *Sense and Non-Sense*, trans. Hubert L. Deryfus & Patricia Allen Dreyfus, Northwestern University Press, 1964, p.79；[加] 本·阿格尔：《西方马克思主义概论》，慎之等译，中国人民大学出版社 1991 年版，第 390 页。

的过程中起什么作用呢？在经济的历史的力量面前，个人主体是微不足道的，还是决定性的吗？对于这个问题，梅洛－庞蒂不仅没有答案，而且问题也始终没有被提到这个高度。

二、"马克思主义是历史哲学，但不是历史决定论"

梅洛－庞蒂在《马克思主义和哲学》(1948)① 这篇与近三十年前（1923）由卡尔·柯尔施写成的同名著作的文章中，一上来就要为马克思主义哲学正名。他反对深受苏联与第二国际影响的流行观点，即认为马克思主义不是哲学，马克思主义用实证的社会科学机械论取代思辨的唯心主义哲学。这些人像早期的孔德一样，试图用科学代替哲学。比如一位名叫纳维尔的法国马克思主义学者就主张历史唯物主义与政治经济学应该采用自然科学的方法，应该像自然科学那样制定物质世界的规律，去建立社会历史规律。

梅洛－庞蒂从反自然主义的立场出发解释马克思主义，于是提出马克思主义是一种"历史的哲学"的结论。他说："马克思主义不是主体的哲学，也不是客体的哲学，而是历史的哲学。"② 他还认为，在马克思那里，历史哲学同历史唯物主义是一致的。它们的一致在于："历史唯物主义不是把历史还原到它的部门之一，它是个人与外界、主体与客体之间血缘关系的述说，这种血缘关系是主体异化于客体中的基础，而且假如把运动倒转回来，又将是世界还原到人的基础。"③ 总之，它们都是坚持主体与客体、人与环境的统一的哲学。

正是从主体与客体的统一出发，梅洛－庞蒂把历史哲学理解为实践哲学。他指出："被这样理解的马克思主义，正因为它拒绝成为一种教条的历史哲学，它应当是一种革命哲学。在它之中，有两种因素不断交替，每一次都到了一个更高的水平，构成历史的螺旋运动：一是历史的阅读，使历史出现了哲学的意

① ［法］梅洛－庞蒂：《意义与无意义》，《马列主义研究资料》1982年第5辑。
② ［法］梅洛－庞蒂：《人在马克思主义哲学中的地位》，载《国外学者论人和人道主义》第一辑，社会科学文献出版社1991年版，第425页。
③ ［法］梅洛－庞蒂：《辩证法的探险》，载《存在主义哲学》，商务印书馆1963年版，第387页。

义，一是回到现在，使哲学出现为历史。"① "哲学出现为历史"，就是哲学见之于实践，亦即社会改造过程。

按照历史哲学的立场，梅洛－庞蒂同其他具有人道主义倾向的"西方马克思主义"者一样，认为马克思主义是反自然辩证法的。他认为，自然辩证法是"黑格尔遗产中最经不起推敲的部分"，是恩格斯从黑格尔那里接受来的"冒险主张"。"自然界如果仅仅是自然界，如果它是我们本身以外的存在，人们在自然界里就找不到构成辩证法所必需的关系和品质。如果自然界是辩证的，那是因为它是被人所感知的、同人的活动不可分割的自然界。"② 对自然辩证法的否定是以对自然界的客观实在性的否定和对主体性的夸大为前提。他明确表示不承认有先于人类历史的自然界存在③。在这一点上，他继承了自卢卡奇以来的把自然界理解为一个社会范畴的人道主义传统。

梅洛－庞蒂认为，马克思主义作为历史哲学，是排斥历史决定论的。历史决定论是形而上学。然而，非决定论的历史的辩证的思想，总是从每一现象里抽出扬弃此现象的真理，每时每刻都在唤起我们对世界、对历史的吃惊。"这种'历史哲学'，与其说是交给我们历史的钥匙，不如说是把历史重又还原为永恒的询问，只要它不把经验的历史表现为真理的世系谱，它就是在给我们某一个藏在经验的历史背后的真理"④。

马克思认为在历史之外无辩证法，在历史之外无唯物主义，历史的主体与辩证法的载体不是社会学意义上的独立的物理世界式的社会世界，也不是黑格尔的精神世界，也不是观念的独特运动或集体意识，而是人。是以各种方式参与征服自然、并在此过程中以一定形式与他人发生交往关系的人。是具体的人在交往中保持的互为主体性。是正在根据一种典型方式实现着自己的各种存在的、具有连续性与共时性的共同体。

---

① ［法］梅洛－庞蒂：《辩证法的探险》，载《存在主义哲学》，商务印书馆 1963 年版，第 389 页。
② ［法］梅洛－庞蒂：《人在马克思主义哲学中的地位》，载《国外学者论人和人道主义》第一辑，社会科学文献出版社 1991 年版，第 422 页。
③ ［法］梅洛－庞蒂：《人在马克思主义哲学中的地位》，载《国外学者论人和人道主义》第一辑，社会科学文献出版社 1991 年版，第 425 页。
④ ［法］梅洛－庞蒂：《辩证法的探险》，载《存在主义哲学》，商务印书馆 1963 年版，第 413 页。

辩证唯物主义与历史唯物主义之所以有可能，并不是因为物质世界本身具有辩证法而是因为这种物质是被纳入到人类实践活动体系之中的。没有人的生产，既有的自然条件便不可能产生出经济，更谈不上经济的历史。在社会主义看来，整个所谓的世界历史不外是人通过人的劳动而诞生的过程，是自然对人来说的生成过程。"马克思主义不是主体的哲学，也不是客体的哲学，而是历史的哲学。"①马克思经常把自己的哲学称作为实践的唯物主义。对于马克思来说，哲学的基础是实践。一个既与社会的各种意识形态是某种实践类型的同义语或补充。即该社会与自然建立根本关系的各种方式的同义语与补充。马克思把黑格尔关于精神是一种现象的观点——这是一种由世界作为媒介的、而非从精神本身中抽出来的客观精神，加以彻底的具体化。社会精神通过社会赋予自己的、并在其中生活的文化客体而得以实现与留传，并被人们所感知。

梅洛－庞蒂认为，马克思的唯物主义是在同唯心主义与机械论保持同等距离的情况下，阐述了他的关于社会存在是历史的具体场合这一实践的理论。作为存在哲学，马克思主义研究的并不仅是认识或意识，而且是存在，即在一种自然的历史的环境中出现、既不能摆脱环境又不能屈从于环境的活动。认识因此回到了人类实践的总体中去。主体不再是认识的主体，而且是人的主体；它在持续的辩证运动的作用下，根据自己的环境进行思维，通过自己的经验制定出范畴。黑格尔有史以来第一次指出，战斗的哲学的任务并不是去思考主体本位，而应该去思考主体间本位。胡塞尔也说，先验的主体地位是主体间本位，人不再作为环境的产物或以绝对立法者的身份出场，而作为既是生产者又是被生产者的身份出场的，作为必然可以滑向具体自由的场所出现。

作为黑格尔的批判家，马克思的"新颖之处"不是把人类生产力确定为历史的动力，并把哲学看作是对历史运动的反映，而是"抛弃了哲学家借以将系统悄悄塞进历史以便随后在那里重新发现它，并且在他似乎要抛弃它的环节来重新肯定其无所不能的狡计"。马克思发现了内在于人类生活之中的历史合理性。历史不仅仅是哲学根据合理性来赋予其生存权的事实或真实的秩序，它是一切意义的或哲学意义合法地被构成的场所。"马克思所谓的实践乃是在种种活动——人借助这些活动来组织他与自然、与他人的关系——的交识中自发地

---

① ［法］梅洛－庞蒂：《马克思主义和哲学》，《马列主义研究资料》1982 年第 5 辑。

呈现出来的意义"①。

通过否定作为包罗万象的黑格尔与苏联式的哲学，梅洛－庞蒂认为，马克思的哲学不是后来的苏联关于普遍自然人类历史规律的假设，也不是将精神辩证法颠倒为物质辩证法。当一个人认为客观事物中存在辩证法，这指的正是他本身的精神中的事物的辩证法，这恰恰是一种主观主义。苏联客观辩证法其实是远离人类历史的主观辩证法隐性唯心主义。马克思没有将辩证法移植到事物之中，而是将它移植到人类实践活动之中。哲学并不是一种幻想，而是历史的几何学。辩证法并不以一种命运式绝对必然性而强加给事物，而是通过人的偶然实践而实现与具体化自身。没有偶然性与随机性存在的历史，就只能是历史的幽灵。完全诉诸普遍历史阉割了事件的意义，使得效果历史成为无意义，这是一种戴着面纱的虚无主义。

而在《辩证法的探险》一书中他更为系统而明确地写道：历史唯物主义不是把历史还原到它的某个领域，它是对个人与外界、主体与客体之间的同源关系的陈述。这种关系确立了主体在客观中的异化，而且通过颠倒，可以将世界融到人的实践活动之中。

马克思的新颖之处在于，他的历史辩证法并不是简单地把黑格尔的唯心辩证法用头立地变成用脚立地或者用同样抽象的形而上学的物质概念来置换黑格尔的精神概念。如果那样，辩证法就走向了僵化，精神变成了物质，而物质则充满了精神，历史的脉络是构成为力量或制度的某些意义的某种生成。"由此可以看出，在马克思那里，有一种历史的惰性，而为了完成辩证法，也需要求助于人的创造。所以马克思不会把黑格尔在精神中确立的同一种合理性转移并贯注到物质之中。历史的意义出现于他所谓的人类物质这一含糊的领域中，在这里，观念与合理性还没有获得它们在黑格尔那里出自于教条——作为已经完成在系统之总体与作为在理智上拥有此系统的哲学这一教条——的那种正当的存在。"② 马克思自己也说过："理性一直存在，只不过并不总是理性的形式的"③ 那种存在（《德法年鉴》语）。也就是马克思把黑格尔的辩证法作为批判的思维方式而不是物的自在本质形式来使用的。

---

① [法] 梅洛－庞蒂：《哲学赞词》，杨大春译，商务印书馆 2001 年版，第 32 页。
② [法] 梅洛－庞蒂：《辩证法的历险》，杨大春、张尧均译，上海译文出版社 2009 年版，第 32—33 页。
③ 《马克思恩格斯文集》第 10 卷，人民出版社 2009 年版，第 8 页。

　　梅洛－庞蒂的结论是：辩证法既不是关于相互作用的概念，也不是关于对立面的一致及其超越的观念，既不是关于重新开始自我的发展的观念，也不是某一些性质的交替上升。这些仅仅是辩证法的一些表现。辩证法存在于我们的经验之中，存在于主体之间的相互作用的结合处。"只有在诸主体的共同交流的居所中才有辩证法。"①

　　梅洛－庞蒂在反决定论的和历史主义意义上对马克思主义的理解，与他对斯大林模式的认识有关。1947 年梅洛－庞蒂发表了《人道主义和恐怖》一书。该书批评匈牙利籍作家凯斯特勒关于斯大林模式与马克思主义关系的理论。凯斯特勒在一部名为《和平的黑暗》的讽刺性小说中，揭露和抨击斯大林模式和苏联式的社会主义，并认为马克思主义应该对其负责。梅洛－庞蒂批评凯斯特勒把斯大林模式与马克思主义混为一谈的错误，同时也对什么是真正的马克思主义的问题作了回答。他认为，斯大林模式就是历史决定论，苏联的"现阶段的理论，是一种'客观性'的理论，而历史的主体性和无产阶级意识则被置于一旁"②。而真正的马克思主义则不是历史决定论，因为它同存在主义一样，突出人和人的意识的作用。

　　梅洛－庞蒂认为，马克思主义不是历史决定论，也不应该是经济决定论。但是，是谁赋予马克思主义以经济决定论的性质呢？他回答说，正是马克思自己。马克思主义之所以被实证化是因为马克思在两条战线上作战，一方面反对机械论，另一方面反对唯心论。晚年马克思其实也是一样，他研究辩证法与黑格尔一样，也是为了让辩证法的理性主义服务于物质，服务于一种自在的秩序，让辩证法从一种批判的能动的历史思维变成一种客观的规律信仰。问题不是让辩证法回到现实，从抽象回到具体的内容，而是让辩证法变成实证的经济学的工具。我们今天理解的辩证法已经变得与人的活动无关③。

　　在《辩证法的历险》一书中，当他谈到马克思对黑格尔辩证法的改造时，他把自然辩证法的原罪和经济决定论的原罪一同归于马克思，认为马克思在其"较后时期"（亦即《资本论》时期）重新肯定对黑格尔的信仰时，在黑格尔身

①　[法] 梅洛－庞蒂：《辩证法的历险》，杨大春、张尧均译，上海译文出版社 2009 年版。

②　Maurice Merleau-Ponty: *Humanism and Terror: An Essay on the Communist Problem,* trans. John O'Neill, Beacon Press: Boston, 1969, p.137.

③　[法] 梅洛－庞蒂：《辩证法的历险》，杨大春、张尧均译，上海译文出版社 2009 年版，第 67—68 页。

上所能寻找到的已经不再是辩证法的精神，而是为了"物质"和"生产率"而使用的唯理论。这时的马克思把"物质"和"生产率"看作为自在的秩序，一种外在的、完全积极的力量。因此，在马克思那里，问题已不再是把黑格尔从抽象中拯救出来，把辩证法托付给它的内容的运动而不带任何唯心主义前提，而在于他在重建辩证法的时候，把黑格尔的逻辑附加到了经济上面。梅洛－庞蒂认为，这种经济决定论完全割断了与真理的联系，我们亲眼看到的虽然是长长的经济因果链条，但我们并不能理解它，不能阐明每一历史阶段所隐含的人类关系，并且不能使这些人类关系与"自由王国"联系起来。

他说，"西方马克思主义"和列宁主义之间的冲突，正如辩证法思想和自然主义之间的冲突一样，在马克思主义那里就已经出现了，但是，在马克思主义中存在的总是使辩证法返回到自然主义的循环，不能不清不白地归结为马克思的后继者们的"错误"。言外之意，这个责任是应由马克思来负的。由此可见，在关于经济决定论和自然辩证法的所谓自然主义根源的追究上，梅洛－庞蒂比其他任何"西方马克思主义"者都更为彻底。其他的"西方马克思主义"者或"马克思学"家至多把"原罪"归到恩格斯的头上，而梅洛－庞蒂则把它归到了马克思。在对马克思主义的了解上，梅洛－庞蒂遵循的同样是西方"马克思学"家们早就提出过的那一套"理论"：恩格斯与马克思的"对立论"和早期马克思与成熟马克思的"对立论"。

我们从恩格斯与普列汉诺夫那里可以很清楚地看到走向苏联马克思主义的一种倾向，这就是辩证法不再是一种知识，而是某种观察的一个整体。它是只在它的一般内容即互相作用、发展的联系与矛盾，在这之中才是有效的。在此，梅洛－庞蒂引用了阿尔都塞早期的观点。这篇引用的文献是阿尔都塞1953年写的"辩证唯物主义诠释"一文："这种辩证法和实证精神的混合把人的存在转移到了自然之中，这是不折不扣的变戏法"[①]。

在梅洛－庞蒂看来，苏联马克思主义满足于把物的辩证法与人的辩证法并列起来。满足于给辩证法加上一种自然主义外貌，满足于在客体中在存在中安置一种明显外来强加给的辩证法要素，这实际上取消了辩证法。马克思哲学则是在一种开放的、而非永恒的而是特殊的主体活动基础上理解辩证法，而列宁

---

① ［法］梅洛－庞蒂：《辩证法的历险》，杨大春、张尧均译，上海译文出版社 2009 年版，第 68 页注。

的认识论则是在存在中或者纯粹客体中为辩证法提供了一种绝对的物的本体论基础。这就不仅回不到青年马克思而且甚至回不到黑格尔。

苏联马克思主义是一种折衷主义的共产主义，是一种不坦诚的、谁也无法把握的东西。这种把辩证法诉诸客观存在的做法让人的精神瘫痪了，这就使得我们为什么读不到一本像样子的有趣的马克思主义哲学著作。通过把辩证法与旧唯物主义的形而上学本体论嫁接到一起，列宁的认识论保留了辩证法，但它却是经过了"防腐处理"的。"这是用一种不透明的、被规定为第一性的'第二自然'，来代替体现在'物'中的、作为人与人之间关系的历史"①。

梅洛－庞蒂认为，被附加在马克思主义中的自然主义和历史决定论，还表现为对外部环境作用的夸大和对意识作用的贬低。他指责马克思主义有一种把意识仅仅看作为对客体的一种反映，一种关于存在的副产品的倾向，或者用一种非马克思主义的术语来说，意识仅仅被当作一种"副现象"。他认为，"我们的任务是要同时懂得意识和环境"。无论是天主教，还是马克思，其办法都是简单地引证或者是唯心主义的或者是唯物主义的传统，而这是行不通的②。

由上可知，梅洛－庞蒂对马克思主义的所谓"片面性""缺陷"的指责表面看是针对其所谓自然主义的，而实际是针对它的唯物主义的。为了纠正这个"缺陷"，他提供的方案是让马克思主义既要坚持唯物主义，更要容忍自由和个体的存在，赋予人以极大的责任和主体性，在懂得目前的环境的前提下，进行积极的"干预"。这个看似内容全面的方案，并没有超出他的"一方面是唯物主义，另一方面是唯心主义"的"含混哲学"的模式，而归根结底还是用存在主义改造马克思主义。

在对待马克思主义的态度上，梅洛－庞蒂尽管认为马克思主义存在上述"缺陷"或"片面性"，但他仍不否认马克思主义的现实性。他认为马克思主义是不可超越的。其理由，除了马克思主义同历史上的任何哲学相比都更少谬误外，还在于它作为对现存世界和可供选择的人道主义的批判仍然起作用。他指出，马克思主义并不是明天就可能被别的假说取而代之的一种假说。它乃是对这样一些条件的简单陈述，若没有这些条件，在人与人之间的相互关系的意义

---

① ［法］梅洛－庞蒂：《辩证法的历险》，杨大春、张尧均译，上海译文出版社 2009 年版，第 70—71 页。

② ［法］梅洛－庞蒂：《关于存在主义的争论》，《哲学译丛》1983 年第 2 期。

上就不会有人道主义，也不会有历史的合理性。"在这种意义上，马克思主义不是一般历史哲学，而是这样一种历史哲学，否弃它就是在历史中挖掘理性的坟墓。"①

三、"马克思主义是一种特殊的人道主义"

梅洛－庞蒂从存在主义出发对马克思主义的解释，本质上是一种人道主义的解释，这种解释构成他的"存在主义的马克思主义"观的核心。

（一）唯科学主义就是反人道主义，它与马克思主义毫无共同之处

马克思主义与哲学的关系是马克思主义发展史上的一个老问题。20 世纪 20 年代初，当时的德国马克思主义理论家卡尔·柯尔施首先提出这个问题，发表了《马克思主义和哲学》一书。在该书中，他把马克思主义与哲学的关系，实质上就是承认不承认马克思主义是哲学的问题，提到对马克思主义的本质认识的高度，提到是否应该把马克思主义理解为一种关于社会革命理论的高度。这是针对以考茨基为代表的第二国际社会民主党的理论家们在对待马克思主义，进而对待革命问题上的教训提出的。20 世纪 40 年代末，梅洛－庞蒂重提这个问题，写了一篇同样题目的文章，载于 1948 年发表的《意义和无意义》一书，这当然不是偶然的。他看到，自 20 世纪 20 年代以来，一股把马克思主义科学主义化的倾向，即按照自然主义、实证主义的精神理解和对待马克思主义的倾向不但仍然存在着，而且还以一种新的形式出现并得到强化。虽然此时已经不像在 19 世纪末 20 世纪初那样，有一批马克思主义理论家公开站出来宣布马克思主义仅仅是科学，但这个倾向却有了一种实际的形式，即作为官方哲学的"苏联的马克思主义"。在对斯大林模式和苏联社会主义模式的批评中，梅洛－庞蒂表达了对这种倾向可能给马克思主义带来的损害的担忧。20 世纪四五十年代以来，他连续发表文章和著作，阐述马克思主义的人道主义性质，批评把马克思主义科学主义化的倾向，以维护马克思主义的批判性和现实性。

在《马克思主义和哲学》中，针对那种否定马克思主义的哲学性质和人道

① ［法］梅洛－庞蒂：《关于存在主义的争论》，《哲学译丛》1983 年第 2 期。

主义性质的唯科学主义倾向，梅洛－庞蒂指出："如果根据某些当代马克思主义者的著作来判断马克思主义，我们就会对马克思主义以及对马克思主义和哲学的关系得出一个奇怪的认识。"①这种奇怪的认识就是不承认马克思主义的哲学性质，就是把人贬低到科学对象的地位的反人道主义观点。在他看来，这种反哲学倾向在理论上的典型表现，就是在理解人的"社会世界"时用自然科学的方法，像自然科学制定物质世界的规律那样，去建立"社会世界"的规律。梅洛－庞蒂指出，马克思主义的人类社会观，特别是经济社会观，不允许让社会去服从古典物理学定理那类的固定不变的规律。因为马克思主义认为，社会正向着一个新的秩序运动，古典经济学的规律在这个秩序中将不再适用。目前的这种把暂时的东西当作永恒的唯科学主义主张，从一开始就是以保守思想的形式出现的。这种情况似乎也与这样一种历史惯性一致，即在马克思主义史上，科学拜物教总是在革命意识衰退的时候出现，例如伯恩施坦曾恳请马克思主义者回到科学家的客观立场上去。梅洛－庞蒂肯定了卢卡奇的如下看法：唯科学主义是异化或客体化的一种特殊现象，它使人丧失其为人的实在，并使人同物相混淆。他指出，唯科学主义和机械论长期以来就是激进党和社会党人士的哲学思想，"这类意识形态与马克思主义毫无共同之处"②。

（二）关于马克思主义宗教观的人道主义理解

梅洛－庞蒂用马克思对宗教的世俗基础的看法批判简单的经济决定论。黑格尔与马克思都看到，宗教的本质是一种幻想的世界交往关系。问题并不是用科学实验室代替教会，不是用科学观测塔来代替圣心堂。应该懂得，宗教是人们幻想到另一个世界里去同其他人会合，因此我们应该用现实世界中的真实交往来代替这种虚妄的交往。在黑格尔青年时代，他曾认为人与人的交往是历史的基础，他当时还没有把世界的精神作为物的反面而单独抽出，他说阅读报纸是现实的祷告。"早报就是早祷！"人们正开始从受自然支配转向征服自然，正在砸碎社会的既与结构，正在通过实践向自由王国过渡。或用黑格尔的话来说，向绝对历史过渡。这就是宗教的人的核心，是海德格尔所说的马克思主义

---

① ［法］梅洛－庞蒂：《马克思主义和哲学》，《马列主义研究资料》1982 年第 5 辑。
② ［法］梅洛－庞蒂：《马克思主义和哲学》，《马列主义研究资料》1982 年第 5 辑。

的形而上学内容。宗教不全是一种空有其表的东西，而是建立于人与人关系基础之上的一种现象。

从马克思对宗教本质以及宗教批判观点来看，马克思决不是那种旧唯物主义决定论与科学万能论，不是实证主义，而是变革社会关系现实推动人现实解放的历史实践哲学。马克思主义不是自然主义，甚至不是社会唯物主义，而是以物质生产与交往实践为基础的历史唯物主义。

同此，梅洛－庞蒂阐述了一种人道主义的宗教观，并把它的根据说成是来自马克思的。他指出，把对宗教的绝对否定说成是马克思的，这一点毫无根据。他根据马克思关于宗教的本质的论述[①]，得出结论说，问题不在于否认宗教之于人的意义，而在于应该把它看作是社会现实和人类现实的形象化表现。共产主义思想应该比宗教有更多的想象。宗教归根到底无非反映了人与人之间、人与自然界之间的具体关系。所以，问题不是要用科学实验室去代替教会的教堂，不是要把圣心堂推倒，然后去建一个观测塔，而是要懂得，宗教是人们幻想到另一个世界去同其他人会合。我们所应该做的是用现实世界中的真实交往去代替这种虚妄的交往。他指出，人们正开始从受自然支配转向征服自然，正在砸碎社会的既与结构，通过实践向"自由的王国"过渡，或用黑格尔的话来说，向"绝对历史"过渡。这就是宗教的人的核心，即海德格尔所说的马克思主义的"形而上学"内容。宗教不完全是一种空有其表的东西，它是建立在人与人关系基础上的一种现象。它只是在进入到人与人关系中去以后，才作为单独的宗教而消失。

梅洛－庞蒂还引入一种总体的方法来为宗教的意义进行辩护。他指出，真正的马克思主义承认，在历史的总体系中，一切都有其真理性的地位，一切都有其意义。这个从总体历史出发的意义不是由某个物理定理或数学定理，而是由异化这个中心现象赋予我们的。梅洛－庞蒂正确地说明了宗教的社会意义和"人本学"意义。但是，他没有正确说明关于宗教产生和存在的客观性、必然性与宗教的本质的关系、宗教的本质、"宗教的意义"与对待宗教的态度的关系等问题。梅洛－庞蒂缺乏关于宗教本质的科学概念，缺乏对宗教的价值意义的准确判断。他用宗教的"客观意义"代替了它的"价值意义"。

---

① 参见《马克思恩格斯选集》第1卷，人民出版社2012年版，第1—2页。

（三）关于人的本质和人的存在方式

存在主义是一种特殊的人学，即一种存在主义的人道主义。梅洛－庞蒂为建立这样一种人道主义做了努力。他在关于人的问题的论述中突出了人的主体性，提出"人不仅是客观存在，而且是主观存在"[①]的思想。他说，人对物的膜拜使人发生异化，使人失去自己的本质。但是重要的是人随后又能够在历史运动中把自身和把世界夺回。这就是人的特征，是人不同于动物的方面。梅洛－庞蒂还反对单纯从物质出发解释人。他指出，在马克思主义中，"物质"和"意识"都从不是被单独认识的，"物质"被纳入到人类共存的体系中去，在该体系中建立起当时所有个人的共同环境，它保证个人的各种计划的普遍性，并使历史能够有一条发展的路径及自己的意义。但是，另一方面，他也反对把人仅仅确定为意识。他认为，把人确定为意识也还是把人的本质变成幻想的现实性，因为一旦把人确定为意识，人将会离开一切物，离开自己的躯体和真实存在。因此必须确认人是工具和客体之间的联系，是一种不属于普通思维的联系，这种联系使人在置身于世界之中时所面对的外部既是"客观的"，同时又是"主观的"。"为此，就应该认为人是'受动的'或'感性的'存在，也就是说，是自然的和社会的存在物，同时又是开放的、能动的，即便处在附属地位上也能保持其独立性的存在物"[②]。

在个人与社会的关系上，梅洛－庞蒂遵循马克思关于"首先应当避免重新把'社会'当做抽象的东西同个体对立起来"[③]的思想，主张把个人理解为"社会存在物"、"自为存在物"、"类存在物"。他指出："对于个人来说，社会不是人遇到的意外，而是人的存在的有机部分。人在社会中的存在不同于物在盒子中的存在，人在其灵魂深处承受着社会。"[④]所以，人们可以说："人产生人——他自己和别人。""正像社会本身生产作为人的人一样，人也生产社会"[⑤]。

关于人的存在方式，梅洛－庞蒂提出人是历史的承受者和辩证法的动力

---

① ［法］梅洛－庞蒂：《马克思主义和哲学》，《马列主义研究资料》1982年第5辑。

② ［法］梅洛－庞蒂：《马克思主义和哲学》，《马列主义研究资料》1982年第5辑。

③ 《马克思恩格斯文集》第1卷，人民出版社2009年版，第188页。

④ ［法］梅洛－庞蒂：《马克思主义和哲学》，《马列主义研究资料》1982年第5辑。

⑤ ［法］梅洛－庞蒂：《马克思主义和哲学》，《马列主义研究资料》1982年第5辑。

的思想。他指出，人"是以某种方式参与征服自然，并在此过程中以一定形式与他人发生交往的人，是具体的人在交往中保持的互为主体性，是正在根据一种典型方式实现着自己的各种存在的、具有连续性和共时性的共同体"①。

梅洛－庞蒂关于人的问题的以上论述，尽管有许多深刻之处和一些较有启发性意义的新提法。但整个说来，那并不是马克思主义的。就其与马克思主义的关系来说，它只是与马克思的早期思想比较接近。梅洛－庞蒂关于人的本质及其异化、人的存在形式以及人的社会性等的论述，都回避了能够科学说明这些问题的一个重要概念——生产关系，这表明他基本上不懂得历史唯物主义，因而实际是没有真正理解马克思主义。因为生产关系是历史唯物主义和马克思主义的核心概念。

（四）关于暴力问题的人道主义分析

在对暴力问题的分析中，梅洛－庞蒂从人道主义立场出发对暴力作了人道主义与非人道主义的区分，并且把人道主义的暴力与革命的暴力统一起来，指出我们之所以肯定革命暴力，就在于它有着人道主义的前景。梅洛－庞蒂批评暴力观上的个人主义，认为这种个人主义有两个错误认识：一是认为现时的暴力是镇压人的，即使革命能够产生一个没有暴力的社会，这个革命还是坏到了极点；二是认为革命的暴力与其他暴力没有区别。暴力施加于一个人就足以使这个社会变成一个可诅咒的社会。对承受暴力的个人来说，暴力是断然不能接受的，因为暴力否定个人。梅洛－庞蒂认为，暴力问题上的个人主义观点的哲学基础或逻辑是：个人即世界、个人即社会。世界和历史是个人观点的总和。马克思主义对这种个人主义的、片面的暴力观是应该加以质疑的。

梅洛－庞蒂在暴力问题上的反个人主义立场无疑是正确的，但是他并没有由此而进一步发展出一种科学的暴力观，即进一步引入阶级分析的方法，把人道主义的分析与阶级分析统一起来。离开阶级分析的暴力论，即便是人道主义的暴力论，也是抽象的非马克思主义的暴力论。

---

① [法]梅洛－庞蒂：《马克思主义和哲学》，《马列主义研究资料》1982年第5辑。

（五）无产阶级的存在是实现人道主义的可靠条件

梅洛－庞蒂在《人道主义和恐怖》一书中以大量的篇幅阐述了关于无产阶级的理论。他指出："关于无产阶级的理论恰恰是马克思主义学说的'核心'"，"是马克思主义政治学和其他一切专制主义政治学的分水岭"①。那么，为什么说无产阶级是实现人道主义的可靠条件呢？他认为，第一，从无产阶级这个阶级本身的性质来说，它是一个具有普遍性的阶级；第二，无产阶级的历史作用在于：它是"走向把人当作人的境界"，即走向一个人道的社会的条件。无产阶级的特定的历史地位和"生存的内在逻辑"决定了它的这一使命。（"世上只有他们，也仅仅只有他们才能实现人道"②）"无产阶级的存在是人的真正平等相处的开端"③。

梅洛－庞蒂的"存在主义的马克思主义"是一种折衷主义的理论混合物，其中有存在主义的东西，也有马克思主义的东西。但它是马克思主义的存在主义化，而不是存在主义的马克思主义化。他的出发点可能是想用马克思主义改造存在主义，而其结果却是用存在主义改造了马克思主义，即形成一种"存在主义化的马克思主义"。这种调和注定是不能成功的，正像雷蒙·阿隆所说，归根到底，尽管存在主义与马克思主义同出于黑格尔哲学，但"同时成为存在主义者与马克思主义者是一件根本不可能做到的事情"，因为"这两种哲学在其意图方面、在其起源方面和在其根本性目的方面是不可调和的"④。

第三节　萨特的存在主义马克思主义

在存在主义马克思主义的诸多哲学家中，萨特是唯一从正面建构出一个完

---

① ［法］梅洛－庞蒂：《人道主义和恐怖》，《哲学译丛》1966 年第 3—4 期。
② ［法］梅洛－庞蒂：《人道主义和恐怖》，《哲学译丛》1966 年第 3—4 期。
③ ［法］梅洛－庞蒂：《人道主义和恐怖》，《哲学译丛》1966 年第 3—4 期。
④ ［法］雷蒙·阿隆：《想象的马克思主义：从一个神圣家族到另一个神圣家族》，姜志辉译，上海译文出版社 2012 年版，第 13 页。

整理论体系的思想家，麦克莱伦称"让－保罗·萨特的著作是致力于存在主义和马克思主义相结合的最佳典范"[①]。萨特在公开以存在主义来填补马克思主义的某些空白之时，并没有完全借助于马克思的《1844年经济学哲学手稿》，而是从人的具体生存境遇出发构建出新的人学话语[②]，核心文本就是1960年出版的《辩证理性批判》。

法西斯主义的兴起和第二次世界大战的爆发深刻地暴露了资本主义存在着的危机，而法国在二战初期的惨痛失败更是让很多法国思想家变得激进起来。就萨特个人来说，残酷的战争现实及其在战俘营的经历使得萨特的政治态度发生了重要变化，由对政治的漠不关心开始转变为以积极的姿态"介入"现实政治。但直到1945年之后，萨特才和共产党人有实质性的接触和论争。整体说来，萨特和共产党人的关系经历了从抵制到接近再到疏远的流变过程。同时和大多数西欧的左派知识分子一样，萨特对共产党人的情感和态度也是极其复杂的。因为，萨特极端地痛恨资产阶级，这使得他和共产党人成为同路人；然而萨特对自由的毕生追求又使得他无法接受苏联的官僚主义和教条主义，另外法国共产党的诸多政治表现也不符合萨特对它的期待，最终只能分道扬镳。不管怎么说，尽管萨特对共产党人的态度一生多变，但是他对资本主义的刻骨仇恨和深刻批判，对弱势群体和社会反面的阶层的关注，对专制主义的嘲讽，对个体的自由的追寻都没有改变。某种意义上说，萨特是马克思主义的"同路人"。

一、存在主义作为马克思主义的"飞地"

萨特并不像大多数西方马克思主义者常常以再现马克思的本真思想为目标，而是有其独特的理论目标。这一理论目标在《辩证理性批判》的序言中被明示，那就是建立一种"构成的和历史的人学"。那么如何才能达到这一理论目标呢？萨特发现自己早期的自由本体论无法实现这一点，它缺少马克思主义的宏观的社会历史视野；而马克思主义在当代又不幸罹患了"败血症"，缺少

---

① [英] 麦克莱伦：《马克思以后的马克思主义》，余其铨、赵常林译，中国社会科学出版社1986年版，第372页。

② 张一兵、胡大平：《西方马克思主义哲学的历史逻辑》，南京大学出版社2003年版，第124页。

可以直达具体的方法和手段，缺少对人的关注和理解。于是萨特在存在主义和马克思主义的结合中看到了达成他的理论目标的可能性。

在萨特看来，"总称的"哲学是不存在的，那些所谓的总称的哲学不过是一种被实在化了的抽象，存在的只是"各种"哲学，只有属于一定时代的哲学。萨特认为"哲学创造"的时代是很少有的，在 17 世纪到 20 世纪之间，只有三个这样的时代："笛卡尔和洛克的'阶段'，康德和黑格尔的'阶段'，最后是马克思的阶段"。当这种创造性的哲学所处的历史时期未被超越之前，这种哲学也是不可能被超越的，因此，作为无产阶级的自我意识的马克思主义在今天的时代是不可超越的。①

萨特并没有分析我们的时代是一个什么样的时代，没有讨论马克思主义到底如何揭示了这个时代的本质并提出了怎样的解决方案。总之，萨特并不是从马克思主义与时代的关系出发去考察马克思主义的不可超越性，而是从哲学的角度② 去讨论马克思主义如何超越了黑格尔主义以及作为其反题的存在主义。在萨特眼中，黑格尔哲学的优点在于"深刻地指出了生活和意识的统一和对立"，缺点在于用抽象的绝对观念论体系取消了个人生存的实在性，"忽视了生活经验的那种不可克服的混沌性"③；克尔恺郭尔的优点在于肯定了人的生存对于思维的第一性，而缺点在于无法理解真实的个人和现实的具体。而马克思则超越了两者。那么萨特是如何理解马克思的呢？首先，萨特引用马克思在《政治经济学批判》"序言"中的话，强调人们处于和当时的物质生产力相适应的一定的生产关系和经济结构之中；其次，萨特区分了对象化和异化，认为"对象化"指的是"不断生产和再生产着生活的人、在改造自然中也改造自身的人，能够'在他所创造的世界中观照自己'"，而"异化"指认的是一种历史现实，在历史的现阶段，"生产力与生产关系却处于矛盾

---

① 参见 [法] 萨特：《辩证理性批判·方法问题》，徐懋庸译，商务印书馆 1963 年版，第 5—8 页。
② 整体说来，萨特的《辩证理性批判》是一部带有激进色彩的哲学著作。在安德森看来，这种深奥难懂的理论作品实际上已经"丧失了同工人阶级实践的任何有力联系"，从根本上说是"欧洲资本主义先进地区无产阶级革命失败的产物"。参见 [英] 佩里·安德森：《西方马克思主义探讨》，高铦等译，人民出版社 1981 年版，第 117—118 页。但是，西方马克思主义强调哲学的另一个重要原因同样也不能忽视，那就是在西方马克思主义思想家看来，马克思主义之所以在当代走向决定论并且沦为政治的工具，正是因为丧失了哲学的维度。
③ [法] 萨特：《辩证理性批判·方法问题》，徐懋庸译，商务印书馆 1963 年版，第 1 页注释 3。

之中，创造的劳动被异化了，人在他的产品中认不出自己，而人的筋疲力尽的劳动对他反而表现为一种敌对力量"；再次，要使人们从"异化"中解放出来，"要使人们的劳动成为他们本身的单纯的客观化"，不能依靠"辩证法的把戏"或者"意识思索自己"，只有通过"物质性的劳动和革命的实践"才能达及。① 我们看到，尽管萨特也引用《政治经济学批判》"序言"作为自己论点的引证文本，也关注所谓的"一定的生产力和生产关系"，然而这"一定的生产力和生产关系"并不是萨特真实的研究对象，他的核心逻辑还是关注人和物之间的对象化关系以及人的异化存在现实。某种意义上说，"异化"的探讨以及对"异化"状态的超越仍然构成了存在主义马克思主义的核心论题。萨特说过，存在主义即便存在，那么它也只能作为"一种寄生的体系"在马克思主义的边缘存在。可是既然马克思主义已然超越了黑格尔主义和存在主义，那么存在主义为什么还需要独立存在呢？他说这是因为在当代，马克思主义"已经停滞了"。

萨特认为，马克思主义在当代停滞了、僵化了，这种冒充的马克思主义本质上就是"一种唯意志主义的唯心主义"。毫无疑问，萨特这里指涉的对象是"一切在斯大林教条主义统制下的、作为官方意识形态的马克思主义"②，当然也包括法国共产党坚持的马克思主义。

马克思主义僵化的表现主要有以下几个方面：（1）理论和实践之间的严重分离。在马克思那里，实践本来和理论之间是一种有机的统一关系："具体的思想应当产生于实践而又回到实践加以指导"，而今天党的领导们错误地"把集团的整体性发展到极端"，他们害怕真理的自由发展"会破坏斗争的统一性"，于是，"实践变成一种无原则的经验主义，而理论则变成一种纯粹的和僵硬的知识"③。（2）马克思主义取消了具体的社会历史经验和人的现实。具体的经验、人的现实存在本身再次被消解在一种"先验的"绝对知识之中。萨特还提到了一种"计划化强加于现实的暴力"，苏联的"大清洗"、"强制实现的计划经济"等无一不是这种暴力的现实反应。（3）马克思主义在方法论上陷入了一种教条主义和形式主义。马克思主义的研究工作不再是通

---

① ［法］萨特：《辩证理性批判·方法问题》，徐懋庸译，商务印书馆1963年版，第12页。

② 张一兵：《文本的深度耕犁》，中国人民大学出版社2004年版，第268页。

③ ［法］萨特：《辩证理性批判·方法问题》，徐懋庸译，商务印书馆1963年版，第21页。

过"研究各种事实而使认识更加丰富、使之能够指导行动",而是"给某些事变强加一种意义","甚至捏造一些事实"① 以便不断地重复某种已经确定了的、僵死的知识。具有反讽意味的是,马克思主义的这一状态竟然可以用萨特早期的存在主义哲学的概念工具给予深刻的揭示,教条的马克思主义竟然相信人的自由状态可以从必然性的历史法则中推导出来,不能不说这是一种萨特所指认的深刻的"自欺"现象②。

萨特指出,今天的马克思主义由于理论和实践的脱离而停滞了,它不再关心现实的人和现实的经验。于是,存在主义重新获得了它应有的地位,如同当初"克尔恺郭尔肯定他本身的实在性来反对黑格尔一样",存在主义在今天获得重生是为了反对僵化了的正统的马克思主义。存在主义"在凡是人所在的地方——在他的劳动中,在他的家里,在马路上,到处去寻找人","没有活生生的人,也就不会有历史"。因此,有必要用存在主义来补充马克思主义,重新将真理看作各种总体化在一种运动的、辩证的总汇中的具体的综合,去真实地探求属于历史和人的发展着的真理。③ 马克思主义取消了主体性,缺乏一种关于意识的理论,马克思主义的认识论相对薄弱。萨特认为他的意识哲学能够弥补这个缺陷,在马克思主义的内部运用存在主义的方法,发展一种现实主义的认识论:"人们可能而且应当构成的,乃是一种把认识坐落在世界之中的和把认识限定在它的否定性之中的理论"。这意味着两层含义:(1)认识是对事物的实践的认识而不是对思想的认识;(2)这种否定性主要是指意识的否定性,意识作为"有着落"的否定性,是"作为实践

---

① [法] 萨特:《辩证理性批判·方法问题》,徐懋庸译,商务印书馆 1963 年版,第 22 页。
② 这里不妨参照一下杰姆逊对"自欺"(mauvaisefoi,也可以翻译成"邪恶信仰")概念的精彩解释:"邪恶信仰是一项自我神秘化的事业,旨在说服我们同意所讨论的令人不快的事实并不存在,而我们又依然一直隐约地意识到自己正处于如此说服我们的过程之中。这是一种自我欺骗的结构,它在我们试图维护其存在的时候,变得越发盘根错节,并且可以藉不让我们自己思考某种事物的绝望和矛盾的企图而恰当地象征化(为了获悉我们希望避免的是什么,我们又不得不思考那种事物)。因此,邪恶信仰的观念就提供了一种手段,凭借这种手段,一个特定的行动就可以视为既包含又不包含对它自己基本意图或有意识的目的的意识。"参见 [美] 弗雷德里克·詹姆逊:《马克思主义与形式》,钱佼汝、李自修译,百花洲文艺出版社 1995 年版,第 191 页。
③ [法] 萨特:《辩证理性批判·方法问题》,徐懋庸译,商务印书馆 1963 年版,第 23—24,98 页。

的环节又作为对事物本身的单纯关系的否定性"。① 萨特这里的否定性和意识显然还是来源于《存在与虚无》里的理论，最多这种主观性摆脱了那种抽象的绝对性而是开始作为客观过程的一个环节而存在罢了。萨特认为存在主义可以在关注具体的人和真理以及在认识论的意义上补充马克思主义。

在萨特眼中，经典的历史唯物主义思想是我们理解历史的前提所在，然而，当代教条化的马克思主义却失去了它的真理性。这种教条主义的马克思主义患了一种"病"，它常常以某种先在的现成的概念构架去构建历史现实，"把人类生活的一切具体规定性委诸偶然性而加以抛弃"。在它那里，抽象的普遍性代替鲜活的具体性，僵化的词句取代了活生生的现实。萨特指出这种马克思主义甚至连黑格尔都不如："黑格尔，至少还让个别作为被扬弃的个别性而存留下去；马克思主义者则认为，假如谁想去了解一种资产阶级思想的独创之处，那就是枉费时间。"② 更可怕的是，这种教条主义的强制性成为一种意识形态，它使得个人身中教条主义之症而不自知。萨特形象地将这种马克思主义的形式主义的研究方法称之为"淘汰工作"，一切材料和经验的取舍和判断都服从于预先所要得出的结论，个别的思想和行动都被消溶在抽象不变的几条原理之中。这种教条式的马克思主义是萨特所不能容忍的，他试图对这种病症进行诊断得出的结论是，马克思主义之所以僵化、之所以忽视具体、之所以缺少对人的研究，原因在于它"缺少一种中介的层次"。那么如何才能弥补这种缺失以使马克思主义摆脱这种抽象化、教条化的病症，从而重新与具体的现实生活相连接呢？萨特提出需要借助于两种辅助学科的中介，一是精神分析学，二是微观社会学。萨特批评马克思主义只看到抽象的阶级而看不到具体的人，只看见"成人"而忽视"童年时期"。要研究一个人，必须考察其所处的特定社会中的具体家庭关系及其生活方式对他的影响，而个别的家庭是"一般阶级和个人之间的中介"。③ 而且这种家庭关系对个人的影响常常处于一种"不透明"中，这就需要借助精神分析学的方法。除此之外，要研究具体的个人和现实还需要一个中介，那就是借助于微观社会学的方法，也就是需要考察一定的社会团体对个人的制约力量。萨特指责马克思主义的理论视线更多地投向了社会宏大结

---

① [法] 萨特：《辩证理性批判·方法问题》，徐懋庸译，商务印书馆 1963 年版，第 4 页注释13。

② [法] 萨特：《辩证理性批判·方法问题》，徐懋庸译，商务印书馆 1963 年版，第 36 页。

③ [法] 萨特：《辩证理性批判·方法问题》，徐懋庸译，商务印书馆 1963 年版，第 46—47 页。

构，而忽略了那些在个人生活中起微观作用的社会关系体。萨特认为必须通过对生活中种种微观的、具有中介作用的社会关联（比如生活环境、具体制度、建筑物、工具、居住空间等等）给予更多的关注，必须通过对每一个具体的总体的研究，马克思主义才有可能达及"人类生活的一切具体规定性"，从而不至于沦为一具"抽象的普遍性的骸骨"。

萨特不满于传统马克思主义的方法论，并从正面提出了自己的方法论逻辑，即前进—逆溯的方法。萨特承认马克思的这一理论断言：人们在一定的环境条件之中创造着自己的历史。但是教条的马克思主义却将这一原理僵化为一种机械的历史决定论，而个人则被惰性化为"一个被动的产物，是一堆条件反射的总和"，萨特对这两个观点逐一驳斥。萨特首先从个人与历史的关系的角度批判了机械的历史决定论，他认为历史绝不是一个机械的、拥有固定轨道的必然性过程，不可还原的个人实践才是历史创造的真正原动力；历史也绝不是主体可以随意加以控制的对象，历史常常具有不透明的特征，进行具体实践的个人"在整个和客观的结果中认不出他们的行动的意义"[1]。其次，萨特也反对将人看作完全被动的"物"，人的存在论的规定性在于，他是一种可以通过"筹划"来实现对既定条件超越的存在物，这可以说是萨特存在主义哲学可以用来补充马克思主义的根基所在。因而辩证法和历史研究关注的对象就不仅仅是历史总体，也应该同时关注构成这种总体的个人及其实践；研究的方法就不能只是关注宏观的社会结构，而忽视个人的存在；不能只是将人消融在社会结构之中，而忽视个人的实践对于历史的总体化进程的作用；不能只是单向度地从社会历史总体去涵盖个人，而应该双向度地考察社会历史总体化和个人实践之间的辩证关系。而这种双向度的研究视角就是前进—逆溯法，具体说来，人学方法论中的前进法强调对个人在一定社会历史结构中的定位，它将人或事放到历史的总和之中去考察并以此去规定其意义；而逆溯法则是对个人生存的微观研究，它探求具体的生存条件、工具条件以及它们与个人的具体计划相互结合作用的方式；而从整体来看，前进—逆溯的方法就是以一种总体化的要求来对个人、集团和历史现象进行差别性的研究。只有在前进法与逆溯法之间不断的"双向往复"中，我们才能得以探究真实而非抽象的历史，才能真正使历史的总体化进程更加丰富和具体。

---

[1] ［法］萨特：《辩证理性批判·方法问题》，徐懋庸译，商务印书馆 1963 年版，第 68 页。

二、总体化概念：个人、历史与思维

尽管萨特的《辩证批判理性》的理论旨趣在于结合存在主义和马克思主义，然而萨特在建构自己的理论体系以及制造自己的哲学概念的时候，更多的是对斯大林主义的纠偏和批判。萨特坚持认为，正统马克思主义之所以陷入了僵化，正是由于放弃了黑格尔和马克思的辩证法。从这一点来说，萨特仍然继承了卢卡奇开创的黑格尔化的、坚持主客体辩证统一的马克思主义的思路[①]，但是值得注意的逻辑差别是，萨特又执拗地将总体化和总体性的概念区别开来，这又区别于一般的西方马克思主义者。在萨特看来，辩证法的一个核心内容就是坚持一种"总体"的思维和方法，只有坚持总体，才能防止滑向分析理性、实证理性、新康德主义等等资产阶级的意识形态[②]。可以说，"总体化"这个概念占据着萨特构建其存在主义马克思主义的核心地位：无论是对社会、历史的本体论式的建构，还是对人与自然的关系的分析，包括对方法论的讨论，全部都是围绕"总体化"这一范畴来展开的。

（一）用"总体化"来超越以往的"总体"观念

1. 萨特对以往错误的总体观念的批判

克尔恺郭尔为了反对黑格尔大写的绝对理性，决心以个人的特殊性来反对一切普遍化了的知识。萨特自觉地将自己的立场与克尔恺郭尔区别开来，他在保存个人存在的不可超越的特殊性的同时，强调应该把这种特殊性纳入到一种总体化的过程之中。不过萨特同样不能接受黑格尔对总体性的理解：首先，黑格尔哲学设定了一种终极性的总体，尽管达成这种绝对的总体需要一个历史过程，然而黑格尔的"总体"仍然无法摆脱传统的本体论和目的论的哲学模式；

---

① 尽管我们没有证据证明，萨特研读过卢卡奇的《历史与阶级意识》，但是我们却有充分的理由相信萨特阅读了梅洛－庞蒂在1955年写就的《辩证法的历险》，而梅洛－庞蒂在这本著作中专门讨论了卢卡奇的《历史与阶级意识》这本书，因此我们认为实际上梅洛－庞蒂对早期卢卡奇的解读在一定程度上影响了萨特，不过萨特刻意将这种影响隐藏起来罢了。

② "总体"无疑构成了西方马克思主义者乃至所有马克思主义者所关注和讨论的核心主题之一，关于这一点，可参见 Martin Jay, *Marxism and Totality: the adventures of a concept from Lukács to Habermas*, Berkeley: University of California Press, 1984, p.14。

其次，在绝对精神自我异化、发展和复归的历程之中，一切具体的、真实的经验都被取消了，"特殊性、偶然性、个体性和有限性，林林总总都不过是走向普遍性、必然性、类主体和无限性的自我消解的东西而已"①。

　　然而和黑格尔的总体观念比起来，以斯大林主义为代表的正统马克思主义的总体观念则更不能为萨特所容忍。在黑格尔的绝对大全的体系之中，人和现实至少作为"中介"出现过，而到了"僵死的"马克思主义中，理论和实践之间已经完全割裂开来了，"马克思主义虽有理论的基础，它把人类的全部活动都包罗进去，但再也什么都不知道了：它的概念是一些强迫命令；它的目的不再是取得知识而是把自己先验地构成为绝对知识"②。如果说十月革命胜利之前，马克思主义的总体还是一个开放的指向未来的总体，那么革命胜利之后，马克思主义的总体就渐渐封闭了，事实和经验对于当代的马克思主义来说已经没有意义，因为在一切研究还没有起始之前，结论早已经有了。萨特"指责现代的马克思主义把人类生活的一切具体规定性委诸偶然性而加以抛弃"，于是历史的总体化进程已经只剩下"抽象的普遍性的骸骨，再也没有留下什么东西"。马克思主义只拥有一个贫困、抽象的总体性，而萨特认为问题的关键在于去研究"具体的总体化"。③

　　萨特除了对黑格尔和正统马克思主义的抽象、封闭的总体观念进行指责之外，还对美国社会学那种分析的实证理性的总体观念进行了批判。尽管从表面上看，实证社会学是研究总体的，它将一切社会和文化的内涵看作是一个动态的具体的总体，甚至强调"一个动态的总体的种种结构的特性同这个总体的各部分的特性不是一样的"。然而萨特说，这种社会学研究的实质还是"一种伪装着的唯心主义"④。萨特认为这种总体观念的错误在于：（1）它将每一个总体实质化，把它理解为已经完成的总体性，而不能看到总体化内部所蕴藏的历史的实在的运动；（2）研究的主体自认为处于研究对象之外，同时假想研究对象有一种本体论的独立性。从根本上说，这种社会学理论潜藏着一种总体的拜物教思维。

　　总之，在萨特看来，必须拒斥以下几种总体观念：（1）将总体看成某种神

① 张一兵：《文本的深度耕犁》，中国人民大学出版社2004年版，第262页。
② ［法］萨特：《辩证理性批判·方法问题》，徐懋庸译，商务印书馆1963年版，第25页。
③ ［法］萨特：《辩证理性批判·方法问题》，徐懋庸译，商务印书馆1963年版，第62—63页。
④ ［法］萨特：《辩证理性批判·方法问题》，徐懋庸译，商务印书馆1963年版，第51—52页。

学目的论式的最高存在和最终目标；（2）各种具体的总体化的人和经验都可以在总体中被消解或还原；（3）总体是多元的结构性的总体性的聚合；（4）人们可以抽离于总体的历史过程之外来观察和研究某个现成的总体性或生成的总体化。

2. 区分总体性和总体化

在萨特眼里，总体性的存在只能在想象中"作为一个想象行为的相关物而存在"。如果要对这种总体性从本体论的角度来定性的话，那么它就是一种自在之在，是一种惰性存在。而且使总体性显现出来的并不是一个正在进行的行动，总体性"只是过去行动的残余"。一些操作对象，比如机器、工具还有消费的商品等等，都是这种惰性的总体性存在。这些惰性的总体（萨特也称之为惰性—实践①）是至关重要的，正是"它们创造了人与人之间的种种关系"。和这种总体性相对应的是总体化的概念，总体化和当前进行的行动有关，是一种动态的不断发展着的统一，但是并不是总体化是由行动创造出来的，我们的"行为本身也处于总体化的过程之中"②。总体性和总体化之间的共同点在于，它们都以一种总体的方式和每一个部分发生联系，总体并不是各个部分机械的总和，而是总体存在于每一个部分之中，而且存在于部分与部分之间的相互关系之中；但是两者的差别也是显而易见的：总体性是僵死的、惰性的、物性的存在，是过去行动的结果；而总体化是有生命力的、活生生的、面向未来的存在，它是人的行动在世界中行进的过程和方式。相对于总体性而言，总体化更为根本，因为总体性是在总体化的过程中形成和被发现的，而且总体性会不断在总体化的作用下被总体化；而总体化是通过自身时间性的机制使自己总体化。③

---

① 萨特那里实践（praxis）和实践（practico）这两个概念显然也存在着本质性的差别，前者主要指一种人的创造性的主观行动，而后者主要指一种被动性的、由于外在的工具性的强制下不断重复着人的活动。萨特的 praxis 的概念一定程度上影响了后来的南斯拉夫实践派对实践概念的理解。

② 主要参见 Jean-Paul Sartre, *Critique of Dialectical Reason, vol. I: Theory of Practical Ensembles*, trans. Alan Sheridan-Smith, Verso Press, London and New York, 1991, pp.45–47；另参见［法］萨特：《辩证理性批判》（上），林骧华等译，安徽文艺出版社 1998 年版，第179—181页。

③ Jean-Paul Sartre, *Critique of Dialectical Reason, vol. I: Theory of Practical Ensembles*, trans. Alan Sheridan-Smith, Verso Press, London and New York, 1991, p.53.

（二）总体化与人的实践

实践是《批判》的另一个核心概念。可以说，正是通过"实践"概念，存在主义和马克思主义才产生了某种理论关联。萨特认为马克思主义僵化的原因，也在于脱离了实践的辩证法，而陷入一种僵死的辩证唯物主义形而上学之中；而萨特正是通过将实践概念加入马克思主义之中，从而为我们改变僵硬的决定论以及辩证地理解历史提供基础。而萨特的实践概念又是和总体化密不可分的联系在一起的，因此本小节的理论目标就是厘清总体化概念在萨特的实践理论中所发挥的作用。

对于萨特而言，实践在一定意义上构成了人之为人的根本，是属于人在本体论层面的存在规定性。简单说来，萨特的实践概念具有以下几层内涵：（1）实践是人对既有条件的一种扬弃和超越。正是在人的实践活动中，我们所处的社会的种种矛盾会向我们呈现出来，同时也是在实践中，生存中的种种矛盾可能被超越。（2）实践必须在各种工具的可能性的领域中行动。实践绝对不是从无到有的创造，而总是处于既定的工具领域之中，用马克思的说法就是人总是在一定的环境条件之中创造历史的。（3）在实践的过程中，必然会发生异化。在萨特看来，在实践过程中揭示出来的矛盾本身就是我们被异化的证明，另外这种异化还表现在我们的行动产生的结果往往与行动的目标不一致。（4）人在实践的筹划中规定自己。筹划的本体结构就是："它们永远是超出它们自己之外而向着……的"，在这种筹划中，人"以劳动、行动和姿态揭露和规定他的状况并将它超越"①，人在他的实践活动中自己赋予自身以意义。（5）实践处于"一种连接着过去和未来的时间序列之中"②，实践是一种指向未来的活动，社会和历史会在实践中展现为一种未来的可能性，而我们实践的任务则永远是将来的，在实践活动中过去和未来连接在一起。综上，我们很容易发现，萨特此处的实践概念和《存在与虚无》中的主体的意识、行动、筹划等概念之间的联系。唯一的差别只在于萨特讲述他的实践概念时，会强调"这个可能性的领域被社会和历史的现

① ［法］萨特：《辩证理性批判·方法问题》，徐懋庸译，商务印书馆 1963 年版，第 111 页。
② G. Lichtheim, "Sartre, Marxism, and History", *History and Theory*, Vol. 3, No. 2（1963），p.231.

实性所决定"①，会在适当的句子里添上"生产力"、"资本"、"劳动"等等马克思主义式的词汇而已。

那么，如何理解总体化和人的实践之间的关系呢？首先，单个人的实践活动本身就构成了一个活的具体的总体化。区别于早期萨特将人的筹划的原因规定为一种本体论式的匮乏（lack）②，《批判》中人的实践活动是"由需要（need）引起的，需要的出现会使得周围的物获得一种消极的统一"③，对于人的总体化的行动而言，这种消极的统一性构成一种被动的总体性。人在实践的过程中会不断将自己所处的环境、各种物质性的集合、工具性的领域等加以总体化地揭示，以便为超越这些既定的物质条件提供一种可能性的领域。而且这种总体化并不是一次性完成了的，而是在人的筹划和实践中不断地再生成。其次，人的实践活动是在总体化的历史进程中进行的。实际上，历史的总体化和个人的生存之间构成一种双向互动的辩证关系④，一方面，个人的总体化活动（实践）构成了历史总体化进程的源初动力和唯一基础；另一方面，历史的总体化进程构成了个人生存活动的存在的始基和地平。

（三）总体化与历史

1. 对正统马克思主义历史观念的批判

尽管萨特一直以来都关注意识之外的现实，然而在萨特早期的本体论哲学中社会和历史是没有地位的。在战争、工人运动等现实中，萨特渐渐发现了历史，同时也展开了对自己早期哲学的修正。到了《批判》，萨特已经基本建构

---

① [法] 萨特：《辩证理性批判·方法问题》，徐懋庸译，商务印书馆 1963 年版，第 71 页。

② 在《存在与虚无》中，萨特将虚无理解成盘绕在存在的心脏之中的蠕虫，将主体理解为一种永远感觉到自身的匮乏的非存在。这种匮乏和欲望永远无法被填满，因而构成了人的超越性行动的源始动力。

③ Jean-Paul Sartre, *Critique of Dialectical Reason, vol. I: Theory of Practical Ensembles*, trans. Alan Sheridan-Smith, Verso Press, London and New York, 1991, p.81. 杰姆逊也注意到萨特从匮乏（lack）到需要（need）的变化，在他看来，萨特的这一做法不过是"将本体论的术语转变成相对说更具有社会—经济性的术语"，但两者的起源都是黑格尔式的：无论是人类的行动、劳作和经验还是历史本身也都是由"作为对现有存在的一种否定"的欲望（Begierde）启动的，参见[美]弗雷德里克·詹姆逊：《马克思主义与形式》，钱佼汝、李自修译，百花洲文艺出版社 1995 年版，第 197 页。

④ 张一兵：《文本的深度耕犁》，中国人民大学出版社 2004 年版，第 318 页。

起一套独特的历史哲学。尽管是马克思主义让萨特发现了历史，然而萨特却无法接受正统马克思主义的历史观念。因为在萨特看来，正统马克思主义的历史观往往将个人的实践以及人与人的具体的关系看成是大写的"历史一般"的产品和附属物。另外由于恩格斯自然辩证法的"贻害"，导致了正统马克思主义对历史的一种自然主义决定论的理解，这种外在的历史辩证法也是萨特所批判的对象。正确的做法应当是坚持社会历史与人的关系的一种中介性的辩证关系。萨特甚至认为，个人实践——面向实践领域超越现成的环境而将之统一化和重新有机化——才是社会历史中的统一体、行为以及目的的唯一源泉[①]。用祁雅理的话来说，"历史总是不断地通过人来创造的。人既不是他所处的情景和环境的玩物，也不是某种不可逃避的结局所暗示的决定论的工具。人是主体也是客体"[②]。同时由于人的实践的创化作用，历史拥有的因果性不是一种结构因果性，而是一种创造因果性。

那么，萨特到底是如何理解历史的呢？所谓的历史是多样性的个人实践在人与物以及人与人的中介性关系中不断相互作用的复杂的辩证运动和总体化过程。萨特明确表示，《辩证理性批判》的第一卷的理论对象并不是人类历史，也不是社会学或者人类学，它所探求的是一种用来探索人文科学的先验（priori）的辩证方法，"在不涉及具体历史的情况下研究个体实践、它的异化和有助于构成共同实践的抽象环境的形式结构条件"，从而提供一种"结构主义人类学的可理解性的基础"[③]。萨特《辩证理性批判》的"原序"中说，"自从马克思以后，辩证思想对它的对象的关心已经超过它对自身的关心"[④]，因此萨特就以辩证思维和方法自身作为考察对象，并探究它的可能性和界限。在萨

---

① 参见 Jean-Paul Sartre, *Critique of Dialectical Reason, vol. I: Theory of Practical Ensembles,* trans. Alan Sheridan-Smith, Verso Press, London and New York, 1991, pp.311-312。

② ［法］约瑟夫·祁雅理：《二十世纪法国思潮》，吴永泉等译，商务印书馆 1987 年版，第 112 页。

③ 参见 ［法］萨特：《辩证理性批判》（上），林骧华等译，安徽文艺出版社 1998 年版，第 200—201、204 页；同时参见 Jean-Paul Sartre, *Critique of Dialectical Reason, vol. I: Theory of Practical Ensembles,* trans. Alan Sheridan-Smith, Verso Press, London and New York, 1991, p.66, p.69。

④ ［法］萨特：《辩证理性批判·方法问题》，徐懋庸译，商务印书馆 1963 年版，第 3 页。有意思的是，马克思本人也提到过，有时间要专门写一本探讨辩证法的著作，但是却没有付诸行动。同时，我们还发现萨特对于《辩证理性批判》第 1 卷和第 2 卷之间关系的设想，和马克思《资本论》第 1 卷和后面几卷之间的逻辑关系是颇为相近的。

特的原计划中，接下来的第二卷将使用第一卷得出的辩证方法用于真实的历史研究，讨论各种历史因素的现实变动以及总体化运动过程，然而第二卷在萨特生前并没有出版，萨特自己也坦承这是一次理论失败。但是这并不妨碍我们对萨特的历史进行理论阐释。

萨特理解的历史主要涉及两方面的关系：一是人与物的关系即人类与自然的关系，二是人与人的关系。

2. 历史作为人与物的辩证关系

萨特关于辩证法——既是历史运动本身，又是对历史运动进行理解的方法——的探讨是从人与物的关系开始的，正是在和物打交道的过程中，使得实践领域总体化[1]。首先，纯粹的外在自然实际上对于人来说是不存在的，脱离了人的"物质变化既不是一种肯定，也不是一种否定；它不能摧毁任何事物，因为并未构筑过任何事物，它无法克服各种阻力"[2]。我们很容易看出，萨特对"离开了人的纯粹的物质性"的理解和《存在与虚无》中对于"自在的存在"的理解非常接近。其次，我们所能接触和理解的自然或者物都必然是一种经由人中介之后的自然或物。自然正是由于人的需要表现为一种物质性的存在，"一旦出现了需要，周围的物质就因此获得了消极的统一，从中又反射出作为整体性的发展中的整体化"，"物质就被揭示为消极的整体性——这就是以最初形式出现的自然"。[3] 关于这一点，萨特早期的说法是："正是自为的在场使得自在的存在作为总体存在"；"自为的涌现使事物连同它的诸结构整体一起被揭示出来"[4]。第三，这种由于人（有机体）的需要而呈现出来的惰性统一体，一方面时时威胁着人，对人而言随时意味着死亡和危险；另一方面它也可能为人的实践活动提供可能性的领域。最后，

---

① Cf. Mark Poster, *Existential Marxism in Postwar Frence: From Satre to Althusser*, Princeton University Press, Princeton, 1975, p.278.

② [法] 萨特：《辩证理性批判》（上），林骧华等译，安徽文艺出版社 1998 年版，第 221 页；Jean-Paul Sartre, *Critique of Dialectical Reason, vol. I: Theory of Practical Ensembles*, trans. Alan Sheridan-Smith, Verso Press, London and New York, 1991, p.84.

③ [法] 萨特：《辩证理性批判》（上），林骧华等译，安徽文艺出版社 1998 年版，第 217 页；Jean-Paul Sartre, *Critique of Dialectical Reason, vol. I: Theory of Practical Ensembles*, trans. Alan Sheridan-Smith, Verso Press, London and New York, 1991, p.81.

④ [法] 萨特：《存在与虚无》，陈宣良等译，生活·读书·新知三联书店 2007 年版，第 164、255 页。

人要想"在自然中发现它的存在，或保护自己免遭毁灭，那么有机整体应该将自己转变为惰性物质"，因为有机体只有"使自身在它的存在中变成惰性"，"才使一个物体在外在性环境中作用于另一个物体"。① 此处，萨特仍然将意识看成一种内在性的存在方式，而惰性的统一的物质性则是一种外在性的存在方式，内在性要想作用于外在性，那么只有通过把自己暂时性地降变为一种惰性的外在性存在，或者通过另一个惰性体的中介作用（工具），才能获得成功。此处萨特对于人和自然的关系的解释基本上还是继承了其早期的自在和自为的辩证法：自在是其所是，但是在自为的"向着……而存在的"结构中，自在被揭示为一种物质性的统一，并提供了自为行动的可能性；尽管自由是人的本性，正是在自由中物才呈现为处境和障碍，但是人却永远不能摆脱自在的纠缠，成为一种"无用的激情"。②

　　3. 历史作为人与人的辩证关系

　　《存在与虚无》中，萨特对自我和他我以及我们都用现象学方法进行了本体论式的探讨。在萨特看来，不同的意识和身体之间存在着"一种原始的空间"，"一个绝对而被动接受的距离"，这就是虚无。虚无"作为关系的最初不在场，一开始就是他人和我之间一切关系的基础"③。萨特通过对"羞耻"的探讨，发现我在他人的注视中会被客体化，而我同样通过注视他人而将他人对象化，自为在另一个自为的注视中成为自在，萨特认为"这种在别人的注视之下的自在的僵化就是'麦杜莎'神话的深刻含义"；自我和他人之间的关系表现为受虐狂（放

---

① ［法］萨特：《辩证理性批判》（上），林骧华等译，安徽文艺出版社 1998 年版，第 218 页；Jean-Paul Sartre, *Critique of Dialectical Reason, vol. I: Theory of Practical Ensembles*, trans. Alan Sheridan-Smith, Verso Press, London and New York, 1991, p.82。

② 在此处，附上马尔库塞对《存在与虚无》的自在自为的辩证法的批判是有意义的。马尔库塞认为，萨特的在一个"既没有意义又没有补偿的荒谬世界"（法西斯主义和大屠杀）之中，强调"资产阶级社会英雄时期的那些属性"——一种不断超越和自由的"自为"概念，与其说接近笛卡尔的我思，毋宁说更接近施蒂纳的"唯一者"；同时针对萨特强调人只有完满地占有他者的自由才能获得快乐（从根本上说是不可能的）的说法，马尔库塞批判说，按照萨特的理论，实际上只有在人彻底地堕化为物性存在、彻底地屈从于必然性，人才得到真正的快乐和满足。在这种情况下，马克思所揭示的社会拜物教的物化实际上给萨特提供了快乐和满足的可能性，不能不说是一种反讽。参见 ［美］马尔库塞：《现代文明与人的困境》，李小兵译，上海三联书店 1989 年版，第 26、34—38 页。

③ ［法］萨特：《存在与虚无》，陈宣良等译，生活·读书·新知三联书店 2007 年版，第 293 页。

弃自为，自愿成为他人占有的对象）和施虐狂（要求他人放弃自为，强迫将他人作为占有的对象）的两种本体论的可能性；但是，由于虚无的本体论的保证，自为不会完全地沦为自在，因而这两种态度在本体论上又是完全不可能的。萨特还讨论了我们的存在可能性，最后得出的结论是"对象—我们"揭示了实在存在的一维；而"主体—我们"则纯粹是一种被历史了的主观的心理经验。总之，萨特得出的最后结论是："意识间关系的本质不是'共在'，而是冲突"①。

在《批判》中，人和人的关系仍然是冲突和敌对，不过这次冲突的原因不再是由于自为在他者的注视中会被对象化，而是源自一个偶然的本体论的事实——匮乏（scarcity）②。同样，在这种匮乏的结构中，人和人之间的暴力关系——即"一种实践同另一种实践之间的否定关系"，也并"不是作为实在的行动"而存在，"而是作为一种由有机体重新内在化的无机结构"而存在。换句话说，这里的"暴力"关系仍然是一种本体论式的结构性存在。如果说需要是使得个体实践总体化的动力；那么匮乏则是多元复合性的人以否定性的方式整合实践领域的原因所在。③ 那么到底什么是匮乏呢？从萨特的表述来看，这里的匮乏主要是"指物质实在和生活条件的稀缺"④，萨特并没有对这样的匮乏做出什么证明，而是说匮乏只是作为一个偶然的却普遍的历史事实存在，因为从以往全部的人类的历史来看，还没有哪个社会能够不处于匮乏之中。萨特说，"匮乏是人同他的环境、人同人之间一种真实的、经常性的张力，永远可以用来解释一些根本性的结构（技术和习俗制度）"⑤，比如在许多社会解决"匮

① ［法］萨特：《存在与虚无》，陈宣良等译，生活·读书·新知三联书店2007年版，第524页。
② 萨特对"匮乏"的解释是颇令人费解的，匮乏既是偶然性的，同时却又是一种普遍性的存在。面对萨特的复杂语境，汪帮琼女士提供了一种颇为可信的解释。"要理解这种说明必须区分本体论和历史。从本体论来看，既从自为存在对自在物质的单向关系看，匮乏是偶然的，我们无法说明匮乏产生的过程；但是从历史存在来看，匮乏是不可否认的普遍事实，而且它将是历史发展的不能摆脱的因素。"参见汪帮琼：《萨特本体论思想研究》，学林出版社2006年版，第149—150页。
③ 参见 Mark Poster, *Existential Marxism in Postwar Frence: From Satre to Althusser,* Princeton University Press, Princeton, 1975, p.278.
④ 张一兵：《文本的深度耕犁》，中国人民大学出版社2004年版，第332页。
⑤ ［法］萨特：《辩证理性批判》（上），林骧华等译，安徽文艺出版社1998年版，第266页；Jean-Paul Sartre, *Critique of Dialectical Reason, vol. I: Theory of Practical Ensembles*, trans. Alan Sheridan-Smith, Verso Press, London and New York, 1991, p.127.

乏”的一个比较好的办法就是控制生育率。尽管如此，萨特还是不忘强调匮乏提供的只是一种环境，而这种结构本身仍然只能由人生产出来。在匮乏的环境中，"人的存在对于每一个人来说都是非人的人"……"每一个人的纯粹存在被匮乏界定为同时对另一个人和对每一个人经常性的非存在的危险"，从而可以"制约群体的统一"的可能性①。尽管同样存在一种和"匮乏的非人类关系"共生的"相互性的人类关系"，然而当匮乏的环境"揭示了并非所有被相互性关系联系的人都可能在这块支撑和养育他们的土地上存留下去的时候，相互性就被打破了"②，因而暴力和反暴力之间的辩证存在是匮乏中人与人的主要关系性存在。在这段个人与他人、群体与群体之间的描述中，我们很容易嗅出黑格尔主奴辩证法的味道。萨特说即便生产的社会也并不能结束匮乏状态，这里应当主要指的是苏联的社会主义实践。萨特还用"匮乏"来解释社会中普遍存在的不公平现象，"由某些生产关系引起的、在生产方式的基础上界定的根本匮乏，从制度上将某些社会群体排斥在充分消费之外，将充分消费保留给另外一些群体"③。

4. 总体化与历史

总体化对于萨特的历史观具有重要意义。在萨特那里，总体化和历史之间的内在联系主要有以下几点：（1）个体由于需要将周围的环境总体化为一种纯粹的物质性，个体的实践筹划的总体化过程的融合构成了历史的总体化。（2）匮乏本身作为一种消极综合的统一性使个体的总体化之间产生本体论层面的原始异化。（3）在萨特所设想的群体的辩证法中，存在着总体化和总体性的永恒轮回。（4）在历史中，不同的总体化也有程度和作用上的差异，任何具体的、实在的总体化也同样是一种历史性的存在。（5）历史的总体化是时间性的辩证存在。萨特对于总体化的态度是暧昧和矛盾的，一方面，萨特认为不存在一个

---

① ［法］萨特：《辩证理性批判》（上），林骧华等译，安徽文艺出版社 1998 年版，第 267、269 页；Jean-Paul Sartre, *Critique of Dialectical Reason, vol. I: Theory of Practical Ensembles*, trans. Alan Sheridan-Smith, Verso Press, London and New York, 1991, p.127, p.130。

② ［法］萨特：《辩证理性批判》（上），林骧华等译，安徽文艺出版社 1998 年版，第 272 页；Jean-Paul Sartre, *Critique of Dialectical Reason, vol. I: Theory of Practical Ensembles*, trans. Alan Sheridan-Smith, Verso Press, London and New York, 1991, p.132。

③ ［法］萨特：《辩证理性批判》（上），林骧华等译，安徽文艺出版社 1998 年版，第 279 页；Jean-Paul Sartre, *Critique of Dialectical Reason, vol. I: Theory of Practical Ensembles*, trans. Alan Sheridan-Smith, Verso Press, London and New York, 1991, pp.138-139。

黑格尔式的终极的总体化；但是另一方面，萨特又总是对一个未来的摆脱了异化的总体充满了期待。这是一种帕斯卡尔打赌式的未来的总体的可能性①。

综上所述，萨特的思想逻辑常常在存在主义和马克思主义之间游走不定。尽管他向马克思靠近，也有合理思想，但整体说来，萨特的核心方法论逻辑绝非马克思的历史唯物主义，而是加入了某些社会历史因素和马克思主义术语的存在主义思想逻辑，甚至在某些方面还能看出早期的"现象学的本体论"的方法。萨特并没有在历史唯物主义的基础上来讨论他所要讨论的"历史的结构的人学"，而更多地以一种非历史的方式来探讨了一种抽象的人学辩证法和历史辩证法。

第四节　安德烈·高兹的存在主义马克思主义

安德烈·高兹的思想以存在主义马克思主义为底蕴，并与时代问题紧密结合，从多个角度对资本主义进行剖析，试图寻求出脱离资本主义，实现人的解放的现实途径。就其理论历程而言，在不同时期虽然其理论的显性表现样态时常变化，但是其存在主义马克思主义的本质基调和追寻人的解放的深层诉求一直是贯彻始终的。

一、高兹的哲学根基：存在主义马克思主义

高兹的存在主义哲学是建立在自己的生活体悟和对萨特的存在主义的运用和发展的基础上的。他认为萨特的存在主义过于消极，要实现真正的自由必须要解决个体主体与自身、与他人和与社会的关系问题。高兹试图克服萨特《存在与虚无》的理论与现实相割裂的二元论和虚无主义的缺陷，而使存在主义激

---

① 参见 Martin Jay, *Marxism and Totality: the adventures of a concept from Lukács to Habermas*, Berkeley: University of California Press, 1984, p.353。

进化、现实化、革命化。《道德的基础》一书就是这种努力的产物，而《叛逆者》一书从根基上来说是一部发端于存在主义的存在主义马克思主义的著作。这一著作要研讨人如何成为人，成为一个超越性的主体最终达及自由这样一个问题。在《历史的道德》一书中，高兹强调，不能够纯粹以一种替代性的、更好的社会的系统的名义来批判一种特定的社会和经济系统；异化是不能够被一个外在的观点所很好地理解的作为历史条件的一个消极的产物。

（一）高兹存在主义马克思主义的基本观点

高兹认为异化在四个层面或者四个维度上存在。第一个层面是一个个体对另一个个体的异化。因为我们在客体化他人以及他人客体化我们的时候总是存在着一种能力上的不足。[1] 这就必然给个体间的异化提供了基础。第二种异化是相互分离的多个个体的活动结果通过一个不透明的物质场而发生作用。它所指的是我们作为他者中的他者与他者发生关系的方式，作为一个社会团体、机构、习惯或传统的抽象代表与他者发生关系的方式。第三种异化，直接指向的是作为社会存在的个体的处境和工具。它指的是这样一种情况，我们的活动的客观的结果往往超出我们的原初的意图，但是无论如何我们都必须把它视为是我们自己的。第四个层面的异化是社会的异化，是指与他们的社会产品相异化的个体生产和再生产一种社会——在这种社会中生产着一种它所需要的个体——的行为。高兹认为，对于这样一种社会异化，追求私人利益的资产阶级是不可能克服的，他们的社会合作只是外在的，而无产阶级与资产阶级不同，它虽然在认同上也是外在的，但是与资产阶级维护私人利益不同，无产阶级没有任何特殊的利益需要去维护，无产阶级能够联合去克服这种异化。

高兹对当代资本主义消费社会出现的新的社会异化现象进行了分析。高兹指出，人们的消费已经不再完全表达自己的意愿，而是被社会的流行趋势所驱使。人们不再以一个主体的姿态来消费。个人的渴望因为流行的观点和他人的价值而被异化和扭曲。高兹认为这并不是因为消费的标准化和大众化而导致的异化：它们是虚假的需要并不是因为它们是被消费者消极地内化为自己的需要的“外在的”需要；相反，高兹认为只有把消费者作为一个积极的主体，我们才能揭示这种异化，因为所谓的大众个体事实上是不存在的，每一个人都不是

---

[1]　参见 Gorz, A. *La Morale de l'Histoire,* Le Seuil, Paris, 1959, p.62。

根据自己的需要而消费，而是根据一个无主体的需要来消费。高兹认为，在这样一种异化的中心，是一种经济事实，它使稀缺的东西能够被越来越多的人得到，但是是以生活和工作的标准化和工人的非人化、被管理化为代价的。企业家资本主义已经被官僚资本主义所代替，工厂变成了生产和管理的统一体，人们在生产中越来越失去自主性。无名的他者成为了个体的仲裁者，它以你能够更加出众来诱惑你，并且，如果你不拥有，那么你将被判定为失败者。[①]

（二）高兹思想的现实化、政治化

通过上面的分析可以看出，高兹的视线已经转向对现实资本主义社会的异化问题的分析和批判。这是一种现实化、政治化的转向。这一转变是高兹自身理论逻辑发展的一个必然结果，同时也与外部的因素的影响相关。

1955 年高兹加入左派左翼周刊 L'Express，并成为该刊的经济编辑。通过以知识分子的特有的方式对持续的日常生活的现实的关心和介入，高兹认识到了现实和人生的意义。由于战后法国共产党的斯大林主义和在一系列国际问题上的立场和态度，高兹和当时的法国左派理论家一起对法共的斯大林主义表示不满。高兹认为法国共产党的教条主义的马克思主义不是真正的马克思主义，而是一种非人的马克思主义，因此，他和萨特一样要求一种存在主义马克思主义，并认为只有马克思主义才能够真正地现实地改变异化的世界而使人获得自由和解放。这样一来，高兹在理论上已经成为存在主义马克思主义者，并且在理论层面和现实的政治层面都直接批判资本主义，反对苏联社会主义的霸权主义，在阿尔及利亚问题和匈牙利问题上都有明确的立场和意见。1961 年高兹加入萨特主办的杂志《现代》，成为《现代》的政治编辑，他开始利用《现代》作为一个平台，积极发表自己和其他理论家的政治见解和理论文章，后来高兹成为了主编，《现代》由原来的文学味较浓的杂志变为了政治性的杂志。1964 年高兹退出转向右翼 L'Express，加入了一家新的左派杂志《新观察》。其后高兹的所有文本和理论活动都与现实政治直接相关。

（三）高兹思想的"后马克思"转向

之后高兹的思想出现了"后马克思"转向。这有两个层面的原因：一是他

---

① 参见 Gorz, A. *La Morale de l'Histoire*, Le Seuil, Paris, 1959, p.245。

自己的理论研究的逻辑和理论观点的发展所致；另一个则是 1968 年学生运动及其失败以及法国共产党在这一事件中的表现对高兹的影响。就理论逻辑而言，由于高兹思想的政治化，对二战后到 1968 年之间一系列的国际性的和法国国内的政治事件的关注和研究，使其进一步认识到当代资本主义的现实和本质，认识到了马克思主义对于当代资本主义的意义和不足，特别是经过 1968 年学生运动的影响，高兹的思想完全"后马克思"化，在后来的《劳动分工》、《作为政治学的生态学》、《别了工人阶级》、《通往天堂之路》、《经济理性批判》、《资本主义，社会主义，生态学》、《重申工作》等著作中，高兹完全是以一种"后马克思"和批判的马克思主义者的姿态出场的。就 1968 年五月风暴的失败对高兹的影响而言，主要是进一步促使了高兹在某些问题上向"后马克思"的转化。如，把资本主义的大学甚至整个教育体系都与资本主义的制度联系起来，认为他是资本主义的社会关系生产和再生产的一个重要环节，认为资本主义教育及其看似很合理的竞争和淘汰机制其实是资本主义统治和管理的一种手段，是为资本主义的统治服务的。他要把大学作为一种潜在的革命力量来看待。高兹对资本主义教育的批判已经进一步表明他向"后马克思"的转变，因为他是在为社会主义运动寻找新的动力，并且这样一种动力已经超出了原来西方马克思主义的政党和无产阶级的范围。应该是这次风暴给高兹的思想中新的维度的发生提供了机会和空间。他越来越与列宁主义保持距离，并在一些问题上开始批判马克思。并且与女权主义、生态运动和和平运动关系密切，还与欧洲共产主义主要是意大利共产主义关系密切，当然，要说明的是高兹从来都不是一个欧洲共产主义者，相反是他的观点影响了部分欧洲共产主义运动——主要是意大利的欧洲共产主义运动。这些都是高兹在 68 年之后思想上进一步"后马克思"化的表现。

二、高兹对无产阶级阶级问题的分析

1980 年高兹出版了一本在欧洲引起轰动的著作《别了工人阶级》，在书中高兹对马克思的无产阶级革命理论进行了批判性的分析，认为它具有浓郁的黑格尔意味，具有宿命论的特征。他认为，在当代资本主义条件下，无产阶级在本质上具有作为资本的复制品的特征。同时，由于生产力极大提高，机器生产代替工人生产，社会必要劳动时间急剧下降，工人大量失业、半失业，有稳定工作的工人基本上已经变为精英阶层，他们在本质上具有与资本主义合作的精英主义特征，大量失业、半失业者成为一个"非工人的非阶级"，这样一个"非工人的非阶级"具有工人阶级不具有的优点，同时又有其自身的缺点。高兹认为这个"非工人的非阶级"是社会变革的潜在的主体，但是高兹同时认为这样一个潜在的主体它并不能代替工人阶级的作用。

（一）马克思无产阶级理论的黑格尔特征

高兹认为，马克思曾经多次表明对无产阶级现实状况的调查并不会揭示它的历史使命，相反，只有对无产阶级的历史使命有一个清楚的把握才有可能发现无产阶级的真实存在。他认为，马克思的无产阶级理论既不是建立在对阶级斗争的经验观察的基础上的，也不是基于实际参加无产阶级斗争而得出的。他说，依据马克思的观点，"经验观察和作为激进分子实际参加斗争都不会导致发现作为一个阶级而存在的无产阶级的历史角色"。① 高兹认为这是一种认为无产阶级最终会与阶级存在一致的超越性保证。

高兹对马克思的无产阶级理论的分析，他依据的主要是马克思早期著作中的相关观点。他对马克思的无产阶级理论的思想渊源做了解析。他把马克思和黑格尔做了一个比较。他说："马克思的无产阶级理论是对欧洲资产阶级革命的英雄时期形成欧洲思想的三大主要意识形态思潮——基督教精神、黑格尔主义和科学主义——的一个惊人的融合。这个系统的中轴是黑格尔主义"。② 他说："他（马克思）葆有了黑格尔辩证法的基本的特征：历史有一个独立于个体的自我意识的意义，并且不管他们想什么，它都会在他们的行动中实现自身。但是，与精神在黑格尔那里是'头足倒立的'情况不同，这种意义在马克思看来是在无产阶级的现实的'脚'上行进的"。③

（二）当代资本主义社会无产阶级状况

高兹对他所处时代的资本主义社会中无产阶级的情况做了分析。他认为

① Gorz, A. *Farewell to the Working Class,* Pluto Press, London and Sydney, 1997, p.16.

② Gorz, A. *Farewell to the Working Class,* Pluto Press, London and Sydney, 1997, p.17.

③ Gorz, A. *Farewell to the Working Class,* Pluto Press, London and Sydney, 1997, p.18.

资本主义越来越复杂、越来越有力的机器生产过程仅需要一些能力十分有限的工人。这样的一种情况就使得那些曾经想要控制整个现代工业生产的无产阶级处于由他们所完成的工作的统治之下。现实的资本主义的发展使集体工人拥有了一种结构，这种结构使得现实的有血有肉的工人不可能把自己认同于这一集体，同时也不可能把它内化为他们自己的现实的和潜在的力量。

高兹指出，被视为人类解放力量的无产阶级的力量是资本力量的一个对称的倒置物。并且他强调这并不是什么新鲜的东西，甚至他还做了一个类比，他说"马克思曾经做了一个很好的证明，表明了资产阶级是如何被'他的'资本所异化的：资产阶级成了资本的功能性的代理人"，因而"当无产阶级'集体地占有'资本的时候，无产者也会以同样的方式被无产阶级所异化"。[1] 在高兹看来，资本主义社会中，无产阶级的现实存在状况是不容乐观的："他们被资本剥夺了所有自主性的能力，并且被迫和一个巨大的自动化生产的不可改变的规律一起工作"。[2] 因此，人和机器的关系，不是人控制机器，而是相反，机器控制人。人成了自动化生产的巨大机器的一个附属部分，成为整个系统的一个齿轮：机械化已经导致了工作的碎片化和去质化，并且使得依据纯粹的数量标准来衡量工作成为可能。他认为，工人的所有这些语言上的不满和愤恨、所有的那些对工资和工作条件的要求，离"工资式的奴隶制的废除"以及离成为"使自然服从于他们的联合控制的联合的生产者"还远得很。工人的一切的预想都没有实现，工人成为资本的复制品。

高兹说，"无产阶级的异化已经达到了顶峰"，已经完全进入了资本的逻辑并按照资本的逻辑来运转和思考，资本关系已经在无产阶级身上打下了深深的烙印，无产阶级成为资本关系的一种产物。高兹说达到这样一种异化的顶峰的标志是：任何活动只有一个基于市场关系的目标，而不可能设想有此之外的其他目标。现在的无产阶级已经与以前的无产阶级不一样了：无产阶级成为了资本的复制品，已经与资本逻辑同化了。他在注释中特别举了女权主义的例子做了说明。他说，女权运动要求家务劳动工资化的观点，以及认为妇女的解放要建立在所有的以家庭为基础的任务都转化为公共服务这样一个前提条件下的观

---

[1]　Gorz, A. *Farewell to the Working Class*, Pluto Press, London and Sydney, 1997, p.37.

[2]　Gorz, A. *Farewell to the Working Class*, Pluto Press, London and Sydney, 1997, p.38.

点，都是对资本逻辑的一种认同。①

科学技术的飞速发展和资本主义的劳动生产率的极大提高以及资本主义的自动化生产使得社会必要劳动时间大大减少，同时工作对工人的技术要求也越来越低，大量工作岗位被自动化生产所代替，从而使得有稳定工作的工人成为少数精英，而大多数人处于失业、半失业或临时工的状态。在这种情况下，高兹认为传统意义上的工人阶级已经处于危机之中。高兹认为标志着马克思的阶级斗争观念的传统的阶级界限已经变得模糊了，阶级之间的明显的区别已经不在了，任何一个阶级要发展出一种解放的力量都是不可能的了。他指出，在这种情况下，无产阶级已经不是一个统一的有凝聚力的阶级。这就是无产阶级的危机。

高兹的分析主要是从下面三个相互关联的方面展开的：马克思的科学社会主义的基础的消失；科技发展和自动化生产对无产阶级的影响；资本主义生产的意识形态和无产阶级的主体地位的消解。

首先，高兹认为马克思的科学社会主义的基础在当代资本主义条件正在消失。高兹认为，在马克思那里，科学社会主义是建立在两个基础之上的："第一，它是一个由被无产阶级化的社会生产者组成的阶级——他们组成了人口的实质上的大多数——所执行的计划；第二，这个阶级在本质上是依据有意识地拒绝它的阶级存在而得到界定的"。② 这里高兹强调了几层意思，（1）无产阶级是被社会化大生产和资本主义的劳动分工所剥夺了自主能力的作为"一般劳动力"提供者的工人；（2）他们在人口中占大多数，而不是小部分；（3）无产阶级是改变这样一个社会的主体，社会改变的计划就是无产阶级的计划；（4）这个阶级要成为一个阶级，主要是依据一种自觉的阶级意识，即对他们作为无产阶级而存在这样一种阶级存在的否定和拒绝。高兹认为，"资本主义的劳动分工已经摧毁了'科学社会主义'的这两个前提假设"。现在工人阶级在生产过程中已经没有了自主性，生产什么、怎样生产完全不是由工人决定的，而是先在地他主的。因此，高兹认为工人已经无力掌权。在大多数情况下"工作已经不再是工人自己的活动了"，"工作现在是一种否定性的、被预先设计好的活动，它整个地服从于机器的运转，而没有为个体的创造性留下任何空间"。在

---

① 参见 Gorz, A. *Farewell to the Working Class,* Pluto Press, London and Sydney, 1997, p.40, 注释 3。

② Gorz, A. *Farewell to the Working Class,* Pluto Press, London and Sydney, 1997, p.66.

这种情况下，"工人已经不可能认同于'他们的'工作或者生产过程中'他们的'功能，每一件事现在看起来都是在他们之外发生的。'工作'现在变为一定数量的等待着征服工人的具体操作层面的活动"[1]。基于此，高兹得出了他的结论，他说，"失去了和自己的工作的认同的能力也就等同于阶级归属感的全部丧失。就像工作仍然外在于个体而存在一样，阶级的存在也是一样。就像工作成为一种被执行的没有任何个人投入的无特征的活动一样……阶级的成员关系也成为一种偶然的无意义的现实"。[2]

其次，高兹认为，科技发展所带来的劳动生产率的提高，使社会必要劳动时间减少，自动化生产代替大部分非技术工人，大量工人处于失业、半失业的状态。高兹认为，在这种情况下，"传统的工人阶级现在只是一小部分特权者"[3]，他们一般都认同于资本的逻辑而不能自拔，成为了资本的复制品。因而他们在阶级意识上已经不再具有反对资本主义的可能性，同时也就不可能成为改变社会的现实主体。传统的工业无产阶级已经不再具有解放潜能。

再次，他认为科学技术和劳动生产率的提高，以及生产的自动化，使得生产社会必要劳动产品的时间大大下降，现在这种使一部分工人有较稳定的工作，并且没有缩短他们的工作时间，而另一部分工人则处于失业和半失业的状态完全是资本主义为了维护它的统治而人为制造的一种意识形态。

（三）"非工人的非阶级"

基于资本主义劳动生产率极大提高以及自动化生产代替工人的现实，能在生产领域占有一份较为稳定的工作的工人已经成为少数，而大多数人处于一种失业、半失业和临时工的状态。因此，现在的关键已经不是让工人在工作中获得解放，因为大部分工人已经没有工作，并对他们所从事的工作没有认同感，而是要从工作中解放出来，废除资本主义的工作。他认为要废除资本主义的工作，其主体不可能是那部分拥有较为稳定工作的产业工人，因为他们已经陷入了资本的逻辑，在某种程度上成为精英主义者。要废除资本主义的工作，其主体只能是那部分失业、半失业或处于临时工状况的非传统意义上的工人。高兹

---

① Gorz, A. *Farewell to the Working Class,* Pluto Press, London and Sydney, 1997, p.67.

② Gorz, A. *Farewell to the Working Class,* Pluto Press, London and Sydney, 1997, p.67.

③ Gorz, A. *Farewell to the Working Class,* Pluto Press, London and Sydney, 1997, p.69.

把这部分人称为"非工人的非阶级"。他认为"非工人的非阶级"的出现，使得社会化的大生产和资本主义的同一性工作表现出了一种解放的可能性，生产出了自己的掘墓人。

高兹认为，与传统的工人阶级相比较而言，"这个非阶级不是由资本主义产生的，并且没有被带上资本主义生产关系的标志。它是资本主义危机以及资本主义生产的社会关系解体——一个从新的生产技术的发展中生发出来的过程——的结果"。[1]"它比马克思的能够直接意识到它自身的工人阶级具有更多的优越性；它同时既作为主体又作为客体而存在，既是集体的又是个体的"[2]。在人数上，高兹认为在当代资本主义社会，非工人的非阶级占人口的比例远大于有着稳定岗位的工业无产阶级。他说，"传统工人阶级现在已经只是一个特权的少数。人口的大部分现在属于这种后工业的新无产阶级"[3]。当然高兹这里所讲的"新无产阶级"也就是"非工人的非阶级"，这和他在《劳工战略》中所讲的"新工人阶级"有明显区别的，新工人阶级主要是指技术工人和技术、组织人员，而"新无产阶级"则主要是失业、半失业者和临时工。

高兹认为"非工人的非阶级"在性质上是和无产阶级有区别的。在马克思列宁主义中，无产阶级是处于先锋队地位的，是社会变革的主力军，承担着重大的历史使命，并且首先在马克思主义和列宁主义中无产阶级是作为"阶级"而存在的。无产者通过政党的领导和阶级意识而形成为一个阶级，在这个阶级中个体与集体之间的关系是通过认同和民主集中制的形式而得到体现的。而"非工人的非阶级"在这一点上是不同于无产阶级的。高兹认为与马克思理论中的无产阶级相比，非工人的非阶级"并不依据'它的'工作而界定自己，并且不能以它在生产过程中的地位等术语来界定"。因为在高兹看来，当越来越多的人从一个工作转换到另一个工作的时候，"非工人的非阶级"属不属于生产性的工人阶级这个问题以及如何给一个导游、一个系统分析师、一个生物实验室中的技工定位的问题已经没有意义或者不重要了。高兹认为"非工人的非阶级"所唯一关注的问题就是"他们并不感到他们属于工人阶级，或者任何其他阶级，他们并不把自己认同为'工人'，也不把自己认同为它的对立面——

[1]　Gorz, A. *Farewell to the Working Class,* Pluto Press, London and Sydney, 1997, p.68.

[2]　Gorz, A. *Farewell to the Working Class,* Pluto Press, London and Sydney, 1997, p.68.

[3]　Gorz, A. *Farewell to the Working Class,* Pluto Press, London and Sydney, 1997, p.68.

'失业者'"。① 因而高兹认为他们既不属于工人阶级，又不把自己认同为失业者，他们只是一个失业、半失业的群体，他们不属于任何阶级，同时也不组成任何阶级。所以他用了两个带否定前缀的词"非工人的非阶级"来与马克思主义工人阶级的区分：工人阶级是工人，他们不是，他们是"非工人"；工人阶级是阶级，他们不是阶级而是"非阶级"。

在马克思的无产阶级的阶级存在中，反抗资本主义和资本的劳动分工的主体是作为阶级存在的无产阶级整体，而主要不是单个的个体无产者，无产者通过阶级解放的形式来实现个体的解放，而高兹认为"非工人的非阶级"在与资本主义和资本逻辑进行对抗的时候是以个体的身份出现的，每一个单独的"非工人"都是一个特殊的斗争主体，他们的主体性与阶级的主体性是不一样的。高兹对此有一个说明，他说"被青年马克思视为一种能够避免任何特殊形式的普遍力量的无产阶级现在已经成为了与机器的普遍力量作革命性斗争的被特殊化了的个体性"②。当然我们知道这和高兹的个体主义的人道主义思想理论背景也是直接相关的。

和上面一点相关，高兹认为，和传统的工人阶级相比较，"非阶级"是自由的主体性，"当传统的工业无产阶级从物质转型中获得一种客观力量以使它把自己设想为一种支撑整个社会的物质力量的时候，新无产阶级能够被界定为一种没有客观的社会重要性的、被社会所排斥的非力量"③。高兹解释说，"由于它在社会生产中不扮演任何角色，它憎恨这种作为某种外在的、等同于景观（spectacle）④ 或虚伪的表象（show）的社会发展"⑤。与传统无产阶级希望夺取对生产和社会的统治权的目标不一样，高兹认为"非工人的非阶级"对掌管一个结构上像机器一样的社会没有任何兴趣，并且他们不希望把任何东西置于他们的控制之下。相反，"对于非工人的非阶级来说重要的是去占有一种在社会的逻辑之外的并与社会的逻辑相对立的自主性领域，以使得这种在机器一样的

① Gorz, A. *Farewell to the Working Class,* Pluto Press, London and Sydney, 1997, p.70.
② Gorz, A. *Farewell to the Working Class,* Pluto Press, London and Sydney, 1997, p.71.
③ Gorz, A. *Farewell to the Working Class,* Pluto Press, London and Sydney, 1997, p.73.
④ 这不禁让我们想起了居伊·德波在《景观社会》中对资本主义的概括和批判，高兹此处的界定与德波应该是处于同一个逻辑层面。高兹此处是否是受德波的影响，从现有的资料来看尚且是无法考证的。
⑤ Gorz, A. *Farewell to the Working Class,* Pluto Press, London and Sydney, 1997, p.73.

社会之外的个体的无障碍的发展能够实现"①。

另外，无产阶级对未来社会是有一个完整的预想的，对于未来社会建立的途径、未来社会的建设等都是有一定的构想和理论指导的，而在这一点上，非工人的非阶级和无产阶级完全不同，高兹认为"它们对未来社会缺乏一个总的观念"，因而这也从某个层面上把作为一个群体的非工人和阶级形式的存在区分开来。高兹讲，"新无产阶级对现在的社会没有任何的期盼，并且对它的发展也没有任何的期盼"。②

但是高兹认为，"对于所有那些发现他们的工作从来都不是他们个人实现的一个来源或者并不是他们的生活的中心的人"来说，"工作的废除"是"一个主要的目标"。③他说，"所有那些'憎恨工作'的人都不能够再被看成是边缘人。他们不是生活在社会边缘的亚文化群，而是代表了那些'现实地处于受雇用状态'把'他们的'工作视为一种不可能完全投入其中的令人厌倦的必然性的那些人中现实的或潜在的大多数"。④高兹认为"非工人的非阶级"的目标就是废除工人和工作而不是占有工作，并且这预示着未来的世界。他强调指出，"除了这个非阶级之外，不可能有其他的东西成为工作的废除的社会主体"。⑤

在把"非工人的非阶级"界定为工作的废除的主体之后，高兹很快就做了几点重要的说明。首先，他强调，"我并没有从中暗示它（非工人的非阶级）已经能够控制这一废除工作的过程和创造一个建立在时间解放的基础上的社会的过程。所有我所强调的仅是这一点：这样一种社会不可能在没有或者与这个非阶级对立的时候产生，而只能由它或在它的支持下才能建立"。⑥他还对这种观点的反对意见提出了批驳。高兹说，"以很难看到一个'非阶级'如何能'掌权'来拒绝这个观点是偏题了。它明显的无能于掌权的事实既不证明工人阶级能够掌权，也不表明权力不是应该被消解、控制——如果不是一并被废止

①　Gorz, A. *Farewell to the Working Class,* Pluto Press, London and Sydney, 1997, p.73.
②　Gorz, A. *Farewell to the Working Class,* Pluto Press, London and Sydney, 1997, p.73.
③　Gorz, A. *Farewell to the Working Class,* Pluto Press, London and Sydney, 1997, p.7.
④　Gorz, A. *Farewell to the Working Class,* Pluto Press, London and Sydney, 1997, p.7.
⑤　Gorz, A. *Farewell to the Working Class,* Pluto Press, London and Sydney, 1997, p.7.
⑥　Gorz, A. *Farewell to the Working Class,* Pluto Press, London and Sydney, 1997, p.7.

的话——而是应该被获取的。"① 其次，高兹强调，"把'非工人的非阶级'界定为工作废除的潜在的社会主体不是一种伦理的或意识形态选择的结果"。他说"这样的一种选择是在工作的废除和良好的行业——在其中每一个人都能找到满足——的重建之间做出的。这个选择是：要么是一种社会控制的对工作的解放性的废除，要么是它的压迫的、反社会的废除"。② 科学技术的发展使时间的解放和自主活动的扩展成为可能，而"非工人的非阶级"他们没有或没有固定的工作，有大量的闲暇时间，并憎恨工作，正好处于这个历史的位置上。再次，高兹强调"在把'非工人的非阶级'描述为工作的废除的（潜在的）的社会主体的时候，我并没有宣称要在马克思界定的无产阶级的位置上置换上一个有着（和无产阶级）同样类型的历史和社会'使命'的另一个阶级"。③

高兹指出，现在的运动所依据的权利主要是与一种来自个体存在而不是他们在社会中的整合的力量，也就是说是来自他们自己的自主性。高兹认为这种自主性权利的建立在现阶段是新生的社会运动的一个中心关注点。他讲，"由于这是一个碎片化的、分散的运动，它在本质上是抗拒组织化和计划化的，是反抗功能的委派并反对被整合进一个现存的政治力量的"。高兹认为这既是它的长处也是它的缺陷。④

---

① Gorz, A. *Farewell to the Working Class,* Pluto Press, London and Sydney, 1997, pp.7–8.

② Gorz, A. *Farewell to the Working Class,* Pluto Press, London and Sydney, 1997, p.8.

③ Gorz, A. *Farewell to the Working Class,* Pluto Press, London and Sydney, 1997, p.10.

④ Gorz, A. *Farewell to the Working Class,* Pluto Press, London and Sydney, 1997, p.11.

第四章 科学主义马克思主义的兴起

第二次世界大战后，除了人道主义马克思主义继续蔓延外，另一种与之相对立的思潮即科学主义马克思主义思潮也在西方逐步兴起。科学主义马克思主义主要包括"新实证主义马克思主义"和"结构主义马克思主义"。它们试图冲破自 20 世纪 20 年代以来在西方广泛弥漫的用黑格尔的眼光看待马克思、把马克思主义人道主义化的倾向，极力主张恢复马克思主义的科学性，使之再次成为进行真正的阶级分析和预言的决定性的认识武器。

第一节 新实证主义马克思主义

新实证主义马克思主义流派大致产生于 1956 年苏共二十大之后，衰落于 60 年代中期。主要代表人物是意大利共产党党员德拉-沃尔佩及其学生卢西奥·科莱蒂。他们认为，无产阶级革命在西方之所以失败，是由于对现代资本主义作了歪曲的理解，用含糊的人道主义和黑格尔修辞学去取代正确政策的缘故。他们指出，共有着同一个哲学源泉和根据的苏联模式的辩证唯物主义和从卢卡奇到法兰克福学派的"西方马克思主义"，都假定黑格尔和马克思主义之间存在着辩证法的连续性，前者强调黑格尔的"物质的辩证法"，后者强调黑格尔的"总体性"和"异化"，二者都失去了同历史唯物主义的最决定性方面之一的接触，即对社会生产的发展的具体研究。因此，他们主张重新考察共产主义运动的奠基性文件，并对运动的历史与现状进行分析和探讨，以便从中引申出正确的理论来，把潜在的阶级斗争改造成为积极的阶级斗争。

一、对马克思主义哲学的解释

在哲学上，德拉－沃尔佩和科莱蒂首先竭力否认马克思辩证法与黑格尔辩证法的直接关系。德拉－沃尔佩依据马克思 1843 年的《黑格尔法哲学批判》认为，黑格尔的辩证法是凭借一种一般的、不确定的抽象，从抽象到具体，再从具体到抽象的循环，即不是从对象中形成自己的思想，而是按照完成了自己全部发展过程的思维的样式来制造自己的对象；相反，马克思的辩证法则是凭借一种特殊的、确定的对象，从具体到抽象，再从抽象到具体的循环，即一种使抽象不断历史化的科学实验的方法。简言之，黑格尔的辩证法是"先验的辩证法"，而马克思的辩证法则是"科学的辩证法"。

基于这种认识，新实证主义马克思主义者既反对法兰克福学派对马克思主义科学性的否定，也反对辩证唯物主义的"物质辩证法"。科莱蒂认为，物质辩证法是黑格尔第一个提出来的，正是通过物质辩证法这一工具，黑格尔使"哲学"变得连贯一致，从而完成了绝对唯心主义。而恩格斯、普列汉诺夫和列宁所阐述的辩证唯物主义则不过是黑格尔物质辩证法的机械的抄本，是对任何真正唯物主义的否定。科莱蒂把康德看作是比黑格尔更加接近唯物主义的哲学家，认为康德关于思维和存在的异质性是真正的唯物主义的起点，马克思对黑格尔的批判正是以否弃思维与存在的唯心主义的统一，强调思维与存在的异质性为特征的。

与此相应，新实证主义马克思主义者提出了"无矛盾原理"，认为"唯物主义只有非矛盾原理才是可以理解的，相反，'物质辩证法'则是对这一原理的否定"[1]。在他们看来，被辩证唯物主义者所描述为现实世界中的"矛盾"的东西，实际上是一种"真正的对立"，也即非矛盾的对立，而"矛盾的对立"只是思考"真正的对立"的工具。科莱蒂指出，现实不能包含辩证的矛盾，而

---

① ［意］科莱蒂：《马克思和哲学》，纽约和伦敦 1973 年版，第 192 页。

只能包含真正的对立力量之间的冲突、对立的关系。

新实证主义马克思主义者不仅注重分析马克思主义的方法论和辩证法，而且把目光投向现实的层面，转向对马克思主义的历史科学的研究。在他们看来，"社会生产关系"是历史唯物主义的核心概念。这一概念最初在《1844年经济学哲学手稿》中以"类的自然存在"表述出来，而后在《德意志意识形态》和《雇佣劳动与资本》中得到明确表述。"社会生产关系"这一概念使马克思成功地汇合了西方哲学史上唯物主义决定论和唯心主义人道主义传统的思想，从而把历史研究真正纳入科学的轨道。科莱蒂表述道："单方面强调人的物质性是哲学唯物主义的主要基础。当然，一旦人们承认自然界的存在，就不能不承认人也是自然实体，作为一个物质自然存在的人是一个动物。但这个特殊自然种属是通过其创造社会关系而区别于一切其他动物的。用亚里士多德的话来说，人是一个政治动物，人生活在社会中并且有一部历史。对于历史唯物主义来说，正是它们存在的这个方面才是主要的。人作为一个自然存在的特殊性在于，他在涉及其他人的范围内涉及自然，在他涉及自然的范围内涉及其他人。这种双重关系就是马克思在'社会生产关系'概念中把握的东西。马克思认为，离开社会关系，即同其他人的关系，就不能有生产——即人们对自然的关系；而在人们之间，则不可能有任何关系不是人在生产中同自然的关系的一个函数。对于人的'本质'的特殊性是要在其社会的表现中去寻找的，人的本质是一个社会历史主体"①。

新实证主义马克思主义者的宗旨是要把马克思主义历史理论解释成一门经验科学。在德拉－沃尔佩看来，马克思对于科学理论的唯一贡献，就是承认在一个历史特定的范围内，各种表面上孤立的物质现象实际上是互相规定的、互相表现的，这个庞大的社会整体归根到底是由经济基础形成的。进一步看，他所观察到的模式，是否定和逐步扬弃的模式，即是说，资本主义形成了一个文化世界，这个文化世界又取消和超过了它自身的那个决定一切的生产结构。因此，德拉－沃尔佩认为，马克思的理论是符合科学的逻辑的。经验的社会科学家们按照普遍接受的经验研究方法的法则搜集证据，将使马克思关于资本主义灭亡的预见具体化，同时为正在酝酿的阶级斗争提供爆炸性的燃料。历史将变成一门经验科学，这门科学也是唯物主义的和革命的。

① 《访问科莱蒂》，载英国《新左派评论》杂志1974年7—8月，第86期。

科莱蒂追随德拉－沃尔佩的这一思想。但他不仅关心马克思主义的科学方面，而且更关心"复兴"马克思主义的革命方面。他提供了这样一个理论领域：科学和行动的互相渗透，即马克思主义社会科学的革命涵义。为此，科莱蒂遵从他所理解的辩证法，把运用一般假设进行演绎同汇集经验材料进行归纳结合起来，用事实证实假设。他指出，虽然物质是思想存在的一个条件，是思想的原因，但认识实在还是靠从思维到实在；虽然客观的物质使科学成为可能，但知识实在还是靠从思维到实在；虽然客观的物质使科学成为可能，但知识还是主观的思想过程所产生的，是这一过程把知觉到的物质纳入范畴。在他看来，"主体是客体的一部分，是客体内部的一个环节，因而本身就是客观的。主体和客体都是一个客观的主客过程的部分"①。具体的物质世界是在思想中表现出来，成为现实的。因此，真的知识"是思想和实在之间的和谐一致"②。

科莱蒂正是基于这种方法论来看待马克思主义的科学与行动之间的统一。他认为，社会活动者是客观的实体，同时又是认识的实体。科学上有效的假设，是对主体以反映方式所经验到的客观行为模式作出的概括。因此，马克思所描述的那些客观的、由经验证实的趋向，只有当作无产阶级进行解放斗争的背景，才有意义。历史上并没有一个与活动者的自觉决断无关的机械主义的模式会自动导致革命。在这个意义上，马克思的演绎假设就是革命行动的号召，即事实上的科学真理，实际上表现了工人阶级日益增长的不满和社会主义抱负。它们的科学性，是被经验证据以及所研究的那些人的实际作为所肯定的。

科莱蒂反对第二国际一些理论家把事实判断和价值判断相分离的做法，认为它是对马克思的社会政治学说及其研究方法的一种曲解。在他看来，虽然马克思对资本主义社会的研究是尊重事实和科学的，但这些研究及其结果同时又是价值判断，是服务于无产阶级革命实践的理论需要的。"把科学和政治、知识和改变世界联系起来是正确的，这正是马克思在历史—道德的领域里所从事的工作。"③

新实证主义马克思主义是在对苏联模式的马克思主义和人道主义马克思主义的反思中产生出来的。虽然它错误地完全否认马克思的辩证法与黑格尔的辩

---

① ［意］科莱蒂：《从卢梭到列宁》，纽约和伦敦1972年版，第10页。
② ［意］科莱蒂：《马克思主义和黑格尔》，纽约和伦敦1973年版，第127页。
③ ［意］科莱蒂：《从卢梭到列宁》，纽约和伦敦1972年版，第76页。

证法之间的关系，并把马克思主义加以实证主义化，但它重申马克思主义的科学性，力图使之成为对社会历史发展进行科学分析的工具，无疑具有一定的积极意义，也推动了后来的马克思主义研究者思考马克思的科学性问题。

二、政治理论

20世纪，社会主义在理论和实践方面都取得了辉煌成就，但在进一步的探索过程中，也经历了诸多磨难。很多学者从公平正义的角度，探寻社会主义是否蕴聚公平正义的旨趣、社会主义与公平正义的关系如何等问题。在这些探讨中，德拉－沃尔佩1957年出版的《卢梭和马克思》一书，在意大利理论界曾产生广泛而持久的影响，从1957年到1964年连续出了四版。在这本书中，德拉－沃尔佩着重阐述了卢梭的政治观和马克思恩格斯创立的科学社会主义之间的联系与区别，并借以展示了自己对自由、平等、民主等问题的看法，他把这些问题看作是世界社会主义事业和各社会主义国家共同面临的重大课题。

在德拉－沃尔佩的政治理论中，18世纪法国思想家卢梭被视为"现代民主制精神之父"，卢梭的观点获得了高度的评价。他把社会主义的平等、民主与自由理论直接追溯到卢梭的政治思想，特别是他的人民主权思想。可以说，德拉－沃尔佩的政治理论就是在阐发卢梭思想的基础上展开的。德拉－沃尔佩认为，马克思的社会政治思想与卢梭有着直接的联系。比如，他在论述马克思的《黑格尔法哲学批判》一书时，就称它为"一部自始至终渗透着典型的卢梭人民主权思想的著作"[①]。他认为，卢梭与社会主义平等之间具有密切的理论联系，但是"卢梭对平等的独创性研究被忽视了"[②]，其原因有两点，一是黑格尔反对卢梭的政治思想，特别是他的人民主权思想，而现时代的人们过多地关注马克思思想的黑格尔来源，因而必然会忽略马克思与卢梭思想之间的内在联系。另一个原因，也是具有根本性的原因在于：马克思和恩格

①　[意]德拉－沃尔佩：《卢梭和马克思》，赵培杰译，重庆出版社1993年版，"中译者序"第5页。

②　[意]德拉－沃尔佩：《卢梭和马克思》，赵培杰译，重庆出版社1993年版，"中译者序"第5页。

斯作为科学社会主义的创始人，他们自己并没有正确地意识到他们的思想和卢梭的理论之间的渊源。他这样写道："在我看来，这充分证明了科学社会主义的创立者对于他们在历史上从卢梭那里汲取思想营养这一点的认识是比较混乱的。"①

德拉－沃尔佩认为，马克思的《哥达纲领批判》和列宁的《国家与革命》可以明显体现出卢梭与社会主义之间的历史联系。马克思在《哥达纲领批判》中描述了社会主义的正义标准，认为"生产者的权利是同他们提供的劳动成比例的；平等就在于以同一尺度——劳动——来计量"②。但是，马克思也指出这种社会主义正义观存在的缺陷，认为它默认"劳动者的不同等的个人天赋，从而不同等的工作能力，是天然特权。所以就它的内容来讲，它像一切权利一样是一种不平等的权利"。当然，马克思随后马上指出："这些弊病，在经过长久阵痛刚刚从资本主义社会产生出来的共产主义社会第一阶段，是不可避免的。权利决不能超出社会的经济结构以及由经济结构制约的社会的文化发展。"那么如何在社会主义阶段实现"平等权利"呢？马克思说："要避免所有这些弊病，权利就不应当是平等的，而应当是不平等的。"③

在《国家与革命》中，列宁结合马克思对拉萨尔主义的批判，阐述了自己对社会主义或者说是共产主义第一阶段分配原则的认识。列宁认为马克思在《哥达纲领批判》中"对社会主义社会必须怎样管理的问题作了冷静的估计"④。列宁对照了拉萨尔主义者含糊不清的笼统说教，认为马克思将其历史唯物主义方法应用于特定社会环境中，并且"具体地分析了这种没有资本主义存在的社会的生活条件"。我们正在讨论的是一个"刚刚从资本主义社会中产生出来的，因此它在各方面都还带着它脱胎出来的那个旧社会的痕迹……"⑤，尽管如此，它已经是一个发生了社会主义革命的社会。这样一个国家是在工人的掌握中，武装力量与警察机关是由武装工人和民兵组成的，而且生产资料已经不是个人的私有财产而是归全社会所有。分配由下述方式贯彻："社会的每个成员完成一定份额的社会必要劳动，就从社会领得一张凭证，证明他

① ［意］德拉－沃尔佩：《卢梭和马克思》，赵培杰译，重庆出版社1993年版，第143页。

② 《马克思恩格斯全集》第25卷，人民出版社2001年版，第19页。

③ 《马克思恩格斯全集》第25卷，人民出版社2001年版，第19页。

④ 《列宁选集》第3卷，人民出版社2012年版，第193页。

⑤ 《列宁选集》第3卷，人民出版社2012年版，第193—194页。

完成了多少劳动量。他根据这张凭证从消费品的社会储存中领取相应数量的产品。这样，扣除了用做社会基金的那部分劳动量，每个劳动者从社会领回的正好是他给予社会的。"① 尽管在社会主义社会中，"按劳分配"导致一定不平等现象的产生，但列宁认为仍然存在的不平等对社会主义来说是必要的，因为这些不平等是一个国家期望社会财富伴随生产力的发展得到充分涌流的必要条件。

按照德拉-沃尔佩的看法，马克思和列宁的上述关于"人的'不可避免的'不平等"的见解，卢梭早在1755年出版的《论人类不平等的起源和基础》一书中就已经提出了。他引用卢梭下面的论述加以佐证："我认为在人类中有两种不平等：一种，我把它叫做自然的或生理上的不平等，因为它是基于自然，由年龄、健康、体力以及智慧或心灵的性质的不同而产生的；另一种可以称为精神上的或政治上的不平等，因为它是起因于一种协议，由于人们的同意而设定的，或者至少是它的存在为大家所认可的。第二种不平等包括某一些人由于损害别人而得以享受的各种特权，譬如：比别人更富足、更光荣、更有权势、或者甚至教别人服从他们［……］。"②

德拉-沃尔佩认为，卢梭在这里谈的这两种不平等也正是马克思在《哥达纲领批判》中所讨论的。卢梭也希望能实现一种充分认可每个人的才能和贡献的不平等基础上的平等。德拉-沃尔佩认为，马克思继承了卢梭的遗产，扬弃了他的资产阶级人道主义和道德主义关于抽象的人的说教，但马克思却未能对卢梭的贡献作出合理的评价，相反，他把卢梭看成一个第二流的社会批评家，一个自然法的崇拜者，"认为卢梭是'小国家'和激进的小资产阶级的乌托邦哲学家，是诸如消灭阶级因而不再有贫富之差这样一些灵丹妙方的贩卖者。"③

同样地，德拉-沃尔佩强调，恩格斯对卢梭的态度虽然不如马克思那样自相矛盾，但也有不妥之处。在《反杜林论》中，恩格斯虽然正确地把卢梭的社会契约在实践中的表现看作是资产阶级民主共和国，但他对卢梭关于平等与不平等的观念的评价，一方面是提得太高了，以至于抹煞了马克思和卢梭在历史方法上的根本差异；另一方面又忽略了对卢梭提出的第一种不平等的研究，而

---

① 《列宁选集》第3卷，人民出版社2012年版，第194页。
② ［意］德拉-沃尔佩：《卢梭和马克思》，赵培杰译，重庆出版社1993年版，第124—125页。
③ ［意］德拉-沃尔佩：《卢梭和马克思》，赵培杰译，重庆出版社1993年版，第6页。

简单地用黑格尔的"否定之否定"的公式去说明卢梭的平等观。德拉－沃尔佩认为，这暴露了恩格斯的历史唯物主义的辩证法观念中"沉积着大量的黑格尔主义的残余"①。

在卢梭和马克思的启发下，德拉－沃尔佩提出了现代自由和民主具有"两个灵魂"的著名见解。他说："现代自由和民主的两个方面或两个灵魂，就是由议会民主或政治民主所倡导开创的并且由洛克、孟德斯鸠、康德、洪堡和贡斯当加以理论阐释的公民（civil）自由（政治自由），和由社会主义民主确立和实行的并且由卢梭首先进行理论阐述，尔后由马克思、恩格斯、列宁直接或间接加以发掘和发展的平等主义的（社会的）自由。"②

德拉－沃尔佩提到的所谓"两个灵魂"也就是"两种自由"或"两种权利"。公民的自由或政治的自由，也可称为资产阶级的自由。从历史的角度看，它是市民社会，即"作为一个由个体生产者组成的（阶级）社会"中的成员应当享有的自由或各种自由的集合体。在经济方面，公民自由包括"个人经济主动性的自由和权利的总体"，是生产资料领域中实现私有财产所有权等权利的保障；在政治方面，公民自由是市民社会中的公民享有人身保护权、宗教信仰自由等权利的保障。公民自由还包括法和政治上的一些手段，如国家的权能分立，把立法权作为国家主权的象征，为实现资产阶级国家的自由而实行议会制等等。德拉－沃尔佩特别强调，公民的自由虽然属于资产阶级的自由，但上述权利中的一些却超越了资产阶级国家的范畴，是任何性质的国家中的公民都应当享有的。

另一种自由，平等的自由或社会的自由，意味着"每个人都有使他们个人的才能和潜力获得社会承认的权利"。也就是说，每一个人的天赋、品质、兴趣、潜力等，都可以在劳动的过程中得以发展和实现，而且这种发展和实现是"真正和绝对民主的"。与公民的自由相比，这种平等的自由不是一般意义的自由，而是表达了一种普遍的、无条件的要求，是一种社会的公正，是一种更大、更有效的自由，是广大群众的自由，是社会主义性质的公正。德拉－沃尔佩认为，这种自由恰如卢梭在《一个隐居者的梦想》中的独特宣言一样正确："我想，培养出一些才能是防止贫困的最可靠的办法。"他还同时

---

① ［意］德拉－沃尔佩：《卢梭和马克思》，赵培杰译，重庆出版社 1993 年版，第 143 页。
② ［意］德拉－沃尔佩：《卢梭和马克思》，赵培杰译，重庆出版社 1993 年版，第 101 页。

引用了恩格斯的一段话，"保证他们的体力和智力获得充分的自由的发展和运用"①，以证明恩格斯在构想建立美好的社会制度时对这种平等的自由也持肯定态度。

德拉－沃尔佩认为，平等的自由是卢梭率先提出的，但在他那里，由于社会历史条件的限制和他的唯理主义的、博爱主义—道德主义的（因而是阶级合作主义的）方法的影响，这种自由仍表现为一种不成熟的，多少带有猜测性的东西。马克思、恩格斯和列宁引入了历史唯物主义的阶级斗争的方法之后，"平等的自由"这一理论观点才获得了科学的理论基础。德拉－沃尔佩引证了列宁在《国家与革命》中的一段论述："民主意味着平等。很明显，如果把平等正确地理解为消灭阶级，那么无产阶级争取平等的斗争以及平等的口号就具有极伟大的意义。但是，民主仅仅意味着形式上的平等。一旦社会全体成员在占有生产资料方面的平等即，劳动平等、工资平等实现以后，在人类面前不可避免地立即就会产生一个问题：要更进一步，从形式上的平等进到事实上的平等，即实现'各尽所能，按需分配'的原则。"②德拉－沃尔佩认为，列宁的上述结论是十分重要的，因为他精辟地论述了两种不同的平等之间的关系问题。德拉－沃尔佩还指出，马克思、恩格斯和列宁所论及的平等的自由，正在苏维埃十月革命诞生的第一个社会主义国家中成熟起来。

德拉－沃尔佩关于现代民主和自由的两个灵魂的论述表明，他不仅十分重视卢梭提出的平等的自由的观念，而且也十分重视洛克、孟德斯鸠等人提出的公民的自由的观念。他认为，在资产阶级获取领导权之后，公民的自由仍然具有重大的现实作用。

一方面，在社会主义国家中，由于还保留着资产阶级的法权的残余，公民的自由仍是整个自由观念中的一个不可或缺的方面。德拉－沃尔佩说："在苏维埃社会主义国家或社会主义合法性的辩证法中，公民自由得到更新。"③为什么这么说呢？因为苏联的宪法依然承认个人的私有财产不容侵犯，承认个人有宗教信仰的自由，承认公民有结社、集会、出版等方面的自由。所有这些自由本质上都属于公民的自由的范围。

---

① 《马克思恩格斯选集》第 3 卷，人民出版社 2012 年版，第 814 页。
② 《列宁选集》第 3 卷，人民出版社 2012 年版，第 201 页。
③ ［意］德拉－沃尔佩：《卢梭和马克思》，赵培杰译，重庆出版社 1993 年版，第 62—63 页。

　　另一方面，在西方资产阶级国家中，公民的自由对于无产阶级来说之所以仍然有重要意义，在于无产阶级不能凭空实现社会主义，必须巧妙地利用资产阶级的民主制度，特别是利用资产阶级的议会来达到自己的目的。德拉–沃尔佩说："欧洲主要的政党为开创通向社会主义的民主道路而进行的政治斗争，需要新的、富有成效的渐进主义。与此同时（例如），重新运用资产阶级议会，把它们当作一种实现民主的、社会结构的改革、反垄断主义的改革的工具，等等。"① 德拉–沃尔佩还引用了列宁在共产国际第二次代表大会上发表的演讲中的论述："只有去当资产阶级议会的议员，才能从现实的历史条件出发，进行反对资产阶级社会和议会制的斗争"②，表明应充分利用公民的自由进行革命斗争，走出一条与苏联不同的通向社会主义的新道路。③

　　同时，德拉–沃尔佩强调，"我们应当记住，这两种自由只有在社会主义国家的合法性中才是彼此相容的"④。公民的自由意味着国家不干涉每个个人的自由，平等的自由则意味着每一个个人的潜能获得充分发展并得到社会认可的自由。第一种自由的实现解决了现代自由和民主的问题，它通过民主集中制的方式或它归结为人的本质（人的基本自由）时，就会获得进一步的扩展。也就是说，只有在社会主义社会中，人们对公民的自由和平等的自由的需要才会同时并存，两种自由才会协调一致。

　　应当说德拉–沃尔佩重视马克思与卢梭在政治思想上的内在联系是正确的，正如恩格斯所言："我们在卢梭那里不仅已经可以看到那种和马克思《资本论》中所遵循的完全相同的思想进程，而且还在他的详细叙述中可以看到和马克思所使用的完全相同的整整一系列辩证的说法：按本性说是对抗的、包含着矛盾的过程，按本性说是对抗的、包含着矛盾的过程，一个极端向它的反面的转化，最后，作为整个过程的核心的否定的否定。"⑤ 德拉–沃尔佩对卢梭平等观的肯定也符合恩格斯的评价，恩格斯曾着重指出："平等观念……特别是通过卢梭起了一种理论的作用，在大革命中和大革命之后起了

① ［意］德拉–沃尔佩：《卢梭和马克思》，赵培杰译，重庆出版社1993年版，第63页。
② ［意］德拉–沃尔佩：《卢梭和马克思》，赵培杰译，重庆出版社1993年版，第63页。
③ 俞吾金、陈学明：《国外马克思主义哲学流派新编（西方马克思主义卷）》（上册），复旦大学出版社2002年版，第354—357页。
④ ［意］德拉–沃尔佩：《卢梭和马克思》，赵培杰译，重庆出版社1993年版，第113页。
⑤ 《马克思恩格斯选集》第3卷，人民出版社2012年版，第519页。

一种实际的政治的作用，而今天在差不多所有国家的社会主义运动中仍然起着巨大的鼓动作用。这一观念的科学内容的确立，也将确定它对无产阶级鼓动的价值。"① 但是也应当看到，德拉－沃尔佩的理论亦有许多错误之处。他在探寻马克思与卢梭之间联系的同时，否定了马克思与黑格尔之间的思想联系，这是不符合事实的。此外，他对马克思的自由观与卢梭的自由观之间关系的论述，以及他对"公民的自由"的作用的分析，也值得商榷。特别是德拉－沃尔佩在论述社会主义民主和平等、自由时，把它简单地同卢梭的自由平等观等同起来，这距离科学社会主义还有很大差距，正如恩格斯一针见血地指出："卢梭的社会契约在实践中表现为，而且也只能表现为资产阶级的民主共和国。"②

第二节　结构主义马克思主义

20 世纪 60 年代，法国兴起了另一个影响更大的反对人道主义马克思主义的流派，即以路易·阿尔都塞为代表的结构主义马克思主义。阿尔都塞是法国共产党党员，他力图使马克思主义摆脱各种资产阶级意识形态的"污染"，维护马克思主义的"纯洁性"和"完整性"。在他看来，1956 年对斯大林的过火批判，使共产主义运动内部产生了对马克思主义的"污染"。这种污染是：共产党知识分子当中出现了一种以马克思主义早期著作，特别是《1844 年经济学哲学手稿》为依据的马克思主义人道主义思潮。欧洲一些共产党组织也极力标榜自己的人道主义倾向，甚至热衷于同天主教进行人道主义的对话。

与此同时，在社会主义阵营内部，苏联自二十大批判斯大林之后，也宣布马克思主义是一种人道主义，而极欲摆脱苏联控制的东欧一些理论家更是与西方马克思主义中人道主义思潮的代表人物打得火热，试图以"人道主义的社会主义"同"科学社会主义"相抗衡。所有这些"人道主义马克思主义"都在马

---

① 《马克思恩格斯选集》第 3 卷，人民出版社 2012 年版，第 480 页。
② 《马克思恩格斯选集》第 3 卷，人民出版社 2012 年版，第 776 页。

克思早期著作特别是《1844年经济学哲学手稿》中寻找灵感，并把早期马克思看作是"真正的马克思"。以此为依据，它们或者认为马克思早期的人道主义是《资本论》和其他成熟著作的基础，"那个成熟的人只是那个经过乔装打扮的年轻人"；或者认为马克思后期著作背叛了早期的人道主义思想，马克思"为了经济学而牺牲了哲学，为了科学而牺牲了伦理学，为了历史而牺牲了人。"① 这股把马克思主义人道主义化的思潮在整个马克思主义理论研究舞台中产生了极大的混乱。在这种背景下，阿尔都塞提出，当前国际共产主义运动在理论方面的决定性任务之一，是反对时刻威胁着马克思主义理论并且今天深深浸透着它的资产阶级和小资产阶级世界观，这种世界观的一般形式是：经济主义（今天的"技术统治"）及其精神补充伦理唯心主义（今天的"人道主义"）。为此，阿尔都塞自60年代以来发表了《保卫马克思》、《阅读〈资本论〉》（合著）、《列宁和哲学》、《政治和历史》等一系列著作，力图通过结构主义方法对马克思主义进行重新解释，消除人道主义马克思主义的"污染"，维护马克思主义的科学性，并解决对斯大林的批判留下的一些重大理论问题。

　　结构主义是20世纪60年代在法国兴起的一种哲学思潮。这种哲学思潮的特点是，运用结构主义的方法对社会、经济、政治与文化生活的模式进行研究，它强调整体而不强调局部，强调横断关系而不强调纵向历史，强调静止而不强调运动，强调客观而不强调主观。它以反人道主义、反历史主义、反经验主义而著称。阿尔都塞以结构主义的方法来解读马克思，提出了一系列独特的观点。

一、"征候阅读方法"及对马克思思想的分期

　　阿尔都塞对马克思的解读是以他的认识理论以及基于这一认识理论而提出的"征候阅读方法"为根据的。这一方法要求在阅读马克思的著作时，不是停留在白纸黑字的"直接阅读"上，而是要竭力去把握隐藏在文章表面背后的深层结构。在他看来，"直接阅读"是建立在经验主义认识论的基础之上的。这种认识论认为，在阅读一篇文章时，文章的意义直接可以理解，即只需阅读白纸黑字就可以理解。例如，在《1844年经济学哲学手稿》中和在《资本论》

---

① ［法］路易·阿尔都塞：《保卫马克思》，顾良译，商务印书馆1984年版，第32页。

中都出现"异化"这个词，既然如此，该词所指的意义在两部著作中都是一样的。

阿尔都塞认为，认识主体和客体之间的"直接阅读"关系是基于本质与现象之间的这样一种关系之上的：通过直接阅读现象把握对象的本质。在他看来，黑格尔的哲学就是这种"直接阅读"的典型。而青年马克思的阅读理论深受黑格尔这种阅读理论的影响，《1844年经济学哲学手稿》时的青年马克思一下子就透过人的本质的异化直接读出了人的本质，相反，《资本论》却保持了相当的距离。在《资本论》中进行直接阅读所能达到的顶点就是拜物教。马克思之所以成为马克思，归根到底就是通过破除"直接阅读"的宗教神话而完成的。

阿尔都塞指出，在马克思那里，阅读不是读者和文章之间的直接关系，不是主体借助适当敏锐的目光直接可以把握文章的本质和意义，而是要把握隐藏在字里行间背后的并决定着文章本质和意义的理论框架，即"总问题"。所谓总问题，就是指"一个思想以及这一思想所可能包括的各种思想的特定的具体结构"。[1]"正是总问题的概念在思想的内部揭示了由该思想的各个论题组成的一个客观的内在联系体系，也就是决定该思想对问题作何答复的问题体系。因此，为了从一种思想的内部去理解它的答复的含义，必须首先向思想提出包括各种问题的总问题。"[2] 它是"一定的可能性的绝对条件，因此就是在科学的一定阶段整个问题借以提出的诸形式的绝对规定"。[3] 而"科学只能在一定的理论结构即科学的总问题的场所和视野内提出问题"。[4] 但总问题不是一目了然的，它隐藏在思想深处，在思想深处起作用，只有借助于"征候阅读方法"，即透过文字表面，把缺失、空白、疏漏、沉默的意义辨认出来，并揭示出不可见的话语之间的内在联系和结构，才能把它挖掘出来。

借助于"征候阅读方法"，阿尔都塞对马克思的思想发展过程作出独到的解释，尤其是关于马克思早期思想与后期思想之间的关系问题作出与众不同的

---

① [法]路易·阿尔都塞：《保卫马克思》，顾良译，商务印书馆1984年版，第49页。

② [法]路易·阿尔都塞：《保卫马克思》，顾良译，商务印书馆1984年版，第47页。

③ [法]路易·阿尔都塞、艾蒂安·巴里巴尔：《读〈资本论〉》，李其庆、冯文光译，中央编译出版社2001年版，第17页。

④ [法]路易·阿尔都塞、艾蒂安·巴里巴尔：《读〈资本论〉》，李其庆、冯文光译，中央编译出版社2001年版，第17页。

解释。在《保卫马克思》中，阿尔都塞对把马克思早期思想和后期思想看作一以贯之的观点提出了尖锐的批评。不论是把后期思想看作是早期著作合乎逻辑的结果，还是以后期著作为参照系从后往前的回溯方法，在他看来都是成问题的，都包含了目的论方法，其"最高表现"是"源泉论"或"提前论"。

"源泉论"或"提前论"是以悄悄地起作用的三个理论前提为基础的。第一个前提是分析性前提：根据这个前提，任何理论体系，任何思想结构都能够还原为各自的组成部分；在这个条件下，人们就可以对理论体系中的某一个成分单独进行研究，也可以把它与属于另一个体系的另一个类似成分相比较。第二个前提是目的论前提：这个前提建立了一个历史的秘密法庭，对交给它审理的观念作出判决，它甚至还可以把（其他）体系分解为组成部分，确认它们作为成分的资格，然后根据自己的真理性标准去衡量它们。最后，第三个前提是前两个前提的基础，它把观念的历史看作自己的组成部分；它认为，历史上发生的一切归根结蒂无不是观念历史的产物，观念世界本身就是观念自己的认识原则。

阿尔都塞分析说，按照这种方法，似乎青年马克思的理论发展史要求把青年马克思的思想还原为"成分"：唯物主义成分与和唯心主义成分。例如，马克思为《莱茵报》撰写的文章虽然还具有黑格尔思想的外在形式，但其中包含一些唯物主义的成分；又如1843年的《黑格尔法哲学批判》虽然使用了带有费尔巴哈色彩的或依旧是黑格尔的表达，但显然也包括了一些唯物主义的成分。这就是阿尔都塞所说的"分析性前提"。在他看来，除非在阅读这些文章时带有倾向性，即根据目的论的需要去阅读，否则就无法割裂思想的内在联系而把思想分割为互不相关的成分，并把这些成分当作本身有意义的实体去思考。阿尔都塞指出："把一篇论文肢解为已经是唯物主义的成分和还是唯心主义的成分，不能保持论文的整体性，而这种肢解恰恰是通过成熟时期著作的内容来阅读青年时期著作造成的。由此可见，成熟时期马克思主义的法庭，目的论的法庭，对马克思的早期著作做出判决，决定把这些著作肢解为成分，只能破坏它们的整体性。"[①] 这就是所谓"目的论前提"。由此又导出第三个前提即观念世界本身就是观念自己的认识原则。阿尔都塞分析说，分析目的论的秘密在于："这个不停在做出判决的方法，却对不同于自己的整体不能做出任何判

---

① [法] 路易·阿尔都塞：《保卫马克思》，顾良译，商务印书馆1984年版，第37页。

决。这岂不等于承认：分析目的论只是在自我判决，只是通过它所研究的对象重新认识自己；它永远不能离开自己，它所要研究的发展，归根结蒂是研究自己在自己内部的发展。对于以上极而言之地用逻辑推理所叙述的方法，如果有人说它恰恰是辩证法的话，我将回答说：是的，这可算是辩证法，但这是黑格尔的辩证法。"①

与"源泉论"或"提前论"相反，阿尔都塞提出了自己的三条阅读原则：第一，每种思想都是一个真实的整体并由其自己的总问题从内部统一起来，因而只要从中抽出一个成分，整体就不能不改变其意义。第二，每个独特的思想整体（这里指的是某个具体个人的思想）的意义并不取决于该思想同某个外界真理的关系，而取决于它同现有意识形态环境，以及同作为意识形态环境的基地并在这一环境中得到反映的社会问题和社会结构的关系：每个独特思想整体的发展，其意义不取决于这一发展同被当作其真理的起点或终点的关系，而取决于在这一发展过程中该思想的变化同整个意识形态环境的变化，以及同构成意识形态环境基地的社会问题和社会关系的变化的。第三，推动独特思想发展的主要动力不在该思想的内部，而在它的外部，在这种思想的此岸，即作为具体个人出现的思想家，以及在这一个人发展中根据个人同历史的复杂联系而得以反映的真实历史。

根据这些原则的要求，阿尔都塞认为，要研究马克思的思想发展，需要去把握在马克思每一个时期著作中起作用的"总问题"。要从"总问题"出发来判断马克思每一篇著作中有机整体的思想。根据这一思路，阿尔都塞提出自己对马克思思想发展的理解。他把马克思思想史划分为四个阶段：第一个阶段是青年时期的著作，包括从博士论文到《1844 年经济学哲学手稿》期间的著作在内；第二个阶段是断裂时期的著作，包括马克思在 1845 年的著作，即《关于费尔巴哈的提纲》和《德意志意识形态》，在这两篇著作中，第一次出现了马克思的新的总问题；第三个时期是成长时期的著作，包括 1845 年至 1857 年间的著作，如《共产党宣言》、《哲学的贫困》等；第四个时期是成熟时期的著作，包括 1857 年以后的所有著作。

阿尔都塞认为，马克思青年时期的著作有两个小阶段，第一小阶段是为《莱茵报》撰文的理性自由主义阶段（1842 年前）；第二小阶段是 1842 年至

---

① ［法］路易·阿尔都塞：《保卫马克思》，顾良译，商务印书馆 1984 年版，第 40 页。

1845 年间的理性共产主义阶段。第一阶段著作中存在一个康德和费希特的总问题，第二小阶段则是建立在费尔巴哈的人本学总问题的基础上。在这种划分中，阿尔都塞极大地贬低黑格尔在马克思思想发展过程中的影响，他认为，在马克思著作中，受黑格尔的总问题影响的著作只有一部，即《1844 年经济学哲学手稿》，严格地说，这部著作实际上是要用费尔巴哈的假唯物主义把黑格尔的唯心主义"颠倒"过来。由此产生了一个奇怪的结果：除了他的意识形态哲学时期的最后一部著作外，青年马克思实际上（学生时代的博士论文不算在内）从来不是黑格尔派，而首先是康德和费希特派，然后是费尔巴哈派。因此，广为流传的所谓青年马克思是黑格尔派的说法是一种神话。相反，种种事实表明，青年马克思在同他"从前的哲学信仰"决裂的前夕，却破天荒地向黑格尔求助，从而产生了一种为清算他的"疯狂的"信仰不可缺少的、奇迹般的理论"逆反应"。在这以前，马克思一直同黑格尔保持距离；马克思在大学期间曾学习过黑格尔著作，他后来转到了康德和费希特的总问题，接着又改宗费尔巴哈的总问题，这个转变只能说明，马克思不但不向黑格尔靠拢，而是离他越来越远。依靠康德和费希特的帮助，马克思倒退到了 18 世纪末；依靠费尔巴哈的帮助，他退到了 18 世纪理论历史的中心，因为费尔巴哈确实可算是 18 世纪的"理想"哲学家，是感觉论唯物主义和伦理历史唯心主义的综合，是狄德罗和卢梭的真正结合。阿尔都塞写道："人们不禁会问，马克思通过《1844 年经济学哲学手稿》在最后关头突然完全回到黑格尔那儿去，他对费尔巴哈和黑格尔所作的这一天才综合，是否就像把分别处在理论磁场两极的物体放在一起而引起的一场爆炸，而马克思就在这场极其严峻的经历中，就在'颠倒'黑格尔这一为前人没有从事过的最彻底的考验中，就在马克思从没有发表的这部著作里，实际上体验了和完成了他的转变？谁要对这一奇妙转变的逻辑有一定的认识，他就必须看到《1844 年经济学哲学手稿》理论内容的丰富，并首先要懂得，从理论上讲，这部可以比作黎明前黑暗的著作偏偏是离即将升起的太阳最远的著作。"[①]

关于断裂时期，阿尔都塞认为，马克思在其思想发展过程中，存在着一个"认识论上的断裂"，这一断裂的位置就是他生前未曾发表的《德意志意识形态》，而《关于费尔巴哈的提纲》则是这个断裂的前岸。通过这一断裂，马

---

① ［法］路易·阿尔都塞：《保卫马克思》，顾良译，商务印书馆 1984 年版，第 16—17 页。

克思在创立历史科学（历史唯物主义）的同时，清算了以往的哲学信仰，从而创立了一种新哲学（辩证唯物主义）。认识论上的断裂把马克思的思想分成两个阶段，断裂前为意识形态阶段，断裂后为科学阶段。在前一个阶段，马克思的思想还未突破意识形态的氛围，其思想是不成熟的、前科学的；在后一个阶段，马克思的思想抛弃了意识形态的总问题，在现实的基础上，形成了自己的科学理论的独特总问题。

根据阿尔都塞的看法，这一总问题主要体现在：（1）制定出建立在崭新概念基础上的历史理论和政治理论，这些概念是：社会形态、生产力、生产关系、上层建筑、意识形态、经济起最后决定作用等等；（2）彻底批判任何哲学人道主义的理论要求，即拒绝关于一般人的本性的任何概念，否认人的本质是历史的主体；（3）把人道主义确定为意识形态，而意识形态只是起实践功能的社会整体的一个领域。

二、"多元决定"：对马克思历史观的解释

"多元决定"论是阿尔都塞为解释马克思主义历史观而提出的观点。"多元决定"这一概念是建立在阿尔都塞对马克思辩证法与黑格尔辩证法之间区别的独特看法基础之上的。

阿尔都塞认为，马克思所表述的把黑格尔辩证法"倒过来"、"剥去外壳"只是一种比喻和象征的意义，并不是问题的解答。决不能据此论推出，马克思与黑格尔的区别仅仅在于把同一种辩证法应用于两个不同的领域：黑格尔把辩证法应用于观念世界，而马克思则把辩证法应用于物质世界，这是由于，所谓黑格尔的"神秘外壳根本不是思辨哲学、'世界观'或'体系'，不是一种可被认为同方法相脱离的成分，而是本身就属于辩证法"，[①] 换言之，神秘外壳"是与黑格尔辩证法同质的一种内在成分"。这是因为，不能想象黑格尔的"意识形态"在黑格尔自己身上竟没有传染给辩证法的本质，因而也不能想象黑格尔的辩证法一旦剥去外壳就可以奇迹般地变成马克思的辩证法。如果说马克思的辩证法在本质上不同于黑格尔，那不仅在于马克思剥除了黑格尔的第一层外壳

① ［法］路易·阿尔都塞：《保卫马克思》，顾良译，商务印书馆1984年版，第70页。

即体系，而且还在于剥去了黑格尔的第二层外壳，即与辩证法本身不可分离的一层皮。也就是说，破除神秘形式，不仅在于剥其外壳取其内核，而且同时要改造这一内核的结构本身。其结果，"黑格尔辩证法的一些基本结构，如否定、否定之否定、对立面的统一、'扬弃'、质转化为量、矛盾等等，到了马克思那里（假定马克思接受了这些规律，事实上他并没有全部接受！）就具有一种不同于原来在黑格尔那里的结构。"①

基于这种看法，阿尔都塞在思考马克思主义矛盾概念时，竭力证明与黑格尔辩证法不同的马克思的矛盾结构。为此，他从弗洛伊德的《梦的解析》中借用来"多元决定"的概念来确认马克思的矛盾特性。按照阿尔都塞的分析，黑格尔的矛盾概念是简单的、没有主导结构的原始统一体，即一元决定的；而马克思的矛盾概念则是复杂的、具有主导结构的、不平衡的统一体，即"多元决定"的。

在马克思那里，原始简单的统一体消失了，代之以有结构的复杂整体。在黑格尔那里，一切表面上复杂过程的要素都是简单矛盾发展的结果，而在马克思那里，"简单过程不但不是原始的过程，而且在一定条件下，它无非是复杂过程的产物"，"正是有结构的整体才能赋予简单范畴以意义"。② 阿尔都塞认为，马克思在《政治经济学批判导言》中充分论证了这样的观点："简单过程只存在于复杂的结构之中，简单范畴的普遍存在从不是原始存在。它只是在一个历史长过程的结尾，作为一个错综复杂的社会结构的产物而出现；因此，我们在现实中永远遇不到单纯的简单性（不论是简单的本质或简单的范畴），而只是遇到复杂的、有结构的过程，只遇到存在和'具体'。正是这个根本原则才彻底驳倒了黑格尔矛盾的母型"。③ 进而推知，马克思的总体决不是简单的，而是复杂的、有结构的整体，总体的各个要素就其作为构成总体的成分而言具有同等的地位。也就是说，"每个矛盾、结构的每个基本环节、主导结构中各环节间的一般关系，都是复杂整体的本身的存在条件"，④ 它们之间构成一个不可分割的整体。组成统一体的各要素是相互规定，同时又是相对自主独立的，次要矛盾不是主要矛盾的现象，而是主要矛盾的存在条件，矛盾次要方面不是

---

① ［法］路易·阿尔都塞：《保卫马克思》，顾良译，商务印书馆1984年版，第71页。
② ［法］路易·阿尔都塞：《保卫马克思》，顾良译，商务印书馆1984年版，第168页。
③ ［法］路易·阿尔都塞：《保卫马克思》，顾良译，商务印书馆1984年版，第168页。
④ ［法］路易·阿尔都塞：《保卫马克思》，顾良译，商务印书馆1984年版，第176页。

矛盾的主要方面的现象，而是矛盾主要方面的存在条件。因此，虽然在复杂结构的整体中各个要素具有主从关系。但却不能把其中任何一个要素还原为或归结为另一个要素。

正因为整体是一个不可分割而又不可还原的复杂整体，因此，决不会只有单一的矛盾在起作用。相反，在复杂整体的过程中，各种互相联系的矛盾都发挥了不可忽视的作用。主要矛盾虽然起决定性的作用，但这种作用是通过结构整体而实现的，所有矛盾都在促使事件发生的过程中起了本质的作用，这正是有结构的统一体的本质特征。阿尔都塞对此指出："总之……有许许多多的矛盾在起作用，而且为同一个目的在起作用，尽管这些矛盾的产生原因、意义、活动场合和范围不尽相同，有些矛盾甚至根本不同，但它们却'汇合'成为一个促使革命爆发的统一体，因而不能再说只是一般矛盾单独在起作用。……人们不能认为这些'矛盾'以及它们的'汇合'仅仅是基本矛盾的简单现象。……也就是说，在各有关领域中活动的'不同矛盾'（……）虽然汇合成为一个真实的统一体，但并不作为一个简单矛盾的内在统一体中的简单现象而'消失'。这些'不同矛盾'之所以汇合成为一个促使革命爆发的统一体，其根据在于它们特有的本质和效能，以及它们的现状和特殊的活动方式。它们在构成统一体的同时，重新组成和实现自身的根本统一性，并表现出它们的性质：矛盾是同整个社会机体的机构分不开的，是同该结构的存在条件和制约领域不可分割的；'矛盾'在其内部受到各种不同矛盾的影响。它在同一项运动中既规定着社会形态的各方面和各领域，同时又被它们所规定。我们可以说，这个'矛盾'本质上是多元决定的"。①

阿尔都塞引入"多元决定"的概念力图证明，经济基础和上层建筑不存在不言而喻的本质等同性，历史运动中的一切要素：生产力、生产关系、政治法律制度、意识形态、外部环境等构成一个相互关系、彼此制约的复杂结构整体，任何一个环节、要素，都是社会整体的存在条件，其中经济因素起着归根到底的决定作用，但上层建筑不是社会经济结构的简单现象，相反，它本身参与历史的必然性和偶然性，正因为如此，才形成了社会形态不平衡的关系，而革命的可能性就依赖于这种不平衡关系所产生的特殊条件，这样，"经济的辩证法从不以纯粹的状态起作用；在历史上，上层建筑等领域在起了自己的作用

---

① ［法］路易·阿尔都塞：《保卫马克思》，顾良译，商务印书馆1984年版，第78页。

以后从不恭恭敬敬地自动引退，也从不作为单纯的历史现象而自动消失，以便让主宰一切的经济沿着辩证法的康庄大道前进。无论在开始或在结尾，归根到底起决定作用的经济因素从来都不是单独起作用的"。①

在《读〈资本论〉》和其他文章中，阿尔都塞提出"结构因果观"的概念，以此来确认"多元决定"论所确立的整体与各要素之间的结构关系及其认识论上的意义。他提出："通过何种概念人们可以思考新的决定类型，也就是……由区域结构决定这一区域的现象？更一般地说，用何种概念和何种概念体系人们可以思考结构的各个要素、这些要素之间的结构关系以及这些关系的一切后果由这一结构的作用决定？进一步说，用何种概念和通过何种概念体系人们可以思考从属的结构由支配的结构决定？或者说，如何说明结构的因果性概念？"②阿尔都塞反对传统占统治地位的经验主义的线性因果观和理性主义的现象因果观。他认为，线性因果观是一种机械论的观点，它把原因和结果看作单线性的一物及于另一物的传递关系，这种模式源于伽利略、笛卡尔，又为考茨基、布哈林等人所推崇；另一种因果观的模式是把所有结果都看作是一个内在本原的衍生物，虽然它可以描写整体对于部分的优越性，但这一整体却是没有结构的。这种因果观在莱布尼茨、黑格尔那里得到典型表现，又为卢卡奇、柯尔施等人所摹仿。由这些模式的因果观可以推出两种阅读本质的理论：线性因果观把本质看作隐藏现象背后等待人们去搜索的直接可接近的存在，现象因果观则把现象看作本质的假象。阿尔都塞认为，与上面两种因果观不同，马克思主义因果观是一种结构因果观。结构因果观把本质变成疏散在它的要素中的结构，变成一种内在于它的结果中的原因，作用不是外在于结构的，作用不是结构会打上自己的印记的那些预先存在的对象、要素、空间。用斯宾诺莎的话来说，全部结构和存在在于它的作用，总之，结构只是它自己的要素的特殊的结合，除了结构的作用，它什么也不是。

在"多元决定"理论中，阿尔都塞一方面既强调社会整体各个部分的相对独立性，另一方面又坚持历史的统一性，为此，他引进"主导结构"概念力图解决这个问题，阿尔都塞极力表白，他否定黑格尔原始的和普遍的简单本质的

①　[法] 路易·阿尔都塞：《保卫马克思》，顾良译，商务印书馆1984年版，第90—91页。
②　[法] 路易·阿尔都塞、艾蒂安·巴里巴尔：《读〈资本论〉》，李其庆、冯文光译，中央编译出版社2001年版，第216页。

统一体时，并不"为了迎合'多元论'而牺牲统一性"，而是断言，"马克思讲的统一性是复杂整体的统一性，复杂整体的组织方式和构成方式恰恰就在于它是一个统一体。……复杂整体具有一种多环节主导结构的统一性"①。

为了论证"具有一种多环节主导结构的统一性"，阿尔都塞引述了毛泽东在《矛盾论》中提出的关于在一个复杂的事物过程中必有一个主要矛盾和在任何矛盾中必有一个主要方面的观点。进而引申：在整体中有一个主要矛盾支配其他矛盾和在矛盾中有一个主要方面决定次要方面，这就意味着整体势必是复杂的。复杂整体的统一性完全不同于黑格尔。正如以上已经指出的，黑格尔整体中的所有差异都是简单内在本原的显示，因而一概没有资格充当主导的矛盾。但一个复杂的有结构的整体，却明显地存在着主从关系，也就是说，各个矛盾互相差异，地位不等，其中有一个处于主导支配地位。阿尔都塞称这一处于支配地位的矛盾为"主导结构"。在他看来，主导结构的存在并不重复黑格尔的统一体，因为主导结构并不是产生各种差异的原始内在本原。相反，它本身必须被放置到整体中才能被理解。这也就是说，主导结构与其他结构处于一种必然的联系之中。阿尔都塞对此指出："说一个矛盾支配其他矛盾，这意味着该矛盾所处的复杂整体是个有结构的统一体，而在这种结构中，各矛盾间存在着明显的主从关系。因为，在马克思主义看来，一个矛盾对其他矛盾的支配，不可能是由于人们把不同的矛盾集合成为一个对象而造成的一种偶然布局。在包含'一系列矛盾'的复杂整体中，人们不能象在体育场的看台上找出比其他观众高出一头的观众那样，'找出'一个支配其他矛盾的矛盾。一个矛盾支配其他矛盾，这不是一个无足轻重的简单事实，它是一个关系到复杂整体本质的事实。所以，复杂整体本质上包含着一个矛盾支配其他矛盾，这种支配从属于复杂整体的结构。"②这样就有两种不同的统一性：黑格尔的统一性与马克思的统一性，前者是简单的、没有主从之分的统一体，后者则是复杂的、具有支配地位的"主导结构"的统一体。而"主导结构是使实在的复杂整体成为统一体的绝对条件"。③

阿尔都塞反对把经济的决定作用理解为一劳永逸地把各因素的实质和地位

---

① ［法］路易·阿尔都塞：《保卫马克思》，顾良译，商务印书馆1984年版，第174页。

② ［法］路易·阿尔都塞：《保卫马克思》，顾良译，商务印书馆1984年版，第173页。

③ ［法］路易·阿尔都塞：《保卫马克思》，顾良译，商务印书馆1984年版，第176页。

确定下来，即归根到底的决定作用始终处于主导支配地位，矛盾的这一"方面"（生产力、经济、实践）必定起主要作用，而另一"方面"（生产关系、政治、意识形态、理论）必定起次要作用。值得注意的是，作为对问题的解决，阿尔都塞是通过把决定作用与主导支配作用加以区分。归根到底由经济所起决定作用在真实的历史中恰恰是通过经济、政治、理论等交替起第一位作用而实现的。[①]"……'归根到底的矛盾'从不亲自出现在历史舞台上（'最后决定的钟声将永远不会敲响'），人们不能把矛盾作为'当事人'直接抓住"。[②] 经济作为最终的原因只能从辩证的意义上来理解，即把它理解为决定历史中哪一个环节在真实历史中起主导支配地位的最终原因。阿尔都塞力图通过"多元决定"确定这样一种观点：经济作为最终原因是固定不变的主导结构，然而在结构中的各个矛盾的地位却在不断交替。主要矛盾变为次要矛盾，一种次要矛盾上升到主要地位，矛盾的主要方面变为次要方面，一个次要方面变为主要方面。始终存在着一个主要矛盾和一些次要矛盾，但在固定不变的主导结构中，主要矛盾和次要矛盾在各个环节上交换位置。他把这种状况称为矛盾发展的"不平衡原则"。

为了说明他的观点，阿尔都塞援引了马克思在《资本论》中的一段话作为论据。马克思写道："可是据上述报纸说，这个观点固然适用于物质利益占统治地位的现今世界，但却不适用于天主教占统治地位的中世纪，也不适用于政治占统治地位的雅典和罗马。首先，居然有人以为这些关于中世纪和古代世界的老生常谈还会有人不知道，这真是令人惊奇。很明白，中世纪不能靠天主教生活，古代世界不能靠政治生活。相反，当时的经济条件表明，为什么在中世纪天主教起着主要作用，而在古代世界政治起着主要作用。例如，只要对罗马共和国的历史稍微有点了解，就会知道，地产的历史构成罗马共和国的秘史。另一方面，人人都知道，唐·吉诃德由于相信游侠生活可以同任何社会经济形式并存而付出了代价。"[③]

在《读〈资本论〉》中，阿尔都塞的学生及合作者艾蒂安·巴里巴尔还通过对资本主义生产方式同封建生产方式进行比较来说明对经济起归根结底决

---

① ［法］路易·阿尔都塞：《保卫马克思》，顾良译，商务印书馆1984年版，第184页。

② ［法］路易·阿尔都塞：《保卫马克思》，顾良译，商务印书馆1984年版，第236页。

③ 马克思：《资本论》法文版第1卷，中国社会科学出版社1983年版，第61页。

定作用的理解：在资本主义生产方式中，劳动和剩余劳动的过程"在时间上和空间上"是一致的，这是生产方式（经济层次）的内在特性。这种一致性本身就是资本主义生产方式固有的生产过程的各个因素之间结合的形式，即所有权和实际占有这两种关系的形式所产生的结果。而这个社会结构中的相应的"转化形式"，即各阶级之间的关系的形式都是直接的经济形式（利润、地租、工资、利息），这意味着，在这一领域中，国家是不起干预作用的。

而在封建的生产方式中，劳动和剩余劳动这两个过程"在时间上和空间上"是分离的。这也同样是生产方式（经济层次）的内在特性，是这种生产方式固有的结合形式（在这里，所有权关系是以"占有"和"所有权"的双重形式出现的）所产生的结果。在这种情况下，如果没有"超经济的"原因，没有"统治和奴役的关系"，剩余劳动就不可能被榨取。因此，我们在对封建生产方式中的"转化形式"本身进行分析以前就可以得出结论说，这些形式并不单独是经济基础的转化形式，而且也是"统治和奴役关系"的转化形式。它们不是直接的经济的转化形式，而且也是直接的政治和经济的不可分离的转化形式。最后，这也意味着，不同的生产方式不是由同质的要素结合成的，因而不允许根据诸如"经济"、"法"、"政治"来作出不同的划分和定义。

巴里巴尔由此得出结论说，上述不同说明了经济最终决定的原则：在各种不同的结构中，经济是起决定作用的，因为它决定着社会结构各个层次中占据决定地位的那个层次。这里不是简单的关系，而是结构性的因果关系。在资本主义生产方式中，经济本身占据着这个位置，但在每一种生产方式中，我们都必须对"转化形式"进行分析。

三、马克思主义"是反历史主义的"

在《读〈资本论〉》中，阿尔都塞十分明确地指出："从理论的角度来看，马克思主义既不是历史主义，也不是人道主义；在许多情况下，人道主义和历史主义都是建立在同一意识形态总问题之上的；从理论的角度来说，马克思主义由于是在唯一的认识论的断裂的基础上建立起来的，所以同时既是反人道主义又是反历史主义的。严格地讲，我应该说马克思主义是非人道主义和非历史主义。"① 阿尔都塞声称，四十多年来（也就是指自卢卡奇以来），人道主义和历史主义在某些领域一直在威胁着马克思主义。

"马克思主义是反历史主义"这一观点是阿尔都塞在评论马克思同古典经济学家的区别时提出来的。在《读〈资本论〉》中，阿尔都塞承认，从《哲学的贫困》到《资本论》，马克思对古典经济学家的根本责难是，在他们那里，资本主义经济范畴是非历史的、永恒的、固定不变的和抽象的概念，因此，必须赋予这些范畴以历史的性质才能说明和理解它们的相对性和暂时性。但阿尔都塞评论说，对古典经济学的这一批判并不是马克思最终的真正的批判，它依然只是表面的和模棱两可的。他指出，由于马克思在理论上对自身判断的不完备性而导致了极为严重的误解，这种误解不仅产生在那些蓄意攻击他的对手中间，而且首先产生在他的支持者中间。这种误解就是，他们都毫无疑义地把马克思主义称作历史主义。

阿尔都塞认为，这个误解直接涉及马克思同黑格尔的关系，直接涉及辩证法和历史的概念。在阿尔都塞看来，历史主义完全是黑格尔所属的"意识形态"命题。因而他认为，如果承认马克思主义是历史主义，那就意味着可以从黑格尔那里借用历史概念而毫无任何困难地直接输给马克思。阿尔都塞指出，假如说马克思主义同古典经济学的区别仅仅在于后者把经济范畴看作固定的、绝对的和永恒的，而前者则把经济范畴看作相对的、暂时的和过渡的，那就意味着马克思是用黑格尔的辩证方法去思考业已构成的内容。即外在于对象的、预先存在的方法被强加于一个预先决定的对象上，即在理论上勉强地把某种与自己的对象无关的方法与它的对象结合起来，在它们之间建立起一致性。而在阿尔都塞看来，内容和方法是不可分离的，因此外在的方法与业已存在的内容之间建立起来的这种一致性是一种意识形态的概念。

按照阿尔都塞的理解，所谓历史主义不过是黑格尔绝对观念在历史时代性上的体现。在《读〈资本论〉》中，阿尔都塞对黑格尔的历史概念即"历史时代概念"进行了详尽的分析。黑格尔把"历史时代"规定为"定在的概念"，即在其直接的经验的存在中的概念。在黑格尔看来，历史时代只是体现概念（绝对观念）发展的一个环节的历史整体的内在本质在时间连续性中的反映。

---

① ［法］路易·阿尔都塞、艾蒂安·巴里巴尔：《读〈资本论〉》，李其庆、冯文光译，中央编译出版社 2001 年版，第 134—135 页。

根据黑格尔同样可以认为，历史时代只反映作为历史时代的存在的社会整体的本质。

阿尔都塞指出，黑格尔的历史时代有两个基本特征：其一是同质连续性；其二是时代的同时代性或历史现存范畴。在黑格尔那里，时代的同质连续性是绝对观念辩证发展的连续性在现存中的反映。因此，历史时代可以被看作是一个连续统一体，换言之，这一时代连续统一体体现了绝对观念发展过程的连续性。由此，整个历史科学的问题就被归结为：依据相应于前后跟随的辩证总体连续的阶段来精确划分这一时代连续体，绝对观念就存在于被划分的一系列历史阶段中。而既然历史时代是绝对观念发展连续性的体现，那么不言而喻，历史的任何时期都是表现同一本质的，整个历史也就可视为一部同质的历史。

同质连续性是从纵向角度而言的时代特性。如果从横向角度来看，黑格尔的历史时代性则表现为同时代性，也即历史现时性范畴。阿尔都塞认为，如果历史时代是社会总体的存在，那么，就必须对这一存在的结构进行考察。因为正是第二个范畴构成了第一个范畴可能性的条件。换言之，历史过程的同质连续性，是以每一个现时性历史存在结构的同质性为前提的。黑格尔的历史存在结构正是如此。在他的历史存在结构中，整体的所有要素总是共同存在于同一个时代，共同存在于同一个现时，相互之间处于一种直接的关系中，并且表现同一个"本质切面"。换句话说，黑格尔的社会总体的历史存在结构允许有一个"本质切面"的存在，而整体的所有要素都是这一"本质切面"的直接表现，从而整体的各个部分相对于"本质切面"完全是等价的，总体的各个部分都是"总体的部分"。每一部分都表现另一部分，每一部分同时又都表现它们所属的社会总体。在黑格尔那里，这一"本质切面"也就是他所设立的超然的、绝对的理性精神。由此，社会形态的统一性也就在于：把社会整体的各种实践都看作是绝对观念的表现，看作精神本质的简单现象，而观念以"本质切面"的身份存在于所有这些组成部分中。这样，历史现时性的社会结构的同质性问题也就轻而易举地解决了。而这种同质性恰好构成了历史时代性另一基本特征可能的条件。阿尔都塞指出："当我们谈到黑格尔的理念发展环节时，我们必须注意，理念这个术语会使我们回到两种意义上的统一性：回到作为发展环节的环节（它引起时代的连续性和分期的理论问题）；回到作为时代环节的环节，这个环节作为现实存在不过是概念自身在其一切具体规定中现实存在的现象。"①

　　依据阿尔都塞的分析，所谓历史主义也就是：把历史理解为在纵向上的同质连续过程和在横向空间上各要素共同出现的同质性的统一，而后者是前者可能的前提。阿尔都塞指出：一切历史主义的基本结构是同时代性，这种同时代性提供了在本质切面中进行阅读的可能性。②

　　在批判黑格尔历史时代概念即历史概念的基础上，阿尔都塞用结构主义方法对马克思的"历史时代概念"作如下解释："历史时代概念只能建立在属于一定生产方式的社会形态所构成的社会整体的起主导作用并具有不同联系的复杂结构的基础之上，历史时代概念的内容只能被确定为或者作为整体或者在各个'层次'上被考察的这一社会整体的结构"。③在这种复杂整体的结构中，不再具有同时代性的特征，不可能在其中找到一个可以把整体的各组成部分还原为它的现象的"本质切面"。

　　这意味着，在马克思那里，不再有享有特权的现实存在，即在那里整体在"本质切面"中是可见的和可以阅读的。同理，如果说不再有享有特权的现实存在，那么，意味着一切现实存在都成了享有特权的存在。因此，历史时代的每一个现实存在都具有一个可以对其进行同时代性"本质切面"的结构。由于马克思主义的整体和黑格尔的整体具有不同的结构，特别是马克思主义的整体所包含的各个不同层面或层次并不是直接地互相表现，因此，只有把这些不同的层面或层次联系起来，使每一个现实存在同所有其他现实存在相互一致，从而成为"同时代的"，才能够对马克思主义的整体进行"本质的切割"。但这样一来，实际上是把马克思主义的整体降低为黑格尔的整体的变种。根据阿尔都塞看法，如果说把马克思主义看作是历史主义的话，实际上意味着理论上的倒退，即向黑格尔意识形态的历史主义概念的倒退。因此，阿尔都塞指出："不能在黑格尔的现存的同时代性范畴中来思考这一整体的存在。不同的结构层次、经济、政治和意识形态等等的共同存在，从而经济基础，法的和政治的上

---

① [法] 路易·阿尔都塞、艾蒂安·巴里巴尔：《读〈资本论〉》，李其庆、冯文光译，中央编译出版社 2001 年版，第 104—105 页。

② [法] 路易·阿尔都塞、艾蒂安·巴里巴尔：《读〈资本论〉》，李其庆、冯文光译，中央编译出版社 2001 年版，第 157—158 页。

③ [法] 路易·阿尔都塞、艾蒂安·巴里巴尔：《读〈资本论〉》，李其庆、冯文光译，中央编译出版社 2001 年版，第 121 页。

层建筑，意识形态和理论形式（哲学、科学）的共同存在不能够再在黑格尔的现存的共同存在中被思考。"①

　　阿尔都塞在分析马克思历史时代概念即历史概念时，完全否认了同时代性的特征。他认为，马克思的整体是由不同层次的结构联结成的复杂整体。不同的结构层次、经济、政治和意识形态等等的共同存在，从而经济基础、法的和政治的上层建筑、意识形态和理论形式（哲学、科学）的共同存在不能再在黑格尔的现实存在的共同存在中被思考。阿尔都塞指出，组成社会整体的各个层次都是相对独立、相对自主的，因此我们不能在"同一历史时代"中把它们作为表现同一本质的整体来思考。这些不同"层次"的历史存在不属于同一类型。相反，我们必须赋予每一个层次以相对自主的特有的时代，每一种生产方式都有自己固有的、以生产力的发展为特殊标志的时代和历史；都有自己固有的特殊的生产关系的时代和历史；都有自己固有的政治和上层建筑的时代和历史；都有自己固有的哲学的时代和历史；都有自己固有的美学生产的时代和历史；都有自己固有的科学形态的时代和历史；等等。这些特有的历史层次都有自己特殊的节拍，有它自己的连续发展、革命、断裂。这些时代中的每一个时代以及这些历史中的每一个历史都是相对自主的。

　　阿尔都塞在否认历史各个层次同时代性时，并不愿牺牲整体的历史时代性，如同他不愿否定历史的统一性一样。在强调各个层次相对独立性的时代后，阿尔都塞紧接着就说，每一层次的时代和历史都具有相对自主性这一事实不能使它们成为独立于整体的诸多领域，它们的相对自主性和独立性是建立在对整体依赖性基础之上的，每一个层次的时代和历史的独立性程度和方式决定于它们在整体的连接中依赖性程度和方式。阿尔都塞指出："因此，每一个时代和每一个历史的独立性的方式和程度都必然是由每一个层次在整体的全部联系中的依存性的方式和程度所决定的，对一个历史和一个层次的'相对'独立性的理解，决不能归结为对空洞的独立性的积极的肯定，也不能归结为对自在的依存性的简单否定。理解这种'相对独立性'，也就是规定它的'相对性'，即这样一种依存性，它把这种'相对'独立的方式作为自身的必然结果产生并确定下来；也就是在整体的各部分的结构的联系中，决定这种产生相对独立性

---

① ［法］路易·阿尔都塞、艾蒂安·巴里巴尔:《读〈资本论〉》，李其庆、冯文光译，中央编译出版社 2001 年版，第 110 页。

的依存性，我们将在不同'层次'的历史中来考察这种依存性的作用。"① 阿尔都塞认为，这正是相应于每一层次各自不同的历史有可能和必然建立起来的原则。

据此，阿尔都塞这样来规定历史时代的概念。他指出，历史时代概念只能建立在属于一定生产方式的社会形态所构成的社会整体的起主导作用并具有不同联系的复杂结构的基础之上，历史时代概念的内容只能被确定为或者作为整体或者在各个"层次"上被考察的这一社会整体的结构。"只有把历史时代看作我们所考察的社会整体存在的特殊形式，才能赋予历史时代概念以内容。在这种存在中，暂存性的各个结构层次互相发生冲突，因为整体的各个'层次'根据整体的总体结构彼此之间保持着一致、不一致、联系、分隔和结合的关系。"②

阿尔都塞论证说，一方面，我们不可能在这种总体的历史中形成一个"本质切面"，而把不同的暂存性同单线的同一时代联系起来作为后者连续性的诸多非连续性。否则，便会陷入同质连续或自我同时发生性的意识形态的时间中去；另一方面，也不能把这一整体历史看作各个层次相对自主的历史暂存性处于同一个时代内并置而形成的，似乎我们涉及的是一个不规则的、一个呈梯状形或复合齿状形的切面。在这之上，一个层次的时代相对于另一个层次的时代的过去或将来可以在时空中被说明。假使这样的话，我们同样避免不了陷入意识形态时代性中去的危险。因此，必须在复杂结构整体的特定统一性中，才有可能思考不同层次共存于一个历史现时性的过去、将来、现在和发展的不平衡。更清楚地说，必须在复杂整体中的这种那种要素或这样那样结构层次的位置去寻找过去、未来、现在和发展不平衡的最终意义。

阿尔都塞进一步把时代区分为可见性时代与不可见性时代，认为在可见性的时代背后还隐藏着不可见的时代，这种不可见的时代，必须通过构造才能揭示出来。阿尔都塞说，我们不能把自己限于只反映可见的和可度量的时代范围内，而且必须提出隐藏在每一个可见时代表面之下不可见时代的存在方式问题。不可见的时代与可见可度量的日常生活实践的时代有关，但却是不一致

---

① [法] 路易·阿尔都塞、艾蒂安·巴里巴尔：《读〈资本论〉》，李其庆、冯文光译，中央编译出版社 2001 年版，第 111 页。

② [法] 路易·阿尔都塞、艾蒂安·巴里巴尔：《读〈资本论〉》，李其庆、冯文光译，中央编译出版社 2001 年版，第 121—122 页。

的。因此，必须透过可见时代的表面去构造出不可见的时代。阿尔都塞说，在经济、政治、哲学、艺术等各个层次，都有不可见的时代，因而都必须通过构造才能使之显现出来。

与反历史主义立场相应，阿尔都塞把同时性研究与历时性研究对立起来，强调同时性研究的优越性，在《读〈资本论〉》中，他把结构的分析与历史过程的分析区别开来，而后赋予结构分析方法以首要的地位。阿尔都塞说，马克思在研究当代资本主义社会时，采取了矛盾的态度。他首先把现存社会看作是一个由历史产生的结果，从而理解为历史创造的结果。但事实上，他同时还采取了另一种完全不同的态度。为此，阿尔都塞援引马克思的下面论述试图证明这一点：

"问题不在于各种经济关系在不同社会形式的相继更替的序列中在历史上占有什么地位，更不在于它们在'观念上'（蒲鲁东）（在关于历史运动的一个模糊的表象中）的顺序。而在于它们在现代资产阶级社会内部的结构"。①

"每一个社会中的生产关系都形成一个统一的整体。蒲鲁东先生把种种经济关系看做同等数量的社会阶段，这些阶段互相产生，像反题来自正题一样一个来自一个，并在自己的逻辑顺序中实现着无人身的人类理性。

这个方法的唯一短处就是：蒲鲁东先生在考察其中任何一个阶段时，都不能不靠所有其他社会关系来说明，可是当时这些社会关系尚未被他用辩证运动产生出来。当蒲鲁东先生后来借助纯粹理性使其他阶段产生出来时，却又把它们当成初生的婴儿，忘记它们和第一个阶段是同样年老了。

……

谁用政治经济学的范畴构筑某种意识形态体系的大厦，谁就是把社会体系的各个环节割裂开来，就是把社会的各个环节变成同等数量的依次出现的单个社会。其实，单凭运动、顺序和时间的唯一逻辑公式怎能向我们说明一切关系在其中同时存在而又互相依存的社会机体呢？"②

---

① 《马克思恩格斯选集》第 2 卷，人民出版社 2012 年版，第 708 页。
② 《马克思恩格斯选集》第 1 卷，人民出版社 2012 年版，第 222—223 页。

阿尔都塞据此说，马克思研究对象是现实资产阶级社会，这一社会被看作是历史产生的结果，但要理解这一社会，远不能从这一结果的起源理论那里得到，而只能从"机体"即社会现实结构的理论那里得到。在这里无需起源理论以任何方式的介入。他指出，在这里有两个必须被提出和解决的问题的存在：一个必须被提出和解决的问题是历史产生它的结果即当代资本主义社会的机制问题；与此同时，另一个必须被提出和解决的问题是，这一结果正是社会存在的方式而不是其他存在的方式的问题。阿尔都塞认为，这第二个问题也就是《资本论》研究的理论对象。

阿尔都塞依据上面所引的马克思的第二段论述，进一步得出这样的对论："关键问题是：这种共同存在，'社会体系'的各个环节的这种联系，各个环节的互相依存关系不能在'运动、顺序、时间的逻辑'中来考察。""必须把思考的顺序颠倒过来，首先思考整体的特殊结构，才能够理解结构的各个环节和构成关系的共同存在的形式，理解历史的结构本身。"① 由此不难看出，阿尔都塞借用马克思的论述表达了一种强烈的以静态结构分析排斥动态过程分析的倾向。虽然他承认两种分析都有存在的必要，但他明显地把结构分析置于过程分析之上，甚至把两种分析方法加以割裂，将动态过程分析完全排除在结构的分析之外，用阿尔都塞的话说就是：要理解现存的社会，"无需起源理论以任何方式的介入"。

阿尔都塞的学生及合作者巴里巴尔在《关于历史唯物主义的基本概念》一文中根据阿尔都塞的思想，对"过渡"理论作了充分的阐述。巴里巴尔指出，历史科学的最初的运动就是：要克服历史的连续性，因为在这种连续性的基础上不可能出现明显的"断裂"；要把历史建立为一门非连续的生产方式的科学，一门变化的科学。他认为，历史唯物主义（历史科学）包括两大原则：分期的原则和社会结构中不同实践的联系的原则。前者是历时性原则，后者是同时性原则，即由不同平面（层次、实践）所构成的整体，在马克思那里，这种整体有三个层次：经济基础、法的和政治的上层建筑、社会意识形态。至于前者即分期原则，就是按照历史上各个经济结构的时代来划分历史。巴里巴尔认为，这两大原则意味着：首先，我们可以归纳出一切社会结构共有的、绝对不变的

---

① ［法］路易·阿尔都塞、艾蒂安·巴里巴尔：《读〈资本论〉》，李其庆、冯文光译，中央编译出版社 2001 年版，第 108—109 页。

要素（经济基础、法的和政治的形态、意识形态）；其次是时期的分割，以非连续性即暂时不变的各种结构状态来取代历史的连续性；这些结构状态会由于突变（革命）发生变化，但是，引起这种突变的对抗只有通过不变性本身，即通过矛盾双方的连续性才能够说明。这种结构状态就是各种生产方式，社会的历史可以归结为生产方式的非连续性的更替。

根据阿尔都塞和巴里巴尔的观点，一种生产方式向另一种生产方式的过渡，一种社会形态向另一种社会形态的演变，是一种断裂的关系，而不是由前一种生产方式、前一种社会形态内在矛盾运动的结果。在他们看来，一种生产方式的内在矛盾（内在结构）是保持该生产方式稳定的保证，这种内在矛盾决不能成为导致自身消亡的后果。如果一种生产方式被另一种生产方式所取代，那一定是出自内在矛盾之外的原因。因此，从一种生产方式向另一种生产方式的过渡决不可能有承继的关系。

既然如此，那么过渡又是怎样产生的呢？巴里巴尔具体分析了资本主义生产方式的产生。巴里巴尔写道，资本（资本主义的社会关系）与它的形成历史之间存在一个"彻底的断裂"。资本主义产生的前史是属于另一时代的历史，这另一个时代即是封建的生产方式。巴里巴尔进一步指出，在资本起源的历史中承认有一个现实的前史，这就同时提出了这个前史与封建生产方式的历史的关系。而封建生产方式的历史同资本主义生产方式的历史一样，是可以通过它的结构的概念被认识的。换言之，我们应该提出这样的问题：这个前史同封建生产方式的历史是否是同一的或者单纯是依附于它的，甚至是不同的。

巴里巴尔实际上要说明的是，资本主义生产方式有一个产生的历史，这一历史既不从属于资本主义生产方式本身，也不产生于资本主义生产方式所取代的封建的生产方式，尽管这个前史是发生在封建社会中。

巴里巴尔由此得出如下结论：第一，资本主义结构形成之后所具有的统一性不会出现在资本主义结构之前。只要关于生产方式前史的研究采取系谱的形式，那么前史就绝不可能成为结构的单纯的追溯投影。第二，以系谱形式进行的关于原始积累的分析同结构形成过程的基本特征是一致的。这个基本特征就是结构的各个要素的形成、发展到能够结合起来构成（一种生产方式的）结构并从属于这个结构。第三，结构的形成过程是多元的，每一个过程的特点取决于该过程所处的历史领域的结构，即现存的生产方式的结构。

这三点涉及结构形成史同它最终所要形成的结果（新的结构）如资本主义

生产方式之间的关系，涉及这一形成史与它所处的历史环境（旧的结构）如封建生产方式之间的关系，进而，涉及新的结构（资本主义生产方式）与旧的结构（封建生产方式）之间的关系。巴里巴尔的结论是：资本形成过程的相对独立性和历史多样性说明，结构的形成是一种"发现"；资本主义生产方式是通过"发现"它的结构所要结合的现成要素而形成的。这意味着资本主义生产方式的形成与这一形成所需要、"发现"和结合的要素的来源和起源完全无关。系谱没有把结构同结构形成史结合在一起，而是把结构同结构的前史分离了。旧的结构本身并没有自动地演变，相反，它作为旧的结构完全"消失"了。

四、"马克思主义是理论上反人道主义"

在阿尔都塞理论中，最引人注目的是他提出"马克思主义是理论上反人道主义"的命题，而"历史是没有主体的过程"这一思想既是反人道主义命题的直接延伸，同时又是它的依据。

阿尔都塞指出："就理论的严格意义而言，人们可以和应该公开地提出关于马克思的理论反人道主义的问题；而且人们可以和应该在其中找到认识人类世界（积极的）及其实践变革的绝对可能性条件（消极的）。必须把人的哲学神话打得粉碎；在此绝对条件下，才能对人类世界有所认识。援引马克思的话来复辟人本学或人道主义的理论，任何这种企图在理论上始终是徒劳的。"[1]阿尔都塞认为，在马克思独特的思想过程中，曾经发生了一次"认识论上的断裂"，以此为界马克思判若两人。在早期马克思那里，"'人'不仅是揭露贫困和奴役的一声呼叫，而且是他的世界观和实践立场的理论原则。'人的本质'（不论它意味着自由和理性或是共同体）同样是严谨的历史理论和连贯的政治实践的基础。"[2]而成熟时期的马克思则与任何人道主义实行彻底决裂。

阿尔都塞指出，所谓理论人道主义，就是假定一种抽象的人的本质作为历史和政治理论的基础，由此而推出社会发展的必然性。人的本质包括需求、自由等这样一些特性。从人道主义出发，也就是从自由、需求、思维、行为和斗

---

① [法] 路易·阿尔都塞：《保卫马克思》，顾良译，商务印书馆1984年版，第199页。
② [法] 路易·阿尔都塞：《保卫马克思》，顾良译，商务印书馆1984年版，第193页。

争的原始主体(即所谓经济的人、理性的人、伦理的人、法律的人和政治的人)出发,把人确立为世界历史的中心,而把人类世界的所有对象看作是人的本质的实现和反映。在这个意义上,人的感知对象无非是人感知对象的方式,人的思维对象无非是人思维的方式,总之,一切对象都是人的本质所固有的。而历史是理性在非理性中的异化和产生,是真正的人在异化的人中的异化和产生。在其被异化的劳动产品(商品、国家、宗教)中,人不知不觉地实现着人的本质。在异化状态下,以对象形式出现的人的基本属性无非是人自身的本质对人的反作用,在非人的客体中依然保持着人的主体地位,一旦历史结束,异化被抛弃,人的本质终将实现出来,成为"总体的人","真正的人"。

在阿尔都塞看来,以1845年《关于费尔巴哈的提纲》为界,标志着马克思的思想发展发生了决定性的转折。实践观点的确立,把人的本质归结为"社会关系的总和",说明马克思彻底抛弃了抽象的人的本质和异化理论。阿尔都塞援引马克思在《关于费尔巴哈的提纲》中的话:"费尔巴哈没有对这种现实的本质进行批判,因此他不得不:(1)撇开历史的进程,把宗教感情固定为独立的东西,并假定有一种抽象的——孤立的——人的个体。(2)因此,他只能把人的本质理解为'类',理解为一种内在的、无声的、把许多个人纯粹自然地联系起来的普遍性。"① 阿尔都塞据此推出两个相关的规定:其一,存在着一种普遍的人的本质;其二,这个本质从属于"孤立的个体",而他们是人的真正主体。阿尔都塞认为,这两个互为补充而又不可分割的假定构成了人的本质的"总问题",使之成为由"精确的概念结合而成的连贯的体系"。这个"总问题"的特征是:"为了使人的本质具有普遍的属性,必须有具体的主体作为绝对已知数而存在:这就意味着主体的经验主义。为了使这些经验的个体成为人,他们每个人都必须具有人的全部本质(即使不能在事实上,至少也要在法律上):这就意味着本质的唯心主义。由此可见,主体的经验和本质的唯心主义是相辅相成的。这种关系可以在其'对立面'中互相颠倒:概念的经验主义,主体的唯心主义。这种颠倒保持着总问题的根本结构固定不变"。② 正因为普遍的本质与经验的个体之间不可分割,因此,"只要有一种本质的唯心主义,就始终有一种主体的经验主义与之相适应(或者,有了主体的唯心主义,就一定有本

① 《马克思恩格斯选集》第1卷,人民出版社2012年版,第139页。

② [法]路易·阿尔都塞:《保卫马克思》,顾良译,商务印书馆1984年版,第197—198页。

质的经验主义)"。①

由此他进一步推出"历史无主体"的观点。阿尔都塞认为，"过程"概念与"主体"概念是不相容的，过程概念是"科学的"，主体概念则是"意识形态的"。如果承认过程本身是主体就意味着对目的论的否定。反之如果要为历史过程找一个主体，那么这一主体只能是目的论本身。

在讨论"历史无主体"的命题时，阿尔都塞再一次涉及马克思辩证法与黑格尔辩证法之间关系的问题。不过，在这里阿尔都塞强调了黑格尔哲学的积极的一面，他认为"历史是无主体的过程"的思想是马克思应归功于黑格尔的东西，"是把马克思和黑格尔联系起来的最大的理论债务"。阿尔都塞认为，把历史看作辩证形式的生产过程，这是黑格尔有局限性的独到见解。局限性是显而易见的，因为黑格尔的历史哲学体系归根到底是目的论的。然而尽管如此，马克思对黑格尔这一思想进行改造，仍可以取得某些对于历史唯物主义而言的实质性的东西。不仅可以得到"过程"的概念，而且还可以进一步得到"无主体"的概念。他说，只要人们愿意稍微考虑一下，整个黑格尔的目的论都包含在我刚才谈到的用语中，异化的范畴中，或者构成辩证法范畴的关键结构的东西（否定之否定）中。只要人们同意（如果那是可能的话）撒开这些用语中体现目的论的东西，那么就剩下这样一个公式：历史是没有主体的过程。

阿尔都塞不同意通常所认为的在黑格尔的历史哲学中，人被设定为异化过程的主体的观点。他认为，对黑格尔来说，历史肯定有一个异化过程，但这个过程并没有以人作为主体，因为异化的过程不是从人类历史开始的，历史本身不过是自然的异化，自然又不过是逻辑的异化。因此，从人类历史的角度而言，"异化过程总是已经开始了的"，"历史的本原总是被推到历史以前"，由此而推出的结论是："历史既没有哲学上的来源，也没有哲学上的主体"。但阿尔都塞也并非把马克思关于"无主体的过程"的思想完全归功于黑格尔。他认为，马克思得益于黑格尔的这一遗产仍然是"形式上的"。因为黑格尔仅仅提出了"过程"的概念，而没有提供历史过程的条件，即过程实质性内容，正是在这里，马克思提供了前无先例的东西。也就是：除了在关系中以外，决没有任何像过程这样的东西。这关系就是生产关系(《资本论》只限于研究这种关系)及其他的（政治的、意识形态的）关系。因此，从一定意义来讲，生产关系及

———————————

① ［法］路易·阿尔都塞:《保卫马克思》，顾良译，商务印书馆1984年版，第198页。

其他关系是历史的真正主体，然而，"既然这些是'关系'，那么就不能在主体范畴内来考察它们"。

阿尔都塞关于"马克思主义是理论上的反人道主义"和"历史是没有主体的过程"所表达的主要思想归纳起来，大致有三层意思：(1) 拒绝从抽象的人的本质出发去理解历史及推演社会发展的必然性；(2) 拒绝任何形式的内在的目的论；(3) 拒绝承认人在马克思历史理论中有任何意义。他指出："从科学的角度看，人这个概念是无用的，这并非因为它抽象，而是因为它的不科学。"[①] 只有彻底地"把人的哲学神话打得粉碎"，"才能对人类世界有所认识。"[②] 基于这种看法，阿尔都塞不仅对马克思早期著作中的人道主义思想持否定态度，而且把成熟时期著作中任何提及"人的本质"、"人的本性"等概念的地方，一概看作是"不科学"的人道主义的旧病复发，以至在他看来，只有自 1875 年至 1880 年所写的《哥达纲领批判》和《评阿·瓦格纳的〈政治经济学教科书〉》这两本书，才表现出马克思思想的完全成熟。

阿尔都塞关于马克思主义是"理论反人道主义"的主要依据是他对马克思生产关系概念的解释。在他看来，生产关系不是人与人之间的关系。他说，与任何人道主义的唯心主义相反，马克思向我们表明，生产关系不是人们之间的、个人之间的关系，心理学的或人本学的关系，而是一种双重的关系："生产关系必然包含着人与物的关系，因为生产关系中的人与人之间的关系恰恰是由生产过程的人与物质要素的关系来规定的。"[③]

阿尔都塞却把这种关系看成是无人称的结构。在这种结构中，看不到"具体的个人"或"真实的个人"，而只能看到为那些结构执行特别职能的生产当事人。阿尔都塞写道："生产关系的结构决定生产者当事人所占有的地位和所担负的职能，而生产当事人只有在他们是这些职能的'承担者'的范围内才是这些职能的占有者。因此，真正的'主体'(即构成过程的主体)并不是这些地位的占有者和职能的执行者。同一切表面现象相反，真正的主体不是天真的人类学的'既定存在'的'事实'，不是'具体的个人'，'现实的人'，而是这些地位和职能的规定和分配。所以说，真正的'主体'是这些

---

① [法] 路易·阿尔都塞：《保卫马克思》，顾良译，商务印书馆 1984 年版，第 214 页。

② [法] 路易·阿尔都塞：《保卫马克思》，顾良译，商务印书馆 1984 年版，第 199 页。

③ [法] 路易·阿尔都塞、艾蒂安·巴里巴尔：《读〈资本论〉》，李其庆、冯文光译，中央编译出版社 2001 年版，第 202 页。

规定者和分配者：生产关系（以及政治的和意识形态的社会关系）。但是，由于这是一些'关系'，我们不能把它们设想为主体的范畴。如果任何人偶然想要把这些生产关系还原为人与人的关系，即还原为'人的关系'，他就是在亵渎马克思的思想，……生产关系只是在生产客体和生产当事人所占有和'承担'的关系、地位以及职能的特殊分配关系中把当事人和客体结合起来。"① 所以，具体的个人在理论上并不作为具体的个人存在；从理论上看，只存在作为结构的生产关系。

为了增强这种理论反人道主义的说服力，阿尔都塞求助于《资本论》中的某些论述，特别是马克思给德文第一版写的前言中的一段话。马克思在那里写道："我决不用玫瑰色描绘资本家和地主的面貌。不过这里涉及的人，只是经济范畴的人格化，是一定的阶级关系和利益的承担者。我的观点是把经济的社会形态的发展理解为一种自然史的过程。不管个人在主观上怎样超脱各种关系，他在社会意义上总是这些关系的产物。"② 可见，马克思并没有把资本家当作具体的个人来谈论，而是把他看作经济范畴的化身；同样，他并没有把工人当作个人来谈论，而是说他是执行生产剩余价值的经济职能的人。因此，他不是把人们当作具体的个人，而是当作"经济范畴的化身"来对待，并且特别提到这些个人是由这些关系决定的。

在阿尔都塞论述中，特别是在他后来的辩解中，表达了一种比较"温和的"反人道主义观点。这种比较温和的反人道主义表述不否认人类主体的效应，只否认这种效应是个人的效应。它批评的是把个人等同历史过程的主体的观点。这种观点被认为是存在于所有关于"人"（男人和女人）创造历史的"人道主义"表述之中的。我们必须用其他的表述来取代人道主义者的表述，这些表述要表达下述真理：历史不是个人的产物，而是群众活动的产物。阿尔都塞指出："整个经典的马克思主义传统一直拒绝说马克思主义是人道主义。为什么呢？因为实际上，也就是按事实说，人道主义这个词语被一种意识形态用来对抗，也就是打击另一个正确的词语，而且对无产阶级生命攸关的词语：阶级斗争。""整个经典的马克思主义传统一直拒绝说'人'创造历史。为什么呢？因

---

① ［法］路易·阿尔都塞、艾蒂安·巴里巴尔：《读〈资本论〉》，李其庆、冯文光译，中央编译出版社 2001 年版，第 209 页。
② 《马克思恩格斯选集》第 2 卷，人民出版社 2012 年版，第 83—84 页。

为实际上，也就是按事实说，这个词语被资产阶级意识形态用来对抗，也就是打击另一个正确的词语，而且对无产阶级生命攸关的词语：群众创造历史。"①根据阿尔都塞的思想，之所以要坚持替换"人"这一范畴，是因为"人道主义的"讨论总是使工人处于更无力的地位。如果告诉工人说，"是人在创造历史"，这将进一步化解他们。这会使他们认为，他们作为"人"才是有力量的，而他们作为"工人"，却在现实的一般权力即在控制着决定历史的物质的和政治的条件的资产阶级权力面前被解除了武装。人道主义原则使工人离开阶级斗争，使他们不去运用他们唯一占有的力量，即他们通过他们的阶级组织(工会、政党)而组织成为一个阶级的力量。②

五、"意识形态国家机器"

意识形态理论在阿尔都塞结构主义马克思主义整个理论中占有重要位置。阿尔都塞早先把意识形态与科学对立起来，后来又从意识形态的社会功能角度来理解意识形态，提出了意识形态国家机器理论。

20世纪西方人道主义的马克思主义，几乎都对"意识形态"持反感、批判的立场。他们在从人性、人的本质、人道主义的基本观点出发批判当代资本主义社会时，视科学技术为资产阶级统治社会的工具之一，把科学技术本身看成是一种意识形态。阿尔都塞却认为，科学与意识形态是不同的，科学是意识形态神话之后展现的不同于意识形态的东西。他指出，科学无论从其本质还是从其特征，无论从其功能还是从其认识论基础看，都与意识形态有本质的区别：科学属于理性体系，意识形态属于"表象体系"。③科学的出发点是新问题，其对象是真正的现实世界，以怀疑的方式提问，并以严格的抽象、逻辑的推理为方法；而意识形态的出发点是思想家头脑中或历史上固有的结论，其对象是幻想、虚假的现实世界，以假设的方式提问。因此，科学的理论框架具有真实性、普适性、精确性、结构性乃至形式化的特点，而意识形态的理论框架以"真实

---

① [法] 路易·阿尔都塞：《自我批评论文集》，台湾远流出版公司1991年版，第45页。
② 参见 [英] 凯蒂·索珀：《人道主义与反人道主义》，廖申白、杨清荣译，华夏出版社1999年版，第110页。
③ [法] 路易·阿尔都塞：《保卫马克思》，顾良译，商务印书馆1984年版，第201页。

关系和想象关系的多元决定的统一"为其特点。① 总之，阿尔都塞认为，科学是理性的批判，而意识形态则受阶级利益的支配，是现实世界的虚假反映。因而，科学与意识形态，两者不仅不能"等同"，反而应当从根本上划清界限。

阿尔都塞关于意识形态的阐述主要集中在其前期的《保卫马克思》以及后期的《意识形态和意识形态国家机器》中。在《意识形态和意识形态国家机器》中，阿尔都塞在前期关于"意识形态与科学"的研究成果基础上，深化、拓展了意识形态的自我理解，对意识形态问题作了独特的阐发。归纳起来，其意识形态理论内容主要包括以下四个方面：

第一，生产条件的再生产，是阿尔都塞探讨意识形态问题的出发点。阿尔都塞的意识形态理论，既是对马克思主义传统的继承，又是对马克思主义传统的修正。他希望在经济基础与上层建筑这一范畴内解释意识形态的作用，但同时，又可以避免经济简化主义。他的解决思路是从生产条件的再生角度考虑经济基础与上层建筑的问题。根据阿尔都塞的讨论，现代社会的存在基础是再生产，这种再生产包括生产力的再生产与生产关系的再生产。其中，生产力的再生产主要是劳动力的再生产；而生产关系的再生产，在极大程度上都是通过法律——政治的和意识形态的上层建筑得到保证的。在阿尔都塞看来，上层建筑的使命就是对"社会生活关系"进行"再生产"；作为上层建筑的重要组成部分的意识形态，其功能就是把必要的观念灌输到大众的心灵与行动中，以确保资本主义生产关系的再生产。这一点如何才能够将阿尔都塞的理论与经济简化主义区别开来？阿尔都塞的理论突破在于，他把社会整体理解为一种复杂的结构，认为影响社会进程的不仅仅是经济因素，还包括许多其他方面的因素。经济基础"最终"决定上层建筑，但不能"直接"决定上层建筑，上层建筑是相对独立的，它会对经济基础施以影响，并时常改变其方向。这就是阿尔都塞的"多元决定"思想。这种思想的要点在于，"决定"从来都不是纯粹的，"最终"这一孤独时刻从未降临。这样，阿尔都塞就为意识形态的功能留了足够的发挥空间。

第二，认为意识形态是一种表象体系，是人类体验自身同其生存条件的关系的方式，而这种关系是一种无意识的"想象"和"体验"关系。在这方面，阿尔都塞有两个根本洞见：一是作为一种表象体系的意识形态，首先是一种观念体系或再现体系；在阿尔都塞看来，"这些表象在大多数情况下和'意识'

---

① ［法］路易·阿尔都塞：《保卫马克思》，顾良译，商务印书馆1984年版，第203页。

毫无关系；它们在多数情况下是想象，有时是概念"。"它们作为被感知、被接受和被忍受的文化客体，通过一个为人们所不知道的过程而作用于人"。所以，"意识形态根本不是意识的一种形式，而是人类'世界'的一个客体，是人类世界本身。"① 鉴于这种分析，阿尔都塞实际上就是把意识形态看作是人类依附于人类世界的表现，是人类对其真实生存条件的真实关系和想象关系的多元决定的统一。正是在想象对真实和真实对想象的这种多元决定中，意识形态具有能动的本质。阿尔都塞的另一根本洞见是，作为一种表象体系的意识形态，是社会的历史生活的一种基本结构。阿尔都塞认为："意识形态是具有独特逻辑和独特结构的表象（形象、神话、观念或概念）体系，它在特定的社会中历史地存在，并作为历史而起作用。"② 在这个意义上，阿尔都塞把意识形态看作是一切社会有机体的组成部分，并且以结构的形式而存在。阿尔都塞的这一理解，显然有着列宁的理论中介作用。列宁将马克思作为批判意义上的意识形态转变为社会结构意义上的要素，这样列宁才能得出马克思主义是无产阶级的意识形态的论断。据此，阿尔都塞得出进一步的结论：意识形态没有历史，却是永恒。

第三，提出意识形态是国家机器的组成部分，是一种物质性的存在。这是阿尔都塞意识形态理论的重大突破。这一突破以具体的历史情境为基础，既在理论上继承与发展了葛兰西的思路，又推动了马克思主义意识形态理论的研究。在《狱中札记》中，葛兰西对意识形态与国家职能的关系作了最初的思考。他根据福特主义给西方资本主义国家带来的影响，认为国家不只是传统意义上的与市民社会相对立的上层建筑，国家也存在于市民社会中。葛兰西指出，"国家的一般概念应当包含原来属于市民社会的一些要素（在这个意义上，我们应该说国家＝政治社会＋市民社会，或者说国家是受强制武器保护的霸权）"。③ 在这里，葛兰西突破了将国家只是看作暴力镇压机器的界定，突显了国家所具有的伦理教化功能。虽然他并没有明确地提出意识形态国家机器问题，但他的探索构成了阿尔都塞理论的基础。阿尔都塞也没有给意识形态国家机器（AIE）一个明确的定义，但他列出了意识形态国家机器所包含的一

① ［法］路易·阿尔都塞：《保卫马克思》，顾良译，商务印书馆1984年版，第202—203页。

② ［法］路易·阿尔都塞：《保卫马克思》，顾良译，商务印书馆1984年版，第201页。

③ *Further Selections from the Prison Notebooks.* Ed. and Trans. Derek Boothman. London, 1995, p.439.

系列机构的清单，例如"宗教的 AIE（由不同教会构成的制度），教育的 AIE（由不同公立和私立'学校'构成的制度），家庭 AIE，法律的 AIE，政治的 AIE……"① 在阿尔都塞看来，意识形态国家机器与镇压性国家机器的最大区别就在于，镇压性国家机器通过暴力为生产关系的再生产提供适宜的政治环境和条件，而意识形态国家机器理论隐藏在暴力国家机器的背后，通过意识形态隐蔽地保证生产关系的再生产。意识形态国家机器理论，正好帮助了阿尔都塞进一步得出结论，说明意识形态不仅仅是一种表象体系的意识形式，而且是一种物质性的存在。

第四，认为意识形态国家机器运作的方式就是把个体质询为主体。阿尔都塞认为，将个人质询为主体是近代意识形态建构的关键。他指出，"没有不借助于主体并为了这些主体而存在的意识形态。这意味着，没有不为了这些具体的主体而存在的意识形态，而意识形态的这个目标又只有借助于主体——即借助于主体的范畴和它所发挥的功能——才能达到。"② 阿尔都塞的分析表明了两层意思：一是就主体而言，主体虽然是行动的创造者，并为自己的行动负责，但主体说到底是一个臣服的主体，个体被质询为主体是为了自由地服从意识形态的使命，接受臣服的地位。通过这种臣服的过程，个人占据了社会技术分工为他们指定的规则与位置，从而保证着社会关系的再生产。二是就意识形态而言，所有的意识形态都通过主体这个范畴发挥功能，把具体的个人质询为具体的主体，没有不为了主体并为了主体而存在的意识形态。因此，意识形态在个体与主体之间建构了一道桥梁，是个体通向主体的中介和必经之路。阿尔都塞没有具体分析个体只有通过意识形态才能成为主体的原因。但是，从其理论的基本观点来看，我们可以这样认为，原因就在于意识形态是一种物质性的存在，是一种永恒的存在。正如有些学者所指出的，"没有意识形态就不能生存，人靠意识形态而生存，这是人所特有的存在方式。"③

阿尔都塞对意识形态理论的某些阐述揭示了意识形态的无意识特征，提出

---

① ［法］阿尔都塞：《哲学与政治：阿尔都塞读本》，陈越译，吉林人民出版社 2003 年版，第335 页。

② ［法］阿尔都塞：《意识形态和意识形态国家机器》，载《哲学与政治：阿尔都塞读本》，吉林人民出版社 2003 年版，第 36 页。

③ ［日］今村仁司：《阿尔都塞认识论的断裂》，牛建科译，河北教育出版社 2001 年版，第245—250 页。

了人是意识形态的动物，指出意识形态对主体的询唤塑造功能，揭露了人们在日常生活对周围世界的"无意识体验"，并首次表征了现代资产阶级社会具有庞大的意识形态国家机器，通过意识形态的再生产为社会提供合法性。从这个层面看，阿尔都塞的意识形态理论作出了独特贡献。但阿尔都塞的意识形态理论存在着严重的缺陷，他歪曲了马克思对"意识形态没有历史"的本初论述；同时对马克思关于人的能动性论述视而不见，完全抹杀了人的主体性，没有给反意识形态斗争的现实留下足够的余地。另外，他关于科学与意识形态"对立"的观点，必然导致否认马克思作为一种科学的理论，同时具有无产阶级意识形态功能，即否认马克思主义本身就是科学与意识形态统一的理论，从而既否认了马克思主义的真理性，又否认了它的实践性。

六、普兰查斯的国家和阶级理论

阿尔都塞的理论在当时赢得了一大批追随者，他们把阿尔都塞的概念推广运用到对生产方式、政治国家、发展理论和历史研究中去。其中尤为突出的是普兰查斯（又译波朗查斯）对国家和阶级问题的研究。

普兰查斯关于国家和阶级的观点集中体现在《政治权力和社会解决》、《国家、政权和社会主义》、《当代资本主义各阶级》等著作中。普兰查斯认为，历史唯物主义所研究的是生产方式和社会形态的结构、生成、确立、作用以及从一种社会形态向另一种社会形态的转变。他指出，一种社会形态是由几种生产方式所构成的，其中有一种生产方式处于支配作用，它决定着该生产形态的性质。在他看来，生产方式并不只是一般经济方面，也不是严格意义上的生产力和生产关系的辩证统一，而是各种结构和实践的特殊结合形式。这些结构和实践主要包括政治方面、经济方面和意识形态方面。它们的特殊结合形式也就是三者之间相互关系的表现形式。按照普兰查斯的观点，这三个方面在一种生产方式中并非处于同等地位，而是一般地都由经济方面起着"最后的决定作用"。但这并不意味着经济方面在这种结构中总是发挥支配作用。

在上述观点的基础上，普兰查斯探讨了资本主义生产方式中的政治方面，特别是资本主义生产方式"国家的政治上层建筑"。他认为，资本主义国家就是资本主义生产方式中的一种"结构"或"一个方面"即政治方面，资本主义国家的职能都是由这个政治方面或结构以及它与其他方面或结构的关系所产生，同时又为这种结构和关系所制约。他认为："社会的几个方面结构由于发展不平衡而错乱失调，而国家的特殊职能就是要成为一种社会形态各个方面调合的因素……它又是这个形态各个方面矛盾集中在一起的结构。"①

普兰查斯把阶级关系看作是基于生产关系之上的权力关系，并由此探讨了资本主义国家权力问题。他认为资本主义国家是由"一个霸主阶级领导的国家"，这个国家把政治方面的双重职能集于一身，一方面代表人民国家的共同利益，另一方面又维护统治阶级的特殊统治地位。

在谈到资本主义国家权力的统一和相对独立性问题时，普兰查斯认为，根据马克思的论述，国家与社会之间的对立表明国家对政治上的各个阶级的相对自主性。国家和这些阶级的政治利益之间的关系，只有靠国家与这些阶级之间的相对自主才能建立。资本主义国家的这种相对自主性和统一性，是与它的各种结构在同政治阶级斗争发生关系的特性相关联的——那些结构对经济而言是相对自主的，而政治阶级斗争对经济阶级斗争而言也是相对自主的。

普兰查斯的基本观点是：国家不可能是一种完全独立的权力，因此应该在经济方面寻找它的基础。同时，为了不致陷入"经济决定论"和经济主义，他又借助阿尔都塞的"多元决定作用"的概念来考察国家的"相对自主性"。按照他的看法，这种"相对自主性"正是国家权力机构的特点，特别是当代资本主义国家权力机构的特点。

普兰查斯的阶级理论强调"政治关系"和"意识形态"因素的重要性，具体说来，可以归纳为以下两点：第一，阶级是社会行动者构成的群体，社会行为者的经济地位在决定社会阶级时起着决定性的作用，但经济地位不是唯一的决定因素。第二，社会阶级是由社会"结构"决定的，在这个结构中，经济、政治和意识形态具有统一性。普兰查斯指出："社会阶级是这样一个概念，它表示结构的整体，表示一种生产方式或者一种社会形态的模式对承担者——他们构成社会阶级的支持者——所产生的影响，这个概念指示出社会关系领域内全部结构所产生的影响。"②普兰查斯对马克思主义的阶级理论做出了独特的解

---

① [希] 尼科斯·波朗查斯：《政治权力与社会阶级》，叶林等译，中国社会科学出版社 1982 年版，第 37—38 页。

② [希] 尼克斯·波朗查斯：《政治权力与社会阶级》，叶林等译，中国社会科学出版社 1982 年版，第 64 页。

释，进一步指出，"马克思主义认为，在生产方式和社会形态中，经济地位确实有决定性的作用；但是，政治和意识形态（上层建筑）也有非常重要的作用。事实上，无论什么时候，马克思、恩格斯、列宁和毛泽东在分析阶级社会时，都摆脱了单纯的经济标准的界限，他们都十分明确地涉及政治和意识形态的标准。"① 因此，划分社会阶级时，经济不是唯一决定的因素，政治倾向和意识形态也应该同样是决定因素，而且具有"相对的独立性"。因为"阶级的构成不是仅仅与经济方面有关，它也包括生产方式或者社会形态的各个方面的整体所产生的影响。经济、政治和意识形态方面各种方面的组合，以社会关系的形式在经济、政治和意识形态的阶级实践中，在各种阶级实践之间的'斗争'，中反映出来。"②

普兰查斯深受卢卡奇思想的影响，但从他所提出的"阶级的结构决定"概念中我们可以看出，他没有停留在卢卡奇的"总体性"概念之上，而是进一步主张用结构主义的眼光来审视社会结构的关系，认为一个社会的阶级是根据它在社会实践总体中的地位，即根据它在社会总体劳动分工中的地位加以定义的。在这一总体中，政治和意识形态因素起着重要的作用。但是，普兰查斯并没有把经济、政治和意识形态三个要素等量齐观。他认为，确定社会阶级时，起主要作用的是经济关系中的地位，现代资本主义社会的工人阶级就只意指在那种生产方式中从事生产劳动的阶级，即直接从事物质生产的、直接创造剩余价值的工人，而把一切非生产性的薪金劳动者都划为"新小资产阶级"，其中包括所有的商业雇工、白领工人、服务人员、管理人员、科技人员及其他脑力劳动者。商业和服务行业的受薪劳动者所从事的是非生产性劳动，不直接创造剩余价值，只参与剩余价值的分配，因而不是工人阶级，而属于"新小资产阶级"。同时，管理人员和科技人员虽然处于生产劳动过程中，但是因为他们维护工人与资本之间的统治和服从的政治和意识形态关系，所以，他们也不属于工人阶级，而应当是"新小资产阶级"。在普兰查斯关于社会阶级的理论中，小资产阶级问题具有特殊的重要性。

普兰查斯认为，"小资产阶级问题不仅居于关于当前帝国主义大都市中的

① 转引自俞吾金、陈学明：《国外马克思主义哲学流派新编》（西方马克思主义卷下册），复旦大学出版社 2002 年版，第 492 页。

② [希] 尼克斯·波朗查斯：《政治权力与社会阶级》，叶林等译，中国社会科学出版社 1982 年版，第 65 页。

阶级结构的讨论的中心，而且也居于关于受统治的、依附性的'边缘'形态讨论的中心，这一形态通过各种对边缘问题的分析而显现出来。这个问题确实是马克思主义的社会阶级理论的一个关键性的方面。"[①] 普兰查斯之所以强调小资产阶级问题的重要性，因为在他看来，介于工人阶级和资产阶级之间的小资产阶级具有重要的革命战略意义。但是，我们必须注意到的是，在普兰查斯那里，处于垄断资本主义这一总体背景之下的"新小资产阶级"，与历史上传统的小资产阶级是不相同的。历史上的传统小资产阶级，以传统的家庭为主要载体，从事小规模的生产活动和贸易活动，并不存在剥削和剩余价值。而"新小资产阶级"的成员，虽然没有直接从事生产劳动，但他们也出卖自己的劳动力，受资本的剥削。

但是，普兰查斯认为，"新小资产阶级"不直接从事物质生产劳动，因而不直接创造剩余价值，即使直接参加物质生产的管理和监督人员也不能划为工人阶级，因为他们的管理和监督职能从社会分工的意义来说代表着资本对工人阶级的政治支配，是资产阶级与工人阶级之间的政治关系在生产过程中的再现，他们处于统治工人阶级的地位，实际上是意识形态关系在物质生产过程中再生产的支持者。因此，虽然他们反对资本主义，但他们倾向于改良而不是革命，倾向于参与现政权而不是通过革命的方式来改变其成员的生活和工作条件。另外，普兰查斯认为，"新小资产阶级"受到"权力拜物教"很大的影响，崇拜国家权力，行为极端，其理念超不出资产阶级的意识形态。尽管如此，普兰查斯仍然对"新小资产阶级"充满期待，因为在他看来，"新小资产阶级"具有向无产阶级分化的可能性，但这取决于资产阶级与工人阶级在力量上的平衡。显然，从革命主体来看，普兰查斯倾向于工人阶级与新小资产阶级之间的联盟。

普兰查斯在研究资本主义社会阶级现状中，特别注意到了马克思恩格斯在考察阶级问题时没有忽视政治和意识形态方面的重要影响，并对马克思主义这一阶级理论特征作了较深刻和认真的探讨，因此，普兰查斯并没有像第二国际的经济主义消极决定论那样，把马克思主义的一元论等同于"经济决定论"。但是，普兰查斯在研究社会阶级时，提出要把政治和意识形态标准放到经济标准同样重要的地位，这显然是受到了他的老师阿尔都塞的多元主义和结构主义

---

① 转引自俞吾金、陈学明：《国外马克思主义哲学流派新编》（西方马克思主义卷下册），复旦大学出版社 2002 年版，第 499 页。

的影响。然而，这种多元主义和结构主义是折衷主义和形而上学的方法论，是违背马克思主义基本理论的。唯物史观认为，阶级的存在仅仅同生产发展的一定历史阶段相联系，阶级的存在是由其在社会生产体系中所处的地位即经济地位决定的，而不是阶级意识决定的。阶级意识是阶级存在的主观表现，但它不能离开阶级而独立存在。也就是说，经济的决定作用所具有的独立性不需要它通过政治和意识形态的支配作用反映出来。因此，不存在经济、政治和意识形态三者起决定作用的统一性问题。普兰查斯的"多元决定论"的阶级观，虽然注意到政治和意识形态在阶级划分中的作用，但却把它放到与经济的决定作用同样的地位，这就有悖于马克思主义的基本原则。同时，虽然普兰查斯较早研究了资本主义社会出现的"新小资产阶级"，敏锐地反映了20世纪70年代中期资本主义社会阶级结构的演变现实，并最早论证了社会主义运动中的阶级联合策略，具有独到的理论贡献。但普兰查斯的"新小资产阶级论"对工人阶级的界定范围过于狭窄，认为工人阶级只是资本主义社会人口中的一小部分，这明显不符合20世纪晚期西方工人阶级的发展状况，有很大的理论局限性。

综上所述，结构主义马克思主义力图对苏共二十大所提出的问题和随即在国际共产主义运动中所造成的危机作出回答，致力于打开被教条主义所堵塞的马克思主义哲学的道路，同时坚决反对回到青年马克思的人道主义立场，这对于维护马克思主义的科学性具有一定的积极意义。"多元决定"论等理论观点也在一定程度上深化了马克思主义历史观的研究。但阿尔都塞等人用结构主义方法来解释，"革新"马克思主义，不可避免地带来一系列的缺陷，以致最终把马克思主义引到了唯科学主义的道路上去。

第五章　英美马克思主义研究的兴盛

在 20 世纪上半叶，西方资本主义国家的马克思主义研究的重心主要在欧洲大陆，但自 20 世纪五六十年代以来，英语地区（主要在英国和美国）的马克思主义研究逐步兴盛起来。先有文化马克思主义研究的崛起，后有分析马克思主义研究的兴盛不衰，这些研究构成了当代英美马克思主义最为突出的特色，它们所关注的主题和探讨推动和扩大了马克思主义在英美以及其他国家的影响。

第一节　新左派的文化马克思主义研究

广义的马克思主义传统的"文化研究"阵营可以扩展至 20 世纪二三十年代以来的整个西方马克思主义诸多流派（区别于第二、三国际理论家聚焦于政治和经济研究——如佩里·安德森所说的"文化转向"）。然而，20 世纪五六十年代兴起的英国文化马克思主义研究，使得这一趋势日益凸显。英国文化马克思主义研究主要是依托于 20 世纪 60 年代相继创办的伯明翰文化研究中心[①]（和《新

[①]　参见 Stuart Hall erc（eds），Culture, Media, Language:Working Papers in Cultural Studes, 1972–1979, Taylor & Francies, 2005.（from Academic Division of Unwin Hyman Ltd,1980），"preface", p.vi. 根据该文献记载，1964—1968 年，理查德·霍加特是伯明翰文化研究中心首任主任（即 CCCS，该中心于 1964 年在伯明翰大学创办），1968—1979 年，斯图亚特·霍尔继任中心主任（ibid.）。该中心从 1972 年开始出版《文化研究工作论文集》（*Working Papers in Cultural Studies*）。霍尔身后，分别又由理查德·约翰逊和乔治·拉瑞恩等继任中心主任，直至 2002 年解散（其间，20 世纪 90 年代还曾与伯明翰大学社会学系合并，并因此将教学对象从研究生扩充至本科生）。

左派评论》杂志①）。该研究可分为三个阶段，即（1）以雷蒙·威廉斯为代表的思想先驱阶段（20世纪五六十年代前）；（2）以伯明翰文化研究中心（斯图亚特·霍尔等人）的繁荣阶段（20世纪五六十年代至20世纪八九十年代）；和（3）以特里·伊格尔顿等为代表的后续发展阶段（20世纪八九十年代以后）。

　　与稍早（也即20世纪三四十至七十年代）出现并繁荣发展的法兰克福学派的文化研究（在社会批判理论框架下的文化工业批判理论特别是马尔库塞等人对技术意识形态的批判）相比，英国（以及受其影响的美国）文化研究（其鼎盛发展期主要集中于20世纪50—80年代），一方面与前者具有不可忽视的共同点，即坚持将文化诸形式和现象纳入社会关系的范畴内予以考量，并在这个意义上力主他们所谓的真正的历史唯物主义也即马克思主义的立场（虽然在正统马克思主义阵营看来，这更像是一种文化社会学或文化政治学的立场）；另一方面，与前者不同的是，伯明翰文化研究中心更加力主对工人阶级文化的捍卫。因此，虽然二者都反对所谓（由文化工业所导致的）"大众文化"，但英国文化研究并不因此如法兰克福学派那样走向一种"精英文化"的立场。正基于这些相同与不同之处，二者都将"意识形态"作为上述研究的关键词。实际上，正如凯尔纳所指出的，二者"都认为文化是一种意识形态再生模式和霸权"，"都将文化视为一种抵制资本主义社会的一种潜在形式"，只不过，法兰克福学派对"大众文化"的态度更加悲观一些罢了②。

　　鉴于英国20世纪中后期的文化研究（特别是其意识形态论主题）并不仅仅局限于伯明翰文化研究中心内部，因此这一部分的论述中所涉及的代表人物及其代表性观点的介绍，也并非局限于该中心，而是涉及广义的英国左派知识界，即既包括对作为该中心"思想先驱"的雷蒙·威廉斯的相关研究，也包括同期非中心核心成员的其他英国学者的探究，如对特里·伊格尔顿等人的研究；而

---

① 该杂志于1960年初由《新理性者》（由爱德华·汤姆森等人创办）与《大学与左派评论》（由斯图亚特·霍尔等人创办）两个左翼杂志合并成为双月刊《新左派评论》（NLR）。斯图亚特·霍尔出任首任主编（爱德华·汤姆森、雷蒙·威廉斯等为编委会成员）。1962年起，佩里·安德森出任第二任主编，随即开始大量译介欧陆西方马克思主义文献。其后，虽然杂志社经历多次人事变革和理论论争，但日益成长为英语世界最重要的左翼理论平台，并拥有著名左翼出版社——VERSO出版社，直至2000年佩里·安德森再次入主该杂志。

② ［美］道格拉斯·凯尔纳：《文化马克思主义与文化研究》，张秀琴、王葳蕤译，《学术研究》2011年第11期。

对中心成员的介绍则涉及该中心的理查德·霍加特和斯图亚特·霍尔等。

　　西方马克思主义在英国的传播与接受，促使伯明翰文化研究中心的文化研究发生第二次"断裂"，而意识形态理论研究，就是这次断裂的产物和标志，并因此成为英国马克思主义研究的核心议题。正如道格拉斯·凯尔纳和斯图亚特·霍尔所注意到的，英国的马克思主义文化研究（以伯明翰文化研究中心和《新左派评论》为主要平台）由于受到来自欧洲大陆的西方马克思主义（由卢卡奇等人开创）"文化转向"的影响，开始在一种不同的马克思主义谱系中聚焦文化、意识形态和上层建筑问题，而其中的意识形态问题研究无疑是核心，并标志着英国马克思主义文化研究的"第二次断裂"（也即继第一次于 20 世纪 50 年代开始的同社会学的"断裂"之后的再次断裂，这一次是"断裂成一种复杂的马克思主义"），从而力图开辟一条不同于第二、三国际马克思主义理论家们的"基础—上层建筑理论"，也即一条"既不同于唯心主义、也不同于唯物主义的"意识形态理论(基于对"文化和意识形态的物质、社会和历史存在条件"的考察)[1]。这一断裂是伯明翰文化研究中心乃至整个英国马克思主义文化研究的"西方马克思主义转向"。正是这一次转向中，意识形态问题才在很大意义上于历史唯物主义（马克思主义）的框架内（也即基础—上层建筑论的建筑比喻）得到探讨——虽然很多时候还是以文化的名义。而英国的文化研究也因此有了自己独特的研究"对象"和新的"理论呼吸空间"[2]（因为，复杂的、历史化的文化概念，会因对卢卡奇等人的总体辩证法的遗产继承[3]，而赋予文化和意识形态概念以更多自主性和丰富性内涵，换言之，这一次，文化不仅是作为经验科学意义上的社会学概念或人类学概念，而是一个哲学概念，历史哲学概念。意识形态概念亦同此理）。

　　因此，"文化"概念在英国马克思主义学者这里，不仅是他们试图突破第二、三国际理论家经济决定论的"武器"：他们借此力图破除对马克思主义经典作家关于历史唯物主义原理的那个经典比喻（也即"建筑比喻"——经济基

①　Stuart Hall erc（eds），*Culture, Media, Language:Working Papers in Cultural Studes,*1972–79,"Introduction", p.12.

②　Stuart Hall erc（eds），*Culture, Media, Language:Working Papers in Cultural Studes,*1972–79,"Introdution", p.14.

③　这种继承，在很大程度上是经过阿尔都塞中介过的，也即阿尔都塞的结构主义马克思主义，将"总体"视为"复杂的结构"（参见 Stuart Hall erc（eds），*Culture, Media, Language:Working Papers in Cultural Studes, 1972–1979,*"Introdution", p.20.）。

础和上层建筑原理）的机械化理解范式（也即反映论和符合论的范式）；而且，英国的马克思主义文化研究者们也同时对稍早（20世纪二三十年代）兴起于欧洲大陆的人道主义马克思主义（特别是以卢卡奇为代表的黑格尔主义的马克思主义及其在20世纪四五十年代左右的典型后继任者法兰克福学派）的文化研究心存警惕（虽然卢卡奇等西方马克思主义人道主义一派的引入英国，如安德森所言，是20世纪50年代以后的事；而法兰克福学派的输入，也如英国诸多学者所指认的，是经过美国中介的）。在他们看来，后者属于"文化主义"（霍尔语），也即一种有精英主义之嫌的文化观。与此相反，英国马克思主义学者，致力于对"下层"（如工人阶级等）民众的文化研究，但同时，与英国乃至西方世界熟稔的经验主义或实证主义的社会学研究方式不同的是，这样的研究更多地将文化现象置于社会生产关系的场域，而不是将其单纯视为一种人类学现象。这一对马克思主义经典作家的社会生产关系理论的借用，以及在某种意义上对"群众"历史的创造性的承认，使得他们可以被称之为加了定语的"马克思主义者"。前一种做法，被学界称之为英国文化研究的"文化与社会"传统，它承认了文化的唯物主义基础——即在一定意义上坚持了社会生产关系决定（文化）论；后一种做法，使得他们都不得在不同程度上关照传统马克思主义的阶级分析法。然而，所有的这些努力，不过是借助于葛兰西的文化霸权（或领导权）概念和阿尔都塞的结构主义马克思主义的意识形态论（意识形态国家机器论和主体建构论）来赋予文化更多的自主性、复杂性和开放性。换言之，在英国文化研究者这里，文化不再是仅仅隶属于传统马克思主义"建筑比喻"（基础—上层建筑）中的观念的上层建筑的要素——一个社会关系场域中的"附现象"，只具有随时可以被忽略掉的所谓"能动性"和"反映性"功能；而是可以根据历史具体情势实现在社会各层面（包括基础和上层建筑等维度）自由漂浮和穿越（如葛兰西的"市民社会"的随机"链接"功能）的自主因素，正是通过这一功能的发挥，有了阿尔都塞式的意识形态国家机器和主体建构的效果。换言之，文化可以是受动的"上层建筑"，也可以是渗入经济的"基础"，正因为如此，掌握了它，就可以实现对整个社会生活的动态的主导权（或称霸权）。

实际上，被称之为文化主义的人道主义西方马克思主义，也十分重视文化（以"社会意识"的形式作为上层建筑要素）的能动性，并在这一意义上继续（批判性地）弘扬启蒙理性的主体性原则（即辩证理性原则），将之安置于黑格尔式总体辩证法的核心环节，并在这个意义上并称之为（青年）黑格尔主义和人道主义。但这样的做派（典型的意识哲学或唯理论的路径）似乎没有得到擅长经验哲学或唯名论的英国学界的认可，因为在后者看来，人道主义的文化主义，依然将文化置于类神的"总体"的奴役之下——无论这个"总体"是历史还是结构。需要注意的是，如上所述，对于总体的同一性和形而上学的警惕，在法兰克福学派的启蒙或工具理性批判也即社会批判理论中也以——无论是以否定辩证法（阿多尔诺）、文明辩证法或爱欲辩证法（马尔库塞）、辩证理性（霍克海默等），还是交往理性的方式（哈贝马斯）开始。可显然，从哲学的角度来看，英国马克思主义学界更愿意采取的是存在论的范式，而非本体论的方式。因为在存在论的范式下，可以用"（互动）关系论"和"（生成）构成论"的灵活和开放性来替代（遵从具有绝对命令意义上的主奴辩证法的）本体论（在这一意义上，后者被称为具有贬义色彩的"形而上学"）的僵硬与封闭性。

基于此，在开展具体论述时，虽然没有像"文化主义"那样，因为强调社会意识的能动性这一被忽视的环节而给予作为社会意识主要表现形式之一的"意识形态"以"独立主题"的地位，但英国文化马克思主义者却从被扩大了内涵和扩充了功能的大文化概念的角度，来赋予意识形态概念以十分不同的理论风景。无论是作为社会意识形式的意识形态，还是作为文化样式之一的意识形态，论者们都知道，意识形态在内涵上没有"社会意识"或"文化"宽泛，但却是社会意识或文化得以运行和发挥效果的不可或缺的主战场。由此他们对意识形态概念、理论与实践浓墨重彩地展开相关论述也就不足为奇了。我们将根据对英国文化马克思主义研究的三个阶段的划分，来分别论述他们在文化研究的范式下所开展的聚焦性工作，这就是他们的意识形态论。

一、思想先驱：雷蒙·威廉斯的"文化唯物主义"意识形态论

雷蒙·威廉斯①，作为英国20世纪著名的"新左派"马克思主义"文化研

---

① 1921年，威廉斯出生于英国一个普通工人家庭，成绩优秀的他因获奖学金资助而进入剑桥大学三一学院学习，1939年加入英国共产党。《新左派评论》（1960年正式创刊）杂志编委会成员。被英语世界公认为著名的英国伯明翰学派文化研究理论的先驱者之一。其代表作包括：《文化与社会：1780—1950》（1958）、《漫长的革命》（1961）、《马克思主义与文学》（1977）、《政治与文学》（1979）、《唯物主义和文化中的诸问题》（1980）、《文化》（1981）等。

究"理论奠基人之一，他的"文化唯物主义"（Cultural Materialism）意识形态论①，为马克思的意识形态论提供了一幅具有英国新左派风格的绘图。这种介于西方马克思主义和传统（苏联）马克思主义之间的英国式解读方式可称之为"'新左派'马克思主义"的意识形态观。它是随后成立的伯明翰文化研究中心的"思想先驱"。作为思想先驱，威廉斯为日后（主要是 20 世纪 50—80 年代）的伯明翰文化研究中心的文化研究乃至整个英国文化马克思主义提供了一个重要传统，即"文化与社会"的传统。强调文化要被置于社会生产关系的情境中予以具体考察，是这个传统的最主要特色，也因此，它与马克思主义创始人的历史唯物主义原理（社会生产关系论）有了共同的兴趣点。对此可称之为"文化唯物主义"范式，它是文化研究主题与历史唯物主义的英国式相结合，并被运用于意识形态论研究的具体呈现。

　　首先，文化唯物主义是威廉斯意识形态论研究的总方法论框架，这一总的方法论框架可具体划分为：文化研究主题的确立和英国新左派马克思主义立场的选择，前者为我们理解威廉斯意识形态论的形成提供了重要的逻辑线索，而后者则是其意识形态论的具体立场与方法；其次，威廉斯的文化唯物主义意识形态论的核心内容，就是立足于对马克思主义意识形态论的基本命题（即"基础与上层建筑命题"）及其相关范畴（如"文化"、"上层建筑"、"感受结构"和"领导权"等）的重新阐释，从而一方面在马克思意识形态基本理论方面，表达了一种既不同于传统马克思主义（主要指第二国际和以苏联主流马克思主义为代表的第三国际的"正统"马克思主义）、也不同于非传统马克思主义（如西方马克思主义——含以早期西方马克思主义创始人和法兰克福学派为代表的人道主义学派和以阿尔都塞的结构主义为代表的科学主义学派）的新意识形态观，即一种基于对基础—上层建筑命题作出正确理解的总体的意识形态观；另一方面，在意识形态主要范畴上，借鉴英国文化理论学派和欧洲新出现的马克思主义新思潮，提供了一个理解马克思主义意识形态定义的范畴推展表，即从"文化"的"上层建筑"到"感受结构"的"领导权"的视角转换。所有这些，共同构成了威廉斯文化唯物主义意识形态论的全部要义。

　　文化唯物主义意识形态论的主要意义就在于：第一，坚持意识形态论的唯

---

① 意识形态形态论，即对意识形态（包括它的概念、理论与实践）的历史与现状进行分析与反思的学说与理论。

物主义基础和马克思主义传统；第二，凸显意识形态研究的文化视角；第三，强调社会意识形态的整体性和历史性，反对意识形态论上的"反映论"、"中介论"或"结构论"。在这三个方面的努力中，我们既看到了传统（苏联）马克思主义意识形态论影响下的对意识形态概念唯物论、阶级论和政治属性的强调，又看到在西方马克思主义影响下的对马克思意识形态观的历史论、总体论和文化属性的凸显，以及这两种存在内部张力的理论倾向在威廉斯的英国新左派研究范式上所达致的某种"和解"。

（一）文化唯物主义意识形态论的形成与基本方法

意识形态论，是威廉斯文化唯物主义的重要组成部分。文化唯物主义就是要在历史唯物主义的视野下来考察和审视文化生产与消费的主要方式（文艺、教育与传播）与基本特征。文化唯物主义因此成为一种分析社会现象，包括意识形态现象的一个总的方法论前提。当然，在威廉斯这里，这一方法论框架，具体包括"文化研究"的主题确立和"'新左派'马克思主义"的立场选择两个方面，前者是威廉斯意识形态论的形成逻辑和研究主题；后者是其基本方法与研究立场。它们贯穿在威廉斯毕生的系列著述之中，它们在视角和研究重点上的转换与倾向，决定着威廉斯意识形态论的基调和逻辑线索。

1. 形成逻辑：文化研究主题的确立

在文化唯物主义的理论框架中，如果说唯物主义是威廉斯意识形态论的骨架的话，那么文化则是其理论内容的必然展开。实际上，正是在"文化"这个大概念之下，威廉斯提出了自己的意识形态观。因此，文化研究主题的确立的过程，也就是其意识形态论的形成逻辑。

威廉斯的文化研究，包括对文化理论的概念史梳理和对具体文化实践样态（如电影、小说等）的社会影响力分析。这里的探讨，聚焦于前者，并拟将其主要理论成果归纳为把文化区分为四个组成部分、三种定义和三种表现形式：首先，他认为，文化是由普遍的社会心理和习俗、知识发展、艺术状态乃至整个社会生活方式所构成；其次，在他看来，以普遍的社会心理和习俗来界定文化概念，就是一种"理想的"（ideal）的文化定义；而以普遍的社会知识发展和艺术状态作为文化定义的主要内容，那就是一种"文献的"（documentary）文化定义；第三种即"社会的"（social）文化定义，则认为文化就是整个社会生活方式；最后，威廉斯还指出了文化的三种主要存在形式，即"主流文化"

(the dominant culture)、"新生文化"（the emergent culture）和"残余文化"（the residual culture）①。在文化的构成、定义和表现形式等方面所做上述区分和梳理，与其说是在做英国传统经验主义式的逻辑考察与中性描述，毋宁说是要提供一种整体性的文化观，即认为文化不仅是特定社会人们的普遍价值诉求、是人类理智发展的成果，而且还是反映在整个社会生活方式中的人类日常思维模式与体验。因此，文化不仅是表达人类理想与理智发展的符号系统（如语言、绘画、音乐、舞蹈、建筑、服饰、礼仪等符号系统），而且更是这些符号系统的实践过程给人们带来的感受体验和社会影响。毫无疑问，威廉斯的文化概念，是一种不放弃唯物主义基础的、强调文化经验与实践的整体性的文化观。

为什么要坚持这种整体性的文化观？威廉斯认为，因为这才是真正的马克思主义文化理论的精神实质。威廉斯认为，文化的整体性特征，决定了文化研究的基本范式，即1）要从不同角度来分析和探讨文化理论与实践，因此，上述各种定义、区分和构成要素分析之间并非对抗或互相替代的，而是应该共同运用于分析特定时代与社会的文化形式与经验；2）文化概念的整体性，决定了文化研究方法的更新，即不能就文化本身来研究文化，而是要在社会结构的全局之中，特别是在社会存在（以社会经济活动为基本表现形式，但却绝不能代替其他形式的社会生产活动的物质性）的基础上来分析和研究各种文化现象；3）因此，以文化为主题的文化研究，就不能只关注文化的精英生产线（在这里，文化的生产主体是作为小众的知识分子），而忽视文化的大众生产——特别是在当代商品社会中，文化更多地以大众生产（和消费）的形式出现的时代背景之下。总之，在威廉斯的整体性视野中，文化不仅与社会结构（社会经济、政治秩序与环境）相关，而且也与个体生活（个体情感体验与思维习惯）相关。显然，这与利维斯的剑桥学派的文化精英主义是不同的。同时，又与他身后的伯明翰学派的文化民粹主义不尽相同。是故，威廉斯的文化研究，主要是介于"精英"与"民粹"之间，强调文化（包括其生产和消费）的多样性和多元化，因此，相对于前者来说，他的文化研究多一些平民色彩，而相对于后者来说，又多一些学院倾向，即强调文化的精神内涵和教化功能。

---

① 上述划分，在威廉斯的《文化与社会》、《漫长的革命》、《马克思主义与文学》以及发表在《新左派评论》中的系列论文（如《马克思文化理论中的基础与上层建筑》等论文，这些论文后来大多被收录在《唯物主义和文化诸问题》之中）等著述中都有所论述。

总之，通过对文化研究史上相关文化概念的理论解析（包括分析和梳理文化的定义、构成和类型），威廉斯提出了一个重要的、他一生都没有放弃的文化观，这就是具有唯物主义倾向的、重视文化经验和实践（特别是大众文化经验与实践的）整体性的文化观。在这里，无论是他所使用的分析方法，还是所得出的基本观点，都被直接"移植"到了他的意识形态理论研究之中。

2. 方法论框架：新左派马克思主义的立场选择

正是在文化主题研究的持续开展过程中，威廉斯逐渐形成了一种具有英国特色的新左派倾向的马克思主义理论研究立场，这一立场的确立，为他的意识形态观的形成提供了方法论框架。

新左派马克思主义，是本文对威廉斯以文化唯物主义为关键词的、对马克思历史唯物主义的阅读的一次再阅读。根据威廉斯的阅读，文化研究必须遵循一个原则性的基础，这个基础就是马克思主义（历史唯物主义）的方法，但是，历史唯物主义的方法，在苏联主流马克思主义那里的正统描述，却让威廉斯无法满意，于是，在第二次世界大战（以下简称"二战"）后刚传到英国的欧洲马克思主义（特别是西方马克思主义）的影响下，威廉斯对马克思主义有了新的阐释，这个阐释用一个范畴表达出来，就是文化唯物主义。这种文化唯物主义又因为与其理论资源提供者之一——西方马克思主义文化批判理论的不同立场，而无法摆脱其理论资源提供者之二——英国文化研究学派特别是"二战"后的文化新左派的影响，所以，它在本文中又有了另外一个名称：新左派马克思主义。

作为威廉斯文化唯物主义的根本立场，新左派马克思主义的选择，以20世纪50年代末期为界，经历了一个从早期的英国正统马克思主义阶段向后期的英国新左派马克思主义阶段的转变过程。早期即"英国正统阶段"的威廉斯，主要是在苏联马克思主义主流学说的影响下，对马克思"没有完全建成"①的文化理论开始着手进行初步重建："我在1939—1941年读大学时"，就坚持"那种坚定的且带有强烈排他性的马克思主义观点"，"我当时学到并笃信不疑的英国马克思主义正统观念，实际上是一种激进的民众主

---

① 威廉斯同时指出，"这并非说马克思对这些结论作重大的扩展或对于充实他自己的文化理论的构想缺乏信心。问题在于，他的远见卓识使他认识到这个问题的困难性与复杂性以及他实事求是的立身行事的原则"（参见［英］雷蒙德·威廉斯：《文化与社会》，吴松江等译，北京大学出版社1991年版，第339页）。

义"①；"在 40 年代末 50 年代初政治与文化结构发生变化的那个时期里，我却由于处在例外的封闭状态中，……更加广泛地阅读了马克思主义著作，继续坚持其主要的政治立场与经济立场，更加深入自觉地进行文化的和文学的研究与探索。我在《文化与社会》一书特别是其中的'马克思主义与文化'一章中总结了那个阶段"②。威廉斯这里所说的英国正统马克思主义，指的是在苏联马克思主义主流学说的影响下形成的英国早期（特别是二战前）马克思主义流派，其主要特点就是过多关注"经济学上的推理"和"政治上的允诺"③，而缺乏对文化问题的关照。因此，文化研究主题对于英国乃至国际正统马克思主义来说，具有填补"空场"的作用。

然而，到了 20 世纪六七十年代，威廉斯的马克思主义立场却在西方马克思主义的影响下，经历了一次重大转折，那就是从早期的英国正统马克思主义立场转向了二战后的新左派马克思主义立场。"20 世纪 50 年代中期，形势发生了许多重大变化，例如出现了人们所说的'新左派'。我当时就发现，在文化及文学的观念上我同'新左派'有许多相似之处"，"我还发现，马克思的思想同我和大多数英国人所理解的那种马克思主义有所不同，就某些方面来说甚至是存在着重大差异。这时候，接触到了一些先前未进入我们视野的已有的研究成果——例如卢卡奇……等人的著述"，于是，"我才能调整自己对迄今所知的马克思主义本意的尊重以及同马克思主义之间的距离；同时，对于那些在关于马克思以及马克思主义的全部长期争论与探讨中一致被大力阐述的、人所共知的正统观念，我也大大增强了进行取舍和说明的能力"④。"我至少可以最终摆脱那些已变成阻碍的模式（即那类众所周知的僵化的马克思主义的立场模式）了"。"在这种情况下，我有幸接触到了更多的马克思主义新著：卢卡奇的晚期著作……和阿尔都塞的著作"，"我又重读了一些原有的著作，其中主要包括法兰克福学派 20—30 年代兴盛期……的著作；另外

---

① ［英］雷蒙德·威廉斯：《马克思主义与文学》，王尔勃等译，河南大学出版社 2008 年版，第 1—2 页。

② ［英］雷蒙德·威廉斯：《马克思主义与文学》，王尔勃等译，河南大学出版社 2008 年版，第 2—3 页。

③ ［英］雷蒙德·威廉斯：《文化与社会》，吴松江等译，北京大学出版社 1991 年版，第 338 页。

④ ［英］雷蒙德·威廉斯：《马克思主义与文学》，王尔勃等译，河南大学出版社 2008 年版，第 3 页。

还有安东尼·葛兰西的那些卓有见地的著作，以及马克思本人某些著作的新译本——特别是《大纲》①一书"②。以后，在与国际马克思学界进行频繁交流的过程中，威廉斯找到了自己作为一个马克思主义思想研究者的归属感和认同感，他感慨地说，"在这种环境里，我第一次感到自己工作在一种熟悉的、亲切的集体之中。同时我也感到，以往35年来我所做的每一点工作，都以某种复杂或间接的方式（虽然常常没有记载下来）同马克思主义的观念和讨论发生着联系"③。可见，卢卡奇、葛兰西和阿尔都塞等典型西方马克思主义的思想已经在这一时期开始影响威廉斯等英国马克思主义的理论探索。从某种意义上，我们可以认为，"二战"后发生在英国马克思主义学界的"新左派"兴起现象，是与传统西方马克思主义（从卢卡奇到阿尔都塞）在英国的传播与接受密不可分的。

（二）文化唯物主义意识形态论的内容与范畴推展

遵循着文化研究主题丰富与转换的内在逻辑线索，立足于形成中的新左派马克思主义的基本方法（正是这二者的结合，构成了威廉斯文化唯物主义的总的方法论框架），威廉斯构建了自己文化唯物主义意识形态论的基本探讨：对意识形态及其重要命题（"基础—上层建筑"命题）与相关范畴（"文化""上层建筑""感受结构"和"领导权"等）的重新阐释。前者构成了文化唯物主义意识形态论的核心内容；后者则构成了其主要范畴推展表。以此，威廉斯对马克思的意识形态理论进行了重新阐释，这一理论重构，一方面在马克思意识形态基本理论方面，表达了一种既不同于传统马克思主义、也不同于非传统马克思主义的新意识形态观，即一种基于对基础—上层建筑命题作出正确理解的总体的意识形态观；另一方面，在意识形态主要范畴上，借鉴英国本土的文化与历史理论学派和欧洲的西方马克思主义新思潮，提供了一个理解马克思主义意识形态定义的范畴推展表，即从"文化"的"上层建筑"到"感受结构"的

① 即《政治经济学批判大纲》，这或许是受葛兰西的影响，因为葛兰西在自己的著作中对马克思的《大纲》研读颇多。
② [英]雷蒙德·威廉斯：《马克思主义与文学》，王尔勃等译，河南大学出版社2008年版，第4页。
③ [英]雷蒙德·威廉斯：《马克思主义与文学》，王尔勃等译，河南大学出版社2008年版，第5页。

"领导权"的视角转换。

1. 核心内容：基于"基础—上层建筑"命题展开的马克思意识形态论考察

早在 20 世纪 50 年代中期之前的"英国正统马克思主义"阶段（其阶段性成果是《文化与社会》一书），威廉斯就找到了影响马克思主义文化理论（进而也影响意识形态理论）发展的一个核心命题："基础—上层建筑"模式，以后，随着文化理论研究的深入开展，在形成中的"新左派"马克思主义立场与文化唯物主义的方法论框架指导下，威廉斯（在缺乏明确逻辑转接关系交代的情况下）将文化研究的主题"细化"到意识形态理论研究领域（这一转接任务的典型完成之作，是他后期的名著《马克思主义与文学》）。围绕这一历史唯物主义的重要公式或命题，威廉斯梳理了马克思意识形态概念的理论来源，概括了马克思主义意识形态概念的三种定义，并提出了要正确理解基础—上层建筑关系的科学任务和充分认识意识形态复杂性的理论任务。在威廉斯那里，前面两项工作的目的就是为了完成后面的任务。它们共同构成了威廉斯意识形态论的核心内容。

第一，威廉斯梳理了马克思意识形态概念的理论来源，提出马克思的意识形态概念就是"托拉西式的科学实证主义＋拿破仑式的批判"的复杂综合体，并指出，这种综合体本身的不确定（用语上的类比或比喻所带来的语义混乱、出于论争之需而在语言表述上的不周延）是造成马克思身后的各类马克思主义者对其意识形态概念理解各异的原因之一。威廉斯说，马克思不仅继承了托拉西的反形而上学的、作为一种"科学"的实证主义的意识形态概念，也从拿破仑那里继承了另外一种相反的、贬义的意识形态概念，即认为意识形态是"不合实际的理论"和"抽象的幻想"，尽管马克思"出自新的立场"，但拿破仑式批判的"每一个要点""都被马克思和恩格斯在其早期著作中继承下来并加以应用"[①]。威廉斯认为，这正是马克思和恩格斯在1846年所著的《德意志意识形态》一书中对他们的德国同时代人展开抨击的基本立场。威廉斯指出，尽管"说'意识形态'应该去掉其'完全独立性的外观'是完全正确的，但是，'反射''反响''模糊幻想''升华物'等用语 fcb 却过于简单化，而且在重复使用中造成严重后果"，因为"这种用语属于'机械唯物主义'的朴素

[①] [英] 雷蒙德·威廉斯：《马克思主义与文学》，王尔勃等译，河南大学出版社 2008 年版，第 61—62 页。

二元论"①。所以，尽管马克思的主旨性原意肯定不等于他身后的马克思主义者的相关思想，但马克思无论如何要对后来的"严重后果"负一定的责任——至少是表述（如照相机比喻）上的混乱等责任。

第二，威廉斯肯定了意识形态概念在马克思主义文化理论中的地位，概括了马克思主义意识形态概念的三种定义，并认为没有必要在这三个定义中分出优劣，但却有必要对马克思的意识形态概念进行重新界定和澄清。在威廉斯看来，意识形态是马克思主义文化理论的一个重要概念。他说，"'意识形态'这一概念并不是马克思主义首创的，也不限于马克思主义专用。但显而易见，在几乎所有的马克思主义文化思想理论——特别是关于文学和观念的理论当中，它是一个重要概念"。为考察这一重要概念，威廉斯总结了马克思主义著作中的三种主要意识形态概念界定：其一，"指一定的阶级或集团所特有的信仰体系"；其二，"指一种由错误观念或错误意识构成的幻觉性的信仰体系，这种体系同真实的或科学的知识相对立"；其三，"指生产各种意义和观念的一般过程"。② 威廉斯认为，许多马克思主义著作都采取了将第一种定义和第二种定义"结合在一起"的做法来理解意识形态概念③。威廉斯关于意识形态概念的三种含义梳理，实际所区分的就是：作为政党意志（或阶级实践意识）的意识形态、作为虚假意识（或被分离的、自我独立的理论）的意识形态，以及作为观念或意义生产及其领域（或精神文化生产）的意识形态。第一种界定强调的是意识形态的阶级性，一般被视为一种中性的意识形态概念；第二种界定突出的则是意识形态的虚假性或扭曲性，这显然是一种贬义的意识形态概念；第三种界定力图说明的是意识形态的普遍性和一般性，这是一种泛化的意识形态概念。在他看来，这三种定义以及其各种形式的结合，都有其历史原因和意义，因而没有必要进行优劣划分。所以，在研究马克思主义意识形态理论时，应当采取的正确态度是："除非出于论争的需要"，否则"完全不必""确立'唯一'正确的马克思主义意识形态定义"，而是"应把这一术语及其各种变体放回到

---

① ［英］雷蒙德·威廉斯：《马克思主义与文学》，王尔勃等译，河南大学出版社 2008 年版，第 64 页。

② ［英］雷蒙德·威廉斯：《马克思主义与文学》，王尔勃等译，河南大学出版社 2008 年版，第 58、59 页。

③ ［英］雷蒙德·威廉斯：《马克思主义与文学》，王尔勃等译，河南大学出版社 2008 年版，第 1 页。

它们得以形成的问题中去，特别是首先要放回到历史发展之中。这样，我们才能再回到它们现今如何呈现自身的问题上来，回到这一术语及其各种变体所揭示和隐匿的那些重要争论上来"①。可见，文化唯物主义的意识形态论，并未剥离历史的维度。这同时也为他梳理马克思意识形态概念的历史起源与发展提供了理论合法性和逻辑基础。

第三，为了澄清马克思意识形态概念在经典起源那里的"混乱"，也为了拯救这个概念在各种马克思主义变体那里的"迷失"，威廉斯提出了要正确理解基础—上层建筑关系的科学任务和充分认识意识形态复杂性的理论任务。因为在威廉斯看来，无论是在马克思那里，还是在马克思的后继者那里，所有关于意识形态概念的混乱与迷失，都与"基础—上层建筑"公式的不正确理解有关。他说：显然，马克思在那段关于基础—上层建筑关系的著名论述中所"提及的区别极其重要，即使我们接受'基础与上层建筑'的公式，马克思仍为我们说过这样的话：后者的改变必须要用一种不同的、不那么精确的公式来加以探讨"②。这就是说，上层建筑由于自身的复杂性，是不能用一个精确的被（基础）决定的命令来完善其丰富内涵和变化的。因为"上层建筑涉及的是人类意识问题，它必然是非常复杂的，不仅仅是因为它的多样性，而且还因为它始终是历史的；任何时候，它既包括对过去的延续，又包括对现存的反应。马克思有时确实把意识形态看成是一种虚幻意识（false consciousness）③：一种事实上被变革所破坏的延续传统"④。但这样的看法如前所述，是出于论争的需要而不得不作出的。可见，威廉斯反对基础—上层建筑的模糊理解，就是因为它会导致对于作为上层建筑的人类意识（意识形态）与作为社会结构基础的物质经济现象之间，并非两阶段论的关系。什么是"两阶段论"呢？就是认为"先有物质社会生活，然后在某种时间或空间的距离上再有意识和'它的'产物。这样就直接产生了简单的化约论：'意识'和'它的'产物不是别的，只能是物质性社会过程中发生过的一切的'反映'而已"，这种"把'意识及其产物'分离出去并抽象为某种'反映'或'第二

---

① ［英］雷蒙德·威廉斯：《马克思主义与文学》，王尔勃等译，河南大学出版社 2008 年版，第 59 页。
② ［英］雷蒙德·威廉斯：《文化与社会》，吴松江等译，北京大学出版社 1991 年版，第 340 页。
③ 中文一般译为"虚假意识"。
④ ［英］雷蒙德·威廉斯：《文化与社会》，吴松江等译，北京大学出版社 1991 年版，第 340 页。

阶段'的过程"①。

2.范畴推展:从"文化"的"上层建筑"到"感受结构"的"领导权"

从上述威廉斯意识形态论的基本内容可以看出,威廉斯是在以"文化"为主题的研究中,开始关注"基础—上层建筑"公式,并由此引申到意识形态概念,此时,在他这里,意识形态除了在马克思主义意识形态概念发展史中的历史意义之外,它还在观察社会结构时,被威廉斯纳入了文化的特别是上层建筑的范畴之中去了。此时,文化、上层建筑、意识形态,是一个外延逐渐缩小的概念序列。或者说,意识形态是作为上层建筑的组成部分、文化的一种社会功能出场的。这样的出场方式,尽管满足了唯物主义的立场要求,但却无法成功地完成威廉斯所提出的在马克思主义意识形态论领域进行概念澄清和走出迷雾的任务。于是,威廉斯在自己意识形态论的范畴推展表中,继"文化"和"上层建筑"之后,又填补了"感受结构"和"领导权"概念。意识形态的出场方式,从文化的上层建筑,转向了感受结构的领导权领域。

当意识形态作为文化的上层建筑出场时,它更多地表现为一个依附性和隶属性概念,即意识形态概念是为了最终正确理解文化并因此不得不正确理解上层建筑的复杂性(中间经过基础—上层建筑公式的中介)的理论任务所必须解决的一个混乱的范畴。恰好,这个混乱的范畴的理论澄清,与威廉斯的文化研究主题以及由此而产生的上层建筑复杂性认识任务的完成之间,拥有一个共同的理论模式,这个模式就是所有马克思主义(历史唯物主义)都无法避免的"基础—上层建筑公式",因此,澄清范畴定义与内容所遵循的共同理论模式或模型,使得威廉斯得以在不做任何理论逻辑关系澄清的情况下,就开始多少有点不负责任地从文化这个大范畴、经由上层建筑这个中范畴,转移到了相对较小的意识形态范畴之中。这就是意识形态作为文化上层建筑在威廉斯意识形态论中的出场逻辑。可惜,对于基础—上层建筑模式的深入研究,使得威廉斯似乎对于这一研究成果本身并不满意。实际上,就像对于基础—上层建筑模式的混乱理解而造成的几乎要对这个模式本身都差点儿采取摒弃态度一样,意识形态概念本身的混乱与迷失,也使得威廉斯对它失去了信心。

---

① 　[英]雷蒙德·威廉斯:《马克思主义与文学》,王尔勃等译,河南大学出版社 2008 年版,第 67 页。

于是，威廉斯在梳理完马克思主义意识形态概念发展史的同时，就提出了意识形态的替代性概念，那就是"感受结构"和"领导权"范畴。所谓"感受结构"（structure of feeling）①，就是"一种现时在场的、处于活跃着的、正相互关联着的连续性之中的实践意识"和"处在过程当中"的"社会经验"，而"从方法论意义上讲，'感受结构'是一种文化假设"，它可以帮助我们理解一定时代中的人的实践意识和社会经验。可见，"感受结构"与文化、上层建筑、意识形态等范畴所要表达的主要内容是相似的，但也有不同之处，那就是"感受结构"更能生动地表达人类实践意识和社会经验的在场性或现在进行时态，而像意识形态等范畴更多指的是一种过去时态，而且感受结构也更加能表现实践意识和社会经验在社会大情境中的变化性和互动性，而不会像意识形态等范畴在传统含义上的那种基于"基础—上层建筑"模式而造成的机械性和僵化性。因此，如果说"意识形态"当它称其为意识形态的时候，已经是一个业已形成的、"沉淀"下来的、体系化的因而更加"明显可见的、更为直接可用的社会意义构型"和人类实践意识和经验表达的话，那么，感受结构则"可以被定义为溶解流动中的社会经验"，所以，威廉斯想用感受结构来替代"传统正规的"意识形态概念，就是为了强调它们之间的区别，以便告诉大家：第一，"必须超越正规的把握方式和体系性的信仰"；②[第二，我们每个拥有实践意识和社会经验的普通人其实都参与了社会意义和价值的建构过程，而且在这一多变的过程中，我们的感受结构作为非系统化的甚至是粗糙的意义表达中介，但它却以其灵活多变性和现场鲜活性，而更接近于个体生活，是更加庞大的、系统性的集体意识形态的"细分"或构成要素，尽管并不能在它们之间建立简单的化约关系（虽然它们之间的确存在着复杂的互动关系）。]

除了感受结构，威廉斯还提出了另外一个在他看来，更适合替代传统意识

① 也译为"感觉结构"或"情感结构"。据研究者考证，威廉斯在 1954 年的《电影导论》中就已提出该范畴，而在《漫长的革命》中则对这一术语进行了深入研究，提出了"感受结构就是某一时期的文化"的观点，以后又在随后的其他著作中，多有补充和论述（参见 Andrew Milner, "Culture Materialism, Culturalism and Post-Culturlism :The Legacy of Raymond Williams", *Theory, Culture&Society*, SAGA, Vol.11, 1994, p.48）。

② [英] 雷蒙德·威廉斯：《马克思主义与文学》，王尔勃等译，河南大学出版社 2008 年版，第 141—143 页。

形态概念的范畴："领导权"①。他认为，"领导权"作为一种概念"既涵盖了又超越了"文化概念和意识形态概念（特别是那种认为意识形态就是"一种意义的和价值的体系总是在表达或体现着某一特定阶级的利益"这一在任何一种马克思主义中都坚持的"传统正规的"意识形态观）②。因为领导权概念强调了活生生的人类生活过程的"整体性"（即总体），而意识形态作为"一种相对正规的、被清晰表述出来的关于意义、价值和信仰的体系"（"这类意义、价值和信仰可以被抽象为某种'世界观'或'阶级观点'"）却"排斥""边缘"或"遮蔽"了"社会生活中人们的那些相对复杂的、混合的、不完整的或未得到清晰表述的思想意识"。而领导权概念却不仅仅可以指"那些可以清晰表达出来的、较高层次的'意识形态'"，也不仅仅指意识形态的那些通常被视为'操纵'或'灌输'的控制方式"，实际上，领导权概念可以是"一种由实践和期望构成的整体，这种整体覆盖了生活的全部——我们对于生命力量的种种感觉和分配，我们对于自身以及周围世界的种种构成性的知觉体察"，它是一种实际体验到的意义、价值体系（"既具有构成设定性又处在构成设定中"），它"为社会中的大多数人建构起一种现实感，一种绝对的意义"，当然，"从最根本的意义上讲就是一种'文化'"。③

总之，感受结构概念的"流动性"和"领导权"概念的"整体性"，都使得威廉斯觉得它们可以用来替代或超越传统正规的意识形态概念，即那种建立在"基础—上层建筑"关系机械理解模式上的意识形态概念。由此，威廉斯的意识形态概念解读范畴推展表，就从"文化"的"上层建筑"阶段，转到了"感受结构"的"领导权"阶段。意识形态概念因此在威廉斯那里经历了两个出场阶段。在"文化"的"上层建筑"出场阶段，威廉斯所有关于文化和上层建筑

① Hegemony，也译为"霸权"。有论者认为，威廉斯首次明确讨论领导权概念是在1973年发表在《新左派评论》中的《马克思文化理论中的基础与上层建筑》一文（该文参见）中，以后逐渐得到提炼，并因讨论主题而有所修改，在《马克思主义与文学》中，"为了克服意识形态概念的诸多困难"，威廉斯"更改"了之前对这一术语的理解，即领导权从过去的"主导文化制度所传递的核心价值观"转变为流动的、整体的文化过程（参见 Nick Stevenson, *Culture, Ideology and Socialism,* Avebury: Ashagy Publishing Limited,1995, pp.51-52）。

② ［英］雷蒙德·威廉斯：《马克思主义与文学》，王尔勃等译，河南大学出版社2008年版，第116页。

③ ［英］雷蒙德·威廉斯：《马克思主义与文学》，王尔勃等译，河南大学出版社2008年版，第117、118页。

的历史梳理与分析，几乎都在对意识形态概念的探究中得到了如法炮制（从文化的三种定义到意识形态的三种定义，从上层建筑的复杂性认识的提出到多角度认识意识形态任务的提出），而在"感受结构"的"领导权"出场阶段，无论是对于感受结构的探讨还是对于领导权概念的探讨，都表达的是论者超越传统意识形态概念的旨趣，因此，可以把后一个出场语境，视为威廉斯意识形态论研究继第一次出场后的深入与发展。前者所要摒弃的是对意识形态概念在社会空间层面的被动性理解，后者则表达的是对意识形态概念在历史时间维度的现时性的强调。换言之，前者是在探讨意识形态的横切面，而后者则在探讨意识形态的纵切面，特别是现时段。意识形态范畴推展表的逻辑推演，表达的是威廉斯在自己的文化唯物主义的整体性文化观、新左派的马克思主义立场基础上，对基础—上层建筑模式解读的过程和结果。意识形态概念和理论，在这里只是这一大的文化研究主题和新左派马克思主义立场的理论研究成果之一。威廉斯的意识形态论是他的文化理论的重要构成部分，是他的新左派马克思主义立场的一个典型例证。

综上所述，文化唯物主义意识形态论的主要意义就在于：第一，通过不放弃基础（社会存在）决定上层建筑（社会意识）的唯物主义立场，而坚持意识形态观的唯物主义基础和马克思主义传统，即认为作为上层建筑（社会意识）的意识形态，依然要受到作为基础（社会存在）的"设限"和"施压"；第二，借助于赋予"基础"、"上层建筑"和"决定"以不同含义，以凸显意识形态研究的文化视角，也即意识形态作为文化的具体载体或表现形式之一，它的形成和产生作用的过程，并非脱离作为社会基础（主要是以物质资料生产为主导的一定社会的经济结构）的社会存在而独立发生的，而是与社会存在相伴生的，从这个意义上来说，它本身也构成了一种社会存在，因而也具有物质性（基础）的含义；第三，强调社会意识形态的整体性、历史性和批判性[1]，反对

---

[1] 在1981年的《文化》中，威廉斯提出，应该保持意识形态概念的具体含义，要不然它就会失去其批判诉求。可见，批判性是建立在这一概念不被泛化的基础之上的。当然，此时威廉斯有理由这样说，因为他可以用自己先前获得的感受结构概念来辅助完成这一将意识形态概念内涵具体化的工作，即"将错就错"地"沿用"传统正规的意识形态概念，而将其无法覆盖的动态部分，用感受结构来补充，或者，还可以用领导权概念来替代（相关论述，请参见 Nick Stevenson, *Culture, Ideology and Socialism,* Avebury: Ashagy Publishing Limited,1995）。

机械主义和经济主义（在意识形态论上表现为"反映论"、"中介论"或"结构论"）的意识形态观。然而，第二方面的理论努力，使得威廉斯的观点存在着否定第一个方面的嫌疑，也即有走向文化唯心主义的嫌疑；威廉斯为摆脱理论困境，提出了整体论，即不要在实践中截然区分基础与上层建筑，因为或许这种纯理论的、理想型的提问方式本身就掩盖了问题的实质，即它们之间其实是不可分的，因为它们总是处于一种整体的或一体的关系态中，变化是这一关系态的常态。总之，在文化唯物主义意识形态论的基本观点和研究方法中，我们既看到了传统（苏联）马克思主义意识形态论影响下的对意识形态概念唯物论、阶级论和政治属性的强调，又看到在西方马克思主义影响下的历史、总体和文化属性的凸显。或许，正确解决来自这两种方法论和视角之间冲突与张力，正是我们今天在中国当下语境中研究和发展马克思意识形态论的主要任务和意义所在。

二、典型代表：伯明翰文化研究中心对意识形态理论的贡献

赋予文化以唯物主义的社会学基础，强调文化的社会生产关系基础，可以说，除了威廉斯作为文化研究思想先驱在其《文化与社会》中的相关论述，伯明翰文化研究中心创始人霍加特（在其20世纪50年代的《论识字的用途》等）以及霍尔著名的编码—解码理论中，都体现着这样的理论旨趣。比如在霍尔的文化定义中，他认为，"在文化研究和文化社会学"中所谓的"文化转向""倾向于强调意义在给文化下定义时的重要性"，即认为"文化是一个过程"、"一组实践"，它"首先涉及的"是"意义生产和交换"（也即"表征"），因而在这一"生产"或"建构"的过程或实践中，"文化"即是一个"原初"的"构造"的过程，它"在形成各种社会问题和历史事件方面，其重要性不亚于经济和物质'基础'，它已不再是单纯是事件发生以后对世界的反映"①。实际上，作为伯明翰文化研究中心实际创始人，霍加特和霍尔所致力于推动的英国文化研究，力推的是文化与社会关系问题的研究，这种研究，借助于阿尔都塞（意识形态

---

① ［英］斯图亚特·霍尔编：《表征：文化表征与意指实践》，徐亮等译，商务印书馆2003年版，"导言"第2、10、6页。

国家机器论和主体建构论的结构主义或构成主义理论框架）、葛兰西（市民社会和文化霸权概念）、福柯（知识—权力概念）① 和德里达（解构主义）的思想在英国的传播，一方面坚持文化在社会生产关系中的"物质基础功能"（或称"唯物主义功能"，并在这个意义上自称"文化唯物主义"）；另一方面作为被共享的"文化空间"，经由语言为中介的意义生产过程（也即表征过程——霍尔称此为编码—解码过程）是一个永远在进行之中的、不断建构的历史过程（主体、自我等身份政治，都是这个建构过程的"效果"）。如此一来，在第一个方面，伯明翰文化研究中心的旨趣已经从传统马克思主义的"文化属于观念的上层建筑论"所涉嫌包含的所谓简单反映论中抽身出来，赋予文化概念以传统历史唯物主义"基础—上层建筑"论中的"基础"功能，也即一种类物质性的功能（某种"文化经济学"的旨趣）；而在第二个方面，传统马克思主义赋予经济基础的决定论的地位，却并没有在文化研究者手中被传递给文化，相反，文化被看成是一个具有非决定论性质的、不断生成的过程（虽然，它被经济基础所决定的"最终时刻"仍被保留——如在阿尔都塞那里所承诺的，但这个时刻却被设定为一个永远被延迟的到来——如德里达的延异概念所呈现的）。所以，文化生产（最为文化的社会学维度和经济学维度），作为一种重要的社会生产（其重要性不亚于物质生产——如果非得在文化与物质之间进行区分的话），不是（相对于物质生产来说的）反映论的（也即被决定的）一元模式，甚至也不是文化与其假想"他者"——物质之间的二元论模式，而遵循的是包含它们（以整合的形式）在内的多元的、非线性的、充满偶然性的构成模式（如果还可以叫作模式的话）。而对于这一文化—社会模式进行探讨的意义就在于，赋予当代社会问题的考察以新的座架，也即在新的文化概念下：1）突破传统马克思主义（主要表现在第二、三国际理论家那里的）的经济主义决定论和反映论模式，解放文化（无论是否作为观念的上层建筑）的自主性和能动性，给予文化以社会学、经济学和政治学的丰富内涵；2）为此，必须借鉴后结构主义（后现代主义）的解构剪刀，进行大刀阔斧的拆解，这样，文化研究中的后现代主义倾向也就在所难免了。不难发现，在突破传统马克思主义经济决定论和反映

---

① 霍尔指出，福柯的话语实践概念，实际上将多数意识形态理论得以立足的"再现"概念问题化（参见 Stuart Hall erc（eds），*Culture, Media, Language:Working Papers in Cultural Studes*，"Introdution"，p.25）。

论的方面，学者们几乎很容易达成一致，这也是他们提出文化唯物主义或文化马克思主义的初衷，但为此要在多大程度上向后现代主义靠拢，中心内部的成员之间也并非态度和做法一致，相反，他们多少会心存警惕。无论如何，这都可以看作是欧陆西方马克思主义对英国马克思主义的影响所致。下面以霍尔为例，概括伯明翰文化研究中心的文化研究及其意识形态论主题，即文化大众主义（或称民粹主义）的意识形态论。

（一）文化大众主义意识形态论的主要观点：大众文化、政治霸权与多元链接

斯图亚特·霍尔 ① 作为伯明翰学派的重要代表人物（伯明翰文化研究中心的第二任主任），他的意识形态理论（以 1978 年发表的《意识形态论》等系列重要论文为主要文献依据），构成了其文化研究的重要议题。霍尔的意识形态观可概括为"大众文化主义"论，其主要观点包括：大众文化是意识形态的表现形式、政治霸权是意识形态的社会功能，而多元链接构成了意识形态的实践机制。霍尔的这一意识形态观，既体现了英国马克思主义文化研究的传统，也是霍尔对马克思本人文献研究（如对《政治经济学批判大纲》"导言"的解读）的结果，而这一解读本身体现的是霍尔意识形态论思想资源中不可缺少的环节，这就是对西方马克思主义者葛兰西和阿尔都塞等人相关理论的借鉴（这一点，如同在威廉斯那里也有明显的表现）。当然霍尔的这一解读也遭遇了当代相关学者的论争，由此构建了当代英语世界关于马克思主义意识形态观的讨论热潮（如在中心其他重要成员拉瑞恩和梅萨罗斯等人的后续探讨中）。

1. 大众文化是意识形态的主要表现形式

霍尔的"文化大众主义"意识形态论的一个典型特点就是对大众文化及其社会建构功能（作为意识形态生产与消费场所）的强调。我们知道，"文化"一直是伯明翰文化学派的研究主题，尽管这一核心范畴在伯明翰文化研究中心内部并没有获得清晰而统一的界定，但自从奠基者威廉斯提出"文化与社会"的文化唯物主义议题之后，对文化的社会建构属性，特别是其（表现为过程的）开放的经验性和（表现为权力的）政治实践性，得到了持久关注。正是这样的

---

① Lawrence Grossberg, *History, Politics and Postmodernism: Stuart Hall and Cultural Studies, Journal of Communication Inquiry*, 10（1986），p.64.

关注，使得伯明翰学派不再将文化概念理解为人类活动的被动产物（表现为各种各样的人造物），也不再仅仅将其视为一种自上而下的、单向度的教化活动（表现为异化诸像）。在霍尔看来，前者是一种机械决定论的观点（如表现在传统马克思主义基于"基础—上层建筑"模式的文化上层建筑论），后者则是一种文化精英主义论调（如法兰克福学派以及英国文化研究的先驱们所秉持的观点）。如果说前者忽视的是文化作为一种社会建构过程的开放性和动态的经验性，以及由此所带来的非决定性品格，因而也忽视了文化活动的真正的主体性和创造性；那么后者则在文化的社会批判活动中，特别是在对现代消费文化和工业文化的批判中，忽视了现代文化实践的真正承载者——大众文化。因为在霍尔看来，大众文化不仅是自上而下的意识形态"消费"过程，也是自下而上的意识形态"生产"过程，是政治权力的意识形态编码与解码的整体性领域。这样，大众文化就成了现代国家意识形态的主要表现形式。

大众文化因此成为霍尔式的文化研究（特别是其文化大众主义的意识形态论）和英国式的社会批判的一个重要工具，或者说，大众文化是霍尔选取的一种进行批判性社会研究(亦称文化研究或意识形态分析)的重要视角。在这里，大众文化已不再只是那个与精英文化相对应的通俗文化（如群众文化或工人阶级文化）或青年文化等狭义的亚文化形式的代名词，而是类似于葛兰西意义上的"市民社会"概念，即在现代社会和国家制度下，人们得以形成自己的意见以期达成共识（往往以"常识"的形式出现）的公共领域，学校、媒体、教会、行业协会等公共部门在这里发挥着十分重要的文化编码和解码作用。每一个社会成员正是通过参与这里的公共生活，特别是参与和影响存在于这里的复杂的文化编码和解码活动，而获得自身具有时代和民族性的自我意识，以取得一定的文化身份认同感。

霍尔之所以要选择大众文化作为社会研究的视角，是因为在他看来，首先，"文化"范畴的使用本身就可用来强调"社会存在"与"社会意识"之间的辩证法，打破经济决定论，更好地体现"总体"的原则，从而填补社会学研究方法的不足[①]。其次，大众文化构成了当代文化的一个十分重要的方面，因

---

① Stuart Hall, "*Cultural Studies and the Centre: some problematics and problems*", in *Culture, Media, Language. Working Papers in Cultural Studies, 1972—1979*, Stuart Hall et. ed., London and New York: Routledge, 1980, pp.7-8.

此，文化研究作为一个非单个学科化（而是跨学科）的研究视域，它所研究的对象就是社会，或者说，文化研究就是社会研究，就是英国式的"西方马克思主义"运动①。而大众文化则是当代社会诸像的一个最典型的表征方式。最后，霍尔认为，"文化绝非仅是其意义和同一性在其起源和内在本质中已获得担保的人类活动、技术和讯息系统"，"文化是斗争的场所，是为界定生活和生存方式而战的场所"，而且"这一斗争以我们可以参与其中的话语建构的方式开展的"。因此，"文化活动就是链接各种具体社会活动和事件，为我们理解这些具体活动的意义和存在方式提供路径。而这一业已渗透着阐释的社会实践活动反过来也可以被链接入更大的主导与抵抗关系之中"，"正是在这里——即在有待表征的话语和事实的关系之中——霍尔安置了意识形态问题"②。

因此，霍尔的文化研究就是要关注大众文化领域，特别是大众文化领域中的诸现象（如媒体等）研究，他认为这就是要关注大众交往中的一般意识形态本质问题，即大众交往中的语言和意识形态建构，而不仅仅是把它们看成是一个固定的或先验的结果来被动接受。换句话说，就是关注各种符号信息及其意义是如何被复杂地"编码"、受众又是如何对它们进行各自不同的"解码"③，以及各种媒体因此如何在不停地界定和表达主导意识形态的过程中发挥作用的。因此，意识形态如何通过文化的编码与解码，并以大众文化的诸形式表达出来，就是霍尔所关注的意识形态具体问题了。本文把这种霍尔式的意识形态观察视角，即大众文化（及其编码和解码）的观察视角，称为霍尔式的"文化大众主义"意识形态论。其主要特点就在于提出了"意识形态编码—解码论"，即主张编码和解码过程都"不可以完全脱离意识形态"。而解码和编码这两个术语，则是用来区分特定情境下"意识形态介入程度"的一种"分析工具"，在这两个谁也决定不了谁的领域中（有时也表现为阶段性），意识形态都会在场——即便是在解码过程，也并非意味着意识形态

① Stuart Hall, "*Cultural Studies and the Centre: some problematics and problems*", *in Culture, Media, Language. Working Papers in Cultural Studies,1972–1979*, pp.9,12.

② Lawrence Grossberg, *History, Politics and Postmodernism: Stuart Hall and Cultural Studies*, p.66.

③ Stuart Hall, "Introduction to Media Studies at the Centre", in *Culture, Media, Language. Working Papers in Cultural Studies,1972–1979*, Stuart Hall et. ed., London and New York: Routledge,1980, p.105.

的缺席①。同时，大众并不仅仅是解码者，媒体也并非就是单纯的编码者，它们都既是编码者同时又是解码者，共同构成了意识形态的建构网、接受网或传播网以及影响力。而这种由大众和媒体所共同构成的当代社会结构网络，就是霍尔意义上的大众文化，即一个意识形态建构和表现其自身的主要载体，也是当代社会诸面相的表演舞台。

由此可见，大众文化作为意识形态的生产和消费场所（借助于编码—解码过程），它必须具备两个条件：其一，必须借助于以语言为主的文化符号系统。实际上在霍尔这里，"意识形态是通过语言并在语言之中得以链接（建构）的，但意识形态和语言之间并非等同关系"，因为"意识形态活动包括所指的双重链接，既要链接入内涵（意指）网络，又要链接入真实的社会活动和主体立场（表征）"。因此，"意识形态活动，就是把具体的关系、具体的等式'固定'下来，'链合在一起'，以构建某种同一性或阐释的必然性、正常性和'现实性'（当然，同时也将别的同一性和阐释当做虚幻、偶然性、反常性或偏见予以排除）。意识形态就是把具体的历史文化链接正当化"②。其二，必须在特定的社会大舞台中开展相应的文化活动，从而实现意识形态的表征和建构功能。"我们不可能生活在一个脱离文化形式的社会当中，因为我们正是通过这些文化形式来获得对社会的理解和认识的。而意识形态就是声称某具体的文化活动是对现实的表征。然而这一表征（建构）却并非现实，而是我们和它们之间的一种关系、是我们生存和体验现实的方式。意识形态构建了人类体验的场所和结构。……意识形态把某类社会认同和具体的社会的体验联系在一起，仿佛后者注定是前者的派生物。当个人进入意识形态活动领域时——他们作为体验者（作者／主体）的身份是已经规定好了的——绝非是像一个白板一样被诱入某个单纯的意识形态结构之中的。因为意识形态领域总是充满了矛盾和斗争，而且个人总是会受到其他话语和实践的限制"③。所以在霍尔这里，不仅由意识形态活动所呈现的文化形式以及藉此所构建的社会，无不具有结构总体性，而且

① Stuart Hall, "Encoding and Decoding", in *Culture, Media, Language. Working Papers in Cultural Studies, 1972–1979,* Stuart Hall et. ed., London and New York: Routledge, 1980. p.122–123.

② Lawrence Grossberg, *History, Politics and Postmodernism: Stuart Hall and Cultural Studies,* pp.66–67.

③ Lawrence Grossberg, *History, Politics and Postmodernism: Stuart Hall and Cultural Studies,* p.67.

还具有历史性，所以他指出，"单个文本的意识形态性是没有担保的，所有的文本都拥有被编码的结构和意识形态历史"①。正是通过追溯这样结构上的总体性和历史性，让霍尔看到了表现为文化形式的意识形态所要实现的基本社会功能，就是实现政治上的领导权或政治霸权功能。

2. 政治霸权是意识形态的基本社会功能

以文化形式出现的大众生活领域的意识形态活动，其主要旨趣就在于获得政治霸权。这一方面与工业发展所带来的文化消费的平民化和普及化有关；另一方面也与消费群体的多元化所催生的新的政治斗争领域和形式相关。"在霍尔看来，'霸权'的出现，与绝大部分人日益广泛地参与文化消费活动有关"；而"当'大众'登上历史舞台，特别是作为参与主体登上文化的舞台，就把文化领域的斗争从阶级冲突转换为更广义的、百姓与精英或统治阵营间的斗争"——当然这"不是要否认阶级冲突的持续重要性，而是把它放在其他（如种族、性别和年龄）斗争之中"，"文化关系领域的这一重构的结果，就是造成了文化政治新形式和新组织的出现：这就是霍尔对葛兰西霸权概念的解读"②。所以，霍尔从葛兰西那里借用了霸权概念，并用它来指代由于文化关系领域的重构（主要是大众广泛参与文化活动并因此既改变文化参与主体的构成又改变了主导文化形式）而带来的新的社会政治问题："霸权不是普遍存在的当前斗争，而是发达资本主义、大众交往和文化的链合（conjunctural）政治"，霸权也不仅仅局限于统治阶级为争取被统治阶级的认同而开展的斗争领域，也依赖于统治阵营是否"有能力确保其经济主导力和确立政权"，"霸权为我们的斗争确定了界限，这就是'常识'或'大众意识'的领域"③。一句话，新的政治领导权就是争取（并重构或改造）大众常识或大众意识的活动。

尽管这样的政治领导权或霸权已超出了传统阶级斗争的狭义舞台，从"阶级意识"（卢卡奇意义上的）扩展为"大众意识"（更接近于葛兰西的市民社会的常识概念），但其政治性内涵却依然保存——霍尔公开承认自己所写的每一

---

① Lawrence Grossberg, *History, Politics and Postmodernism: Stuart Hall and Cultural Studies,* p.67.

② Lawrence Grossberg, *History, Politics and Postmodernism: Stuart Hall and Cultural Studies,* p.69.

③ Lawrence Grossberg, *History, Politics and Postmodernism: Stuart Hall and Cultural Studies,* p.69.

篇文章都是一种"政治性介入"①。因为他认为，首先，意识形态术语本身就有政治性内涵；其次，赋予自己的文化研究特别是意识形态分析（作为思想介入社会实践的一种方式）以政治性内涵也是他这样的知识分子的历史使命。霍尔因此不满地指出，"意识形态"这一术语在英语世界的使用与流传并非一帆风顺，甚至"从未真正融入盎格鲁－萨格森"的社会政治理论之中，因为英语世界的政治理论有时把意识形态仅仅理解为"系统化的观念体系"，这就使得这个概念本身具有更多的"描述性"功能，而"没有发挥它作为分析工具的重要功能"②。而他自己由于受英国马克思主义历史学和新左派运动的影响，自从20世纪六七十年代英国的文化研究学派（以伯明翰文化学派为主载），一直秉承其政治性使命，特别是关注"学术工作的政治学"问题③。

霍尔的这种秉承与葛兰西有着难以割舍的关系。在霍尔看来，葛兰西就是一位"政治知识分子"和"社会活动家"，而非一位"一般理论家"④。所以，葛兰西的著述也并非高度抽象的作品，而是面对社会常识或大众层面的一种较低层面的政治性学术观照，这种观照有它自己的针对性和具体性，因此不能被简单地"升华"为更高层面的理论抽象，因此霍尔认为，阿尔都塞等后来者试图将葛兰西的松散而具体的理论"系统化"或体系化的做法是不妥的，也是不可能成功的，因为不同程度的"抽象"之间是不可还原的⑤。总之，在霍尔看来，"葛兰西绝不只关注意识形态的哲学内涵，而总是强调有机的意识形态，即那种与实践、日常生活和常识相连"的、能组织人民群众开展身份斗争的意识形态⑥。可见，霍尔的政治霸权观，只不过是在意识形态的社会功能问题上

---

① Stuart Hall and Les Back , "At Home And Not At Home: Stuart Hall In Conversation With Les Back", *Cultural Studies,*（2009）23:4, p.663.

② Stuart Hall, "*The hinterland of science: Ideology and the Sociology of Knowledge*", *in CCCS Selected Working Papers, Volume 1,* Ann Gray et. ed., London: Rouledge,2007, p.127.

③ Stuart Hall, "*Cultural studies: two paradigms*", *in Media Culture Society.* London: Academic Press,1980, 2; p.58.

④ Stuart Hall, Gramsci's Relevance for the Study of Race and Ethnicity, *Journal of Communication Inquiry* 1986, 10; p5.

⑤ Stuart Hall, Gramsci's Relevance for the Study of Race and Ethnicity, p7. 霍尔对不同程度的抽象法的强调，被评论者认为是一种典型的拉克劳式的后马克思主义的方法，或链接方法论原则。

⑥ Stuart Hall, Gramsci's Relevance for the Study of Race and Ethnicity, p.20.

对葛兰西相关理论的一种英国文化学派式的继承或再现，在此，意识形态概念的政治性内涵得到了再次强调，尽管其发生的场所和领域已经不仅局限于阶级斗争的舞台，而是扩展到了整个大众生活的公共领域，正是发生场所的这种扩展，为意识形态实践机制的转型提供了可能，即转向一种多元链接的机制。

3. 多元链接是意识形态的重要实践机制

意识形态载体的大众化和基本社会功能的政治属性，都决定了意识形态领域中所发生的各种活动的复杂性（无论是事件的发生还是它们之间的相互影响），这种复杂性或许已经超出了传统的决定与被决定，或者反映与被反映的二元结构模式了——尽管它还没有变成后现代主义式的满地碎片，于是，霍尔开始沿用"链接"概念来说明大众文化领域的意识形态发挥其政治霸权功能的运行机制。

所谓链接，"指的是人类活动的复杂系统，通过它，我们得以在复杂、差异和矛盾之中（或之上）构建同一性结构"，这就意味着"没有人能够担保或提前知晓人类具体活动的历史意义"，这就把历史活动的"决定性因素从起源论（如活动的性质是由参与主体的出身——即是资产阶级还是工人阶级——来决定的）转向结果论"，即"霍尔要在社会生活的所有层面、每个主要领域中努力寻找历史中的具体结果都是如何被链接起来的"①。"'链接'概念使得霍尔既不愿接受必然对应论，也不愿意接受必然不对应论；在对社会形式的认识上，既反对简单的统一论，也反对绝对的复杂论。他认为，对应是历史生成的，是权力斗争的场所"②。因为"如果我们把意识形态视为一个充满对抗的领域"，我们就会明白，在这个领域中，绝非只有斗争，而且这一斗争也绝非"纯属自发"，而是"处于更广泛的经济、文化和政治斗争领域之中并和它们链接"的过程。所以霍尔认为，我们不能整个地把所有这一切都宣布为意识形态的就完事了，也不是要否定政治和经济的重要性，只是"不能声称意识形态是由非意识形态的东西所决定的而否定了意识形态的重要性"，因为"意识形态活动有其自身的'相对自主性'，它们会在社会诸领域中造成实际的后果，这些后果甚至超出了它们自己的（意指）范围"。③

①　Lawrence Grossberg, *History, Politics and Postmodernism: Stuart Hall and Cultural Studies*, pp.63–64.

②　Lawrence Grossberg, *History, Politics and Postmodernism: Stuart Hall and Cultural Studies*, p.64.

③　Lawrence Grossberg, *History, Politics and Postmodernism: Stuart Hall and Cultural Studies*, p.68.

可见，链接概念因其有助于说明意识形态实际运作过程中的自主性（而不仅仅是因隶属于"上层建筑"并因而只是"基础"的被动的反映），而让霍尔得以提出一种"非还原论"的意识形态理论，因为"链接"概念的使用，是他对不同社会要素（如政治、经济、文化或意识形态；也可简明为基础—上层建筑）间相互作用（这往往被表述为决定与被决定关系，故可简称"决定关系"）辩证法反思的结果，这标志着霍尔努力"把马克思主义问题式运用到结构主义理论之中，同时又指出了'解构'的局限性"，而这一切努力，都部分源自于霍尔对葛兰西的一种"非人道主义的重读"①，即霍尔认为葛兰西开创了一个"全新"的理解"意识形态主体"的方式，即拒不承认任何"既定的、统一的意识形态主体"（如拥有"正确"革命意识的无产阶级）的存在，而看到了"作为思维或观念'主体'之构成部分的自我或身份的'多样性'"，"他认为，具有多面性的意识，在本质上并非个别现象，而是集体现象，是'自我'和构成社会文化领域的意识形态话语之间关系的产物"②。在霍尔看来，葛兰西这种对意识形态主体的认识，是对传统马克思主义关于阶级（特别是无产阶级）是既定的意识形态主体的"阶级主体论"的一次挑战甚至颠覆。同时，霍尔也很赞成葛兰西对于意识形态问题的社会性和集体性特征的强调，认为这就是在强调意识形态的"复杂性"和"话语建构性"，也即拒绝承认任何一种"可渗透一切的唯一、统一和连续的'主导意识形态'（dominant ideology）"的存在，也即"把意识形态当做一个差异化的领域来分析"、当做一个充满话语及其背后权力运作与构建的偶然性和非连续性的多样化领域来对待。同时，霍尔也指出，"在葛兰西那里，尽管意识形态领域可以链接为不同的社会和政治立场，但其性状和结构并非只是社会阶级结构的镜像反映、匹配和'回声'，也不能还原为社会经济结构或功能"，且"意识形态也不是心理学或道德意义上"的概念，而是具有结构性和认识论意义，"它们的物理性特征会在一定市民社会和国家条件范围内得以维系和发生变化"，但却不会因为新世界的到来而彻底改变自身，因为意识形态领域内部具有"多样性"和"内在话语建构性"。③

---

① Lawrence Grossberg, *History, Politics and Postmodernism: Stuart Hall and Cultural Studies,* p.63.

② Stuart Hall, *Gramsci's Relevance for the Study of Race and Ethnicity, Journal of Communication Inquiry* 1986, 10; p.22.

③ Stuart Hall, *Gramsci's Relevance for the Study of Race and Ethnicity,* p.22–23.

霍尔因此对葛兰西的意识形态主体多元化论持赞成态度，认为它有助于我们把握和认识复杂的当代社会现象与问题，如有利于我们认识一般社会发展规律的"历史具体性"，从而充分理解历史发展的张力和矛盾；有利于我们"以非还原论的方法来理解阶级与种族间的内在关系"，从而更好地用马克思主义的方法来分析与种族主义相关的社会问题；有利于我们认清"阶级主体的非同质性"特征；有利于我们摆脱在社会政治、经济和意识形态维度间寻找固定的对应关系的传统对应论或符合论模式；同时葛兰西也赋予国家以意识形态的属性，并同时赋予文化以重要的社会功能性特征[1]，总之，葛兰西开辟了许多新的意识形态领域（或者更确切地说，把许多问题纳入意识形态的多元化领域来加以研究），如阶级、民族、国家、文化以及种族和殖民问题等社会建制、现象与问题。在霍尔看来，这样的葛兰西式意识形态论模式，实际上有助于打破西方中心论（或欧洲中心论）的意识形态观研究定式。霍尔还进一步指出，那种没有摆脱"还原论和经济主义"的传统马克思主义思想，是没有办法正确理解"资本主义社会的复杂性和文化的主导性"的[2]。

（二）理论资源：英国马克思主义文化研究与西方马克思主义

霍尔承认持续影响自己学术思想的是"马克思主义和葛兰西主义"，同时又植根"英国文化批判的传统"，"直到 20 世纪 80 年代中期，霍尔都是著名的新左派成员"。"欧洲大陆的马克思主义，特别是葛兰西和阿尔都塞"对霍尔的影响是巨大的，"当二战后英国左派的几位巨匠依然停留于马克思的著作和英国工人阶级的状况分析并藉此获得理论激情的时候，霍尔已进入更广泛的马克思主义传统，汲取他们的概念和政治方案，以促进对英国社会的分析"[3]。因此，英国马克思主义文化研究与西方马克思主义（特别是葛兰西和阿尔都塞的意识形态观），是霍尔文化大众主义意识形态论的两个主要理论资源。如果说前者赋予霍尔的意识形态论以"文化"的主题，那么后者则为霍尔的意识形态论提供了"大众"立场。

---

[1] Stuart Hall, *Gramsci's Relevance for the Study of Race and Ethnicity*, pp.23-26.

[2] Stuart Hall, "Marxism and Culture", *Radical History View* 18 Fall,1978, p.8.

[3] Chris Rojek, *Stuart Hall and the antinomian tradition*, *International Journal of Cultural Studies* 1（1998）, pp.45-46.

1. 英国马克思主义文化研究的传统

"文化生产与文化消费以及更广义的社会生活"，一直是英国文化研究的传统主题①，尽管从其思想先驱利维斯那里开始，一直就存在着研究路径的不同（如文化精英主义和大众主义之分），但这一主题却从未改变，这也是其可被称为英国文化研究传统的理由所在。

"英国文化研究传统中占主导的方法论依然是实用主义和经验主义"②，直到"20世纪60年代后期至70年代初期"，英国的文化研究才经历了一次"马克思主义发展"时期③。正是在这一时期，英国思想界开始致力于对文化进行政治分析，霍尔称之为"文化认同"分析。所谓文化认同（cultural identity）指的是一种不断寻找自身位置（立场和态度）的"生产"活动，它既是一种有条件的表征生产，又是一种具有历史性的、非先验的动态过程④，也还是一种"没有绝对保障"的"身份政治"（politics of position）。因为它通过想象（叙事和符号）来再现自身，但本身却并非纯粹的想象甚或虚构，而是我们赖以发现自我乃至构建新的主体性所不可缺少的阶段，因为它可以帮助我们发现历史中不同阶段的自我，从而构建自身形成的历史轨迹。⑤ 其实在霍尔这里，对于文化认同的探讨，就仿佛是对意识形态的结构主义探讨。只不过，这里的文化认同依然没有脱离他所反对的用"主体"问题来遮蔽和替代对意识形态本身问题之探讨的唯心主义倾向；不同的是，霍尔认为不能忽视文化认同过程的动态性和不确定性，以及这一过程中的政治经济学维度，而非某种先验的、超历史的维度。借助于前者，试图超越经济主义的意识形态论模式；凭借后者，他试图超越文化精英主义的意识形态论模式，而力图以一种经过葛兰西作为底蕴、以阿尔都塞为直接诱因，又以后现代主义（特别是福柯以及以拉克劳和墨菲等为代表的后马克思主义）思潮为主要借鉴的具有结构主义倾向的意识形态论模式。

因此，霍尔的大众文化主义意识形态论也就具备了结构主义特征的多元决

① Colin Sparks, "Experience, Ideology, and Articulation: Stuart Hall and the Development of Culture", *Journal of Communication Inquiry* 13（1989），p.83.

② Chris Rojek, *Stuart Hall and the antinomian tradition*, p.57.

③ Peter Osborne and Lynne Segal, "Interview Stuart Hall:Culture and Power", *Radical Philosophy* 86（November / December 1997），p.25.

④ Stuart Hall, "Cultural Identity and Cinematic Representation", *Framework,* 36（1989），p.68.

⑤ Stuart Hall, *Cultural Identity and Cinematic Representation*, pp.68,72,81.

定论的倾向。这样的倾向，与霍尔对自己所隶属的 20 世纪中后期以来的文化研究的两种范式的不满有关。这两种范式就是霍尔所划分的"文化主义"（实际上是文化精英主义）和"结构主义"两种范式。他指出，在前一种范式中，"意识形态"范畴并非一个"关键范畴"——尽管它也被使用过，而在阿尔都塞结构主义马克思主义影响下，该术语重新成为文化研究领域热议的话题。[1]在霍尔看来，尽管这两种范式都反对"传统马克思主义"的经济主义和决定论，即超越在"基础—上层建筑"的公式之下强化理解作为上层建筑的文化的主动性和社会功能，但二者之间也有截然的区别，具体到意识形态概念上，不仅它已经成为结构主义范式的主要术语，而且该术语也已不再只是"观念形式"而是被"概念化"为一种"在场"、一种我们生活于其中并借以表达自己"经验"的媒介。因此，"结构主义最大的优点就在于其对'决定性条件'的强调"，这就提醒我们要考查那些具有一定（即各种不同层次的）抽象性的社会结构以及其间的关系（这些关系构成了一个"整体"、一个"有差异的统一体"），而不能仅仅把这些结构还原为纯粹的个人与个人之间的关系。在霍尔看来，这才是马克思抽象方法（也即区别于黑格尔的历史方法论）的真谛所在（特别表现在《政治经济学批判大纲》中），[2]而且在《政治经济学批判大纲》的"导言"中，马克思就已赋予"生产以多元决定"的属性，在这份"最为丰富的"论证了马克思"历史认识论"的文献中，马克思"通过批判政治经济学的意识形态前提"，对"逻辑抽象的'规范'形式"进行了批判，从而提供了马克思式的"方法"，这个方法就是马克思的历史认识论（后被称为历史唯物主义），也即认为"历史运动及其理论反思是一种多元链接的关系，是包含着差异的统一、而非简单地等同"[3]。这样，霍尔就为自己的多元决定论寻找了马克思思想的文献依据。

2. 西方马克思主义的影响

从文化精英主义的抽象且形而上学的贵族文化概念，转向更加具体而多元化的"大众文化"领域，就是霍尔所提出的文化研究的两个范式间的转换。而他自己则正是通过这样的转换，成就了其文化大众主义的意识形态论，因为这一转换，主要是通过对西方马克思主义意识形态概念（特别是在结构主义马克

---

① Stuart Hall, "*Cultural studies: two paradigms*", *in Media Culture Society*, p.64.

② Stuart Hall, "*Cultural studies: two paradigms*", *in Media Culture Society*, pp.66–68.

③ Stuart Hall, "Marx's Notes On Method: a 'Reading' of the '1857 Introduction'", *Cultural Studies*, London, Routledge（2003）, pp.113,115–116,137.

思主义者阿尔都塞意识形态理论的影响下）的重新解读而实现的。

霍尔指出，意识形态问题之所以重新进入西方马克思主义的视线，是有其"客观基础"的，那就是：其一，随着"文化工业"的繁荣发展，社会的真正发展日益依赖甚至取决于"大众意识的生成与转型"；其二，工人阶级的"共识"，即工人阶级是否认同本国资本主义体制日益成为欧洲发达资本主义国家的一个棘手问题——"尽管共同意见的达成并非只是通过意识形态机制来完成，但无疑它们之间是紧密相关的"；其三，传统马克思主义意识形态观（以建筑公式为典型）"的确存在某些理论缺陷"；其四，为"发达资本主义国家的社会主义运动"提供策略指南之需①。正是基于此，西方马克思主义对马克思主义意识形态概念进行了批判性研究。其批判旨趣实际直指传统马克思主义的意识形态观原则，即"严格的结构决定论、两个还原论（阶级还原论和经济还原论）及其社会形式观"。由此，"马克思的意识形态模式因为没有把社会形式理解为复杂的、包含着差异的决定性结构而遭到了批判"②。

实际上，对于意识形态问题的关注，在霍尔看来，是英国文化研究在西方马克思主义（含法兰克福学派）的相关研究的影响下，所发生的一次转型，即转向"一种复杂的马克思主义"，开始重新"围绕着传统的意识形态问题来探讨文化问题"。于是，"文化和意识形态的决定性——即文化和意识形态存在的物质性、社会性和历史条件性——这一关键问题又被重新提上议事日程"③，与此相关的"基础—上层建筑比喻"也成了不可回避的话题。特别是到了20世纪70年代，法国结构主义马克思主义阿尔都塞的意识形态理论，更是使意识形态问题的相关探讨达到了高潮。因为在阿尔都塞这里，"文化不再只是局限于观念领域中的单纯的反映，其本身就是一种实践——符号实践，其产品就是意义"。这就使得文化概念的内涵与广义的意识形态概念（广义的意识形态概念不再仅仅指的是一种虚假意识）很接近了。而阿尔都塞对待意识形态概念的态度，尤其对英国的文化研究意义重大，因为阿尔都塞不再把意识形态视为一种观念体系，而是一种实践活动，即认为意识形态"提供了一种理解框架，借

---

① Stuart Hall, "The Problem of Ideology-Marxism without Guarantees", *Journal of Communication Inquiry* 10（1986）, p.29.

② Stuart Hall, *The Problem of Ideology-Marxism without Guarantees*, p.31.

③ Stuart Hall, "Cultural Studies and the Centre: some problematics and problems", *in Culture, Media, Language. Working Papers in Cultural Studies, 1972–1979*, p.13.

助于该框架，人们得以阐释、理解、体验和'生活'在一个能找到自身的物质环境之中"。因此，"对于阿尔都塞来说，意识形态就是人们以想象的方式借以'生活'在其真实生存状况中的系列想象、表征和范畴"。① 阿尔都塞不仅反对机械决定论式的意识形态观，也反对过分强调意识形态的阶级性。在霍尔看来，对文化研究影响颇大的西方马克思主义者除了阿尔都塞，就是另外一个"有限版"② 的结构主义马克思主义者葛兰西了，因为和结构主义马克思主义一样，葛兰西也反对简单强调文化或意识形态的经济决定性和阶级性。即反对任何形式的经济还原论和阶级还原论。总之，霍尔认为，20 世纪 70 年代英国（乃至整个英语世界）马克思主义文化研究，所面临的一个"最严重的理论和思想问题"，就是如何一方面在不落入传统马克思主义（以还原论和经济主义为典型特征）另一方面"在不滑向唯心主义"（包括其当时形形色色的表现形式，如以卢卡奇等为代表的黑格尔主义的马克思主义）的前提下，去理解"意识形态的诸领域"问题③。而葛兰西和阿尔都塞恰好可以帮助他完成和解决上述任务。

3. 霍尔的文化大众主义意识形态论

霍尔的文化大众主义意识形态论，就是要力图借助阿尔都塞等的结构主义方法（即强调总体的复杂性和差异性的社会观），来为其对意识形态的复杂结构及其多样性建构过程的关注提供合法化理由。为此，他赋予阿尔都塞的意识形态论很高的地位，认为正是阿尔都塞"在马克思主义内部开辟了一个新的视角，使得马克思主义得以用一种全新的方式来重新认识意识形态问题"；也正是阿尔都塞"使得"霍尔相信马克思所理解的社会整体（"马克思的'总体'"）"在本质上是一种复杂的结构"，因此，该社会总体内部的矛盾也是多层次性的，也即政治、经济和意识形态等社会不同层面的矛盾之间不是简单的对应或还原关系，而是充满了偶然性的多样性和差异性。所以，"单纯依据社会经济组织的一个主导原则（即传统马克思主义所说的'生产方式'）来解读不同社会实践领域的不同社会矛盾"，既显得缺乏解释力，又不符合马克思的社会观原意。可见，霍尔要反对的是"马克思主义意识形态论的传统版本"，即那种

① Stuart Hall, "Cultural Studies and the Centre: some problematics and problems", *in Culture, Media, Language. Working Papers in Cultural Studies,1972–1979*, p.18,20.

② Stuart Hall, "Cultural Studies and the Centre: some problematics and problems", *in Culture, Media, Language. Working Papers in Cultural Studies,1972–1979*, p.23.

③ Stuart Hall, *Marxism and Culture*, p.8.

认为可以用社会经济或政治实践领域的矛盾来还原性地解释意识形态领域问题和矛盾的传统观点。霍尔指出，对于这种传统意识形态观的质疑与抵制由来已久，甚至在马克思和恩格斯那里就已初见端倪（以马克思的《政治经济学批判大纲》"导言"为例），但阿尔都塞却是"在马克思主义问题域内"有力破解这一传统观点的当代重要学者。[①] 因为阿尔都塞在传统马克思主义意识形态论的坚固体（结构）中锲入了复杂性的环节。

当然，这种对社会总体及其构成要素（特别是意识形态域）[②] 结构复杂性的强调，使霍尔很容易接受阿尔都塞的差异论（以阿尔都塞的《意识形态国家机器》和《保卫马克思》以及《阅读〈资本论〉》等为文献依据），只不过他所接受的是阿尔都塞式的结构性差异（即在强调结构总体性的前提下的差异论，或可称为把社会及其构成域视为"有差别的统一体"），而非福柯式的绝对差异说（即反对任何形式的统一前提，诉求一种绝对的差异）。也就是说，霍尔强调的是总体结构中的差异，而拒绝赋予差异以任何形式的绝对优先性。前者反对的是传统马克思主义意识形态论，后者旨在拒斥后现代主义意识形态论。因此霍尔一方面反对以"基础—上层建筑"公式为代表的传统马克思主义意识形态论模式（也即"决定关系"模式）；另一方面也反对将作为传统马克思主义意识形态论逻辑原则的"基础—上层建筑"公式的对立双项进行颠倒性的理解。霍尔明确声称："我不赞成简单的颠倒"，而是要采取"第三种立场"，[③] 这就是拒绝承认对应关系存在的"必然性"，并以这种"对应关系的非必然性"（no necessary correspondence）来反对传统马克思主义意识形态论的必然性原则（以上述建筑比喻公式为例）。

因此，霍尔也把自己意识形态论的"非必然性原则"表述为"无担保性"（no guarantee）原则，这就是说，"没有任何规律可以担保某阶级在资本主义经济生产方式中所处的位置一定与他们的意识形态"之间存在着必然的"对

---

① Stuart Hall, "Signification, Representation, Ideology: Althusser and the Post-Structuralist Debates", *Critical Studies in Mass Comunication*,2（1985），p.91.

② 霍尔称之为"社会实践"或"社会形式"（social formation），政治、经济和意识形态都分属于不同类别的社会形式（实践），它们各自内部又分别由不同层次的矛盾和要素等关系和要件所构成（参见 Ibid., pp.91–98）。

③ Stuart Hall, *Signification, Reprensentation, Ideology: Althusser and the Post-Structuralist Debates*, pp.92,94–95.

应"关系，或者说，是他们的经济地位决定了他们的意识形态。当然，反过来也是需要承认的，即也不能认为它们之间"必然不存在对应关系"，因为在一定条件下（如特定的阶级斗争实践中），它们之间的确可以"链接"成一种对应关系①。霍尔把自己的"无担保性"意识形态论指导原则归功于受阿尔都塞的启发，他认为阿尔都塞的意识形态理论在很大程度上遵循的是对传统马克思主义相关理论原则的批判，这就是说阿尔都塞反对"阶级还原论"的传统马克思主义意识形态观——因为该传统观点"担保一定阶级的意识形态立场总是与他们在社会生产关系中所处的位置之间存在着对应关系"（霍尔认为其文献依据是被视作"传统马克思主义意识形态理论奠基性文本的《德意志意识形态》"）。霍尔指出，"阿尔都塞想考察的是具体的意识形态实践、考察它们与其他社会实践之间的差异"，以及它们是如何和其他社会形式（或实践）一起共同链接为作为"复杂的统一体"的社会总体的。可以说，正是通过对"传统马克思主义意识形态观的批判"，阿尔都塞实现了自己在意识形态观上的新突破，即"阿尔都塞试图从再生产的角度来考察意识形态与其他社会实践之间的关系"，这就回答了意识形态是干什么的问题，即意识形态的社会功能就是致力于"社会生产关系的再生产"。霍尔认为，阿尔都塞对于马克思主义意识形态观这一解读，要优于那种借口坚持"唯物主义意识形态理论"而"认为意识形态根本不是'观念'而是实践"的错误看法（霍尔称此为"错位的具体性"），因为在霍尔看来，"马克思主义的唯物主义"是不可以通过宣布取消承认"思想活动的精神属性"来获得保障的，否则的话，就成了马克思在《关于费尔巴哈的提纲》中所批判的"片面的、机械的唯物主义"了。霍尔认为，正是阿尔都塞的再生产理论，提醒我们：观念不是在真空中的舞蹈，它们之所以存在得益于它们"在社会实践中获得了自身的物质性"，而所有的社会实践又都离不开"由意义和表征所交织的网络"，离不开"话语实践"（discursive），"换句话说，所有的社会实践都离不开意识形态"——尽管这并不意味着"话语之外无实践"。②

　　这里所说的意识形态的"再生产"性，在霍尔看来，指的是意识形态并非

① Stuart Hall, *Signification, Representation, Ideology: Althusser and the Post-Structuralist Debates*, pp.94–95.

② Stuart Hall, *Signification, Representation, Ideology: Althusser and the Post-Structuralist Debates*, pp.97–98,100,103.

产生于个人意识，而是一种集体意识，或者更确切地说，是人们在既定的意识形态环境基础之上所形成的观念系统，这就是意识形态"再生性"。它与意识形态的社会性或社会建构性，是密切相关的。由因其典型的社会（建构）性，所以它在实际功效上已不再仅仅局限于纯粹观念或理论的层面，而是表现出能动的物质性的一面——尽管其在形式上依然借助于观念系统来得以表达，但其内容特别是其社会和历史效果却已物质化了。在这里，霍尔清楚表明了自己的意识形态观，即霍尔倾向于认为"意识形态是在实践中物质化了的表征系统"，但霍尔反对"唯实践论"。这就意味着，在霍尔看来，意识形态不仅仅是阿尔都塞意义上的"社会生产关系的再生产"系统，而且意识形态也为整个社会成功再生产其自身"设定了界限"，而且这种设限活动与其说既定的，毋宁说是一个持续不断的、开放的过程。① 可见，阿尔都塞"为马克思主义紧身衣松绑"的努力，无疑给霍尔的影响颇大 ②。实际上，"霍尔接受了阿尔都塞关于意识形态是主体的召唤机制这一对意识形态作用机制的根本解释"，在这个解释机制中，"意识形态其实并非个体意识的产物，而是在固有的意识形态氛围中形成了自己的信念"，即意识形态 ③。如前所述，这就是阿尔都塞式的意识形态主体建构论。

　　总之，霍尔和威廉斯、霍加特以及汤姆森一起为英国文化研究传统奠定了重要基调，并因此成为 20 世纪 50 年代后期以反斯大林主义著称的"新左派运动"的重要成员（霍尔也是《新左派评论》的首任编辑）。"霍尔一直公开站在左派和马克思主义一边"，显然是一个著名的"马克思主义左派"，尽管"霍尔与马克思主义的关系是复杂的" ④。霍尔作为英国"马克思主义者"的思想发展历程可划分为三个阶段，即 1968 年前的第一阶段、1968 年至 20 世纪 70 年代末期的第二阶段，以及之后的第三阶段。其中第一阶段受葛兰西等早期西方马克思主义的影响，传承了英国文化研究的马克思主义倾向

① Stuart Hall, *Signification, Reprensentation, Ideology: Althusser and the Post-Structuralist Debates*, pp.104,113.

② Colin Sparks, *Experience, Ideology, and Articulation: Stuart Hall and the Development of Culture*, p.84.

③ Jorge Larrain, "Stuart Hall and the Marxist Concept of Ideology", *Critical Dialogues in Cultural Studies*, Edited by David Morley etc., London and New York, Routledge,1996, p.49.

④ Jorge Larrain, "Stuart Hall and the Marxist Concept of Ideology", *Critical Dialogues in Cultural Studies*, p.80.

（如强调文化作为一种社会形式、实践或领域的自主性、复杂性与重要性）；第二阶段则受以阿尔都塞为代表的法国马克思主义的影响，开始带领伯明翰文化研究中心实现转向（即开始从传统的精英文化主义走向亚文化特别是大众文化和媒体研究）；第三阶段则主要受以拉克劳为代表的当代后马克思主义的影响，更多关注英国的政治和政党事件等新社会运动（如作为意识形态的撒切尔主义问题等）①。在这一过程中，无论是英国马克思主义文化研究传统还是以阿尔都塞等为代表的西方马克思主义思潮一直都在影响霍尔的文化研究方法和马克思主义立场，而他的文化大众主义意识形态论，则正是这一影响的产物。

我们在霍尔式的意识形态论中，既看到了他与葛兰西、阿尔都塞以及拉克劳等西方马克思主义者之间的"批判性对话"，并借此"在借鉴他们的同时也远离了他们"②；同时我们也要看到的是，与其说霍尔"属于马克思主义传统的代表人物"，毋宁说霍尔"属于前马克思主义的英国批判主义即反唯名论传统"③。因为霍尔反对以"经济主义"和"还原论"为典型特征的传统马克思主义。如霍尔所指出的，他反对"经济主义"（economism）并非是要忽视经济在整个社会秩序中所发挥的基础性作用，或无视"社会经济关系在塑造和建构整个社会生活中所发挥的主导作用"，而是要反对那种旨在"把社会经济基础解读为唯一的决定性社会结构的理论方法"，该方法把一切还原为经济，把所有社会关系都还原为经济关系，认为所有的社会关系都是经济关系的直接或间接的镜像反映，从而在经济与其他社会关系之间建立一种"对应"（correspond）关系，因此经济主义就是一种"理论还原论"（reductionism）④，其主要特点就是遵循符合论（correspongdism）和决定论（determinism）的逻辑原则。在文化研究方法上，霍尔的主要缺陷是"在揭示差异的同时没有提供稳固的基础"⑤，这一点也同样适用于对霍尔意识形态问题研究方法的评价。但与（后）结构主义（阿尔都塞乃至福柯）不同的是，"在霍尔这里，理论不可能彻底摆脱意识

① Colin Sparks, *Experience, Ideology, and Articulation: Stuart Hall and the Development of Culture*, pp.83-86.

② Lawrence Grossberg, *History, Politics and Postmodernism: Stuart Hall and Cultural Studies*, p.62.

③ Chris Rojek, *Stuart Hall and the antinomian tradition*, p.59.

④ Stuart Hall, Gramsci's Relevance for the Study of Race and Ethnicity, *Journal of Communication Inquiry* 1986; 10; p.10.

⑤ Chris Rojek, *Stuart Hall and the antinomian tradition*, p.61.

形态，而在福柯这里，理论则必然是意识形态的"。因为在霍尔看来，"理论的任务就是要实现对社会现象'系统的、有说服力的解释'，因此把社会普遍化和总体化的努力注定是可能的，也必然能'抓住和领会'复杂的资本主义社会秩序"，同时，霍尔又强调了理论的历史性，也即"理论公式和具体背景之间总是存在着裂隙，在基础—上层建筑理论和各种社会活动之间，我们无法担保存在着必然的'对应'或'非对应'关系"①。总之，霍尔的意识形态研究，不能简单地归结为（后）结构主义或后现代主义，而是"整合了马克思主义和话语建构理论的方法"②。

霍尔自己也声称要在"整个马克思主义理论背景中来探讨意识形态"概念，并打算把它视为一种"一般问题"（因为意识形态既是"理论问题"，也是"政治和策略问题"）来加以研究。霍尔试图明确传统马克思主义意识形态观的"最大缺陷和不足"，同时努力找出其中值得继续保留的东西、需要以批判的视角对之进行反思的，以及应该被摒弃的东西③。霍尔这里所说的"整个马克思主义"（或作为整体的马克思主义）实际上就是把"西方马克思主义"和当代"后马克思主义"和传统马克思主义（以第二国际和苏联官方马克思主义为代表）一起都纳入其中了。显然，这是一个广义的马克思主义概念。他的这一理论旨趣无论如何影响了后来者。特别是在美国，一些年轻学者开始致力于将霍尔式英国文化研究传统与福柯式法国解构主义相结合的学术努力④。

三、后续发展：伊格尔顿的文化审美主义意识形态论

作为英国文化马克思主义的重要代表人物，特里·伊格尔顿⑤以其所从事的文学批判和文化理论研究而享誉英语世界的马克思思想研究界。2007 年他

① Chin-Hwa Flora Chang,"Post-Marxism or Beyond: Hall and Foucault", *Journal of Communication Inquiry* 10 （1986），p.73.

② Chin-Hwa Flora Chang, *Post-Marxism or Beyond: Hall and Foucault,* p.75.

③ Stuart Hall, *The Problem of Ideology-Marxism without Guarantees*, p.28.

④ Colin Sparks, *Experience, Ideology, and Articulation: Stuart Hall and the Development of Culture*, p.79.

⑤ 1943 年生人，先后曾在剑桥、牛津和曼彻斯特等英国多所大学任教，现任英国兰卡斯特大学杰出教授和美国圣母大学教授。

再版了 1991 年的《意识形态导论》，并添加了新序，这一重要文献和他此前的其他相关著述如《审美意识形态》等为我们较为清晰地提供了他的"文化审美主义"的意识形态论地图。

（一）概念界定范式的转换：从认识论范式到社会学范式

伊格尔顿在意识形态概念界定上所做的贡献包括：首先，面对意识形态终结论和后现代主义多元主义的挑战，在理论上（而不仅是在实践中——因为在实践中这已是当代政治实践的一个不言而喻的事实）承认意识形态概念的重要性，并力图在新世纪再版的《意识形态导论》的新序言中继续提倡使用意识形态概念（而不是用"文化"、"话语"等其他替代性概念）的必要性；其次，列举了 16 种不同的意识形态定义，澄清了意识形态概念多种定义背后的两种主要的界定范式，即认识论范式和社会学范式之间的区别，并指出认识论范式的弊端（主要是其中的意识形态虚假论定义的不可信），从而为自己选择走向社会学范式提供了理由；最后，从 6 种不同的方面对意识形态概念进行了界定，以此呈现自己对意识形态概念的尽量周全的解读，尽管读者在这个定义群中依然再解读到是一个过于宽泛的意识形态定义，或许这已是伊格尔顿自己所料，如他自己所言，他无力提供一个唯一的、明确的意识形态定义，他所能提供的就是一个意群，但这个意群却让读者更明确地看到了伊格尔顿在意识形态定义上是如何游离于认识论范式与社会学范式之间的，或者更确切地说，是如何从认识论范式向社会学范式转换的。

21 世纪的意识形态概念研究呈现出一种奇怪的张力，即一方面社会生活中的文化与宗教冲突使得意识形态问题成为空前重要的现实社会发展问题，而另一方面在学术界却出现了一种显见的意识形态概念冷淡症——学者们失去了对意识形态概念的热情，甚至不敢或不愿谈及这一概念，而后现代主义思潮的解构和替代策略则更是学界对意识形态概念保持"警惕"或"故意忽视"的一个重要表现。2007 年伊格尔顿再版了 1991 年初版的《意识形态导论》，并在新序言中指出，他之所以要再版该书，是因为"当意识形态理论如今已逐渐淡出思想界的时候，恰是它在现实中鼎盛之时"，也就是说，意识形态"绝未终结"，它"越是被解构就越是被不断地滋生出来"①。

---

① Terry Eagleton, *Ideology: An Introduction*, Verso, 2007, pp.xiii, xv, xvi.

那么，如何全面理解这个不断被滋生出来的意识形态呢？伊格尔顿并没有
企图提供一个唯一正确的意识形态概念，他不无诚恳地说，"至今还没有人能
做到这一点"，而他自己的《意识形态导论》一书也不能例外。和其他相关研
究者的基本看法类似，伊格尔顿也认为造成这一现象的主要原因，并非对这一
概念本身缺乏研究或是研究者能力不够，实乃因为这一概念的内涵过于丰富、
多样直至宽泛，甚或各种含义之间常有悖逆，以至于"试图将它们整合成一个
明确定义"的想法和做法都显得多余——即便这是一项可能完成的任务。①"为
说明意识形态概念内涵的多样性"，伊格尔顿于是"随意"列举了16种不同的
意识形态概念定义，它们分别是：

社会生活中的意义、符号和价值的生产过程；特定社会集团或阶级特有的
某种思想体系；有助于主导政治力量合法化的思想体系；有助于主导政治力量
合法化的虚假观念（false ideas）；被系统歪曲的交流与交往；为主体提供某种
立场或身份（position）的东西；受社会利益驱动的思想形式；同一性思维；必
要的社会幻觉；权力与话语的连接；自觉的社会行为人借以理解其周围世界的
中介；以行动为导向的信念系统；混淆语言的现实与现象的现实；话语封闭；个
体得以建立其社会关系结构的必不可少的媒介；社会生活自然化的过程。②

上述所有这些概念定义所依据的界定框架③大不相同，并因此对意识形态
概念的根本属性（即否定性、肯定性还是中性）分别有不同的定义。伊格尔顿

① Terry Eagleton, *Ideology: An Introduction*, p.1. 伊格尔顿在这里进一步指出，意识形态这个
词可以说本身就是一个"文本"（text），一个由各种"不同的概念线索"构成的文本，其
中的每一条线索都有自己与众"不同的故事"，与其将它们合并在一起，毋宁对各种不同
定义的得失予以恰当评价（Ibid., p.1.）。我们似乎在这里看到了伊格尔顿对后现代主义差
异论的一种从"后门"的悄悄引入。有学者就认为伊格尔顿的这种做法所能提供的只能是
过于宽泛的意识形态概念定义，而这样的定义使得伊格尔顿（和其他类似做法的学者一样
都将）无法正确评价"意识形态的哪些属性是有价值的、哪些又是可以忽略不计的，以及
为什么"（参见 John Gerring, "Ideology: A Definitional Analysis", *Political Research Quarterly*
1997（50），p.965）。

② Terry Eagleton, *Ideology: An Introduction*, Verso,2007, pp.1-2.

③ 约翰·格林曾把意识形态定义的基本参考框架划分为7类，即主体、主题、场所、立
场、功能、动机和认知（参见 John Gerring, "Ideology: A Definitional Analysis", *Political
Research Quaterly*, Vol.50, no.4（December 1977），pp.957-994）。为理解方便，本文这里采
纳大多数英语世界相关学者（当然也包括伊格尔顿）的划分法，即划分为社会学范式和认
识论范式。

明确指出，不同的界定框架之分是意识形态理论研究的一个重要问题，它反映的是对意识形态概念理解的两个不同的"主要传统"，其一，就是"从黑格尔、马克思到卢卡奇等马克思主义思想家"一脉的认识论派，他们主要关注的是观念的真假问题；其二，则是更少关注观念的真假，而更多关注观念或思想的功能的社会学派。和戴维·麦克莱伦等人一样，伊格尔顿也认为马克思主义传统中上述两个范式都存在①。但他本人似乎不太满意认识论范式，特别是其中关于虚假意识的论断。

　　所谓认识论范式，指的是一种对意识形态概念进行定义或解释的方法论依据或框架，其要点就是从人类认知效果的角度来判断意识形态到底是一种怎样的认知状态，其基本判断包括真假判断，即意识形态到底是真实的还是虚假的意识——如果抱持前一种态度，那就是一种积极的、肯定的意识形态概念定义；否则就是一种消极的、否定的意识形态概念定义模式，在后一种情况中意识形态概念除了被界定为"虚假意识"，有时也被描述为"扭曲"的意识。其基本前提预设是假定意识形态与科学是截然对立的。由于意识形态的真假问题直接关涉到它本身的存在，因此，认识论范式所探讨的对象同时也是意识形态的本体论问题，由此，它就又链接上了与哲学和形而上学有关的内涵（有时甚至被等同于哲学或形而上学）。随之，越来越多的认识论范式坚持者更多采纳了中性的意识形态概念，即倾向于认为意识形态的虚假性是真实存在的，换句话说，意识形态的虚假性来源对颠倒的现实的颠倒的反映（这样的论断往往依据的是对马克思和恩格斯《德意志意识形态》中的著名的照相机比喻的不同的甚至是截然相反的解读），因此，与其说意识形态是"虚假意识"（并由此认为这个词是恩格斯更多使用的词汇，而不是马克思的用语，并由此为马恩思想关系添加了更多话语资源），毋宁说它是"虚幻意识"或"颠倒意识"（当然在马克思著述中，被表述为"异化"和"拜物教"）。在认识论范式的著名坚持者卢卡奇那里，它干脆就是"阶级意识"。总之，更多从哲学或形而上学的视角、在一般的意义上来探讨意识形态概念，是认识论范式的主要特征，有时这样的特征也被认为是一种（对作为一种社会现象的意识形态的）精神现象学的研究方式。由于其过于学究气和过于思辨、抽象，而使得其很快受到了另一种更实证主义的研究范式的挑战，这就是社会学研究范式。

① Terry Eagleton, *Ideology: An Introduction*, Verso, 2007, pp.2–3.

伊格尔顿倾向于选择的社会学范式，指的是研究者在研究意识形态理论时采取了一种"哲学与经验科学交叉"的视角，同时也"从历史、心理学、政治学以及包括语言学在内的各种文化研究中汲取资源"，其研究成果尽管提供了不同的意识形态定义，但主要关注的核心问题却莫过于"观念"（或思想）与"社会结构"的内在关系，以及其与"利益"问题的纠结[①]。实际上，它反映的是 20 世纪中期（20 世纪 40—60 年代）的一些学者（他们一方面受卡尔·曼海姆知识社会学的影响，另一方面也受当时正兴盛的西方马克思主义的影响）力图通过对"意识形态内部结构的技术分析"[②]而揭示当时的社会发展趋势及其结构。这种理论旨趣实际上是想寻找一个合适的、折中性道路，以解决意识形态理论（或许也同样存在于其他类似的）研究领域长期存在的哲学（或理论、形而上学、认识论）与经验（或实践、实证、社会学）之间的对立与张力，并由此也把对意识形态（意识形态一般）真假问题的关注替换为对意识形态（意识形态具体）功能问题的关注（伊格尔顿认为阿尔都塞在这一过程中发挥了不可忽视的作用）。尽管有人坚持认为，"马克思的意识形态概念首先是一个哲学概念，而不是一个经验主义的概念"，并叹息马克思的意识形态论的"形而上学的或认识论的要素"在后来以考茨基等为代表的第二国际理论家那里逐渐被消解了，当然也在上述 20 世纪中期的社会学范式中被抛弃了[③]；伊格尔顿却依然对这一范式情有独钟（尽管他也承认认识论范式也有可取之处，因为真假问题是无法全然取消的[④]）。他提供的意

---

① Norman Birnbaum, "The Sociological Study of Ideology（1940–1960）: a Trend Report and Bibliography", Current Sociology, 1960（9）, p.91. 其主要探索领域包括："心理分析、大众交往的结构和效果研究、意识形态系统的内部结构分析（包括艺术、神话和宗教）、阶级意识研究、社会科学的意识形态偏见研究，以及知识分子研究"等。在本鲍姆看来，这与其说是在研究意识形态一般，毋宁说是在研究各种不同的具体意识形态形式（参见 Norman Birnbaum, *The Sociological Study of Ideology（1940–1960）: a Trend Report and Bibliography*, pp.99, 115.）；而有其他学者则更把这看成是一种用"神话"等概念来替代意识形态概念的策略（参见 John Gerring, *Ideology: A Definitional Analysis*, p.961）。

② Norman Birnbaum, "The Sociological Study of Ideology（1940–1960）: a Trend Report and Bibliography", *Current Sociology*, 1960（9）, p.92.

③ Norman Birnbaum, "The Sociological Study of Ideology（1940–1960）: a Trend Report and Bibliography", *Current Sociology*, pp.92,94,116.

④ Terry Eagleton, *Ideology: An Introduction*, p.23.

识形态六种定义体现了这一点。

在伊格尔顿看来，第一，"意识形态是社会生活中的观念、信仰和价值的一般物质生产过程"，意识形态在这里接近于（"中性的"）"文化"概念；第二，意识形态是"把特定的、社会化的集团或阶级的状况和生存经验符号化的观念和信仰（无论其真假）"，也即认为意识形态表现为一种"集体自我表达"的符号系统，类似于"世界观"；第三，意识形态是"特定社会集团在面对对抗性利益时对自我利益的维护与合法化"，此时的意识形态表现为一种"以行动为导向的话语实践"；第四，意识形态是社会主导权力机构的整合行动（但不是"自上而下的"，依然"在认识论上是中立的"）；第五，意识形态是"有助于把统治集团或阶级利益合法化"的"扭曲或同化"的观念或信念；第六，即便意识形态中包含有"虚假或欺骗性"，但那也"非源自于占主导地位的阶级利益，而是源自于整个社会的物质生产结构"（这就是"马克思的商品拜物教理论"的重要结论）[1]。

可见，伊格尔顿倾向于把意识形态定义为人们在符号、意义和表征领域开展社会和政治斗争的媒介，是任何集团或阶级自我表达的世界观系统，也即主导社会群体将自身利益合法化的工具（特别是通过话语实践）。这样的定义，一方面框定了意识形态发生的场所，即在语言符号系统（这几乎是英国文化学派的所有成员都首先会关注的领域）；另一方面也说明了意识形态的功能，即合法化功能。然而，正是前者使得这一定义似乎有语言学倾向之嫌；而后者则由于将意识形态的主体从马克思主义传统的"阶级"扩展到了"集团"（尽管意识形态的主题还依然是政治，意识形态的立场也还是"主导结构"问题）而使得伊格尔顿的意识形态概念显得过于宽泛（几乎等同于更加宽泛的"世界观"甚至"文化"概念）[2]。所有这些，特别是在六种不同的界定角度中对意识形态概念中立性的强调，都明显具有上述社会学范式的倾向。

（二）理论研究传统的梳理：马克思主义传统的缘起与流变

伊格尔顿意识形态论的第二个贡献，就是较为清晰地梳理了意识形态理论

---

[1]　Terry Eagleton, *Ideology: An Introduction*, pp.28-30.

[2]　即认为意识形态发生的主要场所是在语言或话语领域（参见 John Gerring, *Ideology: A Definitional Analysis,* pp.967, 970）。

研究的学术传统，特别是其主要传统——马克思主义传统的缘起与流变。

首先，关于马克思主义传统的缘起，所追溯的当然就是作为奠基人的马克思（以及恩格斯①）本人意识形态理论的形成及其主要思想背景了。伊格尔顿的主要观点是：意识形态理论主要是一些唯物主义思想家，特别是18世纪法国启蒙思想家群体（以孔狄亚克、霍尔巴赫和托拉西等为代表）的理论贡献。在那里，意识形态就是一项致力于"再造我们的社会环境，转换我们的感性经验，并因此改变我们的思想观念的社会系统工程"②，然而这种源自于洛克式经验主义的意识形态观尽管唯物主义地强调了"思想观念的社会生活根基"，也有利于18世纪的欧洲在"理性的基础上来重建社会"的政治实践需求，但却难免其"资产阶级"倾向，即企图用貌似价值中立的"自然、科学和理性"来替代"宗教、传统和政治权威"，从而更加隐蔽地隐藏了其背后的"权力利益"。当马克思认为意识形态不过是颠倒的物质生活世界在思想观念中的颠倒的反映的时候（如马克思恩格斯著名的"照相机比喻"所说明的那样），他或许更清楚地看到了这一点。当然，这样的洞见并不意味着对其思想先驱的截然拒斥，实际上，关于意识形态是"系统的社会重建工程的理论表达"以及"经济利益是社会生活的最终决定因素"等托拉西式的"观念论"（也即意识形态观）对马克思影响很大，甚至有可能推动了马克思的意识形态观转型，即从"认为意识形态是纯粹的抽象观念"转而认为意识形态也是一种"政治性辩护"。也就是说，意识形态不是纯粹的"思想观念史"，而是"与革命斗争紧密相关"，是"阶级斗争的理论武器"。③意识形态的政治性内涵由此凸显。

那么，在此基础上形成的马克思的意识形态理论又该如何理解呢？伊格尔顿认为，"最好是把卡尔·马克思的意识形态理论当做其更为宽泛的异化理论的一部分来解读"（其参考文献可依据马克思的"巴黎手稿"，特别是《1844年经济学哲学手稿》），因为"马克思和恩格斯的意识形态理论所遵循的是颠倒和异化的一般逻辑"（以《德意志意识形态》等为文献依据）。这样的意识形态论和其思想先驱也即法国启蒙思想家（及其直接继承者如19世纪的实证主义、以涂尔干为代表的社会学派以及后来法国哲学家巴歇拉等为代表的"心理学派

---

① 伊格尔顿尽管有时也把马克思和恩格斯的意识形态论稍作区分，但总体上还是将他们视为一体的。

② Terry Eagleton, *Ideology: An Introduction*, p.66.

③ Terry Eagleton, *Ideology: An Introduction*, pp.64,67–69.

的意识形态论"者）之间的区别何在呢？根据伊格尔顿的理解，如果说启蒙一派旨在通过祛弊而"恢复理性之光"的话，那么马克思和恩格斯则寻求的是"虚假意识的历史原因和功能"。也就是说，马克思和恩格斯在意识形态理论上的贡献，并非仅仅看到"意识的社会决定性"，也并非仅仅认为"观念就是历史生活之源"，因此用新的观念代替旧观念就可万事大吉了，这样的"理性主义和唯心主义的综合论"正是马克思和恩格斯所反对的，因为在他们看来，只有通过现实的政治实践斗争可祛除社会观念的虚幻性。[①] 可以说，伊格尔顿对于马克思意识形态理论的基本内涵的理解还是与我们今天的主流看法基本一致的。但和英国的文化马克思主义其他代表人物（如威廉斯等）一样，伊格尔顿同时也反对马克思身后的继承者（特别是以第二国际理论家为代表的机械唯物主义或经济唯物主义）对马克思恩格斯意识形态观的误读（如他们所使用的"反映"、"回声"和"粗糙的实践"概念——即没能理解马克思"现实的生活过程"全面性的纯粹经济的"实践"）和误解（如对《德意志意识形态》中的照相机比喻和《〈政治经济学批判〉序言》中的建筑比喻所涉及的"意识"、"基础"和"上层建筑"等概念及其逻辑关系的种种误解）。

　　伊格尔顿的主要看法是："意识"一词既可指"精神生活一般"，又可指"具有历史具体性的观念系统"（如宗教、法律和政治等）被马克思纳入"上层建筑"领域（以区别于经济"基础"）的诸范畴。在马克思那里，后者（也即上层建筑）的确不同于（或"外化于"）实践的、生产的"基础"，但这并不意味着上层建筑仅仅是基础的反映或是回声，因为上层建筑（作为"具有异化特征的意识形态话语"）"依然强有力地构成了我们现实生活实践过程的条件"，换句话说，"政治、宗教、性等意识形态信条就是我们借以'生存'的物质条件的构成部分"，由此，伊格尔顿强调，在解读马克思主义创始人（特别是《德意志意识形态》文本中的）意识形态观时，不仅要坚持"一般唯物主义的命题"（以反对唯心主义孤立而极端地赋予意识以绝对优先性的做法），同时更重要的是，还要坚持"历史唯物主义的命题"，即"把特定历史时期的具体的意识形式和生产实践中区分开来"，并立足于所区分开来的二者的综合作用（因为"'外化于'物质生活过程的观念本身构成了同一过程本身的内在要素"，所以，"'意识'总是'实践意识'"，也因此，所有的"现实生活过程"都难

---

① Terry Eagleton, *Ideology: An Introduction*, pp.70–72.

免经过了各种意识形态话语阐释的过滤，或者说它们是捆绑在一起的）来理解人的本质（即马克思所说的"现实生活过程"或"感性实践"）问题。① 因此，马克思的照相机比喻并非说的是"人的精神就像一个照相机，只被动地记录外部世界的对象"，而是要说明"唯心主义是一种颠倒了的经验主义，取代了后者从现实中导出观念的做法，唯心主义者从观念中导出现实"，在马克思看来，它们都没有充分认识到人类意识的"积极性和能动性"，即意识形态也是一种"积极的社会力量"。由此，《德意志意识形态》中的马克思和恩格斯似乎是在"用知识的社会建构性来反对纯粹的感性经验论，又用纯粹的感性经验论来反对唯心主义对现实的话语中介性的过分强调"，于是，马克思和恩格斯在这里一方面"超越了启蒙主义意识形态论模式"（因为马克思恩格斯已经"把观念归结为感性生活——尽管这里的生活已被牢固地定义为实践、社会和生产"），另一方面又多少在拿破仑的（否定性）意义上（"尽管和拿破仑的政治立场正好相反"）来使用意识形态概念（即认为意识形态是一种抽象而"虚幻的唯心论"——尽管他们并不认为所有的唯心论都是意识形态的，就如同他们不会认为所有的意识形态都只是一种"统治阶级的意识"一样② ）③。

据此，伊格尔顿总结说，至少可以在三种交叉的意义上来理解早期马克思的意识形态理论：意识形态首先指的是"虚幻的或缺乏社会关联性的信念系统，它们认为自身就是历史的基础，并通过把人从其实际生活状况（包括人的思想的社会决定性）中剥离出来而为某种压迫性的政治权力提供维护性服务"；其次，意识形态也可指"统治阶级之物质利益的直接表达"，当然这种观念标到是以维护其统治地位为目的的；最后，意识形态还可以指"整个阶级斗争得以在其中展开的全部观念形式"。这样，马克思意识形态概念的实践性（也被后继者分别从不同视角阐述为经济性、政治性、阶级性、总体性或结构性及其不

---

① Terry Eagleton, *Ideology: An Introduction*, pp.73–75.

② 伊格尔顿认为，在《〈政治经济学批判〉序言》中马克思的建筑比喻，就已说明马克思已是在一般的意义上而非"统治阶级意识"（恰巧是《德意志意识形态》时期马克思和恩格斯所关注的历史性焦点）这一具体意义层面来讨论意识形态问题了。由此，伊格尔顿认为后来的马克思主义继承者过多地强调了前者，以凸显马克思意识形态理论的政治性（通过阶级性而彰显的政治性），而忽视了后者，尽管前者的确是马克思意识形态论的一个十分重要的、至今依然值得强调和彰显的维度（Terry Eagleton, *Ideology: An Introduction*, p.80）。

③ Terry Eagleton, *Ideology: An Introduction*, pp.77–78,79.

同的排列组合形式）和否定性（特别是在认识论或本体论意义上对唯心主义的批判和在社会学意义上对统治阶级意识的批判，将其归结为虚假意识或虚幻的观念体系）内涵由此得以开启与彰显。然而，故事并没有至此终结，伊格尔顿继而又指出，在成熟时期（以《资本论》第一卷为文本依据），马克思意识形态观中的异化主题得到了扩展（尤其表现在"商品拜物教"范畴中），以上系统概念的否定性内涵也逐渐淡化，因为"人类主体及其生存条件之间的颠倒"现在更多根源于"社会现实本身"，而非统治阶级的故意为之，总之，意识形态不仅是呈现在思想中的颠倒，而更是对颠倒的现实的理论表征（尽管这种表征有时本身也是颠倒的，但这种颠倒性却并非说明它们本身是虚幻的或不真实的，恰相反，它们都是有其现实生活依据的，正因此，把它们描述为马克思本人从未使用过的"虚假意识"是不合适的），于是马克思实现了由早期对"上层建筑"的关注转而开始更多关注"基础"的问题，马克思的意识形态观也因此从早期浓厚的哲学的和认识论视角转向后期的政治的和社会学的视角。[①] 或许这可以用来解释为何马克思中后期一直主要致力于政治经济学批判研究。看来，伊格尔顿之所以在有游离于意识形态概念的认识论解读范式和社会学解读范式时所倾向于采纳的滑向后者的做法，是基于他对马克思意识形态理论前后期的路向转换的理解基础之上的，或许在他看来，这是对马克思意识形态理论的一种继承方式吧。不过，作为继承者之一的伊格尔顿对于其他继承者却有着自己的判断，这体现在他关于意识形态理论的马克思主义流变传统的梳理。

其次，关于马克思主义意识形态论流变传统，伊格尔顿简要提及了恩格斯的解读（即虚假意识论）以及紧随其后的第二国际理论家们的机械唯物主义的解读（即认为意识形态就是经济基础的被动反映，或如普列汉诺夫所言，就是所有"具有社会条件性的思维"）以及列宁的解读（即"科学的社会主义理论"或"无产阶级的意识"等）[②]。而西方马克思主义诸流派（特别以卢卡奇为代表的西方马克思主义早期代表人物、以阿多尔诺为代表的法兰克福学派、以阿尔都塞为代表的法国结构主义思潮）则是伊格尔顿探讨的重点。

伊格尔顿认为，卢卡奇（以其黑格尔式的历史辩证法）有力地反击了第二

---

① Terry Eagleton, *Ideology: An Introduction*, pp.84,87,91.

② Terry Eagleton, *Ideology: An Introduction*, p.90.

国际理论家的被动反映论（以虚假意识论为代表），因为在卢卡奇看来，思想的"认知活动和创造活动"是同时发生的，或者说思维对现实的构建是从认知活动的一开始就同步发生了①。因此，在时间逻辑上划分出先后是缺乏说服力和可信度的。与此同时，坚持认识论解读范式的卢卡奇并没有放弃具有哲学意义的否定性的或批判性的马克思式的意识形态概念内涵（只不过卢卡奇把马克思从黑格尔那里借用来的异化概念转换成了物化范畴）——尽管他也列宁式地强调无产阶级意识的重要性，并因此被学界认为和列宁一起共同开启了马克思主义意识形态论流变史上的中立性概念内涵之先河（如果只把马克思的意识形态概念理解为否定性范畴的话），但在卢卡奇这里，与具有否定性内涵的意识形态概念相对立的"他者"不再首先是"马克思主义科学"，而是他的"总体"范畴。在总体性范畴框架下，科学和真理就不再是"意识形态的截然对立物"，相反，"它们恰是特定阶级意识的'表达'，是工人阶级的革命世界观"，②是特定阶级对于自身生存环境的全面的、整体性的认识和自觉，而能完成这一任务的特定阶级，被卢卡奇认定为非无产阶级莫属。于是，黑格尔（借助其绝对精神范畴）意义上的主客体同一的历史使命就落在了无产阶级肩上，同时也秉承了黑格尔式的"真理存在于整体之中"的信念，只不过与黑格尔不同的是：在黑格尔那里，特定虚假意识是辩证理性运动过程中的一种"自然"现象，而在卢卡奇这里，虚假意识是有其特定"历史性根源"的——即"资产阶级的物化过程"——但这一物化现象（或作为虚假意识的意识形态）的克服却遵循了黑格尔式的解决方案，即借助于一种"总体化"或"辩证理性"过程。伊格尔顿指出，卢卡奇总体范式视域中的阶级意识观（这也是他对马克思意识形态理论的阐释）对"20世纪的马克思主义"影响颇大，尽管其试图冲破"'庸俗'马克思主义的'基础'+'上层建筑'模式"的努力本身也存在很多缺陷（特别是其很容易陷入相对主义的逻辑缺陷）。③ 因为，一方面总体范畴为我们理解意识形态概念提供了一个宏大的、类形而上学的（或本体论意义上的）结构性框架和依据，另一方面对于阶级意识及其复杂性的揭示，又使后来者更多关注社会性个体的关系性或生成性存在状况，即个体都是关系性的、生成性的存

---

① Terry Eagleton, *Ideology: An Introduction*, p.94.

② Terry Eagleton, *Ideology: An Introduction*, p.95.

③ Terry Eagleton, *Ideology: An Introduction*, pp.99,100.

在，而非隔离性的既定物。这样的解释框架毕竟比传统的"建筑"比喻模式更具灵活性和延展度。因此，卢卡奇对马克思意识形态理论的解读，也即"物化＋阶级意识"的阐释模式所开启的上述学术传统在西方马克思主义很多流派中都得到了响应或延续——如葛兰西用"领导权"（即霸权）范畴来扩展和丰富传统意识形态概念的外延；戈德曼运用"谱系学的结构主义"方法"对特定阶级的'精神结构'的辨认"等理论努力①。

　　根据伊格尔顿的理解，如果说此前的马克思主义传统大多立足于马克思的"商品形式"理论（最主要的表现就是商品拜物教形式）来解读和发展马克思的意识形态理论的话，那么在马克思主义意识形态论演化传统中还存在另外一个十分重要的方向，那就是立足于马克思的"交换价值"范畴来深化理解马克思意识形态观。如法兰克福学派的阿多尔诺就认为"抽象的交换机制正是意识形态本身的秘密所在"，因为"商品交换在本来不可衡约的不同物之间建立了等式关系"，而意识形态思维也遵循了相同的规则，即意识形态是一种"同一性思维"，② 去除意识形态，就是废除同一性思维，主张非同一性思维，或者说主张差异论。阿多尔诺由此和他的同道霍克海默一起将启蒙、工具理性等当做遵循同一性原则的意识形态加以批判，并由此拉起了马克思主义传统中"社会批判理论"的大旗，同时这也是法兰克福学派的学术招牌，同属于这一学派的马尔库塞也以类似的原则来反对作为"极权主义"的意识形态，其后期代表人物哈贝马斯则把关注点转向了话语这个重要的统治中介，即认为意识形态是由权力造成的扭曲的交往系统——哈贝马斯的理论旨趣（特别是对待理性的态度）尽管与该学派的其他成员不太相同，但批判的原则却是共同的，即在他们这里，意识形态概念的否定性内涵以批判的名义被发挥到了极致，并由此承袭了同属于西方马克思主义的卢卡奇等早期代表人物所开创的认识论研究范式，尽管这一时期的马克思主义（包含其意识形态观）已被更多地当做"社会理论"，而非纯粹的哲学范畴来加以研究，并因此有了更多的社会学范式倾向，但总体上的认识论范式依然线索明晰，由此也形成了西方马克思主义阵营中人道主义一派的总体特征，以明显区别于另一阵营也即以阿尔都塞为代表的科学主义一派（尽管意识形态论的认识论范式和社会学范式在阿尔都

① Terry Eagleton, *Ideology: An Introduction*, p.110.

② Terry Eagleton, *Ideology: An Introduction*, pp.125-126.

塞这里依然十分纠结地重叠在一起，但他的意识形态国家机器论却更多凸显了社会学范式的线索）。

阿尔都塞的意识形态理论，在伊格尔顿看来，就是"拉康式的心理学和不太明显的葛兰西著作中的历史主义特征的综合物"。因为在阿尔都塞看来，所有思想都是在某种"无意识的'问题式'"内部得以构建的，"尽管问题式本身不是意识形态的"，但我们却可以说"某具体的意识形态的问题式"，与"意识形态的问题式"相对应的是"科学的问题式"，阿尔都塞因此也与大多数人道主义学者不一样，在科学与意识形态之间进行了截然划分（他认为这二者之间存在着"真假"判断式的"认识论断裂"），伊格尔顿认为阿尔都塞的这一做法是向"启蒙理性主义"意识形态观的一次不成功的倒退，理由有二：其一，意识形态并非"纯粹错误"或虚假；其二，"科学本身也是一个不断试错的过程"；一句话，"并非所有的意识形态都是错误，也并非所有的错误都是意识形态"。当然，"阿尔都塞式的科学与意识形态区分，只是一种认识论意义上，而非一种社会学意义上的区分"①，因为当阿尔都塞把视线转向社会实践领域时，他并没有彻底贯彻他的"科学与意识形态二分法"的原则，而是借用拉康的镜像理论认为"意识形态是个体对其自身与现实的生存状况之间的想象关系的一种表征"，或者说，"意识形态在且只能通过主体显现其自身"，同时也是个体被"召唤为"主体的机制和通道，或者说个体主体化（也即社会化）的必要媒介。在伊格尔顿看来，阿尔都塞的这一意识形态观不仅犯了"天赋观念论"式的逻辑错误，而且也是对拉康镜像理论的误读。② 然而，"尽管有其局限和缺陷，阿尔都塞的意识形态论代表了现代马克思主义传统中的一个重大突破"，因为到了阿尔都塞这里，"意识形态不再只是扭曲或虚假的反映，是阻挡在自我和现实之间的一块幕布，也不只是商品生产的自发后果，而是人类主体生产的必要媒介"，和人类其他生产活动一样，人类也要开展主体自身的生产过程，"从社会学的角度来看"，这一生产过程包含了系列"物质活动和仪式（如选举、敬礼等）"，伊格尔顿认为，阿尔都塞这种强调"意识形态的物质性"的做法，的确和葛兰西有着某种不明显的联系。③ 总之，伊格尔顿总结说，阿尔都

---

① Terry Eagleton, *Ideology: An Introduction*, pp.137-139.

② Terry Eagleton, *Ideology: An Introduction*, pp.142-144.

③ Terry Eagleton, *Ideology: An Introduction*, pp.148-149.

塞意识形态理论的缺陷则在于："它似乎假定意识形态几乎就只是征服控制我们的压迫力量，因而没有给意识形态斗争的种种现实留下足够的余地；它也包含对拉康的某些严重误解"①。因此，阿尔都塞的意识形态"徘徊于理性主义和实证主义之间"，在前一种视野中，意识形态是与科学相对立的虚假或错误意识；在后一种意义上，意识形态又是拒绝真假判断的某种陈述方式②。如果前者是认识论范式，后者则是社会学范式，其徘徊于这两种范式之间，是包括伊格尔顿在内的 20 世纪后半叶以来的整个欧洲马克思主义的一个总体特征之一，是他们力图摆脱第二国际和第三国际马克思主义的经济主义和政治主义的理论努力（也即"非还原论"努力）过程中的一个难以克服的悖论。当然，这一任务肇始于卢卡奇等西方马克思主义创始人那里。从这个意义上来说，英国马克思主义文化研究（以意识形态为主题）是对传统西方马克思主义如何直面真正的马克思主义（无论是通过辩证法、哲学和实践的研究，还是通过重建理性的社会批判理论研究）事业的一个继续。而且，与批评者对其实践旨趣不明朗的指责不同，他们都自认为自己有着很现实的实践诉求。

（三）"文化审美主义"的实践诉求：在"文化主义"与"理性主义"之间

对于伊格尔顿来说，认识论范式和社会学范式所带来的意识形态论困境，具体表现在他对待"文化主义"和"理性主义"的态度。如果说在概念界定和理论研究传统的梳理中，所探讨的还是学理层面的问题的话，那么在这一部分所揭示的则是其学术活动的实践诉求。伊格尔顿的意识形态论的实践诉求，是一种介于"文化主义"和"理性主义"之间的"文化审美主义"。文化审美主义的意识形态论，主要特征就是立足于英国式的唯物主义的立场来探讨"文化"这个大主题，特别是挖掘其中的政治意义。伊格尔顿之所以关注意识形态问题，是因为在他看来，意识形态是 21 世纪无可置疑的核心问题，而造成这种状况的主要原因则是当代全球领域内的"文化与宗教分歧"③。因此，本身关注文化（主要是如小说、戏剧等各种文学样式）的伊格尔顿，无论是出于其英

---

① ［英］特里·伊格尔顿：《二十世纪西方文学理论》，吴晓明译，北京大学出版社 2007 年版，第 173 页。

② Terry Eagleton, *Ideology: An Introduction*, pp.152–153.

③ Terry Eagleton, *Ideology: An Introduction*, p.xvi.

国文化马克思主义（被威廉斯表述为"文化唯物主义"以区别于苏联的辩证唯物主义体系对马克思主义的理解模式）的学术传统，还是出于伊格尔顿自身研究背景，都使得他更容易或更倾向于从文化的角度来开展对现实社会（特别是其政治问题）的批判性关注，而这种具有学术性意义的关注就是所谓的伊格尔顿式的"审美"活动。

显然，"文化"是伊格尔顿从事审美活动（即通过各种具体的文化样式介入现实，发掘其中的政治实践意义，并予以学理性揭示）的关键词。然而，伊格尔顿的这种"文化审美主义"，既不同于传统法兰克福学派的文化工业批判理论的"理性主义"立场，也不同于后现代"文化主义"的解构立场，而是更接近于西方左派的做法，即"从不放弃意识形态概念"——尽管这并不意味着固守原有的概念内涵——也不执迷于反对某种意识形态，而是更多地从事"根本性的物质批判"活动，也即不停留在揭示对抗本身（如后现代主义文化学者所做的"解构"工作那样），而是进一步"寻求揭示某些价值或观念"（如"西方主义"意识形态）的"物质前提"[1]。在伊格尔顿看来，这种做法在今天是十分必要的。也正是在这里，我们清晰地看到了伊格尔顿文化观所具有的英国唯物主义的传统，即更多关注文化与社会，特别是社会物质生活与体验的维度。由此，伊格尔顿甚至认为他所说的"文化"其实就是"物质"："从词源学上讲，如今流行的'文化唯物论'类似于一种统一反复。'文化'最先表示一种完全物质的过程，然后才能比喻性地反过来用于精神生活……用马克思主义的说法，文化这个词语使得基础与上层建筑在一个单一概念之中得到同一"[2]。可见，伊格尔顿所说的"文化"已经超越了纯粹精神的领域，或传统上层建筑的领域，而是跨越了物质和精神或基础与上层建筑两个领域。

可见，文化概念具有很大灵活性和流动性。伊格尔顿甚至抱怨：意识形态概念之所以在当今学界遭到质疑，其中的原因之一就是因为文化概念的滥用，即文化概念内涵的"流动性"（如它用身份认同问题来解释所有的民主、贫困、权力、殖民、资源、地缘政治以及国家的衰落与兴起等等）使得学者们（特别是后现代主义文化人类学者）更愿意采用它来替代传统的意识形态概念。

---

[1] Terry Eagleton, *Ideology: An Introduction*, p.xix.

[2] ［英］特里·伊格尔顿：《文化的观念》，方杰译，南京大学出版社 2006 年版，第 1 页。

而伊格尔顿自己则在不放弃使用传统意识形态概念的同时，也不拒斥文化概念，即：一方面限制文化概念的过剩流动性；另一方面藉此稳定和强调意识形态概念的政治性内涵①。在他看来，"文化的观念意味着一种双重的拒绝：一方面是对有机决定论的拒绝，另一方面则是对精神自主性的拒绝"，文化"可以既是描述性的又是评价性的，既指实际上已经展开的东西又指本该展开的东西"，"文化是一种在我们每个人身上起作用的普遍的主体性"，文化"既非完全游离于社会，亦非完全与之同一"，也就是说，文化不仅是一种"霸权"机制，也是"一种内在的批评或者解构"，"文化要么将会成为奥林匹克式的智慧，要么成为意识形态的武器，一种隐藏的社会批评形式，或者一种深深受制于现状的方式"，"既是批评的力量，又是真实的社会力量"②。显然，这是一个大文化概念，但却不至于泛滥成文化主义立场，因为在他看来，文化主义即认为"人类事务中的一切都是文化问题"，"文化主义结合生物学主义、经济主义、实在论等等，变成一个真正当代的还原论；而对于文化主义，不存在关于自然与文化之间辩证关系的问题，因为自然在任何情况下都是文化的"③。文化主义其实是一种后现代主义的用文化来替代意识形态概念的策略，伊格尔顿甚至把 20 世纪八九十年代的后现代主义对传统意识形态概念的拒斥（他称之为"后意识形态"时代的悖论）与 20世纪五六十年代的"意识形态终结论"相提并论："如果'意识形态终结论'者将所有意识形态都视为封闭的、教条的和僵化的；那么后现代主义者则倾向于认为所有的意识形态都是目的论的、'极权主义的'和形而上学的"④。然而，伊格尔顿不无讽刺地说，后现代主义"擅长于把别人身体下面的基础踢出来，但是，如果不同时从自己身体下面把它们踢出，它就无法做到这一点"，因为无论在任何地方，"只要权力影响意义，将它弯曲得变形并让它与一连串利益产生联系，意识形态就发生了"，"只要存在着不公平的现象，意识形态就绝对必要"⑤。因此，伊格尔顿的文化审美主义，拒

---

①　因此，他的《意识形态导论》一书就是旨在通过澄清复杂而纠结的意识形态概念史，并以此介入当代现实政治实践。

②　[英] 特里·伊格尔顿：《文化的观念》，方杰译，南京大学出版社 2006 年版，第 4、6、7 页。

③　[英] 特里·伊格尔顿：《文化的观念》，方杰译，南京大学出版社 2006 年版，第 75—76 页。

④　Terry Eagleton, *Ideology: An Introduction*, p.xxi.

⑤　[英] 特里·伊格尔顿：《文化的观念》，方杰译，南京大学出版社 2006 年版，第 60、88 页。

绝文化主义式的取消传统意识形态概念的做法，并指出这一做法本身的逻辑不可行性。

同时，文化审美主义也不愿意因此滑向理性主义。因为"枯燥的理性主义哲学忽视具体事物的种种感性特征，目光短浅的经验主义（那时和现在都是英国中产阶级的'官方'哲学）则无法越过这个世界的个别的领头碎片而看到他们有可能构成的任何总体画面"[①]，而他自己之所以要进行文学批评等审美活动，是因为在他看来，"在某种意义上说，大可不必把'文学和意识形态'作为两个可以被相互联系起来的独立现象来谈论。文学，就我们所继承的这一次的含义来说，就是一种意识形态。它与种种社会权力问题有着最密切的关系"，而与政治无关的"'纯'文学理论只是一种学术神话"，"有些理论在任何时候都不像它们在企图全然无视历史和政治时那样清楚地表现出自己的意识形态性。文学理论不应因其政治性而受到谴责。应该谴责的是它对自己的政治性的掩盖或无知，是它们在将自己的学说作为据说是'技术的'、'自明的'、'科学的'或'普遍的'真理而提供出来之时的那种盲目性，而这些学说我们只要稍加反思就可以发现其实很是联系于并且加强这特定时代中特定集团的特殊利益的"[②]。那么，这样的审美批判活动，与西方马克思主义特别是法兰克福学派的文化工业批判（含文学批判）活动之间是审美关系吗？伊格尔顿指出，卢卡奇和阿多尔诺"分别代表黑格尔式马克思主义的'肯定'要素和'否定'要素"，"如果说卢卡奇谋求的是用'现实'的全部力量来匡正意识形态的谬误，那么阿多尔诺则更是旨在用话语游击战术侧面包抄和扰乱意识形态"，而他们之所以都愿意借用美学的方式，是因为美学一开始就与"拒绝斯大林主义"运动紧密联系在一起的，当然伊格尔顿也不例外，他也认为斯大林主义理论"是对马克思主义的扭曲，它从马克思主义那里只不过不时地可以打捞一些有价值的唯物主义观念"。因此，"'马克思主义美学'问题归根到底是马克思主义政治问题"。[③] 然而，伊格尔顿对西方马克思主义的悲观主义

---

① [英] 特里·伊格尔顿：《二十世纪西方文学理论》，吴晓明译，北京大学出版社 2007 年版，第 20—21 页。

② [英] 特里·伊格尔顿：《二十世纪西方文学理论》，吴晓明译，北京大学出版社 2007 年版，第 21、197 页。

③ [英] 特里·伊格尔顿：《沃尔特·本雅明或走向革命批评》，郭国良等译，译林出版社 2005 年版，第 120、119、123 页。

政治观又很不满，悲观主义"隐含在黑格尔式的马克思主义前提中"，"'经典的忧郁'也贯穿于从葛兰西到阿多尔诺的一切西方马克思主义中"，"主要由无产阶级的失败史而孕育的西方马克思主义的忧郁性代表了历史唯物主义一个重要方面的重大损失"①。总之，在伊格尔顿看来，"西方马克思主义转向文化，部分原因是政治虚弱或对政治不再抱幻想。夹在资本主义和斯大林主义之间，像法兰克福学派这样的群体，可以通过转向文化和哲学来补偿他们政治上的无家可归。尽管政治上贫困，但他们可以利用他们巨大的文化资源来对抗文化作用正变得越来越重要的资本主义，从而证明他们依然和政治挂钩。在同一幕中，他们与野蛮的、没有文化修养的共产主义世界脱离了关系，同时，还不可估量地丰富了共产主义先前所背叛的思想传统。然而，这样做，也使许多西方马克思主义不再像它那战斗的革命先辈，而成了彬彬有礼的乡绅，成了幻想破灭、失去了政治权威、墨守成规的学究"②。伊格尔顿对此似乎十分不满。

综上所述，伊格尔顿的意识形态论研究方法既源自于英国文化研究的传统，也即由威廉斯所开创的"文化与社会"的传统，也即文化唯物主义的传统，但也对该传统在伯明翰文化研究中心（以霍尔等人为例）的"结构主义"乃至"后结构主义"（后现代主义）的"转向"保持高度警惕，转而更多借鉴来自文化主义（人道主义西方马克思主义）的意识哲学的努力。

第二节 分析马克思主义

20 世纪 70 年代，在英国和美国出现了分析马克思主义（国内亦称"分析学派的马克思主义"）。分析马克思主义运用英美地区的主流研究方法——语言

---

① ［英］特里·伊格尔顿：《沃尔特·本雅明或走向革命批评》，郭国良等译，译林出版社 2005 年版，第 122、190—191 页。

② ［英］特里·伊格尔顿：《理论之后》，商正译，商务印书馆 2009 年版，第 31 页。

和逻辑分析、语言应用、模型建构和理性选择理论，结合资本主义发展动态，阐释与回应马克思主义的时代命题。分析马克思主义学者主张回归马克思主义原著并对概念进行重释，试图为马克思主义建立起清晰的、严密的"微观基础"，以实现"既科学又革命的"① 马克思主义。

由于分析马克思主义者的背景多元，研究视角和对象多样性强，因此，在严格意义上，分析马克思主义学派并非一个有着明确界限的理论流派。罗伯特·韦尔在《分析马克思主义新论》一书中指出，"分析马克思主义实际上是一种现象，把它看作是一个运动或学派就是错误的了。把它看做是一种理论甚至一种'范式'也同样是错误的"②，"不存在分析马克思主义学派，但另一方面，分析马克思主义现象却将不同的观点和研究路径带到了一起，这是以前的马克思主义运动从来没有过的。甚至在哲学中，分析马克思主义也只是一个现象而非一个学派，或者最多只能说是一种风格独特的研究路径。"③

一、分析马克思主义的兴起

20 世纪 70 年代，欧美开始出现一系列运用分析哲学传统方法研究马克思主义核心问题的著述。其中，具有开创性意义的研究成果有 G.A. 科恩的一系列历史唯物主义文章④，艾伦·伍德发表的关于马克思主义与道德、正义的文章等，由此引发了哲学领域的一系列影响深远、持续升温的讨论。1978 年，

---

① 赵海月：《当代西方马克思主义研究》，吉林大学出版社 2007 年版，第 89 页。

② ［加］罗伯特·韦尔：《马克思主义是如何被分析的》，载［加］罗伯特·韦尔、凯·尼尔森主编：《分析马克思主义新论》，鲁克俭译，中国人民大学出版社 2002 年版，第 2 页。

③ ［加］罗伯特·韦尔：《马克思主义是如何被分析的》，载［加］罗伯特·韦尔、凯·尼尔森主编：《分析马克思主义新论》，鲁克俭译，中国人民大学出版社 2002 年版，第 5 页。

④ 如，1968 年发表于南斯拉夫《实践》杂志的《劳动者和诺言：为什么马克思有权认为他是正确的》；同年还发表了《资产阶级和无产阶级》；1970 年发表于《亚里士多德学会会刊》的《论历史唯物主义的一些批评》；1974 年发表于《哲学和公共事物》杂志上的《马克思和劳动辩证法》；同年又在一本纪念 E.H. Carr 的论文集中发表了《存在、意识和角色：论历史唯物主义的基础》；1977 年在《认识》杂志上发表的《模式和如何保持自由》等。参见《卡尔·马克思的历史理论———一种辩护》，岳长龄译，重庆出版社 1989 年版，中译本序言第 1 页。

英美哲学家出版了多部重要的马克思主义研究成果①，这些研究成果运用分析哲学的方法研究马克思主义，开创了不同于以往西方马克思主义研究的路径，其中，G.A.科恩的《卡尔·马克思的历史理论———一种辩护》②一书最具代表性，广泛地被视为分析马克思主义诞生的标志。1979年9月，科恩与乔恩·埃尔斯特合作在伦敦召开了一次以"剥削理论研究"为主题的周末会议。1979—1981年，他们与其他一些具有共同学术兴趣的人每年组织一次会议。随着约翰·罗默的加入，在1981年9月的周末会议上宣告成立学术团体"九月学圈"③，正式开启分析马克思主义的学术活动。G.A.科恩、埃尔斯特和罗默被视为分析马克思主义学派奠基性的人物，其他主要成员包括普兰纳布·巴德汉、塞缪尔·鲍尔斯、罗伯特·布伦纳、乔舒亚·科恩、范·帕里斯、希勒尔·斯坦纳、范·德文、埃里克·赖特、亚当·普泽沃斯基等学者。该学术共同体逐渐发展为分析马克思主义学派。此后，科恩、罗默、埃尔斯特主编的"马克思主义和社会理论研究"④系列丛书于1985年开始陆续出版，罗默主编的《分析的马克思主义》于1986年出版，分析马克思主义学派的影响力逐步扩大。

（一）分析马克思主义的产生背景

英美主流的分析哲学与马克思主义的结合，主要有以下方面的背景原因：首先，20世纪70年代结构主义马克思主义在英美世界广泛传播，阿尔都塞出版了《保卫马克思》、《读〈资本论〉》等著作，他认为马克思的思想存在断裂，

---

① G.A.科恩、威廉姆·H.肖和麦克默特里等学者的著作。大约在同一时期，关于马克思主义道德理论的研究也一片繁荣，重要的文章都收在阿瑟和肖（1978）、马歇尔·柯亨（1980）等以及尼尔森和帕顿（1981）主编的论文集中。与此同时，许多公认的分析哲学杂志都发表有关马克思主义各种话题的文章。还有许多论文集出版，其数量在1983年马克思去世百年的日子前更迅速增加。参见［加］罗伯特·韦尔：《马克思主义是如何被分析的》，载［加］罗伯特·韦尔、凯·尼尔森主编：《分析马克思主义新论》，鲁克俭译，中国人民大学出版社2002年版，第2页。

② ［英］G.A.科恩：《卡尔·马克思的历史理论———一种辩护》，段忠桥译，高等教育出版社2008年版。

③ 1981年起，科恩、埃尔斯特和罗默与一些具有共同学术兴趣的学者每年举行一次会议，探讨分析马克思主义所关注的议题，这一学术团体被学界称为"九月学圈"。

④ 该系列丛书于1985年开始出版了分析马克思主义系列重要著作，成为分析马克思主义理论传播的重要阵地。

并将成熟时期的马克思主义看作是真正科学的并加以捍卫，这与重视经验分析的分析哲学不谋而合。但是阿尔都塞运用概念时具有极大的不明晰性，这引起了科恩① 等英国马克思主义者的不满。现代哲学中"语言转向"的大背景使分析哲学的方法成为哲学研究的基本方法之一，分析哲学开始关注历史、社会、道德等议题。在这一时代背景下，分析马克思主义将当代西方分析哲学的方法应用到马克思主义理论研究之中，关注时代的新议题、新挑战，试图为马克思主义奠定科学的、严密的理论基础。

其次，西方马克思主义的理论式微和运动隐退给人们带来了"什么是今天的马克思主义者"②，以及马克思主义何去何从的疑问，马克思主义者致力于对这些问题进行回应，对马克思主义作出时代阐发。随着经典西方马克思主义理论大家相继辞世，一些马克思主义者出现理论倒戈，法国社会运动的失败带来了理论和实践层面的双重打击，马克思主义面临严峻的时代性难题，分析马克思主义可以视为英语世界对马克思主义研究路径的一种理论生成。英语世界长期以来将马克思主义研究边缘化，加之在历史上从未有过以马克思主义作为思想引领的社会运动，在长期依赖于欧洲大陆马克思主义理论路径的基础上，英美世界依据自身的分析哲学、经验哲学、新古典主义经济学等哲学社会科学研究基础对马克思主义进行重新解释与发展，这是对以往马克思主义关注方式和研究理论的扭转，也是对自身理论资源的挖掘和重构。

最后，英国主流哲学家对马克思历史唯物主义概念的含混性常有诟病，认为马克思经常在不同的语境下使用同样的词语却表达不同的含义，而且对于这些概念并没有给出清晰的定义。以科恩为代表的马克思主义者致力于重构马克思的历史理论，试图摆脱传统马克思主义研究中模糊不清的观点和立场，使历史唯物主义具有明晰性和准确性，成为科学的、"非胡说的"历史理论。这种研究方法和路径的开启让马克思主义者和非马克思主义者都意识到"可能并不存在着一个单一的经典马克思主义"，"九月学圈"形成的学术话语和研究方

---

① G.A.科恩（1941— ），就职于伦敦大学，分析马克思主义学派的奠基者之一，其他两位主要奠基人分别是乔恩·埃尔斯特（1940— ）、约翰·罗默（1945— ），三人于1979—1981 年相识。Cohen 在国内有"科恩"、"柯亨"、"科亨"等多种译法，本文采用"科恩"这一译名。

② 参见 [美] 安德鲁·莱文：《什么是今天的马克思主义者?》，载 [加] 罗伯特·韦尔、凯·尼尔森主编：《分析马克思主义新论》，鲁克俭译，中国人民大学出版社 2002 年版，第 25 页。

法带来了令人欣喜的结果，"能够自称为马克思主义者的那种意义近年来
已经发生了一种变化"①。这为以新的方法重释马克思主义提供了路径上的可
行性。

（二）分析马克思主义的研究领域与研究方法

对于分析马克思主义者而言，马克思的理论命题是待验证的、开放式的。
分析马克思主义的成员专业背景多元，涵盖哲学、政治学、经济学、社会学及
其他诸多学科，他们的研究领域广泛，包含历史唯物主义、平等、正义、道德
等。多元背景下的马克思主义者基于对马克思主义的信奉和对分析方法的坚守
重构了经典马克思主义理论，扬弃了许多马克思研究历史问题时的思路和方
法，甚至他们对理论的研究方式常常是批判式的再解读。

尽管如此，分析马克思主义仍然被称为"马克思主义式的"。这是因为
首先在价值取向和精神特质上，分析马克思主义学派对马克思主义持有一种
"信奉而不恭维"②的态度，他们本意上不是拒绝社会主义，而是希望通过探
讨新的路径来积极捍卫社会主义道路、模式与价值。科恩在回应"分析马克思
主义是否是马克思主义"的质疑时说，"马克思恩格斯创立了恩格斯所说
的'科学社会主义'，别的不说，至少是指运用社会科学的最先进资源研究社
会主义的本质及通向社会主义的道路。我为马克思主义被称做'马克思主义'，
而不为恩格斯聪明地将其称为科学社会主义而遗憾。如果'科学社会主义'的
标签已被贴上，人们就会少问这种徒劳的问题：分析马克思主义是马克思主义
吗？"③换句话说，"尽管'分析的马克思主义'在研究领域和方法论上都不是
严格意义上的'马克思主义'，但他们的最终目的都是'运用社会科学的最先
进资源研究社会主义的本质及通向社会主义的道路'，因而他们又与马克思恩
格斯所开创的科学社会主义事业保持了内在精神上的一致性。因此正是从这
个意义上来看，'分析的马克思主义'的所有理论研究都紧密围绕着科学社会

① [美] 乔恩·埃尔斯特：《理解马克思》，何怀远译，中国人民大学出版社 2008 年版，第 2 页。
② [英] G.A.柯亨：《信奉而不恭维：对分析的马克思主义的反思》，秋华译，《马克思主义研
究》1996 年第 1 期。
③ [英] G.A.科恩：《卡尔·马克思的历史理论———一种辩护》，段忠桥译，高等教育出版社
2008 年版，第 12 页。

主义道路的探索而铺展的。"① 以及"作为探究对象的总是马克思主义而不是分析的方法，而分析的方法则被运用于对马克思主义的研究。这意味着马克思主义的很多论点已被抛弃，其结果就是，我们今天的运动虽然保存了传统的马克思主义的核心问题、热点问题，保存了它的志向和价值观，但拒绝了它的很多经典的观点。"② 这就是为何分析马克思主义者试图重构甚至批判经典马克思主义的许多观点和命题，但仍称自己为马克思主义的主要原因之一。其次，在重构马克思主义方面，分析马克思主义者坚信通过运用分析的方法阐释马克思主义是对马克思主义的继承与发展。例如，科恩认为运用分析的方法为历史唯物主义辩护代表一种"非胡说"（non-bullshit）③ 的态度，即"理智上诚实的态度"和"不会随时转变"④的立场。他曾这样指出："分析马克思主义的动力首先不是去修正而是去辩护继承下来的理论"⑤。最后，分析马克思主义者所研究的核心问题涵盖了许多历史唯物主义、政治经济学的核心命题，并且在核心观点上遵循了马克思的基本观念。"'分析的马克思主义'之所以仍然是马克思主义的，主要是因为，当他们把诸如生产力和生产关系、阶级和剥削、社会公正等概念都作为自己研究的主要范畴时，他们在某些问题上的基本见解都是从马克思那里得出来的。"⑥

---

① 张一兵主编：《当代国外马克思主义哲学思潮》中卷，江苏人民出版社 2010 年版，第166—167 页。

② ［英］G.A. 柯亨：《信奉而不恭维：对分析的马克思主义的反思》，秋华译，《马克思主义研究》1996 年第 1 期。

③ "胡说的"可以被理解为"侵扰马克思主义的模糊性"，参见 G.A. Cohen, "Deeper into Bullshit." In Contours of Agency: Essays on Themes from Harry Frankfurt, ed. S. Buss and L. Overton, MIT Press, 2002, p.323. 抑或理解为"胡说的马克思主义是一种思想不诚实的形式，更确切地讲，其不诚实就在于它对别人的批判不以诚实的方式予以回答"，"胡说的马克思主义者会随着他所断言的东西而不断地转换其立场"，参见 G.A. 柯亨：《信奉而不恭维：对分析的马克思主义的反思》，秋华译，《马克思主义研究》1996 年第 1 期。

④ 分析马克思主义也被称作"非胡说的马克思主义"，科恩在实践中将分析马克思主义叫作"非胡说的马克思主义"，他本意并不是否定其他类型的马克思主义的合法性，而是为了突出分析马克思主义理论实践中不断否定自身的发展性。相关论述详见《卡尔·马克思的历史理论———一种辩护》，段忠桥译，高等教育出版社 2008 年版，第 11 页。

⑤ ［英］G.A. 科恩：《卡尔·马克思的历史理论———一种辩护》，段忠桥译，高等教育出版社 2008 年版，第 9 页。

⑥ 张一兵主编：《当代国外马克思主义哲学思潮》中卷，江苏人民出版社 2010 年版，第166—167 页。

　　具体而言，分析马克思主义的核心研究内容主要包含以下两个方面。第一，马克思主义的经验性理论，主要包括历史唯物主义、阶级理论以及马克思对资本主义的经济分析等。早期的科恩和 W.H.肖[①]都主张捍卫、修正和重建历史唯物主义，认为历史根本上是生产力的增长，社会形态的兴起与衰落在于是否能实现生产力的发展。罗默主要研究阶级理论和资本主义现实的经济分析，他从古典经济学出发，在一般均衡理论和博弈理论之间提出了超越马克思阶级剥削理论的"一般剥削和阶级理论"。第二，马克思主义的规范性理论。20 世纪 80 年代后，分析马克思主义的研究重心发生转向，开始集中探讨异化、剥削、平等、正义等一系列道德哲学和政治哲学问题。基于对资本主义社会的分析，分析马克思主义坚守社会主义信仰，为更好地阐释社会主义优越性，逐渐转向为马克思主义增加规范性研究基础，例如科恩的平等主义正义理论、罗默的机会平等理论和埃尔斯特的资本主义社会的微观正义问题等。[②]

　　在方法论意义上，分析马克思主义重构马克思主义的阐释框架与方法论，主要采取了如下几种研究方法：

　　第一，分析哲学方法，主要为逻辑和语言分析法。科恩和 W.H.肖等人继承了牛津学派吉尔伯特·赖尔等学者的研究方法，即运用语言分析的方法，着眼于语词在不同语境的具体功能，致力于探寻理论的微观基础，着力于厘清马克思理论最基本的原理、范畴和概念的基本内涵。对于分析马克思主义学派而言，用宏大历史叙事方式和含混模糊的表达阐释人类社会发展，将必然导致马克思主义长期受到误读和曲解。而分析哲学在方法上的严密性能够扭转这一局面，特别是能够改变"欧洲大陆马克思主义研究中的语义和逻辑混乱"，"从而根据马克思的理论文本来更加准确真实地阐明马克思的思想"[③]。理查德·米勒如此评价分析马克思主义——"英语圈哲学那种细致、抽象以及富有想象的分

————————————

① 　W.H.肖（1948— 　）是美国著名哲学家，曾求学于英国伦敦经济学院，深受科恩的研究
　　方法的影响。1986 年起，他任教于圣乔思州立大学，主要研究方向是"政治社会哲学"
　　（political and social philosophy）、"伦理学"和"马克思"，代表作是《马克思的历史理论》。

② 　详见张一兵主编：《当代国外马克思主义哲学思潮》中卷，江苏人民出版社 2010 年版，第
　　167—168 页。

③ 　科恩、埃尔斯特、威廉姆·肖等学者均采用此方法。[美] 威廉姆·肖：《分析的马克思主
　　义在当代》，《南京大学学报》2008 年第 5 期。

析传统能够对马克思主义社会理论做出巨大贡献。"①基于该研究方法，分析马克思主义学者试图为马克思主义奠定科学的研究基础，科恩将其概括为"非胡说的"、"站得住脚的"马克思主义理论。科恩认为分析学派的理论"表述受到两方面的制约：一方面是马克思所写的，另一方面是作为 20 世纪分析哲学特征的那些清晰性和精确性的标准。目标是建立一种站得住脚的历史理论……这不是一种佞妄的希望。马克思是一位不知疲倦和创造性的思想家，他在很多方面都提出了丰富的思想。但他没有时间，也不打算，更没有书斋的宁静，来把这些思想全部整理出来。对他的主要思想提供比他本人更精炼的表述，并不是一种佞妄的要求。"②究竟什么是分析的方法，科恩对此有过详尽的说明："至于'分析的'，它在当前我们所涉及的问题中可做两种既相互联系、又相互区别的理解，即广义的理解和狭义的理解。就广义的理解而言，所有的分析的马克思主义都是分析的；就狭义的理解而言，大部分分析的马克思主义是分析的，就意味着它是同一种传统上被认为是马克思主义组成部分的思维方式相对立的：分析的思维，就广义的'分析的'而言，是同所谓的'辩证法'思维相对立的，就狭义的'分析的'而言，是同所谓的'整体主义'的思维相对立的。"③

　　第二，功能解释方法。以科恩、范·帕里斯④等人为代表，主张功能解释法是马克思主义内在固有的方法。功能解释法具体分为四种：(1)"合目的性"的功能解释；(2)"达尔文式"的功能解释；(3)"拉马克式"的功能解释；(4)"自我蒙蔽式"的功能解释。科恩认为功能解释法是我们重新确证马克思历史理论的唯一科学方法，主张通过功能解释的方法对生产力与生产关系、经济基础与上层建筑进行明晰的结构性说明，其主要结构为："如果一定类型的现象发生，

① [加]罗伯特·韦尔、凯·尼尔森主编：《分析马克思主义新论》，鲁克俭译，中国人民大学出版社 2002 年版，第 418—419 页。

② [英] G.A.科恩：《卡尔·马克思的历史理论——一种辩护》，岳长龄译，重庆出版社 1989 年版，"序言"第 1 页。

③ [英] G.A.柯亨：《信奉而不恭维：对分析的马克思主义的反思》，秋华译，《马克思主义研究》1996 年第 1 期。

④ 菲利普·范·帕里斯（1951— ），比利时著名的左翼自由意志主义哲学家和政治经济学家，以作为无条件基本收入的主要推动者和守护者而闻名。分析马克思主义学者之间存在诸多富有差异性的观点，例如科恩与埃尔斯特在功能主义和方法论个人主义方面存在很多争论。

那么就会有一定的结果，而这一结果解释了所说的那类事件中的一个事件的发生"。①

第三，描述选择、行为和策略的各种方法。罗默、埃尔斯特认为功能解释忽视了个人行为和理性选择的作用，无法对历史变化作微观领域的说明，故坚持方法论的个人主义和"理性选择"原则，通过考察个人行为、愿望等解释社会现象和历史变化，力图说明个体的行为既受到结构的制约，也离不开结构内的理性选择。如今，人们更多地将这种描述选择、行为和策略的方法称为决策论或博弈论，或者更一般意义上的理性选择理论。此外，部分分析马克思主义者还主张个人主义方法论②，例如，埃尔斯特提出"全部社会现象——其结构和变化——在原则上是可以以只涉及个人（他们的性质、目标、信念和活动）的方式来解释。"③之所以强调个人主义方法论，实质上是分析马克思主义者反对将社会形态演进视为整体性的宏大历史叙事，在消解"整体主义"的同时，强调个人的行为和选择在构成整体中的重要功能。分析的方法强调个人行为的作用，他们认为任何理论要成为现代意义上的科学都不能仅停留在对事物和现象的宏观描述上，还应当构成个体的行为的功能，因此需要根据时代的发展，从个人出发对传统马克思主义的宏观理论描述做微观分析和补充。这些微观基础决定了社会现实和历史发展，个体行为决定了人群整体的行动规律和阶级特征。科恩反对将总体现象作为研究目标，反对社会形态和历史发展具有整体的规律性。他曾指出"当整体主义被断言为一种原理时，所有的分析的马克思主义者都会加以反对"④。

第四，经济分析的方法。按照科恩的解释，这种方法虽然来自亚当·斯密

---

① ［英］G.A.科恩：《卡尔·马克思的历史理论———一种辩护》，段忠桥译，高等教育出版社2008年版，第299页。

② 分析马克思主义学者在这一点上具有一定的差异。韦尔曾提出"许多分析马克思主义哲学家拒绝或批判各种形式的方法论个人主义，最为突出的是米勒（1978）、柯亨（1982）、鲁宾（1985）、莱文（1987）等人。不像社会科学家，哲学家总的来说并不迷恋个人主义的微观基础"。罗伯特·韦尔：《马克思主义是如何被分析的》，载罗伯特·韦尔、凯·尼尔森主编：《分析马克思主义新论》，鲁克俭译，中国人民大学出版社2002年版，第4页。

③ ［美］乔恩·埃尔斯特：《理解马克思》，何怀远等译，中国人民大学出版社2008年版，第4页。

④ ［英］G.A.柯亨：《信奉而不恭维：对分析的马克思主义的反思》，秋华译，《马克思主义研究》1996年第1期。

和大卫·李嘉图，但大体上却是被从瓦尔拉[①]和马歇尔[②]开始的非马克思主义的新古典经济学赋予了严格的数学形式。[③]

第五，反对辩证法的方法论倾向。韦尔提出分析的马克思主义几乎没有给辩证法以任何重要地位，分析马克思主义反对传统马克思主义的辩证思维方法，认为辩证法本身是模糊不清的，只会降低马克思主义本身的科学性。[④] 例如，科恩彻底地否定了辩证法思想，认为同马克思的历史唯物主义相比它显得过于朴素了，具有一定的局限性。[⑤] 此外，在批评马克思主义的"分娩式主旨"时，他明确地指向黑格尔辩证法的残留思想。[⑥] 科恩提出，"虽然'辩证的'这个词在被使用时并不总是含义不清，但它从未被明确用来指称一种同分析的方法相匹敌的方法。因为根本就不存在一种能向分析的推理形式挑战的辩证的推理形式。对辩证法的信仰只存活于思想不清醒

① 里昂·瓦尔拉（1834—1910），法国数理经济学家。他开创了"一般均衡理论"，是边际效用价值论的创建人之一，同时也是洛桑学派创始人。他最重要的贡献不仅是提出边际效用论，还有将数学和这一理论结合起来，在他之后，数理经济分析开始被广泛地采用。因此他被奥地利著名政治经济学家约瑟夫·熊彼特称赞为"所有经济学家当中最伟大的一位"。

② 阿尔弗雷德·马歇尔（1842—1924），近代英国最著名的经济学家，新古典学派的创始人、局部均衡分析的创始者。他研究单个市场的行为而不考虑市场与市场之间的影响。他用上升的供给曲线和下降的需求曲线分析收入、成本的变化对价格的影响。马歇尔最重要的贡献之一是建立了弹性的概念和计算弹性的公式。在马歇尔的努力下，经济学从仅仅是人文科学和历史学科的一门必修课发展成为一门独立的学科，具有与物理学相似的科学性。

③ ［英］G.A.柯亨：《信奉而不恭维：对分析的马克思主义的反思》，秋华译，《马克思主义研究》1996 年第 1 期。

④ 在对待辩证法的态度上，存有一定的差异性。例如艾伦·伍德在《卡尔·马克思》一书中对辩证法持有一定的同情态度，埃尔斯特也在一定意义上认为辩证法是马克思主义一个值得保留的重要贡献。［加］罗伯特·韦尔：《马克思主义是如何被分析的》，载于［加］罗伯特·韦尔、凯·尼尔森主编：《分析马克思主义新论》，鲁克俭译，中国人民大学出版社 2002 年版，第 6 页。

⑤ 用科恩自己的话来描述这种观点上的转变，即"我对历史唯物主义的信奉更为持久"，详见《卡尔·马克思的历史理论——一种辩护》，段忠桥译，高等教育出版社 2008 年版，第5 页。

⑥ 科恩批评马克思主义者们常常将马克思和恩格斯对资本主义弊病和社会主义变革问题的解决方法称为"分娩式主旨"，这种观点作为黑格尔辩证法残留的思想，强调历史在提出现实世界的任务时也相应地提出了自身的解决方案，只要实现问题自身的完全发展，解决之道会自然而然地产生。参见张晓萌：《捍卫社会主义平等观——G.A.科恩的政治哲学辩护》，中共中央党校出版社 2016 年版，第 38 页。

的状态下。"①

如果大致地进行归类，可以认为在以上诸多方法中，科恩更多地运用逻辑和语言分析的方法，作为经济学家的约翰·罗默更多地采用经济分析的方法，埃尔斯特更多地采取第三种方法，并且对这三种方法的掌握最好，对它们的涉及是最广泛的。②

二、对历史唯物主义的辩护

早期分析马克思主义者运用分析的方法对经典马克思主义理论进行辩护，致力于辨析"生产力"与"生产关系"、"经济基础"与"上层建筑"等历史唯物主义的基础概念之间的关系。W.H.肖曾指出，"我所关心的，是马克思关于历史变革的、基础性的一般结构模式，以及推动历史统一和历史前进的因素。这就是说，我所论述的，是被马克思理解为构成历史变革和进化基础的经济原动力——生产力和生产关系的相互作用。这个论题之所以重要，恰恰是因为历史唯物主义本身对这个特殊的原动力给予了首要性的解释。"③

（一）科恩：为历史唯物主义辩护

G.A.科恩生前曾任牛津大学万灵学院"奇切利"社会和政治理论教授（The Chichele Professor of Social and Political Theory）、英国人文和社会科学院院士（A fellow of the British Academy），是国际公认的社会政治理论家、分析马克思主义理论学派和"九月学圈"的创建者之一。此外，他还是一名虔诚的马克思主义信奉者和理论修正者，在国际马克思主义研究领域和政治哲学界有着崇高的威望和极为重要的影响力。加拿大滑铁卢大学荣誉退休教授简·纳维森曾在

① ［英］G.A.柯亨:《信奉而不恭维：对分析的马克思主义的反思》，秋华译，《马克思主义研究》1996年第1期。
② 参见［英］G.A.柯亨:《信奉而不恭维：对分析的马克思主义的反思》，秋华译，《马克思主义研究》1996年第1期。
③ ［美］W.H.肖:《马克思的历史理论》，阮仁慧等译，重庆出版社1989年版，第4页。

一篇书评中评价科恩为"英语世界中最受尊重的马克思主义者"①。

科恩致力于运用分析的方法对经典马克思主义理论进行辩护，针对唯物史观中最基本的概念，例如生产力、经济基础与上层建筑等加以阐释，为马克思主义奠定逻辑严密、含义清晰的理论基础。科恩曾这样描述分析马克思主义，从对待马克思主义的基本态度和立场来讲，"它的动力首先不是去修正而是去辩护继承下来的理论"②；从方法论上讲，"它通过联系那些分别构成整体并构成发生在更为总体水平上的转变过程的微观结构和微观机制，去解释宏观现象的倾向"。③《卡尔·马克思的历史理论——一种辩护》一书是科恩研究历史唯物主义的代表性著作，该书的出版对学界产生了广泛而深远的影响，同时也标志着分析学派马克思主义的诞生。④ 科恩曾经这样概括这本书的主旨："我要辩护的是一种老式的历史唯物主义，一种传统的观念。在这一观念中，历史从根本上讲是人类生产力的增长，社会形态依它们能够实现还是阻碍这一增长而兴起和衰落。"⑤ 从那时起，科恩致力于历史唯物主义研究，并对马克思的文本进行论述和阐发，历经辩护、批判乃至改造三个阶段，持续长达30年的时间。具体而言，科恩对历史唯物主义的辩护主要体现于以下方面：

1. 对社会的属性进行区分

科恩认为历史唯物主义最基本的方法就是对社会作社会属性和物质属性的区分，如生产力和生产关系的划分，科恩曾借用马克思广为人知的比喻加以论证。马克思曾经提出"黑人就是黑人。只有在一定的关系下，他才成为奴隶。纺纱机是纺棉花的机器。只有在一定的关系下，它才成为资本。脱离了这种关

① Jan Narveson, "A Review of If You're an Egalitarian, How Come You're So Rich ?" The Annals of the American Academy of Political and Social Science, 2001, p.576. 转引自袁聚录：《科恩对诺齐克获取正义社会制度取向的剖驳析评》，《陕西师范大学学报（哲学社会科学版）》2010 年第 2 期。

② [英] G.A.科恩：《卡尔·马克思的历史理论——一种辩护》，段忠桥译，高等教育出版社2008 年版，第 9 页。

③ [英] G.A.科恩：《卡尔·马克思的历史理论——一种辩护》，段忠桥译，高等教育出版社2008 年版，第 8 页。

④ 该书赢得了 1979 年伊萨克·多伊彻纪念奖（Isaac Deutscher Memorial Prize），该奖项每年颁发一次，用来奖励最佳的和最有创新性的马克思主义论述著作。——笔者注

⑤ [英] G.A.科恩：《卡尔·马克思的历史理论——一种辩护》，段忠桥译，高等教育出版社2008 年版，序言。

系，它也就不是资本了，就像黄金本身并不是货币，砂糖并不是砂糖的价格一样。"①黑人只有在一定关系下才成为奴隶，机器也只有在一定的关系下即应用于社会化大生产时才成为经济范畴，在此之前，黑人、机器都只是物质性的存在，只有当一定的关系被赋予的时候，它们才成为社会性的存在。这种内容与形式的区分就是社会存在物的物质性和社会性区分，社会的物质属性是自然的，社会属性则是经济的、历史的。"人和生产力构成它（社会）的物质内容，一种由生产关系赋予社会形式的内容。在进入生产关系后，人和生产力就获得了由这些关系构成的形式的特征：黑人变成了奴隶，机器变成了不变资本的一部分。那些喜爱'辩证法'话语的人会说：黑人是奴隶又不是奴隶，机器是资本又不是资本。但这些是含糊其词的表达。正确的过程是力图尽可能清楚地表明马克思的区分。为了澄清他的思想，我们将批判他的叙述方式。"②科恩认为，对社会属性和物质属性进行区分具有重要的意义，生产力是物质内容，而资本是社会形式，形式是非永恒的，当内容发展到一定阶段即可冲破形式的束缚，促使社会形态发生更替。

2."生产力首要性"和"生产力的发展贯穿整个历史"的功能解释

科恩在对历史唯物主义进行辩护时提出了历史唯物主义的两个基本命题，即生产力的首要性命题和生产力的发展命题，具体表述如下：

第一，生产力的首要性命题。"生产力的首要性"即生产力对于生产关系或对由生产关系所组成的经济基础的解释上③的第一位的作用，也就是说，社会的生产关系的性质是由生产力的发展水平来解释的。

对此，科恩根据马克思在《〈政治经济学批判〉序言》中的经典表述做了分析方法上的分解：（1）生产关系同物质生产力的发展的一定阶段相适合；（2）社会的物质生产力发展到一定阶段，便同它们一直在其中活动的现存生产关系发生矛盾；（3）这些关系便由生产力的发展形式变成生产力的桎梏；（4）那时社会变革的时代就到来了（它伴随着经济基础的变革）；（5）无论哪一个社会形态，在它们所能容纳的全部生产力发挥出来以前，是绝不会灭亡的；（6）新的更高的生产关系，在它存在的物质条件在旧社会的胎胞里成熟以前，是绝不

---

① 《马克思恩格斯选集》第1卷，人民出版社2012年版，第340页。
② [英] G.A.科恩：《卡尔·马克思的历史理论——一种辩护》，段忠桥译，高等教育出版社2008年版，第110页。
③ 功能解释是指被解释的东西的特性是由它对解释它的东西的作用所决定的。

会出现的。①科恩认为被分解后的命题（1）是对生产力的首要性命题的严格表述，并且在马克思那里生产关系同生产力之间的关系是"单向度"的，也就是说，该命题强调的是生产力对生产关系的决定作用，生产关系应当适合生产力的发展。当二者发生不一致甚至矛盾时，应当通过变革生产关系而非生产力来实现生产关系对生产力的"适合"。至于命题（2）——（6），科恩认为它们是对命题（1）的具体阐释。

并不像许多西方研究者所认为的那样，马克思生产力的首要性命题贬低了人性抑或导致了"技术决定论"。相反，科恩认为首要性命题恰恰可以说明生产力的发展和人性的一致性，因为生产力的发展主要是由于人类劳动能力的提升。对人的能力提升造成阻碍的实际是不合理的社会关系，正如科恩在《卡尔·马克思的历史理论——一种辩护》一书中所说，"奴役人的能力主要属于社会关系，而不属于物质力量：成为桎梏的是生产关系，即在它们阻碍物质力量发展的时候。"②马克思关于共产主义阶段的论述同样印证了这个结论，人类劳动将变成人的自由自觉的活动，生产力推动的社会关系进步能够促进人的全面发展。

第二，生产力的发展命题。生产力的发展命题是对生产力的首要性命题所做的理论补充。生产力的发展命题是指"生产力的发展贯穿整个历史"。为何会如此？科恩认为人性和历史境遇的特点决定了生产力趋于不断发展：首先，人，就其特性而言，多少是有理性的；其次，人的历史境遇是一种匮乏的境遇；最后，人具有的那种一定程度的才智使他们能够改善其境遇。③也就是说，有理性的人类会在自身的帮助下，通过不断提高生产能力，追求自身需求的满足。基于此而形成的生产力的发展趋势将贯穿于整个人类历史发展进程之中，这将使得与旧生产力水平相适合的生产关系变得不再一致，进而带来生产关系上的变革，以适应始终向前发展的新的生产力。

3. 经济基础决定上层建筑的合法性论证

20 世纪五六十年代英美学术界对历史唯物主义普遍持怀疑和否定态度，

---

① 参见［英］G.A.科恩：《卡尔·马克思的历史理论——一种辩护》，段忠桥译，高等教育出版社 2008 年版，第 165 页。

② ［英］G.A.科恩：《卡尔·马克思的历史理论——一种辩护》，段忠桥译，高等教育出版社 2008 年版，第 177—178 页。

③ 参见［英］G.A.科恩：《卡尔·马克思的历史理论——一种辩护》，段忠桥译，高等教育出版社 2008 年版，第 182 页。

特别是对历史唯物主义的基本命题"经济基础决定上层建筑"持有异议，认为经济基础无法解释上层建筑的合法性，这是一种循环论证。持有这种观点的主要代表人物有英国著名哲学家布莱梅尼茨、H.B.阿克顿，他们提出了历史唯物主义的合法性难题：如果按照马克思的观点，经济基础的性质决定上层建筑的性质，那么二者首先应当是相区分的内容，唯有如此才能出现前者后者谁决定谁的问题。但马克思同时认为，经济基础中包含生产关系，而生产关系又是一种所有制关系，即一种法律关系。那么这个结论显然与法律作为上层建筑一部分的论断相矛盾，一种内含法律特征的经济结构决定了作为整体的法律上层建筑，显然是一种循环论证关系。由此显现出的矛盾和"循环论证"导致了马克思主义经典论述"经济基础决定上层建筑"遇到了合法性难题，历史唯物主义的基本命题受到具有冲击力的质疑，对历史唯物主义整体理论建构构成了严峻的挑战。然而，作为虔诚的马克思主义者的科恩坚信历史唯物主义的正确性，因此他试图破解合法性难题。科恩首先将该逻辑论证分解为以下命题：(1) 经济结构①（即经济基础）由生产关系构成；(2) 经济结构是与上层建筑分开的（并解释上层建筑）；(3) 法律是上层建筑的一部分；(4) 生产关系是法律术语界定的。②

科恩认为要想破解难题就要推翻以上的任何一项，而他认为只有 (4) 是可以放弃的，具体方法是消除生产关系界定时的法律术语形式。科恩认为马克思很多时候使用了法律术语，却并不是在法律的意义上使用的。例如，马克思在对生产资料和生产关系进行界定时认为，前者是"在事实上或法律上为耕者自己所有"③，后者"先是在事实上，然后又在法律上，转化为直接生产者的所有权"④。在这里，科恩认为马克思所使用的所有权概念并不是法律意义上的权利，而是生产者对生产资料和生产工具的实际有效的控制关系，也就是一种权力关系。正是从区分"权利"和"权力"出发，科恩对历史唯物主义的正统诠释进行了辩护。

进而，法律和财产关系通过生产关系才真正得以被解释。为进一步阐明二

---

① 即马克思主义语义下的"经济基础"，科恩称之为"经济结构"。

② 参见［英］G.A.科恩：《卡尔·马克思的历史理论——一种辩护》，段忠桥译，高等教育出版社 2008 年版，第 252 页。

③ 《资本论》第 3 卷，人民出版社 2004 年版，第 761 页。

④ 《资本论》第 3 卷，人民出版社 2004 年版，第 901 页。

者之间的关系，科恩按照功能解释方法区分了生产关系对财产关系的四种功能解释类型：第一，在 t 时期环境有利于被现存的法律所禁止的生产关系的形成。由于如果服从现存的法律将会束缚生产力，因而现存的法律在 t 到 t+n 期间会被冲破。在 t+n 期间现存的法律将会改变，从而使财产关系和生产关系之间的一致得以恢复。第二，环境也有利于当时被禁止的生产关系的组织，但在这一情况中法律制度太强大了以致不容许无视它的生产关系的形成。因此，法律将或早或迟地改变如革命带来的生产关系变化，从而使新的生产关系得以确立。第三，在前两种情况下，如果法律不改变生产关系就都是非法的，在第三种情况下，新的生产关系的形成并不违反法律，因为没有法律禁止它们。然而，为使经济上的变化更安全，新的法律总是需要的，因而它们被通过了。第四，法律虽然不发生变化，但财产关系却发生变化。① 按照这一逻辑论证，生产关系的某些形式被法律考虑到了，随后生产力的发展促进了这一生产关系的形成发展，在这时法律即使不发生改变，也不会阻碍生产关系，甚至可以促进生产关系的发展。在这里财产关系促进了经济基础的变化。

从研究的任务和目标角度来讲，科恩自觉地为历史唯物主义辩护，通过以分析的方法重释生产力与生产关系、权利和权力、经济基础和上层建筑等历史唯物主义的核心概念与命题，重构了马克思对历史发展图景的深刻描述。

从方法角度来讲，科恩运用分析马克思主义哲学的理论工具阐述历史唯物主义，他注重澄清历史唯物主义中的基本概念含义、把握原理间的内在逻辑和发展脉络，力图再现概念清晰、逻辑严密而完整的历史唯物主义体系，以实现"既科学又革命的"马克思主义。按照分析马克思主义者的观点，分析的方法确保了概念的准确性和清晰性，因而能够进一步保障马克思主义整体理论体系的严密性，"通过分析方法的严格检验，所保留下来的论点，既包括原初的论点，也包括由原初的论点发展而来的论点，比以前更有力了。"② 值得注意的是，以分析的方法为经典马克思主义理论辩护实质上重构了马克思理论的研究方式，分析的马克思主义"虽然维护了传统的马克思主义的核心问题、热点问

---

① 参见 [英] G.A. 科恩：《卡尔·马克思的历史理论——一种辩护》，段忠桥译，高等教育出版社 2008 年版，第 260 页。

② [英] G.A. 科恩：《卡尔·马克思的历史理论——一种辩护》，段忠桥译，高等教育出版社 2008 年版，第 10 页。

题，保存了它的志向和价值观，但拒绝了很多它的经典论点"。① 换言之，科恩对马克思主义的信奉和感情决定了他的辩护立场和信仰，然而在具体研究方式上他更坚持和信赖分析的方法。

（二）威廉姆·肖：马克思的历史理论

威廉姆·肖，美国圣荷塞州立大学哲学系教授。与科恩一样在 20 世纪 80 年代为分析马克思主义学派的创立作出了突出贡献。他致力于用分析哲学的方法对马克思的历史唯物主义进行分析研究。20 世纪七八十年代他发表了一系列有关历史唯物主义的文章，其中包括他的博士论文《生产力与生产关系》，而最具有影响力和最具代表性的是他的书籍——《马克思的历史理论》。他在该书中明确表示他的研究方向是马克思本人的历史理论，他希望通过此书揭示和澄清马克思历史理论的真实意义。因他致力于将历史唯物主义看作是经验的、科学的理论，在对马克思的探讨中他坚持以马克思主义经典文本为依据，不采用预设的理论框架对历史唯物主义进行解释。

在生产力方面，威廉姆·肖主张对生产力作狭义的理解，即"任何劳动过程都关涉到劳动力和生产资料，这些因素将被视为构成马克思所说的'生产力'的东西"②。威廉姆·肖认为，在马克思那里，生产资料由劳动工具和劳动对象构成，而所有的劳动工具也是作为对象被加工出来的，只有在确定的生产过程的语境中人们才能对劳动工具和劳动对象作出比较严格的区分。劳动对象的概念相对复杂，包括自然界提供的天然的劳动对象，如矿产、林木，也有先前劳动的产物，马克思称之为原料。关于劳动力，即是劳动当事人的能力或力量。基于如上基本观点，威廉姆·肖强调劳动力是劳动的能力，而劳动是这种能力的具体表现，二者应该区分开来；虽然劳动力是人的力量和能力，但却不能以人去加以取代而将人作为生产力的要素之一；科学技术知识是劳动力的一种属性，是一种更高级别的劳动力。

在生产关系方面，威廉姆·肖认为生产关系既包括人们用以改变自然界的实际的劳动关系，也包括他们用以调整他们彼此对生产力和产品之间的所有权

---

① ［英］G.A.科恩：《卡尔·马克思的历史理论——一种辩护》，段忠桥译，高等教育出版社 2008 年版，第 9 页。

② ［美］W.H.肖：《马克思的历史理论》，阮仁慧等译，重庆出版社 1989 年版，第 4 页。

关系，也就是包含着劳动关系和所有权关系。在现代社会这两种关系是紧密联系在一起的，一方面任何劳动关系都不能超越所有权关系，都通过法律规定的财产关系而被建立起来；另一方面任何所有权关系都不可能凭空存在，只能通过劳动关系表现自己。

（三）走向受限制的历史唯物主义

分析马克思主义者对历史唯物主义的辩护引起了关注，同时也在学界引起广泛争论。分析马克思主义者们同样遇到理论瓶颈，他们开始逐步发现导致社会发展变化的原因是多种多样的，仅仅通过生产力无法给出合理的说明。到了80 年代中后期，分析马克思主义者开始对历史唯物主义进行再思考，通过批判性地考察，主张对历史唯物主义的解释范围作出限定。

1988 年，科恩发表论文《历史唯物主义的再探讨》，对马克思的历史唯物主义从"辩护"走向了"再探讨"。正如他所言，"我现在并不认为历史唯物主义是错误的，但对如何知道它是否正确却没有把握。"① 之所以走向"再探讨"，主要是因为马克思哲学人类学中对人的本质存在片面的认识。科恩指出马克思的理论至少包括了哲学人类学、历史理论、经济理论和关于未来社会的见解四个部分。在其中，马克思的哲学人类学十分强调人本质上是创造性的存在物，但是马克思更多的是关注主体与客体的关系，而非主体与自身的关系及主体与其他主体之间的关系，而正是主体的自我身份认同促使主体更加积极地去追求自己需要的满足。科恩认为，这种片面性削弱了马克思历史唯物主义的有效性。马克思的哲学人类学忽视了宗教和民族主义的重要性，马克思重视人的物质需要，但是对人的精神、情感上的需要没有给予充足的重视。更为重要的是，宗教和民族主义等意识形态现象并不能通过生产力和经济结构去说明。此外，马克思哲学人类学的片面性还导致对共产主义社会中人的片面性理解，人们赋予自己的生活以一定的意义，这类生活方式的追求也无法从历史唯物主义的角度去进行解释。科恩认为，历史唯物主义并不能解释一切社会现象，而只能对与物质、经济活动有关的现象进行解释，故主张一种"受限定的历史唯物主义"。

此外，从"生产力决定论"转化为"技术决定论"为历史唯物主义的阐释

---

① ［英］G.A.科恩：《卡尔·马克思的历史理论——一种辩护》，段忠桥译，高等教育出版社2008 年版，第382 页。

增加了内在的限制。威廉姆·肖对生产力和生产关系概念作了严格限定，基于对马克思生产力是历史中的动力和决定性因素的认识，威廉姆·肖认为生产力的本性和后果并没有得到广泛的理解。关于生产力的本性，威廉姆·肖认为其实质是内在于自身的东西，确切地说就是技术。虽然对于技术的决定性作用，肖没有给出具体的论证，但是从他认为科学技术是一种更高级别的劳动力上看，他或许认为这是某种自明的结论。

三、对剥削和阶级的一般理论的探讨

分析马克思主义起始于对历史唯物主义的辩护，而另一重要关注点在于对马克思主义政治经济学作分析哲学的讨论，其中最具代表性的人物是约翰·罗默。约翰·罗默是美国著名经济学家和政治学家，是分析马克思主义的开创者之一，是"九月学圈"的创始成员之一。1981 年出版《马克思经济理论的分析基础》，1984 年出版《分析的马克思主义》，1994 年出版《分析的马克思主义的基础》，对于推动分析马克思主义学术共同体的形成与发展发挥了重要作用。罗默的重要理论贡献是运用新古典经济学的模型和理论框架解释马克思主义经济学，建构了"剥削"和"阶级"理论，着眼于探讨阶级作为历史的重要集体行动者出现的原因，以及回应剥削为何是不道德的等问题。他的理论主张对资本主义进行道德批判，但也同时造成了对马克思的劳动价值论的否定。

（一）"一般剥削理论"

罗默认为马克思主义理论出现了时代危机，因为它无法解释和说明社会主义国家的阶级现象和政治行为，例如当代社会主义国家内部政治行为的"民主的匮乏"，帝国主义式（苏联对东欧）和机会主义式的外交政策，再如经济发展过程中的"低效率""物质刺激"等问题。"马克思主义面临一种危机，原因在于它无法对当代社会主义国家的行为和发展成功地做出解释。"[1] 如果这些问题不被恰当地理解和阐释，马克思主义将无法成功地对现代社会形态的发展规

---

① 　John E. Roemer, *A Genereal Theory of Exploitation and Class,* Harvard University Press, 1982, p.2.

律作出科学的分析。① 然而，罗默认为当代马克思主义者在面临危机时所进行的批评和辩护因为方法上的错误而无法实现，无论是用经典马克思主义理论还是历史唯物主义的观点，在阐释社会现象时都产生了一些问题，因而首要的回应方案应当是真正有价值的经济学方法。② 他主张采用博弈论和分析哲学的方法，从基础性的经济理论（即剥削理论）来重新分析社会主义国家的危机。此外，关于用数学方法研究马克思主义经济学的合法性，罗默认为虽然马克思本人并没有提出该问题，该研究方法也面临大量来自马克思主义和非马克思主义研究界的质疑，但是马克思本人并没有反对使用数学方法，另外数学的方法的确有助于理解马克思所关注的社会现象。③

"一般剥削理论"（General Theory of Exploitation）可以对任何形式的剥削概念进行解释。罗默用博弈论定义了"一般剥削理论"，"对剥削的一般定义是一种博弈论的定义，并没有涉及劳动价值论。令人吃惊的是，马克思主义的剥削概念分析与剩余劳动概念无关，这可能会让一些读者认为我将'洗澡水和婴儿一起倒掉了'。在剥削的一般定义中首先出现的概念是财产关系而不是劳动力转移。"④ 即剥削的一般定义是基于财产关系的定义，它不涉及劳动价值论。罗默举例说明了基于财产关系的一般意义上的剥削：

"当人们说某个人或某一群体在某一特定情况下被剥削时，意味着什么？我认为剥削概念需要符合以下条件，当群体 S 处在一个更大的团体 N 中，群体 S 是被剥削的，当且仅当：（1）我们假设 S 拥有另一种可替代的选择，并且在这种可选情况下，S 比现在的状况更好；（2）在这种选择下，和 S 对应的群体 S'（N−S=S'）将会比现在的状况更糟；（3）S' 在与 S 的关系中占据优势地位。"⑤

在这一剥削的博弈论的定义中，罗默认为当一个群体能够作出另外一种更好的选择和替代时，这说明这一群体正处于被剥削的状态之中；当一个群体的选择

① John E. Roemer, *A Genereal Theory of Exploitation and Class,* Harvard University Press, 1982, p.4.

② John E. Roemer, *A Genereal Theory of Exploitation and Class,* Harvard University Press, 1982, pp.5–6.

③ John E. Roemer, *A Genereal Theory of Exploitation and Class,* Harvard University Press, 1982, p.1.

④ John E. Roemer, *A Genereal Theory of Exploitation and Class,* Harvard University Press, 1982, p.192.

⑤ John E. Roemer, *A Genereal Theory of Exploitation and Class,* Harvard University Press, 1982, pp.194–195.

使得另外一个群体处于更不利的境地时，那就说明这一群体对后者产生了剥削。

虽然罗默认为剥削带来了不平等，但是他并非否定一切形式的剥削，相反他提出了一个社会必要剥削的概念，"如果一种剥削形式的取消将改变激励和机制，使得被剥削者的境况变得更糟，那么这种剥削形式在社会上是必要的。"[1] 在罗默看来，当今一些国家为促进生产力的发展，在某种程度上鼓励资本主义生产和经营方式，由此产生的剥削就是社会必要剥削。

为进一步作出说明，罗默区分了三种不同形式的剥削：第一种是封建的剥削。罗默运用新古典主义的剥削概念对封建剥削进行阐释。在封建社会的经济博弈中，如果农奴们带着自己的财富退出封建的财产关系而能改善自己的命运，那么他们就受到了封建剥削。与此相应，若领主们因为农奴的撤出而受到了损害，那么他们就是封建关系中的剥削者。[2] 第二种是资本主义的剥削。在资本主义社会，"如果一个人因为对社会的可转让生产资料的平等再分配而受益，他就是资本主义社会中的被剥削者，如果他由于这样一种再分配而受损，他就是资本主义社会的剥削者。"[3] 如果说在封建制度的经济博弈中，群体在假设的选择中带走的是私人财产，那么在资本主义的经济博弈中，群体能够带走的是社会人均可转让的财产（生产资料），该逻辑方法将优于剩余价值剥削理论。[4] 第三种是社会主义的剥削。在社会主义社会中，虽然生产资料是不可转让的，但是剥削仍然存在，不平等仍然存在。首先，劳动者在技能上存在着重大的差异，而且这是一种不可转让的财富，"如果成员 i 在一个技能平等分配的社会中境况会更好，那他在实际的社会主义剥削中就受到了社会主义的剥削。"[5] 其次，人们的身份差异也决定着社会分配的差异，因而产生财产关系的差异。在这里技能差异引起的剥削，罗默称为社会主义的剥削，而身份差异引起的剥削称为身份剥削。

---

① John E. Roemer, *A Genereal Theory of Exploitation and Class,* Harvard University Press, 1982, p.22.

② John E. Roemer, *A Genereal Theory of Exploitation and Class*, Harvard University Press, 1982, p.199.

③ [美] 约翰·罗默：《在自由中丧失——马克思主义经济哲学导论》，段忠桥、刘磊译，经济科学出版社 2003 年版，第 149 页。

④ John E. Roemer, *A Genereal Theory of Exploitation and Class*, Harvard University Press, 1982, p.202.

⑤ [美] 约翰·罗默：《在自由中丧失——马克思主义经济哲学导论》，段忠桥、刘磊译，经济科学出版社 2003 年版，第 155 页。

（二）马克思阶级理论的"微观基础"

乔恩·埃尔斯特，美国哥伦比亚大学政治学教授，美国艺术与科学院院士和挪威科学院院士，是分析马克思主义的开创者之一，与科恩、罗默、威廉姆·肖、艾伦·伍德、莱特等著名学者组成了一个有着明确宗旨、纲领和活动规范的学术团体——"九月学圈"[1]，他们定期开展学术研讨活动，为分析马克思主义的形成与发展提供了宣传阵地。埃尔斯特最重要的代表著作是 1985 年出版的《理解马克思》（*Making Sense of Marx*），对个人主义方法论等研究方法进行说明，全面地论述了马克思主义的哲学、经济学和历史理论。罗默曾高度评价该著作，称其为"百科全书式的著作"[2]。

同其他几位分析马克思主义者一样，埃尔斯特对马克思主义经典概念作出了新的阐释，重点对阶级问题进行了深入探讨，他认为马克思从未对阶级进行定义，这使得对阶级进行定义上的重构成为可能。

埃尔斯特强调方法论上的个人主义，认为任何社会科学理论要想保证其科学性都必须拥有微观基础，也就是指所有宏观的社会现象和集体行为都应该通过对个体的微观层次即个体行为、愿望、信仰的考察得到解释。埃尔斯特指出马克思的阶级理论主张工人阶级由于其阶级利益需要团结起来推翻资产阶级统治，是一种历史目的论，但是他们成为一个集体及采取阶级行动则需要一系列条件才能实现，马克思的阶级理论缺乏对这些集体行动产生的条件及过程的微观基础分析。在《理解马克思》一书中，埃尔斯特探讨了阶级的定义、阶级意识和阶级斗争等问题，从集体行动的角度对马克思阶级理论进行了再阐释。

埃尔斯特认为对"阶级"存在着四种可能的定义[3]：其一，财产角度。埃尔斯特认为，马克思把有无财产当作阶级成分的标志太草率了，其缺点在于无法根据财产来区分地主和资本家，抑或区分小资产阶级和拥有少量生产资料的雇佣劳动者。此外，公共财产的管理者构成阶级，并非由于财产所有

[1] 埃尔斯特是"九月学圈"的开创者之一，20 世纪 90 年代脱离该小组。

[2] John E. Roemer, Vol.1, *Foundations of Analytical Marxism*, Edward Elgar Publishing, 1994, p.X.

[3] 埃尔斯特特别强调，对阶级定义的四种探讨并非为找到一种单一的标准，但对它们的讨论能使我们构建一种似乎很恰当的概念（即使它也很复杂）。参见 [美] 乔恩·埃尔斯特：《理解马克思》，何怀远等译，中国人民大学出版社 2008 年版，第 307 页。

权，因为在现实意义上，财产属于社团而非任何一个个人或一些个人。其二，剥削角度。如果用剥削来描述阶级，即"在马克思的基础上谈论一种理论限制（它应该是阶级地位和剥削地位之间的一种宽泛的相互关系）是合情合理的"，但是用剥削来定义阶级就过于粗糙了，因为它虽然揭示出了剥削阶级和被剥削阶级（的相互关系），但是无法在剥削阶级中区分不同的剥削阶级，例如地主和资本家，也无法区分不同的被剥削阶级，如奴隶和贫穷的自由民。当我们无法准确地描述剥削阶级和被剥削阶级的界限时，这意味着以剥削定义阶级过于粗糙了。但另外一个方面，如果把阶级根据剥削的程度来划分，那阶级又成为与收入群体相关联的概念，如此以剥削定义阶级又显得过于精细。[1] 其三，市场行为角度。按照这个标准，在具有劳动市场的经济中，存在三个基本的阶级：购买劳动力的人、出卖劳动力的人和小资产阶级（他们既不购买也不出卖劳动力）。但是这个标准"过分强调了实际行动却忽视了财产结构中的因果基础。阶级应该根据人（在某种意义上）必须做什么而不是他们实际上做什么来定义。"此外，该定义对非市场经济中的阶级问题无法作出有效回应。因此，以此来定义阶级在外延上和理论上都不能被称为一种恰当的概念。[2] 其四，权力关系角度。从权力的角度，埃尔斯特进一步区分了四种可能的情况：在以生产资料私有制为基础的市场经济中，权力不是由阶级构成的[3]；在具有个人所有制的非市场经济中，权力关系是由阶级成员构成的[4]；对于那些卷入了处理非市场经济中公共财产的人（即马克思所讨论的僧侣和官僚）的阶级地位，可以按照剥削地位或权力地位标准来

---

[1] 参见 [美] 乔恩·埃尔斯特：《理解马克思》，何怀远等译，中国人民大学出版社 2008 年版，第 308 页。

[2] 参见 [美] 乔恩·埃尔斯特：《理解马克思》，何怀远等译，中国人民大学出版社 2008 年版，第 309—310 页。

[3] "在不同的阶级之间，可以但不必有前政治的或个人的权力，也不必有现存的政治权力关系。"参见 [美] 乔恩·埃尔斯特：《理解马克思》，何怀远等译，中国人民大学出版社 2008 年版，第 310 页。

[4] "产生了阶级的财产结构包括了这样一个事实，即某些个人完全拥有或部分拥有其他人的劳动力……根据必要的财产行为来定义阶级和根据权力来定义阶级是一致的。对人的拥有就是权力。人的权力关系可以但不必依赖于法律和政治统治。"参见 [美] 乔恩·埃尔斯特：《理解马克思》，何怀远等译，中国人民大学出版社 2008 年版，第 311 页。

划定①；根据管理公共财产中的指令等级来定义阶级，可能适用于现代商业企业。由此可见，权力与阶级的复杂关系决定了这一定义也存在一定的问题。②

由此可见，以上四种可能的定义都不理想，埃尔斯特在考察资产和人们的禀赋、行为的基础上，给出了关于阶级的一般定义："一个阶级就是这样一群人，他们借助其占有的东西被迫从事同样的活动，如果他们想要最大限度地利用其资产的话。"③这个定义在外延和理论上优于以上四种讨论，当然也存在一定程度的问题。④

埃尔斯特进一步主张，一个阶级成为集体行动者的关键在于各种促进集体意识或集体行动出现的条件，妨碍阶级形成集体意识和采取集体行为主要是由于"搭便车"现象的存在。集体行动中由于"搭便车"现象的存在，理性、自利的人们不一定会采取集体行动，相反可能采取损害集体利益的行动。埃尔斯特探讨了如何克服"搭便车"行为来破除集体行动的困境，主要有两条途径：一是将权力让渡给国家；二是通过分散的、非强制的方式实现合作。

此外，埃尔斯特从规范、价值观的角度探讨了集体意识和集体行为的实现。他把个体合作的动机分为理性和规范两个方面，相信集体行为的实现不仅仅通过自利、理性来解释，一些合作规范的存在也可以促使集体行为的发生，这些规范包括产生于功利主义的道德规范、公平的社会规范、日常生活的康德主义规范等。

在马克思那里，阶级意识的形成是集体行为的重要前提。埃尔斯特则提出了关于阶级意识发展的"黑匣子理论"（black-box theory），将欲望、信仰等未涉及个人动机问题的有利条件和不利条件提出，旨在表明集体行动是由多种因素共同作用的结果，补充了马克思主义没有涉及的"微观基础"。因而，集体行为需要集体意识，但是阶级意识只是其中之一。

---

① "首先在纯剥削者和纯被剥削者之间划出一条界限，然后在那些控制他人劳动力的人和那些没有控制他人劳动力的人之间划出一条界限。"参见［美］乔恩·埃尔斯特：《理解马克思》，何怀远等译，中国人民大学出版社 2008 年版，第 311 页。

② "根据统治和从属来定义阶级太关乎行为了，而且在结构上也不完整"。参见［美］乔恩·埃尔斯特：《理解马克思》，何怀远等译，中国人民大学出版社 2008 年版，第 312 页。

③ ［美］乔恩·埃尔斯特：《理解马克思》，何怀远等译，中国人民大学出版社 2008 年版，第 313 页。

④ 埃尔斯特认为在方法论上有某些缺陷，对客观功能的承认、对无形资产的承认都是其弱点。

四、分析马克思主义的政治哲学转向 ①

20 世纪 80 年代中后期，分析马克思主义的研究重心发生转向，从传统马克思主义的经验理论转向规范性政治哲学，集中关注平等、正义、道德等理论范畴，为马克思主义奠定了规范哲学的基础。②

在社会主义运动频频遇到挫折，苏联解体造成马克思主义理论与社会主义道路受到质疑的大背景下，分析马克思主义者不断思考社会主义在资本主义占优的时代境遇中的前途和命运，他们致力于从政治价值规范角度出发，通过论证社会主义在价值层面的优越性，重新唤起人们对马克思主义的信奉和对社会主义道路的信心。世界范围内社会主义运动的挫败打击了人们憧憬未来理想社会结构的美好愿望，作为社会主义国家的领头羊的苏联解体导致社会主义"危机论"、马克思主义"过时论"和共产主义"渺茫论"等观点甚嚣尘上，关于社会主义的未来命运与何去何从的探讨成为广受关注的理论主题。社会主义阵营内部出现了剧烈的动荡，人们开始在思想文化和意识形态领域出现真空地带，对马克思主义理论合理性与正当性的质疑声不断。其中以福山的"历史终结论"最具代表性，《历史的终结》的副标题是这样一句口号："自由民主的理念已无可匹敌，历史的演进过程已走向完成"，自由民主制度将是人类社会发展的最终阶段和最后的统治形式，自此西方文明战胜了马克思主义并一统天下。著名经济学家罗伯特·海伯纳这样声称，"不到 75 年的时间，资本主义和

---

① 从理论上看，尽管在这一时期分析马克思主义呈现出明显转向的趋势，但是分析马克思主义前后期思想具有内在统一性，都旨在对马克思的思想进行辩护与重构。

② 关注马克思主义政治哲学的研究成果主要包括卢克斯的《马克思与道德》，普泽沃斯基的《资本主义与社会民主》，尼尔森的《自由与平等：为激进平等主义辩护》、《马克思主义与道德观念：道德、意识形态与历史唯物主义》，范·帕里斯的《全体人的实质自由》，赖曼的《正义和现代道德哲学》，麦克默特里的《不平等的自由》，斯坦纳的《论权利》、鲍尔斯的《重塑平等主义》，佩弗的《马克思主义、道德与社会正义》，莱文的《自由主义的平等再思考：一种乌托邦的视角》，科恩的《自我所有、自由和平等》、《如果你是社会主义者，为何如此富有？》、《为什么不要社会主义》、《拯救正义与平等》，罗默的《在自由中丧失》、《平等正义理论》、《机会平等》等。转引自李旸：《试论分析的马克思主义的政治哲学转向》，《中国人民大学学报》2013 年第 2 期。略有修改。——笔者注

社会主义之间的竞赛就结束了：资本主义赢了。"[1] 世界共产主义阵营出现了前所未有的动荡和混乱，世界人民的共产主义理想遭到了巨大的冲击，面临空前严重的信仰危机和精神塌陷。

苏联的解体对马克思主义理论的继承和发展造成了沉重打击，这种现象和舆论造成了马克思主义理论的哲学危机，在世界范围内特别在一些前社会主义国家中，马克思主义直接面临被边缘化甚至被压制的危险。这种局面对马克思主义而言是巨大的灾难，不仅是一场哲学困境，更是引发了一场精神信仰危机。人们不得不追问是否仍然有必要继续沿着马克思所指明的历史演进方向前进，是否应当坚持社会主义原则和价值观念，自我完善后的资本主义是否值得保留和推崇，社会主义不同于资本主义的本质区别又在哪里，"是否仍有必要在资源紧缺的情况下追求平等，追求何种平等，为什么这种追求是合理的，以及如何以制度性的形式实施之"。[2] 这些都成为迫在眉睫需要解决的问题，信仰的危机使得马克思主义亟需一种理论上的辩护和重建，需要有一种道德呼吁以唤醒人们对于社会主义必要性和正当性的再次关注，重建和维护人们对社会主义的信心，以及对马克思主义中平等价值的坚守。科恩将这种道德呼吁和规范辩护称为"道德发酵剂"。[3]

1972 年，艾伦·伍德《马克思对正义的批判》[4] 一文开启了分析马克思主义对政治哲学的关注。1988 年，科恩发表《历史、劳动和自由：来自马克思的论题》，对前期思想进行总结，之后转向政治哲学研究，成为分析马克思主义在政治哲学研究中最具代表性的学者。剑桥大学法哲学与政治哲学教授马修·柯雷默在科恩去世当天评论道："无论以何种合理的标准来看，他（科恩）

---

[1] Robert Heilbroner, *The Debt and Deficit: False Alarms/Real Possibilities,* New York: W. W. Norton & Company, 1989, p.98.

[2] [英] G.A. 科恩：《如果你是平等主义者，为何如此富有?》，霍政欣译，北京大学出版社 2009 年版，第 148 页。

[3] [英] G.A. 科恩：《如果你是平等主义者，为何如此富有?》，霍政欣译，北京大学出版社 2009 年版，第 143 页。

[4] 艾伦·伍德，欧美德国哲学和康德研究的权威学者，现任美国斯坦福大学哲学教授，著有《卡尔·马克思》。作为分析的马克思主义者，艾伦·伍德持"马克思主义反道德主义"的观点。《马克思对正义的批判》一文载于 1972 年美国《哲学与公共事务》杂志。

都在这一代的政治哲学家中名列前二三名。"①

（一）科恩的平等主义政治哲学

科恩致力于从规范哲学角度对马克思主义展开研究，将社会主义理论纳入主流的政治哲学话语体系之中。他以"社会主义平等"作为理论目标，尖锐地批判了自由主义平等观不利于实质意义上平等的实现，科恩深入阐释了什么是社会主义平等及其内在价值，以及如何通过制度构建体现和推进平等。

1. 政治哲学转向的思想契机和理论背景

科恩如此重视资本主义对社会主义提出的挑战，以及在对待资本主义平等观时持有坚定的立场并严格地依据平等原则建构社会主义，源于他对马克思主义所持有的基本理解和态度。首先，在他看来，无论经典马克思主义是否系统地以及在何种意义上论证过平等理论，平等都是马克思主义者应当重视和推崇的理念，因为平等本身是值得追求的价值观念，它体现于未来社会中人们对待彼此的理想状态，这与马克思主义的内在价值取向相一致。社会主义天然与平等精神紧密相连，它能够通过制度建构和人的行为逻辑引导实现对平等的最大程度的限制和对自由的保护，是实现"作为目标的平等"与"作为形式的平等"相互兼容的未来理想社会结构与关系的必经之路。其次，虽然在某种意义上讲，平等被科恩视为马克思主义的一种自明的价值取向，但是社会主义与平等的结合不应仅仅是一种情感的流露和坚持。为了增强社会主义平等理论的合理性与正当性，使得更多的没有受到马克思主义熏陶的人能够关注和支持这一理论，应当扬弃经典马克思主义者一贯使用的、以事实性依据剖析社会历史发展的方法，转为从规范性角度对社会主义平等理论展开建构。最后，当代资本主义与社会主义都具有了不同以往的形式与内涵，经典马克思主义理论对平等的有限讨论和模糊表述造成了诸多理论上的困扰，这也是为何哲学家们在马克思主义是否存在规范性基础和道德维度问题上争论不休的重要原因。科恩提醒马克思主义者为马克思主义平等理论做规范性辩护的历史使命，呼吁人们在外部世界的发展与变化的基础上，辩证地看待马克思主义平等观的时代性，通过反思和修正经典马克思主义理论体系，

---

① 虽然柯雷默对于马克思主义并不完全认同，但他仍然给予科恩以很高的评价。评论全文详见 http://normblog.typepad.com/normblog/2009/08/ga-cohen-a-tribute-by-matthew-kramer.html。

应对时代提出的新问题和新挑战。科恩曾经这样评价自己捍卫社会主义平等观所作出的努力："这并非主张重新思考社会主义平等本身，而是致力于反驳马克思主义者（以及罗尔斯派）力图消减作为道德规范的平等分量。"①

真正促使科恩跳出对马克思主义教条的崇拜，转向通过规范性哲学的方法来考量经典马克思主义，是以两个事件为契机。首先，以罗伯特·诺齐克为代表的自由至上主义（Libertarianism）对社会主义提出了强有力的挑战。诺齐克坚持认为自由是首要不可侵犯的权利，任何社会再分配都将破坏自由权利，因而社会主义是不正义的、有违自由原则的。依据他的持有正义和转让正义原则，人们在社会制度中按照"公正的步骤"获取利益，无论结果不平等有多么严重，人们在情感上是否能接受，这都是合理的、正当的。公正的步骤是否必然体现正当性与合理性？这种维护选择自由的资本主义制度与维护平等的社会主义哪一个更为公正？这些问题最初都对科恩造成了巨大的困扰，随着对诺齐克的思想一层层剖析开来并加以批驳，他深入分析平等与自由之间的内在关联，通过一种包含自由的实质平等揭示社会主义独特性所在，并为建构社会主义正义理论打开了新的视窗。为反驳诺齐克的论证，科恩更加重视对规范哲学的研究，1995 年出版的《自我所有、自由和平等》便是这一思考的产物。

另外一个原因是基于科恩对马克思有关未来社会平等的两个事实性②论断的批判。关于第一个事实性主张：在社会主义运动高涨时期，无产阶级具有构成社会绝大多数、创造社会财富、作为社会中受剥削者和社会中的贫困者等特点③，并且具有这些特点的人群高度重合，因此他们有充足的动力去完成社会变革，拯救他们一无所有的境遇，创造可以被用来改善自身生活境况和提高社会地位的财富。因此，无产阶级将紧密地团结在一起，形成巨大的社会力量，实现所期待的社会理想。而如今，马克思所说的这四种特征愈加离散，不能笼而统之地以"无产阶级"加以概括，无产阶级的联合性和改变现状、追求理想生活的革命性愿望大大降低，无法形成具有社会影响力、变革力的群体。

---

① ［英］G.A.科恩：《如果你是平等主义者，为何如此富有？》，霍政欣译，北京大学出版社 2009 年版，"前言"第 11 页。

② 对此，学界存在"实证性"、"事实性"等不同译法，本书采用"事实性"这一翻译。——笔者注

③ 参见 ［英］G.A.科恩：《如果你是平等主义者，为何如此富有？》，霍政欣译，北京大学出版社 2009 年版，第 137 页。

其中，受剥削与贫困这两个特点分离问题最大①，例如贫困者绝大多数是不具有劳动能力的老人、儿童和残疾人，这与生产财富的主力军、受剥削的工人阶级不相重合，工人阶级不再必然是社会最底层、最贫困的人口。不平等与剥削不一定出现在同一讨论范畴之内，关于剥削的社会主义理论与福利国家（的最低原则）形成尖锐对立。② 此外，随着资本主义自我完善和不断改进，工人阶级的生活状况得到了一定程度的改善。③ 换言之，尽管无产阶级仍然受到剥削与压迫，他们不能完全地享有自身创造的劳动财富，但是新资本主义制度给予他们更多的报酬，例如，提高工资、给予技术奖励和分红等形式，使得他们生活境况得以提高和改善。这种情形完全不同于马克思所描述的资本主义制度——"资本来到世间，从头到脚，每个毛孔都滴着血和肮脏的东西"④，工人阶级在不平等的社会结构中所面临的境遇极其悲惨——"劳动为富人生产了奇迹般的东西，但是为工人生产了赤贫。劳动生产了宫殿，但是给工人生产了棚舍。劳动生产了美，但是使工人变成畸形。"⑤ 相对而言，现代社会中的工人阶级变革社会、改善生活状况的内在动力和愿望大大降低了。加之强大的资本联合先于工人劳动的联合，资本的结合决定了经济和社会的发展，无论工人阶级在这个体系中受到压迫还是获得了福利的提升，他们都没有财富和权力上的优势，因而也失去了基于此而构建的话语权和自主权。实质上，工人阶级不仅是不自由的，而且受到资本主义体系束缚和隐蔽控制。最后，随着社会文化和生活的多元化以及社会分工的细化，工人阶级很难获得共同的身份认同，因此形成联合的力量以实现某种价值诉求的可能性被削弱。时代对马克思主义提出了新的任务，人们需要从价值层面对社会主义的必要性进行时代化的解读，价值维度的解读能够激发人们变革现代社会资本逻辑所主导的现实处境的内在动力。

---

① 参见［英］G.A.科恩：《如果你是平等主义者，为何如此富有?》，霍政欣译，北京大学出版社 2009 年版，第138—143 页。

② 参见［英］G.A.科恩：《如果你是平等主义者，为何如此富有?》，霍政欣译，北京大学出版社 2009 年版，第142 页。

③ 这里可以结合在后文所论述的自由主义式的社会秩序，即如果社会规则可以提高最不利者（最底层或最贫困者）的境况，那么有限度的不平等是被允许的。

④ 《马克思恩格斯全集》第44 卷，人民出版社 2001 年版，第871 页。

⑤ 《马克思恩格斯选集》第1 卷，人民出版社 2012 年版，第53 页。

关于第二个事实性主张：首先，（未来社会）物质财富极大丰富，"集体财富的一切源泉都充分涌流"是经典马克思主义平等理论的历史性物质和社会关系基础。恩格斯曾经指出，"资产阶级就由它的影子即无产阶级不可避免地一直伴随着。同样地，资产阶级的平等要求也由无产阶级的平等要求伴随着……无产阶级抓住了资产阶级所说的话，指出：平等应当不仅仅是表面的，不仅仅在国家的领域中实行，它还应当是实际的，还应当在社会的、经济的领域中实行。"①该观点展示出经典马克思主义通过社会生产关系的政治经济学框架对平等进行讨论，因而实质平等的实现是与历史发展趋势相一致的过程。根据马克思主义的论断，社会主义对资本主义的超越和替代将实现由不平等向完全平等过渡，届时不平等将会受到极大的限制，在这个阶段人们通过自身劳动获取财富，能者多劳、多劳多得。当"合作性财富的所有源泉都充分涌流"之时②，不平等的基础得以彻底消除。然而，现实的状况告诉我们这一物质基础受到了严重挑战：生态环境严重破坏，资源持续匮乏，按照现有的趋势发展，人类社会的发展将会受到愈发严重的威胁。在理想社会中，每个人对外在资源拥有平等的占有机会，但受到有限的物质生产资料限制，人们形成为了占有而竞争的关系，这种情形将破坏和谐的社会关系，对社会发展产生不利影响。物质的有限性甚至匮乏，以及由此构建的社会关系似乎使得经典马克思主义的平等观讨论陷入困境。

科恩认为经典马克思主义在讨论平等问题时暗含了一种关于社会历史条件的前提，这使得平等成为未来理想社会制度结构中的必然历史性产物。"经典马克思主义者信仰平等，认为它是不可避免的历史发展大势，所以他们没有花费很多时间去仔细思考平等为什么在道义上是正确的，以及究竟是什么使平等在道义上具有约束力"。③但是社会历史条件的变化引发了理论和实践领域的双重难题，也引发了人们的思想困惑和价值迷茫。科恩关注到了这个严峻问

---

① 《马克思恩格斯选集》第 3 卷，人民出版社 2012 年版，第 484 页。

② 马克思在《哥达纲领批判》中曾经指出，"随着个人的全面发展，他们的生产力也增长起来，而集体财富的一切源泉都充分涌流之后，——只有在那个时候，才能完全超出资产阶级权利的狭隘眼界，社会才能在自己的旗帜上写上：各尽所能，按需分配！"参见《马克思恩格斯选集》第 3 卷，人民出版社 2012 年版，第 365 页。

③ [英] G.A.科恩：《如果你是平等主义者，为何如此富有？》，霍政欣译，北京大学出版社 2009 年版，第 133 页。

题，科恩开始反思自己之前为马克思主义所做的辩护工作，转向思考如何将马克思主义经典理论与政治哲学相结合的问题。

2. 平等与自由的正当性之争：科恩与诺齐克关于自由的论战

（1）自由与平等：孰先孰后？——诺齐克对社会主义的批评

对科恩造成挑战的自由至上主义的代表人物罗伯特·诺齐克认为自由和权利是正义的体现，"就正义内涵来说，正义意味着权利。"① 在其中，自由是最重要的个人权利，在人们认可的、正当的社会制度中，分配结果体现了对财富持有的正当性，任何形式的再分配都会侵犯个人的权利，"无论什么，只要它是从公正的状态中以公正的步骤产生的，它本身就是公正的。"② 诺齐克强调应当尊重自由交换原则与程序正义，无论结果对于社会成员而言是否平等，它都是公正的，应当得到人们的认可与支持。如若出现不平等，无论它在何种规模，都只能通过道德自律与慈善解决消除，而不能通过制度强制实行。因为任何形式的再分配都戕害了自由与个人权利。自由至上主义的自我所有原则（principle of self-ownership）表明，每一个人对其自身及其能力具有完全的不可分割的控制权和使用权，因此，在没有立约的情况下，他没有义务向他人提供任何服务和产品。③

诺齐克认为，实现社会正义是一个递进的逻辑过程，它主要分为三个阶段：第一点是"持有的最初获得，或对无主物的获取"④，这个过程意指无主物如何被人们持有，以及它们在什么范围内被持有等，诺齐克称之为"获取的正义原则"。第二点是持有的转让，它涉及的问题主要是一个人可以通过什么方式将持有物转让给他人或者获得他人的转让，诺齐克称之为"转让的正义原则"。基于这两条正义原则，那么如下两个结论将涵盖持有正义的各种情况：1）一个符合获取的正义原则获得一个持有的人，对那个持有是有权利的；2）一个符合转让的正义原则，从别的对持有拥有权利的人那里获得

① ［美］罗伯特·诺齐克：《无政府、国家与乌托邦》，姚大志等译，中国社会科学出版社2008年版，第279页。
② ［英］G.A.科恩：《马克思与诺齐克之间》，吕增奎编，江苏人民出版社2007年版，第3页。
③ 参见 ［英］G.A.科恩：《自我所有、自由和平等》，李朝晖译，东方出版社2008年版，第13页。
④ ［美］罗伯特·诺齐克：《无政府、国家与乌托邦》，姚大志等译，中国社会科学出版社1991年版，第156页。

一个持有的人，对这个持有是有权利的。除非是上述两种情况（重复）的应用，人们不具备持有的权利。那么，分配的正义就是指所有人对他们的"持有"都是有权利的，这些持有过程不断重复，从一种分配过渡到另一种分配，过程均是公正的。第三点矫正原则是处理整个过程中出现的侵犯前两个原则的情况。①

基于这三点论证，这时诺齐克得出了他的程序正义观点："无论什么，只要它是从公正的状态中以公正的步骤产生的，它本身就是公正的。"② 这就是著名的威尔特·张伯伦论证，诺齐克以此来展开对社会主义的批判。诺齐克假设，存在"某种非权利论的正义观赞成某种分配，并假设这种分配已经实现……我们称这种分配为D1"。③ 在这里，"某种非权利论的正义观"实际是指"一种社会主义社会向成员分配利益和负担时赞成的平等主义原则"以及相对应的"符合社会主义正义原则的分配模式"④。此时再做一个假设，例如著名球星张伯伦与某个球队签订契约，从每一场他参加的比赛的门票所得中抽取25美分作为个人酬劳。由于人们对他的球技非常赞赏，他们非常愿意出钱（包含票价以及专门付给张伯伦的钱）去看张伯伦的比赛。那么，假设一个赛季中有一百万人观看了他的比赛，他因此而获得了25万美元，那么他是否对此有正当的持有权？这种远超过他人的持有是否是正当的？按照诺齐克的正义逻辑，这绝对是正当的持有，诺齐克称这个新的分配为D2。因为，人们自愿转让这25美分的持有，而且张伯伦通过正义的程序获取到了这部分资金。仅仅从张伯伦获取转让持有这个过程来说这种分配是正义的，因为它满足了持有正义、转让正义和自愿原则（自由交换）等正义条件。这种分配的正义性将破坏D1既有的平等原则和分配模式，对D2分配正义的认可将带来一个问题，D1所暗含平等原则和分配模式是否正当？诺齐克认为这种社会主义的平等原则和分配方式是不正当的，因为没有什么理由可以拒绝张

---

① 参见［美］罗伯特·诺齐克：《无政府、国家与乌托邦》，姚大志等译，中国社会科学出版社1991年版，第157页。

② ［美］罗伯特·诺齐克：《无政府、国家与乌托邦》，姚大志等译，中国社会科学出版社1991年版，第157页。

③ ［美］罗伯特·诺齐克：《无政府、国家与乌托邦》，姚大志等译，中国社会科学出版社1991年版，第166页。

④ ［英］G.A.科恩：《马克思与诺齐克之间》，吕增奎编，江苏人民出版社2007年版，第2页。

伯伦获得比他人更多的金钱，新的分配不但是合理的，而且是正当的。

诺齐克认为这样对社会主义的批判还是不够的，他进一步进行论证，得出了令人瞠目的结论：生产资料的私人所有制将从一个社会主义社会中产生。任何分配模式都不能把全部资源提供给每个想拥有它们的人那里，因为有人持有将导致其他人无法获取该资源。在 D1 的模式里存在这样两种情况：或者人们没有额外想持有的东西，或者社会应当允许人们通过做额外的事情去得到这样的东西。后者将会导致一些不平等现象产生，但是我们没有符合正当性的理由去禁止它们。如果对人们的选择不加以限制即人们自由享有选择权，为了得到额外想得到的对外在物的持有，人们甚至会放弃在社会主义企业中工作，加入到私人工厂中工作。对此诺齐克总结道，"生产资料的私人所有制将从一个社会主义社会中产生，只要这个社会不禁止人们如其所愿地使用他们在社会主义分配 D1 中分得的某些资源。"也就是说，社会主义为了避免这种情况的出现，"不得不禁止自愿同意的人们之间的资本主义行为"[1]。否则，社会主义所蕴含的原则和模式化的分配正义原则都不能持久地实现。

综上所述，诺齐克的逻辑提供了如下几条结论：首先，自由的权利是人们的首要权利，基于自由的权利产生的结果符合正义原则，即便其中包含结果上的不平等。其次，当人们希望获得额外的东西（事实上，人们必然需要获得额外物），基于自由原则我们可以得出结论，如果不通过社会主义原则进行限制，社会主义将自然地产生资本主义。这一方面意味着资本主义能更好地保护人们体现正当性的自由权利，符合社会发展的真实情形。另一方面之所以社会主义存在是因为社会主义为了避免形成资本主义，（不得不）以某种原则干涉人们的自由选择，因此社会主义是不正义的、不自由的。

（2）何为真正值得期待的平等与自由？——科恩对诺齐克理论的批驳

诺齐克的张伯伦论证对社会主义价值建构造成巨大冲击，其挑战比其他任何一位左翼自由主义者（例如 T.M. 斯坎伦和内格尔）都要大，他实质上提出了社会主义平等原则与资本主义自由竞争原则哪个更为公正的问题。

科恩从以下角度对诺齐克的观点进行了批驳：第一，对程序的批判：何为真正的自由。按照诺齐克的理论，自由是属于人的神圣不可侵犯的权利，平等

---

[1]　［美］罗伯特·诺齐克：《无政府、国家与乌托邦》，姚大志等译，中国社会科学出版社 1991 年版，第 168 页。

与否是自然产生的一种无法质疑的合理结果。他坚信"从公正的状态中以公正的步骤产生的结果是公正的",因而人们对结果的持有是正当的,这个逻辑实质上意指近代自由主义所极力维护的一种道德原则——自我所有原则。自我所有原则意指"每一个人都是他自己人身和能力的道德意义上的合法拥有者,因此,每一个人都有随心所欲地运用这些能力和自由(从道德的角度来说),只要他没有运用这些能力去侵犯他人。"① 可以说,诺齐克坚称的正当的自由是基于自我所有原则构建的自由。若要批判诺齐克的"反社会主义"理论,就要解决自我所有这个基础性的问题。科恩以自我所有原则为最终目标展开了层层递进的批判。首先是对程序正义的批驳。科恩重点剖析了在张伯伦论证中起到关键性作用的程序正义逻辑——任何事物,只要它是从公平状态中通过公平方式产生的,它就是公平的。科恩驳斥了这种逻辑,他首先指出"财物不仅仅是享乐的源泉,在某种分配方式下,它还可以是权力的源泉",特定人(群)的自由权利可能转换成某种反过来束缚其他人(群)的自由结果。更何况在程序正义之中,自由选择可能产生于无知的状态下。假设人们能够事先认识到交易的结果和可能造成的深远影响,即转让的 25 美分会造成他们与张伯伦收入的巨大差距,他们可能会不愿意付出。如此,这个过程就不是在真正自由交换的状态下产生的,所谓的"自愿"选择实质上是没有余地的选择,这种选择本身就是不公正的程序。科恩对此总结道,"主体某种程度的无知会损害公正步骤维护正义的能力"。② 此外,社会秩序常常将某些选择排除在外,通过某种意识形态对人的影响构建社会价值观念,这种观念裹挟着人们在同等情况下往往采取类似的选择,更甚者在没有选择余地的选项里做出了"自愿"的选择。这些都是在公正步骤下产生的,然而结果却是不公正的,这些真实信息的剥离和预先对结果的回避使得真正的自由被遮蔽。

第二,对获取的批判:不正当的不平等。科恩继续向程序正义之前的阶段追溯,即通过讨论初始占有的正当性进一步撼动诺齐克理论大厦的根基。诺齐克在对无主物的占有进行论证时持有洛克式的观点,认为人们将公有或无主物变成自己的私产,其合法性的必要条件是把自己的劳动加于其上,并留下足够的、同样好的东西给其他人。对无主物的最初获得实质上维护了私人占有的正

---

① [英] G.A.科恩:《自我所有、自由和平等》,李朝晖译,东方出版社 2008 年版,第 67 页。
② [英] G.A.科恩:《自我所有、自由和平等》,李朝晖译,东方出版社 2008 年版,第 62 页。

当性，任何私有财产都不是凭空产生的，它一定来源于某个不属于任何人的时刻，然后被转化为私人占有。那么这时就出现了疑问：什么权利保证了这种转化为占有的过程是正当的呢？科恩重点攻击了获取正义原则（占有无主物的正义）。在这个阶段，科恩首先策略性地承认自我所有原则，但否认私人占有的合法性。假设世界上存在两个拥有自我的人（称之为 A 和 B），除他们以外没有任何东西是私有的，都是在洛克意义上的公有物。A 和 B 都从土地获取生存物质，且两者不相干扰和影响，A 从土地获得了 m，B 获得了 n。那么现在，进一步假设 A 私人占有了土地，同时设计一种合作方式能够提高生产能力，因此他提出给予 B 以最低保障：通过听从 A 的指挥，B 可以得到 n+p(p>0)的好处。由于这种具有相对优势的占有，A 可以获得更大的好处，即 m+q (q>p>0)。按照诺齐克的逻辑，B 应当欣然接受这种秩序，因为他的境况在 A 实现私人占有后提高了。这种生活的整体改善和生产力的提高得益于能力出众的 A 是个优秀的组织者，他能够设计好的生产结构并善于分工，改善了整体的生活境况。然而，科恩尖锐地指出诺齐克只讨论了其中一种情况，而忽略了许多并不能产生此类结论的情况。例如，诺齐克所比较的只是当 A 占有土地时 B 的所得如何变化，而并没有讨论假设 B 而非 A 私人占有该土地，所得将会比 A 占有该土地时增多还是减少。为了更详细地说明他的观点，科恩以列表的形式列举了全部情况①：

实际状态 （A 占有土地）	I 继续保持 公有制	II B 占有土地		
		(a) B 的才能 =A 的才能	(b) B 的才能 >A 的才能	(c) B 的才能 <A 的才能
A 收获 m+q	m	m+p	m+q+r	m
B 收获 n+p	n	n+q	n+p+s	n
(q>p 0)		(r>0；s>0)，s>r		

通过表格的比较可以得出结论：当 B 占有土地时，所产生的结果受益不会比 A 占有土地时更差，最次的情况也只是维持没有土地私有时的境况。因此，科恩得出结论，"一个公正的占有者除了占有资源，无需对它作任何努力，就

① 参见 [英] G.A.科恩：《自我所有、自由和平等》，李朝晖译，东方出版社 2008 年版，第95 页。

能把私有化所产生的生产提高的一切好处收入囊中。"①通过这个论证，科恩旨在说明资本主义并不能保证"人们的状况不会因为一些人的私人占有而变坏"这种情况。这种自诩能够提升社会生产力并攫取私人占有所带来的利益，有如一种家长式作风——科恩称之为"客观家长主义"，它以呵护和理性为由进行资本主义初始占有，使得无产者的自由受到侵犯。至此，科恩完成了对诺齐克获取原则的批判，进而批判了诺齐克试图通过曲解获取正义原则为资本主义正当性辩护的企图。

第三，对自我所有原则的批判：平等并非必须牺牲自由。按照诺齐克的思路，自由是人们首要的、不可侵犯的权利，"个人拥有权利。有些事情是任何他人或团体都不能对他们做的，做了就要侵犯到他们的权利。"②这种属人的自由体现了一种自我所有原则，自我所有原则是对自由处置持有（物）的权利的保障。在诺齐克看来，社会主义之所以是不正义的，因为它对自由（自我所有原则）加以限制和损害。因此，若要重建社会主义的正当性，就应当从自由（自我所有原则）与平等（社会主义原则）兼容入手。科恩认为，诺齐克的错误在于他不加论证地预设了最初的无主物是每个人都可以获取的。如果我们做另外一种假设，即世界是一种联合所有的应然状态，在这种条件下"土地是属于所有人的，因而每个人只要对土地有所作为都要服从集体的决定"。③我们再假设世界上存在两个人，"他们都拥有自身，别的一切都由两人共同所有"④——土地使用的否决权。为了维持生计两人会做出理性的选择，设计方案生产足够的物质资料维持生存；同时，两人之间的制衡使得没有人处于绝对的优势地位，因此能够避免能干的一方获得过多的报酬而导致贫富分化过大和分配的不平等。在这个设想的联合所有的世界里，自我所有与平等是相容的——既承认自由主义的自我所有原则，又平等地享有外部资源。科恩对此的表述是，"严格的社会主义平等与资本主义的捍卫者所吹捧的、所谓资本主义世界人人享有的自由是一致的"。⑤如此，反驳了诺齐克关于自我所有与平等

① ［英］G.A.科恩：《自我所有、自由和平等》，李朝晖译，东方出版社2008年版，第96页。

② ［美］罗伯特·诺齐克：《无政府、国家与乌托邦》，姚大志等译，中国社会科学出版社1991年版，第1页。

③ ［英］G.A.科恩：《马克思与诺齐克之间》，吕增奎编，江苏人民出版社2007年版，第124页。

④ ［英］G.A.科恩：《自我所有、自由和平等》，李朝晖译，东方出版社2008年版，第110页。

⑤ ［英］G.A.科恩：《自我所有、自由和平等》，李朝晖译，东方出版社2008年版，第118页。

相矛盾的论断。

进而，对放弃自我所有意味着倒退的批驳。诺齐克强调放弃自我所有意味着历史的倒退，意味着"等于赞成奴隶制"，从而把他们转变成自我所有的信仰者——现代国家应当是一种"最弱意义的国家"，即古典自由主义所提倡的守夜人式的国家，市场经济制度是平等地保障个人自由和私有权的最佳安排，任何以国家福利为名的财富再分配都会侵犯自我所有原则和相应的权利，再分配性税收意味着奴隶似的强行劳动[①]。对此，科恩指出资本主义提出的自我所有与平等不相容的结论回避了对真正自由的关心，理想的摒弃自我所有原则的社会形态与奴隶制这种历史倒退有着本质不同。在社会新形态中"我们都具有对于别人的强制性的义务，但这并不意味着任何人具有对别人劳动的奴隶主似的支配权"。[②] 在联合所有的状态下，人与人之间社会地位平等，同时能够对联合所有充分地行使自由权利，是在更高层次上实现自由与平等的融合。

在自由方面，以诺齐克为代表的自由至上主义所推崇的自由观是以自我所有为基础的、权利中立意义上的自由，一种免于受到某种限制的自由。而以科恩为代表的社会主义自由观则更强调一种对生产资料和更高层次的对人自身的控制权，强调从物质支配中解放出来，追求人的全面发展的、向人的类本质复归的自由。

3. 平等与自由的价值边界：科恩与罗尔斯关于平等的论战

在自由主义中，罗尔斯的正义理论最为关注平等并产生了巨大的影响力，这一点就连他的主要批评者诺齐克也承认道："罗尔斯的《正义论》是密尔的著作问世以来，政治哲学和道德哲学中最有力、最深刻、最精致、范围最广泛的、最系统的著作。它是启蒙思想的渊源。从现在开始，政治学家必须在罗尔斯的理论范围内工作或解释他为什么不用这样做。"[③] 罗尔斯的平等观试图调和自由主义理论中的自由和平等之间的张力，他对平等作出的最大程度地理性辩护使得罗尔斯在自由主义流派中达到了平等主义的极点。现代社会的政治建构讲求对多元性的折衷容纳，一种平衡多种积极价值观念的、调和式的方案在很多人看来是

---

① 参见 [英] G.A.科恩：《自我所有、自由和平等》，李朝晖译，东方出版社 2008 年版，第 261 页。

② [英] G.A.科恩：《自我所有、自由和平等》，李朝晖译，东方出版社 2008 年版，第 264 页。

③ [美] 罗伯特·诺齐克：《无政府、国家与乌托邦》，何怀宏译，中国社会科学出版社 1991 年版，第 182 页。

理性政治秩序的具体表现，人们不能为了追求某种特定的价值观念走得太远。政治哲学中的调和甚至妥协是否能够实现真正的自由与平等的价值共识？人们在这种理性的秩序中是否如左翼自由主义学者所言离平等越来越近？

（1）平等与自由的边界——罗尔斯对自由主义的理论设计

关于构建社会正义的起源，罗尔斯提出了这样的假设：一个社会由差异化的个体组成，人们之所以要组织在一起是因为合作可以给大家带来利益；但是，由于人人都希望能在合作产出的利益中得到较大的份额而非较小的份额，利益的冲突就不可避免了。[①] 在这种情况下，一方面人们出于对利益的考虑联合在一起，共同合作创造社会生产力并组织社会生活。另一方面为了保障自己所拥有的利益份额不断提高，同时保护自身利益不会因他人份额的过度增长而受到损害。因此，一种具有契约性质的相互制约成为构建社会正义时的基本目标，如何公平、有效地分配利益，如何通过分配建构正义的社会秩序，自由权利与平等价值之间如何制衡等议题成为值得关注的重要问题。罗尔斯的理论巨著《正义论》正是为回应这些问题而提出的解决方案。

为了实现一种作为公平的社会分配正义，合理地协调利益与社会贡献之间的关系，充分调动社会成员的积极性以促进社会发展和进步，罗尔斯为社会基本结构确定了社会正义原则。罗尔斯的正义理论希望达成一种社会基本善，在这种社会秩序中，自由和机会、收入和财富及自尊的基础——都应被平等地分配，除非对一些或所有社会基本善的一种不平等分配有利于最不利者。具体而言，正义社会包含两个原则：

"首先，每个人对于所有人拥护的最广泛平等的基本自由体系相容的类似自由体系都应有一种平等的权利；其次，社会和经济的不平等应这样安排，使它们在与正义的储存原则一致的情况下，适合于最少受惠者的最大利益；并且依系于在机会公平平等的条件下职务和地位向所有人开放。"[②]

通过第一原则，罗尔斯对社会基本结构作出规定，通过秩序的安排保障人们的基本自由权利，人人都应当拥有一种在自由的框架内与自由体系相互兼容的平等权利。通过第二原则，罗尔斯试图说明，首先一个正义的社会应

---

① 参见［美］约翰·罗尔斯：《正义论》，何怀宏等译，中国社会科学出版社1988年版，第2页。

② ［美］约翰·罗尔斯：《正义论》，何怀宏等译，中国社会科学出版社1988年版，第292页。

当最大可能地向社会成员提供平等的机会，人们在其中享有基本自由和平等权利。然而，由于人们天赋、能力、家庭背景、环境等原因形成分化，将会导致结果的不平等。为了保存一种面向所有人的社会正义秩序，避免正义诸原则之间互相戕害，这种不平等结果需要被控制在一定范围和限度之内。罗尔斯在社会秩序设计中使用"差别原则"（适合于最少受惠者的最大利益）对弱势或不利人群进行补偿，消除职务和地位向所有人开放的机会平等原则造成的结果不平等，同时也能激励人们的生产热情以及追逐经济利益的动机。换言之，平等是在自由权利的前提下而达成的广泛共识，由于自然差异而造成的不平等需要被限制在一定范围和限度以内，作为结果的不平等仅在一种情况下被允许[1]："社会和经济的不平等（例如财富和权力的不平等）只要其结果能给每一个人，尤其是那些最少受惠的社会成员带来补偿利益，它们就是正义的。"[2]一种受制于某种规定的有限的不平等存在不仅是合理的，而且有益于社会生产效率和组织化激励的实现。依据对自由权利的优先性保护，处于社会金字塔结构中的优势人群获得了较多的社会财富积累和更多的资源回报。此时，如果受益人群能够遵循包含平等价值的社会正义原则回馈社会中底层人群，或者为最不利者提供更多机会、报酬和福利时，即不平等成为提高最不利者地位的必要条件时，一种公正、合理的社会结构得以建立，社会财富最大化和广泛人群的利益最大化得以统合。按照罗尔斯的理论逻辑，由于在秩序和规则上对社会正义做出预先规定，因此，无论人们做出什么样的选择结果都是公正的，因为社会秩序建构原则已经保障了最不利者的地位得到了最大程度的提高。相反，一种对平等的过度强调不仅不符合社会组织的激励原则，而且只会造成广泛人群的整体生存境遇恶化。罗尔斯不能接受一种为了平等目标而实行的调节概念（equalizing conception），"对全部基本善的平等分配，从接受某种不平等来改善每个人的境况这种可能性来看是非理性的"[3]。因此，在社会上鼓励有差别的

---

[1] "当不平等具有如下效果时，即最不利者的经济状况要好于不平等如果被消除的情况，它就是合理的。"科恩举例说明，罗尔斯式的国家中，税收的目的是将税款返还给最不利者，以实现国家整体和受益人群的财富最大化。相反，平等的税收制度只能造成各个群体生存状况的恶化。[英] G.A. 科恩：《如果你是平等主义者，为何如此富有？》，霍政欣译，北京大学出版社 2009 年版，第 165 页。

[2] [美] 约翰·罗尔斯：《正义论》，何怀宏等译，中国社会科学出版社 1988 年版，第 2 页。

[3] John Rawls, *A Theory of Justice*. Cambridge, Mass: Harvard University Press, 1971. p.546.

物质激励不但是合理的，而且是符合公正原则的。

罗尔斯在《正义论》中提出"正义总意味着某种平等"①，其政治理论兼顾自由与平等的积极价值，并试图以正义为支点平衡二者的天平。在这种政治假设中，人们既不会持有缺乏社会关怀的自由至上主义态度，也能避免为了追求平等而戕害自由，抑或因追求经济平等而削弱生产动机，最终失去市场运作效率和经济增长内在动力的情况。正因如此，无论是在当代自由主义制度的政治领域还是社会经济中，罗尔斯的理论得到广泛的认同和适用，特别是在处理市场经济效率与社会公平关系、缩小贫富分化方面发挥了积极的社会效应。

（2）平等不能向自由妥协——科恩对罗尔斯的理论评判

第一，作为目标的实质平等：对"差别原则"的批判。科恩对于罗尔斯的平等理论并不满意，他在《拯救正义与平等》中开宗明义地指出，本书的主旨之一是"我尝试拯救的正义与平等源出于罗尔斯的自由主义思想"。② 按照科恩的论证思路，正义是基于平等而建构的理想社会秩序和结构：首先应当从罗尔斯反对平等③的论证中拯救平等，继而建构作为平等辩护的本质结果的正义观。④ 科恩的另外一本著作《如果你是平等主义者，为何如此富有？》同样强调了这个主题：探究关于平等主义的正义与历史、国家强制结构中的正义与个人选择中的正义主题。⑤

首先，科恩认为罗尔斯的差别原则并没有实现实质上的平等。整体而言，虽然罗尔斯的差别原则以尽可能地面向所有人平等，和控制社会分配中的不平等现象为目标，但是其中包含着一种激励论原则，即鼓励有才能的人运用自身高于常人的自然或社会禀赋，生产和创造更多的社会财富并获得较多的利益分配。在自然禀赋的差异上，科恩与罗尔斯均进行过相关论述，对此二者都予以承认和接纳，在社会"禀赋"的差异上，二者持有截然不同的观点，科恩认为社会性的优势与劣势并非先天差异，而是在人为规定的社会秩序中所发生的不平等的积累。这是通过秩序的规范性（甚至制度的强制性）确立的作为结果的

① ［美］约翰·罗尔斯：《正义论》，何怀宏等译，中国社会科学出版社 1988 年版，第 10 页。

② Cohen G A. *Rescuing Justice and Equality*, Harvard University Press, 2008, p.1.

③ 在使用"差别原则"的意义上。——笔者注

④ ［英］G.A.科恩：《拯救正义与平等》，陈伟译，复旦大学出版社 2014 年版，"导言"第 1 页。

⑤ 本书根据科恩于 1996 年在苏格兰爱丁堡主持的吉福德讲座（Gifford Lecture）内容整理而来。

实质不平等，有违社会正义原则。虽然罗尔斯的正义观限制了社会分配中的极端不平等并从自由中拯救了平等，然而在他的政治理论中自由原则先于差异原则的逻辑证明了平等是为了保障自由权利而补充的一项规定。因此，罗尔斯的平等理论仅仅是一种形式上的公平，它包含了大量结果上的不平等，并强调这种不平等是正义的、合理的。因此，科恩批评罗尔斯的平等理论持有妥协的、不彻底的平等立场，随着这种差别原则成为构建正义原则的核心内容，社会制度将会固化这种不平等并将导致贫富差距继续扩大，人们在地位、权力、机会等方面的不平等将会愈发严重。"分配正义不能容忍由为处境好的人提供经济激励而产生的严重不平等，而罗尔斯及其追随者认为这样的严重不平等是一个公正社会的表现。"① 对罗尔斯而言，这种平等观之所以合理是因为它能够促成调和自由与平等张力的社会正义的实现，可以说，这种不平等是具有工具性价值的合理存在。相反，对于科恩而言，平等是实现正义的前提，平等是在先的原则和终极目标。科恩强调理想的平等观应当重视恰当意义上的平等，即关注不同人的所得之间的关系。换言之，他重视的是平等本身以及作为结果的平等，这是一种实质性的平等。

其次，罗尔斯的差别原则没有充分保障真正自由的实现。罗尔斯的正义论前提是"无知之幕"，即人们在原初状态下对未来自己的身份和角色一无所知，他们一起尽可能客观地作出判断，合作制定支配社会基本结构的正义原则并据此设计制度。这时，人们为避免在未来制度中成为弱势的那个群体，会最大限度地考虑新制度是否能为弱势群体提供保护的可能性。因此，人们对这种制度设计的认同主要基于这样的判断：尽管人们意识到现有制度中存在某些不合理因素，某种平等观会造成大量不平等事实，由于人们无法预测自己将处于社会秩序和制度结构中的何种位置，即当一种制度设计无法承诺自身的优势之时，人们同样需要考虑自己成为弱势群体的这种可能性。当罗尔斯的正义社会设计最大程度地在承认差异性的基础上保护了弱势群体时，这极大地安慰和缓解了人们内心的焦虑，这种正义原则建构的政治秩序最起码可以保障自己的生活境况不会恶化，相反会有一定程度的提高。② 至于与其他人在财富和权力上的差距，即不平等，相比之下便成为人们次要考虑的问题。更何况，一种新的制度设计

---

① [英] G.A.科恩：《拯救正义与平等》，陈伟译，复旦大学出版社2014年版，第2页。
② 至于与其他人的差距，相比之下，成为人们次要考虑的问题。

不见得能够产生比现在更好的结果。

进而，一旦这种正义原则得以应用，由此产生的不同阶层将出于利己的考虑愿意去维系这种会造成大量事实不平等的制度设计。对于既得利益者而言，由于他们在社会秩序建构中获得了更多的财富分配和利益回馈，并实现了优势的叠加和积累。而且在为不利群体付出时还使他们获得了正义感，这些物质的或价值的激励① 促使他们有着强烈的意愿和内在动力维系这种不平等的状态。对于最不利者而言，这种正义原则和社会秩序是其最初自由选择的结果，更重要的是由于在地位和权力上的有限资源和影响力，他们不再有机会尝试选择其他可替代性的方案。相反只能接受现有的体系，若不如此他们将可能面临更差的境况。任何关于分配正义的重新定义，或者对制度做出新的设计都将损害受益方的利益，这对他们而言显然是不受欢迎的。因此，无论主动选择还是被动接受，两者利己的考虑和行为纵容了不平等现象的存在，严格地说，他们促成了社会中不平等问题的循环和加速运转。德国法哲学家古斯塔夫·拉德布鲁赫曾指出，这样的平等意味着"在社会现实中，对于掌握生产工具的资产阶级来说，所有人平等享有的财产自由从对物的统治变成了对人的统治，而对于无产阶级来说，它则变成了财产所有制。对于资产阶级来说，所有人平等享有的契约自由变成了强迫他人缔约的自由，而没有抵抗能力的无产阶级则必须屈服于资产阶级而签订契约。与无产阶级相比，对于能够给政党提供金钱、并且资助新闻机构的资产阶级来说，所有人平等享有的政治权利则意味着扩大数倍的权力。"②

再次，罗尔斯的差别原则有违正义原则。罗尔斯设计的社会秩序试图以正义之名调和自由与平等，使其在一定的限度内相结合以达成最理想的社会目标。科恩指出了结构中存在的内生矛盾：一方面，在这种社会中，基于差别原则中的激励论，人们认可利己动机并追求在经济活动中的利益最大化；另一方面，基于差别原则中的平等精神，人们通过国家税收尽最大可能地帮助最不利人群，并厌恶和排除追求私利的经济主体。③ 这种由于差别原则造成的社会发展矛盾始终贯穿于罗尔斯的正义论之中，这就造成了人们的实际行为与自己的价值观念不相符

---

① 这是罗尔斯的激励观点，在文中受到科恩批判的主要是造成不平等的激励，而不是普遍意义上的激励方案。

② ［德］古斯塔夫·拉德布鲁赫：《法哲学》，王朴译，法律出版社 2013 年版，第 74 页。

③ Cohen G. A. *Rescuing Justice and Equality,* Harvard University Press, 2008, p.123.

合，最终将导致对差别原则的认同困惑，不利于社会平等规范的确立。此外，分配正义不容许深层次的不平等，即由对受益者通过经济刺激驱动不平等的发展，而这种不平等恰恰是罗尔斯的差别原则所认可的正义的社会所表现的形式。①

科恩与罗尔斯正义观的直接差异在于"差别原则是否公平，而非是否具有合理性"②。科恩认为，每个人在合理的范围内有追求其自我利益的权利，由差异原则建立的社会有着较高的生产效率，对于整体社会发展有着积极的影响和促进作用。然而，决不能就此认为差别原则代表的不平等是公正的。差别原则所蕴含的对实质平等和自由原则的深层次戕害，固化了一种长期地承认不平等的社会制度和价值观念。"现代民主制下的法律形式上的平等，实际上可能意味着是对社会事实上不平等的掩盖和加深。"③ 这种对不平等的强制性限制的确是在设计出更理想的符合平等原则的社会规范前要解决的首要问题，然而它仍然是一种消极意义上的平等。在更积极的含义上，一种统合以经济结构为基础的制度性规定与基于个人行为逻辑建构的社会风尚的根本性关系应当被关注。④

首先，制度规则与行为逻辑：对"基本结构"的质疑。按照罗尔斯在《正义论》中的观点，"社会的基本结构之所以是正义的主要内容，是因为它的影响十分深刻并自始至终"⑤。相对而言，罗尔斯更强调社会制度规则的正义性，在理想社会中正义原则被构建并应用于政治、经济、法律制度之中，人们需要遵循已然蕴含正义原则的制度行事。如果按照罗尔斯的"基本结构"的观点，作为"大我"的国家和作为"小我"的个体之间缺乏紧密联系之时，一种在个体行为层面对社会的付出（除非一种出于制度整体考量的制度要求或呼吁，例如制定税收等级和倡导慈善捐赠）将无足轻重。一方面，人们可以在制度的正义中逃避一定的

① Cohen G. A. *Rescuing Justice and Equality,* Harvard University Press, 2008, p.2.
② ［英］G.A.科恩：《如果你是平等主义者，为何如此富有?》，霍政欣译，北京大学出版社2009年版，第160页。
③ 张文喜：《社会主义平等观与当代中国》，《马克思主义与现实》2014年第5期。
④ 一方面，不存在如罗尔斯的理解中出现的，一种组织起来达到某种形式正义的经济结构；另一方面，却存在一系列无须表明尊重那种正义的个人的经济选择。马克思提出了富有启发性的问题，一个在日常生活中没有由广泛意义上的平等原则形成其风尚的社会是否无法提供分配正义。［英］G.A.科恩：《拯救正义与平等》，陈伟译，复旦大学出版社2014年版，第2—3页。
⑤ ［英］G.A.科恩：《如果你是平等主义者，为何如此富有?》，霍政欣译，北京大学出版社2009年版，第178页。

社会责任，然而却不影响个人正义的实现。没有一种完美的制度规则设计，因而也没有完全平等的结果，这不仅在政治哲学层面被采纳，而且在个人观念层面也被接受；另一方面，制度正义优先个人正义的倾向使得人们对强制性规则愈发依赖，通过一种外在力量保障平等和自由似乎在逻辑上讲不通。

在科恩看来，若要实现理想的社会正义，贯穿个人选择行为和逻辑的正义风尚（ethos of justice）是超越强制性规则（法律、制度等）的一种路径[①]。一种忽略个人行为和社会风尚的制度是不合理的，"社会风尚必须指导那些规则之内的选择，而不是仅仅命令人们去遵循它们"[②]。这样人们才能够真正对自己的行为和选择负责任，而非将社会分配的不平等归咎于基本社会规则。然而，平等与自由是面向人展开的价值考量，它必然蕴含着这样的逻辑：一个真正符合正义原则的社会应当是对每个人的行为予以恰如其分的回馈和报答。[③] 如此说来，人在其中显然是重要的。

其次，如果差别原则的正义全部通过社会基本结构实现，便无法区分人们在争取利益最大化时的动机，因为它们可能是正义的"希望有助于最不利者"的情况，也可能是非正义的利己主义的情况。[④] 然而，这种两可的结论对于促进社会正义并无任何助益，一种甚至无法区分正义与非正义动机的制度应当受到质疑。在这里，我们借用《理想国》中苏格拉底对"正义者与不正义者谁更幸福"这个问题的评论：正义者不会想胜过别的正义者，因为他是天真单纯、天性忠厚的；同样也不会想胜过所有的别的正义行为。但是，不正义者却同时想胜过其他不正义者和正义者。也就是正义者不要求胜过同类，而要求胜过异类，至于不正义者对同类异类都要求胜过。如若一个城邦制度无法区分正义者与不正义者，将无法保存个体心中的德性和制度正义。这是关于"基本结构"的第二个质疑。

再次，罗尔斯并无充分理由否认社会惯例、文化传统等非强制性因素带来的影响，这些因素不仅塑造了个人做出选择时所依据的原则，而且也制约着社会结构的正义秩序建立，以及人们如何看待结构正义。然而，如果纳入非强制

---

① 参见 [英] G.A.科恩：《如果你是平等主义者，为何如此富有？》，霍政欣译，北京大学出版社 2009 年版，第 165 页。

② Cohen G. A. *Rescuing Justice and Equality,* Harvard University Press, 2008, pp.123-124.

③ "正义就是给每个人以恰如其分的报答"，苏格拉底在反驳玻勒马霍斯时提出的对正义的理解。详见 [古希腊] 柏拉图：《理想国》，商务印书馆 1986 年版，第 8 页。

④ Cohen G. A. *Rescuing Justice and Equality*, Harvard University Press, 2008, p.130.

性社会规则（例如个人选择），个人正义与制度正义便合二为一了，如此，罗尔斯的论述逻辑将会产生自我矛盾。

强制性的基本结构不是产生分配结果的唯一原因，非强制性的结构，例如家庭、习俗、传统等规范同样对分配结果正义性产生影响。因为非强制性因素一方面塑造了个人选择背后的价值观念，另一方面对个人行为进行约束，例如对偏离这一规范的行为给予实质上、舆论上的抨击等。而且它还受到行为的影响，当某种行为和选择成为社会普遍现象时，它能够对社会风尚产生反作用。正如科恩描述的那样，"一种做法一旦成为每个人日常生活的一部分，卸下原有的包袱就是拱手之易了"[①]。因此，个人选择（尤其是经济选择）[②]对社会正义的实现具有重要意义。科恩对此总结道："将非正式结构囊括在基本结构之中，就是支持将行为也作为正义评判的首要主题。"[③]

首先，个人的正义与社会的正义是一致的，社会成员是否公正以及多大程度上公正，决定了社会的公正性如何。"正义不仅仅是规范人们行为的国家立法体系，而且是人们在此结构中所选择的行为，是人们日常生活中的个人选择。"[④]要限制和克服不平等，决不能（仅）进行经济结构的革命，还需要情感与动机的革命。正义必须同时评判日常行为，因此，基于人们自觉和价值建构的社会风尚无法被绕过。

其次，社会风尚能够继续推进个人正义和社会正义的实现。"一个社会的社会风尚就是一系列情感和态度，只有借助于它们的道德力量，普通的习惯才能成为习惯，非正式的压力才能成为压力。"[⑤]如果人们持有自私的立场，将会转化为制度结构和所谓的公共福利，错误的利己行为将对社会正义造成破坏，不平等现象将会愈演愈烈，整个社会将会变得不公正。从道德角度讲，这种由

---

① [英] G.A. 科恩:《如果你是平等主义者，为何如此富有?》，霍政欣译，北京大学出版社2009年版，第185页。

② 因为经济选择这一问题更尖锐，它更直接地涉及最有利者和最不利者的产生问题和由结构带来的分配问题。

③ [英] G.A. 科恩:《如果你是平等主义者，为何如此富有?》，霍政欣译，北京大学出版社2009年版，第188—189页。

④ [英] G.A. 科恩:《如果你是平等主义者，为何如此富有?》，霍政欣译，北京大学出版社2009年版，第157页。

⑤ [英] G.A. 科恩:《如果你是平等主义者，为何如此富有?》，霍政欣译，北京大学出版社2009年版，第256页。

差别原则造成的不平等是不正当的。相反，一种良好的社会风尚的形成能够有效地对个人在其中的选择形成道德约束，这种风尚可以在社会中形成自觉且强有力的惯性规范人的行为和内心，这种影响力较之强制性制度更为持久、深入。

再次，一种自觉的内在动机是持久性社会正义的必要基础。科恩认为"确实需要一种风尚，一种贯穿于日常生活动机中的反应结构，不仅因为人们无法设计出可被依照经常检查的平等主义的经济选择规则，还因为如果总要求人们考虑这样的规则会严重损害自由，即便这样的规则是可以制定的"①。

科恩明确地提出了在社会基本规则中，完全依靠强制性制度是不可能实现正义的，由于个人选择而造成的正义与非正义有很大的存在空间，而且这种个人选择必须是能够促成支持平等的一种社会风气。因为只有公民的正义与社会的正义紧密结合在一起，其命运相联系的时候，才能够保证分配的正义与制度的正义相一致。在"基本结构"中，个人严格遵循理性、严格的社会正义规则并做出选择，那么财富分配的不平等结果很可能被视为公正的，但这绝不意味着与此对应的制度就是正义的。在这样的社会秩序中，公正的分配是可能实现的，但社会风尚②不一定好，它可能是利己的、自私的，社会发展趋势可能并不利于公正和平等。所以，科恩指出："一种能实现差别原则之平等的风尚，几乎必然是受平等所激励的；一种不受平等激励的风尚产生正确的结果属于偶然事件，至少在当代这一偶然事件几乎是不可能发生的……公民正义是社会公正的必要条件。"③在这里，科恩指出了罗尔斯正义论中的一处关键性问题，即基本结构与分配正义的关系是否存在断裂。换言之，基本结构是仅仅包含社会强制性规则（法律或制度等），还是也包含决定个人选择或行为的非强制性社会结构（惯例和习惯等）。

基于这种判断，科恩又提出了一些新的问题，就是人们应当为致力于社会

---

① Cohen G. A. *Rescuing Justice and Equality*, Harvard University Press, 2008, p.123.

② 社会风尚是一套情感与态度，依据之，该社会的通常习惯与非正式压力才是现在这个样子。详见［英］G.A.科恩：《如果你是平等主义者，为何如此富有？》，霍政欣译，北京大学出版社2009年版，第188页。

③ 社会风尚是一套情感与态度，依据之，该社会的通常习惯与非正式压力才是现在这个样子。详见［英］G.A.科恩：《如果你是平等主义者，为何如此富有？》，霍政欣译，北京大学出版社2009年版，第170页。

的公正做出什么样的个人选择呢？从另外一个角度讲就是，在一个公正或不公正的社会中，"正义对个人的要求是什么"？① 一个人是否可能同时持有平等主义观点和拥有大量财富。如果有这样的人，那么如何理解富人支持国家推行有利于最不利者且有损于他们利益的再分配政策，却不能主动地牺牲自己的利益，来承担相应的责任？进而产生的问题是，他们信奉平等主义的观点却不作这样的努力，是否因为在现有的和未来短暂的时间里平等主义原则并不能得以广泛实现？② 这些理由是否充分呢？科恩对此进行了一些思考，但他也承认自己没有给出明确的答案，因为在哲学史上哲学家们对此的讨论太过稀少。但是他的态度是明确的：一个社会的正义同样取决于个人的选择，每一个人都应当为促进社会平等作出贡献。如果按照自由主义的平等观，即便在社会中占据优势的人群为提高最不利者的境况降低自己的生活水平，这也无助于解决普遍存在的不平等现象，更无助于解决不平等的机会和权利等诸多深层次的问题。因而，科恩对于这个问题的回答与前面的论述一致，人们亟需进行一场关于平等的道德革命。

4. 科恩的社会主义平等理论

（1）平等：社会主义的核心价值指向

通过对自由主义、自由至上主义平等观的批判，科恩提出了"社会主义是否可欲"的问题。在他看来，社会主义是指"它具有的经济形式，即一种在全体人民中存在的生产性资产的共有制（shared ownership of productive assets）经济形式，而不是那些资产为个人所有的私有制经济形式。"③ 社会主义基于一种对生产资料的共有形式，废除了必然包含不平等的资本主义私有制形式。在这种新的所有制形式下，资本主义的不自由、不平等可以被消除并转化为社会主义意义上的自由和平等。因此，社会主义之所以值得人们追求并不是由于一

---

① 社会风尚是一套情感与态度，依据之，该社会的通常习惯与非正式压力才是现在这个样子。详见［英］G.A.科恩：《如果你是平等主义者，为何如此富有？》，霍政欣译，北京大学出版社 2009 年版，第 192 页。

② 社会风尚是一套情感与态度，依据之，该社会的通常习惯与非正式压力才是现在这个样子。详见［英］G.A.科恩：《如果你是平等主义者，为何如此富有？》，霍政欣译，北京大学出版社 2009 年版，第 195 页。

③ 科恩使用了共有制（Shared Ownership）概念，与马克思的公有制（Public Ownership）几乎并无二致。转引自段忠桥：《为社会主义平等主义辩护——G.A.科恩的政治哲学追求》，中国社会科学出版社 2014 年版，第 210 页。

种道义上的优越性，而是基于一种经济结构之上的社会关系决定的实质平等，它体现于(不包含社会的或先天因素的)分配正义、机会公平等内容上。此外，相对于资本主义而言，社会主义运行机制在动机上体现出的优越性是非常明显的，以共有制为基础建立的经济形式的内在动机与资本主义的贪婪和恐惧完全不同，体现了一种对其他社会成员的关怀和服务意识，人们拥有真诚的共享和互惠精神。人们和谐共处的互助关系和平等的人际关系结构反过来形成了良好的社会风尚，在社会发展的过程中提供了内生动力。因此，社会主义平等原则本身值得追求，社会主义理想无疑是受到人们欢迎的，这种期待和愿望督促人们愿意做出追求社会主义未来的选择，是社会主义制度得以实现的基础。

关于社会主义平等，科恩在批判德沃金与罗尔斯的平等观基础上提出了"优势可及平等"(equal access to advantage)的概念①。"优势"是指一切有价值物，例如资源、福利、能力等，"可及"是指人们对这些物的可获得性，它包含能够直接获取与可获得的潜在机会。这种机会受到社会环境和个人能力两方面影响，个人能力虽然是内在标准，但它所反映出的也是某种社会因素造成的结果，它虽然与潜在机会不相排斥，但是它会直接影响机会的可获得性，即"可及性"。因此，科恩的"优势可及平等"的目标是消除社会中的"非自愿的不利"(involuntary disadvantage)②，排除基于外部性社会因素而非个体为之负责的自身选择而造成的不利情形，是科恩所要实现的平等主义的消极目标。

若要很好地理解"非自愿的不利"，需要与科恩的"非自愿昂贵嗜好"③的讨论相联系。科恩认为由于某种不能抗拒的原因，人们形成了非自愿昂贵嗜好，这迫使他们去过一种更差状况的生活，即出现一种非自愿的不利的情形。不同于罗纳德·德沃金，科恩认为严格意义上的平等主义者应当对这种由非自愿昂贵嗜好造成的不平等进行补偿。科恩认为"从平等主义的观点来看，一个

---

① 优势可及平等(equal access to advantage)，也可以被称为利益机会平等(equal opportunity for advantage)。[英] G.A.科恩：《马克思与诺齐克之间》，吕增奎编，江苏人民出版社 2008 年版，第 171 页。

② 也有学者译为"非自愿的劣势"，详见 [英] G.A.科恩：《马克思与诺齐克之间》，吕增奎编，江苏人民出版社 2008 年版，第 171 页。

③ 也有学者译为"非自愿的劣势"，详见 [英] G.A.科恩：《马克思与诺齐克之间》，吕增奎编，江苏人民出版社 2008 年版，第 185 页。

不负责任地养成一种奢侈习性的人与一个不负责任地丧失一种珍贵资源的人，两者之间在道德上是无所谓什么差别的。正确的分界线在于责任与厄运，而不是偏好与资源之间"①。通过讨论人们由偏好形成的选择，科恩在建构严格的平等主义道路上走得更远。科恩基于此总结了他的平等主义立场：平等并不要求对不利本身进行纠正或补偿。毋宁说，平等主义关注的是非自愿的不利，即那种不反映出主体选择的不利。②

（2）社会主义的建构原则：平等与共享

为了更好地说明社会主义所依据和推崇的核心原则，科恩生动地设计了一种可以诠释社会主义的"野营模式"（camping trip）：

> "你，我和一大群其他人去野营旅行。我们之间没有等级之分；我们共同的目的是我们每个人都将度过一段美好时光，尽量做他或她最喜欢的事（那些事有些我们一起做；其余的我们则分开做）。我们带有用来实现我们计划的用品，例如，我们带有锅和盘子、食油、咖啡、钓鱼竿、小划艇、足球、纸牌，等等。而且，在野营旅行中的通常的情况是，我们共同使用那些用品，即便它们是私人所有的东西，它们在旅行期间是在共同控制之下，我们都理解谁在什么时候、什么情况下和为什么要使用它们。有人钓鱼，有人准备食物，还有人烧饭。不愿烧饭但喜爱洗餐具的人可以承担全部洗餐具的工作，等等。差异是大量存在的，但我们互相理解，而且我们这一野营计划的精神，保证了不存在任何人可在原则上予以反对的不平等。"③

科恩认为，在野营模式中大多数人"会越过其他可行的选择而强烈地赞成社会主义的生活方式"④，因为这种模式推崇两个原则：一个是平等原则，一个是共享原则⑤。在其中，首先人们没有等级差异，在资源享有和权力运用上不存在

① ［英］G.A.科恩：《论平等主义的通货》，载吕增奎编：《马克思与诺齐克之间》，江苏人民出版社 2008 年版。

② 这些思考集中在科恩的一本较为精练的著作《为什么不要社会主义》中。中译本由人民大学段忠桥教授翻译，2011 年 3 月由人民出版社出版发行。本书基本采用段教授的翻译文本，不同之处是基于自己的理解所做的翻译，特此说明。

③ ［英］G.A.科恩：《为什么不要社会主义》，段忠桥译，人民出版社 2011 年版，第 15—16 页。

④ ［英］G.A.科恩：《为什么不要社会主义》，段忠桥译，人民出版社 2011 年版，前言。

⑤ Community，这实质是一种共同所有原则，人们对外在资源（包括自然资源和本应自我所有的物品）实现共同所有，每个人都有均等的机会认领而非占有这种资源。

悬殊的差别。因而对野营中的生产和生活资料享有同样可及的平等。其次，人们的共同目标是拥有美好的时光，或者做喜欢做的事情，这可以被扩展为一种对"好生活"的追求。再次，如同科恩在反驳诺齐克时所提出的"共同所有"①，在野营模式中不存在自我所有的概念。人们对所有物品共同所有、共同管理，关于由谁使用、在何种情况下使用、为什么使用它们这些问题上分享各自的观点（share understanding）以达成共识。人们拥有不同的兴趣和爱好并依此选择分工和协作模式，人们可以去做他们希望去做的事情，可以说野营模式保障了人们有同等的依据爱好做事和实现繁荣的机会。② 因而，在野营模式中，人们一方面拥有充分的自由（自主权）做出选择，另一方面他们遵循严格的机会平等原则，共同占有原则决定了每一个人都不会拥有比其他人占有更多资源的权利。

此外，野营模式并不是一种没有选择余地的、唯一可行的社会结构。科恩还曾提出过另外一种野营模式，即"基于市场交换和对所需用具的严格私有的原则之上"的组织模式，在这种模式中每个人基于自我所有（生产与生活资料，以及个人的天赋和才能等）与他人进行交换并讨价还价。人们会为了何为等价交换而争论不休，甚至出于利己的考虑尽可能在其中获利或占据优势。相比较而言，人们天然地倾向于第一种社会组织方案：愿意努力维系这种社会秩序继续运行是因为人们受益于这个模式。因为在这个模式下，每个人都同样为他人的繁荣和休闲考虑，作出与自身能力相符的贡献，这是一种体现互惠与平等的伙伴关系。值得说明的是，这种利他的考虑出发点在于他人有这样的需求，而不是因为人们期望得到相应的回报而做出利他的行为。同时，科恩对人们常质疑的社会主义的效率问题也做出了回应。由于在市场主导的野营模式中人们会出于利己的考虑尽力讨价还价或维持价格从而浪费大量时间和精力，但是社会主义平等原则主导的野营模式可以避免这一情况的发生，因为它直接关注人们的需求并通过互助的伙伴关系提供相应的物品或服务③，这种互惠的考虑能够加速野营模式的交换环节。因此，由平等原则

---

① 与前文联合所有相一致。——笔者注

② People have similar opportunity to flourish，人人拥有同等的实现自我发展和繁荣的机会。

③ 但是科恩没有涉及这一问题，即在更大的社会范围之内，人们如何获取他人需求的信息，市场原则起码在这一点上解决了信息流通和传递的问题，这也是科恩理论建构不足的一处体现，笔者注。关于市场的信息作用和动机作用，可参见［英］G.A.科恩：《为什么不要社会主义》，段忠桥译，人民出版社 2011 年版，第 60 页。

和共享原则所主导的野营模式受到人们的青睐，"大多数人被社会主义的理想所吸引"①。在科恩看来，社会主义的建构立足于两大重要原则：

第一，社会主义的平等原则。科恩认为社会主义机会平等是一种值得赞扬和维护的原则，因为它体现了一种真正的平等主义精神。在其中，人们将缺乏理由为之负责的不平等负担统统抛开，从社会规范和制度建构上消除由于天赋差异造成的不平等。同时，人们必须对应当负责的选择承担责任，即将个人责任（义务）、社会分配与平等目标统一起来。此时，社会秩序排除了天生的能力与权力的差异性，也不包含诸如非自愿昂贵嗜好的偏好，不同的分配结果所反映的仅仅是趣味和选择的差异，这便是科恩的社会主义机会平等原则。

从科恩对资本主义平等观的批判我们可以看出他有着强烈的、严格的关于平等原则的理解，因而才会如此尖锐、苛刻地对自由主义和自由至上主义展开批驳。如果说，罗尔斯允许不平等的存在，是因为认为某些不平等能够提高最不利者的生活状况；德沃金允许不平等的存在，是因为起点平等并不一定能保证结果平等。那么，科恩所提倡的这种严格平等原则是怎样得以应用的？严格排除不平等的存在是否能够实现平等的目标？严格意义的平等是否真正有利于社会的发展和促进社会正义？

科恩认为"社会主义的机会平等"是"正确的平等原则、正义认可的平等原则，这是一种激进的机会平等原则"②。从机会获取角度来讲，他希望这一原则可以向全体社会成员提供均等的"可及的机会"，人与人之间不存在任何由于社会等级或权力原因，抑或先天的能力等原因而导致的机会不平等，无人受损于这种不平等，当然更无人受益于此。从结果角度来讲，平等原则决定了对待再分配的态度。由于机会平等并不能保障结果的平等，针对结果的差异性造成的不平等和不平等积累，有必要基于共享原则的补充和限制作用，通过再分配予以消除。因此，科恩提出"促进机会平等不仅是一种平等化的政策，而且也是一种再分配的政策"③。

社会主义的机会平等不同于资本主义的机会平等，也不同于左翼自由主义的机会平等，因为它们分别都对获得可及的平等机会造成了障碍。资本主义的

---

① ［英］G.A.科恩：《为什么不要社会主义》，段忠桥译，人民出版社 2011 年版，第 17 页。

② ［英］G.A.科恩：《为什么不要社会主义》，段忠桥译，人民出版社 2011 年版，第 23—24 页。

③ Promoting equality of opportunity is not only an equalizing, but also a redistributing policy. G.A. Cohen, *Why Not Socialism*?, Princeton University Press, 2009, p.14.

机会平等是指"通过消除因权利分配和因抱有偏见所引起的对机会的限制，拓展了人们的机会"①。左翼自由主义的机会平等扩大了范围，将由社会环境造成的限制性结果（即由出生和培养的那些环境造成的限制性的结果）纳入讨论范围，"它还使自己反对那种资产阶级的机会平等尚未涉及的由社会环境造成的限制性结果，即由出生和培养的那些环境造成的限制性的结果，那些环境的限制不是通过分配低等的地位给他们的受害者，而是通过使他们在实际上不利的条件下劳动和生活"②。在左翼自由主义观点中人们的差异性由天赋和选择决定，而非社会原因决定。科恩认为这两种机会平等原则都不够彻底，虽然左翼自由主义的机会平等排除了社会不利因素，但并没有排除先天的不利因素造成的不平等，然而后者恰恰是由"作为非正义的更深层根源的天赋差异引起的"③。社会主义的机会平等"纠正的则是这样的不平等，这种不平等是由作为非正义的更深层次根源的天赋差异引起的，它超出了由非选择的社会背景强加的不平等，因为天赋的差异同样是非选择的"④。它试图改善一切不可选择的不利因素（包括自然的不幸和社会厄运），在这种情况下，结果的差异将完全由偏好和选择⑤决定。这种严格的平等观实际是针对自由主义平等观提出的，自由主义平等观能够容忍自然和社会的偶然因素，由于天赋和社会累积因素形成的受益人群被鼓励去获得更多的社会财富，当且仅当他们愿意为最不利者作贡献。

虽然科恩认定若要实现真正平等的社会需要从原则处加以严格限制，但通过严格界定初始平等原则并不一定能够保障在现实结果中实现完全的平等。对此，科恩讨论了三种与社会主义机会平等相容的不平等，这些讨论将为后文的共享原则做出铺垫。

第一种"不平等"是由偏好和选择差异性决定的不同结果（科恩将其称为类型i），对某种物的偏好导致了人们更多地拥有该物品，这种情形可以不被视为不平等。第二种和第三种都是基于平等的原始地位，但是由于个人应负有

---

① [英] G.A.科恩：《为什么不要社会主义》，段忠桥译，人民出版社 2011 年版，第 25—32 页。
② [英] G.A.科恩：《为什么不要社会主义》，段忠桥译，人民出版社 2011 年版，第 25—26 页。
③ [英] G.A.科恩：《为什么不要社会主义》，段忠桥译，人民出版社 2011 年版，第 27 页。
④ [英] G.A.科恩：《为什么不要社会主义》，段忠桥译，人民出版社 2011 年版，第 26 页。
⑤ 科恩在理论上排除了自然和社会的先天（不可选择）不平等因素，并突出了偏好、选择和结果的直接对应关系。出于偏好而做出的选择所带来的受益和负担差异并不意味着不平等，参见下文科恩对"与社会主义机会平等相容的不平等"中的第一条。

责任的理性选择而造成的累积受益（aggregate benefits）的不平等，这种不平等有两个来源，第一个是由令人悔恨的选择而导致的不平等（ii-a），即由于人们努力程度或关注的实际行动上的差异性造成，这存在一定问题。通过这一种平等，科恩实际解决了"累积"的重要问题，虽然他严格地界定了原始机会平等，社会成员抹平差异并被置于同等地位上，但是累积受益将产生巨大的不平等结果，这种不平等如果是合理、正当的①，那么从结果来看这种社会秩序与自由至上主义所认可的程序正义又有什么本质的区别呢？因此，科恩这样认定第二种不平等——"就其自身的力量而言，它不会很大，然而当它与第三类真正有问题的不平等共同起作用时，它就能促成极大程度的不平等"，这便是由选择中运气的差别导致的不平等（ii-b）。科恩以赌博为例，说明运气在收益方面的影响，同时他还以此类比更广义的市场选择运气造成的不平等。②"这种形式的不平等不仅作为所说的范围狭小的赌博的结果才出现的。在市场的不平等的产生中也存在一种选择运气的成分……因此，一些市场产生的不平等不但部分地与社会主义的机会平等相容，而且实际上部分地与社会主义机会平等相一致。"③

第二，社会主义的共享原则。由于这几种不平等的存在，科恩的社会主义建构遇到了这样的问题：虽然这种不平等是基于社会主义的机会平等产生的，不能受到过分的谴责，但是它们仍然存在很大的问题，"一旦它们在足够大的范围得以流行，它们仍会使社会主义者反感"④。科恩曾经说过马克思主义者不应当容忍哪怕一点不平等，如果任由这种不平等累积产生更大程度的不平等，那么社会主义又在何种程度上受到人们欢迎呢？为了不让反对者提出质疑并有机可乘，同时也为了避免一定范围内的不平等随着积累逐渐扩大并破坏社会主义核心价值，科恩提出了社会主义的第二个原则——共享原则用以补充和调节平等原则带来的问题。"共享"的要求是人们相互关心和在必要与可能的情况下相互照顾，也在乎他们是否彼此关心。⑤ 具体来说，"共享

---

① 因为这种不平等是基于起点平等而形成的，选择过程也是正当的。
② 两者条件相似，都面临选择境遇、后果的多样可能性、选择运气等多种偶然因素。当然，市场博弈与赌博运气是完全不同的，它不仅包含市场运气，还是一种理性的选择。
③ ［英］G.A.科恩：《为什么不要社会主义》，段忠桥译，人民出版社 2011 年版，第 38 页。
④ ［英］G.A.科恩：《为什么不要社会主义》，段忠桥译，人民出版社 2011 年版，第 39 页。
⑤ 参见［英］G.A.科恩：《为什么不要社会主义》，段忠桥译，人民出版社 2011 年版，第 40 页。

原则"包含两种具体的模式：抑制不平等的共同关心模式与互惠性的共同关心模式。

第一，抑制不平等的共同关心模式的目标是每个人为"共同所有"作出一定的努力，消除人与人之间的不平等，因为不平等的存在会造成人与人之间产生间隔，欠缺了某种共享。[①] 为了消除这种隔阂，实现这种共享，人们应当以此为名禁止不平等的存在。第二，互惠性的共同关心模式是符合人类道德关系的，是一种值得欲求的模式，它虽然不要求平等，但是仍然要求人际关系采取一种理想的形式[②]。具体来说，它指的是人们作出利他的行为，因为他人需要或想要我的服务，我本着一种对伙伴负责任的态度和为他人服务的精神作出惠及他人的行动，这是一种社会主义互惠精神和原则。在这种共同体互惠中，虽然人们有着互惠的期望，但是人们是本着奉献于伙伴的精神去工作的，被回馈或被服务是社会维持平衡和良性发展的一种必然结果，因为每个人都是如此。它与市场互惠（互利）原则完全不同，他们的出发点是完全不同的，市场是由利己[③]（贪婪和恐惧）的动机构成，人们支持互惠原则是出于希望被服务的想法，它只考虑个人利益，而不是"服务与被服务这种结合本身"。因此，科恩坚决地认为，社会应当是一个"相互供应的网络。但在市场社会中，这种相互性却只是一种非相互的而且从根本上讲非互惠的态度的副产品"[④]。

为了避免批评者认为他只顾及理论论证而忽略现实应用，科恩解释说这种共享的风险并不要求个体成为只服务他人而不关心他人是否服务于自己的傻子——他显然考虑到了这种情形。他更要强调的是，这种双方之间的"我—你"互惠结合模式本身是有价值的、非工具性的，因而是值得欲求的。这种由无数"我—你"关系结合组成的公共联系网络（communal network）将成为理想社会的基本结构。

① lack of community，这种共享的理解很宽泛，它可能意指人们联合形成的共同体，也可能是基于共同生活事实而产生的对事物的理解和共同话语，这种缺乏将造成更大的不平等。值得注意的是，科恩针对的是不平等现象，而非个体之间的差异性。

② 科恩的意思是互惠性的共同关心模式应当不是严格的平等原则所要求的，但是仍然是实现平等目标最重要的保障，因而是重要的。

③ 利己中的"己"可能还包含家人、与自己直接相关的人，但在科恩看来这仍然是广义的利己行为。在理想的社会中，出于共同体中的人应当广泛地彼此关注和互惠。——笔者注

④ 参见 [英] G.A.科恩：《为什么不要社会主义》，段忠桥译，人民出版社 2011 年版，第 45 页。

（3）社会主义的运转机制设计

对于未来理想的社会制度，科恩有着强烈的、执着的憧憬和期待。为了实现这种美好的社会，他从起点处，即社会主义原则和规范角度入手，对社会秩序和整体结构进行探讨，并且在建构的过程中不允许出现任何有违于这些原则的情况出现。通过对自由主义和自由至上主义理论的批判，科恩深切地知道"社会主义应当是怎样的"，然而在如何实现（科恩意义上的）社会主义上，他却"不知道如何在一个大的社会范围内与平等和共享相一致地实践个人的选择"①。在野营模式中人们摆脱了错综复杂的日常事务，远离他们通常的处事原则，因此易于实行社会主义原则。但是，在更大范围内实行社会主义是令人难以置信的事。因此，社会主义的最大难题不在于它是否可欲，这在科恩看来是毋庸置疑的事情，然而难点在于社会主义是否可行，抑或如何实现的问题。

总体而言，人们普遍认为"社会主义不可行"主要基于两个形成鲜明对比的理由，并且它们在精神和政治层面上都很重要。② 第一个（假定的）原因是人性的限制。人性中的慷慨与合作性不足，因此不能拥有持续性的、共同互惠的人际关系和友谊，以此为基础建构的社会平衡很容易受到破坏。第二个（假定的）原因是（如果存在）人们不知如何利用这种慷慨，如何通过适当的规则或者激励推动经济的发展。前者涉及的是一个"利己"的困惑，即"自我所有"概念的限度和程度问题；后者涉及的是社会激励问题，或者说是社会主义效率和发展的问题。此外，资本主义学者还通过赞扬市场的信息功能对社会主义提出质疑：在野营模式中，人们很容易获取关于他人需求的信息，因此有条件实现社会按照社会主义原则运行。若要在更大范围内实现社会主义理想，我们无法解决信息传递的问题。如果人们得不到相关信息，又如何为他人服务和奉献？这种低下的社会运行效率是否应当受到社会主义者期待？

在科恩看来，第一种情形并不是无法实现社会主义的本质问题。因为每个人内心深处都存有自私和慷慨的两种倾向，关键在于人们如何去作出选择，如何去挖掘和弘扬内心向善的愿望。这也是为何科恩反复强调社会风尚在实现社会正义中的重要作用，因为一种符合正义的社会风尚能够激发人们

---

① ［英］G.A.科恩：《为什么不要社会主义》，段忠桥译，人民出版社 2011 年版，第 71 页。

② 参见［英］G.A.科恩：《为什么不要社会主义》，段忠桥译，人民出版社 2011 年版，第 56 页。

内心的慷慨和善。更为关键的是，利己的自私观念是以自我所有原则为前提的，是建立在生产资料和财富分配的私人所有基础之上的。社会主义制度否定了资本主义私人占有的正当性，摆脱了能够产生不平等、认可利己主义的自我所有原则，消除了生产资料私人所有的物质基础。因而，第一个问题将不会成为本质性的问题。关于第二种情形，科恩认为社会主义理想面临的核心问题在于我们缺乏适合的组织技术（suitable organizational technology），即我们不知道如何设计社会主义的运转机制。一个理想的社会机制可以对人性的自私进行限制，对慷慨进行颂扬，规范人们的行为以实现良好的社会秩序。在理想的机制下，社会能够形成良好的风尚并促使个人作出负责任的选择。这种选择是对社会机制的现实反馈，并且反过来推动社会风尚良性运转，与科恩关于个人正义（个人选择）与制度正义（强制性制度）关系的论述紧密相连。

至此，"社会主义是否可行"的问题被转化为"社会主义如何实现"的问题。在资本主义制度中，无论是政治制度、市场规范，还是国家税收、福利制度，都反映了人们在源头上或结果上承认市场的利弊作用和人性的利己主义，因而设计出多种制度和规范来限制竞争和防范利己倾向过于严重，以及通过激励措施激发人们的内在动力以推动社会发展。科恩不禁反思质问：我们知道如何基于自私去使一种经济制度运用，然而我们却不知道如何通过发展和利用人的慷慨去使它运行。① 科恩提出的问题的确振聋发聩，值得我们深思。科恩深知设计社会主义运行机制这项工作的难度，但他仍然愿意尝试构建一种既保存市场信息和激励功能，又能消除利己动机和分配不平等，同时还拥有生产上高效率的制度，即追求社会主义价值和目标，保留资本主义制度中的优势功能来完成社会主义运行机制的设计。这种努力首先体现于他对待两种社会主义机制建构方案的态度之上。

第一个方案是约瑟夫·凯任斯教授提出的乌托邦政治经济。"乌托邦政治经济"② 形态是加拿大多伦多大学政治科学系凯任斯教授在《平等、道德激励和市场》一书中设计的社会理想制度。在这种制度中，社会组织依赖标准的市场经济原则运转，人们通过税收制度抹平收入差异并以此实现平等。人们对金

---

① 参见 [英] G.A.科恩：《为什么不要社会主义》，段忠桥译，人民出版社 2011 年版，第 59 页。
② 这同样是本书的副标题。

钱的追求完全出于他们愿意为社会做更多的贡献，"市场机制被用于解决社会技术层面的问题，以服务平等和共享"①。如同科恩设计的一样，人们形成慷慨与互助关系，经济生产的动力在于人们愿意为他人的需要服务。尽管科恩认为这种机制仍然存在一些问题，但是就整体而言这是一种值得深入探讨、不断完善的理想制度。

第二个方案是市场社会主义形式。从市场角度探讨社会主义建设是许多左翼马克思主义者为"社会主义如何超越资本主义"做出的解答，随着苏联解体和东欧剧变，他们开始思考社会主义的实践问题并尝试构建当代社会主义制度，市场社会主义正是这一历史背景下的产物。市场社会主义之所以受到马克思主义者的青睐，是因为市场社会主义似乎能够发掘一种将社会主义与市场经济相结合的发展道路和社会组织模式。市场社会主义的最大贡献在于它克服了资本和劳动之间分离的问题，劳动者拥有企业，不存在与自己对立的资本家阶层，造成经济不平等的本质根源被消除。同时，市场社会主义既能够保留市场的高效率和信息优势，又能够消除市场在分配上的不平等和动机上的不道德。市场社会主义在道德和公正性方面已经远远地超出资本主义制度，因此具有非常积极的价值导向，也有益于社会主义图景规划。

虽然科恩承认市场社会主义的积极意义，认为它无论如何都对真正的社会主义建设产生有益的作用。但是，市场社会主义仍然不能满足社会主义的正义标准，因为它的核心仍然是市场互惠原则，而非社会主义的互惠和共享原则。市场的互惠原则是在竞争和利益的基础上探讨合理的分配问题，在市场中人们充满着贪婪与恐惧心态，并依此形成互惠互利的关系。社会主义制度不同于此，它所遵循的互惠原则出自人们最真诚的内心，它体现着人们彼此关心和互相满足的伙伴关系。基于这种理解，科恩显然不能接受市场社会主义，认为它是"未加思考的赶时髦的主张"②，并对此展开了尖锐的批评。在他心目中理想的社会制度应当比它实现更严格的建构，特别是在社会主义平等的立场和态度问题上。

---

① ［英］G.A.科恩：《为什么不要社会主义》，段忠桥译，人民出版社 2011 年版，第 63 页。
② 段忠桥：《关于市场社会主义的几个问题》，《中国人民大学学报》1996 年第 3 期。

（二）埃尔斯特的正义与民主理论

20 世纪 80 年代前，埃尔斯特坚持用方法论的个人主义和理性选择的原则为马克思主义寻找微观基础，分析的马克思主义发生政治哲学转向之后，埃尔斯特也开始关注政治，重点研究正义和民主问题。

1.局部正义理论

与其他政治哲学家不同，埃尔斯特关注的正义主要是作为解释性的而非规范性概念，在经验研究的基础上关注基本物品的分配、分配的实现过程与机制及分配结果。在《局部正义：社会机构如何分配稀缺物品和必要负担》一文中，埃尔斯特希望发展出一个概念的、理论性的框架来解释社会对于稀缺物品和必要负担的分配。

埃尔斯特认为，局部正义有三层含义，首先是指不同机构、部门实质上使用不同的分配原则的事实，如需要和贡献原则；其次指分配原则与实践在不同的国家和地区是不尽相同的；最后指分配的决定是局部的，是由相对自主的社会机构所决定的。局部正义并非是补偿性的，可能受限于中央的纲领政策，但是所采取原则由自主的社会结构自行决定，它关心的是物品及负担的实物分配而非金钱。

埃尔斯特对于局部正义的研究主要限定在社会机构对稀缺物品的实物分配上，也就是它们如何实现公正分配的问题。埃尔斯特主要是采取意向性的解释，是建立在考虑有意识的行动和行为人的基础之上的，也就是旨在解释在一个特殊的时间地点，一个机构采取一种特殊的分配原则分配物品的原因。在这样的分配系统里存在三个层次的主体，当权者即一级决定者、分配者即二级决定者、接受者即三级决定者。这些行为主体在不同的动机刺激下形成了各自不同的分配偏好，这些偏好影响着最终的分配。关于行为主体的动机，埃尔斯特主要考虑了三种：效率、平等和自利。当权者主要考虑效率，分配者既考虑效率也要兼顾平等，接受者主要关注自利，此外还有公共舆论，他们主要关注平等和接受者的自利。

基于此，埃尔斯特对分配偏好形成的各种要素进行了探讨，对大量事例的分配原则的优缺点及运用的范围与条件进行了分析。他认为最好的方法就是尽可能多地观察局部正义的案例，对其解决的原则进行列举和分类，期望没有遗漏其中重要的原则。

2.历史视角下的转型正义

埃尔斯特对转型正义问题也十分关注，他所关注的转型正义是发生在政治政权转变时，由具体的审判、清算和赔偿过程等所构成的正义问题。他主要从实证视角出发，考察不同时期不同民族和国家的转型正义问题。通过大量的事例分析，他认为转型正义并不仅仅局限于现代政权和民主政权，而是从古至今一直存在。

转型正义包括超国家的、国家的、团体的和个人的四个层次。超国家的指纽伦堡国际军事法庭、远东国际军事法庭等。国家层次指胜利的国家从失败的国家那里获得赔偿或对它们进行惩罚的问题。团体层次主要是各种组织、经济实体、协会和自治机构等，如瑞士银行。个人正义主要是个人反对他人采取的行动，如不受法律制裁的谋杀等。

埃尔斯特主要关注国家层次，并建构了一个以转型正义结构为基础的分析框架，主要包括其对象、动机、制度形式、决定及其影响因素。转型正义的主要对象是在前政权时期实施犯罪行为所涉及的人，主要包括加害者和受害者；正义作为一种动机，意味着不是由于利益或情绪，而是受到正义的激励而去行动；正义具有三种制度形式：司法正义、行政正义和政治正义。在转型正义中，司法正义常常遭到破坏，如二战后多国反对给予纳粹领导人司法正义，而是采取立即枪杀的政治正义；转型正义的决定或结果是由一系列立法的、司法的和行政的决定组成的，埃尔斯特分析了新政权面对的谁来审理、处罚和赔偿等一系列问题。

（三）罗默的政治哲学

20 世纪 80 年代末，紧跟着科恩的政治哲学转向，罗默也开始研究分配正义、平等、民主等当代政治哲学核心范畴。罗默认为，社会主义者需要的是机会平等，即自我实现和福利的机会平等、政治影响的机会平等、社会地位的机会平等。罗默的平等包括两层含义，一是社会要为个人创造公平的竞争环境，不能让环境的偶然因素影响个人的发展，如果存在环境引起的不平等，则应该进行资源补偿；二是个人应该对自己的选择负责。罗默运用应得理论进行论证，即正义就是给予人们应得的，因而平等意味着努力程度相等的人获得相等的回报。

罗默对民主和阶级斗争等问题十分关注，他认为民主是一种普选权，民主主义者的任务之一就是研究选举和政党之间政党制度的运行规律。在民主的历史上，不同的竞争性利益集团对政府制定的政策有不同的喜好，在政治竞争的博弈论中，每个群体都会寻求一种使自己的偏好最大化的政策，基于此，罗默将政治竞争主要看做政党之间的竞争，并试图论证一种政党均衡理论。

第三节　受后现代主义思潮影响的"后马克思主义"

后马克思主义的理论是当代西方马克思主义研究者对于马克思主义理论在资本主义社会表现的思考。后马克思主义面对的社会背景，是资本主义社会中后福特主义和后工业化、信息社会以及全球资本主义社会的新情况。在资本主义发展的当代阶段，后现代主义成了资本主义的文化表现和时代精神，新社会运动成为主要的社会抵抗形式。资本主义的文化和意识形态已经深入到人们的心理领域，从而不断消解人们对于经典马克思主义的阶级认知和阶级话语。后马克思主义试图在这种文化氛围和阶级境遇以及心理状况中，重新建立一种批判性的社会理论和批判精神。在后现代主义思潮的影响下，后马克思主义的理论重构体现了资本主义的政治、文化和心理三个领域。詹姆逊将视角放在后现代主义文化之中，拉克劳将视域放在资本主义的社会运动之中，齐泽克将视角放在资本主义的心理状态之中，从而呈现了后马克思主义对于当代资本主义社会状态的多角度思考。

一、詹姆逊的"晚期资本主义文化逻辑"

詹姆逊的后现代主义马克思主义的理论，是将马克思的总体性方法与后现代主义的视角相互融合，分析文化形态在晚期资本主义社会中的情形与现状，进而重构马克思主义理论的内涵和抵抗行动的实践，并将这一实践与全球化时代的民族国家以及资本主义批判相结合起来，呈现出一种充满后现代主义文化色彩的马克思主义批判理论。

（一）晚期资本主义文化逻辑的双重维度

詹姆逊对于晚期资本主义文化逻辑的属性定位与他的批判方法是联系在一起的，这就是总体性的方法。正是基于这一方法，詹姆逊对资本主义文化进行了两个角度的解读，即晚期资本主义的时代定位和后现代主义文化的精神诊断。在詹姆逊看来，只能通过总体性的方法我们才能够看到，在晚期资本主义社会，后现代主义文化成了它的核心精神和主导性意识形态。

总体性的方法是詹姆逊对当代资本主义进行理论介入的主要方法。在詹姆逊看来，总体性的方法一直是马克思主义中主要的分析方法。在马克思那里，总体性的方法是辩证法的核心要素，马克思正是利用这一方法将社会存在与社会意识、生产力和生产关系、经济基础和上层建筑、无产阶级和资产阶级的斗争形式相互联系起来，从而在一个宏观的历史的框架内来看待资本主义的形成、发展和演进。马克思的社会形态理论和共产主义理想，正是基于总体性方法的科学结果。在马克思以后，由于第二国际在理论上的缺陷和失误，基于变化了的阶级斗争实践，卢卡奇从主客体相统一的角度来恢复马克思的总体性批判方法，从而以阶级意识为切入点来剖析当代资本主义的物化境遇，进而揭示出资本主义社会意识形态的变迁。卢卡奇以总体性的辩证法为基本理论工具，从而开创了西方马克思主义文化和意识形态批判的先河。卢卡奇采用的总体性方法也深刻影响了詹姆逊的理论架构。对于詹姆逊产生影响的另一个西方马克思主义代表人物是阿尔都塞。阿尔都塞认为，社会并不是通常所理解的经济基础和上层建筑的直接决定关系，而是在经济基础和上层建筑的决定与反作用基础上的多元决定论，整个社会形态和生产方式受到多种因素的综合作用。在阿尔都塞看来，如果一定要强调一个最终的决定要素，那么这个要素可能是社会生产方式本身，它以"不出场的在场"的形式决定了整个社会的运行系统，因此，阿尔都塞为我们提供了另一种总体性的方法和视角。通过马克思主义与西方马克思主义的结合，特别是在吸收了卢卡奇和阿尔都塞的总体性理论的基础上，詹姆逊也是以总体性的方法介入对当代资本主义的观照。在詹姆逊看来，马克思的历史唯物主义为我们提供了丰富的宏观的历史视角，而这一视角与西方马克思主义，以及马克思本人对生产方式的关注是一致的。因此，当詹姆逊通过总体性的方法来看待当代资本主义社会时，实际上是将生产方式的视角纳入总体性的基本内涵中，在此意义上，詹姆逊所说的总体性实际上就是生产方式本身。通过将总体性融入到生产方式中，詹姆逊实现了总体性方法的革命性功能，这就是对当代资本主义社会的现实进行理论思考和真实把握，从而形成了其独具特色的"晚期资本主义的文化逻辑"理论，而这一命题的双重维度也昭然若揭：在经济的维度上，通过生产方式的视角，将当代资本主义定性为晚期资本主义；在文化的维度上，通过生产方式的视角，将当代资本主义的文化和时代精神定性为后现代主义。

首先，詹姆逊明确地在经济形态上将当代资本主义社会界定为晚期资本主义社会，晚期资本主义社会是资本主义发展的最新阶段和现实样态。这一晚期资本主义的概念来自于对曼德尔理论的吸收。曼德尔将资本主义的发展划分为三个阶段，第一个阶段属于自由竞争的资本主义时期，第二个阶段属于垄断的资本主义时期，第三个阶段属于垄断的全球拓展时期，即晚期资本主义阶段。晚期资本主义也使资本主义的发展形态在空间上得以拓展，并与全球化相结合，深入到全球的每一个角落。但是作为后现代马克思主义的著名代表，詹姆逊并没有完全按照曼德尔的资本主义分期理论来对当代资本主义社会进行剖析和批判，而是注重从文化形态来分析晚期资本主义社会的各种现象。因此詹姆逊的晚期资本主义社会理论，主要是从文化的意义上来讲的。这就是詹姆逊"晚期资本主义文化逻辑"的第二个维度，即文化的维度和视角。如果说经济维度上的晚期资本主义构成了詹姆逊立论的基础和社会背景，那么文化维度上的晚期资本主义，则是针对这种时代和社会条件下的精神表达。在他看来，文化经过了三个阶段，即早期的现实主义文化，中期的现代主义文化，以及后来的后现代主义文化。三种文化形式，与三种社会分期相对应的，从而呈现了资本主义社会三种不同的文化样态。其中主要体现晚期资本主义社会的文化形式，是后现代主义文化，这种文化形式与晚期资本主义社会相结合，呈现出很多不同的社会景观，从而使得个体以及群体的生存背景和发展状况，受到了影响。在詹姆逊看来，晚期资本主义的文化不单单是资本主义的文化形式，而且呈现出了文化变迁的新的维度，从而使得晚期资本主义条件下资本主义的经济和文化紧密结合。晚期资本主义社会的变化最显著的特点，就是经济和文化的互相渗透和互相影响。

在詹姆逊看来，在资本主义社会发展的早期，实际上还存在着两种形式没有被资本主义的生产方式所吸纳，从而游离于资本主义的控制方式之外，呈现出一种独立的和未被开发的情形，这就是作为自在的自然和作为自在的无意识。但是到了晚期资本主义社会，无论是作为社会存在的自然还是作为心理存在的无意识，都被资本主义的生产方式所控制和吸收，成了资本主义体系运转的一个组成部分，各种社会群体包括阶级本身，也被资本主义的生产方式所操控。因此晚期资本主义社会表现了强大的控制力和影响力。究其根源，就在于资本主义的生产方式，不单单只有经济的内涵，同时具有了文化的内涵，从而将经济和文化两种形式合二为一。在詹姆逊的时代，"文化的内涵显然发生了拓展性变化，即文化已不仅是狭义地、局限于上层建筑结构之中的被动地'反映物'，而是经过葛兰西意义上的'市民社会'中介而进入经济基础领域"①。这样一来，资本主义的生产方式既具有经济基础的控制形式，又具有上层建筑的控制形式，从而在生产力和生产关系两种纬度上实现对于个体的掌控。被统治阶级在这种情况下，是无力抗争的。因此詹姆逊重点探讨了晚期资本主义条件下，经济和文化的互相融合。

就经济层面来看，詹姆逊认为以美国为代表的资本主义发达国家的经济发展已经达到了相当高的阶段。马克思的政治经济学批判视域中，虽然强调了资本主义的消极内涵，但是在《共产党宣言》中，也对资本主义生产力的成就予以肯定。资本主义经济的发展经过了工场手工业机器大工业，到了垄断阶段以后，列宁创造性地将资本主义的垄断阶段阐释为帝国主义，这就是金融资本主义的形式。而在当代，詹姆逊认为列宁的这种金融资本主义的模型已经与全球化相结合，也就使得列宁的帝国主义理论向全球扩展。资本主义的经济触角已经深入到世界的每一个角落，不仅形成了发达国家内部资产阶级对于工人阶级的统治，而且造就了发达国家对发展中国家的剥削和奴役。发达国家成了中心国家，发展中国家成了外围国家，中心国家不断操控着外围国家的经济命脉和发展程度，从而改变了全球层面的阶级抵抗政治和阶级构成状况。而在文化和意识形态层面，这种情况的程度进一步加剧了。在晚期资本主义社会，文化不仅仅承担了自西方马克思主义创始人卢卡奇所说的阶级意识的功能，而且与统治进行联姻，从而呈现出强大的政治管控能力。后现代主义文化通过其破碎性的特点，实现了对工人阶级的分化和瓦解。这种分化和瓦解通过文化的形式，而不是意识形态性的说教，大大淡化了统治的形式，从而加重了统治的内容。

---

① 张秀琴：《英语世界对马克思意识形态理论的解读方式》，《中国社会科学》2012 年第 6 期。

呈现出"后"意识形态性的社会管理方式。同时经济与文化的联合，还在于文化代替了经济，行使社会生产力的职能。在西方马克思主义中期，法兰克福学派曾经就文化工业的特点进行了说明。当文化不仅仅成为精神产品，而是成为大工业时，文化就已经代替了经济的职能。"商品化的大众文化，同时是上层建筑和下层基础。"①比如一部电视剧的生产以及动画片的生产制作中，都有衍生产品的销售。而文化在以精神产品向工人阶级渗透的同时，也不断注入了消费色彩的价值观，不断地加重了人们对于消费的追求和享乐主义的体验，以及快乐主义的生活方式。不仅在工作时间受到统治，而且闲暇时间受到奴役。人们的娱乐时间也被统治的文化形式所占据。而这种文化的消费导向，总是将人们带入到资本主义的经济活动中，从而使人们沉溺于消费主义的幻象中，推动了资本主义生产力的发展，同时延缓了其走向灭亡的程度。

因此，在当代资本主义社会，资本主义的统治阶级利用手中的权力，将经济和文化融为一体，这就是后来哈贝马斯所说的国家干预经济，同时让文化承担了经济的一部分功能，使得当代资本主义社会的阶级处境和阶级斗争的情况，以及阶级生存条件都发生了显著的变化。同时对被统治阶级的心理状况、阶级意识，都产生了负面影响。不仅使得阶级斗争处于低潮，甚至使得在马克思主义那里承担革命功能的无产阶级这一群体本身趋于消失。这一新的阶级境遇成为詹姆逊思考的中心问题。在詹姆逊看来，当代资本主义中的阶级境遇，很大程度上是由于文化与经济同流合污之后，实现了对阶级群体的意识形态掌控，这种掌控的深层原因中凸显出了意识形态的零散化功能。

（二）晚期资本主义文化逻辑的意识形态内涵

在詹姆逊看来，后现代主义文化不仅作为资本主义文化发展的当代阶段，而且成为晚期资本主义社会中相对应的时代精神和发展逻辑。这种时代精神和文化功能，就是对大众以及阶级群体本身的消解和零散化。使得大众的凝聚力和积聚性降低，成为独立化的原子式的个人。因此，晚期资本主义的文化逻辑实际上就是后现代主义文化的逻辑，这种文化逻辑的深刻内涵就是意识形态功能。在詹姆逊看来，后现代主义文化，是通过以下几个层面实现了对于工人阶级的掌控的。

---

① ［美］詹姆逊：《未来考古学》，吴静译，译林出版社 2014 年版，第 209 页。

第一，后现代主义文化是一种缺乏深度的文化形式。深度的消失，成为詹姆逊思考后现代主义文化的意识形态作用的首要出发点。后现代文化"这种新的平淡阻碍艺术品的有机统一，使其失去深度"[①]。詹姆逊通过两件艺术作品的比较，从而说明了文化对于个体精神的腐蚀。比如同样是两幅描写"鞋"的艺术作品。在早期的文化作品中，艺术家通过鞋子本身这一载体传达出了对于劳动人民苦难的同情，以及其生活的艰辛的透视等。通过艺术家的视角，通过鞋子上面的泥土我们能够看到活生生的社会现实，看到鞋子本身所承载的社会劳动，从而使艺术本身的意义凸显出来。然而在当代美国，艺术的发展完全脱离了这种深度的体验。追求色彩的鲜艳，光怪陆离的视觉冲击，仅仅停留于表面，而缺乏内在的深度。当代人们对于鞋子的印象，恰恰将注意力集中于镶嵌了钻石的鞋子。这种耀眼的光芒下，遮蔽的却是人们精神的空虚。艺术仅仅成了艺术作品的本身的表现形式，它不再反映社会现实，也不能给人们带来反思，从而使人们服从于社会制度的安排。

后现代主义文化的另一种消解人们主体的方式，是将历史遮蔽掉。历史承载的是人们的集体记忆，通过历史，我们看到一种集体意识的视域。怀旧恰恰起到了一种反思社会现实的功能。人们通过历史视角的怀旧，来看待当前的社会发展与历史的区别，从而能够对社会形成正确的认知。在晚期资本主义社会，由于后现代文化的零散，这种真正的历史已经被遮蔽掉。人们接触历史，不能够通过真切的文化感受，仅仅通过一种对历史的摹本来接触，从而由对于历史的丧失、缺乏，变成对当下认知的匮乏。

后现代主义文化的第三个功能，詹姆逊称之为"表意链的断裂"，这就是文化通过时间的破碎使主体的认识退却。由于文化的破碎性，造就了人们现实体验的破碎性。人们通过后现代主义文化来看待当代的资本主义社会，看到的是一个静态的过程。就像古希腊哲学家芝诺所讲的飞矢不动一样。社会的历时性发展变成了共时性的呈现，由于现在和当下被孤立起来，人们看不到未来的社会发展，也就丧失了对于社会现实的差异性的把握。

后现代主义文化给人们的精神体验，是一种歇斯底里的崇高。在早期的哲学家，比如康德那里，他们认为崇高的体验是一种震惊的艺术效果，体现了人

---

① [美]詹明信:《晚期资本主义的文化逻辑》，陈清侨译，生活·读书·新知三联书店1997年版，第288页。

们对大自然的敬畏。然而在今天，当人们面对迪士尼乐园的时候，人们表现出来的这种崇高只不过是一种对于统治形式未曾料想到的震惊。人们在内心已经服从于这种乐园似的震惊的安排。这种所谓的建筑艺术以及科技美学，都无法与给人带来反思性的震惊效果和崇高体验相比。晚期资本主义社会的崇高性是一种奴役性和统治性，而不是启发性的。

后现代主义文化给个体的空间体验是一种空间迷失感。由于当代资本主义生产力的高度发展，创造了无比巨大的空间。个体进入资本主义的高楼大厦，从而丧失了对整栋大楼的判断力，其方位感是缺乏的，从而将人们之前的空间体验瓦解掉。人们在资本主义社会的空间中是迷失的，其认知系统遭受到了干扰，人们已经看不到自己的位置和方向，从而迷失在资本主义的空间政治之中。

通过以上种种措施，今天的晚期资本主义社会的统治，实现了对个体的全方位的掌握。因此在詹姆逊看来，最终导致的结果就是人们丧失了与资本主义的文化形式和政治系统保持距离的能力。此前，正是由于和资本主义的统治保持距离，所以能够从外在对其进行批判和反思。当个体被后现代主义文化所溶解掉之后，人们的反抗精神和反思意识也就被资本主义的意识形态所吸纳，这就是詹姆逊所说的批评距离消失的后果。这种批评距离的消失，表明了资本主义的意识形态对于阶级意识的瓦解。群体被资本主义的文化系统所吸纳和溶解，最终阶级的抵抗精神和反抗政治也化为乌有。阶级这一群体已经被资本主义的统治所同化和规训，反思意识与主体意识一起被化解。批评距离的消失表明，即使在当代资本主义社会还存在着各种差异性和非认同性，但这都是资本主义政治系统和文化系统故意造就的假象。在后现代主义的文化精神中，这种局部存在的和作为现象的政治斗争和民族斗争形式，也是符合资本主义统治需要的现象。这一陷阱更加加剧了人们沦落成为柏拉图所说的"洞穴"中的人，从而呈现出同资本主义的影像和假象进行的无伤大雅的斗争。

针对当代资本主义阶级现象的淡出和斗争意识的消退，阶级主体和阶级斗争的消失，詹姆逊认为，需要重塑人们的阶级意识，实现人们的阶级身份和阶级斗争意识的再造过程。从而找寻被资本主义文化系统所磨灭掉的阶级身份。最终坚定自己的阶级存在，并回归到阶级斗争中的实践中去。在詹姆逊看来，解决精神困境和阶级难题就需要一种新的方法。他通过借用地理学的范畴和测绘学的方法，提出了认知测绘这一重塑阶级意识的斗争实践理论。认知测绘是针对认知困境提出的。这种范畴来自于詹姆逊对于凯文·林奇的地理学的应用。在林奇看来，当人们在地理空间中迷失方向之后，需要新的指南进行方向性的定位，以确定自己的归属和地理位置，他将这种方法称之为测绘学。在詹姆逊看来，晚期资本主义的社会空间中，文化系统中的困境和林奇所说的地理空间中的困境是同构的。因此认知测绘就是要在文化空间中寻找迷失的自我，找寻自己的方向和位置。主体找寻自我的过程，就是重新获得自己的身份和认知的过程，就是主体斗争意识和身份的重塑的过程。这样一来，认知测绘就成了詹姆逊阶级意识的重要组成部分。认知测绘"只不过是'阶级意识'的符码：它的意义仅在于提出需要一种新的和到目前为止还未想象到的阶级意识"①。认知测绘的任务就是要人们找寻已经被遮蔽掉的阶级意识，从而唤起新的阶级实践和阶级斗争，使人们与资本主义的晚期文化保持距离，找寻批判精神和反思意识，重新进入阶级政治实践中。

因此认知测绘成为詹姆逊晚期资本主义文化批判的落脚点。这一理论的提出表明詹姆逊将阶级意识放在了斗争的核心位置。从这里我们可以看出，詹姆逊的文化批判实际上又回到了卢卡奇解决工人物化困境的方法。在卢卡奇看来，当工人阶级沉溺于资本主义的消费活动中，阶级斗争实践被消费实践所干扰，因此需要用阶级意识来对抗物化意识。阶级意识表明了无产阶级的差异性，从而对抗资本主义商品系统的同化性。阶级意识的激发，才能够使工人阶级保持身份认同，从而唤起阶级斗争。当詹姆逊看到晚期资本主义社会中的矛盾时，重新借用了卢卡奇的阶级意识理论，从而恢复了马克思主义的阶级传统和阶级政治理论，将马克思主义理论推进到晚期资本主义社会的时代和空间中。

（三）晚期资本主义文化逻辑批判下的理论与实践

詹姆逊的后现代主义文化批判的实践是将文化境遇下的批判延伸到政治抵抗空间中来思考的。他倡导了全球化纬度下的抵抗行动，而并没有指出这一斗争群体的具体属性。面对人们的认知困境，詹姆逊认为，认知测绘的出现使人们激发了阶级意识，而这种阶级意识还必须在未来和现在的关系、第一世界和

---

① ［美］詹姆逊：《现代性、后现代性和全球化》，王逢振主编，中国人民大学出版社 2004 年版，第 217 页。

第三世界的关系中，以及辩证地看待全球化这一历史进程的关系中来把握。因此，詹姆逊试图从三个方面来提供破解晚期资本主义文化逻辑的进路。

对于资本主义的抵抗，詹姆逊首先思考的是反思资本主义的历史与现实、当下与未来的关系。在他看来，我们要具有一种乌托邦的思维，这一种乌托邦不是批判意义上的和消极意义上的空谈和空洞的理想，而是具有现实价值和指导未来方向的积极的乌托邦。换句话说，乌托邦在詹姆逊那里被看作是具有现实基础的未来远景。在詹姆逊看来，当人们的认知出现问题时，需要重新唤起对未来的想象，而这种想象能够激发人们对于现实的反思。基于这种对于未来的想象，詹姆逊认为需要建立一种未来考古学。通过这种未来的考古，我们能够体验未来与当下之间的差异性关系，从而看到现实的矛盾与困境，确立我们反抗和批判的理论基础。因此，未来考古学的核心是一种差异性体验和想象性关系的建立。这种形式有利于阶级意识的重塑和强化。詹姆逊实际上将未来的价值不断凸显，从而否定了当下的现实。他认为当我们开始思考未来的时候，就意味着对现实起到了一种瓦解的功能。而这种反思和瓦解现实的功能正是抵抗政治所需要的。在乌托邦的建立和对未来的反思的基础上，我们开始思考当下的资本主义社会现实和晚期资本主义的文化境况，从而认识到全球化的弊端以及抵抗的具体行动。

詹姆逊在后现代主义文化的批判中与全球化批判相结合，从而建构了一种适应当代全球社会的抵抗政治理论。他对于全球化的基本态度是批判性的，甚至是否定意义上来看待全球化这一历史进程的。马克思在《共产党宣言》中已经提出了世界历史思想，这是比较早的全球化的理论。对于马克思而言，他对于全球化的思考主要是在生产力的维度上，来考量全球化对人类文明的推动。因此在马克思那里全球化具有了积极的意义和正面的价值。它形成了人类命运共同体的一些雏形。当詹姆逊在晚期资本主义的历史和空间中进行思考时，詹姆逊所理解的全球化已经不同于马克思从生产力的角度来看待全球化的后果。詹姆逊认为全球化对于我们的意识、思想和文化的腐蚀，主要体现在生产关系的维度上。在詹姆逊看来，后现代主义既是一种晚期资本主义的文化逻辑，也是意识形态，是全球资本主义深层结构性驱动力的文化表现，更确切地说，是第三次机器化时代的文化表现。詹姆逊认为，全球化实际上是和后现代主义密切相关的，这就是作为经济的全球化和作为文化的全球化的合一。马克思实际上主要面对的是经济的全球化，它无疑推动了世界经济的向前发展。但是在今天，经济的全球化的内容被文化的全球化的职能所取代。经济的全球化包含了文化的全球化的外衣，这实际上也就呈现出意识形态的全球化，及后现代主义文化向全球的拓展。在詹姆逊看来，全球化的核心就是美国化，全世界都向美国学习，按照美国的标准和生产活动、生活方式进行实践，形成一种整齐划一的同一性。作为当代最发达的资本主义国家，美国无疑主导了全球化的历史进程，并将其意识形态向世界各个角落进行推进。在这样的历史时刻，全球化已经成为一种消极的内涵，它充当了对于落后民族和国家地区的文化侵略，同时伴有政治逻辑。全球化的后果是不发达国家与发达国家之间的对立和矛盾加剧了。詹姆逊的抵抗政治不仅使得阶级群体在发达的资本主义国家内部进行抵抗，而且将视野扩展到第三世界国家的阶级实践。

因此，詹姆逊的全球化理论，与他的第三世界文化理论是密切相关的。在詹姆逊看来，第三世界文化成了当代世界对抗资本主义文化侵略的飞地。在落后国家和民族地区，其文化观念具有可靠性和牢固性。他们的这种民族文化传统，能够与资本主义的后现代主义文化保持距离，并保持自己的民族特色。在后现代主义文化与民族国家的传统文化的对比中，詹姆逊看到了差异性文化下的差异性的政治抵抗行动。他认为，在第三世界国家，知识分子充当了积极的角色，他认为第三世界国家的知识分子都是民族的，也是世界的。第三世界的知识分子具有自己的民族使命感和国家自信以及职责感，从而在资本主义文化的包围中，打开一条出路。他将第三世界国家的知识分子，称之为政治斗士。这一群体构成了其第三世界文化理论，斗争主体的角色。因此在全球化的政治行动中，第三世界国家将会对抗发达资本主义国家的文化和意识形态的入侵。詹姆逊将阶级实践的使命和职责关注到第三世界国家的知识分子这一群体中，从而为对抗资本主义的后现代主义文化提供了具体的承担主体和实践路径。

詹姆逊的第三世界文化理论对于知识分子的强调，与他的认知测绘理论中，对于阶级意识的找寻，虽然有着某种契合之处，但是我们也应该看到詹姆逊在对晚期资本主义社会的分析中，针对资本主义国内的阶级矛盾和阶级反抗，他并没有明确设定个体或者主体。他虽然在个别地方提到了小资产阶级这一群体，但并没有对这一阶级有所委任。他认为，对于后现代主义文化的分析，并不能局限于某一个特定的阶级或阶层。农民阶级、知识分子或者是工人阶级和小资产阶级，在他看来都不能充当历史实践的主体。他虽然号称要寻找已经被人类遗忘的阶级意识，但又把斗争的主体确定为整个人类本身。他的阶级政治主体不是某一个特定的阶级比如无产阶级，而是阶级内部各个阶层群体的总称。在批判全球化的时候，他又把斗争的主体确定为全球化过程中的多国资本主义国家本身，从而使他的整个理论呈现出一种内在矛盾。

换句话说，我们也可以这样理解詹姆逊的"文化政治学"。在整体上，詹姆逊的重点并不是探讨解决这一阶级群体本身，而是要强调反对多国资本主义。在反对多国资本主义以及全球化的过程中，对于发达资本主义国家内部，他强调了阶级群体的反抗，这一群体是所有阶级和阶层组成的总和。他并没有指明某一个具体的阶级或阶层来承担他对抗后现代主义文化认知困境的主体，而在外围国家以及第三世界国家，他又明确地强调了知识分子这一群体，在对抗发达资本主义意识形态中的重要地位。因此在发展中国家，知识分子的内涵被凸显出来。总体而言，詹姆逊虽然继承了马克思主义的"抵抗政治学"，但更多地受到了西方马克思主义的影响，他的阶级意识理论直接来源于卢卡奇对于阶级意识的反思。他的整体理论并没有像马克思具有的那种革命性和批判性，从而沦落为一种文化批评和文化思考。

二、拉克劳和墨菲的"霸权与社会主义策略"理论

就狭义的后马克思主义来说，拉克劳和墨菲是其最重要的代表人物。拉克劳同样受到后现代主义思潮的影响，这集中体现在他的"霸权与社会主义策略"理论中。通过将后现代主义、后结构主义、符号学的理论进行融合，拉克劳强调以偶然性代替必然性，以主体身份的流动性代替身份的固定化。拉克劳理论的核心思想是，通过将当代资本主义社会的斗争形式的霸权本质揭露出来，为人们提供一种新的社会主义策略的思考，从而开启激进民主的多元斗争的纬度。

拉克劳面临的问题，是资本主义社会斗争的新形式和新的社会群体的出现，面对社会现实的变迁，使得其不得不重新思考社会主义的理论和规划。在将新社会运动视为资本主义当代斗争的主要形式之后，拉克劳在理论和方法上吸收了解构主义、后现代主义和后结构主义的要素，从而强调一种新的叙事话语和批判方法。这就是反中心、反宏大叙事、反对大写的解放，反对传统历史唯物主义中关于"透明社会"的假定，以及阶级斗争的固定图式和社会主义的

远景规划。因此拉克劳特别推崇对社会观察的流动性的方法，强调社会的偶然性逻辑和开放性，正是在拒斥普遍性和必然性的逻辑构想中，拉克劳的漂浮性话语体系和逻辑建构最终陷入"新修正主义"的陷阱中，实现了对伯恩斯坦"目的是微不足道的，运动就是一切"的回归。

（一）新社会运动与主体的意识形态建构

当代资本主义社会的新变化是拉克劳面对的首要问题。随着资本主义全球化的发展，资本主义的生产方式由工业社会进入到所谓的后工业社会，实现了从福利资本主义向新自由主义的过渡，在这种社会转型中，斗争的形式也发生了相应的变化。这就是新社会运动成为社会的主导斗争形式。所谓新社会运动，是有别于传统的社会运动形式而言的。这些运动形式适应了当代资本主义社会的新发展，比如生态运动、绿色运动，无核化运动、和平运动、反战运动，同性恋运动、性少数派运动，女性、女权主义运动，种族运动、反歧视运动，环境保护、动物保护运动等新形式。对于传统的社会斗争而言，新社会运动的主要形式是以游行的形式表现出来的反抗，在一定程度上它只会引起资本主义社会的"骚乱"，而不是革命。它是一种权利斗争，而不是旨在改变社会制度的斗争。新社会运动的斗争主体不断地出现分化与整合，实现了斗争形式的多样性与个体身份的多样性之间的连接，这种主体形式是有别于传统的斗争主体的。从根本性质上说，它是一种"为承认而斗争"，它并不奢求推翻资本主义，或者终结资本主义。因此，相对于传统社会斗争而言，这种斗争形式是被资本主义制度所容纳的，因此这种斗争是在资本主义限度内的斗争，更多地呈现一种局部抗争。在拉克劳看来，新社会运动实际上开启了资本主义新的斗争形式的可能，新社会运动中所呈现的身份变迁实际上开启了一种新的理论构架，而支撑新社会运动背后的东西却能够为我们理解当代资本主义社会提供新的思考。因此，拉克劳首先提出了当代资本主义社会斗争的主体是一种意识形态的建构，主体首先表现为身份主体，政治也就转换为认同政治。

在认同政治的语境下，社会斗争体现为资本主义制度内部的争吵和调整，这种政治行动实际上已经远离了马克思主义的经典话语，但这却是后马克思主义所竭力主张的。拉克劳和墨菲认为，身份政治和认同政治是当代资本主义社会斗争的典型体现，表明了马克思主义经典作家的理论仍然有效，只是需要对其加以改造并摈弃其中过时的东西。其中最为核心的，就是体现马克思主义基本原理的阶级斗争学说和阶级革命叙事。后马克思主义不仅在方法上借用后现代主义和解构主义，而且在基本理论上消解马克思主义所谓的宏大叙事，在将马克思主义变为支离破碎的片段后，拉克劳用身份政治替换了阶级政治，实现了主体和事件的双重漂浮性：当革命政治被认同政治所取代时，主体转换身份之后，意识形态和主体的关系也发生了颠倒。在拉克劳看来，新社会运动已经表明，不是主体选择既定的意识形态，而是特定的意识形态选择和造就主体，因此需要对传统主体学说和意识形态学说进行拆解和重构。

拉克劳认为，意识形态问题实际上成为当代资本主义斗争中的核心问题。新社会运动已经表明，同一主体可以参与不同的群体实践，这种斗争身份的转换已经说明当代资本主义社会意识形态的新特点，这就是无意识。当主体从女权主义斗争中退出转而进行反战游行时，个体并没有意识到意识形态的出场和作用途径，但实践上意识形态的效果却已经显现，各种不同的群体斗争实践不过是意识形态的整合而已。因此，无意识成为当代资本主义斗争实践的显著特点。在这种新型的意识形态条件下，拉克劳进而颠覆了马克思的传统意识形态理论，他跟随阿尔都塞的立场，认为意识形态将个体塑造成主体。

主体作为社会斗争的承载者和中坚力量，一直是西方马克思主义关注的焦点。阿尔都塞认为，主体产生于个体的意识形态询唤，通过社会的文化体系，个体接受意识形态国家机器的作用，在学校、教堂、工会等意识形态的物质结构中，形成自己的思想观念和价值主张，因此，人在本质上是意识形态的动物，意识形态是个体主体化的桥梁和途径。这种意识形态观深刻影响了后马克思主义。在拉克劳看来，阿尔都塞的意识形态理论并不彻底，保留了结构主义的残余，仍然具有本质主义的尾巴。虽然阿尔都塞强调了社会的多元决定，但在意识形态的最终作用结构中保留了生产方式的最终决定作用的架构。这样，整个社会体系仍然是封闭的。拉克劳认为意识形态的主体化过程并不是一劳永逸的，意识形态塑造的主体只有暂时的身份固定性，并不能保证同一主体永远实现对某一既定意识形态的臣服。在新的资本主义斗争条件下，主体被流动性的主体身份和主体立场替代，而这种替代之所以总是成功，在根本上得益于意识形态战场的不断迁移所呈现的主导性意识形态的不同。在说明主体和意识形态关系的基础上，拉克劳进一步强调了作为特例的阶级主体和意识形态的关系。在拉克劳认为，传统马克思主义理论认为意识形态是革命主体的选择，目的在于服务于既定的革命任务和集体行动。在逻辑上，先有主体，然后才有服务于该主体和阶级的意识形态。因此是主体决定意识形态的形式和内容。拉克劳认为，实则不然。在新社会运动中，是意识形态塑造了阶级，阶级之所以能够成为其自身，在于意识形态的整合功能。当某一群体受到阶级的意识形态话语的作用并接受了这一话语体系后，阶级就形成了。因此，传统理论的阶级本质主义就被还原为话语本质主义，根本在于强调意识形态的效果。

（二）拉克劳的阶级阐释学

拉克劳提出了他自己对于马克思阶级范畴的理解。在他看来，阶级范畴并不是一无是处，而是呈现出较大的局限性，因此阶级分析一定要与历史分析相结合，这就是将阶级范畴进行历史化的改造。他认为"作为主体预先构成的统一性的'阶级'范畴，对它的拒斥并不意味着对主体的简单排斥，而是主体的历史化"①。这种历史化的前提，就是拉克劳所认为的，当今资本主义社会斗争主体身份的破碎性。正是由于没有固定的主体，主体已经变成主体身份和主体立场这样漂浮的能指，使得马克思的阶级范畴在面对今天的资本主义内部的具体斗争形势中，已经不合时宜。他认为，当马克思提出阶级范畴时，并没有考虑到主体身份的这种分析。马克思是立足于生产关系的总体性，来界定阶级群体本身的。但当代资本主义社会的斗争形势，比如争取工作水平的斗争，提高工资待遇的斗争，以及反对最新的技术和机器的引进的斗争，在拉克劳看来，这些问题都是具体的斗争，而不是统一的阶级斗争。这些斗争使我们看不到固定的界限和传统阶级的内容。他认为，阶级范畴是一个试图确立对行为主体认同加以限定的界限范畴，在这种情形下，就需要对一个团体的身份统一奠定某些基础，因此，越来越明确的是，无论斗争中存在着什么样的同一性，它都是危险的。这一危险最终将导致阶级范畴本身的不适用性，甚至瓦解。他认为，今天资本主义社会的斗争形式都是具体的斗争，而没有统一的主题和主体身份，因此再用阶级斗争来描述当代资本主义社会中的对抗已经不准确。但拉克劳自己又认为，如果完全抛弃马克思的阶级理论和阶级斗争理论，也是不应该的。他也强调了马克思阶级理论的历史性贡献。他认为，在马克思的时代，"'阶级'和'阶级斗争'概念并不是马克思的简单错误，因为这些概念能很好

---

① ［英］恩斯特·拉克劳：《我们时代革命的新反思》，孔明安、刘振怡译，黑龙江人民出版社 2006 年版，第 194 页。

解释当时历史和政治经验领域所发生的事件"①。而面对资本主义社会的今天，如果群体的身份出现无法界定这一困难时，阶级斗争理论和马克思的阶级概念，面对剥削问题、社会对抗问题，以及民主斗争问题都会出现相应的困难。因此他认为应该用后马克思主义的概念来取代马克思主义的概念，从马克思的阶级斗争到后马克思主义的民主斗争，从马克思的阶级主体到后马克思主义的身份主体是一种视域的扩大，他认为这就像非欧几里得几何学与欧几里得几何学的关系一样，非欧几里得几何学包含欧几里得几何学，而没有否定欧几里得几何学。通过他所认可的后马克思主义的视域，"马克思主义的基本范畴必须被视为更广阔的可能话语世界的一个特殊的历史形式"②。

拉克劳所谓的通过视域的扩展来看待马克思的阶级概念，就是辩证地看待意识形态与阶级的构成关系。拉克劳认为传统马克思主义的立场是先有阶级的存在，然后由阶级基于其利益而生成的意识形态。阶级群体作为一种社会存在，而意识形态作为社会意识是符合马克思的历史唯物主义辩证法的。在马克思主义那里，阶级优先于意识形态，并且意识形态是由阶级所决定的。意识形态属于某一阶级的话语体系和思想的表达。因此意识形态都是为特定的阶级所服务的。但是在拉克劳看来，他从后现代主义与解构主义的哲学视角出发，认为当马克思谈论意识形态与阶级的决定关系、社会意识与社会存在的决定关系时，实际上是一种还原论的视角和错误。将意识形态的现象还原成阶级的本质，这是一种本质主义。而在当今资本主义社会，这种本质主义的思想已经不合时宜，因此基于对马克思阶级概念的批判，他重新确立了阶级与意识形态的阐释学。他对于阶级概念的思考就是意识形态决定阶级，而不是相反。意识形态决定了阶级的构成，决定了阶级的存在形式，同时也影响了阶级的利益表达以及阶级的实践活动。而由意识形态所重塑的阶级已经没有固定的概念本质。当拉克劳将所谓马克思的本质主义话语体系瓦解之后，阶级就不是一种主体哲学中的概念。阶级变成了阶级身份和阶级立场，从而从属于更大范围的主体身份和主体立场的一种形式。不仅阶级甚至所有的主体都是由意识形态所塑造成的，因此，拉克劳认为当他在说主体的概念的时候，他其实是在说主体身份，

① [英] 恩斯特·拉克劳：《我们时代革命的新反思》，孔明安、刘振怡译，黑龙江人民出版社 2006 年版，第 196 页。

② [英] 恩斯特·拉克劳：《我们时代革命的新反思》，孔明安、刘振怡译，黑龙江人民出版社 2006 年版，第 198 页。

而阶级作为主体的一种，其实也就是主体身份的一个特例。当阶级话语的意识形态作用于某一群体时，某一群体就形成了阶级。这种阶级实际上是一种身份和立场，因此马克思所谓的阶级实际上就是一种阶级身份。而当其他的话语体系作用于这一群体时，比如生态民主、种族这些话语作用于这一群体时，它又变成了其他的身份立场。因此主体和主体身份，都是由意识形态的话语所连接而构成的。

面对当代资本主义的政治斗争形势，拉克劳认为，所有的主体都不存在确定的阶级表达。即使阶级作为由意识形态话语所连接的阶级身份而存在，它的存在也只是暂时性的，因为整个社会都处于一种不稳定的场域之中。整个社会和政治空间是一种对抗性的、矛盾性的，同时也是一种错位性的存在。而在这一个不稳定性中，它的暂时稳定性都是由各个意识形态的斗争中所呈现的霸权所保证的。意识形态中霸权斗争的胜利方保证了对所有群体的意识形态话语权，从而主导了主体身份的构成。在马克思的时代，阶级群体的身份的固定及其构成，无非也是阶级意识形态的话语体系夺取了霸权的领导核心，从而处于支配地位所展示出来的一种社会现象。由于霸权作为一种权力形式，它总是处在不断的斗争之中，因此权力场的变化总会影响霸权主导方的变化，从而使得主体不断地面对各种意识形态的话语体系，主体不得不不断地从属于一个又一个意识形态的连接，因此，主体变成主体身份之后，它的立场就不是固定的，而是漂浮的能指，从而呈现出一种摇摆不定性。这就是主体身份的破碎性以及它接受某一意识形态话语主导的偶然性。在拉克劳看来，霸权的胜利方取得的主导地位是偶然的，因而其意识形态的领导也是偶然的，因此最终主体身份也是一种暂时性和偶然性。这种暂时性和偶然性表明，只有不断地对霸权进行争夺，才能够保证主体身份的不断稳定性，因此，当代资本主义社会的斗争主要呈现出一种霸权争夺的斗争形式。在这一理论基础上，拉克劳又回顾地看待了马克思的阶级斗争理论，并提出了自己的看法。

（三）阶级斗争的替代性方案与霸权斗争

拉克劳对于马克思阶级斗争理论的重新阐释，其核心观点是对抗并不意味着矛盾。基于对马克思阶级范畴和阶级概念的重新思考，拉克劳对马克思的阶级斗争理论也进行了重构。在他的解读下，马克思的阶级斗争理论是一种内在的对抗所构成的。而马克思所说的历史发展的动力，即生产力和生产关系，它们之间的内在结构是由矛盾构成的。因此拉克劳认为，当马克思在《共产党宣言》中宣称，一切历史都是阶级斗争的历史的时候，马克思实际上阐释的是一种"没有矛盾的对抗"的逻辑。当马克思在《〈政治经济学批判〉导言》中认为一切历史都是由生产力和生产关系的矛盾所决定的时候，马克思的落脚点是一种"没有对抗的矛盾"的逻辑。拉克劳认为这是两种不同的逻辑，并不能用一种逻辑还原为另一种逻辑。特别是在马克思主义传统中，人们总是把阶级斗争的逻辑还原成生产力和生产关系的逻辑，使得阶级斗争对于社会历史的动力从属于生产力和生产关系矛盾运动的动力。这种传统的马克思主义的解释是有问题的。

拉克劳认为，马克思的生产力与生产关系冲突理论与阶级斗争理论存在着不同的内在结构。生产力与生产关系的冲突表明它有着不可克服的矛盾，但这一对矛盾绝对不是对抗性质的。生产力与生产关系的矛盾，不意味着最终采取几大社会集团之间的对抗而结束，而它的矛盾却是历史发展过程所固有的。如果我们正确看待历史的发展过程，这一矛盾就是必不可少的，但却不是一种对抗性质的。而当马克思主义将视角转向阶级斗争的内在组成部分时，人们总是将阶级斗争还原成生产力内部的一个组成部分。特别是人们总是将雇佣劳动与资本之间的冲突，还原成生产力和生产关系之间的冲突。而在马克思那里，生产力和生产关系的结构是矛盾的，劳资关系的结构是对抗的，二者不能被还原。在劳资关系以及工人和资本家的关系中，不存在矛盾，只存在对抗。马克思认为资本主义的发展将导致社会的极端化，社会被越来越多地分化为两大阶级，一端是资本家阶级，一端是工人阶级，资本家和工人之间的关系是对抗性的。这种对抗性而非矛盾性表现在资本家支付给工人的工资仅能维持在最低的生活水平，工人生活处于一种异化的境地。随着社会生产力的推进，工人的生活出现了相对贫困，他工作得越多，越呈现出对自己的否定，因此也就呈现出与资本家之间的对抗性关系。这种对抗性的关系所造就的结果，就是工人阶级不再认同资本家的统治。工人利益的获取与资本家利益之间存在着对抗性的关系，拉克劳认为这种对抗关系实际上已经否定了工人作为工人阶级本身的身份认同，从而导致了阶级斗争的出现。通过阶级斗争来建构新的社会秩序，从而使得一种新的身份认同被重新建立，这样，社会的运行就再次回归到生产力与生产关系冲突这一矛盾的逻辑中去。而最终的结果就是统治者与被统治者并不表现为对抗，或者对抗被压制在合理的范围空间之内，被统治者获得一种新的身份认同。因此当马克思将注意力关注于阶级斗争的时候，马克思实际上是在说，劳资关系中的对抗已经危及到了工人阶级的身份认同和自我认同。通过对于马克思理论中的这种双重逻辑的阐释，拉克劳表明了其从身份政治的立场来对于马克思阶级斗争理论的解释。阶级斗争的本质就是一种对抗关系。在拉克劳看来，当代资本主义社会的本质，就是一种开放性的对抗性空间的出现。而这种对抗性的空间中由于主体的认知和意识形态的影响不断，出现政治错位。种种政治中的错位为各种霸权的争夺开辟了空间。因此社会对抗所导致的政治错位，最终必然为霸权的争夺开辟战场。霸权斗争成为当代资本主义社会的主要斗争形式，而不是马克思传统中的阶级斗争。

拉克劳在面对新社会运动中的斗争形式，将马克思的阶级斗争理论转换为霸权斗争理论。他认为，在当代的新社会运动中各利益群体的认同都是由意识形态保证的，而意识形态背后的权力支撑就是霸权的逻辑。霸权保证了意识形态对于各个群体的整合，从而赋予各种不同的群体以一种同一性的思想。而这种思想影响下的社会运动和抵抗政治，就成为一种政治思潮和社会思潮。因此问题的关键在于掌控意识形态背后的霸权。在拉克劳看来，霸权在刚开始只是一种具体的权力形式。霸权在最初阶段，只是某一种具体的意识形态领导权。当这一具体的意识形态，不仅获得了本群体的同意和默许，而且扩大了其业已认同的边界，溢出了自己的领地，转向这一固有边界之外的其他群体时，这就意味着权力的扩展，因此领导权就转换成霸权。霸权表明，这一权力超出了原有群体的界限，从而将不同的群体吸纳过来，进而进行整合。因此在当代资本主义社会意识形态的斗争的形式中，霸权赋予各类不同群体以社会的认同行为，从而实现一种认同政治和身份政治。但是在拉克劳这里，霸权的斗争是一种动态的斗争，因此霸权的整合过程具有稳定性，但同时在稳定性背后也具有某种外在的偶然性和不稳定性。因为在他看来，任何霸权对于各类社会群体的整合，以及社会不同群体对于意识形态霸权的认同，都是暂时性。这是由于社会群体的复杂性决定了各类社会群体中都具有某种异质性的社会存在。这种异质性在霸权内部虽然服从于霸权的安排，但终究保持了其独立性。从而不断渗透到霸权的根基中，动摇霸权的支撑体系。因此这一异质性最终会接受其他霸权形式的安排，从而使得霸权由一种形式过渡到另一种形式，这就是拉克劳所说的开放的社会性和开放的政治空间。霸权斗争场域的这种不稳定性，在拉克劳看来，恰恰为争取社会民主提供了有利条件。从长远来看，又为实现社会主义提供了一定的基础和现实支撑。正是在对霸权的分析上，他提供了夺取霸权的政治路径，这就是多元激进的民主斗争。

（四）激进民主与社会主义的策略

拉克劳的多元激进民主理论来自于第二国际理论家的影响。伯恩斯坦的修正主义很早就注意到，马克思主义理论发展中关于普选权以及民主斗争与阶级斗争的差异性问题。在拉克劳看来，民主与社会主义的关系与当代资本主义的政治斗争形势密切相关。拉克劳虽然在一定意义上认同民主社会主义的理论，但是也对其进行了改造。民主社会主义在一定程度上还是认可社会主义的价值目标，一般来说，只是将社会主义的斗争形式由马克思意义上的革命转向民主，由暴力转向普选权的和平形式，但最终目标还是社会主义。但是对于拉克劳来说，其民主社会主义的身份更加淡薄。在拉克劳的政治理论规划中，民主主义取代了民主社会主义。但在他的民主主义理论中，又包含了社会主义的因素，"每一个激进民主计划都暗含着社会主义方向"①。他认为，当代资本主义的斗争形式采用激进民主的形式，这就是一种坚决的民主主义立场。当我们进行激进民主斗争的时候，不断地推进激进民主的行动，最终必然导致社会主义的结果。因此社会主义的目标只是激进民主的一个过程和一个组成部分。社会主义并不意味着激进民主的完成，而应该在社会主义的基础上继续推进激进民主。因此在拉克劳这里民主和社会主义的关系，远不同于传统马克思主义的形式。采用激进民主斗争替代传统的阶级斗争，这被视为拉克劳后马克思主义的社会主义的策略。通过激进民主，我们可以在当代资本主义的政治空间中争夺霸权，从而为社会主义开辟道路。

在阶级解放观上，拉克劳最终分解了马克思的解放理论，将解放放在具体的社会政治框架内部来看待。阶级解放最终只能是局部的解放，而社会主义的目标也只能是特殊性和具体性的一部分。他们不赞成马克思的宏大叙事和大写的解放逻辑，也反对马克思主义所设想的全人类解放这一普遍性的政治要求。从而将激进民主斗争替换掉社会主义的普遍性要求，实现了微观叙事对宏观话

① [英] 拉克劳、墨菲：《领导权与社会主义的策略》，尹树广、鉴传今译，黑龙江人民出版社 2003 年版，第 200 页。

语的改造。拉克劳认为在当代资本主义社会，开始进行社会主义策略的思考，使我们首先看到，今天的社会主义与传统社会主义已经表现出一些差别。传统社会主义理论认为，社会主义的革命和政治制度的建立应该是普遍性的，而现实的社会主义政权，却表现为特殊性和具体性以及单个社会制度的革命成果。在拉克劳看来，这种所谓的社会主义胜利实际上表明了社会主义普遍性目标所凸显出来的一种危机。社会主义的目标不再是全人类的解放，而只能是局部的具体的人的解放，因此他将他自己所谓的小写的解放与传统社会主义理论中大写的解放区分开来。沿着这种逻辑框架的分析，拉克劳认为如果社会主义目标的普遍性已经瓦解，那么，社会主义斗争的主体也必将是主体身份。而主体身份之间的整合将会变得复杂，不再是传统上人们所认为的单一的政治主体，而成为多元性的。同时社会主义普遍性目标的悬设还意味着，社会主义的目标只能被所谓民主革命的目标所替代，社会主义的要求被放到民主斗争的要求这一大的目标中来。多元的民主斗争将会催生世界各国各种形式的社会主义。在他看来，未来的社会主义形式，只能是民主社会主义的可能性。这种民主社会主义的目标是由于解放的多元性造成的。当解放不再是普遍性的解放，而是成为多元性的解放时，社会主义必然被民主社会主义所取代。各种社会主义策略的实现都依赖于民主斗争，因此，不存在一个单一的历史的规律，来确保社会主义革命的最终胜利。通过对传统社会主义理论的批评，拉克劳认为，如果将社会主义的目标，放弃其普遍性的内涵，无疑是能够推进民主的要求和民主斗争的进步，同时，也能够促进解放事业，回到一种多元的解放中来。社会主义的目标不再是传统所认为的，建构一种无根的世界大同理想，而成为一种具体的民主斗争形式，"我们的'激进和多元民主'设计被理解为加深'民主革命'的新阶段"[①]。

　　概而述之，拉克劳对于马克思主义的理解，是将其放在新社会运动中来考察。拉克劳面临的问题是新社会运动中的主体身份问题，也就是传统马克思主义阶级主体被身份主体所替代。因此基于后马克思主义的视域，他瓦解了马克思阶级理论的理论基础。在阶级与意识形态的关系上，颠倒了马克思的理论构成，将阶级的本质视为意识形态的认同形式。意识形态塑造了阶级，而不是阶

---

① ［英］拉克劳、墨菲：《后马克思主义的理论和实践》，尹树广译，《马克思主义与现实》2003 年第 2 期。

级产生了意识形态。在面临当代资本主义社会的政治斗争活动中，他同时取消了阶级斗争的存在。他认为，传统马克思主义理论中生产力和生产关系的矛盾，与工人阶级和资本家阶级的对抗是两种不同的逻辑。因此马克思的阶级斗争理论必须被转换成霸权斗争学说。霸权的争夺及其结果诱发了意识形态的生成，并最终导致社会身份的产生和认同。作为霸权理论的一个特例，马克思的阶级理论也是霸权斗争的产物。按照他的霸权理论来解释马克思的阶级斗争理论，我们会看到，首先是基于社会主义的霸权胜利，然后生成了工人阶级和无产阶级的意识形态，最后这种意识形态塑造了作为主体的阶级的工人。而对于如何争夺霸权，拉克劳也提出了激进民主的社会主义策略。他将政治活动的最终目标放在了推进民主斗争中。民主斗争是不断的开放的一个过程，而社会主义仅仅是它的一个组成部分。在后马克思主义的理论视域中，激进民主基本上取消了目标的存在，从而回到了伯恩斯坦的理论中："目的是微不足道的，运动就是一切。"整体来看，拉克劳对于马克思主义理论，几乎进行了推倒和重构。在他对马克思主义理论的理解中，传统马克思主义的阶级概念、阶级斗争学说、社会主义理论、民主理论、解放理论，全部被消解掉。马克思主义的解放学说、社会主义学说所包含的内在价值也化为乌有。通过后马克思主义对马克思主义理论的重构，马克思主义的理论旨趣和价值立场荡然无存。因此我们可以看到拉克劳的后马克思主义，比传统西方马克思主义更加远离马克思主义，甚至在一定意义上是反马克思主义的。

三、齐泽克论"意识形态的崇高客体"

作为精神分析学派的后马克思主义代表人物，齐泽克是在充分吸收马克思主义、黑格尔的辩证法、拉康的精神分析学基础上展开了对意识形态的分析。齐泽克面对的问题，是当代资本主义社会意识形态的新情况，这就是以幻象出现的意识形态，这种意识形态首先以无意识的形式发生作用，从而淡化了传统意义上的意识形态性的说教。在齐泽克看来，这就使得意识形态在当代发生了深刻变化，由此我们从意识形态走向了"后"意识形态，这种意识形态境遇在资本主义市场经济中可以窥见端倪，这就是商品拜物教，最早这种类型被马克思首先提出，而弗洛伊德在对梦的解析以及拉康对此的解读中发现了同样的逻辑。这种逻辑的本质就是俄狄浦斯式的误认，从而彰显了在无意识的意识形态类型作用下个体的"无知的过失"。通过拉康视域的引入，齐泽克认为，意识形态的幻象之所以总是发生，是由于个体在接受社会的文化体系时实现了符号界的阉割，从而完成了主体化的过程，陷入"明知故犯"的安提戈涅的逻辑。而这种结果乃是意识形态掌控的过程，其作用方式在于主体的欲望，通过崇高客体实现意识形态对个体的缝合，最终将个体沉沦在"现实"的意识形态幻象中。面对此种意识形态，如何迷途知返，齐泽克认为这就需要寻找意识形态失败的征兆点，以此来穿越其幻象进而瓦解整个意识形态的文化制度和价值体系，最终找寻可能的批判策略以及抵抗行动。

（一）梦与商品的阐释学视域下意识形态的幻象

思考当代资本主义社会的意识形态境遇是齐泽克理论的出发点，齐泽克对当代西方社会的诊断是，西方进入"后"意识形态社会，正如"历史的终结"、"意识形态的终结"一样，是在脱去了意识形态外衣下的意识形态。这种变化表明了西方统治的加强和意识形态效果的增加，无意识的意识形态在个体心理层面更加使人难以拒斥，从而接受社会的制度安排和文化设定。在齐泽克看来，这种无意识的意识形态体现在两个层面，首先通过弗洛伊德对梦的解析进行彰显，其次通过马克思对商品拜物教的分析，无意识遵循了相同的逻辑，这就是"形式就是内容"本身。

齐泽克认为，在弗洛伊德对梦的解析中，可以确定无意识的位置，从而看出其发挥作用的方式，来服务于资本主义的幻象意识形态批判。齐泽克的核心观点是，梦中所呈现的无意识本质，恰恰在于梦的形式，即梦的运作机制，而这种机制是以主体的"误认"为主要内容的。齐泽克对弗洛伊德的梦的解析的解读，就在于向人们说明了梦的"误认"机制。一般认为，梦是两个部分组成的，本质的和形式的，或者内容和表象，外显与内隐。通常在人们的理解中，梦既存在表面上梦的场景和内容，这就是梦的文本，还存在人们认为可能存在的潜在梦思。正是潜在的梦思导致了梦的出现，以及梦文本的丰富多彩性。因此，通常人们的解读，就是将梦的内容和场景进行还原，找寻背后隐匿的梦思，这样梦的解析就完成了。但在齐泽克看来，这种解读实际上只是半途而废。因为在弗洛伊德的解读中，梦的组成并不是表象与实在、谜面与谜底的关系，梦的组成是三元关系，而通常人们所忽略的恰恰是梦的运作机制本身：即那种引诱人们将表象的梦文本追寻到潜在梦思的机制。在由潜在梦思、显在内容以及梦的运作机制中，通常的理解只停留在前两个方面，第三个层面却被遗忘了，而这种运作机制恰恰是梦的真正本质，这就是无意识的作用原理的内在逻辑。"我们必须摆脱对隐藏在梦的形式之后的内容的迷恋，全神贯注于形式本身，贯注于'潜在梦思'都要俯首称臣的梦的运作。"① 因此，在齐泽克的解读下，梦的运作过程才是最重要的，梦的本质就在于梦的形式上，就在于梦展示给我们的那样，而如果我们总去找寻梦背后的秘密，实际上进入了无意识的欲望中。在梦的运作中，正是无意识的欲望引导人们抛弃梦的表面，深入内在的梦思，而对无意识的欲望的引诱却视而不见，在人们的这种找寻行为中，却彰显了欲望的作用。因此，梦的解析核心在于梦的机制，最终落脚点在于个体的无意识欲望，这种欲望构成了梦的运作的终极内核。齐泽克认为，通过梦的解析，我们正视了无意识的存在，而这种存在不仅存在于梦中，而且在社会现实中不断上演，马克思的商品理论正是这种现实无意识的恰当理论。

马克思将商品作为当代资本主义社会分析的细胞，因此，商品这一基本单位中隐含着资本主义运行的秘密。在马克思那里，商品是价值和使用价值的矛盾统一体，从表面上看，商品的使用价值是直观地服务于社会需要的，但在市场经济行为中，人们更多地追求商品的价值，通过商品的交换获得利润，从而不断地实现资本的增值。因此，在马克思对商品的分析中，和弗洛伊德的梦的解析一样出现了相同的逻辑。在经济活动中，商品的使用价值成了商品的外在表象，商品的价值成了商品交换的内在本质，人们的经济行为都可以从商品的本质还原的方式得到合理的说明。这种逻辑非常类似于梦的显在文本与内隐梦思，然而，齐泽克还通过对马克思商品理论的解读，得出了商品的第三种属性，实际上就是商品经济行为中的无意识，这种无意识最终决定了商品交换的顺利进行。齐泽克将这种无意识称为客观抽象，这种抽象形式是有别于将商品的使用价值还原为价值的理论抽象和思维抽象形式。在市场经济活动中作为商品交换的每一个个体都不自觉地从事市场交换行为，他们没有认识到他们所追逐的利润以及商品经济活动都是作为市场的效果而存在，因此，正是市场本身的存在，保证了交换活动和商品活动等顺利进行，然而这种市场的效果却被无

---

① ［斯洛文尼亚］齐泽克:《意识形态的崇高客体》，季广茂译，中央编译出版社2014年版，第7页。

意识地忽略了，而这种无意识以及背后所掩盖的追逐利润的本性和欲望才是维持资本主义体系运行的重要因素。因此齐泽克看来，无论是梦的分析还是商品的分析，其背后作为根本的无意识本质上属于意识形态的误认机制，通过某种误认，作为事物最深刻的本质却被掩饰了。这种误认在当代资本主义社会的典型表现就是马克思所分析的商品拜物教的形式。商品拜物教理论是马克思从商品的分析中所得出的必然推断，通过对商品拜物教理论的分析，更加印证了资本主义社会对于无意识的依赖以及它背后的欲望的重要作用。齐泽克认为商品拜物教的典型表现就是人与人的关系被物与物的关系所替换和掩盖，人际关系成了赤裸裸的商品关系，商品本身成了高高在上的物神，商品作为人的劳动的产物，却反过来开始奴役人，这样就导致了主客体关系的颠倒。从商品拜物教中所发展出来的货币拜物教以及资本拜物教，都成了资本主义制度得以运行的重要保证，而其本质却是那个不出场的无意识的幻象。其背后的运作逻辑，非常符合马克思在《资本论》中所说的，"他们没有意识到这一点，但是他们这样做了"①。齐泽克对此的理解是，"他们对此一无所知，却在勤勉为之"。通过商品拜物教这种形式却凸显出来的意识形态的无意识幻象，通过欲望在实践上实现了意识形态的效果。

齐泽克认为马克思的商品拜物教的模式只是当代资本主义社会意识形态的简单形式，随着资本主义的统治策略和统治阶级的完善，在今天西方社会是犬儒主义意识形态的大行其道，它直接将意识形态的类型带入后意识形态时代。这种意识形态的本质在内容上非常了解意识形态的运行机制以及深刻内涵，也就是说犬儒主义者非常了解意识形态的特点，他们对于资本主义意识形态的外在表现和内在本质了然于胸，但其价值立场却是站在为资本主义统治的一方，从而成了这种意识形态的附庸。在犬儒主义者看来，虽然市场交换行为中存在着资本追求利润的本性，并且这种本性维持了资本主义的统治，但是他们却竭力主张维持这种交换行为，他们的特点是，虽然在理论上已经了然意识形态的特性，但是却在实践上保持与意识形态的一致性。因此，在齐泽克看来，当代资本主义社会的意识形态进入了一个新的阶段，这个阶段的特点就是，他们虽然对此一清二楚，但是却泰然为之。和传统的意识形态模式相比，犬儒主义意识形态的幻象在于，意识形态并不作用于主体的认知，而是作用于主体的行

---

① 马克思：《资本论》第 1 卷，人民出版社 2018 年版，第 91 页。

为。理论上主体已经知道意识形态要达到的目的，但是在实践上他们仍然与意识形态同流合污，因此，直面当代资本主义社会意识形态的问题所在，就此现象进行剖析和解读，进而在实践上找到破解之途，就成了齐泽克的主要理论旨趣。

（二）意识形态幻象对主体的崇高缝合

在齐泽克看来，当代资本主义社会的意识形态发生了鲜明的变化，这就是意识形态不是作用于知而是作用于行，他称之为明知故犯的逻辑。犬儒主义的意识形态已经表明意识形态是通过主体的欲望而发挥作用的，主体的认知与否并不影响意识形态的效果。因此，齐泽克对欲望问题的分析就落在了对犬儒主义意识形态机制的解读上。在此基础上，齐泽克提出了他的意识形态的崇高客体理论。齐泽克首先通过拉康的三界说分析了主体以及意识形态生成的原因，进而认为意识形态幻象的作用，在于通过意识形态的崇高客体以及主人能指的作用完成，对主体的意识形态缝合最终使主体臣服于意识形态幻象之中。

就主体和意识形态的关系而言，齐泽克走了一条从分裂到缝合的分析路径，伴随这一过程的主体向主体化的转变。拉康的三界说为齐泽克的主体分析提供了理论支撑和方法资源。拉康认为个体的生存受到了想象界、符号界和实在界的综合作用，特别是在拉康晚期思想中实在界的作用愈加明显。在拉康认为个体的生成首先进入的是想象界，等孩童在 6 到 18 个月大的时候，通过认识镜子中的"我"这一小他者，实现了对自身的认同，这就是镜像时期。随着个体的不断成长，个体开始学习语言，并接受社会的文化系统的阉割，经过俄狄浦斯情节之后，个体完成了自己身份的转变，从生物人变成文化人。他接受了以父之名的社会"法"对于母子一体关系的介入和干涉，开始接受社会的意识形态教化，从而正式进入符号界。因此，整个符号界就是社会的文化和意识形态体系，它维持着个体生存的意义、价值、目标和欲望，包含着个体自我持存的坚定信仰。但是在拉康看来，符号界对于个体的意识形态包裹，并不完整，它总是会受到实在界的入侵。在意识形态的缝合之处，个体总是会经历创伤和裂缝，这些符号界的创伤通过无意识的梦境等形式表露出来。因此，在个体接受社会的符号和文化系统后，个体是一种分裂的主体，作为"实在界的应答"而存在。在齐泽克的理论中，主体只有一种形式，这就是主体的分裂。分裂是主体的最典型的特征，主体保持自己的主体性就在于实在界和符号界的冲突之中，这种冲突表明了意识形态的教化以及实在界的割裂。因此，弥补意识形态的漏洞和个体的创伤，使得这种原初的分裂的主体完整化，又成为意识形态的重要任务，这也是建构意识形态的崇高客体的必要条件，意识形态的最终目标是将分裂的主体这一主体性质转变为主体化的形式。

通过拉康的三界说理论的介入，齐泽克对意识形态产生的条件和缘由进行了合法性的说明：意识形态得以运作，并不是由于资本主义的性质，而是由于个体生存所决定的。在个体成长的阶段中，个体接受的文化体系和价值规范总是留下一定的缺口，这些创伤通过回溯性的效果表露出实在界的显现。根据齐泽克对于拉康理论的解读，实在界是一种可怕的面庞，是无底的深渊，其背后主导的是死亡驱力，正是由于实在界的可怕性和直面实在界的严重性，通过意识形态规避实在界的显现就成为个体生存的必要条件，因此，意识形态的幻象就会出现。在齐泽克看来，当代资本主义社会意识形态幻象的效果，是通过主人能指来建构意识形态的崇高客体而完成的。

在齐泽克看来，当代资本主义社会之所以具有意识形态幻象，首先在于幻象本身的性质和特点。幻象之所以成为幻象，就在于它并不能够修补实在界的创伤，实在界的创伤总是要显现，幻象的作用在于给我们提供一种假象来屏蔽实在界的噩梦。通过幻象的意识形态作用，我们接受了社会的一致性安排，正式成为符号人，从而认识到社会的价值规范和信仰的一致性。意识形态幻象最重要的功能就是给我们提供了现实本身。在齐泽克看来，现实恰恰是一种心理现实，它的本质是一种幻象安排。齐泽克曾经举了一个"烧着的孩子"的例子来说明这一问题。面对自己孩子的尸体，一位父亲在孩子的床边甚是悲伤，从而陷入了梦境之中。在梦境中，他梦到自己的孩子对他说：父亲，难道你没有看到我被烧着了吗？这时他从梦中惊醒，看到旁边的蜡烛已经开始引燃床上的物品。齐泽克通过精神分析的视角对此的解读，并不是要说明梦境中的现象和现实中的现象的一致性，而是要说明在梦中父亲经历到了实在界的可怕景象，这种景象是他不能够承受的，因此他要回到现实寻找庇护所，他不得不惊醒来击碎梦境。通过回到现实这种行为，齐泽克认为现实本身实际上是一种意识形态的幻象，现实不过是意识形态所建构的现实罢了。除此以外，意识形态幻象还有一个重要的功能，这就是对于欲望的发挥作用。"我们通过幻象学着'如何去欲望'。"① 由于幻象意识形态具有无意识的特点，因此其本质上也就是一种欲望的安排，它会通过作用于主体的欲望进而实现意识形态的功能。但是幻象意识形态作用的欲望并不是对于欲望的满足，因为欲壑难填，幻象意识形态恰恰在于迁移主体的欲望，使主体陷入不断的欲望过程，一个欲望的满足总是意味着下一个欲望的开始，幻想最终实现了对于欲望的延宕。

那么幻想意识形态究竟是如何对主体进行缝合的呢？在齐泽克看来，这首先需要主人能指的作用。主人能指顾名思义，就是在整个意义系统和符号体系中占据主人和主导地位的能指，这种能指决定了其他指示符的作用，只不过它的决定作用是一种回溯性的。因此，齐泽克在对主人能指的讨论中，实际上运用了黑格尔的方法，这就是事后性。正如语言学的逻辑一样，我们表达出一个完整的句子，句子的整体性意义总是由句子中最后一个单词所决定，这种决定性作用就是回溯性。主人能指是如何获得起主导性地位的呢？在齐泽克看来，这是由于某一个指示符占据了缝合点的位置。占据了缝合点的位置的能指，实际上也就暴露出了符号界的空白和缺失之处，而这种缺失和空白正是由于实在界的回归造成的。因此，在这个意义上，主人能指实际上就是一种空能指，它本身并没有任何意义，那个意义是由于它所占据的位置而被赋予的。设定主人能指的位置实现对主体的缝合，还需要崇高客体的作用。齐泽克认为，在意识形态中，崇高客体发挥了欲望的作用，它是主体最终欲望的投射。齐泽克对于崇高的理解是将康德的崇高理论进行了新的解读。康德将崇高解读为自然界中的震惊效果和可怕的景象，齐泽克对这种景象进行了心理学的借用，而赋予其欲望的位置。崇高之所以崇高，就在于它永远无法实现，就在于它必须与主体保持距离，使得每个个体可望而不可即，但在现实中又保留了个体的希望。在齐泽克看来，在资本主义社会中，货币或者说资本就是一种崇高客体，使得每个人进入资本欲望的疯狂逻辑中，但却永远无法得到满足。因此，崇高客体就是主体欲望围绕的对象，它高高在上，从而赋予主体行动的全部意义和价值目标。主体一旦对于崇高客体过于接近，崇高客体就不能成为其自身，它的本质性即空无就暴露出来，因此，崇高客体在缝合点位置上必须与主体欲望的实现保持距离。

---

① ［斯洛文尼亚］齐泽克：《意识形态的崇高客体》，季广茂译，中央编译出版社 2014 年版，第 144 页。

当意识形态的崇高客体实现了对主体的缝合之后，主体对于幻象意识形态的臣服需要一定的辅助方式，从而使得幻想意识形态不露痕迹地发挥其主要效果，齐泽克认为，作为意识形态的辅助支撑系统就是客观化的信仰和自反性的认同。从信仰层面来看，齐泽克特别推崇信仰的客观性，在这个意义上，齐泽克与康德的思维方式是相反的。康德在论述道德的时候认为绝对命令的基本条件是道德的动机所保证的，而不在于道德的行为。一种行为之所以是道德的，动机的地位相当重要，至于其行动方式和实践效果则是次要的。在齐泽克看来，信仰不能是康德意义上的道德逻辑，一个人说服自己从而拥有信仰的动机的时候，实际上已经经过了意识形态的干扰，齐泽克对于信仰的看待方式主要是在实践上而不是在思维上，因此，齐泽克认为意识形态的效果，主要在客观性的信仰的保障。这种客观性的信仰表现在信仰的外在形式，表现在主体的行为方式和实践上，至于主体在思想上到底是否认同某种意识形态并不是主要的。但其实齐泽克看来正是这种外在性保证了意识形态的效果。意识形态发挥作用的另一个层面是认同方面。在齐泽克看来，由于当代资本主义社会的意识形态主要作用于主体的行动而非认知系统，因此，意识形态的效果在主体的认知上就表现出自反性。也就是说，当主体反对某种意识形态的时候，恰恰是这种意识形态发挥其作用的时候。因为在齐泽克看来，当代资本主义社会的意识形态是由两个层面构成的：一个层面是名文法，一个层面是阴暗法。当主体反对第一个层面的时候，恰恰进入法律所设置的第二个层面的陷阱之中，这样一来，法制意识形态的效果就出来了。正是由于认同层面和信仰层面的双管齐下，最终保证了幻象意识形态的成功运行，从而使得其成为当代资本主义社会的主导意识形态形式。

（三）穿越幻象与意识形态批判的可能

面对当代资本主义的幻象意识形态形式，如何改变这种意识形态的境况成为齐泽克思考的现实问题。齐泽克认为最重要的意识形态批判程序就是穿越幻象，在他看来，由于意识形态幻象的本质是欲望，因此意识形态批判只能采取穿越的策略，这种穿越的结果就是发现了意识形态对于社会运行的必要性，在这个意义上，对于意识形态的穿越达不到批判资本主义社会的目的。因此，齐泽克最终提出了"不可能的、实在界的行动"的现实策略，从而希望在社会的符号体系和价值规范之外寻找解放的途径和可能。

　　对于意识形态的批判，齐泽克首先采用了黑格尔式的方法。因此，齐泽克对黑格尔的辩证法进行了精神分析学解读的解读。黑格尔的辩证法是一种思辨式的方法，它主要包含三个组成部分，正题、反题和合题。分别对应于肯定、否定和否定之否定。通常，人们对黑格尔辩证法的理解是，黑格尔辩证法的合题达到了肯定这一初级阶段的更高级的阶段，否定之否定的结果，是一种更高层次的肯定。在齐泽克看来，黑格尔的否定的辩证法并不是人们通常所理解的追求事物最终的同一性，否定之否定实际上表明了肯定最终的失败，因此，黑格尔从辩证法的三段式中得出了否定性，也就是失败之处的积极价值。在黑格尔辩证法的理解上，齐泽克就特殊性和普遍性的关系进行了说明。黑格尔那里特殊性和普遍性是对立统一的，齐泽克对此的理解是，特殊性和普遍性互相成就彼此。特殊性是寓于普遍性之中的特殊性，普遍性是包含特殊性的普遍性，他们之间的关系是拉康那里实在界与符号界的关系。特殊性表明了普遍性的不可能，表明了普遍性内部的空缺和裂缝，在特殊性和普遍性的统一体中特殊性被掩盖掉了。然而特殊性就是普遍性的失败之处，就是对普遍性的否定。因此，通过对黑格尔主义方法的解读，齐泽克最终强调了失败之处的不可能性这一层面，也就是从否定性的角度来看待特殊性，这样作为普遍性的例外，特殊性就具有了瓦解普遍性的功能。在幻象意识形态中，意识形态恰恰扮演了一种普遍化的角色，如果我们要寻找意识形态的解放维度，寻找特殊性就成为我们的理论目标。

　　在寻找特殊性从而瓦解普遍性的过程中，齐泽克的意识形态批判，走出了一条阐释征兆穿越幻象的道路。征兆与幻象的联系，也就是特殊性和普遍性的联系，意识形态的幻象中征兆表明了其例外和失败之处，征兆是意识形态的崩溃点。在齐泽克看来，任何一个意识形态，作为符号界的结果，它对个体实行的主体化的方式从来都不会完全成功，而其在意识形态的包裹和塑造中总是会留下创伤，这种创伤表明了实在界的暴露。征兆"是实在界内核的对应物，而符指化互动就是围绕着实在界内核建构起来的"[1]。在符号系统中实在界的显露，一方面会将个体带入死亡驱力之中，进而会导致个体的死亡以及生命的终结；另一方面，通过这种"一小片实在界"，我们能够揭露出整个幻象意识形

---

① [斯洛文尼亚] 齐泽克：《意识形态的崇高客体》，季广茂译，中央编译出版社2014年版，第85页。

态的运作场景，从而看到幻象意识形态发挥作用的根本途径和主要方式。因此，在齐泽克看来，阐释征兆就是寻找意识形态整体化的失败，找出这种整体化努力的不足和败露之处的点位。通过征兆来对意识形态实行批判，马克思实际上也已经做过。在马克思那里，无产阶级实际上作为整个资本主义运行体系的征兆和例外，无产阶级表明了资产阶级意识形态的失败之处，因此就在马克思那里充当了资产阶级的掘墓人。在齐泽克看来，马克思通过寻找无产阶级进而实现的资本主义批判和征兆路径的批判是同构的。但是就意识形态这一具体社会现象而言，齐泽克认为通过揭露出意识形态的失败，最终并没有完成对意识形态的批判，通过揭露这一点位和失败之处，我们最终发现意识形态的整个作用形式，发现了意识形态对于社会现实的塑造，因此，拒斥意识形态就是摧毁现实本身。通过阐释征兆，我们发现意识形态对于个体生存的必要意义，幻象意识形态屏蔽掉了死亡驱力对于个体生存的缠绕，它将世界装扮得很美好从而避免个体直接面对欲望的深渊。因此，幻象意识形态的批判只能采取穿越的策略。穿越就是发现被意识形态所掩盖和遮蔽掉的现实，走到意识形态的背后，进而发现意识形态的秘密所在。回到幻象意识形态的背后，我们发现意识形态的本质就是空无，它不过是主人能指的空场而已，不过是凝结了崇高客体的欲望而已。因此穿越意识形态的幻象，最终个体发现了自己的欲望，正是我们的欲望促使意识形态的生成，而这种意识形态的生成最终又保证了主体生存的必要条件。

那么，在穿越幻象之后，意识形态构成个体的生存境遇，意识形态的批判是否多余就成为齐泽克必须面对的问题。齐泽克认为意识形态批判的策略和方法还是有的，但是应当抛弃传统意义上对意识形态的批判，由于意识形态的破败之处在于实在界的暴露，因此我们必须向实在界的不可能性回归。意识形态批判的根本性维度属于实在界，而不是在符号界内部对意识形态批判的同义反复。齐泽克认为，传统的意识形态批判都是立足于符号界从而实现对幻象意识形态的批判，由于幻象意识形态本身的双重面孔，这种批判本身是没有效用的，并且它是被资本主义制度所容纳的，进一步保证了资本主义的弹性。更进一步，如果我们在行动上采取一种对抗意识形态的方式，也会进入意识形态所设定的陷阱之中，齐泽克认为，如果在符号界内部来看待意识形态，那么“抵抗就是投降”，因为这种抵抗方式是被资本主义制度所吸纳掉的，并且被提前预设好的，符号界内部的抵抗最终会沦为对资本主义制度合法性的论证。因此，我们必须向不可能的实在界回归，在批判的方式和策略上采取某种看似不可能的行动，在不可能的行动中，我们会回溯性地创造行动的可能性条件，因此这是一种安提戈涅式的行为，它并不是在符号体系内部的自我推演，而是寻找意识形态之外的某种诉求；因此，它的最终目标不是实现对意识形态破败之处的修补，不是实现对个体自身权利的诉求，而是要瓦解整个符号体系，实现对意识形态的摧毁与重建。它不是对意识形态作用方式的批判，而是改变整个意识形态运作的模式。通过向实在界的回归，齐泽克认为我们将看到那些属于实在界的斗争形式。资本作为资本主义生产方式运行的根本要素，无疑是从属于实在界的，因此，资本批判是一种批判方式。根据例外逻辑，作为被符号界所排斥的例外，无产阶级所代表的下层贫民窟阶层，无疑代表了整个资本主义意识形态的崩溃点，在这个意义上，马克思主义的革命和批判方式还是具有一定的价值。齐泽克认为，"马克思的'无产阶级立场'的精确定义是：在发生某种短路时出现的非实体性的主体性。短路指的是：不仅生产者在市场上交换自己的产品，而且生产者被迫在市场上直接出售自己的劳动力，而不是自己的劳动产品"①。通过认识到被意识形态所排斥掉的阶层，齐泽克认为，革命性的批判最终要回到从属于实在界的阶级斗争。阶级斗争表明了资本主义意识形态中的混乱，表明了不同的阶级立场和阶级利益的存在。在当今的全球资本主义社会，阶级斗争被标签化为过时掉的东西，仿佛我们已经进入"后阶级斗争"时代，阶级斗争已经淡出人们的视线。齐泽克认为，这种被意识形态所屏蔽掉的东西恰恰是其最为惧怕的，阶级斗争的隐匿以及所谓的"退场"恰恰是阶级斗争存在方式的根本性表达，阶级斗争的不可见性恰恰是阶级斗争显现自身的最好方式，"就社会整体中的每一个位置最终都是由阶级斗争决定的而论，没有任何中立点被排斥在阶级斗争的动力学之外"②。因此，在对当代资本主义的幻象意识形态的批判中，我们应该向阶级斗争回归。

---

① [斯洛文尼亚] 齐泽克：《视差之见》，季广茂译，浙江大学出版社 2014 年版，第 434 页。
② [斯洛文尼亚] 齐泽克：《图绘意识形态》，方杰译，南京大学出版社 2002 年版，第 20 页。

第六章 "欧洲共产主义"和新社会运动
背景的马克思主义思潮

  20世纪70年代，欧洲发达资本主义国家的共产党，如意共、法共、西（西班牙）共等，根据本国共产主义面临的新形势和新任务，致力于把马克思主义同本国的实际相结合，提出探索一种区别于苏联和社会民主党的社会主义模式，以及一条符合本国实际的社会主义革命的途径。这一理论探索与实践活动被称作"欧洲共产主义"。同时，1968年法国"五月风暴"的失败，标志着以学生和工人为主体的传统社会运动的失败，同时也标志着旨在唤醒工人群众阶级意识的早期西方马克思主义的终结。在资本主义世界，以生态运动、女性主义为代表的新社会运动代替传统的学生和工人运动而成为左派政治主流。西方马克思主义理论家意识到，之前的意识形态批判路径对于改变资本主义社会现实已经软弱无力，传统的学生和工人运动不可能再成为与资本主义相斗争的主体，必须寻找同资本主义斗争的新的主体和方向。因此西方马克思主义开始在研究路径上发生转变，即理论研究日益与新社会运动联系起来，主题也由哲学、文化转向经济、社会和政治领域。生态学马克思主义和女性主义马克思主义应运而生，作为西方马克思主义发展的新形态走上历史舞台。而新社会运动呈现出来的多元的社会抵抗形式，亦成为受后现代主义文化影响的后马克思主义者重新思考建立一种批判性社会理论的重要历史背景。

第一节 "欧洲共产主义"

"欧洲共产主义"这一概念的是流亡意大利的一位南斯拉夫籍记者弗兰·巴尔贝里首先使用的，他在 1975 年 6 月 26 日米兰《新报》刊登的《勃列日涅夫的结算期已到》中说道，"近来，圣地亚哥·卡里略（1915—2012）阐明的欧洲共产主义这一思想越来越定型了。它以西欧集团为支柱，而不那么符合莫斯科的战略意向"①。1975 年 11 月，意共同西共和法共分别举行双边会晤，对"欧洲共产主义"正式加以肯定。1977 年 3 月，意共、法共和西共领导人贝林格、马歇和卡里略在马德里举行最高级会晤，发表了被称为"欧洲共产主义宣言"的联合声明。这次会晤及联合声明被看作是"欧洲共产主义"理论形成的标志。

一、"欧洲共产主义"的历史发展

"欧洲共产主义"所提出的一系列主张和措施被认为是与苏联社会主义的分道扬镳。"欧洲共产主义"强调历史、文化传统和民族特点，主张西欧各国在自由和民主中和平地走上社会主义道路，强调通过夺取议会多数，实行以共产党为首的多党制政权。在处理各国共产党的关系上，欧洲共产主义强调各党一律平等、独立自主和互不干涉内政，认为在共产主义运动中不再有"领导中心"、"领导党"和"领导国家"，强烈反对苏联共产党提出的建立"国际集中化"的组织。此外，在一系列重大国际问题上，如对待欧洲经济共同体，"欧洲共产主义"也形成了自己的独特看法。

---

① [西德] 茨尔夫冈·莱昂哈德：《欧洲共产主义对东西方的挑战》，张连根译，人民出版社 1980 年版，第 1 页。

（一）"欧洲共产主义"的历史根源

"欧洲共产主义"的出现，首先是欧洲共产党人对西欧资本主义国家的新现实的反应；其次是对苏联社会的消极方面进行马克思主义的批判的反应。具体而言，"欧洲共产主义"产生的背景有以下几个方面。

1. 西欧资本主义国家出现的新现实

欧洲共产主义问世的时候恰逢欧洲的政治和经济生活中发生两件大事。其一是，希腊、葡萄牙和西班牙的法西斯的独裁政权消失了。美国在越南战争中的失败标志着北美帝国主义遭到了削弱，它无法保持其对欧洲的支配权和控制。由此也造成了法西斯独裁政权被基于普选和尊重人的自由的政权所取代。其二是，规模空前的经济危机爆发。在让·卡纳帕看来，这场危机不是一时的，不是周期性的经济萧条，也不是共产党人习惯上称之为"资本主义总危机"的简单加剧，而是一场特殊的危机、全面的危机。这是一场自1929年以来资本主义体系第一次发生的大的生产过剩危机。由此引发的信任危机也直接影响到资本主义的经济理论和社会理论。与这一危机相随而来的是前所未有的道德危机。尤其表现在20世纪60年代中期以后，青年一代在反传统、反现实、反资本主义的口号下，掀起了声势浩大的群众运动。1968年法国青年首先发起了震撼西方资本主义世界的"五月风暴"；下半年，意大利爆发了被称为"热秋"的青年工人罢工；在日本也爆发了反对日美勾结的"新左翼"群众运动。这些运动虽然不是马克思主义政党领导的，但是它表达了广大人民群众对于资本主义制度的"信任危机"，打消了人们对新资本主义能够解决资本主义矛盾的幻想。这次危机表明，大资产阶级的政党无法做出持久有力的解决，无法使国家摆脱危机。同时也表明，资本主义制度无法应对现代生活中的问题，这首先表现在经济和社会问题上，其次是把民主扩大到人民群众各阶层使他们能够充分参加国家生活的问题，还有建立大众文明和环境之间的新关系。这些都直接促成了"欧洲共产主义"的产生。

2. 对苏联社会主义的批判

"欧洲共产主义"的产生与苏联社会主义存在一定的关系。曼德尔认为，"欧洲共产主义"的出现并非是一夜之间的骤变，而是与逐渐发展的、正在一点一点地变为腐朽的斯大林主义危机紧密相连的。[1] 它是对苏联社会的消极方面进行马克思主义的批判的反应。苏联社会主义曾在国际共产主义运动史上起到过积极的作用，但不可否认其存在一定的弊端。许多西欧共产党认为，苏联并没有资格充当使社会主义在全世界取得进步的典型。因此，他们对苏联社会主义，尤其是对其消极方面进行了批判。

"欧洲共产主义"各党认为，苏联在党际关系问题上存在一定的弊端。他们认为，苏联的"无产阶级专政"概念失去了在马克思著作中所包含的民主内容，从而变成了新阶级对无产阶级实行专政的骗人的幌子。随着党和国家性质的变化，即新的统治阶级的利益取代了"革命利益"。苏联的"国家利益"关心的就是各国共产党成为服从它的工具。"无产阶级国际主义"变成了一种公式，即从思想上证明利用各国共产党来为克里姆林宫的对内或对外政策服务是合情合理的，尽管这些政策的目的与这些共产党的对内政策是矛盾的。

1968年以捷克斯洛伐克共产党领导人杜布切克为首的改革派，通过了进行社会主义政治经济体制改革的《行动纲领》，发起了被称为"布拉格之春"的改革。苏联对此持否定的态度，指责捷共的改革违背了社会主义建设的规律，并以"保卫捷克社会主义"为借口，策动"华沙条约"一些成员国，公然调动60万现代化武装的部队，于1968年8月20日深夜对捷克进行突然袭击。苏联对捷克斯洛伐克的武装侵犯引起了世界舆论的谴责。在卡里略看来，苏联对捷克斯洛伐克的侵略，一方面表明机械地照搬苏联模式引起的危机；另一方面也表现了苏联制度的保守主义和强权政治。这使得西方的共产党认识到，他们必须摒弃"苏联典型"，同苏联人分道扬镳，他们所要的社会主义是一种同苏联的制度不相同的社会主义。

"欧洲共产主义"倡导"多元化社会主义"的目标模式，这对苏联社会主义是一种巨大的挑战。发达资本主义国家共产党关于社会主义道路的设想与其他国家有一系列不完全相同的看法，单纯地把这些看法概括为"欧洲共产主义"是不合适的。它只能说明，这一概念流传很广，在舆论中已经形成了一定约定俗成的含义。也就是说，"欧洲共产主义"作为一个一般的构想，使得发达资本主义国家的共产党在一系列根本问题上达成一致，不论这些党是欧洲的

---

[1] 参见 [比] 埃尔斯特：《论欧洲共产主义》，齐春子等译，湖北人民出版社1982年版，第17页。

也好，不是欧洲的也罢。

3.葛兰西的"阵地战"思想的影响

第一次世界大战末期，刚成立的西欧各国共产党受到俄国十月革命胜利的鼓舞，在相当长一段时间内把"俄国道路"作为推翻资本主义社会的样板。然而，把"俄国道路"作为共产党的理论和政治基础，同西方发达资本主义国家工人阶级争取解放斗争所处的客观条件存在着某些矛盾。1918—1919年欧洲革命失败后，意大利共产党创始人安东尼奥·葛兰西从德国、匈牙利等工人起义失败的教训中，从欧洲资本主义国家政权和社会结构出发，分析了"落后的东方（俄国）和西方高度发达的文明社会"的不同之处，提出了东西方应该走不同的革命道路思想，从而形成了著名的"阵地战"理论。

葛兰西认为，西方不同于东方，不能搞速决的"运动战"。东方社会和西方社会的结构具有较大的差异性，主要表现在市民社会的地位上。市民社会在东西方社会中的发展程度不同，所处的地位和所起的作用不同，决定了东西方国家性质的差别。"在东方，国家就是一切，市民社会处于初生而未形成的状态。"[①]国家构成了上层建筑的全部内涵，集中体现了传统国家的本质特征：暴力和强权。当时的俄国处于沙皇统治之下，权力高度集中，市民社会力量薄弱，只需要通过暴力革命就能推翻旧的统治阶级。西方社会不同于东方社会，资产阶级与市民社会的思想文化紧密结合，资产阶级采用了隐蔽的方式，建立了一套严密的、全方位的意识形态体系，从文化、哲学、世界观等方面对民众进行深层次的统治，从而使广大民众认同资产阶级的世界观和价值观。也就是说，西方国家具有二重性质：强力＋同意（领导权）。因此，西方国家政权后面还有一系列"战壕、碉堡和工事"有待攻破，单纯地破坏国家机器取得革命的胜利已经是不可能的了，故必须采取长期的"阵地战"。无产阶级要在市民社会中对资产阶级的意识形态展开长期的进攻，破坏国家机器背后这一稳定的市民社会结构。通过在市民社会采取非暴力手段进行长期的、复杂的斗争，使无产阶级取得合法性地位，进而等到时机成熟，再进行政治革命夺取政权建立社会主义政权。葛兰西对发达资本主义国家社会主义革命道路的最初探索，被认为是"欧洲共产主义"的直接思想来源，他的"阵地战"思想对意大利等西欧共产党产生了重大影响。他的这一思想为无产阶级在新形势下夺取革命胜利

---

① ［意］安东尼奥·葛兰西：《狱中札记》，葆煦译，人民出版社1983年版，第180页。

提供了一种新的模式。

（二）"欧洲共产主义"的含义

根据意大利、法国、西班牙等发达资本主义国家共产党人的解释，他们使用的"欧洲共产主义"概念的含义是：第一，把马克思主义的革命原则同发达资本主义国家特殊条件相结合，以批评的方式承认至今为止所有国家的一切成果，充分尊重政治自由、人权、工会自由、宗教信仰与文化自由等自由权利，通过民主途径议会道路来实现对资本主义社会的社会主义改造。它既不同于第二国际以来社会民主党所走的道路，也不同于苏联东欧已有的传统模式。它是在当代发达资本主义国家搞共产主义，因此是国际共产主义运动不可分割的一部分，是马克思主义思想的一个新流派。

第二，主张各国社会主义革命形式与道路的多样化和差异性，力图以建设性的批判精神吸收马克思主义发展过程中一切新东西，摒弃对马克思主义的任何教条主义解释。"欧洲共产主义"反对把苏联经验作为普遍原则加以绝对化，拒绝任何一种所谓"放之四海而皆准"的社会主义过渡的模式。它承认每个国家的共产党都有根据本国国情独立自主选择不同于苏联和其他国家革命道路的权利，但它既不是反对其他共产党和社会主义国家的阵线，也不是反对苏联和美国的新运动，更不是所谓"第三条道路"。如果说"欧洲共产主义"有什么共同之处的话，那么这个共同点就是各发达资本主义国家共产党在实现社会主义道路上的差异性。

第三，坚持所有争取社会主义的主体之间的平等关系，强调所有社会主义工人力量、进步力量和民主力量的团结，摒弃共产国际时代的宗派主义倾向。"欧洲共产主义"提倡，各国共产党之间应坚持独立自主、权利平等、互不干涉内部事务、尊重别国共产党自由选择革命道路的权利，在争取和建设社会主义独特道路的基础上发展国际主义团结和友谊的原则。它反对建立所谓"铁板一块"的国际组织和制度，更不搞什么领导党和领导国。它不是意识形态或国际共运的新中心，也不是区域性中心，不存在统一的纪律和纲领。"欧洲共产主义"各党之间的共同声明对各党没有任何约束力，允许差异和分歧而仅仅表示他们深深根植于本国实际的革命发展战略在实现共产主义目标上是一致的。

"欧洲共产主义"形成上述特点并不是偶然的，正像马克思所说的："一切发展，不管其内容如何，都可以看作一系列不同的发展阶段，它们以一个否定另一个的方式彼此联系着。"①"欧洲共产主义"的出现是发达国家共产党长期以来探索适合本国特点的社会主义革命道路实践的结果。

（三）"欧洲共产主义"理论的形成

1. 陶里亚蒂的"多中心"思想与"结构改革论"理论

在 20 世纪 50 年代中期，以意大利共产党总书记陶里亚蒂为代表的西欧国家共产党，在对第三国际后期直至共产党情报局建立以来国际共运经验教训进行反思的情况下，再次发掘葛兰西"阵地战"思想的积极因素，使这一思想在"欧共"理论形成的过程中发挥了重要作用。

斯大林逝世后，国际共产主义运动发生了重大的变化。1956 年苏共第二十次代表大会提出了和平竞赛、和平共处以及和平过渡的总路线，承认发达资本主义国家走议会和平道路实现社会主义的可能性。不久，苏联情报局解散，打破了国际共运中一党独霸的局面，促进各国共产党开始独立思考。西共前总书记卡里略认为，这一系列事件打破了长期以来各国共产党无条件服从苏联的传统，西欧各国共产党开始进行自主的共产主义探索。原意共中央委员、葛兰西学院院长保罗·斯布里亚诺认为，1956 年标志着一个新时期的开始，因为"从那时起人们开始认为，今后不再有什么处于领导地位的国家和党了"②。

苏共二十大以后，随着苏共对西欧共产党控制的削弱，西欧各国共产党很快开始独立自主地探索本国的革命道路。在西欧，各国共产党纷纷重新审视自己所走过的革命道路，确立新的革命价值观，修订革命纲领和革命政策。其中陶里亚蒂领导的意大利共产党走在这一潮流的前列。

帕尔米罗·陶里亚蒂（1893—1964），意大利共产党创始人之一，在意共第五次代表大会上当选为意大利共产党总书记，提出了关于"社会结构改革"的初步设想，确立了意大利通过劳动群众的民主议会斗争走向社会主义的新道路。

---

① 《马克思恩格斯全集》第 4 卷，人民出版社 1958 年版，第 329 页。
② ［意］贝尔纳多·瓦利：《欧洲共产主义的由来》，张慧德译，中国社会科学出版社 1983 年版，第 95—96 页。

1947 年陶里亚蒂首次提出，要找出一条走向社会主义的意大利道路。次年，意共"六大"重提这一口号。1951 年，英共也提出了通过民主道路走向社会主义的纲领。1956 年 3 月 7 日，陶里亚蒂在苏联《真理报》上撰文，强调了社会主义过渡多样化的主张。是年 6 月，他在《新议论》杂志提出了"多中心"思想。12 月，他在意共"八大"提出了反对国际共运中"指挥中心"和以"结构改革"为中心的"走向社会主义的民主道路"的理论，这些为"欧洲共产主义"的产生提供了理论基础。具体而言，陶里亚蒂的"多中心"思想和"结构改革论"的主要内容有四个方面。

第一，高举独立自主的旗帜，走意大利式的社会主义道路。陶里亚蒂认为，马克思很早就提出了通过不同发展道路走向社会主义的可能性，后来经由列宁特别强调。他认为，工人阶级的先锋队必须懂得在本国争取社会主义的斗争中所处的特殊条件，寻找一条通往社会主义的意大利道路，致力于用新的方式实现社会主义的多种可能性。

第二，各国国情的差异性决定了通往社会主义道路的多样性，反对建立统一的国际领导中心干预各国的自由选择。陶里亚蒂认为，各国党独立自主地探索通往社会主义的不同道路，具有广泛的国际意义。这些不同道路之所以可能而且必要，是由于今天走向社会主义的已经不是单独一个国家，而且各个国家的性质和结构不尽相同，它们的传统、发展水平以及工人运动发展程度不同，组织形式和深入中间阶层的深浅不同，这些中间阶层在各国的比重不同，各国极权的程度和形式也不同。为了适应各国的差异和变化了的新形势，必须排除外部干预，使各国党能够考虑本国的具体情况和特殊条件，以更大的灵活性和能力来独立自主地解决本国的社会主义道路问题。

第三，通过"结构改革"的方式，和平民主地实现社会主义革命。陶里亚蒂特别强调意大利及欧洲其他一些发达资本主义国家，利用议会民主方式，在政府范围内，通过协议、联系与合作实现社会结构改革，达到社会主义革命的可能性。他认为，发达资本主义国家的共产党人应该了解战后资本主义各国在经济与社会结构方面发生的新变化，并根据这些变化改变工人和农民运动的宣传、鼓动、斗争和组织方式，改变斗争形式和发展场所。例如，发达资本主义国家出现了劳动者的中间阶层，无论是体力的还是脑力的劳动者都比革命前的俄国多，并且更为发展。因此，西欧共产党在进行革命的时候，就必须考虑到本国存在着民主生活的传统，存在着议会生活的传统，存在着扎根在往往是性质相同的若干社会阶层中的不同政党。用少数先锋队的暴力来割断社会与国家的结构是不可能的。只能在民主制度范围内，通过在持各种政见的公民中间进行广泛的工作，迫使反对者沿着建立一个新社会的道路前进若干步。我们不能排除资本主义最反动的阶层可能采取暴力措施，来窒息和扼杀民主的新企图来对付我们。但是，只要共产党人善于依靠广泛的群众支持，掀起具有社会主义精神的群众组织，就能够沿着民主与和平的道路前进。

最后，陶里亚蒂认为，"结构改革"本身还不是社会主义，而是为向社会主义前进开辟道路的经济结构的变革，是对今天工人阶级和社会主义的首要敌人的斗争措施。意共争取"结构改革"的直接目标是建立并维护新的民主制，但并没有忘记自己的最终目标是实现社会主义。"结构改革"是社会主义革命不可分割的一个阶段。"结构改革"实际上是开辟通向社会主义道路的必要手段。

陶里亚蒂的"多中心"思想和"结构改革论"，不仅成为意大利共产党的基本指导思想，而且逐步被西欧共产党所接受。1959 年 11 月，17 个西欧国家共产党汇集罗马召开会议。陶里亚蒂在这次会议作了以"结构改革"为内容的专题报告。报告之后，17 国共产党发表《罗马声明》，表示接受意共的主张。会后，挪威、英国、美国、法国、瑞典等国共产党根据"结构改革"的思想修订了自己的路线。陶里亚蒂的"结构改革论"为西欧各国的新路线奠定了理论基础。

1964 年 8 月 21 日，陶里亚蒂在完成了他的著名论著《雅尔塔备忘录》后，突然不幸离世。1964 年 9 月 5 日，意大利《团结报》《再生》月刊以陶里亚蒂政治遗嘱的形式把"结构改革论"公布于世。《备忘录》重申了"结构改革"的策略思想，进一步明确在西方发达资本主义国家出现的新形势新情况，号召各国共产党克服各种教条和迷信，研究解决新问题，反对任何重新建立国际组织的建议，主张各国党独立自主地探索本国的社会主义革命道路。《备忘录》发表之后，在发达资本主义国家各党中引起巨大反响，认为它和"结构改革论"一样是"欧洲共产主义"的重要理论依据。

2."欧洲共产主义"形成的重要契机

"欧洲共产主义"的形成实际上是从 1968 年开始的。第二次世界大战以后，西欧发达资本主义国家的垄断资产阶级以新科技革命和当代资本主义社会出现的某些变化为根据，宣扬"新资本主义"等反马克思主义思潮。但是，这并不能阻止资本主义社会政治危机的频繁发生。特别是 20 世纪 60 年代中期以后，青年一代在反传统、反现实、反资本主义的口号下，掀起了声势浩大的群众运动。1968年法国青年首先发起了震撼西方资本主义世界的"五月风暴"；下半年，意大利爆发了被称为"热秋"的青年工人罢工；在日本也爆发了反对日美勾结的"新左翼"群众运动。这些运动虽然不是马克思主义政党领导的，但是它表达了广大人民群众对于资本主义制度的"信任危机"，打消了人们对"新资本主义"能够解决资本主义矛盾的幻想。

1968年4月，以捷克斯洛伐克共产党领导人杜布切克为首的改革派，通过了进行社会主义政治经济体制改革的《行动纲领》，发起了被称为"布拉格之春"的改革。捷共的改革受到西欧各国共产党的支持与欢迎，东欧各国共产党也密切关注着捷共的动态。对此，苏共是不能容忍的。苏共指责捷共的改革违背了社会主义建设的规律，超越了现实社会主义的范围。在"保卫捷克社会主义"的借口下，策动"华沙条约"一些成员国，公然调动60万现代化武装的部队，于1968年8月20日深夜对捷克进行突然袭击。

苏联对捷克斯洛伐克的武装侵犯引起了世界舆论的谴责。意、法、西等17个国家的共产党联名向苏联提出强烈抗议，要求它撤出军队，恢复并保证捷克的主权独立与民主权利。这是共运史上第一次出现的由三分之二以上的欧洲共产党一致反对苏共而采取的联合抗议行动。它标志着"欧洲共产主义"作为一支独立自主的政治力量已经在西欧勃然兴起。卡里略在回顾这段历史时指出，西班牙共产党取得独立的转折点是苏联1968年对捷克斯洛伐克的占领。阿斯卡特拉也认为，苏联对捷克斯洛伐克的军事干涉，是西欧共产党抛弃苏联经验，同苏联分道扬镳，寻找自己发展道路的转折点。

在这样的形势下，西欧各国共产党纷纷重新制定自己的纲领性文件，公开提出抛弃苏联模式，独立自主探索社会主义道路的主张。1971年6月，法共同社会党制定了共同纲领，携手参加竞选；1973年10月，意大利共产党提出与天主教民主党实行"历史性妥协"，与法西斯党以外的各个党派建立广泛的联盟；1975年，西班牙共产党通过纲领，正式提出以民主的多党制的社会主义模式代替苏联模式。

随后，西欧各国共产党就共同关心的社会主义道路等问题广泛交换意见，加深了相互间的沟通与了解，增进了团结，形成了一个不受苏共控制的独立自主力量。从1971年到1976年，意、法、西、英、日、瑞典、希腊等国共产党同南斯拉夫、罗马尼亚共产党连续举行双边或多边会晤，在一系列重大问题上取得一致意见。

1974 年 1 月，在布鲁塞尔召开了有 21 国西欧共产党参加的一次大规模会议。会议历时三天，中心议题是探讨发达资本主义国家走向社会主义的道路与方式。这次会议被称为"拉丁式的共产主义"会议。

1975 年 6 月 12 日，贝林格与卡里略会晤后，意西两党发表《联合声明》，列举了两党共同的原则立场，庄严声明两党"在和平自由中民主地走向社会主义的想法，不是权宜之计，而是对工人运动的全部经验和在西欧背景下的各国独特历史条件进行考虑之后产生的战略概念"。这个声明被称为"欧洲共产主义的出生证"。

1975 年 11 月，意法两党在罗马举行会晤，于 15 日发表《共同声明》，指出意法两党正在为人民群众和劳动者切身利益而斗争，同时也为制定一项能够解决他们国家严重的政治、社会和经济问题的深刻的民主改革政策而斗争。为此，两党必须在不同的具体条件下开展各自的活动。这个声明又被称为"西方社会主义宪章"。

1976 年 6 月 3 日，贝林格与马歇在巴黎会谈，会谈后贝林格在一次集会的讲话中第一次正式使用"欧洲共产主义"一词。他说，"欧洲共产主义"表示西欧各国共产党在一系列立场上是完全一致的，它的目的在于寻找一条适应欧洲这部分特定的条件、历史和传统的、通向社会主义的道路。6 月 6 日，贝林格在米兰青年聚会上所作的讲话中指出，被称为"欧共"的道路，是一条与社会主义民主党的道路和苏联及其他社会主义国家的道路不同的道路，它所具有的属于西欧各国的共同特点，它所涉及的范围正变得更加广泛。

1976 年 6 月 25 日至 30 日，苏共主持召开了由 29 个欧洲共产党、工人党参加的"东柏林会议"，目的是制定一个具有共同约束力的纲领性文件，阻止国际共运中独立自主潮流的发展，再次稳定东欧各党，控制西欧各党。由于南、罗、意、法、西等各国共产党的抵制，在这次会议上，苏共没能如愿以偿，反而进一步促进了国际共运中独立自主的倾向，贝林格、卡里略、马歇在会上发言，阐述了"欧共"的基本原则。贝林格在 6 月 30 日的发言中指出，西欧其他一些国家的共产党和工人党通过独立自主的探讨，在有关实现社会主义所应有的道路以及在本国所要建立的社会主义社会的性质方面得出了共同的结论，有人把这些新的主张和探讨称为"欧洲共产主义"。这次会议结果并不美满，未签名的折衷性文件说明分歧之重。但是这个文件将尊重各国党的独立自主和走向社会主义的不同道路等内容载入共产党国际会议的史册，标志着"欧共"在冲破苏联传统社会主义模式束缚的斗争中联合并壮大起来。

1977年3月3日，西欧3个最大的共产党——意共、法共和西共在马德里举行会议，发表了《联合声明》。《声明》指出，西班牙、法国和意大利三国共产党将尊重、保证和发展集体和个人的各种自由，并准备同各种政治和社会力量一起，在发展民主中向社会主义迈进。这个《声明》再次重申了在国际共运中应当遵守"各党独立自主、权利平等、互不干涉、尊重在自由选择符合各国情况的、争取和建设社会主义的独特道路的基础上，发展国际主义团结和友谊"的原则。

"欧洲共产主义"不仅是在欧洲范围，更是在世界范围掀起一股"欧洲共产主义"热，对国际共产主义运动产生了巨大影响。除欧洲主要国家的共产党外，日本、澳大利亚等国家的共产党都纷纷表示支持和信奉"欧洲共产主义"。在欧共发展的鼎盛时期，奉行"欧共"路线的共产党多达18个，拥有党员330万名，占资本主义国家共产党员总数的四分之三。但从20世纪80年代初期起，"欧洲共产主义"就在实践中屡次遭到挫折，在20世纪七八十年代短暂的辉煌之后逐渐衰落。东欧剧变后，"欧洲共产主义"各党遭受了更大的冲击和压力，一些党改变了共产党的名称，放弃了共产主义信仰，也有一些党坚持社会主义方向和共产主义信念。在20世纪90年代，原来信奉"欧洲共产主义"的各党开始了新的探索。

二、"欧洲共产主义"的主要理论

（一）"独特民主道路"理论

1. 和平夺取政权，但不排除使用暴力手段的可能性

和平走向社会主义的独特民主道路是"欧洲共产主义"的核心内容。由于"二战"之后世界形势发生变化，发达资本主义国家通往社会主义的方式不再是布尔什维克式的暴力革命，也不是社会民主党的道路，而是一条独特的民主道路——通过和平地改造国家机器，和平地夺取政权，实现社会主义道路。"欧洲共产主义"在关于革命道路问题上认为，不排除革命取得政权的可能性，但

在目前形势下欧洲不开展武装运动，社会主义力量可以通过民主道路和平过渡到社会主义。因此，在西欧的工业发达社会中，民主是战胜当今被大垄断资本和跨国公司控制的资本主义社会的唯一办法。它认为，能够取代当前制度的那种社会主义制度是一种民主能在其中得到最充分体现的社会主义。意共和西共在共同声明中指出，自由通过民主的发展和充分实施，才能确立社会主义。社会主义的基础是，确认个人和集体自由的价值和对自由的保证，国家的世俗性原则，国家的民主灵活性，自由辩论中的政党多党制，工会自主，宗教自由，言论，文化，艺术和科学自由。但"欧洲共产主义"也认为，革命取得政权的可能性仍然存在。"欧洲共产主义"各国党认为，在今天的形势下发达资本主义国家进行社会主义革命，不能诉诸暴力，而应当在政治民主进程的范围内，通过议会斗争和群众斗争相结合的和平方式和合法途径，对社会进行民主改革，逐步走向社会主义。

西共总书记圣地亚哥·卡里略指出，马克思恩格斯以及所有伟大的马克思主义思想家都把革命暴力看成历史进步的动力，并充分肯定其重要地位，这显然是正确的。但是，并非所有国家的革命都将简单地重复过去发生过的那些导致帝国主义制度衰落的革命进程。他在《走向社会主义革命的西班牙道路》一文中指出，经济发达的资本主义欧洲可以通过非暴力的手实现社会变革。也就是说，不发生工人的武装暴动，不出现内战，也可以进行社会主义改造，而且这种改造也是一种真正的革命。

法共总书记马歇指出，法国走上经济与政治的决定性变革的道路，并非一定要采用苏联的方法不可。在法国，所谓民主道路，就是除内战以外的各种形式的阶级斗争，任何使用武装暴动或者号召使用武装暴力的运动都应当依法取缔。

因此，第二次世界大战后，发达资本主义国家的特殊国情与特殊的国际环境是"欧洲共产主义"各党选择"独特民主道路"走向社会主义的根本原因。

首先，发达资本主义国家20世纪60年代中期以后逐渐出现的经济与社会危机，是"欧共"实行独特民主社会主义道路的动力。他们认为，第二次世界大战后，发达资本主义国家经过五六十年代资本主义经济的高度增长，于70年代进入缓慢发展的新时期。特别是1973年至1975年波及各个主要资本主义国家的经济危机，使资本主义社会的基本矛盾更加尖锐了。资本主义的经济社会危机为"欧洲共产主义"发展创造了有利时机。

第二，"欧洲共产主义"各党所面临的现代资本主义制度是"民主制"，而不是"独裁制"，这就决定了以和平方式夺取政权的可能性，为了论证"和平方式"的可能性，"欧洲共产主义"各党纷纷提出重新认识资本主义民主制的问题。

西共、意共、法共都认为，广大人民群众在工人阶级领导下，以民主方式战胜垄断资本的政治权力和经济权力还不是社会主义的开始，而只是向社会主义过渡的一个漫长阶段的开端。法共称这个阶段为"先进民主"，西共称为"政治和社会民主"，意共称为"民主革命新阶段"。

意大利共产党的理论先驱陶里亚蒂在他的"结构改革论"中曾以大量的篇幅论述了资本主义国家的议会民主制具有两重性。陶里亚蒂认为，议会是人民的代议机关，并通过选民自由表达意志的方式成立。同时，议会是国家领导机关，具有颁布法律，决定国家预算，监督政府工作的权利。工人阶级社会主义运动的发展，使代表工人阶级利益的政党能够通过平等的直接的普选权进入议会，使议会斗争进入一个新的阶段，"作为组织和巩固资本主义制度的工具的议会，现代可以成为要求对社会进行社会主义改造的政党手中的工具"①。因此，在当前的形势下，工人阶级的政党应当积极地开展民主范围内的斗争，尽可能地利用议会和普选制向社会主义过渡。

陶里亚蒂的思想观点被"欧洲共产主义"各党所接受，纷纷提出要通过议会方式实现向社会主义制度的过渡。贝林格指出，历史经验表明，重新获得民主，保卫和发展民主，过去和现在都是工人阶级、劳动者和共产党斗争的成果。与列宁在 1917 年十月革命及其以后年代的实践不同，"民主（包括起初作为资产阶级取得的成果的所谓'形式上'的种种自由）是一种具有普遍意义和永久性的价值"，"工人阶级和共产党把这种价值也当作自己的东西，并且在建设社会主义时也应当加以肯定"，因此，"不论在任何情况下，我们意大利共产党都重视民主，都要肯定民主"②。

卡里略甚至批评列宁的《国家与革命》、《无产阶级革命与叛徒考茨基》等著作中关于资产阶级民主制的理论观点。他认为，列宁在一些特定的情况下，

---

① ［意］陶里亚蒂：《议会和争取社会主义的斗争》，《陶里亚蒂言论集》第二卷，世界知识出版社 1966 年版，第 10 页。

② ［意］贝林格：《答意大利（共和国）社长斯卡尔法里问》，《贝林格言论集 1973—1981》，人民出版社 1984 年版，第 77 页。

对于民主的理解有言过其实并片面地、过分地加以概括的危险。例如，列宁在同那些不顾以革命方式夺取政权的前景或现实而吹捧"民主主义"的改良主义倾向进行辩论时，曾把民主和国家等同起来。这是对民主概念的一种狭隘解释。列宁在肯定只有共产主义里才有可能有完全的民主时，又出现了混乱。这种混乱说明，"列宁低估并缩小民主的普遍概念"，"把这个概念不仅和必须与之战斗的资产阶级国家混同起来，而且和注定要消亡的国家混同起来"，"把民主和共同生活的基本准则混同了起来"。这些混乱也导致"列宁的门徒（一段时期也包括我们自己）低估民主的价值和无视损害民主的明显事例"。① 民主并非资产阶级的创造，民主的自由权利是最进步的人民力量对资产阶级革命所作出的巨大贡献。尽管民主权利在资产阶级社会里有很大的局限性，但是不能低估民主权利的现实价值。

第三，"欧洲共产主义"认为，在核武器时代，列宁关于"变帝国主义战争为国内战争"，利用帝国主义战争所造成的危机实现社会主义革命变革的思想已经过时了。出于对现代战争及军事集团的重新审视，"欧洲共产主义"放弃了暴力革命、武装夺取政权的革命道路，而主张走和平民主的道路。

卡里略认为，现代核武器的发展起到了阻止战争的作用。对于交战的双方来说，核冲突只会导致双方的毁灭，根本不存在一方对另一方的胜利。因此，"欧洲共产主义"不希望通过现代核战争的方式来引发社会主义的革命和变革，更不指望依靠东西方两大军事集团的冲突来谋求革命的成功。虽然过去某些国家的无产阶级，由于统治阶级的军事失败而取得了革命胜利，使劳动者取代了战败的统治阶级，但这并不说明我们也要走同样的道路。他们主张依靠本国人民的力量，对本国的军队进行民主改造，使之和平地转向人民一边，从而实现和平民主的社会主义变革。

此外，欧洲是一个经济发达的大陆，其国家垄断资本主义已高度发展、已存在着演变成某种形式的社会主义社会的物质基础。据此，"欧洲共产主义"各党认为，充分利用现有的民主制度，通过参加普选进入政府，上台执政的和平方式实现社会主义变革，是当前最有效的革命方式，各国党应当全力以赴地投入竞选运动中去。

---

① ［西］圣地亚哥·卡里略：《"欧洲共产主义"与国家》，钟琪译，商务印书馆 1982 年版，第 78、80 页。

关于独特民主道路同社会民主主义的区别问题，"欧洲共产主义"的理论家们也进行了探讨。

首先，"欧洲共产主义"认为，"欧洲共产主义"的独特民主道路同社会党的道路有根本的原则区别。虽然两者都试图利用竞选和议会取得政权，但是两者的目的完全不同。卡里略指出，"欧洲共产主义"主张改造资本主义社会，为国家垄断资本制度提供社会主义选择，不与这种制度融为一体，不成为这种制度的一种政府。西班牙共产党著名理论家曼努埃尔·阿斯卡拉特则更加明确地指出，两者的区别在于，"在属于社会党国际的党派组织政府的国家中，没有一个国家是消灭了资本主义的"，而"欧洲共产主义"的目的恰好相反，尽管它用的也是民主手段，但是它要取代资本主义，"以便消灭人对人的剥削和建立一个社会主义社会，为迅速走向共产主义奠定基础"①。

其次，"欧洲共产主义"主张通过和平手段取得政权，但并不否定暴力革命的重要意义。卡里略指出，"欧洲共产主义"主张在民主中走向社会主义，但这决不意味着退回到社会民主主义的立场上去。各国共产党决不能抛弃马克思主义的革命思想，也不能排除革命取得政权的可能性，也不能否定十月革命武装夺取政权的道路。暴力在历史上曾起到重要的作用，它彻底摧毁了旧的社会秩序，产生了资产阶级秩序。如果没有暴力的作用，他们不会获得胜利。今天，为了粉碎资本主义制度，革命暴力仍是不可缺少的，但当前不适合开展暴力运动，因为现在是一个不会轻易再现的从独裁到民主的历史时机。

2. *彻底改造国家机器，而不是打碎国家机器*

"欧洲共产主义"坚持通过独特的民主道路实现社会主义变革的一个主要理论依据是对马克思列宁主义的国家学说的所谓"再认识"以及对当代资产阶级国家机器的"再认识"。

首先，"欧洲共产主义"各党认为，应当加强对国家机器进行民主改造的研究，同时对马克思恩格斯以及列宁的国家学说加以"修正"，"也要批判地加深对马克思主义思想的认识"。②

卡里略认为，按照马克思主义国家学说所揭示的一般规律，国家机器在本

---

① [意] 乔·乌尔班主编：《欧洲共产主义——它在意大利等国的渊源及其前途》，石益仁译，新华出版社 1980 年版，第 14 页。

② [西] 圣地亚哥·卡里略：《"欧洲共产主义"与国家》，钟琪译，商务印书馆 1982 年版，第 7 页。

质上是一个阶级统治另一个阶级的工具。但马克思主义本质上强调对具体情况进行具体分析，正像列宁修正过马克思的某些论断为伟大的十月革命奠定理论基础那样，"欧洲共产主义"也应当根据发达资本主义国家实际情况，以及无法回避的种种非常具体的特殊性，重新看待"国家"问题。

第二，现代资本主义国家的结构、职能、性质都发生了深刻变化，已经变成"新型的国家"。

随着现代资本主义经济的不断发展，资本主义国家的社会结构以及国家的结构、职能、性质都发生了深刻变化，与马克思那个时代的国家相比已经变成了"新型的国家"。据此，"欧洲共产主义"认为应对马克思恩格斯以及列宁的国家学说加以"修正"，"批判地加深对马克思主义思想的认识"。[1] 卡里略就曾明确指出，"欧洲共产主义"也应当根据发达资本主义国家实际情况，以及无法回避的种种非常具体的特殊性，重新看待"国家"问题。

马克思主义的国家学说强调国家的阶级性及工具性。传统的马克思主义观点把国家看作一个阶级统治另一个阶级的工具，强调国家的强制性。但葛兰西、阿尔都塞等人很早就提出国家不仅仅是暴力工具，它还是一种意识形态工具。"意识形态工具包括宗教（各种教会）、学校（公立和私立的各种学校）、家庭、法律、政治（由各种政党组成的政治体系）、新闻报道（报刊、广播、电视等）、文化等方面。"[2] 同镇压工具相比，意识形态工具的生命力要强大得多。"在过去的一些革命中，革新力量的战略是连同镇压机器一股脑地加以谴责，并打碎这些意识形态工具……打碎镇压工具比较容易，而意识形态工具则继续存在，革命不得不适应它，同它妥协"。[3] 因此，即便共产党可以打碎资本主义的国家机器，意识形态工具仍然继续存在并发挥重要的作用。对于欧洲各国共产党而言，当前的主要任务是思考如何改造并利用意识形态工具，以便取得革命的政权。卡里略的观点是，"在发达资本主义国家进行革命的战略，必须设法使这些意识形态工具反过来起作用，改造它，利用它（如果不是全部，则是部分地）来反对垄断资本的国家权力"。[4] 而今天，资本主义国家意识形态工具的性质正在发生根本性的变化，这成为欧洲共产党可以通过民主道路改

① ［西］卡里略：《"欧洲共产主义"与国家》，钟琪译，商务印书馆1982年版，第7页。
② ［西］卡里略：《"欧洲共产主义"与国家》，钟琪译，商务印书馆1982年版，第13页。
③ ［西］卡里略：《"欧洲共产主义"与国家》，钟琪译，商务印书馆1982年版，第20页。
④ ［西］卡里略：《"欧洲共产主义"与国家》，钟琪译，商务印书馆1982年版，第20页。

造国家机器的一个重要条件。卡里略认为，如果国家意识形态工具发生危机，势必也会影响到国家强制机器。这恰好是通过民主道路改造国家机器的关键所在。他深入分析了资本主义社会主要的意识形态工具，指出它们同民主道路之间的联系。

一是教会、学校以及教育制度面临的危机同资本主义的衰落和社会主义的诞生有密切关系。教会是最古老最起决定性作用的意识形态工具，目前也开始处于危机。"科学技术的发展和在广大群众中普及文化，破除了一系列建立在人民的幼稚和落后基础上的教理和信条"①，在这种情况下，宗教开始向科学开放，向社会主义开放。一些主教认为，选择一种非马克思主义的社会主义是正当的、非常适宜的。还有一些基督教徒甚至争取社会主义运动，共产党和其他自称马克思主义的团体都有信奉基督教的成员。作为资本主义制度意识形态工具的学校同样也面临危机。卡里略认为，在资本主义社会里，文化界的地位本质上同工人阶级的地位相仿，这种认识上的飞跃就发生在当时的大学和学校里。因此，"大学和学校不仅灌输资产阶级思想，而且往往成为抨击资本主义社会的中心场所。"②不仅因为它高度集中了大量青年群众，而且也因为大学为社会的意识形态工具培养干部。他们很可能成为传播马克思主义以及一切进步思想，反对资本主义的最有效手段之一。

二是司法和政治这些具有意识形态性和强制性双重性质的工具今天也发生了深刻的变化。欧洲的政治制度在经济危机的冲击下开始受到侵蚀，变得更加不稳定，甚至出现向左派发展的倾向。它们正在走向民主化，可能成为民主地走向社会主义的基础。同时，诸如警察、军队这样的国家政权强制工具的性质也发生了重大改变。警察曾经是垄断资本镇压工人阶级的暴力工具，但同时也是维持社会治安、保护居民的公共利益的工具。如果运用政治和意识形态手段，确立一种新的、更加文明的治安概念，它就会成为维护全体人民而不是维护少数特权者利益的工具。军队无疑是国家最重要的强制工具。它是保障民族独立和国家主权的工具。但是，军人已经实现了职业化和知识分子化。他们已经不是与社会隔绝、脱离社会并凌驾于社会之上的集团的成员，而是像技术人员、科学家、知识分子一样，其工作就是对公民进行某种训练，以便必要时捍

---

① ［西］卡里略：《"欧洲共产主义"与国家》，钟琪译，商务印书馆1982年版，第21页。

② ［西］卡里略：《"欧洲共产主义"与国家》，钟琪译，商务印书馆1982年版，第27页。

卫国家的领土完整。因此，不能以传统的马克思主义观点看待他们，应当改变"寡头＋军队＝保守派和反动派"的陈旧观念，采取更加合理，更具有民族性的，更吸引人的军事政策，将军队改造成为支持新的社会主义国家政权的力量。"欧洲共产主义"认为可以运用政治和意识形态手段，确立一种新的、更加文明的治安概念，将作为资产阶级镇压下层阶级的暴力工具改造成为维护全体人民的工具。

三是电视、广播、报刊等宣传工具也可以成为通往民主的工具。它们虽然是资产阶级最重要的思想武器，但在民主运动力量强大、在文化领域也具有广泛影响的国家，也有可能利用它们从事进步活动。卡里略指出，电视、广播以及报刊是"今天最厉害的思想武器，因为它们深入每一个家庭……起着一种使人们思想混乱、失去理性的作用"。① 只要争取对这些宣传工具实行民主管理，使它们能够表达社会各种力量的思想，制定真正保证新闻自由的法律，为各大派的政治力量都能拥有自己的言论机构提供物质条件，要求变革的力量就能从资产阶级意识形态工具内部开展斗争，夺取领导权。

同时，国家政权强制工具的性质也发生了重大的改变。警察曾经是垄断资本镇压工人阶级的暴力工具，但同时也是维持社会治安、保护居民的公共利益的工具。如果运用政治和意识形态手段，确立一种新的、更加文明的治安概念，它就会成为维护全体人民而不是维护少数特权者利益的工具。军队无疑是国家最重要的强制工具。它是保障民族独立和国家主权的工具。但是，军人已经实现了职业化和知识分子化。他们已经不是与社会隔绝、脱离社会并凌驾于社会之上的集团成员，而是像技术人员、科学家、知识分子一样，其工作就是对公民进行某种训练，以便必要时捍卫国家的领土完整。因此，不能以传统的马克思主义观点来看待他们，应当改变"寡头＋军队＝保守派和反动派"陈旧观念，采取更加合理，更具有民族性的、更吸引人的军事政策，将军队改造成为支持新的社会主义国家政权的力量。

第三，国家职能发生了重大变化，它不仅仅是资产阶级的管理委员会，也不仅仅只有镇压职能，还充当经济、文化及社会管理者，起着保障社会安全与发展的作用。

意大利共产党认为，国家越来越广泛地干预经济和社会生活，是发达资本

---

① ［西］卡里略：《"欧洲共产主义"与国家》，钟琪译，商务印书馆 1982 年版，第 35 页。

主义国家的共同特点。鉴于国家职能的这种变化，一旦社会主义力量上台执政，就可以通过民主改革彻底改变国家为少数垄断集团服务的那部分性质，而其他部分则无需摧毁，更无需用暴力打碎现存国家机器，在它的废墟上另起炉灶。

第四，和平民主改造国家的方式。鉴于国家的上述新特征，"欧洲共产主义"各党认为，对现代资本主义国家是可以进行和平民主改造的。他们的民主改革方案主要有以下几点：一是军事民主化，即向军队灌输民主思想，在军队中建立代议制，废除雇佣兵制，实行义务兵役制，争取军队的多数士兵、下级军官站在人民一边，使之成为保卫民族独立和国家主权的工具。二是治安力量民主化，即在治安部门建立警察工会，向警察宣传民主思想，使治安力量不再充当保护垄断资本和镇压人民的工具。三是政府权力分散化。分散集中而又庞大的中央权力，加强地方政府权力，防止集权主义对国家制度的侵害。四是维护和发展民主制度，扩大基层民主，扩大政治参与和监督，实行议会权力对行政权力的制约与监督等。

3. 新型阶级结构与阶级联盟政策

在走向社会主义的"独特民主道路"基本思想指导下，"欧洲共产主义"各党采取了新的阶级联盟策略，同时对现代资本主义社会阶级结构的新变化进行了分析，奠定了新阶级联盟策略的理论基础。

"欧洲共产主义"各党普遍比较重视新科技革命对现代资本主义国家社会阶级结构带来的深刻变化。这个变化主要表现在两个方面，一是垄断资本通过国家机器控制整个社会的力量大大增强；二是工人阶级和知识分子阶层以及社会中间层有了很大发展，这个广泛的社会阶层几乎包括所有受垄断资本剥削与压迫的人们。

首先，工人阶级的队伍空前扩大，工人的文化素质空前提高，工人阶级内部结构发生了前所未有的新变化。法国共产党认为，随着生产力的发展，大生产的比重在增长，劳动力的质量也在随之提高，有文化的工人越来越多。例如，工人阶级中增加了大量的技术人员，甚至是工程师，他们也属于广泛意义上的工人阶级。因此，现代工人阶级既包括体力劳动者，也包括一部分脑力劳动者。工人阶级仍然占资本主义国家人口的大多数。无论在组织性还是在阶级地位上，工人阶级都是在社会主义革命中起主导作用的阶级。"欧洲共产主义"各党认为，鉴于现代工人阶级的上述变化，工人阶级在今天仍然是现代经济的主力。

其次，在工人阶级和垄断资产阶级之间存在广泛的中间阶层，他们同垄断资本的利益存在深刻的矛盾，是工人阶级的联合对象。

意共和西共都认为，在无产阶级和大资产阶级这两个根本对立的阶级之间，存在着广大的"中等阶层"或"中间阶层"，共产党在实现社会主义民主变革的道路上，应当争取社会中间阶层的支持，实现他们之间的联合。

西班牙共产党则把包括科学家、技术人员和各行各业的知识分子在内的广大社会中间阶层看作是一种"文化力量"，认为他们能够同工人阶级联合起来，结束资本主义，建设社会主义。这些新的社会因素对用民主方式实现社会主义改造具有巨大作用。卡里略认为，把最广泛的非垄断性的社会阶层命运同工人阶级的命运联系在一起是至关重要的。因为，社会主义革命不仅为无产阶级所需要，也为绝大多数人民所需要。劳动力量和文化力量结成联盟，形成反垄断联盟具有决定性的重要意义。

第三，议会斗争与群众斗争相结合，实行多数人的革命。基于对现代资本主义社会阶级结构的分析，"欧共"各党认为，他们现在所选择的社会主义民主道路，不是少数人的革命，而是多数人的革命。无论从哪个角度和意义来看，大规模的群众运动始终与"议会斗争"相互呼应，二者只有相互支持，形成巨大的民主潮流，才能实现和平民主的社会主义变革。

第四，建立以工人阶级为领导的广泛的阶级联盟，是保证工人运动沿着民主社会主义道路前进的基本政策。在新型阶级结构和大多数人的革命的理论指导下，"欧洲共产主义"各党广泛制定了阶级联盟政策。

（二）独特的社会主义模式理论

"欧洲共产主义"把民主道路同未来社会主义模式的设想结合起来，认为西欧各国通过独特民主道路走向社会主义后，将建立起一个不同于苏联社会主义国家的现实模式，即具有西方发达工业国家色彩的社会主义模式。其主要特点是：不主张建立无产阶级专政的政治制度，而主张建立高度民主的政治制度；实行多党制，通过普选轮流执政；实行经济民主，建立以公有制占优势的多种所有制并存的经济模式；实行全面民主和自由，保证每一个人的才能都得到充分的发挥和发展。

1. 对无产阶级专政理论的再认识

西共、意共、法共等不再使用"无产阶级专政"一词，并从党章上删去了"无产阶级专政"的提法。"欧洲共产主义"认为，无产阶级专政只是从资本主义过渡到共产主义的"丰富和繁杂"的政治形式之一，并不具有普遍性和适用性。他们承认无产阶级专政在历史上的不可避免性和必要性。在马克思恩格斯那个时代，能在危机时刻掌握政权的有觉悟的无产阶级，只是人民中的少数，因而只能依靠武装力量夺取政权，用专政保卫政权，以便着手改革社会。在苏联建国初期，也只有无产阶级专政能够巩固年轻的苏维埃政权，保证社会主义建设顺利进行。今天，在一些欠发达的国家，无产阶级专政仍然是需要的。但在发达的西欧国家中，阶级结构已经发生变化，劳动者占社会的大多数，这些人正在接近无产阶级的立场，因此可以利用别的方式建立工人阶级对社会的领导权，而无产阶级已经不是发达的资产阶级民主国家的劳动力量建立和巩固领导权的唯一依靠力量，它不符合"欧洲共产主义"所走的民主道路和目标。

此外，"专政"一词很容易让人联想到法西斯制度。卡里略指出，本世纪有过最可恶的法西斯的反动专政，有过带着某种特色的极权主义弊病，因而"专政"这个词本身变得令人憎恨，这就是人们在政治上不再使用这个词的充分理由。[1]

西欧共产党指出，自苏共二十大以来，"无产阶级专政"就是不要民主，不仅不要"资产阶级民主"，而且也不要"无产阶级民主"，这个明显的事实导致欧洲共产党对这种"模式"保持距离。[2] 他们主张用葛兰西提出的"无产阶级支配权"来代替"无产阶级专政"，即建立实行无产阶级支配权的"民主制度"。无产阶级支配权是指，社会上存在的普遍性问题只有在无产阶级取得对社会的领导地位的情况下，才能得到解决。而且这种领导是在一个充分体现了三个重要阶层——工人、农民和知识分子的利益的"历史性集团"的范围内实行的。这种无产阶级支配权，将是一个不同于苏联模式、也不同于其他社会主义国家的"民主制度"。

卡里略认为，无产阶级专政不是发达的资本主义民主国家的劳动力量建立

---

[1] 参见 [西] 圣地亚哥·卡里略：《"欧洲共产主义"与国家》，钟琪译，商务印书馆 1982 年版，第 128 页。

[2] 参见中国人民大学科学社会主义系当代社会主义问题教研室编：《欧洲共产主义问题资料选编》（一），第 390 页。

和巩固领导权的途径。尽管无产阶级专政同暴力革命一样，是历史的不可避免的需要。它在马克思和恩格斯那个时代，即使在最发达的国家中，能在发生革命危机时掌握政权的有觉悟的无产阶级只是居民中的少数，他们只能依靠武装力量夺取政权，用武力即用专政来保住政权以便着手改革社会。

法国共产党认为，民主和革命，民主和社会主义，二者是不可分割，因此不能把共产党向劳动者和人民建议的东西称作"无产阶级专政"。其原因有两方面：一方面，"专政"容易使人联想到对民主的否定；另一方面，"无产阶级专政"指的是一系列社会主义国家的具体实验，并不符合法共为法国制定的非常不同的发展前景。因为"无产阶级专政"一词，指的是工人阶级的核心，虽然它起着主要作用，但它并不是工人阶级和劳动者的全部，而我们所设想的社会主义政权将在劳动者中产生。法共将完全抛弃"无产阶级专政"这一概念，决不再使用这一概念。

2. 对未来社会主义模式的构想

关于未来社会主义的模式，欧洲各主要共产党有不同的构想。西班牙共产党提出要建立一个"民主的、多党制的社会主义"，法国共产党的目标是要建立一个"民主的、自治管理的社会主义"。

西班牙共产党的"民主的、多党制的社会主义"。卡里略在西共八大的报告中指出，社会主义脱胎于资本主义社会，它不得不利用并非它所固有的暴力工具与方法来为自己开辟道路。由于生产力的发展和社会主义觉悟的提高还没有使得对人的统治被对物的管理所代替，加之社会主义在国际范围内尚未巩固，因此社会主义不得不通过国家机器抵御内部的反抗和侵略。这种政治制度在本质上仍然是"无产阶级专政"，但由于生产力的广泛发展，这里的专政已经不是用双手进行生产的工人的政权，而是在现代生产中起直接作用，同资本主义结构发生冲突的一切劳动者（包括文化界力量在内）的政权。这里的专政并不等同于"独裁"，它是绝大多数人的政权。

无产阶级专政同最广泛的民主是辩证统一的。它并不意味着只有单一的执政党。西班牙共产党认为，要把所有朝着社会主义方向前进的力量和派别统一组建成一个党是不可能的，未来将会不断有新的政党形成，并参与社会的政治改造过程。因此西共主张采取民主的、多党制的社会主义模式。也就是说，未来的社会主义制度不是单一的政党控制国家政权的一党制，而是民主的多党制。它不仅要保持前一阶段所争得的有关个人的与政治的所有自由权利，而且要提高其水平。党不想变成社会的统治力量，也不想把党的思想作为官方思想强加于社会。

法国共产党"民主的、自治管理的社会主义"。法共认为，法国未来的社会主义必须继承法兰西民族酷爱民主自由的传统，将继续追求悠久的历史、传统、自由和生活方式，必须把民主作为向人民建议的未来社会主义的基本特征。

法国未来的社会主义是一个民主的社会。每一个人的日益丰富多彩的不同个性在新的团结中得到发展，应该成为现代经济和现代民族的奋斗目标和推动力。法国未来的社会主义民主首先体现在经济方面。法国会建立一批足够数量的民主的国有化企业，同社会所有制其他形式，以及一个以私有制为基础的经济部门同时并存，以此把大生产资料和交换资料变为社会所有。在政治上，建立一种工人阶级在其中起政治领导作用的代表劳动人民的政权，尊重并使人尊重多数人的抉择，以保证神圣的人权和空前扩大的自由，尊重多党制和轮流执政的可能性。

（三）"新型群众性政党"理论

在"欧洲共产主义"者看来，在西欧多党制的条件下，实现民主社会主义的道路，只有得到人民的大多数支持才有可能。而只有新型的、群众性的政党，才能担负起改造社会的领导作用。他们指出，列宁把党看作是经过考验的革命者的党，而不是看作群众党，这是"由俄国的历史条件决定的"。在俄国的历史上，无产阶级人数有限，共产主义知识分子的人数也不多，农民群众人数众多，但是文化水平并不高。在这种条件下，群众不可能自觉地参与国家的领导。这样的历史条件就决定了当时的俄国需要一批先进的革命者来领导革命和社会主义建设。"欧洲共产主义"提出的"新型群众性政党"理论在党的指导思想、党的性质、党的地位和作用以及党际关系问题上进行了探索。

1. 关于党的指导思想

信奉"欧洲共产主义"的各国共产党认为，列宁主义和马克思主义在理论领域具有不完全相同的含义。列宁主义既包括在马克思主义里，同时又使马克思主义片面化，使其变得狭窄。而且，列宁主义并不完全是列宁本人的思想，其中有很大一部分是斯大林的思想。"列宁主义"这一提法是苏共领导人为了解决列宁逝世后党内出现斗争而提出来的。曼努埃尔就指出，这一术语的使用将苏维埃模式变为一种绝对的东西。它成为一种将苏联共产党的领导权强加于共产主义运动的工具。故"欧共"主张不再以"马克思列宁主义"作为党的指导思想，而是根据本国的实际情况采用不同的提法。例如，意共使用"马克思思想"、"恩格斯思想"、"列宁思想"、"葛兰西思想"、"陶里亚蒂思想"。法共声明要使用"科学社会主义"代替"马克思－列宁主义"的提法。西共强调其理论基础是"革命的马克思主义"。荷兰和英国仍坚持"马克思列宁主义"的提法。

在"欧洲共产主义"各党看来，虽然党的指导思想的提法有所改变，但这不意味着否定马克思和列宁的思想，也不是放弃他们的理论遗产。在他们看来，列宁的许多理论在当时的历史条件下是成立的并且起作用的，但对于今天欧洲各国家而言已经失去指导意义。此外，马克思主义具有科学的、非教条的性质。因此，原封不动地照搬列宁的某些观点来回答和解决今天资本主义国家的现实问题是违背马克思主义的。

2.关于党的性质

在列宁看来，党是进行革命的工具。因此，列宁主义关于党的概念，在很大程度上，是受到处于战争条件下的革命进程，受到暴力方式的运用等因素之限制。在"欧洲共产主义"看来，需要有一个与"列宁主义"的党不同的概念，需要一个人民群众的党。

列宁关于党的概念在很大程度上是取决于当时俄国的历史条件的。一方面，在当时的历史条件下，无产阶级的水平是十分有限的，文化水平比较低下，无产阶级的人数比较少。因此，由群众自觉地参与对国家的领导，完全是乌托邦式的空想。另一方面，当时处于战争条件下的革命进程，党被列宁看作是进行革命的工具。

列宁在与孟什维克的斗争中，为了革命斗争的需要，提出建立"职业革命家"的党。"欧洲共产主义"各党否定列宁的这一思想，主张突出党的"群众性"。在他们看来，"职业革命家"的党这一提法有其特殊的历史背景，在无产阶级人数有限，广大农民和工人文化水平低下的情况下，必须强调具有高度组织性的职业革命家式的政党。但随着资本主义国家阶级结构的变化，欧共各党已经很少使用共产党的先锋队这一提法，而是更多地强调党的"群众性"。法共在二十三大的章程中规定，法国共产党是工人阶级的党，是革命的党，是由一切为改善体力劳动者和脑力劳动者目前的命运并给法国带来民主的、社会化主义的未来而共同奋斗的人自愿结合组成。西班牙共产党也在西共九大党的章程中明确指出，西班牙共产党是一个群众性的党。它是西班牙工人阶级和各族人民进步力量先进分子的政治组织，其目标是巩固和发展民主，对西班牙社会进行社会主义改造，以达到共产主义社会。工人阶级、农民、文化力量及居民的其他阶层的男女可自愿加入。

3. 关于党的地位和作用

"欧洲共产主义"各党认为，党在进行社会主义革命的过程中要发挥领导作用。这种先锋队作用不是源于党的称号和党的政治哲学，党的先锋作用也不是事先确定的。党发挥先锋作用的前提条件是，找到正确地理解和解决社会迫切问题的办法，并得到大多数劳动者的支持。因此，在朝着社会主义方向变革的进程中，并非只有共产党才属于处于领导地位的先锋队。

西共提出，共产党已经不认为自己是劳动群众的唯一代表，它承认其他政党——社会党和进步的党——在理论上和实践中都有代表性，承认各种社会运动的作用。同时，它也承认社会倾向的多元化，并不追求独揽政权，更不追求党政合一。

欧洲共产党不主张直接领导一切，而主张建立多党制联盟，由多党制联盟对整个国家、社会和经济各领域进行领导，共产党在这个联盟中起政治领导作用。同时建立起以工人阶级在其中起作用的以"劳动力量和文化力量联盟"为基础的广泛民主联盟，其中包括工人、农民、知识分子、青年、妇女和一切受垄断资本家之害的"中间阶层"和各政党的左翼力量，并特别强调城乡中等阶层在各国民主和社会主义发展中的突出地位。

4. 关于党际关系

关于如何处理各国共产党之间的关系，"欧洲共产主义"提出要建立"新国际主义"。"新国际主义"有三个原则：一是没有国际中心，没有领导党，没有老子党，所有的党都是平等的；二是要尊重各党之间的意见分歧，讨论这些分歧时应该相互尊重，以诚相待；三是新国际主义不仅包括各共产党，而且还应包括社会民主党、社会党以及第三世界的民族解放运动。从上述原则可以看出，欧洲共产主义者主张自由和平等，他们反对莫斯科共产党人那种"无产阶级国际主义"，而倾向"国际团结"。也就是说，在平等、独立和自主的基础上各国共产党自愿达成协议。他们反对制定统一的总路线和统一的意识形态，因为总路线之类的东西会使共产党人脱离其他的社会主义力量和民主力量而遭孤立。

意共在十五大上提出，在各国共产党的关系上（更广泛地讲，正如在工人运动各政党之间的关系上一样），应当养成一种严格尊重每个党的独立自主的习惯，应当排除对各党内部生活进行任何形式的直接或间接的干预。在国际问题上，西共主张各党之间平等和独立自主权利，反对苏联以"无产阶级国际主义"的名义干涉别国党的内政，拥护不结盟政策、反对霸权主义。主张"建立一个独立于苏联和美国的欧洲"。

"欧洲共产主义"不仅是在欧洲范围，更是在世界范围掀起一股"欧洲共产主义"热，对国际共产主义运动产生了巨大影响。除欧洲主要国家的共产党外，日本、澳大利亚等国家的共产党都纷纷表示支持和信奉"欧洲共产主义"。在欧共发展的鼎盛时期，奉行"欧共"路线的共产党多达18个，拥有党员330万人，占资本主义国家共产党员总数的四分之三。但从1981年开始，"欧洲共产主义"就在实践中屡次遭到挫折，在20世纪七八十年代短暂的辉煌之后逐渐衰落。可以说，欧洲共产主义从兴起之初就潜伏着危机，预示着其最终沉寂的结局。

"欧洲共产主义"的提出是马克思主义者对西欧资本主义国家的新现实的反应，但是"欧洲共产主义"对第二次世界大战以来资本主义国家的阶级结构缺乏清醒客观的认识。"欧洲共产主义"强调自己是群众性的党，其阶级基础是传统的产业工人。但是，随着西方国家经济的高速增长和科学技术的迅猛发展，西欧各国的社会结构和阶级结构又发生了新的变化，到20世纪80年代末期，传统的产业工人比重已经变得很小，并且有不断下降的趋势。相比之下，知识性工人和中间阶层比重不断增大。而资本主义国家阶级结构的上述变化并没有引起"欧洲共产主义"的足够重视，他们仍然固守旧有的政策纲领。与此同时，资本主义推行福利国家制度，使工人阶级的物质生活得到提高。由于缺乏对新兴工人阶级的吸引力，"欧洲共产主义"的阶级基础实际上在不断地瓦解。此外，诸如社会民主党、绿党等左翼政党，宣称自己是工人阶级的政党，拉走了许多群众选票，分散了工人阶级的力量，客观上也使"欧洲共产主义"失去一定的群众基础。此外，"欧洲共产主义"虽然提出了一些新的思路和主张，但各国共产党思想混乱，组织松散，在某些问题上甚至存在矛盾，这也造成了"欧洲共产主义"理论在实践中成绩式微。因此，"欧洲共产主义"的实践证明，在资本主义国家放弃暴力革命，通过议会斗争和群众斗争相结合的和平方式和合法途径取得政权是行不通的。尽管欧洲共产主义存在许多问题，但不可否认其在国际共产主义运动史上所做出的积极探索，对西方各国共产党继续探索西方革命道路和革命前景具有重要的意义。

第二节　生态学马克思主义

20世纪下半叶，西方出现了生态运动与马克思主义相结合的产物——生态学马克思主义①，它既包含着人们对资本主义进行生态批判的新路径，又包含着人们对于构建人与自然和谐发展的共产主义社会的新设想，是西方左翼用马克思主义分析解决资本主义生态问题的新范式。

一、生态学马克思主义的孕育产生

生态运动是西方生态破坏、环境污染所直接引发的群众运动，生态运动的发展状况与生态理论的演进过程密切相关。

西方学者对环境问题关注已久，生态理论经历了从非马克思主义向马克思主义转变的过程，生态运动也从自发的群众运动转变为有诉求的生态政治运动。生态运动在最初展开的时候仅仅是自发地开展一些环境保护活动，主张通过一些具体的活动来改善人们的生活环境，此时的生态理论不够完善，只是被动地意识到环境问题。

到了20世纪六七十年代，随着生态运动的深入以及生态理论的发展，生

---

① 关于生态学马克思主义、马克思主义生态学、生态马克思主义、生态社会主义的含义区分，国内存在着诸多理解。本书将生态学马克思主义理解为西方马克思主义的新流派，生态社会主义是生态学马克思主义的一个阶段。

态运动开始深入到环境问题背后的利益关系，马克思主义成为生态运动的理论诉求。早在 1953 年，美国学者博尔丁在面临严重的环境问题时，提出"保护自然资源"、"严格管理废物"的"生态革命"主张。1962 年，美国生物学家雷切尔·卡森在《寂静的春天》中，详细描述了农药、杀虫剂等化学制药的使用对自然环境造成的破坏，开始从生态学的角度阐述人类和自然的关系，认为人类在征服自然、控制自然的过程中，实际上隐含的是各种物质利益关系，这标志着新的"生态学时代"的开始。1972 年罗马俱乐部发表《增长的极限》，第一次系统科学地论证并揭露"无限的经济增长"是当今全球环境恶化的根源，向世人敲响了环境保护的警钟，激发起全球性的环境研究和绿色生态运动热潮。[1] 特别是在 1968 年巴黎"五月风暴"以来，西方发达资本主义国家出现一系列不同于传统工人运动的新型社会运动，生态运动抓住西方社会公共关注的焦点，使生态问题成为最具政治意义并直接关系人类命运的群众抗议运动。

生态运动从本质上说，是一场反对资本主义制度，旨在防止生态灾难、维护人类生存环境的群众性运动，其斗争的矛头直指反人道、反自然的资本主义制度，反映了社会各阶层群众对资本主义制度的不满和对新社会的向往。[2] 生态运动在发展的过程中，其主要领导者逐渐认识到自身理论的不足，寻求能够指导生态运动的科学理论。在批判资本主义的过程中，生态运动逐步将理论诉求转向旨在消灭资本主义私有制、实现共产主义的马克思主义。在马克思主义理论的指导下，西方生态理论找到了生态危机的根源即资本主义制度，同时也认识到资本的反生态本性，从而形成现代生态学与马克思主义结合的生态学马克思主义。

马克思恩格斯关于人与自然关系的思想为生态学马克思主义提供了丰富的理论资源。马克思恩格斯在对资本主义进行批判时，也包含了资本主义生产的扩大以及异化劳动对自然的破坏的批判，同时明确指出只有在共产主义社会才能实现人类同自然的和解以及人类本身的和解。关于人与自然的关系，马克思恩格斯始终坚持人是自然界的组成部分，人类通过劳动在改造自然的过程中依赖于自然。首先，人是自然界的一部分，其本身是自然存在。马克思指出：

---

[1] 段忠桥主编：《当代国外社会思潮》，中国人民大学出版社 2010 年版，第 181 页。

[2] 段忠桥主编：《当代国外社会思潮》，中国人民大学出版社 2010 年版，第 182 页。

"历史本身是自然史的即自然界成为人这一过程的一个现实部分。"① 恩格斯指出："人本身是自然界的产物，是在自己所处的环境中并且和这个环境一起发展起来的。"② 因此，在马克思恩格斯看来，人类只不过是自然界发展的阶段性产物，人是自然界的一部分，"我们连同我们的肉、血和头脑都是属于自然界和存在于自然界之中的"③。其次，人的存在和发展依赖于自然界，自然界是人类存在和发展的源泉。在马克思恩格斯看来，"没有自然界，没有感性的外部世界，工人就什么也不能创造。它是工人用来实现自己的劳动、在其中展开劳动活动、由其中生产出和借以生产出自己的产品的材料"④。人是自然的一部分，依靠自然界而生存，离开自然界人类将无法存在。最后，人类在劳动中实现人和自然的和谐统一。"劳动作为使用价值的创造者，作为有用劳动，是不以一切社会形式为转移的人类生存条件，是人和自然之间的物质变换即人类生活得以实现的永恒的自然必然性。"⑤ 劳动是人与自然辩证统一的中介，人类正是在劳动过程中同自然进行物质交换。一方面，在这个过程中劳动作为人的生命力的体现同自然界相结合，生产出具有使用价值的产品来满足人们的需要和发展；另一方面，人类在劳动中展现自己的生命本质，不断在劳动中形成对象性的人与人以及人与自然之间的关系，从而充实着人的概念、构成人的现实性。因此，劳动是人区别于动物的根本特征，是人的本质化的活动。

马克思恩格斯在分析人与自然关系的同时，也指出了社会制度对人与自然关系的影响，尤其是资本主义制度下人与自然之间的异化关系。其中，马克思在《1844年经济学哲学手稿》中对人与自然辩证关系的分析、对异化劳动下的"自然界同人相异化"⑥ 的论述也表明其开始注意到对资本主义的生态批判。同样，恩格斯在《英国工人阶级状况》中对工人所处的恶劣自然环境和城市污染现象的分析也包含着探索环境问题的启蒙。在此基础上，马克思恩格斯指出只有在共产主义社会才能实现人与自然和人与人之间的和谐。"这

---

① 《马克思恩格斯全集》第42卷，人民出版社1979年版，第128页。
② 《马克思恩格斯选集》第3卷，人民出版社2012年版，第410页。
③ 《马克思恩格斯选集》第3卷，人民出版社2012年版，第998页。
④ 《马克思恩格斯全集》第42卷，人民出版社1979年版，第92页。
⑤ 《马克思恩格斯文集》第5卷，人民出版社2009年版，第56页。
⑥ 《马克思恩格斯选集》第1卷，人民出版社2012年版，第56页。

种共产主义，作为完成了的自然主义，等于人道主义，而作为完成了的人道主义，等于自然主义，它是人和自然界之间、人和人之间的矛盾的真正解决，是存在和本质、对象化和自我确证、自由和必然、个体和类之间的斗争的真正解决。"①

在西方马克思主义中，早在法兰克福学派那里就开始关注生态问题。法兰克福研究所在成立之初仍然延续第二国际马克思主义的经济分析路径，开展对资本主义国家的社会——经济结构的研究。1930 年霍克海默就任所长以后，研究所开始转向对资本主义社会、文化等上层建筑的分析，将马克思主义同其他学派理论相结合而创立起"社会批判理论"。其中作为资本主义社会现象的生态问题也就成为法兰克福学派批判理论的题中之义，主要代表人物有霍克海默、阿多诺、马尔库塞和施密特等。

霍克海默在担任法兰克福研究所的第二任所长时，法兰克福学派迅速发展壮大。霍克海默和阿多诺在对资本主义现代性和启蒙进行反思的过程中，创作出《启蒙辩证法》（1947）。在他们看来，资本主义现代化过程已经使得启蒙倒退为神话，理性尤其是工具理性取代了上帝，成为支配世界的统治力量。相应地，人类理性的扩张推动着人类欲望的不断扩大，使人成为完全受物质欲望控制的单向度的人，忽视了精神层面的满足和自然之于人的作用；自然在技术的支配下沦为陌生之物，成为人们满足自身需要的手段。此时，法兰克福学派借助马克思的异化分析方法，开始将自然纳入到其对资本主义现代性批判的视阈中。

马尔库塞在 60 年代末即敏锐地注意到资本主义的生态问题，在法兰克福学派中首先将生态问题作为理论研究的一个主题进行系统论述，他的生态思想主要集中在《论解放》和《反革命与造反》等著作中。马尔库塞以马克思的《1844年经济学哲学手稿》为依据，论述马克思的自然解放理论，揭露和批判资本主义工业对自然的破坏，号召开展"生态革命"、"自然革命"来重新实现人和自然的统一。在《论解放》（1969）一书中，马尔库塞指出当代资本主义在压抑人的同时也压抑着自然，在造成人的异化的同时也造成自然的异化；生态危机已不是一个纯粹自然的、科学的问题，它实质上是资本主义的政治危机、经济危机和人的本能结构危机的集中体现。在《反革命与造反》（1977）一文中，

---

① 《马克思恩格斯文集》第 1 卷，人民出版社 2009 年版，第 185 页。

马尔库塞提出马克思的"自然解放"的理论，认为马克思把自然界看作是一种主体，它存在着支持和促进人的解放的力量，因此可以将人的解放与自然解放紧密联系起来，将自然解放当作人的解放的手段。马尔库塞号召开展"生态革命"、"自然革命"，通过解放自然来实现彻底的人类解放。

A.施密斯则更加深入地对马克思的自然概念进行研究。施密特围绕马克思的"自然"概念，说明了人和自然在实践基础上的统一性。施密特认为，一方面马克思的"自然"概念是被社会实践中介了的，是一个社会范畴，因为"自然也只有通过社会劳动的各种形式才显现出来"[1]；另一方面，"自然"也未完全消融在社会实践中，自然始终保持着对社会实践中介的优先地位，因此"自然不仅仅是一个社会的范畴。从自然的形式、内容、范围以及对象性来看，自然不可能完全被消除到对它进行占有的历史过程里去"[2]。在此基础上，施密特证明马克思的自然史和人类史是在差异中构成统一的，这表现在：一方面"自然历史是人类历史溯往的延长"，因为只有在以有意识的主体创造的人类历史为前提的时候，才能谈得上自然历史；另一方面，"社会历史是自然史的一个现实部分"，社会历史是人和自然在实践中介基础上的历史。所以，施密特在实践的基础上将人和自然、历史和自然作为辩证统一的整体，克服了早期西方马克思主义以历史消解自然、第二国际的马克思主义以自然决定历史的双重错误倾向。同时，施密特将马克思的自然概念作为单独的研究对象，论证了自然对于社会的先在性，揭示了马克思的生态学思想。

可以看出，法兰克福学派在分析资本主义环境问题时，或者借助于马克思的异化理论，或者探讨马克思的自然概念，开始从马克思的思想中寻找理论资源，证明马克思主义对于生态问题分析的有效性。法兰克福学派对环境问题的分析虽然开始转向马克思主义，初步涉及资本主义制度，但是仍未超越出抽象的价值批判，深入其背后的人与人之间的关系。法兰克福学派依然延续生态主义者将生态问题的根源归之于支配自然的观念这一价值分析路径，将培根斥责为"支配自然"观念的始作俑者，认为在这个观念的统治下滋生出人类中心主义，进而将生态危机根源归之于科学技术、现代工业文明等等。正是由于法兰克福学

---

① [美] A.施密特：《马克思的自然概念》，欧力同、吴仲昉译，商务印书馆1988年版，第54页。

② [美] A.施密特：《马克思的自然概念》，欧力同、吴仲昉译，商务印书馆1988年版，第18页。

派只是将马克思主义作为资本主义社会批判的工具，主要运用马克思的异化理论进行生态分析，而未能基于对马克思主义的整体理解，深入到资本主义制度背后的社会关系之中，因此其对资本主义的批判必然是不彻底的和片面的。

随着生态运动的蓬勃发展，欧洲共产党人也纷纷介入生态运动之中，开始将生态运动与共产主义运动相结合，开始用马克思主义分析资本主义生态问题，为生态学马克思主义的形成提供实践指导。

波兰的"人道主义马克思主义"学派代表人物亚当·沙夫是共产党人中最早介入生态运动的人。沙夫以一个共产党人和马克思主义者的身份参加了"罗马俱乐部"的工作。[①] 在波兰统一工人党失去政权后，他不否认马克思主义的意义，竭力反对宣传马克思主义破产的观点。[②] 沙夫认为，马克思主义的当代意义主要体现在它经过当代化以后，能成为变更我们这个世界的主要力量——新左派的思想武器，同时要用当代化了的马克思主义武装起来的新左派使得马克思主义充分显示其现实意义，这就使得马克思主义与现实相结合，其中包括现实的生态状况。

德意志民主共和国共产党人鲁道夫·巴罗希望谋求"绿"和"红"政治力量的汇合，即生态运动与共产主义运动的结合，要求建立一个由绿党、生态运动、妇女运动和一切寻求社会变革的非暴力运动与社会组织组成的广泛的群众性联盟。他率先把生态学马克思主义的观点付诸实践，积极倡导生态运动，因此，巴罗受到了绿色左派人士的欢迎，成为生态运动的重要代表人物，并被称为"生态学马克思主义运动的代言人"。巴罗在批判资本主义制度的同时，也对苏联社会主义展开批评，认为它们二者都具有相同的工业基础，最终都会面临相同的生态挑战。[③] 因此，巴罗认为"现实存在的社会主义"即苏联和东欧的社会主义不是马克思所设想的社会主义，主张将共产主义运动转向生态运动，为社会主义寻找一条新的出路——生态人道主义。沙夫和巴罗等人是从共产党转入绿党的，从共产主义运动转向生态运动，因此被称为"红色绿化"。

---

① 俞吾金、陈学明：《国外马克思主义哲学流派新编：西方马克思主义卷》，复旦大学出版社1989年版，第576页。

② [波] 亚当·沙夫：《需要一种新的左派》，《当代世界与社会主义》1997年第4期。

③ 转引自俞可平主编：《全球化时代的"社会主义"：九十年代国外社会主义述评》，中央编译出版社1998年版，第206页。原载于 Rudolf Bahro, *The Russians Aren't Coming. In Dynamics of European Nuclear Disarmament, Spokesman*, 1981, p. 18.

1979 年本·阿格尔在《西方马克思主义概论》中，开始明确提出"生态学马克思主义"的概念。早期的生态学马克思主义大多与法兰克福学派具有直接联系，明显继承了西方马克思主义从哲学和价值维度对资本主义进行批判的传统，将生态问题归之于异化消费、经济理性，具有浓厚的意识形态色彩；另外，由于受共产主义生态运动的影响，理论上开始比较明确地提出克服资本主义生态危机的政治、经济、社会生活和意识形态要求，寻找解决资本主义生态危机的生态社会主义方案。因此 20 世纪七八十年代诞生的生态学马克思主义实现了社会主义左翼与生态运动的结盟，其特点是"红绿交融"，主要代表人物有威廉·莱易斯、本·阿格尔和安德烈·高兹。

（一）威廉·莱易斯的观点

莱易斯师承法兰克福学派的马尔库塞，早期理论研究集中于对资本主义的生态批判，是由法兰克福学派批判理论转向生态学马克思主义的桥梁。莱易斯的著作《自然的控制》（1972）和《满足的极限》（1976）被本·阿格尔称为"生态学马克思主义"的代表作，是当时对生态学马克思主义观点表述最清楚、最系统的著作。莱易斯主张用马克思主义分析生态问题，致力于马克思主义与生态学的结合。正是从他开始，生态学马克思主义者开始注重对马克思主义思想的生态阐释，其主要观点包含如下三个方面。

其一，控制自然的观念是生态危机最深层的根源。在《自然的控制》中，莱易斯认为造成生态危机的真正根源是控制自然的观念，现代科学仅仅是控制自然这一更大谋划的工具。在莱易斯看来，控制自然的观念是作为一种意识形态而存在的，不仅表现为对外部自然的控制，而且还带来对人本身的控制。在这种意识形态的指导下，全部自然（包括人的自然）都成为满足人们无限增长的需要的工具，造成了与日俱增的环境问题。莱易斯把控制自然的观念重新解释为对人与自然关系的控制，实质上是希望借助科学技术的力量，建立起社会制度，从伦理和道德的角度对人与自然的关系进行深刻认识。

其二，虚假需求是导致生态危机的主要原因。莱易斯在指出控制自然的同时控制人的思想，从而导致人的异化之后又探讨了人的需要。在对马克思异化理论的继承基础上，揭示资本主义的"虚假需求"，批判资本主义异化消费现象在导致生态危机中的作用。在 1976 年出版的《满足的极限》中，莱易斯指出了"虚假需求"，深入探讨了人的真实的需求与虚假的需求之间的区别，以及在何种意义上的满足才是人的真实的满足。莱易斯指出，现代工业社会使人们误认为不断增长的消费似乎可以补偿其他生活领域，特别是劳动领域所遭受的挫折。因此，人们寄希望于消费行为，通过追求消费行为的满足获得精神上的满足，把消费作为衡量幸福的尺度。对此，莱易斯指出，"人的满足最终在于生产活动而不在于消费活动"①。更进一步，他预言社会革命的导火线即将出现在消费领域，而不是生产领域。

其三，社会主义是解决人与自然冲突的必然之路。莱易斯认为现行的生产和消费体制只会妨碍人们真正需求的满足和人生价值的实现，因此改变某些不合时宜的生产方式和消费方式，消灭生态危机的根源，必须根本变革社会关系。现实的社会主义未能解决人与自然之间冲突不是由于社会主义制度不管用，而是因为资本主义国家的干扰和破坏，莱易斯依然充分肯定马克思认为只有在社会主义社会中才能实现人与自然和谐统一的观点。同时他对未来的生态社会主义社会进行了构想，包括未来生态社会主义的政治、经济、意识形态和社会生活等，使生态社会主义成为一个系统而完整的理论。

（二）本·阿格尔的观点

阿格尔反对对马克思主义做纯粹的理论研究，注重面向现实，尤其是面向新社会运动的生态运动所关注的世界生态危机的现实，致力于把生态问题纳入"北美马克思主义"的主要研究课题。

第一，生态危机取代经济危机。本·阿格尔开创性地将资本主义批判从生产范式转变为消费范式，将对资本主义的分析向度由传统的经济向度转化为生态向度。阿格尔极具前瞻性地指出，历史的变化取消了马克思主义危机理论的有效性和阐释力，消费领域的生态危机已经取代了生产领域的经济危机。② 具体来说，随着生产力的不断发展，资本主义的商品生产能力大大增强，但是资本要实现商品的价值，必须经过"商品的惊险的跳跃"③，即通过交换实现价值。但是与此同时由于资本对于工人的剥削也随之加剧，造成了商品生产和消费之

---

① ［加］本·阿格尔：《西方马克思主义概论》，慎之等译，中国人民大学出版社 1991 年版，第 475 页。

② ［加］本·阿格尔：《西方马克思主义概论》，慎之等译，中国人民大学出版社 1991 年版，第 486 页。

③ 《马克思恩格斯选集》第 2 卷，人民出版社 2012 年版，第 138 页。

间的断裂。阿格尔根据现实变化分析认为，资本主义通过刻意制造"异化消费"需求，一方面来缓解因消费不足而爆发经济危机的趋势；另一方面通过异化消费来抵消人们对剥削的反抗情绪，由此导致资源浪费和生态破坏。"资本主义由于不能为了向人们提供缓解其异化所需要的无穷无尽的商品而维持其现存工业增长速度，因而将触发这一危机。"①

第二，"期望破灭了的辩证法"。经济危机使得资本家引导消费者不断改变自己的消费行为，在满足消费者虚假需求的基础上缓解经济危机的影响。针对西方资本主义国家的异化消费和生态危机，阿格尔指出"期望破灭了的辩证法"，这种辩证法会使人们重新形成自己的价值观和愿望，寻找对人的需求的重新表达。人们对于发达社会的物质丰裕的期望破灭以后，开始重新思考之前的生活方式，反省自身对于经济环境的影响，确立新的消费观念和期望。阿格尔认为当今资本主义的危机已经转移到了消费领域，所以解决危机也必须主要在消费领域中进行，但是在实际过程中，危机的解决只能在生产领域中进行，即通过小规模的生产来进行，实现解决生态危机、保护生态环境、变革资本主义制度的目的。但是这种观点到 20 世纪 90 年代就被阿格尔摒弃了，因为随着经济全球化的发展，整个世界日益成为一个不可分割的整体，小规模的生产和分散化的生产方式是不可能实现的。

（三）安德烈·高兹的观点

安德烈·高兹是法国重要的左翼理论家，早期是西方马克思主义中存在主义的马克思主义的重要代表人物。到了 20 世纪 60 年代，高兹把生态学作为资本主义批判的一个新维度，把对资本主义的生态批判和政治批判紧密结合在一起，将生态学、生态危机和政治生态学理论纳入自己的研究领域。1975 年，高兹的著作《作为政治的生态学》的出版，标志着他从一个存在主义的马克思主义者转变成一个生态学马克思主义者，其生态著作还有《经济理性批判》（1988）、《资本主义，社会主义，生态学》（1991）。

高兹以生态学的角度对资本主义进行深刻的批判，认为"以经济增长为目的"的当代资本主义是不可能解决日趋严重的生态危机的，把资本主义社会的

---

① ［加］本·阿格尔：《西方马克思主义概论》，慎之等译，中国人民大学出版社 1991 年版，第 272 页。

批判与对生产力、科学技术的批判联系起来。同时还通过对当代资本主义社会生态危机的批判来建立社会主义的必要性。他认为，生态运动必须成为一场更广泛的斗争的一部分，而决不能停留于生态运动本身，"五月风暴"失败之后，社会主义革命的可能性来自生态危机。因此，要解决当代资本主义社会的生态危机，只能按照民主的、社会主义的方式解决。[①]

高兹在《作为政治的生态学》中指出，之前人们把生态学看作是与经济活动无关的学科，现在人们已经把生态学视为一门特殊的经济学。这种政治生态学不仅重视对人的剥削关系的分析，更注重对自然的剥削关系的批判。高兹在《经济理性批判》（1988）中还将资本主义社会中的生态危机归结为属于资本主义经济理性范畴的利润动机，这样就把资本主义社会的生态危机延伸到资本主义经济理性的批判。这种经济理性旨在通过劳动手段的改进生产出更多的额外价值，把人与自然之间的关系变成工具关系，最终会造成严重的生态危机。因此，高兹提出了与之相对应的，旨在保护生态环境、实现生态利益最大化的生态理性的概念。资本主义追求利润的动机必然会破坏生态环境，资本主义的生产逻辑无法解决生态问题与社会危机，为了缓和矛盾，通过向发展中国家实施生态掠夺来转嫁和缓和危机。

高兹通过分析资本主义社会的生态危机根源于资本主义生产的利润动机，指出了伴随着生态运动的不仅有人与自然之间的斗争，还有人与人之间的斗争。通过人与人之间的斗争，高兹指出资本主义社会生态运动的最终目的是通过生态社会主义解决人与人之间的矛盾，建立新型的人与人之间和谐相处的社会关系。在1991年出版的《资本主义，社会主义，生态学》一书中，高兹集中论述了资本主义、社会主义与生态学的关系，阐述了他对社会主义未来和生态社会主义发展道路的基本看法，主张在新的社会历史条件下社会主义左翼与"新社会运动"的主流——生态运动结盟，反对晚期资本主义。[②] 在该书中，高兹提出只有在先进的社会主义制度下才能进行生态保护，才能消除生态危机。资本主义社会中已存在着社会主义的因素，真正的社会主义不是继承而是抛弃经济理性，限制经济理性的作用，而代之以价值理性，只有这样，才能真

---

① 张一兵主编：《资本主义理解史》第6卷，凤凰出版传媒集团、江苏人民出版社2009年版，第142页。

② 张一兵主编：《资本主义理解史》第6卷，凤凰出版传媒集团、江苏人民出版社2009年版，第141页。

正符合社会主义的含义和实现社会主义的宗旨。在社会主义制度下，生产的目的不再是为了追求最大限度的利润，而是为了人们的需要生产无公害的东西。社会主义是一个充满平等的社会，奉行生态理性而非经济理性的社会主义是生态保护的最佳选择，而"更少地生产，更好地生活"将直接导致社会走向平等。

总的来看，社会主义左翼开始关注生态问题，将马克思主义应用到当代资本主义社会的生态危机分析之中，使得马克思主义与绿色思想相结合，生态学马克思主义理论初步形成，表现出"红绿交融"的政治理论特征。这一时期的生态学马克思主义理论较之于此前的生态学分析，呈现出以下特点：首先，这一阶段的生态学马克思主义理论开始呈现出完整的理论体系。生态批判不再是法兰克福学派以马克思的异化理论为核心而进行的资本主义社会批判的附属物，相反成为生态学马克思主义对资本主义社会进行批判的主要内容，包括对生态危机的根源、克服生态危机所依赖的社会力量、解决生态问题所采取的方式和手段以及对生态社会主义模式的政治、经济、社会生活和意识形态设想等方面做了较为全面系统的分析。其次，这一阶段的生态学马克思主义理论真正致力于用马克思主义分析生态问题，开始对马克思主义的思想进行生态重释。法兰克福学派的生态理论借用了马克思的异化理论用于资本主义现实批判，而这一阶段的生态学马克思主义理论开始系统分析马克思的自然观、对资本主义的生态批判和社会主义的生态内涵等内容，为生态学马克思主义的进一步深入发展奠定基础。再次，这一阶段的生态学马克思主义开始与新社会运动尤其是生态运动紧密相连，并且逐渐在生态社会运动中占据主导地位，初步推动了绿色生态运动向社会主义的转向。最后，由于这一阶段的理论仍未摆脱西方马克思主义的意识形态批判路径，对资本主义生态危机的批判仍然是抽象的观念批判，而未能深入到资本主义制度之中，因而所提出来的生态危机解决方案具有空想性，无法切实地指导生态运动。

二、生态学马克思主义的发展

（一）生态学社会主义

环境问题的进一步恶化，推动着人们的生态意识逐渐觉醒。20 世纪 70 年代以后，群众性的生态环境保护运动和环境保护组织不断出现。到了 20 世纪 80 年代，关注生态环境问题的绿色政党出现，并且作为新的政治力量开始登上政治舞台。1980 年，德国成立了世界上第一个"绿党"，并公开提出替代资本主义的"生态社会主义"的口号，这标志着生态学马克思主义成为一种政治理想。其后，绿党开始在议会中占有席位。同时，生态运动也开始向北美洲、亚洲、大洋洲扩展，各个国家也纷纷建立绿党。1987 年 8 月在瑞典绿党的倡议下召开国际绿党大会，标志着绿党成为国际政治舞台上的一支重要力量。在生态运动旗帜下的社会主义者们已经不再满足于从生态维度对资本主义进行价值或哲学上的批判，而是把生态危机的根源归之于资本主义的积累本质和资本主义制度造成的社会不公，从资本主义的经济制度和生产方式分析生态问题，明确主张超越资本主义制度，实现生态社会主义社会。所以，生态学社会主义是西方资本主义国家绿色运动和社会主义运动密切结合、相互影响的产物，是生态学马克思主义由之前的价值批判和哲学批判转向资本主义社会批判和政治批判的结果。

生态学社会主义与早期生态马克思主义之间既有联系又有区别。生态学社会主义和早期生态马克思主义作为理论而存在，都是对资本主义国家所存在的生态环境问题现实的反映。但是，早期生态学马克思主义主要是从价值和哲学维度上对资本主义生态问题进行批判，批判有余而对未来社会的建构不足，因此具有强烈的理论化色彩，且操作性较弱。而生态学社会主义是绿色运动和社会主义运动相结合的产物，有观点称"绿色红化"，因而具有浓厚的政治色彩，要求建立社会主义，改变人与人之间、人与自然之间的剥削关系，并且明确地提出对未来社会的设想，具有强烈的可操作性，甚至成为某些绿党的政治行动纲领。

生态社会主义在介入绿色运动时，为了将自己同一般的绿色运动和绿党相区别，突出自己的社会主义特征。生态社会主义者将自己称为"红色的绿色分子"，而将资本主义绿色运动和绿党称为"绿色的绿色分子"。生态社会主义认为，绿色的绿色分子仅仅反映了西方资产阶级国家各阶层群众对于资本主义生态环境的不满和反抗，在社会理想上主张回到原始社会的自然状态，明显具有消极遁世的特征；而红色的绿色分子主张建立生态社会主义来取代当今资本主义，从而摆脱生态环境问题。二者对未来社会构想的差异源于它们理论基础的不同。红色的绿色分子充分利用了马克思主义，在马克思主义的指导下，以人为中心认识生态问题，将自然问题与社会问题相联系，把生态批判与资本主义制度批判相结合；而绿色的绿色分子则深受无政府主义和自由主义的影响，主张生态中心主义，将自然问题归之于人类中心主义、技术中心主义甚至彻底否定人类文明发展成果。

20 世纪 90 年代东欧剧变之后，生态学马克思主义理论研究的发展出现两种趋势。其一是生态学社会主义①趋势，即生态学马克思主义理论与绿色运动紧密相连并上升为其指导思想，建立生态社会主义成为绿色运动的政治口号，展现出绿色运动和共产主义运动相融合的"绿色红化"特征。但是，由于生态学社会主义对马克思主义和生态学理论的建构是受西方自由主义思潮的影响，认为马克思主义不仅不存在生态维度，而且是苏东社会主义实践失败的根源，试图对马克思主义尤其是历史唯物主义进行修正，"证明作为新范式的生态社会主义，优越于经典社会主义和马克思主义，是马克思主义的法定继承者"②。其二是马克思的生态学趋势，即生态学马克思主义理论研究回归到马克思恩格斯的著作之中，对马克思主义思想进行生态重释。马克思的生态学认为马克思主义本身即是生态的，它的唯物主义自然观、资本主义批判和共产主义设想无不包含着生态维度。

1. 生态社会主义与马克思主义

生态社会主义虽然都是从马克思主义中吸取资源来进行资本主义批判，最终寄希望于生态社会主义来解决生态问题，但是生态社会主义内部对于马克思主义的态度也存在着差异。

针对当前出现的生态问题，一些绿色分子认为马克思主义是生产中心主义和普罗米修斯主义，强调的是人类如何改变自然，贬低自然规律和自然对人类的影响，因此马克思主义本身不包含甚至是反对"生态"的观点。这部分生态学社会主义者将目标集中在对历史唯物主义的生态分析上。比较具有代表性的如，在奥康纳看来，"历史唯物主义事实上只给自然系统保留了极少的理论空间，而把主要内容放在了人类系统上面。在历史唯物主义的经典阐述中，决定物质生产和自然界之间的关系的，主要是生产方式，或者说对劳动者的剥削方式，而不是自然环境的状况和生态的发展过程"③，传统的历史唯物主义只关注

① 对于生态学社会主义和生态社会主义的区分。文章将生态学社会主义视作为生态学马克思主义与绿色运动相结合而产生的一个理论阶段，而生态社会主义是一种符合生态的社会形态，生态学社会主义的社会力量目标是建立起生态社会主义社会。

② J.B. Foster, Paul Burkett. *Marx and the Earth: An Anti-critique.* Brill, 2016: 12.

③ [美] 詹姆斯·奥康纳：《自然的理由：生态学马克思主义研究》，唐正东、臧佩洪译，南京大学出版社 2003 年版，第 7 页。

了物质生产和自然界之间的社会关系，缺乏自然生态维度，无法说明和解决当代资本主义生态危机状况。因此，奥康纳反复强调，需要从自然和文化两个维度修正历史唯物主义，构建出符合时代需要的生态学马克思主义。与之持有相同观点的还有格伦德曼，他主张在"广义的历史唯物主义"理论体系内分析生态问题，认为传统的对历史唯物主义的理解仅仅是从经济层面来理解，因而往往会招致马克思的历史唯物主义缺乏生态维度的批评，因此需要对历史唯物主义进行重新阐释。

面对生态问题对马克思主义的挑战，另一些生态社会主义者认为马克思主义本身即是生态的，无需修正或重释即可用来解释和解决生态问题。拉比卡认为生态社会主义的理论基础是马克思主义，在马克思的理论中能够找到诸多关于认识和解决生态危机的因素。除此之外，拉比卡认为马克思的理论中蕴藏了诸多关于人、自然和历史关系的论述，认识到马克思关于人和自然的辩证关系分析的生态意蕴。佩珀认为尽管不能认为存在马克思主义的生态流派，但是无可置疑的是马克思主义的确包含了足够的生态学观点。佩珀指出马克思主义存在生态立场，这种立场来自马克思和恩格斯关于社会与自然相互依赖，以及通过劳动来使人与自然相互转变的论述，还来自于他们的关于技术、前资本主义社会与自然的关系、自然与人的资本主义异化关系，以及共产主义条件下自然与人关系的转变等一系列观点。因此，佩珀断定"马克思持一种社会变革的历史唯物主义方法，而这种后者（即历史唯物主义方法，笔者注）应当贯穿于绿色战略"。[①]

虽然对于马克思主义的态度不同，但是无论对马克思主义"存在生态维度"持肯定还是否定态度，生态社会主义都主张从马克思主义中寻找资源对资本主义进行深刻批判，在理论的建构上也具有诸多的共通性。首先，在人与自然的关系上，主张马克思主义的人类中心主义，反对主流绿党的生态中心主义的观点。其次，在生态危机的成因上，主张将生态危机的根源归之于资本主义经济制度和生产方式，展开对资本主义制度和生产方式的分析。最后，在对未来社会的构想上，既反对早期生态学马克思主义者所提出的分散化和非官僚化的乌托邦思想与复古思想，又反对垄断资本主义和苏联社会主义的高度集权的社会，主张一种计划与市场相结合、集中与分散相适应、中央与地方相补充的

---

① [英]大卫·佩珀：《生态社会主义：从深生态学到社会正义》，刘颖译，山东大学出版社2005年版，第5页。

"混合型"经济。

2.生态社会主义代表人物及其理论主张

(1)乔治·拉比卡的主张

法国学者乔治·拉比卡是法国左翼运动的主要理论家之一,一生都致力于马克思主义理论创作与实践宣传。拉比卡作为马克思主义批评学派的创始人,于1980年创建政治、经济和社会哲学研究中心。该中心一方面主张将马克思对资本主义进行批判的方法应用到当今资本主义现实批判之中;另一方面又主张对马克思主义的诸多范畴进行批判的审视,在马克思主义发展的整个历史逻辑中理解把握各种范畴。拉卡比在批判资本主义现实的过程中,写了许多关于马克思主义的理论著作,其中生态社会主义是其对于资本主义生态危机反思的重要主张。

拉比卡认为,在全球性的生态危机中引发全球性的生态运动,使全球更多的人客观地集结在社会主义的旗帜下,打破生态运动的资本主义政治界限,其必然结果是社会主义,只有生态学社会主义才能够使世界真正摆脱生态危机。

对此,拉比卡对生态社会主义进行了界定,列出了生态学社会主义的三条重要原则。第一,生态学社会主义是对资本主义生产方式的批判。资本主义生产方式在人类历史上起过巨大的作用,但是资本主义"唯生产论"的生产方式的积极作用是建立在对人和自然的剥削基础之上,必然会引起自然和无产阶级的反抗,其结果是严重的生态危机和阶级斗争。第二,生态学社会主义是对殖民主义的批判。生态学社会主义认为,生态危机随着资本主义的扩张已经成为全球性的现象,发展中国家和地区生态环境恶化的根本原因在于发达国家对发展中国家的掠夺和剥削。生态殖民主义通过向落后国家转移污染,以破坏他国生态环境为代价保护本国生态环境,从而维持本国资本主义的发展。虽然发达资本主义国家也宣扬克服生态危机,解决环境问题,但是这些国家的资本主义性质决定了它们只能解决本国或本地区的生态问题,而不可能解决全球性的生态危机。第三,生态社会主义是生态运动与工人运动相结合,同时需要依靠女权运动、民权运动等社会运动的力量。拉比卡认为绿色运动与红色运动的联姻具有客观基础,生态危机和工人所遭受的困境都是资本主义生产方式的产物,因此,生态运动和工人运动的矛头和目标是一致的。在资本主义制度下,生态危机的解决不可能在资本主义剥削本质下通过改良来实现,唯有通过革命,彻底地消灭资本主义制度,才能消除生态危机的社会根源。生态学社会主义认为要实现这个目的，必须实现工人阶级同其他阶层的劳动者、小资产阶级、中产阶级和知识分子的联合。由此，生态社会主义标志工人运动进入"工人运动的文化革命阶段"。

（2）戴维·佩珀的主张

戴维·佩珀，英国牛津布鲁克斯大学地理系教授，是当代生态社会主义代表人物之一，以其1993年出版的著作《生态社会主义：从深生态学到社会正义》闻名。佩珀在批判无政府主义和深生态学的基础上，吸收马克思主义的思想观点，从而建立起一种激进的绿色政治，竭力寻找一种理想的社会主义模式来取代当今资本主义，摆脱当前生态危机日益严重的趋势。

首先，生态危机的根源在于资本主义制度。佩珀回到马克思主义的立场上分析生态危机的根源。首先，佩珀坚持马克思主义的人类中心主义立场，反对生态中心主义对生态危机的解释。生态中心主义将生态危机的根源归结为人类中心主义，正是因为人类以自我为中心贬低自然，才会导致生态危机的出现。佩珀认为马克思主义是以"控制自然"为基础的，只有站在人类中心主义的立场，人类才应当对生态危机负责，并且只有在人类中心主义的立场下，人类才能把人类的利益和自然的利益统一起来，真正解决生态问题。佩珀指出，人类中心主义作为价值观是历史的产物，其存在离不开相应的社会条件，其背后具有深刻的社会制度原因。所以，对生态危机根源的分析不应像生态中心主义者那样仅仅停留在价值观层面，而应该进一步探讨其背后的社会制度根源。因此，佩珀明确提出，生态危机的根源不在于"控制自然"，而是"控制自然"的特殊方式，即资本主义制度。

接着，佩珀分析论证了生态危机的资本主义制度根源。首先，佩珀认为从马克思对资本主义制度的分析可以看出，资本主义生产的唯一目的是追求剩余价值和利润最大化，实现资本的增殖。资本追求扩张的本质决定了资本主义无限扩张的本性。为了保证利润的实现，资本主义需要不断加强对劳动和自然的剥削。如此，资本主义扩张的无限性和自然条件的有限性之间的矛盾，势必会导致严重的生态危机。其次，在资本主义市场竞争原则的驱使下，资本家为了降低成本，倾向于将"成本外在化"。也就是说，随着商品生产的扩大，商品利润逐渐降低，资本主义为了降低成本而获得更高的利润，从而保证在市场竞争中处于有利地位，将作为结果发生的环境成本由作为整体的社会来承担。这种"成本外在化"的方式扩张到全球，就表现为发达国家对落后国家的"生态帝国主义"。第三，随着资本主义生产的扩张，资本主义生产方式必然会导致消费异化，从而加剧生态危机。伴随着资本主义生产方式出现的异化消费，使得资本主义生产扩张成为可能，这样，又刺激了商品生产，使得资本主义生产获得了利润。但是，同时也加剧了生态环境的压力。所以，佩珀认为生态矛盾是资本主义的内在矛盾，是资本主义扩张的必然结果。

此外，佩珀批评了"绿色资本主义"的空想性。在佩珀看来，绿色资本主义只是回避了资本主义制度的内在矛盾，资本主义生态环境的改善只是发达资本主义国家转移生态矛盾的结果，在世界范围内生态危机依然存在，因此绿色资本主义只可能是空想。

其次，要解决生态危机，就必须推翻资本主义，实现生态社会主义。对于如何实现生态社会主义，佩珀强调社会正义的作用，认为将社会正义与环境运动相结合才能实现这一伟大变革。从社会正义出发，佩珀重视工人运动在变革中的作用，而这关键在于将工人运动与环境运动相结合，也就是实现"红绿联盟"。具体说来，佩珀认为实现生态社会主义的领导力量是掌握马克思主义方法的知识分子；依靠的力量是以工人阶级为主体，联合中产阶级、小资产阶级和知识分子；采取的方式是非暴力。

佩珀还确立了生态社会主义的一系列原则，其中包括政治上实行整体与分散、区域化与国际化相结合的新型民主政治体制；经济制度上推行生产资料共同所有制，建立社会生态经济模式取代市场经济模式，按需生产而不是按利润生产；反对传统生态社会主义所推崇的"舒马赫主义"，强调在合理的限度内使用技术；在社会上建立公正的社会和环境、构建和谐的社会自然关系；等等。

此外，佩珀还指出了生态社会主义的一些特征，例如，生态社会主义是人类中心主义的，但是这种人类中心主义不是资本主义制度下的人类中心主义，而是以人的合理需要和自然的可持续发展为出发点的合理的人类中心主义；生态社会主义主张社会公正，这种公正既包括国内的人与人之间的正义，也包括人与自然之间的正义，放眼国际还包括国家与国家之间的国际正义。

（3）瑞尼尔·格伦德曼的主张

瑞尼尔·格伦德曼，英国诺丁汉大学社会科学学院教授，德国著名左翼学者、生态社会主义代表人物。格伦德曼的生态社会主义思想主要体现在 1988 年出版的《马克思与支配自然：异化、技术和共产主义》（Marx and the Domination of Nature：Alienation, Technology and Communism）和 1991 年出版的《马克思主义与生态学》（Marxism and Ecology）等著作中。格伦德曼站在人类中心主义的立场，在挖掘历史唯物主义生态价值的基础上对历史唯物主义进行重构，描绘出生态社会主义的美好愿景。

第一，人类中心主义与支配自然。格伦德曼明确区分了生态中心主义与人类中心主义，并对生态中心主义进行了批判。针对生态中心主义者对马克思主义的诘难，格伦德曼捍卫了马克思主义的人类中心主义立场。

格伦德曼认为生态中心主义试图从纯粹自然的立场看待生态问题，假定所有的人类行为都应该适应自然和自然法则，但是对自然和自然法则的这种前提假设，依然具有明显的自然人格化特征，将人类的标准和人类的设想投射到自然的进程中。生态中心主义所谓的"纯粹的自然"、"自然的平衡"往往是根据人的需要和愿望来衡量的。而人类中心主义立场的最主要优势在于它为人类评价生态问题提供了一个参考点。在格伦德曼看来，马克思也是坚持人类中心主义的。这主要表现在以下方面：首先，马克思的自然观将自然分为未经改造的"第一自然"（自在自然）和经过人类改造的"第二自然"（人为自然），人类为了生存必须"支配自然"，利用工具、器械、知识和技能等进行新陈代谢，所以人类的发展过程是将"第一自然"转变为"第二自然"的过程。其次，格伦德曼深刻论述了马克思"支配自然"的观念。多数环境主义者认为人类"支配自然"的观念最终导致了自然环境的破坏。格伦德曼认为"支配自然"并不是像主人对奴隶一样凌驾于自然之上肆意地支配自然，而是要在尊重自然规律和法则的基础上负责任地支配自然。格伦德曼举例说一个音乐家倘若能娴熟地摆弄她的乐器，人们就可以说她在"支配"着她的乐器，倘若她以粗暴的方式对待她的乐器，比如用锤子弹奏小提琴，那就不能说她"支配"着她的乐器。所以，格伦德曼认为，生态问题不是由支配自然所引起的，相反，生态问题的产生正是人类对自然"支配"的缺乏所造成的。因此，生态危机的根源在于资本主义制度下人们支配自然的方式。此外，马克思把支配自然的概念与实现共产主义目标联系起来：在他看来，共产主义社会是（人类史上首次）人人都能实现自我价值的社会，到那时，人们的觉悟程度普遍提高。由于对人与自然关系的全面认识，人类可以精心地控制自身的需求，使得所有的自然产品和社会条件成为理性行为的产物。因此，共产主义达到了支配自然的顶点。

第二，广义的历史唯物主义与生态。格伦德曼承认历史唯物主义的生态维度，但是既反对"正统的马克思主义"将生态问题归之于资本主义制度的方式，又反对本顿所主张的以生态学重建历史唯物主义的方法，他主张在"广义的历史唯物主义"理论体系内分析生态问题。格伦德曼指出，传统的对历史唯物主义仅仅是从经济层面来理解，因而往往会招致马克思的历史唯物主义缺乏生态维度的批评，因此需要对历史唯物主义进行重新阐释。格伦德曼重释了历史唯物主义理论中的核心概念——"生产力增长"所蕴含的双重含义："一是对自然控制的增加，二是较少努力即可获得财富（物质产品）或增加富足。第一种含义是生产力的增长意味着人类对自然的控制力增长，人类扩大了对世界控制的空间范围，即可以根据人类的需要和乐趣来塑造这个世界，称之为广义的历史唯物主义。第二种含义主要是指经济层面，从这个意义上来说，经济效率指标是衡量生产力增长的唯一指标，称之为狭义的历史唯物主义。"[1] 指责马克思的历史唯物主义缺乏生态维度的人，认为马克思只关注经济的增长。格伦德曼认为，马克思提供了超出"经济"含义的历史唯物主义，"哲学"含义的历史唯物主义使得马克思的历史唯物主义能够阐释生态问题。

第三，共产主义社会。格伦德曼认为共产主义社会是人类生态和谐相处的理想社会。共产主义社会是"一个能够在自然环境中控制自身活动的社会"[2]，他赞同马克思对共产主义的设想："对马克思而言，共产主义社会是一个以合理的方式规范人类同自然进行交换的社会，任何存在着严重生态问题的社会都不能称其为共产主义社会。"[3] 所以，共产主义社会不仅包括物质财富的极大丰富、人类精神的极大丰富，此外还包括良好的生态环境不对人类产生任何束缚。共产主义社会是人类历史上第一个能够被人类自身完全支配和控制并自我实现的社会。

格伦德曼将共产主义社会的一般特征归纳为：一是废除私有制；二是消灭阶级、消灭阶级剥削和阶级压迫；三是普遍化的幸福感；四是普遍化的物质财富；五是消除周期性的经济危机；六是增加闲暇时间；七是回到使用价值的生

---

[1] Reiner Grundmann, *Marxism and Ecology*, London: Oxford University Press, 1991, p.4.

[2] Reiner Grundmann, *Marxism and Ecology*, London: Oxford University Press, 1991, p.11.

[3] Reiner Grundmann, *Marxism and Ecology*, London: Oxford University Press, 1991, p.232.

产；八是构成人类总体的每一个人都能有意识地控制自己的劳动产品①。

(4) 詹姆斯·奥康纳的主张

詹姆斯·奥康纳是北美生态学马克思主义的代表人物之一，1997 年出版的《自然的理由：生态学马克思主义研究》集中体现了他的生态学马克思主义思想。奥康纳通过对马克思主义的历史唯物主义的诘难和修正来建立生态学马克思主义理论，在对资本主义进行生态批判的过程中，揭示了资本主义"第二重矛盾"的存在，并将生态运动引向生态社会主义。

第一，修正历史唯物主义。奥康纳认为传统的历史唯物主义把主要内容放在了人类系统上面，集中于对生产力、生产过程的物质分析，只给自然系统保留了极少的理论空间，无法说明和解决当前的生态问题。在奥康纳看来，历史唯物主义的核心概念——生产力概念存在两方面的缺陷：其一是忽视了生产力的文化维度；其二是忽视了生产力的自然维度。② 正是由于生产力概念未涉及"文化"和"自然"维度，导致历史唯物主义只关注"人们彼此之间的社会关系"而未关注"人们与自然之间的物质关系"，从而将社会加于自然之上，将经济因素看作是历史过程的决定性因素，陷入被生态中心主义者和绿色主义者所诟病的"生产中心主义"和"普罗米修斯主义"，而根本无法阐释生态问题。所以在奥康纳看来，要恢复历史唯物主义对于生态问题的阐释力，就必须对历史唯物主义进行重新解释，建构起"生态学马克思主义的历史观"③。

因而，奥康纳主张对历史唯物主义进行修正，从而建构出本不属于历史唯物主义的生态维度。基于以上认识，奥康纳从自然和文化两个维度修正历史唯物主义来弥补其生态空场。由于传统历史唯物主义只从经济的角度来理解，而忽视了自然和文化维度，人与自然界之间的关系被简单解释为经济关系，即人从自然之中获取物质资料——生产力以及在此基础上形成社会关系——生产关系，历史的进程表现为生产力积累到一定程度而试图冲破现存的生产关系这一

---

① 转引自田华、王桂艳：《格伦德曼生态社会主义思想述评》，《国外社会科学》2015 年第 4 期， 载 Reiner Grundmann,"Ecological Civilization, Sustainable Development and 21st Century Marxism ?", *Ecological Civilization and Human Development,* 2009.

② [美] 詹姆斯·奥康纳：《自然的理由：生态学马克思主义研究》，唐正东、臧佩洪译，南京大学出版社 2003 年版，第 436—437 页。

③ [美] 詹姆斯·奥康纳：《自然的理由：生态学马克思主义研究》，唐正东、臧佩洪译，南京大学出版社 2003 年版，第 50—58 页。

线性历史发展模式。这种对历史唯物主义机械的经济决定论的概括，丧失了其自然和文化线索①。所以，奥康纳认为对历史唯物主义的研究在关注社会性的同时，不能忽视其中自然性和文化性，而这主要是通过恢复社会劳动的自然性和文化性实现的。在奥康纳看来，一方面，劳动既是物质实践，又是文化实践，从而赋予生产力和生产关系以文化维度。这主要表现为人们的劳动实践是处在一定的文化之中，从而影响着生产力和生产关系。另一方面，劳动赋予生产力和生产关系以自然维度，这不仅体现在生产过程对于自然的依赖，还表现为生产力和生产关系因自然条件的差异而会有所不同。如此，奥康纳实现了历史唯物主义和生态的联姻，从而为生态学马克思主义的理论合法性奠定基础。

第二，资本主义与历史。19世纪的资本主义加剧了社会内部人与人之间的不平等，导致人与人之间的异化加剧，而20世纪的资本主义社会凸显出一个更为严重的事实，即人与自然之间的异化加剧。资本主义对自然的破坏所引发的生态危机，无法在马克思主义传统的资本主义批判理论中得到有效的解释。因此，奥康纳主张构建一种新理论，使之能够有效地阐释资本主义发展过程中的生态危机以及其他类型的矛盾。

奥康纳从变化了的现实出发，重新定义了马克思的"生产条件"概念，以此为核心揭示了资本主义的双重矛盾，从而证明在双重矛盾的作用下，资本主义必将被生态社会主义所代替。传统的马克思主义生产力理论只包含两个基本的范畴——生产力和生产关系。根据变化了的现实，即生态危机的出现，奥康纳认为有必要再引进第三个基本范畴——生产条件，以此使得马克思主义能够有效地阐释当前所面临的生态环境问题。奥康纳认为马克思所确认的生产条件是：生产的个人条件，即工人的劳动力；外在的物质条件或自然条件，主要指生产资料的自然财富和劳动工具的自然财富，也可以指进入不变资本和可变资本之中的自然因素；社会生产的公共的、一般性的条件，即交通与运输设施。②以此为基础，奥康纳将自己的"生产条件"概念定义为："不是按市场规律生产出来的商品，相反，它们只是被当作商品来看待，换句话说，它们只

---

① [美] 詹姆斯·奥康纳：《自然的理由：生态学马克思主义研究》，唐正东、臧佩洪译，南京大学出版社 2003 年版，第 60—61 页。

② [美] 詹姆斯·奥康纳：《自然的理由：生态学马克思主义研究》，唐正东、臧佩洪译，南京大学出版社 2003 年版，第 230 页。

是具有'虚拟价格'的'虚拟的商品'。"① 奥康纳拒绝资本主义将生产条件当作随意受市场规律所支配的商品以及生产条件资本化的做法。正是因为生产条件被资本当作商品来任意支配，忽视了生产条件尤其是自然的稀缺性，从而引发资本主义的第二重危机，这是由生产条件和生产方式的矛盾所引起的。这种危机有别于生产力和生产关系之间的矛盾所引起的经济危机。

所以，奥康纳认为当代资本主义社会存在两种类型的矛盾，除了生产力和生产关系之间的矛盾所引起的第一重矛盾之外，还存在着以生产条件为核心的资本主义第二重矛盾，即资本主义生产方式和生产条件之间的矛盾，他所研究的是资本主义生产力和生产关系同生产条件三者之间的矛盾。资本主义的第一重矛盾表现的是商品的价值和剩余价值的生产及实现之间的矛盾，从而导致因消费需求不足而出现的生产过剩的经济危机。具体来说，资本主义在利润的驱动下，一方面必然会不断地扩张，因为经济增长是实现利润的手段，商品数量不断增长；另一方面由于不断加大对工人的剥削，从而导致工人的消费能力不断下降，有效消费需求不足，因而导致资本主义出现生产过剩。而资本主义的第二重矛盾表现的是商品使用价值的生产与自然的稀缺性之间的矛盾，从而导致了生产不足的经济危机。具体说来，资本主义的扩张本性盲目地追求经济增长，丝毫不考虑自然所承受的界限，从而导致生产成本的增加，利润率的下降，从而带来了生产不足的危机。前者揭示的关键概念是"交换价值"，"使用价值"是从属于"交换价值"的；而后者揭示的是"使用价值"，"使用价值"与"交换价值"处于同等的地位。

总而言之，当今资本主义的危机不仅是资本主义生产过剩的危机，而且也是资本主义生产不足的危机。危机不仅来源于传统马克思主义所说的需求层面，而且来源于生态学马克思主义所增加的成本层面。可以说，资本主义生产过程是一个充满矛盾和危机的过程。在双重矛盾的作用下，资本主义的经济危机和生态危机的刺激下，在理论上为生态社会主义取代资本主义创造可能性。

第三，社会主义与自然。奥康纳要阐述他的生态社会主义理论，必须得论证生态与社会主义的一致性，即证明唯有在社会主义制度下才能实现生态环境保护。但是横亘在奥康纳面前的不能逾越的难题就是，以苏联为代表的社会主

---

① [美] 詹姆斯·奥康纳：《自然的理由：生态学马克思主义研究》，唐正东、臧佩洪译，南京大学出版社 2003 年版，第 388 页。

义国家跟资本主义国家一样面临着生态环境问题，如何解释社会主义制度在生态环境保护上较资本主义制度更具优越性呢？在奥康纳看来，社会主义国家出现生态问题的原因在于：第一，当今社会主义国家是从西方引进技术和生产系统的，因此，社会主义环境破坏和资本主义国家是相类似的。第二，实施经济增长压倒一切的政策。第三，经济全球一体化的影响，使得社会主义国家融入世界性的资本主义市场之中。但是由于社会主义国家的财产关系和法律关系不同于资本主义世界，所以社会主义国家和资本主义国家破坏环境的原因和影响也有实质差异，一个是资本主义体系，一个是社会主义体系。在他看来，生态危机对于资本主义社会是内在的、必然的，而对于社会主义社会来说，则是外在的、非必然的。因此，只要是真正的社会主义制度，就完全可能避免生态危机。

总体而言，生态社会主义作为资本主义的替代方案，跟资本主义相比，它具有以下特征：第一，生产所追求的目标是使用价值。生态社会主义希求使"交换价值从属于使用价值，使抽象劳动从属于具体劳动，这样就是说，按照需要（包括工人的自我发展的需要）而不是利润来组织生产"。① 第二，反对资本主义的生产关系对工人和自然所进行的双重剥削。第三，以生态危机代替经济危机，加强对生产条件的关注，通过政策等手段解决资本主义生产和生产条件之间的矛盾。第四，较之于传统社会主义模式，用生产资料社会化代替传统社会的国有化，认为生态社会主义是与生产力的高度社会化相适应的。第五，主张基层民主、批判精英统治。第六，反对生态殖民主义、生态帝国主义等，主张国与国之间的贸易平等。

（5）乔尔·克沃尔的主张

乔尔·克沃尔，美国著名生态思想家、政治家，是继奥康纳和福斯特之后，美国生态社会主义季刊《资本主义·自然·社会主义》（Capitalism Nature Socialism）的主编（2003—2011），作为美国绿党的成员，始终坚持理论与实践相结合。克沃尔早年和中年（20世纪80年代中期）以前，主要研究精神病学、人类学、政治学和传播学，中晚年集中研究政治学和生态社会主义，其著作包括1983年出版的《反对核恐怖》（Against the State of Nuclear Terror）、1994年出版的《红色的狩猎乐土》（Red Hunting in the Promised Land）。2001

---

① ［美］詹姆斯·奥康纳：《自然的理由：生态学马克思主义研究》，唐正东、臧佩洪译，南京大学出版社2003年版，第525—526页。

年 9 月，克沃尔与洛威在巴黎举行的"生态与社会主义"论坛上发布了《生态社会主义宣言》，依然高举生态社会主义大旗。2002 年，出版著作《自然的敌人》，是克沃尔作为生态社会主义者的代表作，鲜明地指出"资本是自然的敌人"这一观点，深刻剖析"自然的控制"的思想根源，构建出"生产者的自由联合"生态社会主义历史图景。

第一，自然的敌人——资本。克沃尔认为资本成为自然的敌人和人类的刽子手，既破坏了自然，也伤害了人类，因此开始从资本的维度对资本主义进行生态批判。克沃尔指出，资本内在地具有反生态趋势，主要表现在以下三个方面[①]：第一，资本倾向于降低自己的生产条件。这里，克沃尔借用了奥康纳关于"生产条件"的观点，即马克思对生产条件曾经作了三种分类和界定：把工人的劳动力称为"生产的个人条件"；将土地被视为"自然条件"或"外在的物质条件"，把物质性的基础结构即"交通与运输的设施"当作"公共的、一般性的条件"。资本为了扩张倾向于降低甚至破坏生产条件，加剧对工人和自然的剥削。第二，为了生存，资本必须不断地扩张。资本所代表的商品生产过程中交换价值支配使用价值的过程，这个过程一旦确立，就将自我延续并不断扩张，资本的唯一目的就是自我增殖。第三，资本导致了混乱的世界体系，逐渐地使富人和穷人之间两极分化，导致无法充分地解决生态危机。

资本的扩张不仅贯穿整个社会，而且还贯穿人类精神。"它按照自己的面貌为自己创造出一个世界。"[②] 克沃尔认为资本是从存在、时间和制度三个维度发生作用。"换句话说，人们越来越多地根据资本的条款来度过生活；这样，他们生活的时间速度加快了；最后，人们生活在这样一个世界，在那里，制度适当地保护这些穿越不断扩张的领域；全球化的世界。就这样，一个社会，一个完整的生存方式，造成了一种对生态系统整体性的敌意。"[③] 在资本所塑造的世界中，由于资本的反生态本质和资本主义的恶性增长，生态危机是必然的，并且资本主义制度不可能解决现存的生态危机。总之，资本主义世界体制正在历史性地走向崩溃。

[①] Joel Kovel, *Enemy of Nature: the End of Capitalism or the End of the World?* M. London, New York: Zed Books, 2007: 38.

[②] 《马克思恩格斯文集》第 2 卷，人民出版社 2009 年版，第 36 页。

[③] Joel Kovel, *Enemy of Nature: the End of Capitalism or the End of the World?* M. London, New York: Zed Books, 2007, p.52.

　　第二，对生态改良主义的批判。克沃尔认为，生态改良主义是无法解决资本主义当前所面临的生态危机的。在资本主义制度下，任何改良措施都是无效的，甚至会加速对生态系统的破坏。为此，克沃尔展开对科技改良方案、资本主义生态经济和资本主义生态哲学的批判。

　　克沃尔认为，科学技术改良主义企图在资本主义的框架内解决生态危机，这种改良必然是失败的。科学技术是属于资本主义的组成部分，在资本主义条件下，科学技术的发展与经济增长和生态危机三者之间是密切联系的。资本主义剩余价值的增长是以经济增长为前提的，而科学技术的发展作为经济增长的必要条件之一，能够降低劳动力成本，为资本家剥削更多的剩余价值。所以，在资本主义制度下，科学技术的发展一方面会推动经济的增长，但是另一方面也会加剧对工人和自然条件的剥削，在生态上的表现就是生态危机的加剧。因此，克沃尔认为，只要是在资本主义制度下，不改变资本主义的生产方式，任何科学技术的发展都无法改变资本主义现存的生态危机。

　　克沃尔指出，资本主义生态经济学宣称能够在不推翻资本主义制度的情况下，通过绿色经济之路实现对生态危机的解决，他们认为资本主义制度本身能够解决现存的生态问题。克沃尔将资本主义生态经济分为两类，并一一对其进行批判。一类是以戴维·科顿为代表所主张的生态社会，克沃尔认为这种生态社会没有涉及资本本身的集中和扩张，也未涉及阶级这类具有统治地位的范畴；另一类是社区经济，克沃尔认为社区经济的本质依然是私有制，根本未消除资本对劳动和自然的剥削的根源，所以无法从根源上消除资本主义社会的生态危机。

　　在此基础上，克沃尔对资本主义生态哲学进行批判。随着全球生态问题的凸显以及绿色运动的兴起，形形色色的生态哲学思想应运而生。其中深层生态学、生态区域主义、生态女性主义和社会生态学作为资本主义生态哲学的代表影响较大。克沃尔通过对深层生态学、生态区域主义、生态女性主义和社会生态学等生态哲学的批判，认识到这些生态哲学与社会主义是反对资本主义的可能同盟，但是，由于它们脱离社会现实，无法形成连贯的反资本主义社会力量，因此，它们无法彻底解决生态危机问题。所以，克沃尔正是在对资本主义生态哲学进行深刻批判的基础上，提出了生态社会主义的概念，倡导通过生态社会主义革命，实现生产者自由联合。

　　第三，对生态社会主义的构想。克沃尔在对传统社会主义的批判中，提出生态社会主义的基本原则，即坚持社会主义和生态化生产。就坚持社会主义而言，也就是坚持生产资料公有制，实现生产者的自由联合。就坚持生态化而言，克沃尔认为生态社会主义的生态化生产就是建设自然生态系统的完整性，从而在生态化生产过程中实现人类与自然之间的和谐关系。正如克沃尔给生态社会主义下的一个经典定义："我们把通过自由联合劳动来进行生产并伴随着自觉的生态中心的手段与目的的社会称之为生态社会主义。当这种生产总体上在整个社会中固定下来之后，我们可以称之为生产方式；因此，生态社会主义将是一个生态中心生产方式的社会。"①

对于生态社会主义建设所依靠的力量，克沃尔同大多数生态社会主义者一样坚持无产阶级仍然是变革社会的基本力量，但是他也强调新社会运动的社会作用，主张将新社会运动与工人运动相结合。

克沃尔认为要实现生态社会主义，必须通过生态社会主义革命。对于生态社会主义革命的一般步骤，克沃尔进行了探索。他认为在生态社会主义中，需要成立过渡委员会，建立合作社各尽所能、按需分配，社区生态治理，生产型组织参与政治，组建中央监管机构，促进人类世界与自然的总体和谐。克沃尔为人类勾勒出生态社会主义社会的总体图景。

（二）马克思的生态学

东欧剧变发生后，生态学马克思主义发展势头并未减弱。相反，自 20 世纪 90 年代以来，生态学马克思主义进入飞速发展时期。生态学马克思主义学者在批判资本主义社会和制度所导致的生态危机时，不可避免地会向马克思主义寻求理论资源。其中一些或肯定或否定马克思主义存在生态维度，但是仍然从马克思主义的理论宝库中挖掘资本主义生态批判的内容，尽管是片面地引用或者改造马克思的思想。另一些则会将生态学与马克思本身的思想相联系，深入到马克思的著作之中，充分挖掘马克思的生态思想，从而建构起"马克思的生态学"体系，向我们展现出一位作为生态学家的马克思。

马克思的生态学与前期的生态学马克思主义都是对资本主义现实生态环境问题的反映，而二者的区别在于理论来源不同，早期生态学马克思主义都与西方马克思主义有一定的渊源，是西方马克思主义在新的时代条件下对马克思主

---

① Joel Kovel, *Enemy of Nature: the End of Capitalism or the End of the World*? M. London, New York: Zed Books, 2007, p.243.

义的新的理论表达，具有强烈的"后马克思"色彩。而马克思的生态学主要是通过对马克思的理论和马克思主义的分析，揭示出其中所包含的生态学思想，试图以这些理论和观点为基础分析解决当代资本主义生态问题，因此，它依然是在马克思主义的范畴之内阐释生态问题的。其次，二者研究的方式不同。早期生态学马克思主义普遍认为马克思或马克思主义缺乏生态维度，因此需要对马克思的某些概念进行改造，或者片面引用马克思的思想来对资本主义制度进行生态批判。而马克思的生态学采用的是"马克思学"的研究方式，对马克思主义的文本和理论进行"生态学"维度的阐释，这种阐释不仅仅是某些概念的改造和利用，而且是对马克思主义整体思想的生态学阐释。最后，早期的生态学马克思主义是与生态运动和社会主义运动紧密联系的，因此具有较强的可操作性，是理论和实践相结合的产物；而马克思的生态学虽然是在生态环境问题的背景下发展起来的，但是由于其"马克思学"的研究方法和重构"马克思的生态学"的目标，使得马克思的生态学具有极强的理论性，而实践性则基本丧失。

马克思的生态学的主要代表人物是美国俄勒冈大学约翰·贝拉米·福斯特教授和印第安纳州立大学的保罗·柏克特教授。其中，福斯特和柏克特同属于一个学术共同体之中，二者的思想互为补充。福斯特在 2000 年出版的《马克思的生态学：唯物主义和自然》一书中将马克思与李比希、达尔文、马尔萨斯等生态学家相联系，分析了生态学的唯物主义起源，论述了马克思的唯物主义理论和新陈代谢思想的生态学本质，回应了西方学者对马克思缺乏生态观念的指责。保罗·柏克特在 1998 年出版的《马克思和自然》一书中，在对否定马克思主义具有生态维度的学者回应的过程中，论述了马克思主义与生态学的一致性，详细阐述了马克思的劳动价值论和共产主义理论中所具有的生态内涵，从而证明了马克思的生态学本质。如果说福斯特的《马克思的生态学：唯物主义和自然》一书是从唯物主义的哲学角度来探讨马克思的生态学的话，那么柏克特的《马克思和自然：一种红和绿的视角》这本书主要是从政治经济学的角度来分析马克思主义——包括马克思和恩格斯——中内在的生态观点的。福斯特也在柏克特的《马克思和自然》一书的第二版序言中以及自己所著的《马克思的生态学：唯物主义和自然》的前言中承认其之所以没有完整地阐述马克思的生态学中的政治经济学部分，是因为柏克特已经使这项工作成为不必要或者多余的了。此外，两人经常在杂志《每月评论》（*Monthly Review*）上合作撰写文章，并于 2016 年合作出版了《马克思与地球：一种反批判》（*Marx and The Earth: An Anti-Critique*）。

1. 约翰·贝拉米·福斯特的观点

约翰·贝拉米·福斯特，美国俄勒冈大学教授，美国生态学马克思主义代表人物之一，曾任《资本主义·自然·社会主义》（*Capitalism Nature Socialism*）杂志编委会委员，现任《每月评论》（*Monthly Review*）杂志的主编。最能反映其生态思想的著作主要有《脆弱的行星：环境的经济简史》（1994）、《马克思的生态学：唯物主义和自然》（2000）、《生态危机与资本主义》（2002）。在《生态危机与资本主义》中，福斯特分析了生态危机的资本主义制度根源，对企图通过改进资本主义制度来摆脱生态危机的方式进行批评，提出构建生态保护的生态社会主义。

针对资产阶级环境主义者以及一些生态学马克思主义者否定马克思存在生态维度，甚至认为马克思主义是反生态的观点，福斯特重新梳理了马克思的著作，挖掘马克思历史唯物主义思想史中的生态学内涵，系统地重建了马克思的生态思想。福斯特在揭示马克思经典著作中的生态批判思想基础之上，对资本主义制度进行生态批判。福斯特认为彻底地生态学分析需要唯物主义和辩证法的结合，正是由于缺乏唯物主义和辩证法的分析视野，传统的对生态问题的讨论局限在自然对人类扩张的限制、人类中心主义和生态中心主义的对立这些抽象问题的讨论之中，因而陷入了唯心主义、唯灵论和二元论之中。马克思主义之所以对生态问题的分析更加彻底，是因为马克思的唯物主义具有生态唯物主义的理论内涵，马克思的辩证法也是关于自然进化和历史演进的辩证法。所以说，只要说明马克思主义是唯物主义和辩证法的结合，也就是揭示出马克思主义的生态内涵。

（1）唯物主义自然观的生态思想

为了反驳一些绿色主义者对马克思唯物主义思想的责难，福斯特阐释了马克思唯物主义与生态思想的关联性。福斯特反对普遍认为费尔巴哈是马克思唯物主义理论来源的观点，认为伊壁鸠鲁哲学的唯物主义思想才是马克思唯物主义思想的真正来源。所以，福斯特对马克思唯物主义自然观的生态学分析，是从马克思的博士论文开始的。

在马克思的博士论文《德谟克利特的自然哲学和伊壁鸠鲁的自然哲学的差别》中，分析马克思唯物主义哲学思想的关键在于马克思发展并改造了伊壁鸠鲁关于唯物主义和自由的思想，而这些思想对于马克思生态思想的形成具有重要的作用。按照福斯特的分析，伊壁鸠鲁的思想包含着诸多的生态学思想，从而使得马克思的生态思想有源可寻。伊壁鸠鲁的唯物主义是反目的论的，将神从自然界驱逐出去，捍卫了进化论的唯物主义基础。马克思通过伊壁鸠鲁的原子偏斜学说否定目的论和宿命论，在肯定伊壁鸠鲁的原子论是唯物主义的过程中，形成了自己的唯物主义观点。

福斯特在论证马克思的博士论文所形成的唯物主义自然观之后，又指出马克思在博士论文时期所显现出来的唯物主义仍然不够成熟，具有浓厚的黑格尔唯心主义色彩。福斯特认为，马克思是在接触费尔巴哈的唯物主义哲学之后才开始逐渐成熟起来。"费尔巴哈唯物主义中的感知特征以及对自然主义的强调，对马克思来说都很重要"。[1] 马克思自然主义的唯物主义在他的这段描述中十分明显："感性（见费尔巴哈）必须是一切科学的基础。科学只有从感性意识和感性需要出发，因而，只有从自然界出发，才是现实的科学。"不仅仅是这些，历史对马克思来说也是"自然史的一个现实部分……自然科学往后将包括关于人的科学，正像关于人的科学包括自然科学一样：这将是一门科学"[2]。可以看出，马克思的唯物主义自然观，"表现在他对人类和世界（即它的本体论基础）的客观性的认识上，表现在他对相互联系的自然历史和人类历史的认识上"[3]。马克思通过对费尔巴哈哲学的吸收继承，使自己彻底地摆脱了黑格尔的唯心主义。

（2）唯物主义历史观的生态思想

马克思的唯物主义理论包含唯物主义自然观和唯物主义历史观两个部分。前面已经揭示了马克思的唯物主义自然观所具有的生态意蕴，福斯特进一步探究马克思的唯物主义历史观的生态思想。福斯特认为马克思的唯物主义历史观所蕴含的生态思想，主要是在马克思和恩格斯对马尔萨斯人口论、费尔巴哈的直观唯物主义、真正的社会主义和蒲鲁东机械的"普罗米修斯主义"的批判中

---

① [美] 约翰·贝拉米·福斯特：《马克思的生态学：唯物主义和自然》，刘仁胜等译，高等教育出版社 2006 年版，第 80 页。

② [美] 约翰·贝拉米·福斯特：《马克思的生态学：唯物主义和自然》，刘仁胜等译，高等教育出版社 2006 年版，第 87—88 页。

③ [美] 约翰·贝拉米·福斯特：《马克思的生态学：唯物主义和自然》，刘仁胜等译，高等教育出版社 2006 年版，第 88 页。

形成的。

马尔萨斯的人口论认为人口的增长是以几何数的速度增长的，远远大于生活资料以算术数增长的速度，必然会造成生活资料的不足而出现人口过剩现象。马克思批判马尔萨斯将人口增长和生活资料生产简化为抽象的数字关系这种非历史的观点，这样做的根本目的是要维护对人类和自然的剥削制度。福斯特认为马克思和恩格斯通过对马尔萨斯理论的批判，逐渐认识到人与自然之间并不是天然对立的，人类的苦难并不是由于人口过剩这个"自然"原因，其背后的原因是资本主义为了实现对人的剥削而建立庞大的"劳动后备军"的需要，这才是自然原因背后的人的原因。马克思和恩格斯在对资本主义的批判中考察了无产阶级生存状况，注意到无产阶级的居住环境所遭遇的普遍污染。

费尔巴哈的直观唯物主义将存在与本质混为一谈，费哈巴哈的自然观和本质观尽管是以唯物主义的名义，但是都是抽象的概念，消解了存在与本质之间的矛盾。马克思和恩格斯认为存在与本质之间存在矛盾，这种矛盾需要用纯粹的实践来解决。正是在批判费尔巴哈直观唯物主义、自然主义的过程中，马克思第一次清楚地表达了他的实践唯物主义和历史唯物主义。这样，马克思从强调自然是人类存在的前提出发，进一步得出生活资料的生产是人类生活以及人类历史的前提。因此，马克思的新唯物主义，也就是实践唯物主义，实现了唯物主义自然观和唯物主义历史观的统一。

"真正的社会主义"以鲁道夫·蒙特为代表，主张为了调和人类和自然，引导读者走入"自由自然"的王国，以期用自然本身所提供的精神力量跨越人类对自然的异化。马克思和恩格斯认为，真正的社会主义以及它对待自然的唯灵论和感情主义的方式，是由于不能区别人类是社会存在还是自然存在，不能理解劳动是人类历史进程的本质。因此，马克思和恩格斯从其唯物主义历史观出发，强调人与其他自然物的区别，人是自然性与社会性的统一，自然的异化有其"人类的基础"，只有通过改变人的活动方式才能克服。

马克思被一些环境主义者认为是反生态的"普罗米修斯主义者"，福斯特认为这是源于他们对马克思的误解，他们未看到马克思对蒲鲁东机械的"普罗米修斯主义"的批判。在福斯特看来，马克思在《共产党宣言》中一方面肯定资本主义文明给世界带来了巨大的物质财富等诸多不可否认的贡献时，另一方面也看到了资本主义财富创造所伴随的贫困人口的增长、自然环境的破坏等消极方面。马克思还重点强调了将城乡矛盾的解决作为超越人类对自然异化的关键因素，把生态问题看作是一个同时超越资产阶级社会视野和无产阶级运动直接目标的问题。

（3）新陈代谢断裂理论

福斯特在论证马克思的唯物主义具有生态维度的基础上，重新构建马克思的生态思想，主要体现在新陈代谢断裂理论中。

福斯特认为，马克思的"新陈代谢"概念源于李比希，但是是为了"解释人类劳动和环境之间的关系而使用了这个概念"。[①]并且马克思是在两个意义上使用"新陈代谢"概念的，"一是指自然和社会之间通过劳动而进行的实际的新陈代谢相互作用；二是在广义上使用这个词汇，用来描述一系列已经形成的但是在资本主义条件下总是被异化地再生产出来的复杂的、动态的、相互依赖的需求和关系，以及由此而引起的人类自由问题"，这样，"新陈代谢概念既有特定的生态意义，也有广泛的社会意义"。[②]可以看出，马克思的"新陈代谢"概念既具有自然内涵，又具有社会内涵。就自然内涵而言，主要包括两个方面：一是自然界自身内部的物质交换；二是自然和社会之间的物质交换。就社会内涵而言，是指以物质生产及其组织为基础的物质的交换，并且物质变化的社会内涵是以自然内涵为基础和前提的。在福斯特看来，新陈代谢概念为马克思提供了一个表述自然异化（以及它与劳动异化的关系）概念的具体方式，从而保证马克思对资产阶级社会异化特性进行全面的批判。

在资本主义制度下，生态问题的出现意味着自然界内部之间以及自然与社会之间的新陈代谢出现了断裂。马克思在新陈代谢断裂这一概念上，建立起对资本主义的生态批判。李比希用"新陈代谢断裂"来解释土地肥力的流失和衰竭的问题，福斯特认为马克思对李比希的这一概念进行修正，使其内容不再局限于土地肥力的衰竭，而是重点关注城市污染问题，其范围也由某一地区和国家扩展至整个资本主义世界甚至全球。

对于"新陈代谢断裂"的原因，福斯特认为直接原因是资本主义社会中的城乡分离以及产品的远距离贸易，而根本原因则是私有制和资本主义生产方

[①] ［美］约翰·贝拉米·福斯特：《马克思的生态学：唯物主义和自然》，刘仁胜等译，高等教育出版社2006年版，第178页。

[②] ［美］约翰·贝拉米·福斯特：《马克思的生态学：唯物主义和自然》，刘仁胜等译，高等教育出版社2006年版，第175—176页。

式。城乡的分离导致土壤中的营养成分流动出现断裂，产品的远距离贸易使得土壤中的构成要素流动不均，土壤肥力难以恢复。造成这一切的根源在于资本主义生产追求利润和剩余价值，"资本主义积累的逻辑无情地制造了社会与自然之间的新陈代谢的断裂，切断了自然资源再生产的基本进程"①。福斯特反对环境主义者将生态危机的原因归结为"支配大自然"的观念，认为生态危机的根源在于资本主义制度的扩张主义逻辑。资本主义制度本质上是一种积累制度，"要么积累，要么死亡"，这主要表现在：资本主义经济将追求利润增长作为首要目的；资本主义投资的短期行为，忽视长远利益和后代利益。所以，福斯特强调"生态与资本主义是互相对立的两个领域，这种对立不是表现在每一个实例之中，而是作为一个整体表现在两者之间的相互作用之中"。②

（4）批评资本主义改良，构建生态社会主义

福斯特认为生态与资本主义是整体上对立的，因此从生态的角度来看资本主义与从资本主义的角度来看生态二者之间是有巨大差异的，前者立足于生态来批判资本主义，而后者则立足于资本主义企图来解决生态问题。为了更好地揭示资本主义同生态之间的对立，福斯特首先对资本主义改良生态环境的做法做出批判，以论证超越资本主义生态危机的生态社会主义必然性。

福斯特对资本主义改良的批判主要集中在对资本主义经济"非物质化"、自然资本化和技术的资本主义使用。资本主义主流经济学认为，随着资本主义经济的发展，增长方式从传统的依赖于煤炭、石油等矿物燃料转变为依赖知识、信息、创新等新兴途径，每单位 GDP 增长对环境的影响逐渐减少，以此为资本主义经济进行"非物质化"的辩护。福斯特认为，所谓资本主义经济的"非物质化"实际上只是能源利用率的提高，同样也伴随着经济规模的膨胀和生态环境的恶化。资本主义经济的"非物质化"承诺只不过是更加危险的神话而已。

环境经济学家确信将生态环境量化并纳入资本主义体系之中，从而通过市场增加环境成本来限制资本主义对环境的破坏，解决污染和环境恶化问题。福斯特认为这只是"乌托邦神话"。生态环境的价值是多方面的，不能简单地用于经济成本和效益分析，反之，如果强行给环境定价，反而会加大对自然的剥削。

①　J.B. Forster, "The Ecology of Destruction", *Monthly Review,* 2007, 2, vol.58, No.9, p.9.

②　［美］约翰·贝拉米·福斯特：《生态危机与资本主义》，耿建兴、宋兴无译，上海译文出版社 2006 年版，"前言"第 1 页。

在发达的资本主义经济中，不少人认为沿着良性方向改进技术能够解决环境问题。福斯特对这种看法持否定态度，他认为造成环境破坏以及解决环境问题的原因不在于技术本身，而在于技术的资本主义使用。在资本主义制度下，技术的使用也是以利润为目标的。即使是成熟的环保技术，当其应用无利可图时，也不一定会被广泛采用。所以，依靠技术的改进和提高是不够的，关键在于社会经济制度的变革。

福斯特论述了在资本主义制度下实现生态环境保护是不可能的，提出了构建生态社会主义的基本特征，其中包括：坚持超越人类中心主义和生态中心主义的土地伦理；实现自然的社会化和社会的民主化，改变人与自然的关系；充分发挥国家的作用，以计划为主，市场调节为辅，兼顾生态与社会公正。①

对于生态社会主义的实现策略，福斯特强调环境公平下的革命性制度变革，是克服生态危机的唯一出路。实现生态社会主义，必须强调阶级斗争的必要性，生态革命的动力来源于以工人阶级为主的社会底层的集体力量。因此，必须将工人运动与环境保护运动相结合，环境运动才能取得成功，生态社会主义才有希望。

2. 保罗·柏克特的观点

保罗·柏克特（1956—　），美国印第安纳州立大学经济学教授，主要研究马克思主义、生态和发展。柏克特的生态学马克思主义思想主要集中在 1998 年出版的《马克思和自然》（*Marx and Nature：A Red and Green Perspective*）和 2006 年出版的《马克思主义和生态经济学》（*Marxism and Ecological economics：Toward a Red and Green Political Economy*）两本著作之中。柏克特与约翰·贝拉米·福斯特同属于一个学术团体之中，二者的理论研究相辅相成，于 2016 年合作出版了《马克思与地球：一种反批判》（*Marx and The Earth：An Anti-Critique*）。

柏克特的生态学马克思主义理论是在批判中重建马克思关于自然、社会和环境危机的分析路径。柏克特认为生态批判者在否定马克思主义的生态维度时主要从以下三个方面展开：第一，马克思陷入到"生产力主义"或者"普罗米修斯主义"之中，这表现在马克思支持生产力的发展而否定自然的限制；

---

① 张一兵主编：《当代国外马克思主义哲学思潮》下卷，江苏人民出版社 2012 年版，第574—575 页。

第二，马克思对于资本主义的分析，尤其是劳动价值论排除或者贬低了自然对生产的贡献；第三，马克思对资本主义矛盾的分析，没有涉及自然或生产的自然条件。针对这些批判，柏克特在系统全面地对马克思相关著作进行考察的基础之上，从历史唯物主义和自然、资本主义批判的生态维度和共产主义设想的生态内涵三个层面论证马克思主义不但具有生态维度，而且贯穿于其历史唯物主义分析之中。

（1）自然和历史唯物主义

柏克特从马克思的历史唯物主义出发，认为历史唯物主义本身是包含着自然维度的，这主要表现在自然和历史唯物主义前提的关系上。历史唯物主义对人类历史的分析是从维持"现实的人的存在"的财富（即使用价值）生产开始的，这是历史唯物主义不同于其他历史理论的核心所在。柏克特认为马克思将生活资料的生产作为人类历史的前提，承认使用价值的生产只有通过人与自然之间的物质交换才能实现，也就是说，马克思虽然承认劳动是财富生产的必要条件，但是并未贬低自然对于使用价值生产的作用。为此，柏克特进一步分析了劳动力和劳动以及资本主义剩余价值的自然基础，证明马克思对资本主义乃至整个历史的分析都是存在自然向度的。

（2）自然和资本主义

针对外界普遍认为马克思的价值理论不可能存在生态维度的观点，柏克特展开对马克思价值理论的生态分析。柏克特首先证明马克思的劳动价值论的生态内涵，反驳生态批判者认为马克思的劳动价值论只关注劳动而忽视自然的观点。柏克特认为马克思的劳动价值论虽然强调商品价值的来源在于无差别的人类劳动，但是价值实现的基础和前提是商品的使用价值，而使用价值的生产离不开人类劳动和自然，正如马克思所强调的"劳动是财富之父，土地是财富之母"[①]。马克思之所以强调价值对自然的无偿占有，是因为自然在价值的形成过程中不耗费人类劳动。

柏克特深入到商品的使用价值和价值关系的历史关系中，说明商品经济占主导的资本主义社会中价值对使用价值的统治地位的形成。在马克思看来，价值在资本主义条件下成为主导交换价值和使用价值的力量。柏克特分析了马克思价值的三重含义：第一，交换价值是价值的形式而不是相反，价值只来自生

[①] 《马克思恩格斯选集》第2卷，人民出版社2012年版，第103页。

产而非交换领域，批评了将价值赋予自然的生态主义批判者；第二，使用价值与作为价值特定形式的交换价值从属于价值，反映了以使用价值为目的的生产对以盈利为目的的生产的从属关系，也反映了资本主义的生产中不是以满足人们的需要为目的而是以盈利或资本积累为目的；第三，由于财富本来是指大量的使用价值，而使用价值是由劳动和自然联合生产出来的，但是在资本主义经济条件下，价值主导着交换价值和使用价值而使之处于从属地位，那么就意味着使用价值被社会地抽象化了。财富不再是按使用价值来理解，而是按交换价值形式来理解。因此，内在于商品之中的交换价值和使用价值之间的矛盾，外在化地表现为财富的资本主义价值形式与财富的自然基础和物质材料之间的矛盾。柏克特将之概括为"价值—自然矛盾"（Value-Nature Contradiction），并且将它作为分析资本主义环境危机的理论基础和核心范畴。在资本主义现实中，"价值—自然矛盾"具体表现为货币与自然之间的冲突。由价值和货币控制的人类生产，忽视自然条件的多样性和联系，仅仅将其作为生产的工具，这种对待自然的态度必然会与生态相矛盾。另外，由于资本作为社会财富形式所包含的无限扩张趋势，同时也会打破自然约束的界限，导致生态危机的出现。所以说，资本主义生态危机的社会根源——内在于商品、货币和资本的价值形式与自然之间的对立。

柏克特在此基础上区分了资本主义所导致的两种环境危机：其一是资本积累危机，建立在资本的物质需要和自然条件之间的不平衡之上；其二是更广泛意义上的、人类社会发展质量的危机，源于资本主义城镇和农村的工业划分所导致的物质和生命力量流通的不协调。① 前者是从资本积累的角度来看，是作为资本积累的自然财富的恶化；而后者则是从更广义的人类发展的角度而言的，是作为人类发展的自然财富的恶化。柏克特认为马克思主义的环境危机概念是从更广义的人类发展的角度来说的，是人类社会发展质量的危机，这是与马克思追求人与自然全面发展的历史唯物主义旨向相关的。

（3）自然和共产主义

对马克思主义最常见的批评是马克思赞成资本主义生产力的发展并将其作为共产主义的前提条件，因此认为马克思屈服于"普罗米修斯主义"或生产力

---

① Paul Burkett, *Marx and Nature: A Red and Green Perspective.* New York: St. Martin's Press, 1999, p.107.

中心主义。针对这一批评，柏克特展开对马克思的资本主义历史危机理论的分析。柏克特认为马克思承认资本主义的历史进步性，但是并未将其等同于狭隘经济维度上的生产和消费水平的提高，而是将其理解为为人类发展即对作为社会的和自然的人的发展的束缚减少创造条件。但是，在资本主义条件下，这种束缚的减少只是潜在的可能性，这就涉及对马克思的资本主义危机理论的生态分析。柏克特认为由于资本主义基本矛盾的存在，即为利润而生产和为人类需要而生产之间的矛盾，除此之外，也可以表述为生产条件同生产者和共同体之间的异化以及社会化生产与私人占有之间的矛盾，资本主义的历史进步性不可能实现。当资本主义的基本矛盾发展到顶点时就表现为资本主义关系的历史危机，除了表现为"积累危机"（即利润率下降）之外，环境危机也是资本主义关系历史危机的内在部分。柏克特将生态危机也放在分析资本主义危机理论的框架下，认为生态危机也是资本主义历史危机的表现之一，从而大大丰富了马克思对于资本主义历史危机的批判，为生态维度融入到马克思的共产主义转变设想之中奠定基础。

此外，柏克特批评了奥康纳所提出的双重矛盾理论。奥康纳认为资本主义存在双重矛盾，其中第一重矛盾是积累危机，由于资本主义日益加剧的剥削，导致无法通过商品销售实现剩余价值；第二重矛盾反映为由于成本增加而导致的盈利问题，涉及生产自然和社会条件，尤其是资本倾向于将成本外在化于自然来恢复或增加利润，但是生产条件的恶化又提高了其他资本的成本，从而利润下降直到社会运动需要资本恢复自然条件。柏克特认为奥康纳的第二重矛盾同马克思的资本主义根本矛盾和历史局限理论一样，都承认资本的发展是建立在自然基础之上。但是柏克特认为，奥康纳的双重矛盾理论存在着缺陷。首先，就第一重矛盾而言，奥康纳人为地将其从生产条件中分离，甚至认为第一重矛盾与生产条件无关。柏克特认为在资本主义条件下，资本对劳动力的剥削以及剥削率的增长都是根源于资本对自然条件和社会条件的占有，并将其作为剥削劳动力、具体化剩余劳动为可销售的使用价值的工具。因此，从马克思的角度来看，奥康纳试图将资本的生产条件社会化归入第二位的、成本方面的矛盾是难以置信的。至于第二重矛盾，资本利用自然和社会条件导致外部成本的增加，由此引发盈利问题，柏克特认为这是不成立的，因为资本积累的外部成本，也能为资本主义创造盈利机会。例如，环境工业的出现针对环境保护也能为资本主义创造利润，但是这种破坏性活动的盈利并不能解决资本主义的第一重矛盾。柏克特认为奥康纳的双重矛盾只是基本矛盾的症状而已。所以，柏克特批评了奥康纳的绿色资本主义改良视角，认为环境工业不仅不能解决过度积累问题，而且无法解决资本主义环境危机问题。因为资本原则上能在任何自然环境下继续积累，只要人类未灭亡。柏克特评价说，奥康纳的确注意到了资本对生产条件的破坏，不仅威胁利润和积累，而且损害人类存在的社会和自然环境。他也认识到了生态和社会运动对人类实现良性发展的重要作用，但是，由于将生产条件作为资本的劳动剥削之外，奥康纳的双重矛盾二元化倾向于缓和资本主义生产所需的条件以及人类发展所需的条件之间的差别，从而人为地分开劳动斗争和生态斗争，而将后者定义为非阶级斗争。

对于资本主义向共产主义转变，柏克特以是否考虑环境问题为标准区分了两种革命观——工业主义的革命观和广义的革命观。工业主义的革命观主要是指将工人作为革命主体力量的革命观。柏克特认为马克思的思想中包含了一种或更为广义的革命观，这种革命观并不否认工业主义的革命观，但是认为其存在片面性，未考虑到生态问题。在工业主义革命观的指导下，无产阶级实现解放以后仍然无法摆脱资本主义对待自然的方式，很难自觉地建立起生态的共产主义。所以，柏克特主张一种广义的革命观，这种革命观包含三个方面。首先，认识到资本主义的根本矛盾不只是剥夺了劳动者创造的财富，即劳动与财富的异化；而且资本积累是以剥削劳动者的生命力、思想等劳动者的身体和生活为前提的。其次，消灭资本主义制度对人和自然的剥削，必须实现工人阶级的联合生产。最后，主张将反对资本对劳动剥削的斗争和反对资本对自然剥削的斗争联合起来，共同构成反资本主义斗争，劳动的原生态潜力只能历史地通过群众反对资本对自然和劳动的剥削的斗争中实现。

三、生态学马克思主义的最新发展

进入 21 世纪以来，生态学马克思主义致力于对经典历史唯物主义的细微理解。马克思主义存在生态维度以及马克思主义对于生态问题分析的有效性已为生态学马克思主义者所普遍接受，用经典历史唯物主义来分析应对当今时代我们所遭遇的资本主义全球危机，即在现代资本积累体系下的整个"自然异化"

问题成为生态学马克思主义的主要路径。① 各种各样激进的生态批判者开始用马克思对资本主义的经典生态批判来阐释当今主要生态问题，所分析的主题也是多种多样的，例如生态文明、生态女性主义和环境正义等等。其中柏克特建立起马克思主义式的当代生态经济学，福斯特也发展了生态帝国主义和不平等的生态交换理论，生态学马克思主义理论跨学科的发展，展现出其理论的生命力。

在实践层面，生态主义者、社会主义者、女性主义者、民主社会主义者等左翼力量在生态运动旗帜下相互融合，众多绿色政党和联盟相继成立并发展壮大，旨在宣扬绿色生态的传媒报刊也不断成立，各种涉及绿色生态话题的左翼论坛也相继召开。例如成立于 2004 年的"北欧绿色左翼联盟"（Nordic Green Left Alliance）试图把选举政治中日渐凸显的环境主义和女性主义等新政治要素纳入到自己的共产主义或激进社会主义政治传统中，成员包括芬兰的"左翼联盟"党、冰岛的"左翼—绿色运动"党、瑞典的"左翼党"、挪威的"社会主义左翼党"、丹麦的"社会主义人民党"等。以苏格兰为基础的致力于真正变革的社会主义者和进步人士在网络上成立《民主的绿色社会主义者》（*Democratic Green Socialist*）和澳大利亚民主社会主义党创办的《绿色左翼周刊》（*Green Left Weekly*）等杂志都致力于传播绿色生态思想。尤其是 2009 年底召开哥本哈根全球气候变化会议以后，大规模的公众性抗议活动标志着生态运动的重新崛起。此外，每年来自世界各地的左翼知识分子齐聚一堂参加在美国举行的全球"左翼论坛"，围绕"世界公平正义"这个主题进行探讨，其中不可避免涉及生态问题。

生态运动的重新兴起同时也意味着，生态理论获得了前所未有的发展机遇。在理论上，生态学马克思主义者对于生态问题的思考，除了生态学马克思主义和环境主义等流派之外，近年来出现了一些新的流派。其中包括对"绿色资本主义"的争论，以及旨在为了人类共同福祉的马克思主义。

针对"绿色资本主义"的争论，主要是以奥地利维也纳大学的乌尔里希·布兰德教授为代表。布兰德教授针对当前"绿色资本主义"解决生态危机的观点，提出"社会生态转型"的观点。

布兰德对当前世界各国所主张"绿色经济"或"绿色增长"等战略进行批判性分析，认为这些战略和提法在资本主义市场和现有的部门关系、地区关系

---

① 参见 J.B.Foster, Paul Burkett, *Marx and the Earth: An Anti-critique*, Brill, 2016, p.10。

和国家关系框架下，是不可能实现的。"绿色资本主义"只是欧美等资本主义国家应对生态危机进行自我调整的措施，其本质仍然是为维持欧美世界的霸权秩序。绿色经济通过将自然商品化或金融化，只可能会强化对自然的控制和破坏。同时，绿色经济在原有的社会关系下，借助不公平的自然资源占有和使用关系而有选择性地发展并继续维持原有的不公平的社会关系。

在认识当代资本主义的反生态性和社会不公正性的基础之上，布兰德认为要积极推进"社会生态转型"。资本主义内在逻辑注定了自然生态的资本化使用以及自然生态的损害代价外部化。当前在绿色旗帜下的政策改良和制度调整，都不会改变其本质，相反是以发展中国家和社会中弱者的牺牲为前提的。因此，布兰德呼吁全球"绿色左翼"团结起来，反对或超越"绿色资本主义"力量的"转型左翼"或"多彩左翼"。

第三节　女性主义马克思主义

随着西方女性主义（或女权主义）运动的持续不断，女性主义马克思主义也应运而生。女性主义（或女权主义）起源于 19 世纪晚期的欧洲和美国，最初是受到了启蒙运动时期倡导的"天赋人权"思想和理性主义世界观的影响，要求给予女人同男人一样的权利和社会地位。

19 世纪以来西方的女性主义者总共发起了三波女性主义运动：第一波女性主义运动开始于 19 世纪中叶到 20 世纪初；第二波女性主义运动兴盛期是在 20 世纪 60 年代到 80 年代初；从 80 年代初至今是第三波女性主义运动时期。第一波女性主义运动的主导思想是自由主义女性主义理论，这些理论普遍认为，争取妇女的财产权利和其他同男性平等的法律权利可以促成男女平等。这次运动中，妇女主要争取的是女性的选举权、受教育权和外出就业的权利等。当时，多数马克思主义者都对这一时期女性主义运动保持着疏离的关系。这是因为第一波女性主义运动主要是由资产阶级女性发起的为资产阶级女性争取平等权利的解放运动，其指导思想是资产阶级思想。同一时期，在马克思主义理论的指导下和社会主义运动实践的背景下，发展出了同自由主义女性主义有着本质区别的妇女解放理论和实践——马克思主义的妇女解放理论和实践。它构成了女性主义马克思主义在 20 世纪 60 年代之后的产生和发展最重要的理论来源和实践基础。

一、女性主义马克思主义的思想渊源

马克思和恩格斯以及 19 世纪中叶到 20 世纪初的一些马克思主义理论家的妇女解放思想是马克思主义女性主义产生的理论根源。

例如，奥古斯特·倍倍尔的《妇女与社会主义》和恩格斯的《家庭、私有制和国家的起源》等，是公认的马克思主义关于妇女解放问题的经典著作。这些著作不但对当时的社会主义运动和无产阶级的妇女解放产生了重要影响，还对第二波女性主义运动和实践都产生了重要影响。这些马克思主义理论著作对女性受压迫的历史唯物主义立场以及其中对家庭、性别和妇女解放等问题的深入探讨，为之后的女性主义马克思主义理论的发展奠定了重要的理论基础。

近年来，随着马克思的文本研究愈加受到重视，以前被马克思主义和女性主义忽略了的马克思关于性别和家庭的论述的文本也逐渐被发掘出来，但不同的女性主义者对马克思主义思想的理解和对其文本的解读，相互之间往往有着很大差异。下面仅对其中的一些经典文本和代表性理论进行介绍。

（一）马克思与恩格斯的性别、家庭和女性解放思想

之前的很多女性主义者，其中也包括一些马克思主义女性主义者，都认为马克思对女性问题关注不多，甚至还有大男子主义倾向，反而是恩格斯在其《家庭、私有制和国家的起源》中谈到了一些关于妇女解放的问题。特别是 20 世纪六七十年代的第二波女性主义运动时期，是当时一些激进主义女性主义者的普遍观点。但是，这个误解随着近年来女性主义者对马克思文本的深入研究而逐渐消除。近年来，一些女性主义者发现，马克思和恩格斯在青年时期就开始关注人类社会历史中普遍存在的性别不平等问题以及女性解放与社会主义革命之间的关系问题。其中，马克思的《论犹太人问题》（1843）和《1844 年经

济学哲学手稿》(1844)，马克思与恩格斯合著的《神圣家族》(1845)、《德意志意识形态》(1845—1846)和《共产党宣言》(1848)等作品中都有关于性别、家庭和妇女受压迫问题的讨论。

例如，马克思的《1844年经济学哲学手稿》中含有大篇幅的关于性别问题的论述。在其中的"私有财产和共产主义"部分，马克思花费大量笔墨对蒲鲁东、圣西门和傅立叶等人的"粗陋的共产主义"的男女关系进行了批判，认为它在婚姻方面也没有将妇女从私有财产的地位中拯救出来，而是寻求私有制普遍扩张而造成了一种"公妻制"的普遍形式，并深刻地批判他们："把妇女当作共同淫欲的掳获物和婢女来对待，这表现了人在对待自身方面的无限的退化，因为这种关系的秘密在男人对妇女的关系上，以及在对直接的、自然的类关系的理解方式上，都毫不含糊地、确凿无疑地、明显地、露骨地表现出来。"①

并且马克思还将性别关系作为人类发展的指示器："从这种关系就可以判断人的整个文化教养程度。从这种关系的性质就可以看出，人在何种程度上对自己来说成为并把自身理解为类存在物、人。男人对妇女的关系是人对人最自然的关系。因此，这种关系表明人的自然的行为在何种程度上成为人的行为，或者，人的本质在何种程度上对人来说成为自然的本质，他的人的本性在何种程度上对他来说成为自然。这种关系还表明，人具有的需要在何种程度上成为人的需要，就是说，别人作为人在何种程度上对他来说成为需要，他作为个人的存在在何种程度上同时又是社会存在物。"②

另外，在《共产党宣言》中也可以看到马克思和恩格斯对资产阶级家庭的激烈地批判："资产阶级撕下了罩在家庭关系上的温情脉脉的面纱，把这种关系变成了纯粹的金钱关系。"③他们还认为，资产阶级的婚姻关系会随着资本主义生产方式的消失而消失。另外，恩格斯在他早年作品《英国工人阶级状况》中运用了大量篇幅和笔墨描绘了当时英国女工在家庭生活、工作、怀孕和道德等方面的悲惨状况。这些论述都表明，马克思和恩格斯将性别平等作为衡量社会进步的重要标准和社会主义革命的必不可少的组成部分。这些观点也构成了

---

① 《马克思恩格斯全集》第3卷，人民出版社2002年版，第296页。
② 《马克思恩格斯全集》第3卷，人民出版社2002年版，第296—297页。
③ 《马克思恩格斯选集》第1卷，人民出版社2012年版，第403页。

女性主义马克思主义理论发展的重要理论基础。

马克思晚年的一些著作，如《资本论》和《人类学笔记》中就有很多关于妇女问题的研究。其中被奉为经典的当属恩格斯晚年所著的《家庭、私有制和国家的起源》。这是恩格斯根据摩尔根的人类学著作《古代社会》和马克思晚年的《人类学笔记》所写的。虽然其中关于人类学的部分常常为之后的一些人类学家和女性主义者所诟病，但是这部作品中包含大量恩格斯通过运用历史唯物主义观点对女性受压迫问题所进行的分析，并提出了解决方案和关于妇女解放的社会主义构想。这些观点构成了"正统"马克思主义女性主义的信条。其中恩格斯在序言部分关于再生产的详细论述，对第二波女性主义运动时期的激进主义女性主义和社会主义女性主义理论都产生了极为重要的影响，甚至有的女性主义者将其作为历史唯物主义的基本观点。

在《家庭、私有制和国家的起源》中，恩格斯根据摩尔根对北美易洛魁族的研究，认为史前时期曾经存在着母权制社会，或者说母系氏族社会，并认为这种母系氏族社会是一种共产主义形式。虽然这种社会中存在着性别劳动分工，但是男性和女性总体上来说比较平等，甚至女性拥有更高的权力。随着生产力的发展和生产方式的变革，男性逐渐拥有更多的财产并提升了其地位，最终母权制被父权制所取代。恩格斯认为这"乃是女性的具有世界历史意义的失败"[1]。从此，以男性为中心的私有财产制度逐渐确立，"而妻子则被贬低，被奴役，变成丈夫淫欲的奴隶，变成单纯的生孩子的工具了"[2]。并且他还提出了一个重要观点："在历史上出现的最初的阶级对立，是同个体婚制下夫妻间的对抗的发展同时发生的，而最初的阶级压迫是同男性对女性的压迫同时发生的。"[3] 恩格斯的这个观点无疑提升了性别压迫在马克思主义理论中的重要性，因为此前他们的著作中显然更关注阶级压迫而非性别压迫。不仅如此，恩格斯还尖锐地批判了资本主义的家庭制度，并分析了资本主义社会中的性别压迫问题：在资本主义的原子家庭（核心家庭）形式中，"在家庭中，丈夫是资产者，妻子则相当于无产阶级"[4]，丈夫通过雇佣劳动供养家庭，而妻子作为一种私人服务的提供者，负责家务劳动，因此被排除在社会生产之外，成为了丈夫和家庭的奴

---

① 《马克思恩格斯选集》第4卷，人民出版社2012年版，第66页。
② 《马克思恩格斯选集》第4卷，人民出版社2012年版，第66页。
③ 《马克思恩格斯选集》第4卷，人民出版社2012年版，第76页。
④ 《马克思恩格斯选集》第4卷，人民出版社2012年版，第85页。

仆。恩格斯提出的女性摆脱这种压迫的方案是，女性参与到社会劳动之中，并使家务劳动和儿童养育社会化，取消作为社会经济单位的家庭，而这一切都将在共产主义社会中实现。以上构成了第二波女性主义运动时期的一些马克思主义女性主义者的信条，即妇女问题的根本解决依赖于共产主义的实现，从而妇女反对压迫的斗争可以被视为革命斗争的一部分，妇女革命从属于社会革命。

对女性主义马克思主义的发展产生重要影响的还有恩格斯在《家庭、私有制和国家的起源》的第一版序言中所阐述的"两种生产理论"："根据唯物主义观点，历史中的决定性因素，归根结底是直接生活的生产和再生产。但是，生产本身又有两种。一方面是生活资料即食物、衣服、住房以及为此所必需的工具的生产；另一方面是人自身的生产，即种的繁衍。一定历史时代和一定地区内的人们生活于其下的社会制度，受着两种生产的制约：一方面受劳动的发展阶段的制约，另一方面受家庭的发展阶段的制约。"①

这里，恩格斯将社会生产划分为两个领域：一个是生产资料的生产，另一个是再生产（生育）。这一理论对于第二波女性主义者研究女性在再生产中的重要地位提供了理论依据。她们认为，资本主义社会中女性虽然被排除在资本主义生产领域外，但却在再生产领域中发挥着重要作用。

（二）第二国际期间的妇女解放理论

1879 年，德国社会民主党的创始人和领袖奥古斯特·倍倍尔出版了一本影响深远的阐述社会主义思想和理论以及展望社会主义未来图景的通俗读物——《妇女与社会主义》（其再版的标题为《过去、现在和未来的妇女》）。这本书自出版以来就受到了世界范围内工人阶级的广泛欢迎。到 1973 年为止，仅在德国就出了 62 版，并被翻译成多国文字出版。② 这部著作激励了众多的工人阶级妇女，对社会主义阵营中的女性解放产生了重要影响。就像克拉拉·蔡特金所评论的："正是在那个时代，它不仅仅是一本书，而是一个事件，一项功绩"，因为"从这本书中第一次发出了这样的口号：只有使女性成为我

---

① 《马克思恩格斯选集》第 4 卷，人民出版社 2012 年版，第 13 页。

② ［德］奥古斯特·倍倍尔：《妇女与社会主义》，葛斯、朱霞译，中央编译出版社 1995 年版，第 506 页。

们的战友，我们才能征服未来"①。

《妇女与社会主义》一书分为三个部分："过去的妇女"、"现在的妇女"和"未来的妇女"。关于"过去的妇女"部分，奥古斯特·倍倍尔根据后来出版的恩格斯的《家庭、私有制和国家的起源》进行了大量修改，使得看起来同恩格斯的著作在内容和观点方面都有很多近似的地方。在"现在的妇女"部分，倍倍尔对于当时资本主义的婚姻和家庭进行了尖锐的批判，抨击了资本主义社会中的卖淫问题。另外，倍倍尔还分析了资本主义社会中妇女职业发展的问题，他批评男女同工不同酬问题，主张在职业选择和受教育方面应该男女平等，反对性别劳动分工以及反对将性别劳动分工看成是一种自然现象。倍倍尔对于当时第一波女性主义运动中自由主义女性主义者争取投票权和在法律上的男女平等地位的主张表示支持，这表明了他在妇女问题上的"改良主义"和"修正主义"立场。在第三部分"未来的妇女"中，倍倍尔描述了一幅美好的社会主义图景，在那里人们摆脱了资本主义的苦难，婚姻自由、性行为自由，女性在工作、休闲、性和爱等所有可能的领域中自由地发展。在倍倍尔看来，妇女问题与社会问题的解决是一致的，只有在社会主义社会，妇女才能获得解放。

倍倍尔的《妇女与社会主义》一书受到后来的女性主义者的批判，他们认为这部著作存在理论论证不严谨的状况和明显的逻辑混乱等问题，同时还带有浓厚的经济决定论的色彩，也没有明确阐明当前妇女在资本主义社会中争取平等的斗争与当前的社会主义革命之间的关系问题。但是，这部著作还是反映出第二国际对于妇女运动的立场，即主张妇女斗争应该包含在工人阶级反对资本主义的斗争之内，妇女问题不可能在资本主义社会中得到根本解决，而是依赖于社会问题的解决。这个理论立场与恩格斯在《家庭、私有制和国家的起源》中所持立场是一致的。

1886 年，英国的社会主义运动的参与者，马克思的小女儿艾琳娜·马克思和其丈夫爱德华·艾威林出版了名为《妇女问题》的 16 页的小册子，对当时社会主义者对待女性问题进行了解释。这部作品基本赞同倍倍尔的观点，但不同之处在于它开启了关于性别压迫自身性质的探讨。它指出，"女性是男性

---

① ［德］克拉拉·蔡特金：《只有联合无产阶级女性才能实现社会主义！》，转引自［美］莉斯·沃格尔：《马克思主义与女性受压迫：趋向统一的理论》，虞晖译，高等教育出版社2009 年版，第 97—98 页。

有组织的专制政权的傀儡，正像工人是游手好闲者组织的专制政权的傀儡一样"，女性"作为人类的权利被剥夺，如同工人作为生产者的权利被剥夺"，"两个被压迫阶级，女性和直接生产者，必须理解他们的解放将取决于他们自己。一个阶级不能将希望寄托在作为一个整体的男性身上，而另一个阶级不能将希望寄托在作为一个整体的资产阶级身上"①。这表明，《妇女问题》中含有一种与倍倍尔的《妇女与社会主义》不同的逻辑，即它不认为性别压迫完全从属于阶级压迫，而是具有一定的独立性。这个问题也是之后第二波女性主义者非常重视的问题之一。

第二国际期间，对妇女解放问题提出了诸多见解的另一位德国社会民主党领导人是克拉拉·蔡特金。她曾担任共产国际女性书记处书记，负责吸纳无产阶级女性参加革命斗争。她虽然没有出版过关于女性问题的专著，但是曾在1896年党的年度大会上发表了关于女性问题的演讲，这次演讲的内容之后被印成小册子保留了下来。与倍倍尔的改良主义立场相比，她采取了更为激进的立场，她的观点同艾威林夫妇也有着很大的差异。

蔡特金采用了阶级概念来分析女性问题。她没有将女性看成是一个群体或一个阶级，而是将女性按照阶级划分为三类：贵族阶级女性；中产阶级女性和知识分子女性；无产阶级女性。并且，她认为不同阶级的女性所面临的压迫问题是不同的，她们在受压迫的根源、所追求的平等的性质和阻碍平等的因素方面都是不同的。贵族阶级的女性是统治阶级女性，她们不需要劳动，影响她们自由的因素主要是财产权问题，她们需要为婚后的财产权而与本阶级的男性进行斗争。中等资产阶级和知识分子女性需要的不仅是物质上的满足，而且需要精神上的满足，她们在雇佣领域要求与男性拥有平等的权利，因此她们通常争取的是平等的受教育权利和就业权，这样才可以在职业发展上获得自由竞争的权利。因此，她们采取的立场和理论是自由主义女性主义的。而无产阶级女性不需要为争取进入职业领域而斗争，因为她们已经成为了受资本主义剥削的廉价劳动力，处于资本主义经济之内。不论是在工厂还是在家中，无产阶级女性都无法体验作为一个人的生活，她们同本阶级的男性一样遭受残酷的剥削。她们的敌人不是男性而是资本主义，她们目标不是与本阶级的男性进行竞争，而

---

① [英]艾琳娜·马克思：《妇女问题》，转引自[美]莉斯·沃格尔：《马克思主义与女性受压迫：趋向统一的理论》，虞晖译，高等教育出版社2009年版，第104页。

是与他们共同战斗，反对资本主义。因此，蔡特金主张要激发工人阶级女性的阶级意识，将她们纳入到阶级斗争之中。蔡特金的观点虽然在理论方法上有可取之处，但是她过于强调让其女性主义理论服务于阶级斗争和革命运动，淡化工人阶级女性所遭受的性别压迫，将工人阶级女性处境浪漫化，从而偏离了现实。她的观点受到了之后的一些社会主义女性主义者的批判，认为这等于忽视了性别不平等，并将其归结为阶级不平等。

（三）俄国社会主义革命和建设时期的妇女解放理论

俄国革命的领导人列宁对俄国社会主义建设时期面临的妇女问题提出了很多有见地的观点。社会主义制度在俄国建立伊始就制定并颁布了各种解放妇女的法律。但是，列宁认为"这只是为建筑物清理地基，还不是建筑物本身"。[①]列宁清醒地认识到法律层面的男女平等不等于真正意义上的男女平等的实现。他非常关心女性在家庭中所受压迫和家务劳动问题。1919年，列宁在《伟大的创举》这篇文章中指出："妇女仍然是家庭奴隶，因为琐碎的家务压在她们身上，使她们喘不过气来，变得愚钝卑微，把她们禁锢在做饭管孩子的事情上，用完全非生产性的、琐碎的、劳神的、使人愚钝的、折磨人的事情消耗她们的精力。只有在大规模地开始为消除这种琐碎家务而斗争（在掌握国家权力的无产阶级领导下），更确切地说，大规模地开始把琐碎家务改造为社会主义大经济的地方和时候，才会开始有真正的妇女解放，真正的共产主义。"[②]

不仅如此，他还提出解决妇女家务问题的方案，即家务劳动和儿童养育社会化、提高妇女自身的觉悟以及让妇女参与社会劳动："只要妇女忙于家务，她们的地位就不免要受到限制。要彻底解放妇女，要使她们同男子真正平等，就必须有公共经济，必须让妇女参加共同的生产劳动。"因此，政府要"创办食堂、托儿所这样一些示范性的设施，使妇女摆脱家务"，[③]同时提高女党员和女工的觉悟，让她们自觉参与到妇女解放的活动中。并且，在女性参政方面，列宁也持支持态度。这表明，列宁非常重视女性的劳动问题，并认为女性像男性一样参与到社会劳动中是女性解放的前提。

① 《列宁选集》第 4 卷，人民出版社 2012 年版，第 18 页。
② 《列宁选集》第 4 卷，人民出版社 2012 年版，第 18—19 页。
③ 《列宁选集》第 4 卷，人民出版社 2012 年版，第 47—48 页。

关于社会主义社会中的女性解放问题进行过深入探讨的还有著名女革命者和政治家柯伦泰。她从年轻时就开始参与俄国社会主义革命运动，在苏维埃政权建立后成为列宁的布尔什维克内阁中唯一的女性成员，在斯大林执政时期还担任过外交官和驻挪威的大使。她除了关注女性的劳动问题以外，还关注社会主义社会中的女性应树立怎样的性与爱情观。很多人将柯伦泰的性与爱情观解读为"杯水主义"或"恋爱游戏"，即主张性自由以及将性与爱情分开，两性关系也不能被限制在家庭之中。这个观点在 20 世纪 20 年代引发了西方社会的热烈讨论，其影响甚至波及日本，又由日本传入中国，在当时中国的知识界和进步青年中也产生了不小的反响。事实上，这可能是对她的一种误解，因为这种恋爱观来自于柯伦泰的小说（如《华茜丽莎》、《三代的恋爱》和《姊妹》等）中的一些人物，不代表她本人赞同这种观点。柯伦泰希望借助小说的虚构，探索区别于资本主义的、革命的和新时代的爱情观与道德观。① 马克思和恩格斯以及很多马克思主义者都曾经对资产阶级中的不平等婚姻关系和基于婚姻以及卖淫下的性关系及相应的道德观进行过批判。但是，革命的女性和新时代的女性需要建立怎样的关于性、恋爱和婚姻形式，却是一个未知的问题。而柯伦泰在这方面进行了大胆的探索。她认为，共产主义社会中两性之间亲密的情感不能仅限于家庭范围内；性爱不是简单的动物行为，不能单纯地建立在肉体和欲望之上。当然，柯伦泰的贡献不仅是在对女性的性与爱情方面进行的探讨，她还在改善当时苏维埃社会主义政权时期的妇女地位方面进行了很多尝试。在出任社会福利部长之后，她积极为当时的女性争得了法律独立权、婚姻平等权、合法堕胎权、男女同工同酬、由国家提供的母婴健康保护以及家务劳动和育婴的部分社会化。②

从上述材料中可以看到，马克思和恩格斯一直以来都关注女性解放问题，并将其作为社会解放的重要组成部分。并且，在之后的第二国际和俄国社会主义革命时期，一些马克思主义理论家不但在理论上坚持了马克思和恩格斯的观点，还在实践方面也积极进行探索。这些都为之后的女性主义马克思主义的产生和发展提供了重要的理论和实践基础。

---

① ［日］秋山洋子：《柯伦泰的恋爱观及其影响——丁玲早期创作的一个背景》，《新气象 新开拓——第十次丁玲国际学术研讨会会议论文》2007 年 8 月，第 85—94 页。

② 参见李银河：《女性主义》，山东人民出版社 2005 年版，第 25 页。

二、第二波女性主义运动时期的女性主义马克思主义

在 20 世纪 60 年代末到 80 年代初的第二波女性主义运动时期，正是在这一时期，马克思主义与女性主义开始相互交融。这一时期涌现出大量的运用马克思主义的立场、观点和方法分析资本主义社会中妇女受压迫问题的理论。然而，受当时西方资本主义国家的社会环境和妇女解放斗争实践的影响，这一时期的理论发展和建构呈现出一些与之前传统马克思主义关于妇女遭受压迫和解放的理论不同的特点。首先，这一时期的女性主义马克思主义理论家不甘心将女性主义屈居于马克思主义理论总体框架之下，而是寻求两者更加平等和多样的结合方式，甚至提出用女性主义改造马克思主义的宏大理论目标。其次，这一时期的女性主义者对马克思主义理论的理解逐渐脱离了之前的"正统"马克思主义，甚至有意抛弃所谓"经典"马克思主义理论，转向拥抱当时的"西方马克思主义"，如卢卡奇、葛兰西、阿尔都塞和法兰克福学派的理论。

西方马克思主义理论的产生、发展和传播都与当时欧洲和美国的新左派激进运动有着重要联系，而第二波女性主义运动正是发端于美国的新左派运动，它构成了第二波女性主义运动和理论发展的重要的实践背景，也为这一时期女性主义马克思主义理论的发展提供了重要理论资源。在第二波女性主义运动的发展过程中，涌现出各种不同的新的女性主义流派，而其中很多流派都受到马克思主义理论的影响。这一时期女性主义马克思主义的理论发展主要围绕三个重要的女性主义议题展开：（1）女性的家务劳动问题；（2）资本主义—父权制；（3）立场论。因此，下面将从女性主义马克思主义产生的理论和实践背景、马克思主义理论与当时各个女性主义流派之间的关系以及女性主义马克思主义的三个主要议题介绍第二波女性主义运动期间的女性主义马克思主义理论。

（一）新左派运动与女性主义马克思主义理论的产生

20 世纪 60 年代，美国的一些激进组织和学生组织发起反种族歧视、反战争、反正统文化、反消费主义和争取性解放的社会运动。在这些激进团体中，美国的"新左派"是激进主义派别中重要的一员。新左派运动是一场自发的学

生运动，它反对的是教条的马克思主义并以实践为导向，其最初的开展与当时学生组织发动黑人民权运动有直接联系。1960 年到 1965 年，美国南方的一些学生组织成功发起三次改革运动，包括取消一些餐厅、商场、汽车和火车等公共场所的种族隔离运动以及争取黑人选举权的运动。这些运动以男方黑人学生为主导，北方白人学生也一直参与其中。①60 年代中期，新左派运动势头逐渐加强，从改良走向激进，从学生运动扩大到了成年知识界，并从最开始的黑人权力运动扩展到反战、反贫困和反正统文化等各方面。到 60 年代末，这场运动逐渐衰退下来。②

"新左派"是与"老左派"相对应的一个概念。美国的所谓"老左派"的成员主要是一些托洛茨基主义的共产党员和毛泽东主义者，他们支持的是一种"正统"马克思主义理论，认为社会主义革命的胜利要依靠工人阶级组织和政党推翻资产阶级革命政权。但是在 50 年代晚期到 60 年代的美国和欧洲，发动工人阶级革命的希望变得非常渺茫，苏联共产主义的弊端也逐渐显现，使得当时的"老左派"愈发显得孤立和无助。在这个背景下，一些左派成员和知识分子组成了新的激进革命团体，并称自己为"新左派"。③"新左派"这个称谓虽然发端于英国的新左派，但是与英国的新左派之间却有着明显不同。美国的"新左派"不是知识界的学术活动和文化运动，而更主要是一种强调社会变革实践的激进运动。尽管它也受到英国新左派思想以及其他一些西方马克思主义理论的影响，并通过激进运动的浪潮将西方马克思主义理论的影响扩大到北美和欧洲的各个地区。

美国的新左派们通常不认为工人阶级是革命的唯一的力量，相反，他们认为资本主义国家的工人阶级中很大一部分人已经失去了革命性；而那些失业者、黑人和被边缘化的中产阶级中凡是感受到资本主义压迫的人，都可以成为革命成员。但是，他们在实践中却发现很难让美国的黑人和一些贫困的白人服从他们的领导和发动革命。有学者认为，美国的新左派运动由于在思想上受到包括法国的存在主义和法兰克福学派等西方马克思主义的影响，主张在个人思

---

① [美] 罗·雷·拉兹：《美国新左派运动的特征及其影响》，韩兴华译，《史学集刊》1984 年第 3 期。

② 杨元明：《美国"新左派"运动的政治思想》，《理论研究》1987 年第 5 期。

③ Gail Paradise Kelly, "Women's Liberation and the New Left", in From Feminism to Liberation, Altbach E (eds.), Cambridge: Schankman Publishing Co., 1980, pp.45–46.

想和生活方式上抵抗资本主义，对文化和意识形态的变革的强调大过对革命行动的强调，并期待着在资本主义制度内部找到变革的可能性，从而逐渐放弃了政治上的激进活动并最终演变为一种文化运动，是导致这场运动走向衰落的原因。[①] 也有一些学者认为，美国的新左派运动本质上是一种无政府主义运动，其反对权威、组织和纪律本身以及强调分权和地方自治的组织策略使得运动最终走向衰败。[②]

然而，尽管新左派运动在 20 世纪 60 年代末逐渐走向衰落，但是它却在某种程度上激发了当时美国女性的意识的觉醒，引发了后来席卷北美和欧洲的第二波女性主义运动。当时美国的新左派等一些激进运动的参与者中有很多都是女性，其中一些年轻的并且受过良好教育的女性在这场运动中发挥着重要作用。但是，这些参与到激进革命运动中的女性逐渐发现，尽管这些激进组织的口号都是争取"自由"、"平等"和"反歧视反压迫"等，但是参与进来的女性成员却在这些组织中不断遭受男性成员的歧视和压迫。她们发现，自己在组织和领导方面仅起到次要作用，并且还时常受到男性成员的排挤和忽视。这激起了当时参加激进运动的女性成员的很大不满。在新左派运动中，一些强势的女性成员就多次提出妇女问题，希望将争取性别平等也纳入到左派的行动中，但却遭到了大多数男性成员的抗议甚至是取笑。这使得新左派中的女性成员感到愤怒，她们中的一些人开始逐渐脱离新左派运动并发动独立的妇女运动。最初，她们利用左派的政治网络不断加大宣传力度，并在左派刊物上发表文章，阐述她们对妇女压迫的认识过程，并提出了组织独立的妇女解放运动的目标。这一行动得到了当时左派激进组织中众多女性成员的响应。60 年代中期，全美各地的女性开始从之前的左派激进运动中脱离出来，逐步形成独立的政治势力，在美国开启了轰轰烈烈的全国性的妇女解放运动。不久，这场风潮迅速波及了欧洲和北美其他地区。[③]

---

① Gail Paradise Kelly, "Women's Liberation and the New Left", in *From Feminism to Liberation*, Altbach E（eds.）, Cambridge: Schankman Publishing Co., 1980, pp.45-46.

② ［美］罗·雷·拉兹：《美国新左派运动的特征及其影响》，韩兴华译，《史学集刊》1984年第 3 期。

③ 参见王政：《女性的崛起——当代美国的女权运动》，当代中国出版社 1995 年版，第 67—97 页。

因此，新左派运动可以说是第二波女性主义运动产生的重要现实背景。在这个背景下，不论是"正统"马克思主义理论还是西方马克思主义理论，都得到了广泛传播并受到了当时女性主义者的重视，成为她们构建新的女性主义理论的重要理论来源和基础。

（二）女性主义马克思主义与第二波女性主义运动时期的女性主义流派

第一波女性主义运动主要是自由主义女性主义者领导的，其理论基础也来自自由主义女性主义，而马克思主义的妇女解放理论的产生和发展则依赖于社会主义革命实践。因此，第一波女性主义运动时期的马克思主义者没有参与到第一波女性主义运动中。在第二波女性主义运动期间，情况则有了很大不同。西方的很多马克思主义者都积极地加入到这场运动的理论和实践的发展过程中。同时，也有一些新的理论资源和新的实践对当时女性主义理论产生了重要影响。这使得在这场运动中，除了之前的自由主义女性主义以外，还涌现出很多其他的女性主义流派，例如激进主义女性主义、马克思主义女性主义、社会主义女性主义、精神分析的女性主义、文化女性主义和黑人女性主义等等。这些不同流派的理论和观点虽然各有不同，经常相互批判，但同时也处于一种相互影响相互借鉴的关系中。在这个背景下，马克思主义理论和其他女性主义思潮相互影响、相互交融。

女性主义马克思主义就是在这个背景下的理论交融的产物；它不限于当时的某个女性主义流派，而是在当时很多女性主义流派中都能够看到马克思主义理论的身影。因此，为了能够更好理清女性主义马克思主义的产生和发展的背景和脉络，有必要对第二波女性主义运动中出现的主要女性主义流派以及它们与女性主义马克思主义理论之间的关系进行梳理。

1. 自由主义女性主义

自由主义女性主义是最早出现的女性主义思想和流派，它起源于18世纪末，伴随着资本主义的发展而产生，其哲学基础是启蒙运动以来的理性主义，是女性主义者将理性主义原则运用于性别问题而发展出来的理论。虽然自由主义女性主义内部有着很多争论，但是她们在一些基本方面有着共识：她们信仰理性，认为人在本质上是一种理性的存在，并且在这点上男性和女性是完全相同的，虽然对于什么是理性有不同的理解；她们相信教育，即认为对人的批判思维的训练可以改变人和社会；每个人都是一个独立的个体，并且他们（包括男性和女性）在政治权利方面应该是平等的。① 因此，自由主义女性主义者一直都致力于争取同男性平等的政治权利，推动男女平等的相关立法。第一波女性主义运动时期，自由主义女性主义者主要争取的是女性选举权。但是她们发现，为妇女争取选举权的成功没有为女性带来真正意义上的平等。因此，20世纪60年代以后，自由主义女性主义者成立了一些全国性的组织，如"全国妇女组织"（NOW）、"全国妇女政治核心小组"（NWPC）和"妇女公平行动联盟"（WEAL）等，通过媒体和政党活动，推动在立法和社会等方面的男女平等，如就业方面的平等、生育时期的社会保障和福利、控制生育和流产的权利、受教育的权利等等。②

因此，自由主义女性主义的思想和实践都是改良主义的，并且它表现出很明显的阶级特征，其活动参与者和它所争取的权利通常都是针对中产阶级的白人异性恋女性。但是，在第二波女性主义运动时期的理论争论中，一些女性主义者指出，自由主义的一些基本哲学假设本身就存在着一些矛盾，导致其在理论上很难真正地解决男女平等的问题。有些女性主义者甚至认为这实质是造成男女不平等的根源。例如，理性主义本身就建立在身体和心灵或者物质和精神的二元假设上，其本质上是一种等级制，这造成自由主义理论通常会在理论上划分出很多层级上不平等的二元领域，如精神与肉体、文化与自然、公共与私人、男性与女性和异性恋与同性恋等等，这在认识论根源上导致性别不平等。这个问题也是马克思主义女性主义者和当代的其他一些流派的女性主义者极为关心并一直尝试去解决的问题。③ 另外，一些马克思主义女性主义者还批判自由主义理论关于人性的假设是一种形而上学的、个人主义的抽象人性论，这种理论将人性视为先于社会存在的东西，继而得出了一种利己主义的理论前提，为说明和解决性别平等的问题造成诸多矛盾和困难。④

---

① ［美］约瑟芬·多诺万：《女权主义的知识分子传统》，赵育春译，江苏人民出版社2003年版，第11—12页。

② 参见［美］罗斯玛丽·帕特南·童：《女性主义思潮导论》，艾晓明等译，华中师范大学出版社2002年版，第31—32页。

③ 参见常佩瑶：《论西方女性主义者对马克思〈1844年经济学哲学手稿〉的研究》，《科学社会主义》2016年第1期。

④ 参见［美］阿莉森·贾格尔：《女权主义政治与人的本质》，孟鑫译，高等教育出版社2009年版，第62—70页。

2. 激进主义女性主义

激进主义女性主义是 20 世纪 60 年代兴起的新的女性主义思潮，它对西方第二波女性主义运动的产生和发展起到至关重要的作用。激进主义女性主义理论的创立者大多是一些积极参与到 60 年代初在美国掀起的民权运动、新左派运动和反战运动等社会运动中的女性主义者。正是在参与这些激进运动过程中，她们感受到了其他男性参与者的傲慢无礼和她们的受压迫和从属性的地位。如上一部分所述，她们在"新左派"运动中的女性主义者的号召下独立出来，组成一些激进的女性主义团体，例如"红袜子女性主义者"和"纽约激进女性主义者"等，并逐渐发展出独立的理论。[①] 早期的激进主义女性主义者在阶级成分上有着明显的特征。她们与大多来自中产阶级的自由主义女性主义者不同，她们中多数都是来自社会底层的妇女、黑人和女同性恋者，她们的政治主张并非是改良的而是革命的，期待着从根本上实现妇女解放。但是随着女性主义运动的发展，激进主义女性主义者的成分也变得愈加复杂，很多学生、知识分子和学者逐渐加入进来，使这一流派的理论迅速发展，影响力也随之扩大，使之成为第二波女性主义运动中最有影响力的流派之一，同时也对其他女性主义流派和理论发展产生了重要影响，其中也包括女性主义马克思主义理论。

公认的奠定了激进主义女性主义理论基础的著作是 1970 年出版的凯特·米利特的《性政治》和舒拉米斯·费尔斯通的《性的辩证法》。她们都对"父权制"进行了详细的分析和批判。作为男性统治制度的统称，"父权制"这个概念具有某种模糊性，因此之后的激进主义女性主义者有的用"社会性别体系"（gender system）取而代之。她们认为，父权制或社会性别体系是一种精心设计的男性统治体系，而女性主义者的任务就是去弄清楚这个体系并终结它。[②] 激进主义女性主义理论在其理论发展过程中善于接受和吸纳各种不同的理论方法，其中包括自由主义理论、马克思主义理论和弗洛伊德的精神分析理论等，其成分非常复杂，内部争论也比较激烈。关于如何界定这个流派，不同学者都有着不同看法。例如有的学者将 70 年代出现的"文

---

① 参见［美］约瑟芬·多诺万：《女权主义的知识分子传统》，赵育春译，江苏人民出版社 2003 年版，第 196—200 页。

② ［美］阿莉森·贾格尔：《女权主义政治与人的本质》，孟鑫译，高等教育出版社 2009 年版，第 118—122 页。

化主义女性主义者"也纳入到激进主义阵营中,并根据这些理论对性别文化的不同偏好,将她们分为"激进自由派女性主义者"和"激进文化派女性主义者"。① 另外,有学者也将一些被自由主义女性主义和马克思主义女性主义排除在外的"女同性恋女性主义"和"有色人种女性主义"纳入激进主义女性主义范畴内。总的来看,激进主义女性主义更关注与性和性别相关的问题的讨论,如色情出版物、气质、生育、母职、同性恋问题等等。

激进主义女性主义理论与马克思主义理论和同一时期的女性主义马克思主义理论有着千丝万缕的联系。之前也提到过,激进主义女性主义的重要一支就发源于新左派运动,她们之前很多都是马克思主义者。因此,其中一些激进主义女性主义者也不同程度地受到"正统"马克思主义和西方马克思主义理论的影响。例如,激进主义女性主义理论的开创者费尔斯通在其《性的辩证法》中就模仿了马克思和恩格斯历史唯物主义:

"过去的一切历史都是阶级斗争的历史。社会上的这些敌对的阶级,为了类的再生产而形成了生物学家庭单位的生产组织方式。社会的性别再生产的组织构成了真正的基础,从这里出发,我们就能够发现对整个经济的、法律的和政治制度的,以及宗教的、哲学的和一个既定的历史时期的其他的思想的上层建筑的整体解释。"②

然而,这种看似历史唯物主义的叙述实质上是对历史唯物主义抛弃。费尔斯通所构建的是一幅将生育作为物质基础的性别等级制的新的世界图景。凯瑟琳·A.麦金农将费尔斯通的这种学说称为"替代矛盾"(substitute contradictions),即尝试发展以性别为基础的历史唯物主义观点,这类观点要么是将马克思主义的方法运用到性别分析,要么是将女性主义的方法运用到阶级分析中。③ 很多激进主义女性主义者都用类似的方法构建新的理论。

另一位开创者米莱特在《性政治》中批判父权制时很明显借用了西方马克思主义者葛兰西和阿尔都塞等人的意识形态理论,认为国家凭借暴力和意识形

---

① 参见 [美] 罗斯玛丽·帕特南·童:《女性主义思潮导论》,艾晓明等译,华中师范大学出版社 2002 年版,第 67—72 页。

② S. Firestone, *The Dialectic of Sex*: *the Case for Feminist Revolution*, New York: William Morrow and Company Inc.,1970, p.13.

③ 参见 [美] 凯瑟琳·A.麦金农:《迈向女性主义的国家理论》,曲广娣译,中国政法大学出版社 2007 年版,第 87 页。

态霸权来维持父权制意识形态和男性统治。①

激进主义女性主义的父权制理论和社会性别理论在 70 年代还导致了第二波女性主义马克思主义发展中的一次关于"女性主义和马克思主义之间的婚姻"问题的大讨论和理论转向，导致一些马克思主义女性主义者逐渐向激进主义理论靠拢，并催生出当时的一个重要理论流派——社会主义女性主义。因此，有时很难清楚地区分某个女性主义学者到底是激进主义的还是马克思主义的，只能依据他们在不同时期的具体的著作中所表现出来的理论倾向进行判断。

3.马克思主义女性主义和社会主义女性主义

马克思主义女性主义和社会主义女性主义都是主要受到马克思主义理论的影响而产生的女性主义理论流派，其理论是第二波女性主义运动时期女性主义马克思主义理论最主要的组成部分。这两个流派的产生在时间上稍晚于激进主义女性主义，这首先是因为美国历史上没有发展过强大的社会主义运动；另一个原因是脱胎于新左派运动的激进主义女性主义有意与当时的左派由男性主导的行动和理论保持距离，试图脱离他们的影响而发展独立的女性主义理论和实践。②1966 年，朱丽叶·米切尔的《妇女：最漫长的革命》的发表被视为第二波女性主义运动时期马克思主义女性主义和社会主义女性主义理论纲领性文件。在这篇文章中，她批判性地分析和运用一些经典马克思主义文献中关于家庭和妇女解放的理论，打开了马克思主义与女性主义相互结合的历史帷幕。

马克思主义女性主义者和社会主义女性主义者通常认为彼此之间有着清晰的界线。但事实上，虽然两者之间的思想有着一定的差异，但这些差异更多地在于所强调的理论重点的不同，而非本质的不同。因此，实际上很难将两者进行明确地区分。③ 这两个派别的理论虽然都体现了女性主义对马克思主义的改造，但社会主义女性主义更加强调女性主义不能完全从属于马克思主义，而是要利用马克思主义理论为女性主义的目标服务。因此，在第二波女性主义运动

---

① 参见 [美] 约瑟芬·多诺万：《女权主义的知识分子传统》，赵育春译，江苏人民出版社
   2003 年版，第 201—202 页。

② 参见王政：《女性的崛起——当代美国的女权运动》，当代中国出版社 1995 年版，第 147 页。

③ 参见 [美] 罗斯玛丽·帕特南·童：《女性主义思潮导论》，艾晓明等译，华中师范大学出
   版社 2002 年版，第 141 页。

期间，社会主义女性主义这一流派显得更加活跃，她们积极地吸收激进主义女性主义理论和西方马克思主义理论，而马克思主义女性主义则显得更为保守和坚守"正统"马克思主义的理论传统。甚至有学者认为，"马克思主义女性主义"更适合称为"社会主义女性主义"，它展示的不是纯粹的马克思主义，而是被激进主义女性主义改造了的马克思主义。①

在理论兴趣上，马克思主义女性主义和社会主义女性主义都关注对女性劳动的分析，其中既包括家务劳动，也包括社会劳动。她们都认为，从劳动的角度介入对女性受压迫的分析，可以发展一种对女性受压迫根源的唯物主义分析。马克思主义女性主义认为女性受压迫的根源是资本主义制度，而社会主义女性主义则认为是出于资本主义制度与父权制的合谋。她们分歧的本质在于如何看待阶级压迫与性别压迫之间的关系。而这种分歧最终可以被还原为关于一些哲学问题的分歧，例如人的本质、人与自然的关系、女性主义理论如何证明其真理性等本体论和认识论方面的问题。

4. 精神分析女性主义

精神分析女性主义也是第二波女性主义运动时期产生的一个重要的理论流派，这一派别的产生是以弗洛伊德理论中关于不同性别的儿童成长过程的心理分析为基础，但批判其理论中的"阳具崇拜"倾向。这一学派中最有影响力的人物是朱丽叶·米切尔、盖尔·鲁宾和南希·乔多罗。② 她们三人不仅在精神分析角度分析女性受压迫问题作出了重要贡献，同时也对女性主义马克思主义理论的发展作出了重要贡献。她们三人都试图从不同角度将马克思主义理论与精神分析理论进行结合。朱丽叶·米切尔被视为第二波女性主义运动中马克思主义女性主义理论的开创者，她尝试将马克思主义与女性主义以新的方式进行结合。南希·乔多罗同时也被视为社会主义女性主义者，她试图在社会主义女性主义的"二元论"框架中分析"母职"这个与女性受压迫相关的重要问题。盖尔·鲁宾年轻时属于激进主义女性主义阵营，在80年代后成为后现代女性主义的重要发起人之一。

另外，运用精神分析的方法对性别问题进行分析的女性主义理论在80年代

---

① 参见 [美] 约瑟芬·多诺万:《女权主义的知识分子传统》，赵育春译，江苏人民出版社2003年版，第93页。

② 参见 [美] 约瑟芬·多诺万:《女权主义的知识分子传统》，赵育春译，江苏人民出版社2003年版，第127—128页。

还有重要发展。著名的法国女权主义者、马克思主义者茱莉亚·克里斯蒂娃和海伦娜·希克索斯运用法国精神分析学家、弗洛伊德主义者雅克·拉康的学说，发展出新的革命性的女性主义理论，对当代的女性主义运动产生了重要影响。

（三）第二波女性主义运动时期的女性主义马克思主义的主要议题

第二波女性主义运动时期，女性主义与马克思主义之间相互结合，产生了诸多重要的理论成果。其中，学术界最为关注并引发热烈讨论的有三个重要议题：

第一，家务劳动议题。这是关于大多数女性都无法摆脱的职责——家务劳动——所引发的讨论。这一讨论不仅停留在理论上，而且为一些女性主义运动实践的发展作出了积极贡献。

第二，关于女性主义应以何种态度对待马克思主义，或者说以何种方式来运用马克思主义理论的问题。这通常被称为关于女性主义与马克思主义之间的婚姻的大讨论。第二波女性主义运动时期关于这一问题产生的重要理论成果是各种形式的资本主义与父权制的"二元论"。

第三，关于女性主义理论如何证明自身真理性的问题，即探索符合历史唯物主义的女性主义的认识论。关于这一议题所产生的重要理论成果是南希·哈索克的立场论。

1. 关于家务劳动的争论

对资本主义社会中工人阶级的劳动的研究是马克思主义政治经济学理论中重要的组成部分。马克思的剩余价值理论探讨的就是关于工人的劳动如何被资本家无偿占有和剥削的问题。而在 20 世纪 50 年代以后，资本主义社会中的原子家庭模式开始在工人阶级中普及，这种家庭中男性主要在工厂中从事生产劳动，而女性主要在家中从事洗衣、做饭、打扫屋子和照看孩子等无薪的家务劳动。在这种家庭中，即使女性从事社会劳动，她依然对家务劳动负有主要责任，并且女性的地位明显低于男性，女性主义者将其视为是一种典型的父权制家庭模式。恩格斯和列宁都曾经指出，家务劳动是压在女性身上的重负，要想使妇女得到真正的解放，就要设法让她们摆脱这一重负。但是一些女性主义者认为，家务劳动这种大多数女性都要从事的繁重劳动，却没有在马克思主义的政治经济学理论中受到应有重视；马克思在《资本论》中仅仅关注工人（包括女性工人）在工厂中的劳动，而没有花费太多笔墨讨论家务劳动，也没有分析家务劳动的性质以及它在资本主义经济中的地位和作用。一些熟悉马克思主义政治经济学的女性主义者试图填补这一理论空白，将家务劳动也纳入到马克思主义政治经济学体系中，对女性主义运动的实践策略进行理论说明和支撑。从60年代末到70年代，这些理论引发了女性主义内部关于家务劳动问题的持久讨论。

掀起这场关于家务劳动讨论热潮的是加拿大学者玛格丽特·本斯顿在1969年发表的《妇女解放的政治经济学》。本斯顿指出，在资本主义社会，家务劳动不被视为是真正的劳动原因是它处于交换市场之外。在金钱决定价值的资本主义社会中，女性被认为是金钱之外的群体，她们的劳动不值钱，因此被认为没有价值。女性虽然没有完全被排除在商品生产之外，她们有时也参与工资劳动，但是被认为在商品生产领域没有结构性责任，仅仅是暂时参与到商品生产中。因此，妇女屈从地位的根源就是，在这种经济结构中女性作为一个群体与生产资料之间的这种特殊关系：男性从事社会化的商品生产，而女性的家务劳动仅产生使用价值而非交换价值。但事实上，女性的家务劳动也是一种社会必要劳动。而本斯顿对于女性的家务劳动分析的目的，是想要像马克思定义工人阶级一样，将女性定义为这样一个群体："她们在与家（home）和家庭（family）相关的活动中，有责任生产简单的使用价值。"[1] 这就从理论上论证了女性作为一个群体遭受着与男性不同的特殊压迫形式，这种形式是由女性与资本主义的特殊关系决定的，因此她们需要采取与男性不同的抗争形式对抗资本主义。

在本斯顿的文章发表不久，美国乃至欧洲的女性主义者也加入关于家务劳动的政治经济学讨论中。关于家务劳动问题讨论的文章不断在北美和欧洲的左派刊物上陆续发表，其中比较著名的有佩吉·莫顿的《女人的活儿永远都干不完》（1970）、玛莉亚罗莎·达拉·科斯塔和塞尔玛·詹姆斯的《妇女与共同体的颠覆》（1972）、沃利·塞科姆的《资本主义中家庭主妇与她的劳动》（1973）和莉斯·沃格尔的《世俗家庭》（1973）等。这场关于家务劳动的争论不是单纯的理论争论，它是一种重要的社会实践和革命运动。20世纪70年代初，在达拉·科斯塔的家务劳动理论的支持下，一些女性主义者发起了家务劳动工资

---

[1] M. Benston, "The Political Economy of Women's Liberation: A Reprint", *Monthly Review*,1989, Vol.41, No.7.

运动，这场战役从北美扩展到英国、加拿大、意大利、西德，参与者的范围从白人家庭主妇扩展到女同性恋、妓女、黑人和单身母亲等群体。这场运动的目的是通过为家务劳动索取薪酬，使家务劳动成为可见的。"为家务劳动工资的斗争既意味着拒绝这个劳动，也意味着要求一种承认并减少女性家务劳动负担。"[①]另一种反抗家务劳动的方式是倡导家务劳动社会化。这些针对家务劳动的反抗运动逐渐受到西方社会的广泛关注，激发了很多女性对家务劳动的反抗意识。这场争论一直持续到 70 年代末，之后随着资本主义国家女性就业率的提高，关于家务劳动的讨论和反抗家务劳动的斗争逐渐冷淡下来。

在 20 世纪 60 年代末到 70 年代之间，女性主义者关于家务劳动问题的讨论主要围绕这样几个方面进行：(1) 家务劳动与资本主义之间的关系；(2) 家务劳动是否是异化劳动；(3) 如何摆脱家务劳动对女性的压迫，即女性主义运动反抗家务劳动的策略。对于这几个方面的问题，不同的女性主义者的观点可谓大相径庭。但是，她们都试图通过对马克思主义政治经济学理论和政治理论的运用或改造来支持自己的观点。下面，我们将从这三个方面阐述这些女性主义者关于家务劳动问题的观点和理论。

第一，家务劳动与资本主义之间的关系。马克思的剩余价值理论将男性与女性工人阶级为资本家提供的劳动划分成两个部分——必要劳动和剩余劳动，资本家的工资仅仅是对于必要劳动的补偿，从而无偿占有了剩余劳动部分，剥削了工人的剩余价值。在资本主义社会中，女性的家务劳动是在家庭中进行的，看似是一种没有与资本主义生产发生关系的无薪酬的私人性质的服务，那么它与资本主义之间有何关系？从事这种劳动的妇女是否也同工人一样受到资本主义的剥削以及是否参与到剩余价值的生产中？这种劳动是生产性的还是非生产性的？这些都是女性主义者非常关心并试图去解决的问题。这些问题可以归结为一个大问题，即女性无偿的家务劳动在资本主义经济中发挥着何种功能。因此，大多数女性主义者都是从一种功能主义的角度来讨论家务劳动问题的。

玛格丽特·本斯顿认为，资本主义产生和发展的历史是一个由封建私人生产走向社会化生产的过程。在这个过程中，社会逐渐被分割成两个生产领域：一部分是社会化劳动领域，在这个领域中工人通过劳动生产既有使用价值又

---

① Gisela Bock & Barbara Duden, "Labor of Love-Love as Labor", in *From Feminism to Liberation*, pp.153.

有交换价值的商品；另一部分是所谓的私人领域，即家庭，这个领域中的生产是前资本主义性质的，女性通过家务劳动仅生产立即被家庭成员消耗的使用价值，而这种使用价值是资本主义不可或缺的。因此，她认为女性受到压迫的物质基础就是家务劳动，而解决办法就是将家务劳动社会化，让妇女参与到社会生产中。这种解决女性家务劳动问题的观点同之前提到的恩格斯和列宁所持观点相似。佩吉·莫顿在《女人的活儿永远都干不完》中同意本斯顿对于妇女受压迫具有共同的物质基础的分析，但她认为本斯顿的这一分析不够完善，也没有为妇女斗争策略提供太多的帮助。佩吉·莫顿的重要贡献在于她提出了家务劳动对于资本主义的功能体现在家务劳动在劳动力再生产过程中。她运用马克思和恩格斯的生产与再生产理论对家庭与家务劳动对于资本主义的功能进行清晰的定位，认为家务劳动对于资本主义劳动力再生产具有重要意义。这为之后一些女性主义者进一步讨论家务劳动问题奠定了重要的理论基础。[①]

之后，意大利的达拉·科斯塔和塞尔玛·詹姆斯在《妇女与共同体的颠覆》这篇文章中对"正统"马克思主义的剩余价值剥削理论提出了挑战。她们认为，家务劳动是生产劳动，不仅生产使用价值，而且主要是为资本主义生产剩余价值。[②] 达拉·科斯塔和塞尔玛·詹姆斯对家务劳动的分析在理论上为70年代初欧洲和美国一些地区掀起的家务劳动有偿化运动提供了支持。[③] 因为家务劳动既然参与到生产中，家庭主妇就有理由为其劳动索要工资。

很多学者都批评了达拉·科斯塔和塞尔玛·詹姆斯认为家务劳动是生产劳动的观点。根据马克思关于生产劳动的论述："这些定义不是从劳动的物质规定性（不是从劳动产品的性质，不是从劳动作为具体劳动的规定性）得出来的，而是从一定的社会形式，从这个劳动借以实现的社会生产关系得出来的。"[④]"因此，工人单是进行生产已经不够了。他必须生产剩余价值……生产工人的概念决不只包含活动和效果之间的关系，工人和劳动产品之间的关系，

---

① Peggy Morton, "A Woman's Work is Never Done", *From Feminism to Liberation,* pp.243–259.

② Mariarosa Dalla Costa & Selma James, "Women and the Subversion of the Community", in *Materialist Feminism : A Reader in Class, Difference, and Women's Lives*, pp.40–53.

③ 参见［美］莉斯·沃格尔：《马克思主义与女性受压迫：趋向统一的理论》，虞晖译，高等教育出版社2009年版，第21页。

④ 《马克思恩格斯文集》第8卷，人民出版社2009年版，第218—219页。

而且还包含一种特殊社会的、历史地产生的生产关系。这种生产关系把工人变成资本增殖的直接手段。"①

马克思阐明生产劳动具有两个特点：第一，生产劳动与资本有直接联系；第二，它生产剩余价值。因此，无薪的家务劳动不是生产劳动。但是，很多女性主义者认为，家务劳动虽然不属于生产劳动，但不能否认家务劳动在资本主义经济中发挥的重要功能。"生产性劳动"仅仅是分析资本主义社会中劳动时使用的一个概念或范畴，而非价值和道德标准。与资本有间接关系而非直接关系的家务劳动在资本主义经济中发挥的重要作用是不可否认的。

第二，家务劳动是否是异化劳动。马克思在《1844年经济学哲学手稿》中的异化劳动理论极大地影响了西方马克思主义理论的发展，这一理论同样受到当时很多女性主义者的关注。她们关注的是资本主义社会中女性是否异化以及女性的家务劳动是否是异化劳动。一些女性主义者，如莉斯·沃格尔和安吉拉·戴维斯认为家庭是不存在异化劳动的领域，因为家务劳动仅生产使用价值，并且从事这种非异化劳动的女性能够通过日常劳动经验，逐渐对异化劳动产生批判意识。还有一些女性主义者，如苏珊·桑格塔和艾丽·扎拉斯基等，甚至将家庭视为资本主义社会中没有异化的唯一的空间加以颂扬。②

但那些批判家务劳动并主张家务劳动社会化的女性主义者显然不认同这种观点。如达拉·科斯塔就认为，资本主义在某种程度上将男性劳动力从封建制的共同体中解放出来，使男性成为自由赚取工资的人，而女性则被留在家中，变得孤立和隔离，从事琐碎的、重复性的家务劳动，阻碍了她们从事创造性劳动的能力的发展，这导致女性比男性更大程度的异化和从属地位。③

另外，关于女性异化问题的更加激进的观点则是认为马克思的异化概念本身就是一种男性视角，男性才是"主体"，女性则是被异化和被对象化的"客体"，因此女性甚至连像男性一样异化的条件都不具备，她仅仅是被创造的和

---

① 《马克思恩格斯文集》第 5 卷，人民出版社 2009 年版，第 582 页。

② 参见 [美] 约瑟芬·多诺万：《女权主义的知识分子传统》，赵育春译，江苏人民出版社 2003 年版，第 108—110 页。

③ Mariarosa Dalla Costa & Selma James, "Women and the Subversion of the Community", in *Materialist Feminism: A Reader in Class, Difference, and Women's Lives,* pp.40–53.

被异化的产物。①

第三，反抗家务劳动压迫的策略。持马克思主义立场的女性主义者通常认为，女性摆脱家务劳动的压迫并获得解放最终要依赖社会的结构性变革，即资本主义社会的消亡以及资本主义原子式家庭的解体。但是她们也深刻地意识到既要致力于当前改良性质的行动和策略，同时也不能忘记最终的革命性目标。因为如果当前采取过为激进的口号和行动会吓跑很多女性，但如果忘记更为长远的革命性目标，那就同一些改良主义者毫无区别。例如佩吉·莫顿就指出，"如果我们呼吁'摧毁家庭'，妇女运动将仅仅会有一小部分专业人士以及比较年轻的未成家的女性参加。大部分妇女将不会加入妇女解放，因为这与她们的需求不相关。相反，我们必须做的是围绕着妇女的需要进行组织，而这些需要是妇女自治的前提条件——经济独立。事实上，这些斗争将加大家庭体系中的矛盾"。② 因此，她提出要逐渐地提高妇女的革命意识并建立妇女的革命组织，就要将当前目标与长远目标结合起来。

除了更好地组织女性主义运动和提高女性的革命意识以外，女性主义者关于反抗家务劳动的行动策略的争论主要是围绕着两种观点展开的：第一种观点认为，家务劳动和儿童抚养社会化是帮助妇女摆脱家务劳动压迫的有效策略；第二种观点认为，妇女应为家务劳动争取工资。当时女性主义理论界关于这两种策略的讨论非常激烈，两种观点既有很多支持者，同时也有很多反对者。但是最终事实证明，这两种策略都很难使女性从根本上摆脱家务劳动的重负，但我们也不能完全否定其理论和实践意义。这些理论和实践将家务劳动作为一种重要研究对象纳入了马克思主义政治经济学研究的视野，并引起了西方社会的重视。

支持家务劳动和儿童抚养社会化的女性主义者认为，这种策略能使女性摆脱家庭的束缚和隔离状态，让女性同男性一样从事社会劳动，虽然暂时看来女性很可能会从事低工资的劳动，但长远来看是有益的。首先，这能使女性获得某种程度上的经济独立，有利于提高女性在家庭中的地位；第二，走出家庭并从事社会劳动的女性更容易组织起来开展妇女运动，增强反抗意识，同

---

① 参见常佩瑶：《论西方女性主义者对马克思〈1844 年经济学哲学手稿〉的研究》，《科学社会主义》2016 年第 1 期。

② Peggy Morton, "A Woman's Work is Never Done", *FromFeminism to Liberation*, pp.243–259.

时也便于将她们同男性工人一同组织起来，参与到反抗资本主义的革命活动中。然而，随着女性主义者的呼吁和资本主义社会的发展，家务劳动社会化进程在现实中逐渐实现，一些洗衣店、托儿所和家政服务业逐渐兴起，而从事这些服务性劳动的依然大多数都是女性，而且收入很低。家务劳动社会化最终只是将她们从事这种低端和廉价劳动的工作场所从家中转移到了家外。而很多低收入家庭的女性出于成本方面的考虑，更倾向于自己承担家务。

达拉·科斯塔等学者支持为全职家庭主妇争取薪酬的策略在理论上是可行的，因为既然女性也为资本主义生产作出直接或间接的贡献，那么她们就有权索要报酬。为家务劳动工资而斗争的女性主义者认为，这既意味着拒绝这个劳动，也意味着要求对这种劳动予以物质上的承认和减轻它的负担。随着这些资本主义国家的女性就业率提高，这场运动逐渐退却。这场运动的重要成果让家务劳动成为可见的。[1] 为家务劳动支付薪酬的可行性问题也是女性主义者讨论的焦点。谁应该为家务劳动买单，是国家、资本家还是丈夫？另外，按怎样的标准来支付也是个难题。因此，为家务劳动支付工资在实践上是有困难的。还有一些女性主义者认为，一旦给家庭主妇支付工资，就会将女性与家务劳动更紧密地绑在一起，使她们失去很多选择以及放弃抗争的意识。

除了反抗家务劳动斗争实践方面的问题以外，家务劳动理论本身也遭到很多质疑。例如，激进主义女性主义者盖尔·鲁宾就尖锐地指出，"解释妇女对资本主义的用处是一回事，以这个用处来说明妇女压迫的根源则是另一回事……也正是在这一点上，对资本主义的分析不大能解释妇女和妇女压迫"[2]，"对资本主义中劳动力再生产的分析甚至不能解释，为什么通常是女人而不是男人在家中做家务"[3]。社会主义女性主义者米凯莱·巴雷特全面地批判沃利·塞科姆的家务劳动理论，认为他虽然指出了妇女家庭中的无薪酬劳动对生产力和生产关系的再生产都具有重要作用，但是没有考虑到家庭主妇也通常是赚取工资的劳动者，因此也没能对这两种领域中的劳动的矛盾进行讨论；另一个问题是，塞科姆虽然没有用过度的还原论术语表述其理论，但他的这种分析

---

① Gisela Bock&Barbara Duden,"Labor of Love-Love as Labor", in *From Feminism to Liberation*, pp.189–190.

② 王政：《社会性别研究选译》，生活·读书·新知三联书店 1998 年版，第 27 页。

③ 王政：《社会性别研究选译》，生活·读书·新知三联书店 1998 年版，第 28 页。

为其后出现的一些机械地叙述妇女的压迫"对资本的功能"的家庭劳动理论奠定了基础，而这种"功能主义"和"还原论"具有这样一种危险的理论倾向，即一旦建立了某种功能，就认为它可以解释一切存在的现实。[1]

的确，家务劳动理论对于女性受压迫根源这个问题的解释的确没有太大的说服力，因此这种理论尝试是不成功的。很多女性主义者认为这个问题的根源在于马克思主义理论缺乏性别视角，是"性别盲"。一些女性主义者认为这种理论方法相当于将女性主义"嫁给"马克思主义。因此，一些马克思主义女性主义者开始尝试马克思主义与女性主义之间更加平等的结合方式。

2. 资本主义与父权制的"二元论"

马克思主义理论能否用于解决女性问题？这是贯穿第二波女性主义时期女性主义马克思主义理论发展中的一个核心议题，同时也是从新左派中分裂出去的那些激进主义女性主义者向马克思主义者提出的一个严峻挑战。早在1966年，朱丽叶·米切尔就在其《妇女：最漫长的革命》一文中提出了这种担忧，这篇文章被视为第二波女性主义的纲领性文件，同时也是女性主义马克思主义的经典文献。她在这篇文章中分析了马克思关于妇女问题的论述，认为马克思仅仅是在其早期的批判中保留了傅立叶"关于妇女作为全体社会进步标志这一观念的抽象性……却抽去它的具体内容"，并且"对家庭的分析把妇女问题湮没了"[2]，反而是恩格斯以及其学生倍倍尔系统地分析了女性受压迫问题，但是"妇女解放依然只是一种理论上的理想，是社会主义理论的附属品，它并没有融入该理论体系中"[3]。

家务劳动理论虽然尝试着用马克思主义理论讨论家务劳动问题，但是女性主义者不满足于仅仅将女性问题附加到马克思对资本主义批判的理论框架内。她们认为，家务劳动理论可以解释资本主义压迫和女性受到的经济上的压迫，但对于男性对女性的压迫，也就是激进主义女性主义理论所提出的父权制压迫问题，却很难做出有说服力的解释。并且，一些学者通过对当时的一些社会主

---

[1]　M. Barrett, *Women's Oppression Today: The Marxist/Feminist Encounter*, London and New York: Verso, 1988, pp.19–29.

[2]　[美] 朱丽叶·米切尔：《妇女：最漫长的革命》，载李银河主编：《妇女：最漫长的革命》，生活·读书·新知三联书店1997年版，第4页。

[3]　[美] 朱丽叶·米切尔：《妇女：最漫长的革命》，载李银河主编：《妇女：最漫长的革命》，生活·读书·新知三联书店1997年版，第7页。

义国家的女性问题进行研究，认为在社会主义社会中女性没有完全摆脱受压迫和屈从的地位。[1] 这令当时的女性主义者开始质疑社会主义是否能从根本上解决女性受压迫问题。因此，一些女性主义者围绕马克思主义与女性主义是否还能继续结合这个问题展开了激烈讨论，也就是所谓的马克思主义与女性主义"婚姻"问题的大讨论。

关于这个问题，当时左派的女性主义者持三种不同态度。第一种是坚持所谓"正统"马克思主义的妇女解放理论，认为女性解放从属于社会解放，例如伊夫林·里德就批判当时的激进主义女性主义者和社会主义女性主义者将女性视为一种等级（caste）的观点，并认为阶级压迫才是根本性问题。[2] 第二种则是一些激进主义女性主义所持的态度，即完全放弃马克思主义和历史唯物主义，并尝试发展出全新的女性主义理论体系，如之前提到的费尔斯通和米莱特。第三种态度则是试图将马克思主义理论与激进主义女性主义以及其他一些理论进行调和，即当时的一些社会主义女性主义者所持的观点。这同时也是女性主义马克思主义在第二波女性主义运动乃至第三波女性主义运动时期的主要发展路径。在第二波女性主义运动时期，第三种理论倾向的主要成果便是发展出了不同形式的"资本主义—父权制"理论体系。

虽然这些理论被统称为"资本主义—父权制"理论，但是它并非一种统一的理论，而是一些将马克思主义理论与父权制理论以不同方式进行的结合。这些理论不论是在理论建构上还是在讨论的核心问题上相互之间都存在争议，甚至关于资本主义和父权制的关系问题以及什么是父权制等一些基本问题的解释都存在很大分歧。下面就对其中几种具有代表性的理论进行简单的介绍。

（1）朱丽叶·米切尔关于父权制意识形态的分析

朱丽叶·米切尔是最早对"正统"马克思主义理论中的经济决定论和还原论倾向提出批评的女性主义者之一，她在其早期作品中分析了生产、生育、性和儿童社会化这四种社会结构中女性受压迫问题，认为这四种结构中女性遭受的压迫是不同的，并强调其中的意识形态和文化方面的问题。例如，她认为在

---

① Z. R. Elsenstein, *Capitalist Patriarchy and the Case for Socialist Feminism*, New York and London: Monthly Review Press,1979, pp.271–354.

② 参见[美]伊夫林·里德：《女性：等级，阶级还是被压迫的性别?》，载[美]詹妮特·克莱尼：《女权主义哲学：问题，理论和应用》，李燕译，东方出版社 2006 年版，第 561—572 页。

再生产领域中，自动化的出现消除了男性与女性之间的体力上的差别，但没有使得资本主义社会的生产领域达到男女平等，女性的工作通常都是辅助性的和带有"感情"色彩的，"主'工具性'的父亲和主'感情性'的母亲这种模式实质上并没有改变，她的工作比男人的工作更低下，因为她的工作是为了配合男人的工作，正如妇女在家庭中所扮演的角色一样。"[1] 而在其他三个领域，父权制的婚姻和家庭的意识形态的力量则更为强大。

之后，朱丽叶·米切尔通过结合精神分析学家弗洛伊德的关于女性心理发展过程中前俄狄浦斯阶段的理论、人类学家列维—施特劳斯的结构主义理论以及阿尔都塞的意识形态理论，去分析父权制意识形态是如何在资本主义社会中起作用的。弗洛伊德理论中的"男性生殖器崇拜"色彩和浓重的"生物决定论"倾向受到了包括波伏娃、米莱特和费尔斯通等很多女性主义者的批判，她们认为其理论中存在着明显的男性自恋情节和男性偏见。然而，弗洛伊德的关于儿童成长过程中的"前俄狄浦斯阶段"的理论和他对于同性恋的宽容态度受到米切尔的重视。弗洛伊德认为，儿童在前俄狄浦斯阶段产生了对母亲的依赖，这一阶段对于女孩儿的人格成长尤为重要，这使得女孩儿在成长后具有的双性气质比男孩儿更加明显。相反，爱恋母亲同时憎恨父亲的俄狄浦斯情节是男孩儿成长过程中的特有处境。[2] 朱丽叶·米切尔在她的著作中将这种"前俄狄浦斯"阶段与人类在古希腊文明之前的母权制社会和文明相联系，将"俄狄浦斯情节"与古希腊的父权制社会和文明相联系。另外，她还借用了阿尔都塞的意识形态理论，认为意识形态和潜意识之间有着重要联系。在米切尔看来，这种根植于潜意识中的"俄狄浦斯情结"构成了列维－施特劳斯在《亲属关系的基本结构》中所描述将女性作为交换礼物的亲属制度和乱伦禁忌这种父权制社会制度的意识形态基础，这种意识形态通过我们的亲属关系体系传播了下来，并且这种"家族法则通过每个人的潜意识得到传播。"[3]

---

[1] [美]朱丽叶·米切尔：《妇女：最漫长的革命》，载李银河主编：《妇女：最漫长的革命》，生活·读书·新知三联书店1997年版，第33页。

[2] [美]约瑟芬·多诺万：《女权主义的知识分子传统》，赵育春译，江苏人民出版社2003年版，第137页。

[3] [美]约瑟芬·多诺万：《女权主义的知识分子传统》，赵育春译，江苏人民出版社2003年版，第150页。

　　然而，米切尔的这种分析方法导致了"资本主义制度"与"父权制意识形态"之间的割裂，得出了"资本主义的经济模式和父权制社会的思想意识"是"两个自治的领域"这样的结论，并认为女权主义的任务是进行一场改变人类社会的思想意识的文化革命。[①] 这使得她的理论带有了唯心主义和文化主义倾向。

　　（2）海蒂·哈特曼对父权制物质基础的分析

　　海蒂·哈特曼认为，"正统"马克思主义的妇女解放理论和家务劳动理论都仅仅关注资本主义对女性的压迫，却忽视了男性对女性的压迫，并且将妇女的解放的希望寄托于社会主义革命的胜利。然而，她既没有像米切尔一样将父权制视为一种意识形态因素或文化领域的问题，也没有像激进主义女性主义者那样将社会制度视为单纯的父权制，而是认为父权制与资本主义制度是两种并行的社会制度，认为"目前妇女在劳动力市场的处境和当前按性别划分职业的做法是父权制与资本主义长时期相互影响的结果"。[②]

　　哈特曼在《马克思主义与女权主义的不幸婚姻：朝向更有进步意义的联合》中分别对马克思主义理论与激进主义女性主义理论中的问题进行分析。在她看来，马克思主义"分析的重点是阶级关系"，"分析的目的是理解资本主义社会的运动规律"，"马克思主义的范畴，像资本自身一样，是性别盲"，因此仅用马克思主义分析女性问题就必然会造成一些困难。[③] 而激进主义女性主义对父权制的分析却缺乏历史性，它将父权制视为一种跨越不同社会制度的存在，从而很难清楚地解释当今西方资本主义社会的问题。因此，哈特曼认为，这就需要运用历史唯物主义理论重新定义父权制，并阐述它与资本主义制度之间相互作用的关系。

　　哈特曼将父权制定义为："一套有物质基础的社会关系，其中男性之间存在的阶层制关系和他们之间的团结能够使他们实现对女性的统治。父权制的物质基础是男性对女性劳动权的控制。这种控制通过使女性不可能占有某些必要

---

① ［美］约瑟芬·多诺万：《女权主义的知识分子传统》，赵育春译，江苏人民出版社 2003 年版，第 150 页。

② ［美］朱丽叶·米切尔：《妇女：最漫长的革命》，载李银河主编：《妇女：最漫长的革命》，生活·读书·新知三联书店 1997 年版，第 71 页。

③ ［美］哈特曼：《马克思主义与女权主义的不幸婚姻：朝向更有进步意义的联合》，载［美］詹妮特·克莱尼：《女权主义哲学：问题、理论和应用》，李燕译，东方出版社 2006 年版，第 574 页。

的经济生产资源和限制她们的性得以维持。"①哈特曼认为，从这种新的父权制角度分析资本主义社会女性的家务劳动问题，就会得到这样的结论，即女性留在家中为男性提供私人服务与其说是符合资本主义的利益，还不如说更符合男性的利益，因为资本家可能更希望女性为商品生产提供劳动力。而父权制导致的结果却相反，它致使资本与男性合谋，采取"家庭工资"的形式，即男性一人获得的得以养活妻子和年幼的孩子的工资的形式，将女性排除在劳动力市场之外，同时也将她们排除在工人阶级的反抗资本主义力量之外，其实质是父权制和资本主义之间达成的某种妥协，它既有利于男性，也有利于资本家。因此，哈特曼认为，在分析女性问题时，既要有关于父权制的分析，也要有关于父权制与资本主义之间相互作用的分析；在开展女性主义斗争时，既要反对父权制，也要反对资本主义。

与哈特曼类似的还有齐拉·艾森斯坦的理论，她采用了形式上看似更为统一的"资本主义父权制"（capitalist patriarchy）范畴，"强调资本主义的阶级结构和性等级之间辩证的、相互作用的关系"②。但是这个范畴的实质依然是一种二元结构。

在这种二元论框架下，南茜·乔多罗运用"母职"这一性别制度中的核心概念分析母职对于资本主义社会再生产的重要意义。不仅如此，这种二元论框架还被当时的一些女性主义者用来分析当时苏联、古巴和中国等一些社会主义国家的女性问题，将它们视作"父权制社会主义"。但是，这种二元论框架由于其自身的矛盾和局限性而遭到很多女性主义者的批判，这些批判也使当时的女性主义者对女性主义与马克思主义之间结合的合法性遭到质疑。

社会主义女性主义的"资本主义—父权制"二元论框架由于自身存在的问题，受到了来自女性主义内部的批判。例如，艾里斯·扬就对各种形式的二元论提出了批评，认为马克思主义与女性主义的"婚姻"是失败的，她主张女性主义应该接收马克思主义并改造它。③

---

① Hartmann H, "The Unhappy Marriage of Marxism and Feminism: Towards A More Progressive Union", *Capital & Class*, 1979, Vol.3, No.2, p.11.

② Z. R. Elsenstein, "Capitalist Patriarchy and the Case for Socialist Feminism", 转引自秦美珠：《女性主义的马克思主义》，重庆出版社 2008 年版，第 62 页。

③ [美] 艾里斯·扬：《超越不幸的婚姻——对二元制理论的批判》，载李银河主编：《妇女：最漫长的革命》，生活·读书·新知三联书店 1997 年版，第 83 页。

扬认为，米切尔将父权制仅仅作为意识形态或文化现象，等于将"历史上物质关系的理论统治权统统让给了这种马克思主义"①，这种二元论形式自身都是站不住脚的。而哈特曼的二元论虽然指出了"父权制在具体关系结构中拥有物质基础……其本身也经历了历史变化……恰恰削弱了它关于父权制是与生产关系截然不同的制度的二元制理论观点"，这相当于承认了父权制和资本主义处于同一社会和经济结构中，它们其实是一种制度而非两种。②

扬提出的解决方案就是，用女权主义改造马克思的物质关系理论，重新制造出一套符合女性主义立场的物质关系的范畴体系，而非简单地运用马克思理论的范畴分析女性主义问题。扬认为，马克思用"阶级"这个范畴分析社会分工和生产关系显然是有缺陷的，因为"阶级"是性别盲，这个范畴掩盖了其他的一些社会分工问题，其中很重要的一种就是阶级内部的性别分工、种族分工等问题。因此，用"社会分工"这个范畴来分析社会问题，能更加精细和更加广泛。

这样，关于社会结构中劳动分工的性别差异问题就可以用"性别分工"的概念来分析。另外，扬还指出，马克思关于生产关系的问题也不令人满意，因为它忽略了性关系这一重要层面。她认为，生产关系这个范畴应该"指包含在任何工作任务或活动中的社会关系"，也就是说，妓女、拉皮条者这种与性有关的工作和活动也属于一种生产关系，应该纳入到生产关系分析中，并且它们是以性别分工为轴线产生的。③ 另外她还认为，"性别分工"这个范畴有助于我们分析女性的从属地位是如何生产和维持的。总之，她认为这个范畴既可以在分析妇女问题上克服了二元论的问题，又能更加全面地分析女性问题，因此更具优越性。

事实上，扬的理论很难说是一种真正的她所主张的用女性主义改造马克思主义，因为她依然没有跨越马克思主义分析的理论重点，即对资本主义制度下劳动以及生产关系等问题的分析，她只是将性别角度和对妇女问题的分析纳入其中并强调其重要性。哈特曼就批评她的分析仅仅把矛头指向"白人男性资本

① ［美］艾里斯·扬：《超越不幸的婚姻——对二元制理论的批判》，载李银河主编：《妇女：最漫长的革命》，生活·读书·新知三联书店1997年版，第80页。

② ［美］艾里斯·扬：《超越不幸的婚姻——对二元制理论的批判》，载李银河主编：《妇女：最漫长的革命》，生活·读书·新知三联书店1997年版，第80页。

③ ［美］艾里斯·扬：《超越不幸的婚姻——对二元制理论的批判》，载李银河主编：《妇女：最漫长的革命》，生活·读书·新知三联书店1997年版，第86页。

家"。另外,"性别分工"范畴是否可以替代马克思的阶级理论并为大多数马克思主义者所接受,还是个问题。①

3. 历史唯物主义的"立场论"

20世纪70年代以来,很多女性主义者开始对英美传统的认识论提出质疑,并致力于发展女性主义的认识论。这使得女性主义理论不仅作为政治运动的理论基础,还挑战了传统上所谓的"科学知识",并证明女性主义理论可以构成客观严肃的知识。第二波女性主义运动时期的女性主义的认识论主要有两条发展路径:女性主义经验论和女性主义立场论。女性主义经验论是在生物学与社会科学的女性主义研究中发展出来的,它主要是质疑和挑战科学研究报告中的男性中心主义和性别歧视导致的"伪科学"。② 发展立场论的女性主义者通常针对的不是科学领域的知识的客观性,而是关注文化信念这类知识的客观性。她们的立场论所探讨的问题是"在由社会价值和政治议程所指引的研究中,何以能够产生经验上及理论上更合适的结果"。③

20世纪80年代初,一些马克思主义女性主义者的理论关注点逐渐从马克思主义政治经济学转向了对马克思的本体论和认识论的发展和运用,为女性主义立场论的发展作出了重要贡献。其中作出基础性贡献的三位学者分别是多萝西·史密斯、南希·哈索克和希拉里·罗斯。④ 其后,很多马克思主义女性主义者都运用和发展了这一理论,其中包括桑德拉·哈丁、阿莉森·贾格尔、唐娜·哈拉维、珍妮·弗拉克斯等。这里主要介绍其中比较具有代表性和影响力的理论家南希·哈索克的思想,她运用了马克思恩格斯和卢卡奇关于无产阶级立场的理论,将女性主义立场论建立在历史唯物主义的基础之上。

同其他的持立场论观点的女性主义者一样,哈索克认为女性与男性在生活的体系和结构方面的差异,即女性与男性在世界观结构上所存在的差别,导致

---

① [英]朱利斯·汤申德:《后马克思主义的女权主义》,载周凡主编:《后马克思主义》,中央编译出版社2007年版,第361—383页。

② [美]桑德拉·哈丁:《什么是女权主义的认识论?》,载[美]佩吉·麦克拉肯:《女权主义理论读本》,广西师范大学出版社2007年版,第509页。

③ [美]桑德拉·哈丁:《什么是女权主义的认识论?》,载[美]佩吉·麦克拉肯:《女权主义理论读本》,广西师范大学出版社2007年版,第517页。

④ [美]桑德拉·哈丁:《什么是女权主义的认识论?》,载[美]佩吉·麦克拉肯:《女权主义理论读本》,广西师范大学出版社2007年版,第518页。

了她们与男性不同的认识论后果。从这个观点出发，哈索克认为，就像马克思从无产阶级的立场上能够解开资产阶级意识形态的虚伪面纱一样，女性主义立场也能让我们深入到认识论层面，更好地认识和理解父权制所采取的扭曲的和令人厌恶的形式，由此更好地指导妇女解放的理论和实践。

哈索克认为，马克思主义关于"立场"的理论将现实生活分解成若干个层次，并且较深层次能够理解和解释表层和表象，这些层次的关系可以由五个基本命题来说明：第一，物质生活（在马克思主义理论中指阶级地位）构建了人们对社会关系的理解，同时也限制了人们对社会关系的理解。第二，对于统治者和被统治者这两个不同群体来说，如果其物质生活方式是相互对立的，那么他们的世界观也是相反的。因此，统治者一方所主导的世界观体系就是偏颇的和扭曲的。第三，统治阶级（或性别）的世界观构成了物质关系，并且在这些关系中，所有群体都被迫认同这种世界观，因此我们很难将这种世界观视为一种简单的错误而将其清除。第四，结果导致被压迫的群体必然去反抗他们被迫参与的社会关系，并揭露其虚伪性，并且他们只有在斗争中才能受到教育，才能知道如何改变这些关系。第五，一种全新的世界观形成了，即通过理解被压迫者的立场，揭露真实的人与人之间非人的关系，由此超越目前的状况，并担负起解放人类的历史的使命。

哈索克认为，从这些关于"立场"的命题出发，就可以将马克思的无产阶级立场理论改造为女性主义的立场论。但是，"女性主义的立场"与"女性的立场"之间是有区别的。同工人阶级一样，女人作为被统治的群体，其经验和活动既包含正面也包含负面。而女性主义的立场则选取了这些经验中具有解放的可能性的那部分，并将其放大。哈索克为将其理论建立在历史唯物主义基础上，选取了其中由性别劳动分工决定的女性经验和世界观体系。她认为，性别劳动分工在社会劳动组织中占据核心地位，在这个基础上我们能够探索男性和女性劳动之间的对立和差异及其导致的认识论后果。但是，哈索克没有将性别劳动分工作为唯一的和全部的差异，也不认为自己可以全面地论述出这个差异，"而是仅仅提出一个框架性的和简单的关于性别劳动分工的描述，以及其认识论后果"。①

---

① Hartsock N C M. *Money, Sex, and Power: Toward A Feminist Historical Materialism*, Boston: Northeastern Univ. Press, 1985, p.232.

三、女性主义马克思主义在 20 世纪 80 年代以后的新发展

20 世纪 80 年代以后，第三波女性主义运动逐渐兴起。第三波女性主义运动是建立在对第二波女性主义的理论中的本质主义和白人中心主义等缺陷的批判的基础上，并结合了新的女性主义的政治行动和实践逐步发展起来的，最终取代并终结了第二波女性主义运动和理论。第三波女性主义运动中最受瞩目的是结合了法国后结构主义理论而发展起来的后现代女性主义，但并非仅此而已。有学者将其归纳为四种明显不同的分析方法。这四种理论方法分别是：由有色人种女性主义发展起来的交叉性理论（intersectionality theory）；后现代主义和后结构主义的女性主义方法；后殖民主义女性主义理论，或全球化女性主义；和新一代青年女性主义（young feminists）的提案。① 在这个大的背景下，一些马克思主义女性主义者也开始重视并批判性地吸收这些新出现的女性主义的方法和理论。

然而，21 世纪以来，第三波女性主义自身开始暴露出一些缺陷和问题，它们所主张的"差异化"和"碎片化"导致了女性主义政治行动的逐渐瓦解。同时，后现代理论在本体论上的问题也遭到很多女性主义者的批判。一些马克思主义女性主义者开始旗帜鲜明地批判和反思新一波女性主义中出现的这些问题，并主张坚持运用历史唯物主义理论和方法为女性主义理论和实践的发展寻找新出路。

在此期间，女性主义马克思主义理论在发展中还出现了一个不容忽视的倾向，即一些女性主义者逐渐将研究重点转移到马克思的文本上，开始从女性主义的视角对马克思主义文本进行更加广泛和更加深入的解读，以摆脱经典马克思主义和西方马克思主义理论中男性中心视角的束缚，并对马克思的理论进行重新阐释。

当然，第三波女性主义从兴起至今还不过二三十年的时间，虽然当前很多女性主义者都对这一时期发展起来的理论和实践进行了批判和反思，但还没有明显地能超越这些理论和实践倾向展现出来。因此，很难对这一时期的女性主

---

① A. M. Susan&D. J.Huffman, "The Decentering of Second Wave Feminism and the Rise of the Third Wave", *Science & Society,* 2005, Vol.69, No.1, pp.56–91.

义马克思主义的发展进行客观的评价。下面仅对其在理论发展过程中展现出的主要特点和倾向进行阐述。

（一）批判性地吸收第三波女性主义运动中出现的新的方法、理论和思潮

1. 对后现代理论的吸收

20世纪80年代以后，福柯的话语理论、拉康的心理分析理论和德里达的解构主义这些"后现代理论"对女性主义理论的发展产生了很大影响，催生了一个新的女性主义流派——后现代女性主义。在80年代末到90年代初，从70年代就开始活跃的一些女性主义马克思主义理论家也逐渐向后现代理论靠拢。其中最具代表性的是米凯莱·巴雷特、唐娜·哈拉维以及一些唯物主义女性主义者。从这些理论与马克思主义之间的关系这个角度看，其理论特征可以这样来表述："既想与正统的马克思主义理论保持距离，又不想割断与正统马克思主义之间的脐带。"①

米凯莱·巴雷特在第二波女性主义运动期间就是比较活跃的女性主义理论家，她在1980年出版的《妇女今日所受的压迫：马克思主义与女性主义的相遇》是第二波女性主义运动晚期女性主义与马克思主义结合的重要理论成果。她在其中批判了家务劳动理论以及资本主义父权制理论的缺陷，详细分析了资本主义的社会分工、家庭、教育体系和国家政治中的性别意识形态的构建问题，对女性主义马克思主义理论的发展产生重要影响。她对于这些意识形态问题的分析框架是建立在阿尔都塞的结构主义的意识形态理论之上的，并努力寻求经济基础与意识形态、性别与阶级之间的平衡关系。② 但是在90年代初的政治气氛和理论氛围之下，她逐渐向拉克劳的"后马克思主义"以及米歇尔·福柯的话语理论靠拢，转而关注女性的主体性、经验和身体等问题。③ 她赞同拉克劳将意识形态与阶级相分离的理论，没有从阶级的角度去构建理论，而是从福柯的权力和话语的角度去讨论意识形态。之后，她在论文《话语和事物》（*words and things*）中尝试在后现代理论和马克思主义理论之间寻找平衡。她认为，"词（words）"与"物（things）"、"意义（meaning）"与"物质（materiality）"

---

① ［英］朱利斯·汤申德：《后马克思主义的女权主义》，载周凡主编：《后马克思主义》，中央编译出版社2007年版，第366页。

② 参见 M. Barrett, *Women's Oppression Today: The Marxist/Feminist Encounter*, Verso, 1988. pp.19–29.

③ 参见 M. Barrett, *The Politics of Truth: From Marx to Foucault*, Polity Press, 1992.

之间有着难以分割的关系，那么语言、话语和文化的权力就成为享有特权的客体和理论难以控制的媒介。因此，在理性难以驾驭的地方，非理性的真理大行其道，使得有规律的知识分工成为忽视物质复杂性和对研究客体的话语构建的"通行证"。① 然而，巴雷特不愿完全放弃既包含历史维度，又对政治学、经济学和社会学方面都具有洞察力的马克思主义，希望在马克思主义、女性主义和后结构主义之间找到平衡。

唐娜·哈拉维致力于为当时已经开始衰落的社会主义女性构建新的未来，而这种未来却是后现代的。她在《赛博格的宣言：20世纪晚期的科学、技术和社会主义—女权主义》中"致力于建立一个忠诚于女权主义、社会主义、唯物主义的反讽式的政治神话"。② 她认为，第二波女性主义构建的性／性别政治依然建立在一种"男权中心主义"的一套二元论的意义体系之上，因此，依赖这种意义体系构建的例如"自然／文化、自然／历史、自然／人类、资源／产物"这些对立的概念来分析女性压迫的特点，很难从根本上解决女权主义的问题。③ 她运用赛博格这个科幻小说中出现的虚构的机器和生物体的混合生物体，比喻女性主义所经历的"既是虚构的，却是最关键的政治事实"，"赛博格是想象和物质现实浓缩的形象，是两个中心的结合，构建起任何历史转变的可能性"。④ 由此，哈拉维试图用赛博格这个形象构建一个新的女性主义的本体论，因为赛博格是一种无性别的、模糊了自然和人类边界的存在。她期待这种本体论带给我们的无束缚的无限可能性，让女性主义彻底摆脱等级制和统治关系，开启女性主义的新的历史。哈拉维虽然利用的是这种空想的和反讽的形式，但是讨论的却是女性主义遇到的十分严肃的一个问题，那就是女性主义如果在本体论上面临的男权中心主义的初始设定，并且正是这种本体论使得女性主义理论的发展缺乏稳定的根基，那么女性主义就随时会陷入自我矛盾

---

① 参见 M. Barrett, *Magination In Theory Culture, Writing Words And Things*, New York : New York University Press, 1999, p.26.

② ［美］唐娜·哈拉维：《类人猿、赛博格和女人——自然的重塑》，陈静等译，河南大学出版社2012年版，第285页。

③ ［美］唐娜·哈拉维：《类人猿、赛博格和女人——自然的重塑》，陈静等译，河南大学出版社2012年版，第179页。

④ ［美］唐娜·哈拉维：《类人猿、赛博格和女人——自然的重塑》，陈静等译，河南大学出版社2012年版，第206页。

并遭遇解体。

　　另外，90 年代以后出现了一个既拥抱后现代理论，同时也将马克思主义视为重要的理论资源的新的女性主义流派——唯物主义女性主义。其中的主要代表人物有罗斯玛丽·亨尼西、唐娜·兰德里和麦克林。她们认为"唯物主义女性主义"是自从 60 年代末以来马克思主义与女性主义结合的这一理论发展过程中，发展到 80—90 年代期间的后现代语境下，发生的一种合乎逻辑和现实要求的理论产物。"唯物主义女性主义"这个术语早在 70 年代末就开始受到当时的一些女性主义者的青睐，安妮特·库恩、安妮·玛丽·沃尔普、米凯莱·巴雷特、玛丽·麦金托什和克里斯蒂娜·德尔菲等是唯物主义女性主义这个概念的最初的提出者。她们使用这一术语的最初目的是将自身与强调剥削和压迫的"马克思主义女性主义"区分开来，更多地强调性别劳动分工和性别主体性的形成。同时她们又与当时的社会主义女性主义有所不同，因为其理论混合了更多的理论和话语，除了历史唯物主义、马克思主义和激进主义女性主义以外，还有后现代理论和精神分析理论中关于意义和主体性的分析。后现代主义对人的主体概念以及马克思主义意识形态理论的批判和强调，可以说是唯物主义女性主义与激进主义女性主义和社会主义女性主义这类女性主义理论之间的分水岭。

　　唯物主义女性主义者认为，她们与那些过于强调文化和意识形态的"文化女性主义"也有所不同。虽然 20 世纪 80 年代中期以后，一些社会主义女性主义者和后马克思主义女性主义者也将自己的理论与历史唯物主义相联系，如米凯莱·巴雷特、德鲁茜拉·科尔内尔、南希·弗雷泽、唐娜·哈拉维、盖尔·鲁宾和艾里斯·扬等，但其理论实质不是唯物主义的，而是一种"文化女性主义"。因为这些女性主义者反对社会结构、生产、父权制和阶级概念，关注偶然性、本土的权力关系和话语；她们反对将社会生活看成系统的，反对历史唯物主义的前提，即反对人类生存的基础是活着的个体的存在这个前提；而是几乎将全部注意力都放在意识形态、国家和文化实践上，将意义仅仅与身体和其快乐绑在一起，或是将社会变革理解为斗争的表现。① 唯物主义女性主义则不同，它同另外一些马克思主义女性主义和社会主义女性主义一样，没有将

---

① C. Ingraham & R. Hennessy, *Materialist Feminism: A Reader in Class, Difference, and Women's Lives*, New York : Routledge, 1997, p.6.

文化视为社会生活的全部，认为其仅仅是社会生产的舞台，是女性主义斗争的领域之一而非全部。①

除此之外，罗斯玛丽·亨尼西、唐娜·兰德里和麦克林所主张的唯物主义女性主义尽管融合了一些后现代和后马克思主义理论家如福柯、德里达、拉克劳和墨菲等人的理论，但是也是一种在历史唯物主义理论框架下的批判性的融合。例如，罗斯玛丽·亨尼西强调了话语的物质性和实践性及其对于权力问题的分析，但是却又在历史唯物主义的理论框架下将话语理解为意识形态，借此解释理解社会现实的复杂性。另一方面，唯物主义女性主义却对后现代持批判态度，将后现代理解为一种伴随着晚期资本主义生产关系转变的历史危机，认为它不仅是一种文化变革，其实质是一种生产关系变革，是晚期资本主义的文化逻辑。② 显然，20 世纪 90 年代出现的所谓的唯物主义女性主义依然是一些女性主义者在马克思主义与后现代理论之间寻找平衡的产物。她们既想摆脱第二波女性主义的"本质主义"和"白人中心主义"的缺陷，同时又想避免后现代理论对女性主义政治行动同一性的瓦解。

2. 对交叉性理论的借用

贯穿于第三波中不同的女性主义之间的线索是她们对差异、解构和去中心化的关注，而交叉性理论（intersectionality theory）是依据这一线索发展起来的另一重要理论。交叉性理论最初是柯林斯将黑人女性主义的观点发展并重新命名的一种关于知识的社会建构主义观点，它将身份、立场和社会定位联结在一个"统治矩阵"（a matrix of domination）中。这种理论同后现代理论所强调的差异、弥散和碎片化的策略相反，它强调差异和多样性之间的内在联系。交叉性理论在认识论方面与后现代主义／后结构主义的某种关键的假设是相同的，这些假设对第三波女性主义的关于权力和知识的分析有着重要影响。然而，交叉性理论包含的政治话语关注的是一些群体对其他群体的剥削，并且主张对相关的、敌对的和结构性的压迫进行分析，尽管这些压迫是多重的。③

---

① C. Ingraham & R. Hennessy, *Materialist Feminism: A Reader in Class, Difference, and Women's Lives*, New York : Routledge, 1997, p.7.

② C. Ingraham & R. Hennessy, *Materialist Feminism: A Reader in Class, Difference, and Women's Lives*, New York : Routledge, 1997, p.8.

③ A. M. Susan & D. J.Huffman,"The Decentering of Second Wave Feminism and the Rise of the Third Wave", *Science & Society,* 2005, Vol.69, No.1, pp.56–91.

交叉性理论的这个特点使得一些马克思主义女性主义者更加偏爱交叉性理论而非后现代理论，因为它可以为女性主义的政治实践提供更好的支持，而非分裂政治运动。并且，交叉性理论还有助于克服第二波女性主义理论中的一些缺陷。例如，社会主义女性主义发展的"资本主义—父权制"理论为人诟病的一个重要原因就是，它仅仅讨论了阶级和性别差异而导致的压迫，但是对于一些其他类型的差异所造成的压迫，如种族／民族、性征（例如对同性恋的压迫）、生态（对环境的剥削）等方面，都无法进行说明。因此，当前的一些马克思主义女性主义者试图借助于交叉性理论来走出这一理论困境。①

进行这一尝试的重要代表人物是乔安娜·布伦纳，她认为阶级也应作为一个"社会场域"（social location）或者"统治轴线"（axes of domination）而纳入种族／性别的交叉性分析中。她指出，大多数交叉性的分析关注的是"社会场域"（social location）层面，即一个通过阶级、种族、性别和性征等这些相交的统治轴线定义的"地点"，并询问一种社会场域如何形成经验和身份。而当前交叉性理论运用的最成功的案例就是关于种族／性别交叉性研究，这种理论关注的是社会再生产劳动中的白人女性和有色人种女性的不同场域。这种理论提出，不论在历史上还是今天，不论在私人家中（家政佣人和她的雇主）或是公共领域（宾馆女佣／护士的援助／厨房工人和专业的／高级的／行政的支持性的雇员），有色人种女性都做的是最卑微的、困难的和肮脏的工作。不同种族结构和不同民族女性在经验和观点上超越了差异，并且她们的地位是相互依赖的：地位和生活水平更高的白人女性已经依赖于生活水平更低的有色人种女性的从属性。但是布伦纳认为，在这种种族／性别分析归为交叉性理论中，阶级和资本主义问题潜藏在这个背景下，因此她的理论探索了阶级差异与种族／族裔群体的联系以及跨越种族／族裔区分的阶级的重要性。并且，布伦纳从这种分析中看到了当前全球资本重构背景下美国本土的激进政治运动的希望。她分析了 90 年代加速了的移民潮给美国的社会结构造成了很大影响，不同的种族／民族在美国社会内部形成了以移民为基础的共同体，这些共同体改变了美国的政治、经济和文化格局。而在这些共同体的内部，阶级分化也是非常明显

① 参见郑吉伟、常佩瑶：《论马克思主义女性主义在 21 世纪的新发展》，《马克思主义理论学科研究》2015 年第 1 期。

的，他们是美国工人阶级的新生力量。因此，形成一种由女性主义联盟、反对资本对环境和劳动力剥削程度加剧的环保组织与工会的联合体、各个移民共同体中的底层激进政治势力以及反种族主义斗争的政治团体可以组成一种联合的政治团体。这使得开展一种围绕广泛的社会和经济正义的议程组织起来的“彩虹运动”首次成为可能。

另外，对交叉性理论进行运用的另外一个方向是对阶级和性征（sexuality）之间的交叉性问题的分析。凯文·弗洛伊德、罗斯玛丽·亨尼西、麦克纳利和艾伦·希尔斯等一些马克思主义女性主义者试图去构建马克思主义的酷儿理论，或者酷儿的马克思主义女性主义理论。酷儿理论也是当代西方性解放政治的重要理论工具，它运用后结构主义理论和福柯的理论分析和讨论关于男同性恋、女同性恋、双性恋（transgendered）和雌雄同体（bisexual）等问题的社会理论和政治理论。酷儿的马克思主义女性主义者们认为，马克思主义理论可以补充当前的酷儿理论叙述中所忽视的一些方面，包括阶级关系和劳动分工、国家管理的动力、资本主义重构的特殊影响和商品化过程的文化逻辑等。并且她们还认为，马克思主义女性主义的显著特征是它坚持了阶级、性别、种族和性的动力都内在地相互关联而并没有相互削减。历史唯物主义对资本主义再生产的分析必须查看以某些方式存在于相互之中的有结构的不平等的各个不同方面。对阶级形成的充足的理解必须因此以对被依照性别、种族和性的阶级关系的不同方式的充分分析为基础，对“性征”（sexualities）的研究必须加入到依照阶级、性别和种族的内在关系的方式之中。马克思主义女性主义一方面反对将阶级、性别、种族／民族和性征作为交叉的不同领域的二元或多元体系的理论；另一方面也反对还原论的马克思主义，即认为将阶级剥削这个单一的角度作为马克思主义经典理论唯一被验证了的方面，认为用这个角度可以抓住所有社会现实。因此，酷儿的马克思主义女性主义的“性政治”理论更具完善性和优越性。

3. 全球化视角的运用

20世纪80年代，一种新的女性主义思想——全球化的女性主义——进入了美国女性主义话语的核心。全球化女性主义的理论出发点与第二波女性主义的主流观点有着很大的不同。第二波的女性主义理论将国家和社会作为其分析的宏观单位，她们关注的是主要资本主义国家的女性压迫问题，并以一种“白人中心主义”视角去看待第三世界的女性问题。而全球化女性主义理论关注的则是本土化的和全球化进程如何影响全球不同地区的女性，将女性主义的理论分析从社会的层面扩展到全球的层面。之后，这些观点被后殖民主义理论的女性主义者赋予了更多的理论连贯性和政治潜力，她们运用差异、解构和去中心化的后现代理论，为全球化发展所带来的对女性压迫问题提供了新的见解。其中具有代表性的是莫汉蒂对殖民话语的批判。她指出，第三世界的女性在西方女性主义者的理论中被本质化了，被本质化为由历史的特殊物质现实所决定的一种群体，从而第三世界的女性被第二波女性主义者以科学的、经济的、法律的和社会的话语构筑成这样一种群体，她们被贴上贫穷、被剥削、被性骚扰的标签，描述为次要的、被忽视的、受传统束缚的和受迫害的。① 莫汉蒂对殖民话语的解构无疑为关于第三世界的女性问题研究带来了全新的视角。

运用全球化视角分析第三世界女性问题的一位著名的马克思主义女性主义学者是玛丽亚·米斯，曾任科隆大学社会学教授，其著作《世界范围内的资本积累》就从全球化视角和第三世界女性的差异性角度研究了全球化和世界范围内的劳动分工与第三世界女性受压迫之间的关系以及她们的反抗斗争。② 这部著作 1986 年出版，之后又再版了两次，对第三波女性主义运动期间的女性主义马克思主义的发展产生了重要影响。玛丽亚·米斯没有将妇女视为人类中的一个特殊群体，而是认为不论在什么时代以及怎样的社会，她们都在不断地用她们的劳动创造生活。玛丽亚·米斯在新的理论框架下讨论了之前的马克思主义和社会主义女性主义所关心的资本主义父权制和家务劳动问题，为女性主义马克思主义的分析打开了新的局面。

罗斯玛丽·亨尼西主张运用总体的和系统的观点分析全球化问题。她通过话语和意识形态范畴进行分析，并提出了一种"全球社会分析理论"，将社会范畴理解为一种通过文化文本生产与再生产的意识形态的建构，并将全球化区分为经济全球化和文化全球化，强调经济全球化过程所伴随的意识形态渗透。她认为，全球化的社会分析理论将社会看作是经济、政治实践和文化构成的一个系统，并对这个系统中各个结构之间的关系进行分析，这些

① A. M. Susan & D. J.Huffman, "The Decentering of Second Wave Feminism and the Rise of the Third Wave", *Science & Society*, 2005, Vol.69, No.1, pp.56–91.

② 参见 M.Mies.*Patriarchy and Accumulation on a World Scale: Women in the International Division of Labor,* London: Zed Books,2014。

分析包括生产方式、社会形态（social formation）和事件分析（conjuncture analysis）等。

（二）从女性主义视角出发对马克思主义文本的深度解读

进入 21 世纪以后，后现代女性主义理论自身也面临着发展困境并受到诸多质疑，而女性主义马克思主义也在对自身的不断反思和对当代流行的女性主义理论的批判、吸收和借鉴中不断发展。值得注意的是，当前马克思主义理论界逐渐形成了一种"回到马克思主义"和"重估马克思主义的价值"的理论趋势，这种趋势的产生是基于当代一些学者对马克思的文本的重新发掘和一些女性主义马克思主义理论家对马克思主义文本的重新的解读。一些女性主义学者开始深入挖掘马克思文本中关于性别、家庭和妇女压迫问题的论述，探索新的理论资源。另外，还有一些女性主义者试图将新的文本阅读方式和女性主义视角带入对马克思的文本的解读中，重新阐释和重构马克思主义关于妇女解放的理论。

在第二波女性主义运动时期，女性主义者关于马克思和恩格斯对于女性问题的观点的解读主要依据的文本仅有马克思恩格斯合著的《德意志意识形态》、恩格斯的《家庭、私有制和国家的起源》和马克思的《资本论（第一卷）》。基于对这些文本的片面的解读，一些女性主义者不但认为马克思的政治经济学是"性别盲"，有的甚至认为马克思有着"大男子主义"倾向①，反而认为恩格斯在《家庭、私有制和国家的起源》中花费了大量笔墨讨论了妇女问题，并丰富和完善了《德意志意识形态》中提到的"两种生产理论"。然而恩格斯的《家庭、私有制和国家的起源》之后又被诟病为有着强烈的经济决定论倾向。另外，"两种生产理论"也被一些女性主义者视为是马克思主义女性主义理论中"二元论困境"产生的理论根源。② 这一度使得女性主义者对马克思主义理论是否能用于女性主义理论的构建产生了怀疑甚至是否定。这种理论局限性的产生在很大程度上是由于文本的限制。1972 年，美国著名民族学家劳·克拉德出版了《卡尔·马克思的民族学笔记》一书，并撰文阐述了马克思在笔记中的观点与恩格斯依据笔记的部分内容所撰写的《家庭、私

---

① L.Wilde, *Ethical Marxism and Its Radical Critics,* New York : St. Martin's Press,1998, pp.106-107.

② ［美］莉斯·沃格尔：《马克思主义与女性受压迫：趋向统一的理论》，虞晖译，高等教育出版社 2009 年版，第 127—135 页。

有制和国家的起源》中观点上的重大差异。[①]1984 年，美国著名马克思主义学者杜娜耶夫斯卡娅在劳·克拉德的著作基础上，详细阐述了马克思和恩格斯在妇女问题上的重大分歧，认为"马克思不像恩格斯那样在原始和文明之间划一道不可逾越的鸿沟"[②]。她强烈反对将马克思和恩格斯的理论画等号，并认为恩格斯所持的观点是线性的进化论，而马克思更具辩证和批判性。杜娜耶夫斯卡娅的著作直到近来才由于受到美国的女性主义者艾德丽安·里奇的重视而走进公众视线。另外，她的学生凯文·安德森也继承了她的部分观点。凯文·安德森在《马克思关于自杀》[③]（1999）和《在边缘的马克思：关于民族主义、种族划分和非西方社会》[④]（2010）两部著作中，系统研究了马克思在 1845 年所写的一篇文章《珀歇论自杀》和马克思的 1879—1882 年的笔记中对性别和家庭问题的讨论，以及马克思的观点与恩格斯《家庭、私有制和国家的起源》的观点之间的差异。除这些以外，凯文·安德森还研究了马克思的其他与妇女问题有关的文本，其中包括马克思在莱茵报时期的关于婚姻法的讨论、《1844 年经济学哲学手稿》中对性别的论述、《共产党宣言》、1852—1861 年马克思作为《纽约论坛报》记者时期的关于罢工和妇女劳动的文章等。

女性主义者希瑟·布朗和蔡从这些文本出发，系统研究并构筑了新的马克思关于性别、家庭和政治观点的理论图景，她们都反对将马克思和恩格斯的理论视为可以合并的。蔡对于马克思对家庭与政治之间的关系的观点进行系统研究后，甚至认为很多马克思主义女性主义者理论错误的根源在于她们对马克思的理论的忽视以及她们将马克思和恩格斯关于妇女问题的思想合并在一起。蔡认为，从马克思的家庭观可以推断出：社会交往对工人阶级阶级意识的形成必不可少，这种阶级意识仅仅在基于性别平等的家庭中才能发展出来，而在非父权制家庭中。因此，在马克思的革命理论中，妇女在家庭中的解放是一个关键元素，对于克服资本主义背景下的社会交往的发展面临的困难至关重要。她

---

① ［美］劳·克拉德：《〈卡尔·马克思的民族学笔记〉评介》，《马列主义研究资料》1987 年第 2 期。

② ［美］拉·杜娜耶夫斯卡娅：《马克思的"新人道主义"、"民族学笔记"和妇女解放》，《马列主义研究资料》1987 年第 2 期。

③ 参见 E. Anderson & A. Plaut, *Marx on Suicide*, Evanston: Northwestern University Press, 1999。

④ K. Anderson, *Marx at the Margins: On Nationalism, Ethnicity, and Non-western Societies*, Chicago and London: The University of Chicago Press, 2010, pp.199–208.

还认为，这表明马克思关于妇女问题的立场同恩格斯并不相同。对比马克思和恩格斯的观点，两人最重大的分歧在于妇女解放与社会主义革命之间的关系。对于马克思来说，妇女解放对社会主义革命至关重要；而对于恩格斯，妇女解放只是社会主义革命的副产品。

另外一些女性主义者受到后现代理论的影响，主张用一种后现代的方式重构马克思主义理论。如唐娜·兰德里和麦克林赞同斯皮瓦克的主张，回到马克思的文本，用解构主义的方式对文本进行批判性阅读"在女性主义内部给马克思主义以新的形象"。[①] 之前提到的为女性主义立场论做出重要理论贡献的南茜·哈索克也转向了后现代理论。她赞同奥尔特·伯尔曼和大卫·哈维对马克思辩证法的新的解读，这种解读强调马克思的辩证的观点认为必须通过"过程"和"关系"的观念代替有关"物"的常识观点，"这种观点包含一个深刻的本体论原则，要素、物、结构和系统并不外在于或优先于创造、维持和破坏它们的过程、流和关系"。[②] 哈索克希望通过这种对唯物辩证法的新的解读为女性主义建立一种更为可靠的辩证的唯物主义世界观。[③] 冈纳森认为罗伊·巴斯卡的马克思主义的实在论可以为当前女性主义的"自然主义转向"和女性主义的唯物主义世界观提供本体论基础。劳伦斯·王尔德认为马克思在《资本论（第三卷）》中对例如自然环境、种族关系和历史影响等与经济基础的关系的分析并非是经济还原论或决定论的方式，他对不同群体在资本主义经济结构中进行定位的方式进行的细致的经验分析显然没有认为阶级是均匀的，而是将阶级看作是异质的和拥有不同群体之间需要协商的复杂关系，因此重新理解马克思的历史唯物主义和阶级理论必然能为当前女性主义理论热切关注的阶级压迫、种族压迫、性别压迫和生态问题等之间关系有所贡献。[④]

当代的一位马克思主义女性主义者朱迪斯·格兰特注意到马克思《1844年经济学哲学手稿》中的"类存在"概念，并以当代的女性主义视角对这一概

---

① 转引自秦美珠：《女性主义的马克思主义》，重庆出版社 2008 年版，第 192 页。

② ［英］大卫·哈维：《正义、自然和差异地理学》，胡大平译，上海人民出版社 2010 年版，第 57 页。

③ N. Hartsock, "Marxist Feminist Dialectics for the 21st Century", *Science & Society*, 1998, Vol.62, No.3, pp.400–413.

④ L.Wilde, *Ethical Marxism and Its Rradical Critics*, pp.115–116.

念进行了一种有趣的并且是与之前的女性主义者的"马克思主义的人的本质"理论不同的一种新的理论构建,她的这种理论构建的重要特点是:它基于对马克思的《1844 年经济学哲学手稿》这个文本本身的直接和全面的解读,其中不仅关注《手稿》中马克思的异化理论和对人与自然关系的论述,并且把马克思在《手稿》中的关于性别问题的论述也整合进去,将马克思的《手稿》中的"类存在"概念展现为一种含有"性别"的"后本质主义"(postessentialist)的"激进的人道主义"和"激进的社会建构主义"图景,并论证了马克思的这种关于"人"的观点与当前流行的女性主义和酷儿理论的某个派别的理论之间具有一致性。①

---

① 参见常佩瑶:《论西方女性主义者对马克思〈1844 年经济学哲学手稿〉的研究》,《科学社会主义》2016 年第 1 期。

第七章 关于资本主义的经济分析和世界体系理论

第二次世界大战后，马克思主义经济学家普遍预测：在短暂的平静之后，很可能发生一场像大萧条一样的经济衰退。可是现实资本主义世界并没有发生大的危机，而是步入了快速发展的繁荣时期。面对资本主义世界出现的新情况，马克思主义经济学家开始重新思考资本主义的发展阶段和历史命运。与此同时，亚洲、非洲和拉丁美洲的一些经济落后的国家经过此起彼伏的民族解放运动取得了政治上的独立，但是这些按照西方模式建立了资本主义社会制度的亚非拉国家，在经济上并没有摆脱原有的殖民地或半殖民地的经济结构，更没有取得预想中的经济进步和社会发展，反而因为陷入了经济发展的困境而导致国内政局的动荡不安。越来越多的理论家觉察到了发达资本主义国家与经济落后国家日益呈现的冲突和矛盾，他们批判发达国家对经济落后国家的剥削和压迫，并探寻落后国家经济发展道路。其中一些与第三世界有着密切联系的学者开始在马克思主义政治经济学中寻找第三世界落后的根源，还有一些理论家试着从全球角度对资本主义这一世界性现象进行系统研究，提出了世界体系理论，开辟了马克思主义政治经济学的新的研究领域。

第一节 多布、斯威齐和布伦纳的社会过渡理论

探究封建社会向资本主义社会的过渡问题对于仍然处在不发达状态的发展

中国家来说具有特别重要的意义，马克思主义者在这个问题的讨论中有着重要的影响。1946年，莫里斯·多布发表了《资本主义发展之研究》，引发了斯威齐等人的关注和争议，西方学术界围绕"过渡"问题展开了一场长时间的大讨论。20世纪70年代，布伦纳继续秉持着对社会历史理论研究的马克思主义经济学视角，深入探讨封建社会向资本主义社会过渡的相关问题，再次将这一讨论推向高潮。这些讨论有益于进一步揭示人类社会历史发展的基本规律，也有助于马克思主义政治经济学在西方的"复兴"。

一、多布论封建社会向资本主义社会的过渡

莫里斯·多布是20世纪英国著名马克思主义经济学家之一。1900年他出生于英国伦敦的一个小商人家庭，1918年开始参加英国劳工运动，受俄国十月革命的影响，开始接受马克思著作，并致力于马克思主义政治经济学的研究。1919年多布进入剑桥大学学习经济学，1922年毕业获得文学学士学位，同年加入刚刚成立不久的英国共产党，并在伦敦经济学院从事了三年经济学研究，以"论资本主义企业的历史和理论"的论文获得该学院的哲学博士学位。后回到剑桥大学任经济学和政治学系的经济学讲师，在那里度过了半个世纪的经济学教学和学术研究生涯。多布长期以来从事马克思经济学理论研究，战后发表的《资本主义发展之研究》是其最有影响的著作，在书中他以马克思主义的视角考察早期英国资本主义的起源和发展，在西方学术界引发了关于封建社会向资本主义社会过渡问题的长达数十年的大讨论。

关于资本主义起源和向资本主义过渡的问题，多布主要从三个方面加以阐述。首先，他认为，必须要明确"资本主义"一词的含义，才能正确理解资本主义的起源。20世纪上半叶，"资本主义"一词作为社会主义的对立面在学术界被广泛使用，与此同时对于这一术语的理解却是五花八门，甚至有些学者建议予以摒弃。多布认为，必须在对历史资料进行充分研究的基础上，明确资本主义概念的含义，以更好地阐述资本主义的本质。多布列举了当时学术界具有代表性的三种观点。第一种观点是桑巴特和韦伯的，他们偏重"资本主义精神"，认为"这种精神是企业性或冒险性，与'资产阶级精神'，即计算性与理

性的混合物"。① 多布认为这种从主观的心理动态或伦理道德中寻找资本主义产生根源的观点失之于偏颇。第二种是哈密尔顿等人把"资本主义"等同于市场生产的观点，他们对"资本主义"所下的定义是，"'这种交换制度是以无厌地牟取利润为目的'，并具有将人民划为'有产与无产'两种成分的特点。"②多布认为，这类观点是从想象的中古式的自然经济，及其狭隘的经济范围所感受的某种商业交易侵袭的程度中去寻求"资本主义"的起源。第三种是马克思所做的解释，把资本主义定义为生产资料私有制下，以雇佣劳动为基础的不断追逐剩余价值的一种特定的社会生产方式，也就是将"资本主义"放置于整个生产方式的历史演变中去分析。多布对这三种观点进行了比较，指出"任何定义的是与非，要在其是否可以把实际历史发展解释得通，同时还要看其与实际历史轮廓结合的程度，才能判定。"③前两种观点与社会生产关系相脱节，不能够将资本主义限定于某一历史阶段，很可能得出整个人类社会历史都是资本主义历史的错误结论。多布赞同马克思对资本主义起源的解释，认为只有这样才能科学地把资本主义与其他社会形态进行区分，才能真正解释资本主义的起源，以及更为客观地认识资本主义的本质。

接着，从马克思的定义出发，多布开始分析封建主义的瓦解过程。像对待资本主义一样，他同样把封建制度视为一种生产方式。他考察了英国及欧洲的历史，认为尼德兰和意大利的某些城市出现的资本主义很长时间内只是一种从属于封建主义的生产方式，真正的资本主义时代是从 16 世纪的英国开始的。那么，是什么原因促使封建主义瓦解的呢？多布认为，尽管市场的发展是促使封建领主放弃徭役制而使用货币征收方式的重要原因，但是不能因此认为商品贸易的发展与货币经济的兴起必然促成以人身依附为特征的封建生产关系的崩溃，商业贸易的发展同样可能促使农奴制度的加深。探寻封建制度衰落的原因还应该从这一生产方式内部的各种关系中去寻找。在多布看来，封建制度是以农奴制为基础的，是生产者在领主的强制下满足特定封建主经济需要的生产方式。随着封建统治阶级贪婪欲望的膨胀，这种生产制度已经不足以应付，因为当时封建领主的唯一收入来源就是农奴维持生活以外的剩余劳动，就当时低下

---

① ［英］多布：《资本主义发展之研究》，滕茂桐译，新民书店 1951 年版，第 4 页。
② ［英］多布：《资本主义发展之研究》，滕茂桐译，新民书店 1951 年版，第 5 页。
③ ［英］多布：《资本主义发展之研究》，滕茂桐译，新民书店 1951 年版，第 6 页。

的处于静止状态的生产力而言，剩余劳动可供压榨的余地非常有限，持续对劳动者压迫到了无法承受的地步，其生活水平降到"牲畜而不如"，过分压榨的结果必然是劳动人口逃离并日益减少，"但是这些都不能遏止领主逾限的榨取，结果最后整个的制度，乃趋于没落，制度所依赖的劳力也消耗殆尽。"① 也就是说，封建制度衰落的根本原因在于封建主对农民的过度剥削。另外，多布也认为商业贸易的繁荣和市场的发展对于封建制度起着分解作用，它们培养了新的社会力量，即资产阶级商人与城市的崛起，它们在封建制度衰落的过程中起了重要的作用，不过商人由于其保守性并不能成为一种改变生产方式的革命力量。总的来说，多布以一种社会历史分析的视角，深刻地指出正是封建主义内部产生的自身无法解决的社会危机，以及乡村地带地主和农民的阶级斗争导致了封建制度的衰落。不过，西欧封建制度的没落是一个漫长的过程，历经了14 世纪到 16 世纪的漫长历史时段。

紧接着，多布阐述了资本主义生产方式的确立，以及资产阶级的产生过程。多布认为，封建制度下拥有生产工具的小生产者积聚资本的能力有限，资本积累的来源"不能寄托在手工业的'小生产方式'上，必须从城市社会以外更复杂的发展中去寻找"②。参照马克思对封建生产方式过渡途径的论述，他指出了两条不同的资本主义产生道路。第一条是"真正的革命的"道路，即小生产者的自身分化积聚资本产生资本主义的道路。具体来说是指，部分直接生产者积累了相当资本后改营商业，后又开始摆脱行会的限制，把包买商制度改造成手工工场制度，变身为工业资本家，开始在资本主义基础上从事生产。第二条道路是"非革命的"，即商人直接占有和支配生产而产生资本主义的道路。多布分析指出，商人本是脱离生产的阶层，但为了追逐更多的利润，纯商业成分逐渐控制了手工业，雇佣劳动的形式得到普及，这无形中有利于资本主义生产关系的发展。其实，它并没有引起旧生产方式的变革，只是维持这种生产方式作为自己的前提。多布认为，第一种方式才是资本主义产生的道路，它使原来依附于封建主义的简单生产方式获得独立，最终确立了资本主义生产方式，第二条道路仅仅是一种过渡形式，最终将成为真正资本主义生产方式的绊脚石，并随着资本主义生产方式的成熟而趋于没落。不过，在整个资本主义产生

① ［英］多布：《资本主义发展之研究》，滕茂桐译，新民书店 1951 年版，第 41—42 页。
② ［英］多布：《资本主义发展之研究》，滕茂桐译，新民书店 1951 年版，第 87 页。

过程中，这两条道路并不能够清楚分开，而是时而吻合，时而交织，最终资本逐渐控制了生产。多布还谈到农业在 16 世纪也在经历一个重要而局部的变化，城市商人大规模地投资收购庄园，变身为农场主，这些人连同一部分不断扩充土地的自耕农开始圈地养羊，大批小农被剥夺土地，沦为无产者或半无产者。尽管多布认为农业的变化很重要，但是主要是工业资本家的出现，新生的工业资本从商业资本的垄断中解放出来，资本主义生产方式才得以确立。17 世纪英国西欧发生了"光荣革命"，资产阶级与封建贵族相互勾结形成新的统治阶级，为新兴的资本主义社会生产关系让路。反过来，这些变化的发生又促进了资本的原始积累，为工业革命准备了必要的前提。

综上所述，在论述封建社会向资本主义社会过渡的时候，多布主要着眼于生产关系内部，认为资本主义转变的原动力是封建制度内部的领主和农民的斗争，而不是这种关系外部交易的扩大，也就是强调阶级结构与阶级斗争的重要性。重视阶级斗争的理论分析方法显然产生了巨大的影响，霍布斯鲍姆曾评价说："给予我们决定性影响的主要著作是莫里斯·多布的《资本主义发展研究》，该书系统地阐述了我们的中心问题。"[①]多布关于过渡的思想发表后，也在西方引起了一场封建制度向资本主义社会的转变问题的大讨论，讨论围绕农奴制的定义、商人与货币经济、封建主义危机、资本主义产生途径等具体问题而展开。这场学术讨论以 1950 年斯威齐在《社会与科学》发表对《资本主义之发展研究》的书评为序幕，拉开了跨度长达二十年的学术讨论。

二、斯威齐与多布关于过渡问题的论战

保罗·斯威齐 1910 年生于美国纽约，在哈佛大学获得经济学学士学位和博士学位，曾是西方主流经济学界公认的杰出经济学家，对微观经济理论和产业组织理论作出过重大贡献。然而，在 1932 年至 1933 年去英国伦敦经济政治学院进修期间，他出乎意料地转向了，成为一名坚定的马克思主义者，当时美国学术界轰动一时。比较公认的说法是 20 世纪 30 年代资本主义体系出现的大

---

① 转引自程汉大：《多布与封建主义向资本主义过渡问题的讨论》，《山东师范大学学报（社会科学版）》1990 年第 4 期。

危机导致了斯威齐的转向：一方面，大量商品卖不出去，被倾倒掉；另一方面，广大劳动人民没有能力去购买过剩产品，街头饿殍遍地。这让斯威齐对西方主流经济学派感到失望，认为它已无法解释 20 世纪的重大事变和社会发展趋势。不过，尽管马克思主义能够解释这些问题，但在西方备受忽视，这种现状激起他要在西方大学中建立马克思主义经济学声望的愿望。可以说，斯威齐是马克思主义经济学家中唯一一位从西方主流经济学转向马克思主义经济学的经济学家。1942 年他出版了《资本主义发展论》，此书奠定了他作为一位马克思主义经济学家的地位，也结束了他在哈佛大学多年的教学生涯。1949 年他创办了左翼杂志《每月评论》，发表了大量揭露和批判资本主义的文章和专著，直至辞世。

多布发表的关于封建制度向资本主义社会过渡问题的研究，立即招致了斯威齐的批评。首先，斯威齐反对多布把封建制度等同于农奴制，认为非封建制度也存在农奴制，多布关注的西欧封建社会只是封建制度的一种特殊形式。其次，斯威齐认为封建社会虽有不稳定因素，本质上却是一种保守而稳定的制度，因此其内部矛盾导致解体的观点无法成立。再次，斯威齐批评了多布提出的过度剥削造成封建制度衰落的观点，假如这一观点成立，必须对封建统治阶级不断增长的需要和农奴从领地中逃离这两点加以解释，而这实际上无法得到阐释。斯威齐认为多布错误地把某一历史阶段当作是封建制度内在的趋势，忽略了分析其规律和趋势。封建制度衰落的原因只能从制度外去寻找，这个外在于制度的因素就是贸易，主要是指长途贸易。中世纪中后期欧洲与其他地区长途贸易的发展极大地冲击了封建制度，刺激了统治阶级的物质欲望，大商人资本的形成，同时推动了近代城市的崛起，发展的城市吸引了大量的农奴流向这里成为工人。最后，斯威齐也不同意多布对 14 世纪至 16 世纪西欧历史时期的界定，认为那时仍处于封建社会，斯威齐认为，从 14 世纪封建生产方式瓦解西欧就步入了封建社会向资本主义的过渡时期，这一时期属于"前资本主义商品生产"时期，既非封建主义的也非资本主义的。

多布随即在同一期刊物对这一批评作出了答复。首先，他认为斯威齐是从生产制度而非生产关系对封建制度进行定义的，而"生产制度"一词的含义并不明确，根据社会生产关系进行定义则更为科学，所以，根据封建社会生产关系的特征农奴制来定义封建制度是合理的。同样，14 世纪到 16 世纪占主导地位的生产关系仍然是封建的，因此理应属于封建社会，只有发生了社会革命，资产阶级取得了政治上的统治地位，资本主义制度才真正得以建立。其次，他指出斯威齐过于重视封建制度的保守性和稳定性，过于夸大外部长途贸易的作用，而忽略了封建社会内部阶级斗争的巨大推动作用。

可以看出，多布和斯威齐争论的焦点在于商品交换尤其是长途贸易的发展是否对封建制度的瓦解具有决定性的作用，多布否认了长途贸易的作用，主张从内部并运用阶级斗争的方法来研究封建社会的没落，而斯威齐认为封建制度的稳定性不可能自我瓦解，长途贸易作为一种外在因素导致了封建制度的衰落。"多布—斯威齐之争"引起了很多的关注，年轻一代马克思主义者霍布斯鲍姆、希尔顿、弗兰克等都纷纷加入了这场学术讨论，他们大多支持多布提出的观点。比如，罗德尼·希尔顿批判了斯威齐关于封建社会发展无内部动力的看法，认为围绕地租问题始终存在着阶级斗争，而这正是封建社会发展的动力和瓦解的源泉；艾瑞克·霍布斯鲍姆也强调动力源于封建制度内部社会阶级结构的观点，指出中世纪后期欧洲普遍出现了封建危机，不过在西欧出现了资本主义，东欧却强化了农奴制，根本原因在于东西欧的社会阶级结构的不同。20世纪60年代，安德烈·冈·弗兰克也加入了这场争论，提出拉美各国，自16世纪被征服后，便卷入了资本主义经济体系，因而也属于资本主义社会，使得讨论范围扩大至拉丁美洲和北美。争论并未得出明确一致的结论，不过，无论谁对谁错，这场争论最大亮点在于深入发掘了大量真实史料进行论证，深化了马克思主义的社会发展理论。可以说，关于封建社会向资本主义过渡论战所取得的学术成果斐然，但还有待进一步的思索和研究。

三、布伦纳对过渡理论和马克思社会发展理论的新解

罗伯特·布伦纳，美国著名的马克思主义者、经济学家和历史学家，分析马克思主义学派"9月小组"的重要成员，现任美国加州大学洛杉矶分校历史学教授，在当代西方学术界享有很高的声誉。

20世纪70年代，随着沃勒斯坦、佩里·安德森、布伦纳等一批马克思主义者研究成果的先后问世，关于"过渡"问题的讨论在一段时间的沉寂后又引起了关注。其中掀起争议的关键人物就是布伦纳，1976年，他发表了《前工业欧洲农村的阶级结构与经济发展》一文，再次把这一问题的讨论推向高潮。

该文主要是针对当时西方盛行的新马尔萨斯主义人口决定论,其主要代表人物波斯坦和勒罗伊拉杜里提出了"人口根源说",他们认为人口的变动是封建社会衰落和资本主义产生的主要推动力量。布伦纳批判了这种观点,指出人口的波动无法说明历史发展的巨大差异,在不同的时期和在欧洲不同的地区,同样的人口趋势产生了不同的结果。他提出了一种阶级结构的分析模式,即考察直接生产者与非生产者阶级的具体财产关系或榨取关系。在布伦纳看来,"这种阶级斗争的结果,即旧财产关系的再确认或者说是旧结构的毁灭和新结构的建立,也许是理解中世纪欧洲和早期现代欧洲长期经济发展问题,和更广义地说是从封建主义向资本主义过渡问题的关键"。[1] 阶级结构一旦建立便具有相当的稳定性和惯性,在通常情况下不受人口或商业潮流变化的影响,对来自经济因素的冲击也反应迟缓。

布伦纳指出,波斯坦和勒罗伊拉杜里忽视区分英法两国不同的经济发展水平,也未能指出同样的人口增长在英法两国带来了不同的生产力发展。与他们不同,布伦纳不仅比较分析了英法两国经济发展的不同路径,而且认为英法两国不同的农村阶级结构决定着农业生产力发展的不同结果。"随着人口的增长,在法国,存在着极端碎片化的土地所有者和生产力的衰退。但是在英国,相反,主要的趋势是建立了越来越大的联合;巩固了所有者,他们把土地出租给那些转而使用雇佣工人劳动的大佃农。"[2] 在布伦纳看来,法国存在的强大中央集权一直对地主的实力有所限制,使得农民的小土地所有制保存下来,可是却制约了农业生产力增长,也相应造成了国内市场的无能为力,这成为法国经济进步不可逾越的障碍;英国,在多次农民起义后,形成了地主—租地资本家—工资劳动的阶级结构,这使得农业生产力得以实质上增加,而农业的改善又提供了工业所需要的大量自由人口,成为英国工业继续发展的一个重要因素,英国最终成长为第一个资本主义国家。

此外,布伦纳也对波斯坦所批判的"商业化模式"予以了进一步的揭示。"商业化模式"认为贸易和市场才是决定农奴制衰落和资本主义农业兴起的根本性因素,波斯坦对这一观点予以了批判,认为与其说市场导致了农奴制的解体,

---

① Robert Brenner,"Agraian Class Structure and Economic Development in Preindustrial Europe",edited by T.H.Aston and C.H.F.Philpin, *The Brenener Debate*, Cambridge University Press.1987, p.12.

② Robert Brenner,"Agraian Class Structure and Economic Development in Preindustrial Europe",edited by T.H.Aston and C.H.F.Philpin, *The Brenener Debate*, Cambridge University Press.1987, p.24.

毋宁说它加强了农奴制，比如，在中世纪晚期东欧存在的刺激了西欧资本主义发展的市场贸易，却给自身带来了更加苛重的对农民的奴役和束缚。布伦纳同样也对"商业化模式"进行了批判，指出贸易的波动乃至任何类型的市场因素本身，都不足以决定农奴制的解体。不过，他认为波斯坦并没有真正指出"商业化模式"的致命缺陷，而是忽略了农奴制本质上是一种权力关系，这意味着地主有能力控制农民的人身自由，它的推翻只能通过其自身阶级力量对抗关系的改变而得以实现。"农奴制是一种可逆转的权力关系，在某种程度上，对其自身来说，只有通过阶级力量平衡的改变才能得以实现。"[1]新马尔萨斯主义者选择用"人口"这个不同的客观变量取代被批判的"商品"变量，未能将阶级结构的发展及影响置于分析中心，因此无法对从封建社会向资本主义社会过渡问题予以根本性的说明。

在这一分析基础上，布伦纳还继续对商业和贸易行为进行了思考，对斯威齐把贸易看作是资本主义产生的决定性因素的观点进行了直接批评。商业和贸易行为是几千年来人类历史的普遍现象，为何偏偏在近代促使了欧洲向资本主义转变的呢？在布伦纳看来，贸易在农奴制经济中的崛起，未必会带来发展生产力以增加收入的压力，也不必然促成新的生产关系的出现。斯威齐关于封建主义向资本主义过渡的全部解释，都是以资本主义已经存在这一隐含的假设为基础的，他误认为贸易—城市构成了一种处于胚胎中的资本主义。"真正的对抗并非产生于自用型生产与市场型生产之间，而是源自于生产的阶级系统之中，即自由雇佣劳动（资本主义）与前资本主义阶级系统之间的对抗。"[2]也就是说，仅仅贸易的出现本身决定不了解体的过程，只有在冲突、阶级转变和阶级斗争的过程中，这一解体过程才是可以理解的。总的来看，布伦纳对新马尔萨斯主义人口决定论和斯威齐观点的批判，以及使用阶级斗争的方法比较考察欧洲各国的历史，虽然招致了一些批评，但是支持者还是为数居多。

"布伦纳之争"展现了"多布—斯威齐之争"后马克思主义学者对"过渡"问题研究的最新成果。可以看到多布对布伦纳有很大的影响，布伦纳基本赞同多布关于封建制度瓦解是由社会内部地主与农奴之间的阶级斗争所造成的观

---

[1] Robert Brenner,"Agraian Class Structure and Economic Development in Preindustrial Europe", edited by T.H.Aston and C.H.E.Philpin, *The Brenener Debate*, Cambridge University Press.1987, p.25.

[2] ［美］罗伯特·布伦纳：《马克思社会发展理论》，张秀琴等译，中国人民大学出版社2015年版，第52页。

点，特别是多布为经济发展所提出的历史研究方法，将经济发展研究置于特定的历史视角，对布伦纳有一定的启发。但是，布伦纳与多布的思想也存在不同之处，主要体现在以下三点。首先，与多布不同，布伦纳自始至终着眼于阶级关系。"过渡"问题涉及封建制度的瓦解和资本主义的产生两个阶段，与多布在分析第二阶段时候求助于外在因素不同的是，布伦纳始终把欧洲社会内部的阶级结构和阶级斗争贯穿于这两个阶段。基于同样的分析，他还指出世界上一些国家处于不发达阶段也是源于阶级结构的不同。可以说，布伦纳进一步发展了多布在"阶级斗争"问题上所做的开拓性工作。其次，布伦纳认为向资本主义社会的过渡首先发生在农村，而不是多布所说的城市和工业。再次，布伦纳对资产阶级革命有着不同的理解。多布认为，向资本主义过渡的决定性突破发生在 1640 年的英国资产阶级革命中，革命的根本原因是新兴资本家阶级与封建专制国家所强加的束缚的矛盾导致的。然而，布伦纳认为，这一解释与多布关于封建发展的总体框架难以保持一致，1640 年的英国很难找到一个有影响的拥有土地的封建阶级，所以多布仍需要对革命发生前的十六七世纪仍然是封建制度的原因加以解释。与多布不同，布伦纳认为，英国大部分地主阶级的"反封建的倾向也许就是决定 17 世纪英国革命长期成功的一个重要因素"。①

布伦纳还指出，自己对过渡理论思考主要受益于对马克思相关理论的解读。在解读中他对马克思的社会发展理论提出了自己的见解，他指出，以《德意志意识形态》为界，"关于封建主义向资本主义过渡问题，马克思先后提供了两种解释模式。"② 第一种是"分工模式"，强调分工的自我发展，分工直接代表着生产力的发展水平，应市场的扩张而变，并继而决定了社会财产和阶级关系。新社会源于旧封建社会内部，并从不断发展的世界贸易中汲取营养，最终以资产阶级革命的形式得以确立。第二种是"生产模式"，"其指导原则是生产方式论，即认为生产方式是一种社会财产关系系统，该系统形成并构建了社会再生产——尤其是个体家庭的延续和阶级的构成。"③ 一方面是农民生产者的

---

① [美] 罗伯特·布伦纳：《多布论封建主义向资本主义的过渡》，王瑞雪、王葳蕤译，《江海学刊》2012 年第 4 期。

② [美] 罗伯特·布伦纳：《马克思社会发展理论》，张秀琴等译，中国人民大学出版社 2015年版，第 1 页。

③ [美] 罗伯特·布伦纳：《马克思社会发展理论》，张秀琴等译，中国人民大学出版社 2015年版，第 2 页。

个人所有制，另一方面是地主统治阶级通过超经济强制性手段榨取农民生产者的剩余，从封建主义向资本主义社会的过渡正是源于这一具有冲突性的再生产过程。布伦纳指出，马克思第一种模式存在着缺陷，起源于一种"启蒙式的历史唯物主义"，带有亚当·斯密的痕迹，而这正是马克思后来所力图避免和批判的。关于第二种模式，马克思曾在一些晚期著作中提到过，但从未进行充分完善。布伦纳想要继续完成马克思尚未完成的第二种模式，它强调生产方式在过渡中所发挥的根本性动力作用，重视社会发展变革中"阶级斗争"的作用。

我们知道，封建社会的瓦解和资本主义的诞生，使得人类生产力得到极大的解放，而西欧率先实现了这一过渡，成为人类历史的重要转折点。这一问题吸引了无数思想家，特别是众多马克思主义者的关注。马克思本人没有系统地解释资本主义起源的问题，后来西方马克思主义者深入发掘历史资料，考察阶级斗争、贸易、人口等因素对于资本主义起源的影响，这对马克思主义理论的当代发展具有重要意义。历经半个世纪的两次争论观点多样、方法纷杂，不过跳不出以下两种基本的分析框架：一是着眼于社会生产关系内部，强调阶级斗争和阶级结构，如多布、布伦纳等；二是强调社会生产关系外部的贸易和商业等因素，如斯威齐等。无论哪一种分析框架，都体现着对现实问题和马克思主义发展问题的极大关注，也对发展中国家探寻经济不发达的原因有一定的启示。

第二节　弗兰克的发展理论

渴望经济独立和社会发展，是"二战"后纷纷走上政治独立的殖民地、半殖民地国家的最大呼声。这些国家除了一部分选择了社会主义道路，大部分亚非拉国家仍然试图沿着资本主义道路前行，可是现实的贫穷落后逐渐侵蚀着它们已获的独立硕果。其实，这些国家早在西欧资本主义兴起并逐步向世界扩张的过程中，就已经与欧美发达资本主义国家拉开了极大的差距。可是，战后一些西方学者并没有对这一历史背景进行考察，他们提出的现代化发展理论，只是参照早期西方国家的资本主义发展经验，试图用其历史经验来指导这些国家的发展，认为这些国家只要努力在制度上和观念上向西方国家学习就能顺利实现工业现代化。在这一理论的指导下，拉美等不发达国家不仅没能走上发达资本主义道路，反而陷入了难以摆脱的发展困境，进一步拉大了与发达国家的差距，发展问题仍然是它们共同面临的问题。依附理论的重要代表人物安德烈·冈·弗兰克长期关注拉美不发达国家的发展问题，对西方的现代化发展理论提出了质疑，在 20 世纪 60 年代首创"不发达的发展"理论，对不发达国家的经济社会发展问题作了开拓性的研究。

一、弗兰克发展理论的提出

安德烈·冈德·弗兰克出生于德国柏林，后来随父去往美国，1957 年获得芝加哥大学经济学博士学位，其导师是诺贝尔经济学奖的获得者弗里德曼。不过因为弗兰克激进的左翼政治立场，他无法认同弗里德曼的新自由主义经济学，而是更多受到美国马克思主义者巴兰和斯威齐的影响，特别关注殖民地和前殖民地的欠发达状况，认为社会和政治因素更能影响人类的发展。毕业之后，受巴兰的启发，他首先选择拉丁美洲为研究对象，1960 年和 1962 年两度考察拉丁美洲，深入研究拉美问题并投身社会运动。在此期间，弗兰克也开始接触马克思主义不发达政治经济学，1963 年在批判正统西方发展理论的过程中，提出了发展中国家"不发达的发展"的理论，不过，这本名为《论资本主义的不发达》的著作直到 1975 年才出版。60 年代中期，弗兰克发表了论文《不发达的发展》、《发展的社会学与社会学的不发达》，以及专著《资本主义与拉丁美洲的不发达》，使他获得了很高的国际声誉，被认为是"依附理论"的重要奠基人之一。弗兰克对世界历史、资本主义发展史、国际政治和国际关系等一系列重大理论和现实问题都有关注，对经济学、人类学、社会学、政治学等众多领域都有独到的研究，这使得他的发展理论具有独特的理论视角和极强的历史感。

弗兰克的"发展理论"，也被称为"不发达的发展"、"低度发展"，是指一种"有经济增长而没有发展"的经济状况。弗兰克深入考察了拉丁美洲众多国家几个世纪以来的发展历史，以及欧洲和拉美国家的关系，认为对殖民地和不发达国家历史的无知，易于使人得出不发达国家的现状就是发达国家早期状况的错误结论。实际上，战后拉美国家的社会经济本质上是一种"不发达的发展",这是与当时西方经济学主流观点极为不同的观点。弗兰克指出,人们长期以来认为的不发达国家仍处于发展的"原始阶段",是发达国家很久以前就已经渡过的阶段,这其实是混淆了"未发展"(undeveloped)和"不发达"(underdeveloped)两种不同的发展状况。"未发展"是指资本主义兴起以前的状态,"不发达"既不是发展的原始阶段,也不是发展的传统阶段,而是一种在长达几个世纪参与世界资本主义体系过程中由于西方发达资本主义剥削和控制而被扭曲了的发展。"目前的发达国家过去虽然可能经历过未发展状态,但是绝没有经历过不发达状态。"[1] 他直接质疑了现代化理论提出的观点,"以不发达国家过去经验为依据的历史观说明,恰恰相反,不发达国家只有在目前摆脱了大部分的这种扩散关系以后才有可能取得经济发展。"[2]

弗兰克把发达国家与不发达国家之间的关系称为"宗主"与"卫星"的依附结构,"当代的不发达状态大部分是不发达的卫星国和现代发达的宗主国之间过去和当前经济等关系的历史产物。而且,这些关系正是全世界资本主义制度整个结构和发展的一个主要组成部分。"[3] 他对"宗主"与"卫星"的依附结构进行了深入分析,认为宗主—卫星结构不仅存在于国际层面上,而且渗入了拉丁美洲各殖民地和各国的经济、政治和社会生活中。"因此,宗主中心和卫星的整个星座系列就是指从欧洲或美国的宗主中心制动拉丁美洲最遥远的边区村落的整个体系的各个部分。"[4] 在这一结构中,"中心"剥削着卫星,每一个"卫星"从自身的卫星那里榨取剩余,并将其中一部分缴给世界中心,需要指出的是,世界中心不是任何地区的卫星。弗兰克认为,欧洲的发展与拉美的不发达发展紧密相关,因为这两个地区之间形成了一系列不平等的经济关系,自1500年前后欧洲支配的全球经济开始不断地扩展。"二战"后拉丁美洲一些国家曾经实现了经济的较快增长和工业化的迅速发展,这种发展使它脱离了"未

发展"状况，但至多是一种有限的或"不发达的发展"，因为它已经陷入了"宗主—卫星"结构之中。总之，卫星国的"不发达的发展"，既表现了不发达的深化，也表现了卫星国从属于宗主国需要的畸形的经济、社会、政治和文化结构。"我的研究使我相信，这种发展只要处于目前的经济、政治和社会的结构之内，看来也注定是有限的或者是不发达的发展。"[①]

二、弗兰克发展理论的基本观点

首先，弗兰克试图从历史层面探讨不发达的发展的成因。弗兰克指出，由于对不发达国家历史的无知，往往使我们认为不发达国家的过去甚至现在是和目前发达国家的早期历史相类似的，这种无知使我们对当代的不发达和发达状态产生严重的错误认识。"不首先了解清楚占世界人口大多数的不发达地区居民过去的经济史和社会史如何造成他们现在的不发达状态，就不能指望为他们制订适当的发展理论和政策。"[②]通过对拉丁美洲巴西、墨西哥等国家几个世纪以来的历史和社会的研究，他对"不发达的发展"产生的根源，以及摆脱这种状况的出路进行了总结并断言，"不发达并不是由于孤立于世界历史主流之外的那些地区中古老体制的存在和缺乏资本的原因所造成的。恰恰相反，不论过去或现在，造成不发达状态的正是造成经济发达（资本主义本身的发展）的同一个历史进程。"[③]也就是说，不发达与发达一样，归根到底都是由几个世纪以来的充满矛盾的世界资本主义体系造成的。

其次，弗兰克从理论层面对世界资本主义体系中存在的"三大矛盾"进行了分析。弗兰克指出，在这个包罗世界的宗主—卫星结构中存在着"三大矛盾"：经济剩余被剥夺与占有经济剩余之间的矛盾、"宗主"和"卫星"之间的两极分化的矛盾、"宗主—卫星"基本结构在扩张和变化中的持续性。这使得

---

① [德] 贡德·弗兰克：《不发达的发展》，载查尔斯·威尔伯主编：《发达与不发达问题的政治经济学》，中国社会科学出版社 2015 年版，第 167 页。

② [德] 贡德·弗兰克：《不发达的发展》，载查尔斯·威尔伯主编：《发达与不发达问题的政治经济学》，中国社会科学出版社 2015 年版，第 161 页。

③ [德] 贡德·弗兰克：《不发达的发展》，载查尔斯·威尔伯主编：《发达与不发达问题的政治经济学》，中国社会科学出版社 2015 年版，第 168 页。

这一体系中宗主中心往往得到发展而卫星往往处于不发达状态。

第一个矛盾是弗兰克强调的中心问题，揭示了世界资本主义体系基本结构中的剥削关系。在垄断占统治地位的世界贸易格局中，必然会出现宗主国攫取卫星国经济剩余的状况。这种剥削关系以链条方式存在于资本主义整个世界层次上，如宗主国—卫星国的链条，也存在于发展中国家社会内部，如卫星国大城市—中小城市、中小城市—边区村落等链条。这种"宗主—卫星"的链条关系，使世界资本主义体系内部的每一个环节都紧密联系，使西方发达的宗主国把控制力量渗透到每个卫星国及卫星国的边区村落，使卫星国的大部分甚至全部经济剩余都源源不断地流向宗主国。弗兰克以巴西和智利为例，说明了自早期殖民历史开始以来，巴西和智利不仅被纳入世界资本主义体系的结构和发展之中，而且还被引入资本主义垄断性的"宗主—卫星"结构之中，致使它们在丧失潜在的投资能力、放慢经济增长的速度、加深贫苦化的同时，还出现了国内经济、社会和政治结构的畸变，因为资产阶级充当宗主国在卫星国的代理人，积极维持"宗主—卫星"结构，推进了卫星国"经济、社会和政治生活中的不发达的政策"。因此，弗兰克指出："当代的不发达就是依附这一同样的基本过程的继续，就是经济和阶级结构转化的继续，就是已在拉丁美洲的全部历史过程中发挥作用的买办资产阶级的不发达政策的继续。"①

第二个矛盾构成了弗兰克理论的基本框架。表现为宗主和许多的卫星的两极是由资本主义体系的矛盾造成的。宗主国占有卫星国的剩余用于自身的经济发展，卫星国由于失去自己的剩余而在整个体系中处于不发达状态，这种矛盾在世界资本主义体系中无处不在。当卫星国家同宗主国家联系最为薄弱的时候，卫星国家则会经历最大程度的经济发展。比如，在两次世界大战和 20 世纪 30 年代的经济大危机时期，由于宗主和卫星之间的贸易和投资联系的放松，卫星国如阿根廷、巴西、墨西哥、智利等的工业发展就有了明显的增长。"当宗主中心从危机中复苏并重建了那种把卫星完全结合进这个体系的贸易和投资的联系时，或者当宗主中心扩展到把当前的孤立地区结合进世界性体系时，这些地区以前的发展和工业化就会受到窒息，或者被引导到不能自行长期存在和没有前途的道路上

---

① Andre Gunder Frank, *Lumpenbourgeoisie, lumpendevelopment : dependence, class, and politics in Latin America*，Monthly Review Press, 1972, p.92.

去。"① 在弗兰克看来，发达和不发达实质上是世界资本主义体系中不可分割的两个部分，它们是"辩证地矛盾的资本主义经济结构和过程的产物"。

第三个矛盾是前两个矛盾的推断。弗兰克认为，通过在世界范围内的扩张和发展，资本主义体系在整体上保持了其基本结构并产生了相同的基本矛盾。他还认为，只要世界资本主义体系存在，"变化的持续性"就会被再生产和维持下去。"变化的持续性"指的是，在世界资本主义扩张的历史过程中，宗主国对卫星国的统治和剥削形式虽然发生了变化，但这种统治和剥削却一直持续存在的状况，这种"变化的持续性"，必然造成世界资本主义体系中发达和不发达对立的两极。可以说，不仅发达与不发达并存的状况是世界资本主义体系发展的历史产物，而且不发达国家内部落后的和封建的地区的不发达与较为进步地区的资本主义并存的状况，也是世界资本主义体系发展的历史产物。

最后，弗兰克提出了发展中国家摆脱"不发达的发展"状况的对策和出路。弗兰克指出，发展中国家的历史已经证实，当今最不发达和最为封建的国家或地区，就是过去与宗主中心联系最为紧密的国家或地区。例如，西印度群岛、巴西东北部、巴西米纳斯吉拉斯州、秘鲁高原等地区，在几个世纪前就参加了世界资本主义体系的发展，受着宗主中心的控制和剥削。因此这些地区在自己的工业发展的"黄金时代"，就已形成了一种典型的"资本主义出口经济的不发达结构"。由于受这种不发达结构的扼制，这些地区不可能独立自主地发展经济，只能处于极端不发达的状态。因此，弗兰克指出，不能再继续宗主国的经济发展之路，也就是不能指望资产阶级将这些国家从不发达状态中摆脱出来，"宗主中心的那些陈规老套是不符合卫星的经济现实的，也不会满足它们要求解放的政治需要。"② 只有割断发展中国家与发达资本主义国家之间的经济联系，发展中国家才有可能摆脱发达资本主义国家的剥削和控制，卫星国才有可能最终摆脱宗主中心的控制，摆脱"不发达的发展"状况，走上独立自主发展工业道路。

尽管弗兰克后来也看到世界经济发展中各国经济联系的密切性，但他仍坚持经济联系越密切，发展中国家"不发达的发展"状况就越深化的观点。弗兰克在强调发展中国家在世界资本主义体系中必须走独立自主的工业化道路方

① ［德］贡德·弗兰克：《不发达的发展》，载查尔斯·威尔伯主编：《发达与不发达问题的政治经济学》，中国社会科学出版社2015年版，第171页。

② ［德］贡德·弗兰克：《不发达的发展》，载查尔斯·威尔伯主编：《发达与不发达问题的政治经济学》，中国社会科学出版社2015年版，第176页。

面，在探讨发展中国家在世界资本主义体系中选择本国的社会经济发展战略方面，都起了一个开创性的作用，同时也对马克思主义不发达政治经济学的理论研究产生了推进性作用。首先，弗兰克的理论研究是以反对纯粹经验主义的分析方法为基础的。他认为，许多理论家只研究发达宗主国而很少注重研究殖民地和不发达地区。因此，迄今为止，大多数有关发展的政策所吸取的完全是来自欧洲和北美先进资本主义国家的历史经验。在对拉丁美洲发展问题的研究中，不少的人都采取了纯粹经验主义的分析方法，试图以欧美历史研究的经验为基础，突出拉丁美洲的发展理论和政策，对此弗兰克坚持认为，"由于殖民地和不发达国家的历史经验与它们大不相同，因此现有的理论完全不能反映世界上不发达地区的过去，而且只能局部地反映整个世界的过去。"[①]其次，弗兰克的理论研究也是以反对拉丁美洲学者的"二元结构论"为基础的。拉丁美洲一些学者在对造成不发达原因的研究中，提出了"二元"的社会和经济模式，即发展中国家的社会经济分为两大单元：一部分是现代的、资本主义和相对发达的社会经济，这是与"外部"资本主义世界具有密切联系的部分；一部分是封建的或者是前资本主义因而是比较不发达的社会经济，这是资本主义未触及的部分。弗兰克以大量的史实证明，拉丁美洲的大多数国家自16世纪以来，就已全部纳入了世界资本主义体系的结构和发展中，根本不存在什么未被触及的部分，正是资本主义的世界扩张过程造成了拉丁美洲的不发达。

三、弗兰克的理论转向

"不发达的发展"理论提出后，弗兰克也受到各方面的批评，比如过分强调"外部"的交换关系而忽视"内部"的生产关系，没有充分考虑拉美与世界其他地区在地理和发展阶段上的不同，以及过于重视静态分析而忽视了辩证的动态分析。特别是它的理论中存在着两个明显的错误：一是他对发展中国家"不发达的发展"状况产生原因的阐释具有片面性。实际上，造成发展中国家"不发达的发展"状况产生的原因既有外部的也有内部的，更重要的在于国内

---

① ［德］贡德·弗兰克：《不发达的发展》，载查尔斯·威尔伯主编：《发达与不发达问题的政治经济学》，中国社会科学出版社2015年版，第161页。

经济结构畸形化的内部原因。二是他对发展中国家摆脱"不发达的发展"状况出路的阐释过于绝对化，因为在世界经济结构中，在发展中国家经济发展越来越和整个世界经济的发展紧密联系之际，发展中国家要走彻底割断与发达资本主义国家经济联系的道路是很不现实的。

不过，弗兰克提出的"不发达的发展"理论替代了西方正统的发展理论，认为拉丁美洲的不发达问题并不是由内部原因造成的，而是世界资本主义的产物，这对当时关心发展问题的人们对不发达问题产生了新的认识。弗兰克从外部指出了不发达的原因，这虽然受到一些非议，但也具有重要的研究价值，而且他引入世界资本主义概念，以整体主义的研究范式清楚地揭示了世界各部分之间的关系，使得人们能够更好地理解不发达国家和地区人民的艰难处境和悲惨命运。20 世纪 70 年代，当"不发达的发展"理论被发展中国家广泛接受的时候，弗兰克在思想上却走得更远了。

当时拉美地区政治局势动荡不安，使得弗兰克看到了自身理论在当时的缺陷，并试图超越它，他指出，拉丁美洲不发达的原因需要更加开阔的视野，应该从全球资本主义体系中去寻找。1972 年，他在拉丁美洲社会学大会上提交了一篇名为《依附论既已死亡，依附和阶级斗争万岁》的论文，认为依附理论存在缺陷，需要关注全球资本主义的危机和世界体系理论。只有对全球资本主义体系进行研究，才能真正理解不发达产生的根源。这一思想的转变具体体现在《世界积累》和《依附性积累与不发达》两本书中。在研究中，弗兰克把时间跨度延伸至 5000 年的长度。

第三节　阿明的依附理论

追求社会发展和进步是现代社会的永恒主题，特别是对战后获得独立的众多前殖民地国家来说，都面临着社会发展这一重大问题。这些国家政治上取得了独立，经济上却依然贫穷落后，这种鲜明对照引起了很多学者的关注和思考。与从西方发达国家的立场讨论发展问题不同，一些学者在 20 世纪 60 年代末开始立足第三世界的视角开展研究，挑战了西方主导的话语霸权。其中，萨米尔·阿明以其激进主张和国际影响力，被认为是不发达问题研究和资本主义批判的重要思想家之一，也被称为"南方崛起的先锋人物"。①

　　萨米尔·阿明出生于埃及开罗，童年和少年在埃及塞得港度过。自 1947年起，在法国巴黎开始了长达十余年的大学生涯，1952 年获得巴黎政治学研究所政治学学位，1957 年 7 月完成博士论文《论前资本主义经济国际一体化的结构效果——关于对产生所谓欠发达经济机制的理论研究》，获得了经济学博士学位。该博士论文是要对"不发达状态"的起源和原动力进行马克思主义的分析，"发达状态和不发达状态"是同一枚硬币的正反两面，这枚硬币就是"资本主义扩张"，"经济的不发达不是由它自己造成的，而是因为这种不发达的经济也是世界资本主义经济的一部分，为了适应资本在世界范围内积累的需求，不发达地区的国家永远处于结构的调整之中，而在资本主义框架中这种两极分化现象根本不可能得到解决。"② 据阿明介绍，"在此之前，关于资本主义造成不发达状态的论断还从未被正式提出过。"③ 同年 8 月，阿明返回埃及，就职于开罗埃及经济发展组织。1960 年 1 月，当局开始对共产党员进行搜捕，阿明被迫离开埃及，此后一直居留国外。1963 年起担任法国普瓦捷大学、巴黎大学、达喀尔大学教授，以及任职于联合国在达喀尔设立的非洲经济发展与规划研究院，1970 年出任院长。这段时期也是阿明研究和成果产生的重要时期，《世界规模的积累》、《不平等的发展》等著作纷纷出版于这一时期，依附理论也在这些著作中得到充分阐述。特别是 1970 年出版的《世界规模的积累》一书，作为其博士论文主题的深化，一经出版就在国内外引起了巨大轰动，阿明也被认为是依附理论的重要代表人物。1980 年，阿明离开了非洲经济发展与规划研究院，担任总部设在达喀尔的第三世界论坛主席至今。阿明著述十分丰富，始终充满革命激情和实践精神，是一位无法绕开的来自第三世界的新马克思主义经济学家。

---

① Hans Günter Brauch, *Samir Amin Pioneer of the Rise of the South*, Germany: springer, 2014.
② ［埃］萨米尔·阿明：《资本主义的危机》，彭淑祎、贾瑞坤译，社会科学文献出版社 2003 年版，第 149 页。
③ ［埃］萨米尔·阿明：《资本主义的危机》，彭淑祎、贾瑞坤译，社会科学文献出版社 2003 年版，第 148—149 页。

一、阿明依附理论的提出

第二次世界大战后，随着先前殖民地国家纷纷走向独立却又遭遇到发展难题，相应的发展理论应运而生。当时最受欢迎的是现代化理论，这一理论总结了西方近代社会发展经验，将社会发展和变迁解释为一种单一方向的有序发展，认为发展要经历"由贫到富"的几个连续阶段。比如，美国经济学家罗斯托就认为不发达是发达的前夜，今天的发达资本主义世界就是不发达世界的归宿。现代化理论认为第三世界不发达的根本原因，在于这些国家自身传统因素的阻碍，如对市场的偏见、落后的宗教信仰、人口因素、缺乏激励机制等。受西方现代化理论的影响，不发达国家纷纷效仿发达国家的发展模板进行"改革"，认为只有把自己融入世界资本主义体系中，才能取得发展和进步。

不过事与愿违，20世纪60年代末，这些被寄予极大希望的现代化理论在实践中暴露出极大的弊端。由于各种原因，很多国家的经济社会状况非但没有出现进步，反而越来越糟糕，甚至出现政治动乱、经济停滞和倒退。第三世界的"发展主义"梦想破灭，不仅经济上仍然依附于发达国家，而且与发达国家的差距也越来越大。实际上，现代化理论是适应二战后美国国际战略需要的产物，当时新独立国家面临社会发展的需要，为了阻止这些国家受苏联影响走上社会主义道路，现代化理论被提出来指导这些国家的建设。但是，落后国家并没有在这一理论指导下走上发展之路，而是陷入了经济落后、社会动乱、生态恶化等众多问题的泥坑。于是，一些学者开始运用马克思主义理论进行反思，认为现代化理论将不发达的原因归结为落后国家的内部问题，实际上是站在西方发达国家的立场讨论发展问题，需要重新思考发达国家与不发达国家的关系，以及不发达国家的问题根源，依附理论由此产生。

任何理论的形成都是对传统理论的继承和发展，依附理论也是如此。首先，它来自经典马克思主义者对资本主义的批判，特别是列宁的帝国主义理论。面对新的历史形势，列宁发展了马克思对资本主义世界扩张的考察，系统论述了帝国主义的形成和演变，指出以生产和资本集中所形成的垄断为根本特征的帝国主义在经济上分割世界，企图对全世界进行殖民统治。可以看到，列宁在对西方发达资本主义国家进行抨击的过程中，已经把落后地区与发达资本主义国家经济结构联系起来了。运用马克思主义的帝国主义理论，依附理论的思想家对欠发达产生的根源与出路进行了深入的考察，提出了一系列的激进主张。其次，它深受罗莎·卢森堡的影响。19 世纪末整个世界的联系更加紧密，卢森堡整体考察了资本主义世界，探讨了资本积累和扩大再生产的问题。通过对发达资本主义国家工人和资本家的消费能力有限的考察，她指出，不平等的国际贸易一开始就是资本主义历史存在的首要条件，这样非西方国家和发达资本主义国家的命运就联系起来了。再次，依附理论的另一个重要思想来源是巴兰、斯威齐的新马克思主义理论。保罗·巴兰是第一个对当代不发达国家政治经济问题研究的经济学家。1957 年他出版了《增长的政治经济学》，集中论述了欠发达的问题，他从资本主义殖民扩张的历史考察中，看到发达国家的发展是以不发达国家为代价的，从而得出资本主义是欠发达的根源的结论。1966年巴兰与斯威齐合作的《垄断资本》，指出发达国家的掠夺急剧影响了亚非拉地区其后的发展进程，他们还深入研究了剩余转移的方式，这本书被认为"至今仍然是观察美国和其他发达资本主义经济的历史演进的最有价值的起点"①。巴兰、斯威齐的很多观点都被后来的依附理论所继承。

依附理论最早发端于拉丁美洲，其先驱人物是阿根廷的著名经济学家劳尔·普雷维什，1949 年他在向联合国拉丁美洲和加勒比经济委员会提交的报告中系统阐述了他的理论，他指出：世界经济是一个以西方发达资本主义国家为核心、非西方欠发达地区处于边缘的统一体系，核心和边缘间的经济不平等是不发达国家落后的根本原因。20 世纪 70 年代以后，弗兰克、多斯桑多斯、卡多索等学者全面发展了普雷维什的理论，最终形成一种影响深远的理论流派。但是，依附理论内部派别众多，观点分歧很大。按照不同的标准，可以进行不同的分类。普遍认为，依附理论可以分为激进依附论、改良依附论和正统依附论三个派别。其中，激进依附论的代表人物是弗兰克、阿明，他们认为第三世界的不发达状态并不是由其内部的政治、经济、文化、制度等原因造成的，而是源于发达资本主义国家对第三世界的剥削，也就是通过不公正和不平等的国际经济结构，使第三世界长期处于经济不发达状态，要彻底摆脱对发达国家的依赖的出路在于变革不平等的国际格局，同时扩大欠发达国家之间的彼此联系。改良依附论的代表人物是卡多索，虽然他也反对现代化理论将落后的

① ［美］约翰·贝拉米·福斯特：《千年之交的垄断资本》，姜苗苗、姜欣欣译，《国外理论动态》2001 年第 1 期。

原因归结为内部原因，但是现实中巴西、东亚等一些国家的发展使他将发展和依附联系起来，认为发展和依附是同时发生、并存的一个过程，而不是相互对立和排斥的两个范畴，应该积极利用与资本主义体系的联系来为本国的发展服务，而不是脱离这一体系。正统依附论的代表人物是多斯桑托斯，他反对仅仅从外部分析依附现象，如果不改变国家内部结构和对外关系，就不能摆脱对中心国家的依附，他主张进行社会主义革命来实现这一目的。多斯桑托斯还对依附的三种形态进行了分析，即殖民地商业—出口依附、金融—工业依附以及技术—工业依附，他的依附论被认为是对 20 世纪六七十年代以及 80 年代拉美经济发展的一种完整反映，他也被看作是新依附论的代表性人物。

尽管依附理论内部观点各异，但是他们在基本观点和基本概念上总体一致，这些观点构成了依附理论的基本框架。（一）他们对现代化理论均持批判态度。反对现代化理论只从社会内部分析不发达的原因。他们还把早期现代化理论常用的"传统—现代"两分法改变为"发达—欠发达"、"中心—卫星"、"中心—边缘"的依附发展模式，使用了"中心"、"边缘"、"依附"这些基本概念描绘发达与不发达的关系。（二）他们都认为是资本主义造成了二元对立格局。他们都认为资本主义的运动规律使它在向外扩张的过程中，控制和剥削不发达国家，从而形成了中心和边缘这种等级关系，这种等级关系广泛存在于整个资本主义体系。（三）强调发达和不发达是一种共生关系。是同一过程的两个不同结果。"不发达"并不是"未发展"，后者是指资本主义兴起之前的状态，而现代化理论混淆了这两个概念。（四）认为第三世界国家贫困的根源在于对发达国家的依附。依附是第三世界的基本特征，既是不发达的外在表现，也是不发达的根源。那么，什么是依附？多斯桑托斯提出了一个被学界所普遍接受的经典定义，"依附是这样一种状况，即一些国家的经济受制于它所依附的另一个国家经济的发展和扩张。两个或更多国家的经济之间以及这些国家的经济与世界贸易之间存在着互相依赖的关系，但是结果某些国家（统治国）能够扩展和加强自己，而另外一些国家（依附国）的扩展和自身的加强则仅是前者扩展——对后者的近期发展可以产生积极的或消极的影响——的反映，这种相互依赖关系就呈现依附的形式。"① （五）破除依附的出路在于走出一条自己的发

---

① ［巴西］特奥托尼奥·多斯桑托斯：《帝国主义与依附》，杨衍永等译，社会科学文献出版社 1999 年版，第 302 页。

展道路。他们反对简单地效仿西方式发展道路，主张根据自身的历史经验和现实状况制定适合自己的发展道路。总的来说，依附理论是解释边缘国家不发达状态的成因及对策的理论的总称。

萨米尔·阿明是依附理论的主要代表人物之一。自 20 世纪 50 年代他就开始关注非洲地区的经济社会发展问题，关注欠发达国家的经济发展问题和第三世界对西方发达国家的依附。巴黎求学结束后，通过对非洲各地的实践调查，阿明进一步完善了其依附理论。与其他依附理论学者不同的是，阿明对资本积累模式的探讨拓展了依附理论的批判深度，同时以其独特的视角对外围资本主义的起源、发展及出路等问题进行了颇有见地的马克思主义阐释，因而成为该派别备受瞩目的左翼思想家。

二、阿明依附理论的主要思想

（一）世界规模的积累

阿明认为，当代资本主义经济的一个显著特点是，资本积累表现为世界范围内的资本积累。他指出资本主义已经加速发展成为一个分裂的世界体系，发达国家是体系的中心，而不发达国家则属于体系的外围。中心的组成部分和外围的组成部分之间的关系最终表现为价值的转移运动，即后者向前者的价值转移。也就是说，在资本追逐利润的排他性逻辑主导下的无止境的积累是资本主义生产的根本驱动力。在这一机制运行中，造成了不发达现象，以及外围对中心的依附。

当代世界资本主义经济分为"中心"和"外围"两大形式，相应地，资本积累也分为"中心型资本积累"和"外围型资本积累"两种不同的模式。阿明对这两种资本积累模式的基本性质作了深入探讨。"中心型资本积累"是发达资本主义制度的积累模式，受追逐剩余价值的内在动力所驱使，"自我集中"是这一模式的显著特征。"自我集中"的资本积累会对发达资本主义造成两方面的影响：一、导致了资本主义生产方式具有排他性；二、使得利润率不断趋于下降。在发达资本主义内部，为了阻止利润率下降，必然导致资本的积累越出中心去寻找其他途径，最主要的就是进行资本输出。由于吸收了大量国外资本，不发达资本主义内部市场趋于狭小，只能生产那些成本低于发达国家的产品，也就被迫发展原材料生产，以满足世界市场的需要。这样，在世界市场上，大量剩余价值就从不发达资本主义国家流向发达资本主义国家。阿明认为关于"中心型资本积累"的分析是对马克思资本积累理论的逻辑延伸。所谓的"外围型资本积累"，是指"外围"资本主义国家的积累模式。它与"中心型资本积累"模式相对立，并受到后者的控制的积累模式。这种模式的特征是资本积累具有"外向性"和"依附性"。"外向性"主要是指资本积累不是在国内而是在国外进行，这与不发达国家的出口型生产模式相关；"依附性"则是指"外围型资本积累"的运行要依附于发达国家的资本积累。

伴随着世界两种资本积累模式的形成，世界规模的资本积累通过生产领域的资本输出而形成了利润回流的来源，巩固和发展了中心与外围之间不平等的国际分工。最后，通过不平等交换实现由外围到中心的剩余价值转移。这种不平等交换是世界经济体系中资本与劳动对立的具体表现。阿明将工资差异看作是不平等交换的核心。阿明认为，中心国家强大的工会在提高工资中起到了重大作用。高工资既是中心的新的生活方式，也是一种对经济机制的运转起重要作用的需求，它确保了中心内部资本积累的进行和社会稳定。不过，外围地区的工资与中心地区的差异却极大。中心在外围建立了现代化的出口生产部门，使得中心与外围的部门生产率相差无几。但是，却出现了工资悬殊和剩余价值率的差异，这是因为资本虽能国际流动，但劳动力并不存在国际流动。前者导致利润率的国际平均化，后者则维持了工资的巨大差异。阿明进一步指出，利润率的国际平均化不仅是不平等交换的本质，而且构成了世界资本积累的本质。

在资本积累的推动下，资本主义生产方式在中心具有不断扩张的趋势。这并不是因为在中心缺乏出路而被迫输出，而是受较高利润吸引才转移到外围的。阿明指出，中心在这种扩张中掌握着主动权，因此中心与外围继续处于不对称地位，中心决定着外围的经济结构，外围处于补充性的、被统治的地位。资本输出并未促使外围资本主义生产方式的普遍化，它只是促成了外围不发达的发展，阿明称之为"没有发展的增长"。首先，它使外围丧失了自身发展的任何主动性，使获得某种独立性（即使只是某种文化和政治秩序）的机会都化为乌有；其次，它加强了与中心的联系而削弱了外围内部的联系，使外围国家各自重新构造类似的结构而缺少互补性；最后，它加重了外围现有的畸形。总之，资本输出促使外围在生产上处于一种依附性的专业化地位。

（二）外围资本主义经济结构的主要特征

阿明认为，外围资本主义是世界资本主义发展过程中的一种特殊的社会经济结构。传统观点把不发达看作是资本主义发展过程中的落后现象，阿明指出"不发达"并不是任何国家必然要经历的过程，而是资本主义的全球扩张造成的，是由世界规模的积累规律导致的。也就是说，资本积累在世界范围内的运行，导致中心和外围国家的分化，一端是中心国家的财富集中，另一端是外围国家的不发达。这种不发达的经济结构主要表现为三个方面的特征。[①]

第一，经济结构具有非同质性。也就是说，不同部门之间的生产率高低悬殊很大。因为生产率的直接比较几乎不可能，所以阿明认为只有在一定的价格结构内，这种比较才有意义："在一定的价格结构内，如果劳动或资本，或这两个'生产要素'在一个部门不能得到和另一个部门同样比率的报酬，在这种条件下我们说前一个部门的生产力低于后一个部门。"[②]阿明指出，在中心资本主义国家中资本主义生产方式的一个重要趋势就是各个不同部门的人均产值趋向相同：1.劳动时间的划一与雇佣劳动的发展是平行的；2.迄今为止资本主义的重大趋势是使劳动划一和种类简单化；3.简单雇佣劳动报酬的划一；4.资本的密集使用趋势构成了生产率增长的方式；5.出现了利润划一的趋势。而这些在中心资本主义出现的资本主义生产方式特有的倾向性规律都不会在外围国家充分发挥作用，这导致了这些国家人均产值分配的巨大差距。还因为，资本主义生产方式并未扩展到外围的所有部门，所以，实际差距的程度就更大一些。

第二，不同生产部门之间缺乏必要的联系和补充。生产呈现明显的单一性倾向，只集中生产一种或少数几种初级产品。发达国家经济的一体化程度比较高，不发达国家的经济则是非一体化的、平行的。因此，在以自我为中心的经济结构中，出现在经济结构中的任何一个进步都会通过许多聚合机制扩展到经济整体中去。而在外向型经济中，所有这些作用都是有限的，因为它们很大程度上都被转移到了国外。

第三，经济受制于中心国家。生产的单一性，导致中心和外围国家之间的

① ［埃］萨米尔·阿明：《世界规模的积累》，杨明柱、杨光、李宝源译，社会科学文献出版社2008年版，第188页。

② ［埃］萨米尔·阿明：《世界规模的积累》，杨明柱、杨光、李宝源译，社会科学文献出版社2008年版，第190页。

贸易必然会出现不平衡，也就是说外围国家的对外出口要受制于中心国家的市场需求，而国内进口也要依赖于中心国家的工业产品，而在普遍垄断资本主义时代，还依赖于发达国家的技术、金融、信息等。可见，外围国家的积累显然受制于中心国家的资本积累。

在阿明看来，欠发达是资本主义发展中的特殊结构，是一个正在生产着受中心国家的工业和金融资本统治的、以农业资本主义发展为基础的并由国家官僚机构把生产出来的经济剩余输往发达资本主义国家的结构。与这种特殊的经济结构相适应，欠发达国家存在着三种畸形：一是出口畸形，出口是为了适合中心国家的需要；二是第三部类畸形，内部市场只侧重奢侈消费品；三是积累过程的外向性，经济剩余大量外流，使得资本积累发生在外围国家外部。这三种畸形决定了这些国家的经济不可能求得自主的、成熟的资本主义发展。

（三）外围资本主义的发展途径

阿明指出，处于外围的发展中国家要想摆脱不发达状况，走上独立的经济发展道路，只有与世界资本主义体系"脱钩"。所谓"脱钩"，不是闭关自守，不是保守主义，与外界断绝任何联系。"我们指的是根据价值规律组织一个经济选择合理性标准的体系，它具有民族的基础和民众的内容，不受世界范围内资本主义价值规律统治所产生的经济合理性标准的影响。"① 所谓"具有民族的基础和民众的内容"的价值规律，指的是社会净产值应该按照农村人口和城市人口的劳动量进行分配。所谓"世界范围内资本主义价值规律"，指的是反映发达国家所达到的生产率水平的"统治价格"体系。阿明认为，脱钩是一种战略，旨在使外围国家与中心国家的关系服从于内部发展的逻辑和需要。

阿明认为，进行社会主义革命和走社会主义道路是实现"脱钩"的唯一方式。通过对历史演变的考察，他发现旧社会制度被淘汰和新社会制度产生过程并不是首先发生在它的中心地带，而是发生在它的边缘。资本主义体系没有能力否定自身，而作为体系薄弱环节的不发达国家，更容易对这一体系进行质疑。当今时代的主要矛盾已经不再是中心地区的资产阶级和无产阶级的矛盾，而是世界范围内垄断资本和外围地区人民的矛盾。外围地区人民面临着日益深重的剥削和压迫，只有进行社会主义革命，欠发达国家才能真正摆脱发达资本

---

① ［埃］萨米尔·阿明：《论脱钩》，高銛译，《国外社会科学》1988年第4期。

主义国家的控制，才能达到民族经济的真正的、独立的发展。

向社会主义过渡也是外围资本主义国家发展的必然趋势。在世界资本主义体系中，虽然外围国家的工业水平看似有所发展，但是这并不表明中心和外围之间的差距在缩小。中心国家通过不断地更新控制手段，对全球经济继续保持着垄断。所有这些垄断抵消了外围地区的工业化影响，使外围地区的生产活动贬值，从而使中心地区从中受益。结果是不断出现比以前更加不平等的等级结构。阿明强调，不发达国家选择社会主义绝不是一种偶然现象，不发达资本主义国家摆脱发达国家控制的每一次行动都会引起种种冲突，也都会引起对社会主义制度的憧憬。社会主义在不发达资本主义国家的最后胜利，决不是意识形态上或道德上"自由"选择的结果，而是不发达国家求得社会进步和取得真正独立的必由之路。

尽管阿明的"脱钩"理论遭到了一定的批评，但它深刻指出了欠发达国家的发展前途：不走社会主义道路，就只能徘徊在依附状态中日益贫困落后，不可能有其他前途。尽管有的发展中国家充分利用了新技术革命带来的机遇，有了生产力发展水平的提高，逐步接近某些发达资本主义国家，但是它们远远不是发达资本主义国家，在世界体系中仍然处于被动的地位。从人类社会发展的总体前景来看，社会主义必将取代资本主义。只有走社会主义道路，才能摆脱被奴役状态，消除资本主义的种种弊端。

三、阿明依附理论在非洲的实践和后来的理论转向

阿明是一位来自非洲本土的经济学家，巴黎求学结束后没有留在西方而是重新回到非洲，经过在非洲多国多年的实践调研，他对非洲的"依附"状态有很深的了解。作为一种对西方现代化发展理论的替代，他的理论对非洲发展道路的选择也产生了重大影响。

自从独立以来，非洲国家一直进行不懈的努力试图摆脱贫困和不发达状态。不过，自从 19 世纪非洲国家卷入资本主义体系以来，始终没能找到一条适合非洲情况的发展道路。战后非洲国家虽然获得了政治独立地位，但是一直延续着殖民统治的老路，依靠西方国家的资金和技术，生产国际市场上所需要的初级产品。这种单一的、外向型的经济发展道路不可能使得非洲各国摆脱对

西方国家的依附，实现真正的独立。可以说，非洲的经济发展是一个长期没有得到成功解决的问题。非洲独立之初，国际上东西两大阵营分裂对立，非洲成为两大阵营争夺的重要对象。以美国为代表的发达国家推出西方模式的现代化发展理论；苏联则在争夺的过程中提出了"非资本主义道路"理论；阿明的依附理论也指出，只有坚持社会主义目标，才能彻底摆脱发达国家的控制和剥削，走上真正独立的发展道路。这对长期遭受帝国主义压迫和剥削，渴望真正独立的非洲国家和人民来说，阿明的理论有很大的吸引力。

阿明指出外围资本主义国家的发展要经历殖民主义、进口替代工业化、自力更生三个发展阶段。第一阶段是帝国主义把殖民地和半殖民地统治形式强加于外围的阶段。资产阶级领导民族解放运动获得政治独立后则进入了第二阶段，这时掌握政权的资产阶级开始实行进口替代工业化战略，由于依附于发达国家，发展中国家的国内市场主要是满足奢侈品的需求为主，往往不注重人民的消费品生产。这种工业结构有两个弊端：一是形成畸形的经济结构；二是势必会加剧收入的不平等，人民日益贫困化，反过来也会导致国内再生产动力的不足。因此，阿明认为这本质上是殖民主义阶段的延续。发展中国家要想真正走上独立自主的发展道路，必须发展民族的自力更生的经济，为贫苦的人民服务，放弃供应国外的奢侈品生产。为此，阿明还开出的非洲发展药方，比如加强国家干预、实现工业化等，对不少非洲国家的经济发展战略和政策产生了重大影响。

受到苏联工业化模式的示范，以及阿明依附理论的诱导。非洲国家为了摆脱外国资本的控制，减少对世界资本主义的依附，采取了保护民族经济的一系列措施，如实行进口限额、外汇管制、非关税壁垒等。从非洲国家的社会主义实践看，取得了一定的成就，但是选择社会主义的非洲国家没有真正摆脱贫穷落后的经济面貌，人民的生活水平也没有得到普遍提高。总之，这一政策最终导致不少非洲国家在政策上保护落后，使得经济失去活力。其中的原因有很多，就阿明开出的药方而言，"依附理论"的研究方法过于简单而脱离非洲实际，对第三世界发展道路的设想也难以适应时代需要，因此未能使非洲摆脱贫穷落后的局面。

20世纪70年代中后期，随着世界性经济危机的出现，依附理论在框架中无法提出新的理论观点，开始转入低潮。阿明也开始根据新的时代形势，进一步进行理论思索，逐渐转向了"世界体系理论"。应该指出，向"世界体系理论"的转向也是历史和理论逻辑发展的必然。任何一种理论的结论和主张都只是同具体历史条件相联系的产物，因此依附理论具有历史局限性也在所难免。不过，阿明的依附理论仍然给我们留下很多值得思考的东西，特别是它在揭露和批判西方中心主义的现代化理论方面，在揭露帝国主义对发展中国家人民的压迫和剥削方面，做了不少有意义的工作，为不发达国家人民的觉醒和团结奋斗提供了理论武器。多斯桑多斯认为，"如果说发展理论和欠发展理论是消灭殖民统治和出现地方性资产阶级（他们渴望找到一条能使他们跻身于世界资本主义扩张的路子）的结果，20 世纪 60 年代下半期出现的'依附论'就代表了为理解一种发展的局限性而做出的批判性努力。这种发展是在这样的历史时期开始的：在巨大经济集团和强大的帝国主义力量掌握霸权的情况下，即使其一部分陷入危机，开辟了非殖民化进程的机会，还是形成了世界经济。"[①]

第四节　沃勒斯坦的世界体系理论

世界体系理论是继 20 世纪的发展理论、依附理论之后出现的一种新理论和方法，兴起于 20 世纪 70 年代的美国，以沃勒斯坦《现代世界体系》第一卷的出版为标志。这一理论提供了人们认识世界历史的新视角，标志着开始彻底摆脱了传统方法，以体系代替了国家作为研究单位，真正开了从全球角度对资本主义这一世界性现象进行系统研究的先河。

一、世界体系理论形成的背景

伊曼纽尔·沃勒斯坦，匈牙利裔，是美国著名的新马克思主义代表人物，

---

① ［美］弗朗西斯科·洛佩斯·塞格雷拉：《全球化与世界体系》，白凤森、徐文渊等译，社会科学文献出版社 1998 年版，第 52 页。

在哥伦比亚大学获得了社会学硕士和博士学位，后任教于该校社会学系。1976年之后在纽约州立大学宾厄姆顿分校社会学系执教，并担任该校"费尔南·布罗代尔经济、历史体系和文明研究中心"主任。早在读书期间，沃勒斯坦就开始关注印度的非暴力抵抗运动。1955—1970年期间关注并研究非洲问题，写了有关研究现代非洲政治和社会结构以及经济发展问题的论著，这一研究大大增强了他的政治敏感度。受法国年鉴学派布罗代尔的极大影响，20世纪70年代沃勒斯坦开始对世界体系做系统研究。他以世界整体的发展与变化为视角，运用系统分析的方法，把经济学、政治学、历史学、社会学等多种学科结为一体，从整体发展过程审视了世界资本主义体系，分析了发达与不发达的关系问题。1974年，《现代世界体系》第一卷出版，探讨16世纪资本主义农业和欧洲世界经济的起源，80年代相继推出第二、三卷，探讨重商主义的发展与欧洲世界经济体的巩固，以及资本主义世界经济体的第二次扩张，2011年出版的第四卷关注了中庸的自由主义的胜利。世界体系理论在研究视角、研究方法及研究内容等方面独具创新性，开启了对整个人类社会历史发展和资本主义经济体系的新认识。

世界体系理论之所以能在世界范围内产生巨大影响，主要在于它契合了时代的脉搏。20世纪六七十年代，世界范围内的民族主义运动风起云涌，反对帝国主义、霸权主义和新殖民主义成为新的时代主题；西方社会内部也出现了民权运动、学生运动，反对西方中心主义的呼声愈加高涨，这对当时包括沃勒斯坦在内的许多年轻激进学者都产生了极大的震动。当时主流的社会发展理论断言是不发达地区内部的传统因素阻碍了这些国家走向现代化，不发达国家必须要模仿西方国家的资本主义发展轨迹才能实现自身的现代化。对于这种言论，沃勒斯坦是无法接受的。他认为，考察任何一个国家、社会的发展，必须首先把它置于世界资本主义体系的宏观背景下，才能够得出正确的判断。整个世界在资本主义的拓展下形成了一个统一的资本主义体系，不发达问题是这一拓展的必然结果，而非逻辑前提。要解决不发达国家的社会发展问题，如果不对造成不发达结果的根本制度进行批判，而只是按照主流发展理论提出的方案进行建设，发展只会成为空中楼阁。沃勒斯坦的现代世界体系理论表现出对欠发达地区和整个人类命运的极大关注。

作为一位新马克思主义者，沃勒斯坦在一定程度上继承了马克思主义的基本方法和观点。首先，他对世界历史做了总体性分析。他指出，"世界体系分析不是一个关于社会世界或关于部分社会世界的理论。它是对一些方法的抗议。"① 具体来说，世界体系分析是对从 19 世纪开始被结构化的现行研究方式的挑战。现行研究方式以国家、社会作为社会发展研究的分析单位，归根结底是现代资本主义世界体系的产物。现代化理论之所以在解释当代社会发展历史中误入歧途，与它采用国家、社会作为分析单位分不开。沃勒斯坦进一步指出，国家只不过是人为的制度设置，并不是自始至终都存在，实际上隶属于更大的国家。他主张用"历史体系"代替目前的"社会"、"国家"分析单位，这是某种不同于现代民族国家的东西，某种比民族国家更大的单位，某种可以通过有效的、不断进行的劳动分工来定义的单位，只有"历史体系"才是合理的分析单位，这一单位"在分析上空间似乎永远不能与时间分离"②。按照其逻辑形式和历史过程，沃勒斯坦认为历史上存在过三类历史体系。第一类是"微小体系"，也就是自给自足的氏族社会，它没有剩余产品，也不存在阶级，人们活动的基本方式是"互惠的"交换；第二类是"世界帝国"，即国家依靠政治权利，以纳贡的形式直接从生产者手中掠夺劳动产品的体系，交由帝国君主直接分配；第三类是现代世界体系，即资本主义世界体系，商品交换成为超越国家和社会界限的普遍行为方式。在沃勒斯坦看来，以国家和社会为单位研究现代世界体系已经不合时宜，他以超越民族国家的理论视野提出了"世界体系"概念。"世界体系"是沃勒斯坦思想中的最基本、最核心的概念。

其次，他认同资本主义本质上是一种生产方式。相比较而言，依附论仅仅从历史现象上描述不发达国家的成因，沃勒斯坦则从生产方式的高度对近代社会发展状况进行了考察。在他看来，资本主义生产方式必然与扩张、融入联系在一起。资本积累是推动世界体系的主要动力，在资本积累的推动下资本主义必然进行空间扩张，也必然成为一种世界现象。可以说，沃勒斯坦的现代世界体系理论实际上是他对资本主义的认识，也是他理解当代社会发展问题的逻辑起点。不过，沃勒斯坦对资本主义的分析是建立在他对作为生产方式的资本主义的独特理解之上的。他并不认为资本主义利润的主要来源是资本家对工

① ［美］伊曼纽尔·沃勒斯坦：《沃勒斯坦精粹》，黄光耀、洪霞译，南京大学出版社 2003 年版，第 162 页。
② ［美］伊曼纽尔·沃勒斯坦：《沃勒斯坦精粹》，黄光耀、洪霞译，南京大学出版社 2003 年版，第 187 页。

人的剥削，而是不同地区的剩余在经济体内的流动。新地区不断被融入体系并被边缘化，使得资本积累的区域得以扩大，更多的剩余被榨取。这遭到了当代学者布伦纳等人的批评，他们认为沃勒斯坦过分强调贸易发展和劳动分工等外部因素，误解了发展或欠发达的原因。总的来说，沃勒斯坦认同现代世界体系是资本主义的，但是他并没有对资本主义生产方式做更为具体的分析，也没有对不发达国家或地区内部的生产力、生产关系、社会文化影响等做分析。

沃勒斯坦早年与阿明、弗兰克都有很深的交往，其理论观点有很多是从依附论者那里汲取的灵感。同样，很多的依附论者也都认同了世界体系理论。二者具有相似性和互通性的一个主要原因是，它们的分析方法都受益于巴兰和斯威齐对发达和不发达的分析，即强调发达和不发达属于资本主义的同一历史进程，而不是同质体系中的连续状态。不过，二者不同的是，依附论以亚非拉不发达国家为研究对象，强调这些国家与发达国家之间的关系；而世界体系理论则把研究对象扩展至整个近代世界，对现代资本主义经济体囊括整个世界的过程做了总体性概述。也就是说，沃勒斯坦立足于整个资本主义世界，从资本主义生产方式的高度揭示了"中心"和"边缘"的内在联系。在他看来，现代世界体系的扩张就是资本主义的扩张，资本主义在近代兴起后也在向世界拓展，最终形成了统一的世界资本主义经济体，所有的市场都属于世界市场的组成部分，所有的经济活动都是全球劳动分工的一部分，整个世界都处于中心—半边缘—边缘这样一种空间结构中，中心的发展是以半边缘、边缘的欠发达为代价的。因此，发达与不发达本质上是资本主义世界体系发展的结果，要根本改变这种不平等状态，唯有从根本上改变现代世界体系。

二、世界体系理论的基本概念

作为系统的研究理论，世界体系理论有一套基本概念：核心（core）、边缘（periphery）、半边缘（semi-periphery）和世界体系（world-system）。受依附理论影响，以及在反对现代化理论上的一致性，沃勒斯坦最初是把依附论和世界体系论统称为"世界体系观点"。但是，随着世界体系论的日渐成熟，这组基本概念也被赋予了特定的含义。

（一）"中心"、"边缘"和"半边缘"

沃勒斯坦从依附理论中借鉴了"中心"、"边缘"概念，但是改变了上述理论以国家或社会为基本单位的单一角度，而是从"世界资本主义经济体系"的角度论述了发达国家和欠发达国家都是世界体系的结构要素。据此，沃勒斯坦指出依附理论的"中心"、"边缘"只是地理上的概念；而在世界体系论里，"中心"、"边缘"、"半边缘"不是一种地理位置上的分划，而是代表和表达了三种不同的经济形态，并履行着不同的经济职能。所谓"中心"是指利用边缘地区提供的原材料和廉价劳动力牟利，享有先进的工农业以及发达的商业和金融业，并拥有强大的国家机器。所谓"边缘"地区，是指向中心地区提供原材料、廉价劳动力和销售市场的地区，主要依靠粗放的劳作方式从事经济作物和初级产品的生产，这些地区主要是世界上最为贫困的国家和地区。所谓"半边缘"地区是指介于中心和边缘的国家和地区，既受到中心国家控制，又可以部分地控制边缘国家，同时兼有中心国家和边缘国家的特征。从中心到半边缘到边缘的辐射，并不体现为贫富的分化，而主要是经济自主性的弱化。三个区域中每个区域的存在都以其他区域的存在为条件，它们不仅在交换中处于不平等地位，在生产活动上也有显著差别。

依附论简单地把世界划分为中心和外围，受到许多学者的批评。世界体系理论在一定的程度上克服了依附论的这种简单化的倾向，在它的结构中增加了一个"半边缘"的概念。"半边缘"不是简单的概念引用，而是对中心—边缘结构的重大创新。"半边缘"国家又像中心、又像边缘，这种双重角色增加了世界体系的异质性和多元性。随着世界体系内部科学技术、生态环境等变化的出现，某些半边缘国家可能上升为核心国家，但也可能衰退为边缘国家。然而，无论具体国家在这一结构中出现怎样的变动，这一结构本身并不发生变化。"半边缘"国家的存在具有防止世界体系极端分化、稳定世界体系的"层级"的作用。也就是说，半边缘的存在使得现代世界体系被赋予了一定的弹性、灵活性和可变动性，从而增强了体系的稳定性。

（二）"世界体系"

"世界体系"是沃勒斯坦思想中的最基本、最核心的概念。沃勒斯坦以超越民族国家的理论视野，提出了他的"世界体系"概念。基于此概念，他深入分析了资本主义作为一种全球性社会历史现象的结构和过程。沃勒斯坦指出世界体系"是一个社会体系，有着它的边界、结构、组成成员群体、合法的规则和一致性。它的生命是由冲突的力量用其牵制力聚合在一起的，而当每个群体不停地寻求为其利益重组它时，就会将其分裂瓦解。它有着一个有机体的特点，具有一定的生命期，在其中它的特点在某些方面有变化，而其他方面则保持稳定。人们能够以他的机能的内部逻辑发展判定它的结构在不同时代是强还是弱"①。

沃勒斯坦进一步解释说："说它是一个'世界'体系，并非因为它包括整个世界，而是因为它大于任何法律意义上的政治单位。它是'世界经济'，因为该体系内各部分间的基本联系是经济性的，尽管这种联系在一定程度上因文化联系和我们最终将看到的政治格局——或联邦结构——而得到加强。"②沃勒斯坦这里所指的"政治单位"主要是指在 16 世纪以前出现的"帝国"、"城市国家"以及"民族国家"。沃勒斯坦反对那种认为资本主义只是在 20 世纪才成为全球现象的观点，他指出，资本主义全球格局早就建立起来了，资本主义在一开始就是世界经济的事务，而不是各民族国家的事务。他认为，如果把欧洲的世界经济作为一个整体来看，1450—1640 年是一个富有意义的时间单位，在这段时间，资本主义世界经济体创立起来了。只不过，这个世界经济体是"巨大而又微弱的"。当然，世界体系在开始时虽然是世界性的，却并没有把全球所有地区都纳入它的结构；慢慢地，它不断地向世界的其他地区扩张，并最终实现全球化。

总的来说，依附论和世界体系论虽然都讲依附关系，但是，前者所讲的依附关系主要是指发展中国家对发达国家的依附，而后者所讲的依附关系则是双向的。世界体系论认为，现代世界体系是不断扩大的、具有全球规模的经济政治有机体，其内部实行世界性的区域分工，各个地区履行不同的经济职能。在这一体系中，不仅各个部分相互依存，而且各个部分都要依赖于整个体系。所以，在这一体系中，一个国家的发展不仅取决于它与其他国家的关系，而且还

---

① ［美］伊曼纽尔·沃勒斯坦：《现代世界体系》第一卷，郭方、刘新成、张文刚译，社会科学文献出版社 2013 年版，第 421 页。

② ［美］伊曼纽尔·沃勒斯坦：《现代世界体系》第一卷，郭方、刘新成、张文刚译，社会科学文献出版社 2013 年版，第 13 页。

取决于它在国际分工结构中所处的位置。

三、现代世界体系的结构和运行

沃勒斯坦对资本主义世界体系进行了总体的考察，从经济层面看是一个一体化的世界经济体，从政治层面看是多民族国家体系，从文化层面上讲是一个多元但趋同的文化体。

（一）资本主义世界经济体的结构

尽管沃勒斯坦也谈到世界体系是一个多重民族国家的政治的体系，一个多元的而又在走向趋同的文化的体系，但它最基本特征还是一个经济的体系，所以，沃勒斯坦着重从经济角度对世界体系进行了阐述，甚至他有时直接将世界体系（World-system）称为世界经济（World-economy）。

沃勒斯坦认为，资本主义世界经济体 16 世纪初形成于西欧，以后逐步扩展，到 19 世纪时，基本囊括全球。整个世界结构是一种生产模式，"这一体系伴有单一的劳动分工，并存在着一个世界市场；在这个市场中人们为了出售和利润而大量生产农产品。"① 在这个生产模式中，只有中心与边缘之分，而没有传统与现代之别。这一分析突破了以往以单个国家的政治、经济、文化的界限。他认为，资本主义世界经济体系是以世界范围内的劳动分工为基础建立的。统一的劳动分工不仅是功能上的，而且是地理上的。以劳动分工为基础，根据经济活动的复杂性、国家机器的力量，世界经济体可以划分为中心—半边缘—边缘的三层等级结构。由于世界经济体超越了国家、社会的界限，围绕着世界市场，通过劳动分工将各部分联结成一个整体。由于体系内存在复杂的劳动分工，每一部分的生产都专门化了，以便与其他部分交换它所需要的。这样，世界经济体被一个复杂的全球经济交换网络联系在一起。世界体系中经济活动地位的特定地理区域的变换，则是资本主义世界经济体系中的一种常态。

---

① [美] 伊曼纽尔·沃勒斯坦：《沃勒斯坦精粹》，黄光耀、洪霞译，南京大学出版社 2003 年版，第 110 页。

世界体系运动的基本动力是"资本积累"和"不平等交换"。其中，世界经济体最基本的活动就是资本积累，资本主义政治、文化活动不过是为这一中心活动服务的。无止境的资本积累也是世界经济体的主要动力。在历史资本主义中，资本不仅是指积累的财富，还包括那些尚未被花掉的过去劳动的积累。"在这个历史体系中，资本的使用（投资）采取了一种特殊方式。自我扩张成为资本使用首要目标和首要意图。"①关于这一点，沃勒斯坦显然受到卢森堡和弗兰克的影响。马克思把资本主义的资本积累活动分为原始积累和以雇佣关系为特征的典型资本积累，前者通过掠夺资本主义体系之外的财富，用于最初的资本积累；后者是在原始积累之后，通过剥削雇佣工人创造的剩余价值来实现资本积累。卢森堡认为，在封闭的资本主义体系中无法实现资本主义的扩大再生产，这就意味着这部分剩余价值的实现必须在资本主义社会之外的环境里进行。"资本的积累过程，是通过它的一切价值关系及物质关系——不变资本、可变资本及剩余价值——而与非资本主义的生产形态结合着。"②剩余价值的实现要依存于非资本主义的消费者，因此，国际贸易采取了资本主义生产形态与非资本主义生产形态之间的贸易形式。卢森堡指出，"资本主义历史地生育并发达于非资本主义的社会环境之中。"③也就说，广大的非资本主义世界构成了资本积累的特定的历史环境，资本主义的发展必然伴随着对世界征服和统治。从这个意义上讲，沃勒斯坦受到了卢森堡的影响。弗兰克同样受到了卢森堡的影响，但他同时感到有必要对原始积累这个概念做进一步的区分和界定。弗兰克认为，作为建立在非资本主义生产关系基础上的原始积累，并不是一个时间性范畴，而是一种性质不同的初级积累，它可以与资本主义的资本积累同时存在。在历史资本主义的各个发展阶段，这种初级积累不仅为资本主义的早期积累作出了重大的贡献，而且在典型的资本主义阶段，它也始终占有一席之地。沃勒斯坦赞成弗兰克的这一观点，认为原始积累始终伴随典型的资本积累，主要表现在世界经济体中心对边缘的剥削。

---

① [美] 伊曼纽尔·沃勒斯坦：《历史资本主义》，路爱国、丁浩金译，社会科学文献出版社1999年版，第1页。

② [德] 罗莎·卢森堡：《资本积累论》，彭尘舜、吴纪先译，生活·读书·新知三联书店1959年版，第288页。

③ [德] 罗莎·卢森堡：《资本积累论》，彭尘舜、吴纪先译，生活·读书·新知三联书店1959年版，第290页。

不平等交换是资本积累得以进行的途径和方式，沃勒斯坦认为它包括两种基本形式：一种存在于资本主义国家内部，表现为资产阶级对无产阶级的剥削；另一种存在于中心地区与边缘地区之间，这种形式在资本主义体系中早已有之。"不平等交换是如何实现的？让我们从市场的实际差异说起……商品在各个区域之间以下述方式流动：某一地把所拥有的较不'短缺'的货物'卖给'另一地区，其售价比同等标价但朝着相反方向流动的商品体现出更多的实际投入（成本），这样，总利润（或剩余）的一部分就从一个地区转移到另一个地区。这是核心—边缘关系。我们可以把受损的地区称作'边缘'，把获益的地区称作'核心'。这些名称实际上反映了经济运动的地理结构。"① 也就是说，在现代世界体系这样一个不平等的结构体系中，资本主义是在不平等的国际劳动分工的基础上，通过地区间不平等的商品交换来实现利润由边缘向中心转移的。中心国家借此成功地控制了世界市场的剩余，并不断扩大了自身的资本积累。希腊经济学家伊曼纽尔曾分析指出，作为不平等交换的主要受益者之一，发达国家的工人与落后国家的工人不再有共同的利益，因为他们对国家的忠诚超越了阶级利益。国际工人阶级在新时期不是走向团结而是分裂，富国与穷国之间的冲突代替阶级斗争，成为世界资本主义的主要矛盾。沃勒斯坦接受了伊曼纽尔的不平等交换理论。

沃勒斯坦指出在世界经济中成长起来的、以强制农业为基础的资本主义农业的各种形式并不能用"封建主义"来称呼，"我们已强调了现代世界经济是也只能是资本主义的世界经济。"② 不过，资本主义世界经济并不是一开始就覆盖全球的，19 世纪之前还有很多国家并没有进入资本主义世界体系。沃勒斯坦认为，在资本主义世界体系内，有两种方向相反的运动同时进行着：一种是中心的积累活动，另一种是不断有新地区融入体系，随后被边缘化。"融入"和"边缘化"是同一个过程的两个方面。"融入"是指世界体系之外的国家和地区不断进入世界体系的过程，而"边缘化"则是指世界体系不断接纳新的国家和地区的过程。融入是边缘化的第一步，随着边缘化的逐步加深，被边缘化的国家和地区不断加入整个世界体系的链条之中。总的来说，资本主义体系中

---

① ［美］伊曼纽尔·沃勒斯坦：《历史资本主义》，路爱国、丁浩金译，社会科学文献出版社1999 年版，第 14—15 页。

② ［美］伊曼纽尔·沃勒斯坦：《现代世界体系》第一卷，郭方、刘新成、张文刚译，社会科学文献出版社 2013 年版，第 424 页。

的两种基本运行轨迹揭示了资本主义世界体系运行过程中体系内的国家和地区与体系外的国家和地区之间的运作关系。当然这两种运动是不对等的，前者是主动的，后者是被动的。在资本积累的推动下，世界经济体处于一个不断扩张的过程中，这一过程持续了 400 多年。

（二）资本主义世界体系的不平等的政治体

除了对现代世界体系的经济结构进行分析，沃勒斯坦还对其政治上层建筑进行了解剖。他指出，政治体与经济体本质上共同维持着现代世界体系，但在自运行机制上不尽一样。他从国家间体系、维护体系运行的霸权机制和意识形态三个方面提出了自己的见解并对其进行了批判。

沃勒斯坦认同在欧洲世界经济体系出现的同时民族国家得以形成的观点，"即在欧洲世界的中心地区内，强国的发展是现代资本主义的发展的基本组成部分"。[①] 也就是说，国家成为政治组织的主要单位，而不是由一个庄园作为它的中心的地方单位。沃勒斯坦指出，16 世纪欧洲资本主义的兴起促进了以"绝对王权"为特征的世俗权力的发展，"资本主义世界经济似乎已要求并且为中央集权和对内部的控制的加强这一长期进程提供了便利，至少在中心国家是如此"。[②] 国家机器的操纵者主要采用了四种现代机制增强自身权力：创建有效的官僚机构、垄断军队、建立合法性的统治体制，以及将其臣民同质化，即"通过这种或那种方式将其所统辖的人民转变为一个同质化的群体"[③]。国家权力的增强反过来又对经济过程产生影响，国家成为最大限度进行资本积累的关键机制。

尽管沃勒斯坦承认国家所起的重要作用，但他并不认为世界经济的政治上层建筑是一个拥有官僚机构的帝国，也不认为国家是分析现代世界体系的准确单位。沃勒斯坦指出，现代世界体系是一个多重国家并存的政治体，即由众多力量不平衡、相互之间竞争的民族国家构成的国家间体系。他提出要将国家

---

① [美] 伊曼纽尔·沃勒斯坦：《现代世界体系》第一卷，郭方、刘新成、张文刚译，社会科学文献出版社 2013 年版，第 152 页。

② [美] 伊曼纽尔·沃勒斯坦：《现代世界体系》第一卷，郭方、刘新成、张文刚译，社会科学文献出版社 2013 年版，第 153 页。

③ [美] 伊曼纽尔·沃勒斯坦：《现代世界体系》第一卷，郭方、刘新成、张文刚译，社会科学文献出版社 2013 年版，第 160 页。

纳入到国家间体系中进行分析。"事实上，国际间体系是定义国家的框架。资本主义世界经济体的国家存在于国家间体系框架内这一事实是近代国家的特殊性，区别于其他的官僚政体。"① 国家间体系从 16 世纪开始悄然存在，直到 1648 年随着《威斯特伐利亚条约》的签订被正式承认，在长期的历史发展中形成了两个突出特点。其一，国家间体系本质上是不平等的，这是作为不平等的世界经济体在政治上的表现。在理论上，所有体系内的国家都是拥有主权的、独立的和平等的。但是事实上，中心国家利用自己的国家机器力量将一些限制性的规则强加给弱小国家，来为本国的资本积累服务。于是，国家间体系中规则的制定往往同一个国家在世界经济中的地位有着相关的关系。其二，在现代世界体系中，服从于一体化的世界经济体的要求，每个国家的主权都是有限的，国家是作为国家间体系的组成部分而发展和形成的。"国家间体系由一套限制国家机器做出决定能力的约束机制构成，即使是其中最强大的国家也在所难免。"② 所以，沃勒斯坦并不认为国家间体系会转变成世界帝国，因为在这个体系中政治总是服务于资本积累，而不是相反，没有一个国家可以长期垄断这种活动。

但是，这一体系并不排除霸权的出现。他指出，在现代世界体系的运转中，霸权是一种至关重要的机制。"霸权机制使现代世界体系成为人类历史上的第一个世界经济，它产生、繁荣和扩张，并将整个地球包括在内。没有这种机制，作为一种历史体系的资本主义就不可能存在，并由此改造着整个世界。"③ 霸权概念是指一个国家在世界经济的国家间体系中所具有的某种特征，即"强国中的一国暂时实现了一个相对宰制他国的时期。我们可以把这种相对宰制称作霸权"。④ 一个霸权国家并不简单地是一个强国，甚至并不简单地是国家间体系中最强大的那个国家，而是那个明显比其他强国更强的国家，"它

---

① Immanuel Wallerstein, *The Politics of the World-economy: the states, the movements, and the civilizations*, Cambridge Universty Press,1984, p.33.

② Immanuel Wallerstein, *The Politics of the World-economy: the states, themovements, and the civilizations*, CambridgeUniversty Press,1984, p.33.

③ [美] 伊曼纽尔·沃勒斯坦：《现代世界体系》第二卷，郭方、刘新成、张文刚译，社会科学文献出版社 2013 年版，第 11 页。

④ [美] 伊曼纽尔·沃勒斯坦：《历史资本主义》，路爱国、丁浩金译，社会科学文献出版社 1999 年版，第 33 页。

意指，一个国家能够将它的一揽子规则强加给国家间体系，并由此以它认为的明智方式创建一种世界政治秩序。在这种情势下，霸权国家会给予属于它的或受它保护的企业以某种特殊的优势，这种优势不是由'市场'赋予的，而是通过政治压力获得的。"① 从本质上看，霸权是经济意义上的而不是军事上的，霸权周期是资本主义世界经济周期的决定性标志。也就是说，某一个国家在某一个时期的资本积累效率比其他国家更高，在与其他强国占据市场的竞争中胜出，由此成为霸权国家。但是，霸权国家在追求自身经济—政治—军事利益的过程中最终会破坏它们的优势，因此不可能永远维持其对世界地缘政治权力的准垄断地位。迄今为止，在现代世界体系的发展史中已存在过三个霸权国家：17 世纪中期的联省共和国、19 世纪的英国、20 世纪中期的美国。

在不平等的现代世界体系中，与霸权、中心国家相对的是边缘国家。在资本积累的推动下，从世界经济体在 16 世纪诞生以来，新的地区不断被融入它的劳动分工体系之中，到 19 世纪末世界经济体形成，全球都被囊括其中。由于有着强大的经济基础和国家机器，中心国家在世界体系形成过程中处于主导地位，边缘地区由于自身的国家机器相对软弱，其内部的政治经济结构往往受到世界经济体的深刻影响，在融入世界体系的过程往往处于被动地位。处于中心地区和半边缘地区的统治集团为了维持他们自己的生产和就业水平，会以牺牲边缘地区为代价。可是，边缘地区并没有完全退出世界经济，主要有三种原因。其一，边缘地区的资产阶级为了自身利益愿意保留在世界经济体内；其二，中心地区的资产阶级也希望获得边缘地区的资源，由于独特生态地理环境，新地区的融入会带来某些能源和原材料，以及更加廉价的劳动力和新的市场；其三，在中心地区看来，边缘地区的存在是摆脱世界经济体周期性经济停滞的重要保障。

同马克思一样，沃勒斯坦也非常重视阶级和阶级斗争的分析方法，"作为一个概念，社会阶级是在资本主义世界经济的框架中发明出来的，如果我们把它用作这种世界体系的历史特效药，它可能是最有用的。"② 不过，他认为世界体系中的阶级斗争要表现得比马克思所阐述的更为复杂，社会阶级可以被看作

---

① [美] 伊曼纽尔·沃勒斯坦：《现代世界体系》第二卷，郭方、刘新成、张文刚译，社会科学文献出版社 2013 年版，第 11 页。

② [美] 伊曼纽尔·沃勒斯坦：《沃勒斯坦精粹》，黄光耀、洪霞译，南京大学出版社 2003 年版，第 373 页。

是一个资本主义世界经济中的分裂。资本积累活动把人分为资本积累者和劳动者两种基本类型，在现代世界体系中，其活动超出了国家的界限，因此阶级便与民族、种族混合在一起。特别是在这种情况下，"相关两国各自的内部界限并不总是与作为整体的世界经济中的阶级斗争完全重合。对弱国的某些资本积累者和强国的部分劳动力来说，从单纯的民族意义而不是阶级—民族意义上来界定政治问题，对他们的眼前利益更有好处。"① 如此一来，经济领域的斗争就可能与民族之间的矛盾混淆了。种族—民族的形成是根据语言、种族、宗教、身份等特征来加以区分的，于是，有些组织就使用种族—民族意识作为斗争的常用手段，同样，上层阶级也会根据这种或那种种族主义意识形态的版本来为不同的收入进行辩护。随着现代世界体系囊括全球，阶级意识与种族—民族意识日渐融合在一起，人们使用种族—民族意识表达阶级意识已经成为 20 世纪的新现象。总之，沃勒斯坦认为现代历史呈现出了肉眼无法观察的万花筒般的反应，"作为一个整体的资本主义世界经济，其结构、其历史演进、其矛盾，都是社会活动的领域。世界经济的基本政治现实是阶级斗争，然而它又经常采取变幻的公开形式：公开的阶级意识对种族—民族意识，民族中的阶级对跨民族的阶级。"②

沃勒斯坦还公开批判了资本主义市场主导的意识形态"自由主义"。他指出，法国大革命催生了自由主义意识形态，这在人类历史上产生了重大的影响，它提出自由、平等、博爱的口号，反对一切特权，极大地满足了当时民众的政治需求，也在 19 世纪圆满完成了维护资本主义政治秩序的作用。不过，自由主义意识形态逐渐呈现出中庸的特征：主张自由主义和市场调节，但从不反对国家的干预；提出维护基本人权，其实只是为少数人服务；要废除特权，只不过将特权阶层扩大到公民这一群体。在分享社会发展成果上，同种族主义和性别主义结合，划分出接受者和被排斥者。

（三）资本主义世界体系中的文化

资本主义文化也是现代世界体系的重要组成部分，是世界经济体、政治体

---

① ［美］伊曼纽尔·沃勒斯坦：《历史资本主义》，路爱国、丁浩金译，社会科学文献出版社 1999 年版，第 35 页。

② ［美］伊曼纽尔·沃勒斯坦：《沃勒斯坦精粹》，黄光耀、洪霞译，南京大学出版社 2003 年版，第 380 页。

的重要载体,是一体化的经济体和多元化的政治体在思想观念上的反映。沃勒斯坦以独特的视角对资本主义文化的本质进行了剖析。

首先,他指出资本主义体系内的文化概念存在着一种基本的混乱。因此,他把文化概念区分为用法Ⅰ和用法Ⅱ,前者是指文化是一个群体内所共有的一些特征,是一群体区分于另一群体的系统特征;后者的文化被定义为某个群体内一现象区别于其他现象的某一系列现象,用于表示群体内的确定特征,以与同一群体内的其他特征相对立。比如,我们用文化表示"上层建筑",就是与所谓的"经济基础"对立。在资本主义世界体系中,创造文化(用法Ⅰ)概念是作为对实际上不断变化的世界不变现实的肯定;而文化(用法Ⅱ)概念的存在是为了证明体系的不平等的合理性,试图使之在不断遭到变化威胁的世界中保持不变。沃勒斯坦认为,文化(用法Ⅰ)似乎不会使我们在历史分析中走得太远,文化(用法Ⅱ)又成为一种证明群体内某些人的利益而反对同样群体内其他人合理性利益的意识形态托辞,"实际上就是资本主义世界经济体系的现代世界体系导致了文化概念的广泛运用和混乱。"①在沃勒斯坦看来,资本主义世界体系是一个矛盾的复杂的体系,这一特点主要表现在六个方面:经济上一体化,政治上却分裂为不同的主权国家;融入地区的文化转换面临着是西方还是现代的选择矛盾;强调工作的努力和效率,却又降低劳动报酬;倡导经济创新的同时会削弱权威的合法性;收入两极分化;宣扬体系无限扩张的可能性,体系本身却有一定的历史性。面对资本主义经济体的上述矛盾性,沃勒斯坦指出,"资本主义世界经济的'文化'是一个理想的体系,是我们历史地、集体地试图与这种特殊体系的社会现实的矛盾性、模糊性和复杂性相妥协的结果。"②

其次,他认为普世主义是资本主义世界体系的主导文化。所谓普世主义,"它是关于什么是可知的以及如何可知的一套信念。这一观点的实质是,对世界(包括物质世界和社会世界)的富有意义的、一般的表述是存在的,它们普遍并永远正确;同时,科学的目标是寻找这些普遍性表述,并在公式中剔除一

---

① [美]伊曼纽尔·沃勒斯坦:《沃勒斯坦精粹》,黄光耀、洪霞译,南京大学出版社2003年版,第320页。

② [美]伊曼纽尔·沃勒斯坦:《沃勒斯坦精粹》,黄光耀、洪霞译,南京大学出版社2003年版,第324页。

切所谓主观的，即一切受历史限制的因素。"①沃勒斯坦指出，在现代世界体系中，普世主义成为超越地域、种族、民族、性别和时间等的万能"真理"。

在沃勒斯坦看来，普世主义的兴起反映了资本主义扩展至覆盖整个地球，成为世界体系这一现象。资本主义本质上是一种基于资本的无限积累之上的体系，要求最大限度地占有剩余价值。使这成为可能的一个主要机制就是所有东西商品化，这些商品以货物、资本、劳动力的形式在世界市场上自由流动。任何阻碍商品、资本或劳动力成为市场化商品的东西都阻碍了这种流动。"随之可以得出的是，在资本主义体系之中，确立和运作一种作为资本积累的无限制要求所追求的普世主义意识形态，是势所难免的。因此，我们说资本主义社会关系是一种'普遍溶剂'，致力于把任何事情都溶化为一种同质的商品形式，用一种单一的金钱标准加以衡量。"②其主要后果之一是允许了商品制造中最大可能的效率，特别是在劳动力方面，要把最具竞争力的人才置于劳动力分工世界中最适合于他们的职业位置上。因此，包含公共学校体系、文官制度设计等的制度性机制得到整体发展。普世主义作为一种现代世界政治信条被严肃地追求起来。沃勒斯坦认为，通过这一天衣无缝的逻辑，在现代世界体系中，普世主义成了资本主义世界体系的主导文化。

沃勒斯坦进一步指出，普世文化实际上就是西方文化。资本主义世界经济的扩张主要源于欧洲，在兼并全球其他地区的过程中，创造了现代化与西方化的矛盾。于是，他们宣称现代化就是西方化，西方文化事实上就是普世文化。于是，在现代世界体系的扩展过程中许多强制的文化变革被认为是合理的，如改信基督教、强加的欧洲语言和某些技术、习俗的教育、法律准则的变化等，这些强制的文化变革影响着亚、非、拉美国家人们的行为方式。因此，看似以平等、科学、进步形象出现的普世文化，实际上却有很大的虚伪性和狭隘性。

再次，沃勒斯坦指出资本主义文化有一个重要特点，即普世主义和种族主义—性别歧视两种意识形态同时出现，且构成了一个必要的共生对。"现代

---

① ［美］伊曼纽尔·沃勒斯坦：《历史资本主义》，路爱国、丁浩金译，社会科学文献出版社1999年版，第47页。

② ［美］伊曼纽尔·沃勒斯坦：《沃勒斯坦精粹》，黄光耀、洪霞译，南京大学出版社2003年版，第410页。

世界体系将它自己同时建立在这两种似乎相互对立的意识形态之上。"①在资本主义体系中，二者看似相悖：对种族主义—性别歧视的主要挑战是普世主义信仰，而对普世主义的主要挑战就是种族主义—性别歧视的信仰。其实，现代世界体系的矛盾性决定了二者的共生性，普世主义和种族主义—性别歧视都被用来为资本主义世界体系辩护。如果二者对立，普世主义的世界扩展在理论上应该伴随种族主义—性别歧视不平等程度的下降。其实不然，后者的不平等曲线非但没有下降，反而在上升。在现代世界体系内，种族主义和性别歧视不等同于对族裔和性别的排斥和憎恨，而是把人们留在工作体系内，对劳动者进行等级划分，实现劳动力成本的最小化。这同普世主义意识形态一样，都在为这一体系资本积累的最大化服务。沃勒斯坦还对历史进行了考察，指出普世主义信条弥补了启蒙运动之后意识形态的疏漏，明确把非白人和女性等群体包含在内；反过来，有种族主义和性别歧视内容的社会运动，都倾向于公开赞成普世主义意识形态。可以说，普世主义掩盖了不平等，种族主义—性别歧视强化了不平等，"因此，我们看到的是一个在普世主义和种族主义—性别歧视的双重馈赠的紧密联系中运行的体系。"②

四、沃勒斯坦的"反体系运动"理论

无休止的资本积累造成了资本主义世界体系本质上的不平等，这一体系内部的不同组成要素，如国际、民族、阶级等，因其不同的地位，也处于这一等级体系的不同位置。在这样的等级体系中，压迫和剥削普遍存在，使得各种反抗压迫活动也此起彼伏，沃勒斯坦认为，社会等级体系和反压迫活动是同一事情的不同方面，世界体系的形成过程同时也是反体系运动的过程。他把这些反抗活动称为"反体系运动"，具体来说是指，在资本主义世界体系扩张过程中存在着广泛的民众抗议活动，它们是反对资本主义世界体系的剥削和压迫的运动，涵盖了中心和边缘地区的各种社会运动和民族运动。

---

① [美] 伊曼纽尔·沃勒斯坦：《沃勒斯坦精粹》，黄光耀、洪霞译，南京大学出版社 2003 年版，第 407 页。

② [美] 伊曼纽尔·沃勒斯坦：《沃勒斯坦精粹》，黄光耀、洪霞译，南京大学出版社 2003 年版，第 416 页。

　　面对资本主义的扩张，依附理论曾主张采取"脱钩"战略，不接受世界范围内资本主义价值规律统治，谋求自主发展。可是，现实的复杂情况使得"脱钩"战略的实践效果不尽如人意。沃勒斯坦则首先立足以一体化的视角深入分析资本主义世界体系，他认为，虽然世界资本主义体系是不平衡的，但其结构是稳定而灵活的，存在着结构位置流动的空间，"边缘"、"半边缘"国家可以通过为自身创造发展有利条件而上升到体系中的"半边缘"甚至"中心"的位置。对体系内的很多国家来说，发展的意义主要在于如何改变自身在体系中的结构位置，以实现自身的升级。沃勒斯坦一针见血地指出，这种对位置升级的追求实质上是走西方现代化道路，反而会加强世界体系，只有"反体系运动"才是边缘国家最好的发展道路。同马克思一样，他认同资本主义生产方式内含着自身无法克服的矛盾，这一矛盾随着资本主义体系的运行、发展而不断深化，所以为了集中克服现存体系的弊端，反体系运动的目标是将资本主义世界体系转变为社会主义世界体系。

　　在沃勒斯坦看来，反体系运动并非纯粹的民众抗议活动，本身十分复杂。"反体系运动"术语是试图将理论不同并在很多情况下相互对立的两类运动归为一类。其中，"社会运动一般由社会主义党派和工会所推动，它们寻求在每个民族国家内推进反资产阶级或雇主的阶级斗争。民族运动则为创建民族国家而斗争，它们或者将一个民族国家内部不同的政治单元联合起来，例如意大利；或者脱离帝国主义的、压迫性的殖民国家而独立，例如亚非一些殖民地。"[①] 不过，尽管这两种运动有着极大的差异，但是它们的战略目标基本一致。无产阶级的斗争作为反抗资产阶级剥削的斗争，同时也是一场反对资产阶级政治国家体系的斗争；民族解放斗争是寻求民族解放和独立，特别对边缘地区来说，是抵抗中心发达国家侵略的斗争。"从长远来看，所有社会的和民族的运动，不管是'改革主义'的还是'修正主义'的，都将构成一个整体，本质上都是反体系的。"[②] 也就是说，二者都是资本主义世界体系的破坏力量。为此，沃勒斯坦提出了两步走战略，第一步，革命者取得了政权，第二步，改变世界。不过，进入 21 世纪的沃勒斯坦反思指出，很多革命者在实现第一步之

① ［美］伊曼纽尔·沃勒斯坦：《新的反体系运动及其战略》，刘元琪摘译，《国外理论动态》2003 年第 4 期。

② Immanuel Wallerstein, *The Politics of the World-economy: the states, the movements, and the civilizations*, Cambridge Universty Press,1984, p.21.

后往往很难兑现第二步目标，因为在资本主义世界体系中每个国家都是国际体系的一部分，他们掌握的国家权力受到很大限制。他指出，1968 年的革命就是对传统反体系运动的不信任。之后，伴随着对当权者希望的巨大幻灭，反体系运动进入了新的阶段，两种运动也开始趋同。不再以掌握政权为目标，而是以各种新社会运动，如生态运动、女权运动、种族运动和反全球化运动等形式呈现出来。

沃勒斯坦还探讨了社会主义世界体系，以及资本主义世界体系和社会主义世界体系的关系。首先，沃勒斯坦认为任何形式的政治体制都是资本主义世界体系的组成部分，资本主义体系是唯一的全球体系。社会主义国家不可能摆脱世界资本主义体系组成独立的体系，因为在世界市场上它们仍要遵守现代世界体系的运行规律。不过沃勒斯坦也承认就未来发展而言，社会主义国家起着加速资本主义世界体系灭亡的作用。很多学者对沃勒斯坦把当今社会主义国家纳入资本主义世界体系的做法予以了批判。其次，沃勒斯坦指出取代世界体系的只能是以社会主义生产方式为基础的世界整体性结构，要以生产使用价值为基础。"计划"应在世界层次上进行，而不只是在某一国家实行国有化，才能根除世界贸易的不平等。他认为，现代世界体系正处于转型的时期，目前资本主义体系的地理扩张已经接近极限，随着社会主义国家的强大，资本主义世界体系将趋于崩溃，尽管这种社会主义世界政权离我们还很遥远，但它终究将会得到实现。不过，沃勒斯坦的这种分析方式，只局限于分析社会主义生产方式特征，忽视了对社会化生产手段的分析，很容易使这种社会主义世界体系的设想难以实现。

总的来说，沃勒斯坦的现代世界体系理论，立足马克思主义经济学的理论和方法，对资本主义生产方式的发展规律和历史趋势进行整体性研究，这对于研究发达国家和不发达国家的关系，全球化问题，资本主义的历史发展趋势有着重要的启示。当然，这一理论难免引起一些批评和争议，不过这无碍于这一理论在研究视角方面的突破和创新。为此，沃勒斯坦一直宣称世界体系理论不是一种社会历史理论，而是对 19 世纪中期以来被结构化的西方社会科学范式的抗议，"世界体系分析是作为一种道德上的、在广泛意义上又是政治上的抗议而问世的。"[1] 进一步说，"它既不是一种理论，也不是一种新

---

[1] 《沃勒斯坦精粹》，黄光耀、洪霞译，南京大学出版社 2003 年版，第 163 页。

的范式（即使其他人认为它两者都是），而是'呼吁对一种范式展开争论'。"①
就这一目的而言，沃勒斯坦觉得四卷的内容还远远不能完成对建构一种系统
的叙述，还要有大量的工作去做，但他不知道有生之年是否还能完成这项写
作工作。

第五节　曼德尔的晚期资本主义理论

比利时经济学家埃内斯特·曼德尔是 20 世纪下半叶最为重要的马克思主义
政治经济学家之一。他从小就继承了父亲恩里·曼德尔的反官僚主义的、反纳
粹的、马克思主义的政治立场，积极参加国际工人运动，有着丰富的革命实践
经验和深厚的马克思主义理论修养，1946 年以后成为第四国际的长期领导人。
1972 年，他出版了《晚期资本主义》一书，提出了著名的晚期资本主义理论②。
曼德尔试图用马克思主义的分析方法和基本范畴，对战后资本主义的最新发展
作出系统的阐述。《晚期资本主义》一书获得了学术界的高度认可，被看作是
20 世纪 70 年代运用马克思主义经济学分析战后资本主义的典范，伦敦新左派
书店称该书是迄今为止把马克思关于资本主义生产方式的一般规律与 20 世纪
资本主义具体历史相结合的唯一系统的尝试。

一、晚期资本主义的提出

第二次世界大战后，西方主要资本主义国家的经济获得了蓬勃发展，特
别是第三次科技革命的出现赋予了资本主义以新的生命力，资本增值的条件

---

① ［美］伊曼纽尔·沃勒斯坦：《现代世界体系》第一卷，郭方、刘新成、张文刚译，社会科
学文献出版社 2013 年版，第 13 页。

② 晚期资本主义，late capitalism，确切地应该译作"晚近资本主义"，具体是指第二次世界
大战后帝国主义发展的新阶段。

和方式得到了根本性的改善，资本主义所有制形式和整个社会结构出现了一些显著变化，世界经济格局也发生了极大的改变。为此，研究第二次世界大战以来的资本主义的发展则成为当时马克思主义者面临的一项带有历史性的伟大任务。

曼德尔认为，20 世纪以来，受斯大林主义的影响，所谓的马克思主义者仅仅满足于摘抄《资本论》的教义研究当时社会发展问题，而这些教义和摘要并不能被成功地运用于对当代资本主义经济的研究。他认为要根据现代科学的实际发展，重新构造马克思的经济学体系，证明马克思的经济学能够揭示战后资本主义的运行和矛盾。在《晚期资本主义》的导言中，曼德尔就指出，"本书的中心目的之一就是运用马克思主义观点来解释战后国际资本主义经济长期迅速发展的原因，这种迅速发展曾使非马克思主义者和马克思主义者都感到吃惊"。① 根据马克思主义经济学的基本原理和基本方法，按照资本主义生产方式的发展逻辑，曼德尔对资本主义的历史发展进行了突破性划分：自由竞争的资本主义、古典帝国主义和晚期资本主义。他认为，马克思和恩格斯研究的是自由竞争资本主义，列宁所论述的两次世界大战之前和期间的帝国主义属于古典帝国主义时代。而第二次世界大战后的资本主义新发展阶段则被曼德尔称为"晚期资本主义"，他认为这是帝国主义的进一步发展阶段，或者说是帝国主义的第二阶段。

客观地说，曼德尔在界定晚期资本主义范畴时显得过于粗糙，只是笼统地用这一概念来指称"二战"之后西方资本主义的发展阶段。曼德尔自己也承认，他使用"晚期资本主义"这一概念实属无奈，因为他实在找不出更好的术语来指称上述这一资本主义发展的特定阶段。但是，相比较而言，他认为"晚期资本主义"要比通常流行的"国家垄断资本主义"准确和优越得多。需要指出的是，曼德尔并没有对"国家垄断资本主义"理论进行全盘否定，而是区分了列宁与后来"官方"对这一用语的使用。他指出，列宁提出这一用语是为了说明 1914—1919 年处于战争状态的垄断资本主义的基本特征，是为了表明资本主义生产方式并没有进入新的发展阶段。后来所谓"官方"马克思主义者使用这一用语，为的是强调国家在战后垄断资本主义发展中的突出作用。曼德尔

---

① ［比利时］厄尔奈斯特·曼德尔：《晚期资本主义》，马清文译，黑龙江人民出版社 1983 年版，"导言"第 1 页。

认为，"国家垄断资本主义"提法会导致理论的局限，仿佛国家垄断只出现于战后，同时容易忽略对私人垄断资本主义的研究。不过，曼德尔并不否认资本主义政府在经济中的重要干预作用，但与苏东主流理论不同的是，他认为应该按照资本本身的内在逻辑来解释当代资本主义发展的新阶段，应该把第三次科技革命的影响和生产力的国际化作为战后资本主义的主要特征。曼德尔认为自己是在一种真正经典马克思主义范畴内的回答。

曼德尔还指出，"晚期资本主义"概念不仅比"国家垄断资本主义"更为准确地概括了资本主义的新发展，而且较之当时流行的其他用语也具有很大的优越性，即较之"后工业社会"、"后资本主义社会"或者"有组织的社会"等用语更为合理。他认为，当代资本主义经济绝不是一种有计划地生产满足人类需要的使用价值为特点的生产形式，"晚期资本主义在实际上根本不是一个完全组织起来的社会。它不过是一种组织化与无政府状态的杂交混合体而已。"①"后工业社会"等理论中的"技术理性主义"掩盖了当代资本主义现实社会的种种矛盾，比如掩盖了社会条件对技术发展的限制作用、"技术理性"发展中的非理性主义的发展和传播等方面的矛盾。它实质上是当代资产阶级意识形态的一种特殊形式。

总之，曼德尔指出，"所谓'晚期资本主义'，决不是暗示资本主义的本质已经有了变化，使马克思在《资本论》中、列宁在《帝国主义是资本主义的最高阶段》中的分析发现成为过时。"②晚期资本主义不是资本主义发展的新时期，"它只不过是帝国主义、垄断资本主义时期的进一步发展。就广义言之，列宁所列举的帝国主义时期的各种特点，对晚期资本主义都仍然完全适用。"③晚期资本主义理论对系统研究战后资本主义经济迅速发展的原因和历史走向有极大的启示。

---

① ［比利时］厄尔奈斯特·曼德尔：《晚期资本主义》，马清文译，黑龙江人民出版社1983年版，第594页。

② ［比利时］厄尔奈斯特·曼德尔：《晚期资本主义》，马清文译，黑龙江人民出版社1983年版，"导言"第3页。

③ ［比利时］厄尔奈斯特·曼德尔：《晚期资本主义》，马清文译，黑龙江人民出版社1983年版，"导言"第4页。

二、晚期资本主义理论的主要内容

根据资本主义生产方式的运动规律，剖析战后资本主义的历史新发展，是曼德尔提出晚期资本主义理论的内在逻辑。他直截了当地指出，"《晚期资本主义》一书要试图解释的，是马克思在《资本论》中所发现的那种就资本主义基本运动规律而论的资本主义生产方式的战后历史。换句话说，这部书想说明的就是，这种生产方式的'抽象的'运动规律在当代资本主义的全部开展的'具体的'历史中，仍然在起作用并可加以证实。"① 曼德尔还指出，作为帝国主义新阶段的晚期资本主义，"其特征是资本主义生产方式上的一种结构上的危机。"② 按照这一逻辑，曼德尔对战后资本主义的历史发展进行了深刻而全面的剖析。

曼德尔还强调要坚持用承认各种基本规律相互作用的真正的马克思主义方法对资本主义生产方式加以研究。他认为罗莎·卢森堡、希法亭等人的理论"都患有一种基本失调症，即都没有从这个体系中的一个单一的变量来推断资本主义生产方式的整个动力。马克思所发现的所有其他发展规律，都只是或多或少自动地作为这一单一变量的功能在发挥作用"③。换句话说，他们都把资本主义的发展和停滞的趋势用一个高度概括的、单一的终极原因来说明。例如，"在罗莎·卢森堡看来，这一因素当然就是实现剩余价值的困难以及随之而来的将非资本主义世界越来越多的领域吸收到资本主义商品流通中来的必要性"④；希法亭把竞争这一资本主义生产方式的关键特征提取出来，"并认为它就是资本主义危机和不平衡的唯一的原因"⑤。曼德尔认为，这些看法与马克思的分析方法相悖，马克思把每个单一规律看成是整个相互作用的规律体系的组

---

① ［比利时］厄尔奈斯特·曼德尔：《晚期资本主义》，马清文译，黑龙江人民出版社1983年版，"导言"第4页。

② ［比利时］厄尔奈斯特·曼德尔：《晚期资本主义》，马清文译，黑龙江人民出版社1983年版，第241页。

③ ［比利时］厄尔奈斯特·曼德尔：《晚期资本主义》，马清文译，黑龙江人民出版社1983年版，第30页。

④ ［比利时］厄尔奈斯特·曼德尔：《晚期资本主义》，马清文译，黑龙江人民出版社1983年版，第26页。

⑤ ［比利时］厄尔奈斯特·曼德尔：《晚期资本主义》，马清文译，黑龙江人民出版社1983年版，第27页。

成部分。"事实上，任何一种单一因素的假设，作为一种动力的总额，都是与资本主义生产方式这种观念相对立的，在这种动力总额中，为了产生任何一种特殊结果，所有发展基本规律的相互作用都是必要的。"①据此，曼德尔明确指出了影响资本主义生产方式发展的相互作用的六个基本变量：总的资本有机构成；资本在固定资本和流动资本之间的分配；剩余价值率的发展；积累率的发展；资本周转时间的发展；两大部类之间的交换关系。这个六个基本变量的发展及其相互关系，能够使我们理解资本主义的历史以及资本主义的内在规律性和已经表露出来的种种矛盾。

曼德尔首先考察了资本的起源和运动规律。他认为，"资本的实际运动很明显地是从非资本主义的一些关系开始的，并且是在与这种非资本主义的社会环境进行经常的、开发性的、新陈代谢式的交换的结构中发展的。"②曼德尔指出，在现代资本主义生产中资本原始积累仍然存在，在经济发展过程中它与资本在整个剩余价值生产过程中的积累是同时共存的。不过，今天的资本原始积累情势显然与从前大不相同，它的继续进行要受到已然是资本主义生产过程领域中的资本积累的决定和限制。"不论是在每一个个别的国家还是就国际而言，资本的发展都是从中心——换句话说从它那历史上的诞生地——向周围进行的。它总是设法向新的领域扩展，把一些商品简单再生产的新的部门转化成为资本主义商品生产的领域，并且把直到目前还只是在商品生产中生产使用价值的那些部门，加以改变。"③因为，这些积累过程发生在资本主义生产方式已经建立起来的、资本主义世界市场已经形成了的结构之内的。

据此，曼德尔将晚期资本主义称为世界范围内的资本主义。他指出，资本主义生产方式的发展需要有适应其需要的社会地理背景的形成，即世界市场。资本主义世界市场结构受到资本主义世界经济结构的制约和决定，后者是一种由资本主义、半资本主义和前资本主义生产关系组成的体系；反过来，资本主义世界市场结构和交换关系又影响着资本主义世界经济结构，促进这一结构不

① ［比利时］厄尔奈斯特·曼德尔：《晚期资本主义》，马清文译，黑龙江人民出版社 1983 年版，第 31 页。

② ［比利时］厄尔奈斯特·曼德尔：《晚期资本主义》，马清文译，黑龙江人民出版社 1983 年版，第 45 页。

③ ［比利时］厄尔奈斯特·曼德尔：《晚期资本主义》，马清文译，黑龙江人民出版社 1983 年版，第 48 页。

断发展变化，现代资本主义的剩余利润及其流动是世界经济结构的形成要素。曼德尔提出，资本主义生产方式的实际过程并不伴随任何利润的有效均等化，因为它的发展总会导致不平衡。"这样，整个资本主义制度就成了一种不同的生产水平的等级结构，成了国家、地区、工业分枝和公司等受追逐剩余利润的驱使而进行的不平衡的、联合发展的结果。"① 它形成了一个不可分割的统一体，发达只能与不发达并列发生；发达使不发达永久化。"但是，这一多枝的、不平衡的联合发展的重心，在不同时期采取了不同的形式。"② 在自由竞争的资本主义时期，其重心是放在发达和不发达在地区方面的并存上。在古典帝国主义时期，其重心放在发达的帝国主义国家与不发达的殖民地和半殖民地国家在国际方面的并存上。在晚期资本主义时期，其重心放在发达部门和不发达部门在工业方面的并存上，它主要包括帝国主义国家，但也以一种次要方式包括半殖民地国家。在从自由竞争的资本主义向古典的帝国主义转变时，帝国主义通过大量的资本主义输出窒息了"第三世界"的经济发展，资本主义世界市场结构发生了根本性的变化。当古典帝国主义向晚期资本主义过渡时，世界经济结构再次发生重组，大量投资从原料生产领域转向制造业领域，不等价交换局面进一步恶化，宗主国和不发达国家之间的差距进一步拉大。

其次，曼德尔认为晚期资本主义理论同资本主义长期波动的理论有着密切的联系，因此重新启动了对长波理论的研究，对由竞争引起的资本主义生产方式的循环过程作了进一步的考察。马克思主义经典作家曾经意识到了资本主义经济的波动问题，但是由于资本主义经济的长期波动在马克思恩格斯时代并未充分展开，所以并未在理论上加以系统阐述。最早提出长波理论的是苏联经济学家康德拉季耶夫，他在1925年指出资本主义经济发展中存在着周期波动。20世纪70年代，随着西方经济形势的恶化和凯恩斯经济政策的失灵，曼德尔呼吁马克思主义者抛弃教条主义，用马克思主义研究当代资本主义经济发展的长期波动问题。他同康德拉季耶夫、熊彼特一样认为扩张性长波开始于外生冲击，但是，他特别强调利润率变动的作用，并把它看作是资本主义经济长期波动的根本原因，"实际上，任何马克思主义的资本主义发展长波理论，只能是

---

① ［比利时］厄尔奈斯特·曼德尔：《晚期资本主义》，马清文译，黑龙江人民出版社1983年版，第105页。

② ［比利时］厄尔奈斯特·曼德尔：《晚期资本主义》，马清文译，黑龙江人民出版社1983年版，第106页。

资本积累理论，换个说法，就是利润理论。从马克思主义的观点来看，工业产值平均增长速度突然出现长期上升，那只是资本积累速度和平均利润率突然上升的反映。这是同义反复，因为我们是在资本主义生产方式的结构内来考察这些波动的。"①

曼德尔认为自 18 世纪末以来的资本主义经济发展中不仅存在着每隔大约7—10 年为一周期的经济波动，而且还存在着每隔大约 50 年为一周期的长期经济波动。他认为，世界资本主义经济发展至今，这种长期波动大约经历了 4个不同的发展阶段，每个阶段都具有特殊的技术形式及其基本特征。(1) 从18 世纪末到 1847 年危机，这是工业革命本身的长波。这一时期的主要特征是手工业或工厂制造的蒸汽机逐渐扩展到了各个工业化国家的最主要的工业部门。(2) 从 1847 年到 19 世纪 90 年代初，这是第一次技术革命长波。这一时期的主要特征是机器制造的蒸汽机作为主要的动力机开始得到广泛的运用。(3) 从 19 世纪 90 年代到第二次世界大战，这是第二次技术革命长波。这一时期的主要特征是电力机械和内燃机在整个工业部门得到广泛使用。(4) 在北美从 1940 年开始（在西方其他资本主义国家从 1945—1948 年开始）一直持续至今，这是第三次技术革命长波。这一时期的主要特征是电子仪器控制的机器得到普遍的使用，同时核能也逐渐得到利用。曼德尔还把每一次长期波动分为前后两个阶段：第一阶段是技术革命正在发生阶段。这时，利润率上升，资本积累加速，闲置资本得到利用并很快地得到增值，经济发展速度加快。第二阶段是大规模的生产技术的变化已经成为过去时的阶段。这时，利润和利润率普遍下降，资本积累减速，闲置资本逐渐增多，经济发展速度减慢。每个阶段的"商业周期"运动或经济运动周期，代表着商品生产周期性的扩张和收缩过程，也就是我们常说的资本主义商品生产的繁荣和萧条周期。曼德尔认为，资本主义既可以被看作商业周期的无限的连续运动过程，同时也可以被理解为不同长波历史发展阶段的延续和变化发展过程，而每一个阶段都是对前一个阶段的辩证开拓。但是从整体上看，资本主义发展进程并没有发生质的根本差别，资本主义经济周期的繁荣并未改变资本主义长波发展的周期和规律。根据这一波动规律，曼德尔在 20 世纪 60 年代中期预言了战后资本主义的黄金

———————

① ［比利时］厄尔奈斯特·曼德尔：《资本主义发展的长波——马克思主义的解释》，商务印书馆 1998 年版，第 8 页。

年代将要于 60 年代末或 70 年代初结束，1974 年的资本主义世界经济危机证实了这一预言。

再次，曼德尔还指出了晚期资本主义迅速发展的原因，即资本增值方面各种条件的根本改进，共包括七个方面。(1)工人阶级在法西斯主义和战争情况下遭遇了种种历史性的挫折。曼德尔认为，如果资方能够成功地将工人阶级的各级工会组织和其他一切加以有决定性意义地削弱或者甚至消灭的话，如果资方能够成功地分化并使无产阶级的集体性防御形式成为不可能的话，必然会造成剩余价值率的迅速和大幅提高。而战争和纳粹则为资本主义国家经济的这种增长创造了具有决定性意义的先决条件，"这种先决条件对资方极为有利，因为它使得剩余价值率的根本增长成为可能，也使得劳动力价值根本受害成为可能。"[①](2)第三次科学技术革命的巨大推动作用。在晚期资本主义时代，平均劳动生产力的日趋等同化导致加速技术发明的永久压力，在第三次科技革命推动下的生产力较之以往任何时代得到更加迅速的提高。(3)固定资本生命周期的缩短。这也是晚期资本主义的基本特征之一，固定资本不再以 7 年或 10 年为更新周期，而是不断更新，这与技术创新加速之间存在着相互作用的关系。(4)"技术租金"成为垄断资本获取超额利润的主要源泉。(5)持久的军火经济是技术革新加速发展的强有力的刺激剂，它促进了对剩余资本的吸收，也在一定程度上阻碍了利润率的下降。(6)多国公司成了大资本有决定意义的组织形式，资本的国际积聚开始发展成资本的国际集中，这产生出作为资本表面主要形式的多国合作，也产生出以平均劳动生产率不同水平而生产商品的国与国之间的外汇不平衡，而这种不平衡控制着国际贸易。资本的国际运动经常产生生产力的国际差异并扩大这种差异，"从此以后不等价交换成了殖民剥削的主要形式，而殖民地剩余利润的直接生产则只起一种次要的作用。"[②](7)永久性的制度化的通货膨胀成了为缓和危机而采取的"解决办法"的新形式，这与世界市场的日趋尖锐的竞争相结合，"使得工业循环在晚期资本主义的第一个'扩张'阶段具有了一种特殊的运动形式，而这种运动形式是与信贷周期联锁在

---

① [比利时] 厄尔奈斯特·曼德尔：《晚期资本主义》，马清文译，黑龙江人民出版社 1983 年版，第 190 页。

② [比利时] 厄尔奈斯特·曼德尔：《晚期资本主义》，马清文译，黑龙江人民出版社 1983 年版，第 407 页。

一起的"。①

需要指出的是，在晚期资本主义社会，资本的基本运动规律和固有的矛盾仍在继续起作用，也就是说社会化生产和资本主义私人占有之间这种部分有理性与整体无理性之间的矛盾在晚期资本主义不仅达到了它的极点，而且实际上得到了最极致的发挥。这深刻表现在作为社会化大生产基础的科学技术进步与这一生产方式的冲突，它正在把它转变成一种破坏性的力量从而滥用了生产力，"所以，帝国主义的标志，以及其第二阶段晚期资本主义的标志，并不是生产力的衰退，而是伴随着这种增长而来的或掩盖着这种增长的那种越来越严重的寄生状态和浪费现象。"②这也产生了晚期资本主义资产阶级意识形态的一种特殊形式，深信技术的无限威力。"这样一种意识形态显示了现存社会秩序逐步消除一切危机机会的能力、对一切矛盾找出'技术'解决办法的能力和联合各个叛逆的社会阶级的能力以及避免政治爆炸的能力。"③曼德尔认为，技术意识形态设法证明对现存的社会秩序作任何群众反抗都是毫无希望的，实际上，它掩盖了社会现实及种种矛盾，而马克思论证的资本主义社会的基本矛盾正在撕裂资本主义制度。

最后，曼德尔指出，晚期资本主义生产方式的多种多样的冲突和矛盾必然导致资本主义生产关系的危机。"在这个时期里，生产力的发展与资本主义生产关系残余之间的矛盾，采取了一种爆炸性的形式"。④这一矛盾导致了这些生产关系的扩散性的危机。这种危机不仅是资本主义占有条件、增值和积累的危机，而且还是商品生产、资本主义劳动分工、资本主义企业结构、资产阶级民族国家和总体资本下的劳动归类等的危机。这种危机或是在现在的形式中或在可能的形式中，与劳动的技术基础越来越不相适。晚期资本主义生产关系的危机虽然不排除古典的生产过剩危机，但也不相一致。"资本主义生产关系的

① [比利时] 厄尔奈斯特·曼德尔：《晚期资本主义》，马清文译，黑龙江人民出版社 1983 年版，第 533 页。

② [比利时] 厄尔奈斯特·曼德尔：《晚期资本主义》，马清文译，黑龙江人民出版社 1983 年版，第 241 页。

③ [比利时] 厄尔奈斯特·曼德尔：《晚期资本主义》，马清文译，黑龙江人民出版社 1983 年版，第 592 页。

④ [比利时] 厄尔奈斯特·曼德尔：《晚期资本主义》，马清文译，黑龙江人民出版社 1983 年版，第 665 页。

危机，必须被看作是一个整个的社会危机——那就是在整个资本主义时期所行的整个社会制度和生产方式的历史性的衰落。"① 曼德尔断言，"资本主义生产关系的最终废除，将是国际工人阶级群众革命运动的中心目标，这个目标正在一天天接近。"②

三、曼德尔与马克思主义政治经济学的发展

曼德尔是在马克思主义政治经济学的框架内对当代资本主义进行研究，提出晚期资本主义理论的。曼德尔指出，近五十年来，自命为马克思主义者的人，"仅仅满足于用一些《资本论》的摘要来重复马克思的教导，而这些摘要越来越和现代的实际脱节。"③ 他们没有能力把马克思在19世纪完成的著作实践于20世纪后半叶，这种无能为力来自两个原因。首先是政治上的原因，是斯大林时代理论被置于附属地位的结果。当时不允许进行自由的理论研究，于是干巴巴的教条主义盛行泛滥。其次，马克思主义经济思想之所以停止发展，还有一个次要的原因，那就是对马克思主义方法本身产生的误解。很多人不能理解马克思的辩证唯物主义方法，仅仅是或多或少忠实地把19世纪写出的《资本论》中一些章节摘要一番，来从事论述，这显然是不全面的。所以，曼德尔在对晚期资本主义的研究中运用了辩证唯物主义的分析方法，特别是抽象与具体的辩证关系，他想要论证资本主义生产方式的"抽象的"运动规律在"真正的历史"中仍然在起作用并能被证实。因此，"科学的立场无疑是努力根据当前科学的实际材料，来探讨马克思经济学说的精髓，究竟是否依然有效。"④

通过对辩证唯物主义方法的运用，曼德尔在新的历史背景下重申了马克思

---

① ［比利时］厄尔奈斯特·曼德尔：《晚期资本主义》，马清文译，黑龙江人民出版社1983年版，第671—672页。

② ［比利时］厄尔奈斯特·曼德尔：《晚期资本主义》，马清文译，黑龙江人民出版社1983年版，第688页。

③ ［比利时］厄尔奈斯特·曼德尔：《论马克思主义经济学》上卷，廉佩直译，商务印书馆1964年版，"导言"第4页。

④ ［比利时］厄尔奈斯特·曼德尔：《论马克思主义经济学》上卷，廉佩直译，商务印书馆1964年版，"导言"第6页。

的"资本主义必然走向灭亡"的论断。他试图从剩余价值率、平均利润率下降的角度来阐明自己的结论；在曼德尔看来，在资本主义生产过程的机械化、自动化进程的最后阶段，必然出现活的劳动力从生产过程中被消除，而由此所导致的直接结果就是剩余价值额本身必然要缩减。即使从生产过程中被剔除的劳动力转移到别的领域，也改变不了因整个等级结构的变动而使资本家无法从生产劳动中获取剩余价值的结局。很显然，曼德尔的这种论述与马克思从一般利润率下降规律的角度所做的阐述相比，要简单得多。马克思提出的一般利润率下降会导致资本主义经济危机为社会主义革命提供科学依据，突破了仅仅从伦理上关注大多数被压迫阶级生存出路的理论困境。应该说，工人因失去工作而进行的阶级斗争是马克思所揭示的资本主义运动规律在经验现象层面的反映，它本身不能单独成为社会主义革命的理论依据。而对于只注重经验层面阶级斗争的曼德尔而言，他正是沿着这一线索来论证资本主义走向灭亡的。

不过，曼德尔的上述思路无法直接解答晚期资本主义经济快速增长的客观现实，因而他对资本主义必然走向灭亡的论证便只能转向后一条线索，即资本主义生产力对人本身及自然界的破坏方面。在他看来，晚期资本主义生产力的增长必然伴随着对物和人的滥用，前者表现为无限制地扩建军备、污染大气和水域、破坏生态平衡等，生产力越来越多地用于无用的、有害的事物的生产。后者表现为使每一个劳动者都被卷入强化了的焦虑、不安全感以及由此而来的精神和道德上的贫困感之中，成为与劳动者相对立的异化力量。曼德尔由此认定资本将无法超越其自身产生的障碍，"资本主义的自动化作为劳动生产力和商品与资本那异化的、有破坏性的力量，就这样变成了资本主义生产方式先天矛盾的客观化了的精髓。"[①] 严格地说，曼德尔对这条线索的分析似乎只是简单地照搬了马克思在《1844年经济学哲学手稿》中有关人道主义和自然主义的论述思路。不过，这并不能阻碍曼德尔对"社会主义或野蛮主义"之间选择的信心，他断言生产力在量的方面的发展并不是无限的，这种量的发展在某种环境下可以产生质方面的结果，"以致这一制度甚至所有文明走向自我毁灭的唯一选择，就是更高一级的社会形式"。[②]

---

① ［比利时］厄尔奈斯特·曼德尔：《晚期资本主义》，马清文译，黑龙江人民出版社1983年版，第243页。

② ［比利时］厄尔奈斯特·曼德尔：《晚期资本主义》，马清文译，黑龙江人民出版社1983年版，第249页。

关于已经建立的以苏联为典型的社会主义国家，曼德尔坚持认为它们并不是像资本主义或封建主义那样有着自身特殊运动规律的社会形态，而是一个过渡社会。在这个社会，由于苏联经济所特有的官僚主义管理，苏联经济的计划性和被看作完成计划的主要动力的官僚私人利益之间的矛盾，构成了苏联经济的主要矛盾。① 晚年他进一步反思道，东欧的覆亡与苏联的解体"以最尖锐的方式提出了这样一个问题：这些政权的社会性质以及它们在历史上的地位到底是怎样的？这个问题在很大程度上也就是官僚政治在这些社会里面所具有的特殊性质的问题"②。曼德尔深刻分析指出，从马克思主义的观点看，在苏联及其类似的社会中，商品生产的部分存在以及官僚主义国家机器的过度膨胀，决定性地证明了在这些社会不存在社会主义经济或社会主义社会，不存在生产资料的完全社会化，以及生产过程和劳动过程的完全社会化。与过渡社会性质相适应，官僚集团的统治也具有两面性，一方面它的统治借助于对政治权力的垄断，决定了它的非资本主义性质；另一方面，它仍然无法摆脱货币财富的影响，因此具有非社会主义性质。这样的社会内在的具有不稳定性，从未来发展看，既可能复辟资本主义社会，也可能向真正的社会主义突进。

总的来说，在对马克思主义政治经济学和晚期资本主义的分析中，曼德尔坚持了马克思主义的方法论。曼德尔在马克思主义经济理论方面的贡献，使得马克思主义在新的经济现象面前焕发了它的生命力，也为后来马克思主义政治经济学的发展提供了有益的启示。

---

① ［比利时］厄尔奈斯特·曼德尔：《论马克思主义经济学》下卷，廉佩直译，商务印书馆1979年版，第216页。

② ［比利时］厄尔奈斯特·曼德尔：《权力与货币》，孟捷译，中央编译出版社2002年版，导言第1页。

第八章　马克思主义在非洲和拉丁美洲

马克思主义在非洲的传播最早可以追溯到 20 世纪初。尽管马克思主义在非洲的传播和发展远没有像世界其他地区那样如火如荼，但其在马克思主义传播和发展史中是不可缺少的组成部分。拉丁美洲长期受殖民统治，从 19 世纪下半叶开始，马克思主义就开始在该地区传播，20 世纪中叶民族解放运动的高涨更是成就了马克思主义在拉丁美洲的影响。

第一节　马克思主义在非洲

自 20 世纪以来，马克思主义开始在非洲传播。在这个过程中，涌现出了不少具有影响力的马克思主义理论家和革命家，形成了一些具有非洲本土色彩的马克思主义理论。

一、马克思主义在非洲的传播

（一）马克思主义在非洲的传播阶段

非洲有着悠久的历史，孕育了古埃及文明。但非洲大陆幅员辽阔，各国、各地区的社会发展极不平衡，在西方殖民主义入侵以前，非洲还处于前资本主义的各个社会发展阶段：北非和其他少数地区已进入了封建社会，或者出现了封建社会的萌芽；其他广大地区还处在原始公社到奴隶社会的不同阶段。15世纪后半叶，西方殖民主义者开始入侵非洲。葡萄牙、西班牙、荷兰、法国和英国侵略者相继占领了非洲大陆沿海的一些地区及近海岛屿，从事奴隶贸易。进入19世纪，西方列强对非洲开始了掠夺性开发，一些国家和地区相继沦为列强的殖民地和半殖民地。到19世纪70年代，国际帝国主义开始瓜分非洲的狂潮。非洲逐渐沦为西方殖民地后，非洲社会发生了深刻的变化，开始出现新兴的生产方式和新兴的阶级力量。在这种变化过程中，殖民主义充当了马克思所说的"历史的不自觉的工具"。为了统治和掠夺非洲，殖民主义者被迫在殖民地建设公路、铁路、海港和空港，以及相应的农庄、工厂、金融、财贸、邮电、能源、交通等企业事业。与此同时，还要传播宗教文化，建设教堂、学校、医院，培训军队，培养人才等。这一切都成为后来非洲国家取得独立的前提和建设社会主义的因素。

例如，就人才的培养而言，非洲社会主义各国的领导人和上层管理人员绝大部分都是替宗主国培养的。同时，这些人也接受了西方各种先进思想和学说，其中就包括社会主义学说。这些人回到非洲组织民族政党，积聚革命力量，从而取得了民族的独立和解放。因此，原来殖民主义者所掌握的社会生产力变成非洲人民的了，这就为前资本主义形态的非洲国家不走资本主义道路而向前期社会主义过渡奠定了物质和文化的基础。

非洲地区社会主义的兴起，萌芽于19世纪末20世纪初，经过五六十年代的扩展，70年代达到高峰。

早在19世纪，埃及和西非的先进知识分子就从欧洲人那里接触到社会主义学说。最早传入非洲的社会主义思想是圣西门的空想社会主义。1833—1885年间，圣西门的一些忠实信徒来到埃及宣传其思想。与此同时，埃及派往欧洲学习先进技术和知识的留学生也接触到社会主义思想。他们中的一些人撰文介绍了当时欧洲流行的民主主义和社会主义思潮。到了20世纪初，马克思主义就已经在非洲经济比较发达、欧洲和非洲工人比较多的南非和北非诸国传播。例如，1904年南非就出现了宣传社会主义的组织。其发言人之一威尔费莱德·哈里逊后来同他人一起创立了南非共产党。在俄国十月革命的影响下，1918年1月，南非国家社会主义者联盟（成立于1915年9月）举行第四次年会，并发表《原则宣言》，宣布了南非工人阶级的奋斗目标。1921 年 7 月，该联盟和其他几个南非社会主义团体联合成立了南非共产党。与此同时，马克思主义在北非也得到了日益广泛的传播。1919 年埃及出现了马克思主义小组，1922 年成立了埃及共产党。从 1920 年到 1924 年，摩洛哥、突尼斯和阿尔及利亚相继成立了法国共产党支部。第二次世界大战后，北非地区和南非的共产党进一步壮大，成立了苏丹共产党、毛里塔尼亚劳动党等。同时，撒哈拉以南的非洲地区也开始出现了马克思主义的政党组织，如塞内加尔非洲独立党和留尼旺共产党等。

由此，马克思主义在非洲得到日益广泛的传播，社会主义国家对非洲的影响也不断扩大。从 20 世纪 50 年代开始，一些非洲民族主义政党和组织也纷纷打着马克思主义的旗号，宣称自己是共产党，如毛里求斯共产党和尼日利亚工农党等。从 60 年代起，一些非洲民族主义执政党的领导人会在讲话中引用一些马克思主义的词句，甚至在党章和纲领中写上"科学社会主义"是党的指导思想，或是声称要走一条"符合科学社会主义原则"的道路。

20 世纪 60 年代末，非洲出现了第一个公开宣称奉行马克思主义的科学社会主义的非洲民族主义执政党和国家。这就是刚果人民共和国及其建立的刚果劳动党。此后，贝宁、埃塞俄比亚、安哥拉和莫桑比克也都通过武装斗争取得了独立，并成为奉行科学社会主义的国家。1980 年，津巴布韦也加入这一行列。至此，非洲科学社会主义成为非洲社会主义中的一个重要流派。宣称奉行马克思主义的非洲国家达到 6 个，约占当时宣称奉行社会主义的非洲国家总数的三分之一。

（二）马克思主义在非洲的传播途径

非洲的社会经济条件与欧洲极为不同。起源于欧洲的马克思主义究竟通过什么途径得以在非洲传播呢？南非学者达里尔·格拉泽认为，由于非洲特殊的历史背景，马克思主义在非洲的传播与发展同殖民地密切相关，此外也受到国际共产主义等因素的影响。具体而言，马克思主义在非洲的传播主要有以下三种途径。

首先，马克思主义通过殖民主义传入非洲。有学者认为，马克思主义在非洲的传播，很少得力于非洲各国共产党的工作。根据苏联人的统计，整个非洲大陆，包括阿拉伯国家在内，正式同莫斯科结盟的共产党员人数，1939 年只有五千人，到 1971 年只增加到六万多人，其增长速度很慢。在格拉泽看来，在马克思主义的传播中，殖民主义起到重要的作用。一方面，"殖民地的活动分子通过与共产党员接触，以及殖民大都会中的劳工运动，获得了他们所属的马克思主义"①。非洲在欧洲的留学生会接触到欧洲的社会主义者和共产党以及工会联合会。例如，第一次世界大战和俄国十月革命后，越来越多的非洲知识分子到欧美留学，受到了马克思主义的影响，桑戈尔就是其中的杰出代表。桑戈尔出生于塞内加尔的一个种植园主的富裕家庭，1928 年中学毕业后赴法国留学，并在留学期间参加了法国社会党。从这时起，桑戈尔开始系统钻研傅立叶、圣西门等人的空想社会主义理论，还大量阅读了马克思和恩格斯关于科学社会主义的论著，完成了向社会主义者的转变。另一方面，殖民国家在植入移民时，将边缘化的左翼带到了非洲。例如安哥拉的葡萄牙移民中的反萨拉查主义者（anti-Salazarists）。一旦移民被植入非洲，马克思主义思想就会通过阿尔及利亚的民族解放阵线从一个非洲国家迅速扩张到另一个非洲国家，建立已久的苏丹共产党和独立党的阿米尔卡·卡布拉尔在当地起着极为重要的传播者的作用。

其次，马克思主义传入非洲是通过阶级、种族、民族，以及移居到非洲的中心城市生活——如布拉柴维尔、罗安达、比绍和威特沃特斯兰德——而带来的文化。大量的学生和教师、政府公务员，以及被葡语系非洲所同化的相对有特权的非洲人、具有重要意义的在文化上有别于黑人原住民和白人定居者的移民、来自俄罗斯帝国定居于南非的犹太移民成为传播马克思主义的主力。因为这些群体受过良好教育，足以读懂马克思的著作，并能享有与外围世界进行文化交流的能力，所以他们同组织起来的工人一道，在非洲国家的主要城市形成了马克思主义的发展环境。

最后，马克思主义通过国际共产主义阵营进行传播。欧洲共产党、苏联以及古巴都在不同程度上对马克思列宁主义在非洲的传播起到作用。20 世纪 20 年代期间，莫斯科领导的共产国际把主要精力放在实现殖民地人民争取民族独立的渴望上。在第二次世界大战后的数十年间，苏联和国际共产主义运动面临着一个新的情况：去殖民化的非洲的领导人对社会主义表现出浓厚的兴趣。苏

---

① ［南非］D.格拉泽、郑祥福、陈超超：《非洲的马克思主义运动》，《马克思主义与现实》2014 年第 4 期。

联作为正统的马克思主义者不断改写他们的理论，以使其能够充分地利用新的机会凸显莫斯科在国外的影响力。因此，苏联积极推动马克思主义在非洲的传播。20世纪60年代，苏联和古巴开始采取亲近非洲民族主义者，并给他们以外交、道义、军事援助的政策。苏联利用讨论会、访问和由亚非人民团结组织发起召开会议等方式不断加强同非洲民族主义领导人的联系，将马克思主义灌输到民族主义运动的意识形态中，以此来传播马克思列宁主义。虽然苏联的政治和科技等教育课程源源不断地输入到非洲，但这种影响是间接的，是通过非洲本地的马克思主义者渗透进去的，并且马克思列宁主义在非洲的传播并没有形成一连串的苏联卫星国。不论是古巴还是苏联，都没有把一个政权或者一种意识形态强加给任何一个非洲国家。非洲各国力图把马克思列宁的普遍真理同它们自己的独特历史经验结合起来。在内政方面，坚持正统教义，在对外关系上，坚持维护自己的主权完整。

从上述分析不难发现，帝国主义的文化侵略，例如在非洲兴办学校，并选派非洲青年去西欧、北美的大学深造，促使非洲出现了一批接受现代西方文化思想影响的知识分子。其中一些人成为殖民政府的官员和为殖民政权服务的酋长，也有一些人成为具有民族主义思想的知识分子，成为后来民族独立运动的领导力量。第二次世界大战期间及战后时期，数以万计的非洲学生去海外留学。在西欧北美的非洲留学生亲身经历了资本主义剥削及种族歧视之苦。同时，战后欧美国家内社会主义民主思潮盛行，大量白人学生左倾。非洲留学生受此影响，开始组织或参加左翼学生团体，谴责殖民主义、帝国主义的侵略政策和资本主义的剥削制度。一些非洲民族主义领导人正是出自这批留学生，他们在这种氛围中逐步形成了摒弃资本主义、倾向社会主义的思想。

二、非洲的马克思主义理论

（一）非洲社会主义与非洲共产主义

一般认为，马克思主义在非洲的传播也就是非洲社会主义的形成。非洲社会主义具有广义和狭义之分。狭义上的非洲社会主义是指，以非洲传统村社制及其价值观念为基础的非洲村社社会主义。广义上的非洲社会主义是指，为非洲民族主义政党和民族主义国家领导人提倡和奉行的各种社会主义的统称和泛指，也被称为非洲的民族社会主义。非洲社会主义与非洲民族主义和泛非主义一起构成当代非洲三大民族主义思潮。①

一些西方学者还进一步将非洲社会主义分为四种倾向：一是共产主义或马克思列宁主义；二是非洲马克思主义；三是非洲实用主义的马克思主义；四是非洲民主社会主义。在他们看来，非洲社会主义不过是一种"伪装的国家资本主义"，经过莫桑比克、安哥拉和埃塞俄比亚等国的实践，证明它在非洲是行不通的。②

1981年，美国学者奥塔韦夫妇在《非洲共产主义》中提出了"非洲共产主义"这一概念，并把自称信奉马克思列宁主义的非洲国家称为"非洲共产主义"，认为"虽然非洲共产主义还处于幼年时期，但其自身独具的特点表明，它与非洲社会主义不同"③，它在非洲各国仍然具有吸引力。但是，它只有实现真正的民族独立和经济增长，才能避免像非洲社会主义那样走向衰落。

（二）非洲社会主义的理论主张

由于长期的殖民统治和掠夺，非洲社会经济极端落后。在非洲取得民族独立之后，非洲面临的首要问题是发展。加纳杰出的领导人弗朗西斯·恩威亚·克瓦米·恩克鲁玛（1909—1972）在自传中提出，非洲获得独立之后，要想生存下去就必须要以极快的速度前进，在30年内完成其他国家用300年或更多年代所完成的事业。在如何实现非洲经济社会的飞跃发展问题上，存在两种不同的看法，一种是战后西方流行的所谓"现代化理论"，即走西方的资本主义道路。另一种是走"非资本主义发展的道路"。面对两种道路，非洲既反对走西方资本主义的道路，也反对苏联提出的"以社会主义为方向"的发展模式，大部分的非洲社会主义者倾向于把社会主义和资本主义这两种制度结合在一起，走一条独特的非洲的发展道路。

他们认为，虽然非洲社会经济落后，无产阶级处于萌芽状态，但不能因此推迟建设社会主义。相反，非洲可以直接进入社会主义社会。因为第二次世界

---

① 参见唐大盾等：《非洲社会主义新论》，教育科学出版社1994年版，第8页。
② 参见唐大盾等：《非洲社会主义新论》，教育科学出版社1994年版，第11页。
③ ［美］戴维·奥塔韦：《非洲共产主义》，魏塔忠等译，东方出版社1986年版，第323页。

大战之后，世界社会主义体系建立并逐渐壮大，这一客观前提决定了非洲各独立国家已经具有不经过资本主义发展阶段，而直接过渡到社会主义的现实可能性和合理性。非洲各独立国家可以在民族主义政党的领导下，依靠农民，在不经过传统的资本主义阶段的情况下，实现社会主义。总之，非洲可以超越并在主观上超越资本主义发展阶段，直接进入社会主义社会。这就是非洲社会主义的"超越阶段论"。关于非洲社会主义"超越阶段论"提出的主张是否具有可能性，非洲国家的领导人做了进一步分析。

首先，非洲各独立国家选择社会主义是历史的必然。从第二次世界大战后的形势看，非洲发展资本主义行不通，在非洲建立真正的资本主义体系是不现实的。因为非洲仍然处于国际垄断资本的控制之下，所有商业公司、银行和工厂都掌握在外国人手中。非洲国家发展民族资本主义不可能促使经济有飞跃的发展，与国际垄断资本竞争或者合作，都只会把非洲推向苦难。只有社会主义才能保证非洲的独立和社会进步。

其次，非洲具有建立真正的社会主义的优势。非洲国家领导人对本国现状和社会主义的认识与理解不同，这就造成了他们认为非洲可以超越资本主义发展阶段，直接建立社会主义。一是非洲广泛存在传统村社制度。一些非洲国家领导人认为，非洲的传统村社制度以公有制为基础，其包含社会主义制度的基本因素。例如，恩克鲁玛认为，"人道主义"和"平等主义"与社会主义的基本原则相同。有些非洲领导人甚至认为，非洲传统社会实质上已经是社会主义社会。因此，他们推断非洲用30年时间就能建成社会主义，或者依靠改良很容易从祖传的村社制度直接过渡到社会主义。二是非洲资产阶级弱小。在很多非洲领导人看来，非洲并不存在资产阶级或者资产阶级人数很少，这样的客观条件就决定了非洲可以和平地走向社会主义。

基于上述认识和分析，非洲国家领导人普遍认为，只要效仿社会主义国家的经验和做法，采取一系列社会主义性质的措施，就可以加快建设社会主义的步伐。

非洲社会主义借鉴先进社会主义国家的建设经验。

第一，国有化就是社会主义。独立了的非洲各国为了建设社会主义公有制社会都把国民经济国有化作为一项主要措施。国有化对象主要是外国资本主义和外资企业。其次，是民族资本和民族企业以及土地和自然资源等。从1956年到1977年，埃及、几内亚、塞内加尔、刚果、莫桑比克等国家通过国有化运动，建立起了强大的国营经济，实现了私有制向公有制的历史性转变，确立了以生产资料公有制为基础的社会主义经济制度，为国家的发展奠定了物质基础。

第二，集体化和合作化也是社会主义。独立的非洲各国为了建立社会主义公有制社会，都把农业集体化和合作化作为另一项主要措施。随着国有化运动的进行，各国还在农村开展了土地改革和农业集体化、合作化运动，把分散的个体的农民组织起来，进行协作劳动和按劳计酬。非洲农业集体化的类型大体上有农业村社、合作社、村社与合作社相结合三种形式。

第三，国民经济计划化就是社会主义。非洲各国在政治稳定之后，为了加速社会主义建设，在接受外资援助的情况下，推行了计划经济。说是自力更生搞建设，但结果是背上了沉重的包袱，影响了国民经济的发展。

第四，改革开放就是社会主义。非洲各国吸取社会主义国家的国有化、集体化和计划化的经验并不能一蹴而就地解决殖民主义者留下的贫穷、落后、疾病等社会问题时，他们转而求助于调整、改革和向西方开放的自由化经济政策。社会主义社会是一个不断革命的社会。开放正是东方农业国绕过"卡夫丁峡谷"吸取资本主义肯定成果的根本措施，只有开放才能吸取外资，才能引进先进技术、设备、人才和有益文化。从1960年到1985年，在自称或曾经自称社会主义的32个非洲国家中有23个先后采取了调整、改革和对外开放的政策，如塞内加尔、肯尼亚、埃及、索马里、几内亚、赞比亚等。从以上的论述可以看到，非洲社会主义并非马克思主义的科学社会主义，马克思所说的超越卡夫丁峡谷也是以一定的生产力发展水平为前提的。对于非洲国家而言，经济上的落后以及无产阶级的不成熟，意味着还不具备完全超越资本主义，向社会主义过渡的条件。非洲社会主义的实质是民族主义，非洲社会主义实行的国有化、土地改革和计划经济等，名为"社会主义"，实际是民族主义的别称。[①] 非洲国家实行的国有化目的在于反对外国资本对本民族经济的控制和垄断，争取经济独立和发展民族经济。改变国民经济受外国人操控的局面。这是向殖民主义、帝国主义以及本国封建势力的宣战，从这个意义上讲，非洲社会主义的本质是一种民族主义。

[①] 参见上海科学社会主义学会、上海社会科学院情报所：《当代亚非拉社会主义资料选译》，上海科学出版社1982年版，第22页。

（三）非洲科学社会主义的理论主张

"非洲科学社会主义"，也被称作"非洲共产主义"，其本质是非洲国家自称的科学社会主义。其典型代表是70年代中期的莫桑比克和埃塞俄比亚等国家宣称的"科学社会主义"。非洲科学社会主义主要受到马克思主义的影响。马克思主义早在20世纪初就已经传入非洲，在争取民族独立时，非洲的许多民族主义政党及其领导人都受到马克思主义的影响。因此，在通过武装斗争或军事政变上台执政后，有的就公开宣称奉行马克思主义的科学社会主义。安哥拉、埃塞俄比亚等国大都按照苏联提出的"以社会主义为方向"的理论和苏联传统模式进行社会主义试验。因此，非洲科学社会主义具有以下特征。

1. 在党指导思想方面，以马克思主义为指导

非洲科学社会主义认为，马克思主义是科学的，其基本原理普遍适用于非洲。他们认为，马克思列宁主义是唯一的"真正的"社会主义，不存在与之不同的"非洲的"、"亚洲的"或者"拉丁美洲的"社会主义。莫桑比克总统萨莫拉曾指出："莫桑比克解放阵线和马克思列宁主义是一致的，马克思列宁主义本是工人的科学，是进行社会分析的基本工具，是理解阶级斗争的最伟大的工具。一些观点分歧是次要的。马克思主义的伟大之处在于，它是科学，它能运用于各种情况。没有什么非洲的马克思主义、亚洲的马克思主义或欧洲的马克思主义，只有一种马克思主义。"①刚果劳动党就将自己的指导思想确定为马克思列宁主义。贝宁总统克雷库也指出，马克思主义是贝宁的哲学指南。虽然，非洲国家领导人宣称奉行科学社会主义，但他们往往教条地照搬马克思主义关于殖民地的社会阶级理论。基于此，那些自称奉行科学社会主义的非洲国家，大部分都认为非洲国家独立后，已经处于向社会主义国家过渡的阶段，革命的主要任务是消灭一切形式的帝国主义统治，特别是经济控制；铲除封建社会和殖民地的一切资本主义社会的残余；建立一个独立的、民主的、人民的国家。上述认识和任务符合非洲国家的实际和广大非洲人民的愿望，但在实践中并没有得到正确的贯彻和实行，大多数国家采取了激进的社会主义改革措施，过早

---

① [美]戴维·奥塔韦、玛丽娜·奥塔韦：《非洲共产主义》，魏培忠、艾平、肖援朝、王平译，东方出版社1986年版，第41页。

地宣布"过渡时期"。

2. 在政治体制方面，实行"革命先锋党"领导的一党制

非洲科学社会主义主张实行一党制，并认为革命必须由一个小的先锋党来领导。在非洲马克思列宁主义者看来，社会中存在不可调和的阶级冲突，社会主义不代表一切集团的利益，它必然会遭到某些阶级的反对。津巴布韦总统穆加贝认为，一党制是非洲的生路，党要想控制经济及社会组织，必须实行一党制。因此，宣称奉行科学社会主义的非洲国家先后通过不同的途径，实行一党制。这些非洲国家的执政党，除津巴布韦外，都自称是无产阶级性质的"革命先锋党"，都自认为是"无产阶级政党"、"马克思列宁主义政党"，是建立在马列主义革命理论基础上的党。刚果劳动党、安哥拉人民解放运动——劳动党和埃塞俄比亚工人党自称是"工人阶级的先锋队"，贝宁人民革命党自称是"人民革命先锋队"，莫桑比克人民解放运动——劳动党自称是"工农联盟的先锋党"。这些党都被宪法规定为国家的唯一执政党，党是至高无上的，是政权的核心，高于国家。但是，这些先锋党一般党员人数比较少，缺乏广泛的群众基础。①

3. 经济上实行国有化，建立一个"独立而先进的计划经济体制"

非洲科学社会主义认为，经济上对外国垄断集团的依赖制约了社会主义经济的发展。因此，社会主义经济要想取得发展就必须结束对帝国主义国家和国际垄断集团的依赖关系。他们主张"同资本主义国际分工决裂"的经济发展政策，并提出要在经济关系上进行一场革命，彻底改造本国的经济结构，对生产手段实行社会主义所有制。限制本国民族资本的活动范围，由国家统一监督；消灭地主土地所有制，把土地分给农民；建立国家和合作社形式的生产资料集体所有制；加强和扩大国家对市场的控制，用计划经济来指导社会的发展等。在上述经济政策的指导下，宣称奉行科学社会主义的非洲国家大都采取了较为彻底的国有化和土地改革及农业集体化等措施。

4. 强调与社会主义国家的"特殊关系"

宣称奉行科学社会主义的非洲国家在民族独立和社会主义建设的过程中，得到了社会主义国家的大力支持。因此，他们强调同社会主义国家的友好合作

---

① 参见唐大盾等：《非洲社会主义：历史理论实践》，世界知识出版社 1988 年版，第 58 页。

关系。① 虽然这些非洲社会主义国家宣称奉行马克思列宁主义，但在他们的对外政策中，民族主义占据主导地位。

5. 在阶级问题上，党的社会基础是工人阶级

非洲科学社会主义革命理论的中心思想就是，只有用阶级分析和承认阶级冲突是社会的推动力才能了解社会。在他们看来，所有马克思列宁主义领袖都是用阶级观点谈论他们的政治问题和国家历史的。关于阶级基础的问题，非洲科学社会主义与早期非洲社会主义的看法有很明显的不同。前者认为，革命以及党的社会基础，必须是工人阶级而不是广泛的联盟。它既不是全民的，也不是包括一切社会阶层的。虽然非洲国家绝大多数人口是农民，工人只是少数相对来说较有特权的人，但工人在建设社会主义过程中扮演重要角色。因为只有工人阶级没有自己的生产资料，靠国家的"集体财产为生"。只有工人阶级才能向农民和各种社会集团的人进行"集体精神、组织精神和集体财产精神"的教育。他们承认小资产阶级对革命会起到重要作用，但如何把革命的领导权从小资产阶级手中转到工人阶级手中是一个更加重要的问题。他们认为，工人阶级必须加强自身的力量，直到它的代表能够从容掌权，并逐渐使小资产阶级分子"中立化"。这是因为进步的小资产阶级、职员、知识分子、护士和教师也受到资产阶级思想、习惯和趣味的影响，不能让他们担负领导革命的责任。

此外，在对外政策方面，非洲科学社会主义认为世界主要分为社会主义和资本主义国家，帝国主义和反帝国主义国家。这是国际力量组合中的基本矛盾，至少理论上是如此。非洲马克思列宁主义者认为应该同东方社会主义国家建立最密切的经济、政治和军事联系。

三、非洲马克思主义的实践与探索

马克思主义在非洲的实践与探索，体现为社会主义政权在非洲的建立与发展。从 20 世纪 50 年代到 20 世纪 90 年代，非洲社会主义政权经历了曲折的发展，呈现出独有的特点。其中刚果、加纳和莫桑比克的社会主义实践具有一定

---

① 参见唐大盾等：《非洲社会主义：历史理论实践》，世界知识出版社 1988 年版，第 60 页。

的代表性，马克思主义在这些国家的传播与发展，到最后成为指导思想是一个漫长的不断探索的过程。

（一）非洲社会主义政权的曲折发展

非洲几个世纪以来深受西方殖民主义和帝国主义的奴役和统治，加之战后苏联威望的提高和一系列社会主义国家的出现，特别是中国革命的胜利，非洲人民群众普遍仇恨资本主义，向往社会主义。第二次世界大战后，两种社会制度形成鲜明对比。资本主义在第二次世界大战后的衰败是不容置疑的事实，德、日、英、法等资本主义国家在不同程度上遭受创伤，社会主义阵营的出现及殖民体系的瓦解极大地冲击了整个资本主义世界。相比之下，社会主义阵营欣欣向荣。因此，社会主义国家革命和建设成就对非洲独立国家有巨大的吸引力。非洲的马克思主义领导人和思想家虽然渴望社会主义，但他们承认非洲无法立即实现完全的社会主义。因此，他们结合本国的实际情况，发展出非洲的社会主义。从 20 世纪 50 年代以来，非洲先后共有 24 个国家公开而明确地宣布奉行社会主义。到 20 世纪 70 年代中期，非洲大陆上就出现了一批自称奉行科学社会主义和其他各种牌号社会主义的非洲国家，从而推动非洲社会主义浪潮达到一个新的高潮。经过 30 多年的发展变化，多数于 20 世纪 80 年代中期就开始在经济上自由化，最后减少到 10 个国家坚持或没有公开宣布放弃社会主义，它们是北非的埃及、利比亚；西非的塞内加尔；东非的坦桑尼亚、塞舌尔、毛里求斯和马达加斯加；南部非洲的莫桑比克、安哥拉和津巴布韦，约占非洲国家总数的五分之一。在 1990—1991 年间，他们几乎都宣布放弃马克思主义，欣然接受自由的代议制民主。

非洲社会主义的曲折发展有以下两个重要的特点：一是非洲社会主义的形式更加多样化，更加具有各自的民族色彩。"非洲社会主义"的口号和模式，逐渐被具有民族特色的"乌贾社会主义"（坦桑尼亚）、"福科诺洛纳社会主义"（马达加斯加）、"民主社会主义"（塞内加尔）等取代。各国都强调要根据本国阶级斗争的具体条件来实现社会主义。二是在美苏激烈争夺非洲和世界的国际大背景下，非洲社会主义运动中出现了不同政治倾向的流派，即倾向西方的以非洲社会党国际为代表的非洲民主社会主义流派和倾向东方的非洲科学社会主义流派。

（二）非洲社会主义的实践探索

非洲社会主义自认为不是"外来的"意识形态，而是具有独立性的，唯一适用于非洲的"独特的"社会主义。因为在他们看来，马克思创立的科学社会主义只适用于其产生的19世纪的欧洲，不适用于20世纪的非洲。他们曾表明："我们的社会主义不是欧洲的社会主义。它既不是无神论的共产主义，也完全不是第二国际的民主社会主义。"因此，非洲社会主义既反对资本主义，又拒绝马克思主义的科学社会主义或共产主义，主张在资本主义和社会主义之间开辟一条"中间道路"。其中，非洲科学社会主义自称以马克思列宁主义为指导思想，信奉科学社会主义，坚持党的领导，实行国有化和计划经济。如贝宁、莫桑比克、埃塞俄比亚、刚果、安哥拉、津巴布韦等国家的社会主义。在这些国家中，有些是通过发动国家军事政变来执政；这涉及的是武装部队从上层进行革命。有些是通过游击战，也就是从下层的人民来夺取政权。这种人民战争的特点之一是具有广泛的农民阶级的政治基础，农民为武装斗争提供了外部力量，他们享有军事指挥和建立"解放区"方面的政治领导的特权，在这些运动中，农民建立了后方基础，建立了社会主义秩序的胚胎。

20世纪60年代，加纳和刚果开始进行社会主义探索，在经历一番曲折之后把马克思主义作为本国的指导思想。刚果是非洲第一个公开宣称要走"科学社会主义"道路的国家，而最激进、最正统的是安哥拉、莫桑比克和埃塞俄比亚。这三个国家是仅有的通过革命掌握政权的，它们的改革搞得比较深入，对马克思列宁主义的信仰也比较深。同时，它们与苏联建立了密切的组织联系。

1. 刚果的科学社会主义

19世纪末刚果沦为法国的殖民地，并于1963年独立，但是仍然留在"法兰西共同体"内。1963年8月7日，法国爆发了八月革命。一批受过马克思列宁主义思想影响的青年知识分子领导各工会组织举行抗议大会，要求政府取消压制民主的法令，改组政府，改善人民生活。这次反抗活动取得了胜利，总统尤卢被迫宣布辞职。由刚果工会、青年组织领导人和起义军官代表组成的"全国革命委员会"宣布成立以马桑巴－代巴为总理的临时政府，接管国家政权。这次革命的胜利标志着刚果走上了社会主义发展的道路。

刚果新政府的总统马桑巴－代巴虽然倾向社会主义，但他不主张立即在刚果实行社会主义。他主张将资本主义和社会主义结合起来，建立一个私人经济部门和一个国家经济部门。他的这一主张代表了刚果政府中的中间派，而左派主张走社会主义发展道路。在 1964 年举行的"全国革命运动"全国代表大会上，在左翼的斗争下，大会最后决定刚果应该走一条符合科学社会主义原则的道路。会后，左翼积极推动经济国有化，加强国家对国民经济的控制。在社会主义国家的帮助下，建立了一批工业企业。然而，随着革命的不断深入，马桑巴－代巴与左翼的矛盾日渐尖锐，并日益显露出"向右转"的倾向，甚至发展到公开排挤左翼力量。1968 年 7 月 31 日，青年军官马里安·恩古瓦比上尉联合左翼领袖努马扎莱等，指挥伞兵部队发动政变，推翻了马桑巴－代巴政府，成立了以恩古瓦比为首的刚果新政权，新建刚果劳动党，并宣称以马克思列宁主义为指导。从此，刚果历史进入一个新阶段，开始公开宣称奉行马克思主义的科学社会主义。恩古瓦比的科学社会主义理论观点主要体现在他的《科学社会主义在非洲——刚果的问题、观点和经验》，其主要内容有以下几个方面：

首先，马克思的科学社会主义适用于非洲。恩古瓦比认为，马克思恩格斯创立的科学社会主义是唯一的社会主义。非洲同其他地方一样，也和社会主义密切相关，不同之处在于非洲选择的社会主义道路和方法有别于其他地区。

其次，刚果要实行社会主义所有制。在恩古瓦比看来，殖民主义一方面促进了城乡无产阶级的产生，另一方面又造成了同旧的社会阶层和阶级有联系的特权阶级，即官僚、买办与议会资产阶级和小资产阶级。两者之间的矛盾是对抗性的矛盾，且日益尖锐。解决矛盾的唯一方法就是在刚果实行社会主义所有制。

最后，只有经过"民族、民主和人民革命阶段"，才能进入社会主义。刚果目前处于"民族、民主和人民革命阶段"，面临的主要矛盾是人民和帝国主义之间的矛盾。只有解决这个矛盾，才能进入社会主义阶段。[①]

在上述理论的指导下，刚果经过复杂的政治斗争，在全国各地建立起人民政权。一方面，刚果建立起全国人民议会和各级地方人民委员会（地方议会）；另一方面，建立了各级人民委员会的执行委员会（政府）。不久，刚果劳动党中央委员会提出"党决定一切"的原则。在经济方面，刚果开始对外资石油销售公司和保险事业的外国保险公司进行了大规模的国有化，将这些外资企业收归国有后，改为国营企业。同时，利用外援兴建了一批国营企业。在文化方

---

① 参见唐大盾等：《非洲社会主义：历史理论实践》，世界知识出版社 1988 年版，第 320 页。

面，刚果开展了名为"文化革命"的"彻底化运动"，其实质是清洗一切政治反对派的政治运动。

由于严重的政治经济问题未能有效解决，加之彻底化运动引起党内外反对派的激烈反对，1977年，恩古瓦比遇刺身亡。后来上台的若阿基姆·雍比－奥庞哥由于明显地向西方靠拢，最终被迫交权。1979年，在刚果劳动党第三次全国特别代表大会上，德尼·萨苏当选为劳动党主席、国家元首和共和国总统。萨苏出生于刚果北部一个农村家庭，曾就读于军官学校，并先后参加了1963年8月推翻尤卢政权的人民起义和1968年7月推翻马桑巴－代巴政府的七·三一运动，被看作是一位坚定的马克思主义者。

萨苏上台后，明确表示要在马克思列宁主义基础上确保社会主义革命和建设的胜利。但他更强调从实际出发，进行政策调整和经济改革。经过对濒临破产的国营企业的整顿、对农业政策的调整、发展交通运输业、开发林业、发展同西方国家和第三世界国家的经济合作等措施，刚果取得了令人满意的成果。国内政局趋向稳定，经济开始恢复生机。

2. 恩克鲁玛的社会主义

恩克鲁玛是第二次世界大战后加纳的杰出领导人，也被看作"早期非洲社会主义领导人中最彻底的马克思主义者"[1]。他最初主张的是非洲村社制度原则的村社社会主义，后来改奉科学社会主义。

恩克鲁玛自幼深受非洲部落村社制度的传统习俗和生活方式的影响，青年时代在阿奇莫塔的威尔士亲王学院学习时又受到老师的影响开始接触民族主义思想，并且认识到：非洲人民只有取得国家独立，并拥有自己的政府，才能与白人处于平等地位，他们之间才有可能合作。毕业之后不久，他前往美国求学，试图寻找解决殖民地问题的方案。在美国林肯大学、林肯神学院和宾夕法尼亚大学求学期间，他广泛阅读了黑格尔、马克思、恩格斯和列宁等人的著作。同时，他还接触到了美国共产党和托洛茨基派的团体，受到各种思潮和组织的影响。但总体而言，那个时期的恩克鲁玛深受泛非主义的影响，即争取非洲大陆的完全解放和统一。1947年，恩克鲁玛回到加纳，担任黄金海岸统一大会总书记。

---

[1] ［美］戴维·奥塔韦、玛丽娜·奥塔韦：《非洲共产主义》，魏培忠、艾平、肖援朝、王平译，东方出版社1986年版，第24页。

1957 年，加纳宣告独立。1958 年，由恩克鲁玛倡议，在阿克拉召开了第一次非洲独立国家会议和第一届全非人民大会，推动了非洲各殖民地人民的解放斗争。此后，加纳与几内亚、马里建立联盟，并促成了 1963 年"非洲统一组织"的建立。与此同时，恩克鲁玛也开始提出他的"社会主义"理论，并在加纳积极进行试验。他于 1963 年发表的《非洲必须统一》和 1964 年发表的《良知主义》等著作，比较系统地阐述了什么是社会主义社会，形成了他执政时期的社会主义思想和理论。其主要内容是：

第一，社会主义是对非洲原始村社制原则的"恢复"和"捍卫"。恩克鲁玛承认人类历史上存在五种主要社会形态，但他认为原始村社制度的基本原则"人道主义"和"平等主义"与社会主义的基本原则是相同的，并且认为"社会主义就是在村社制原则指导下的一种社会组织形式"①。

第二，社会主义是生产资料公有制＋工业化。在恩克鲁玛看来，社会主义国家的标志一方面是人民掌握生产资料和分配手段，另一方面是全面工业化。在加纳全面开展"社会主义建设"时，恩克鲁玛反复强调："社会主义主张生产资料、土地及其资源的公有制"，"工业化实现以前，社会主义只是一句口号"②。

第三，社会主义国家实行民主政治。恩克鲁玛反对西方资本主义国家实行的议会制和多党制。在他看来，这是新殖民主义的一种手法，是劝说非洲独立国家以西方议会制度为蓝本来制定宪法，其结果是助长了新殖民主义的发展。他要建立的是"在人民议会社会主义民主政体内的一党制国家"③，这一体制可以确保为全体人民谋福利。

第四，通过改良实现社会主义。恩克鲁玛认为，通往社会主义的道路有很多。在资本主义国家，革命是通往社会主义的必由之路，但像非洲各国，若想从村社制度过渡到社会主义，则依靠改良。因为两者的基本原则是相同的。

综上所述，恩克鲁玛的社会主义实际上就是试图在农村村社的基础上，通过改良，使非洲原始村社制的"人道主义"和"平等主义"与现代社会的原则相结合。在上述理论的指导下，恩克鲁玛于 1957—1966 年进行了社会主义试

---

① 参见唐大盾等：《非洲社会主义：历史理论实践》，世界知识出版社 1988 年版，第 229 页。
② 参见唐大盾等：《非洲社会主义：历史理论实践》，世界知识出版社 1988 年版，第 230 页。
③ 参见唐大盾等：《非洲社会主义：历史理论实践》，世界知识出版社 1988 年版，第 230 页。

验，力图为非洲树立一个建设社会主义的榜样。他在政治、经济及教育等方面展开一系列改革，取得了一些令人瞩目的成绩，但也给加纳经济带来了很大的困难，导致1966年爆发加纳军事政变。

恩克鲁玛在流亡海外期间，开始总结加纳建设社会主义的经验和教训，并深入思考非洲革命问题。他的政治思想在这一时期发生了很大变化，开始抛弃先前的村社社会主义，主张暴力革命和科学社会主义。

首先，非洲只能走科学社会主义道路。恩克鲁玛对自己早前提出的村社社会主义理论作了自我批判和修正，认为当前非洲社会的核心问题是阶级斗争。他指出，殖民主义入侵之前，非洲既不是无产阶级社会，也不是没有社会等级划分，而是在某些地区早已存在封建制和奴隶制。随着殖民主义在非洲的出现，包括民族资产阶级、官僚资产阶级、农村资产阶级和某些"非洲上层分子"在内的非洲资产阶级日渐形成，并成为"帝国主义和新殖民主义的同伙"。非洲的工人阶级和农民深受压迫和剥削，必须以暴力行动予以揭露和打倒。在这种背景下，恩克鲁玛转向了科学社会主义。他强调：世界上"只有建立在马克思列宁主义原则基础上的'一种社会主义'，而非洲人对它不可能有任何的补充"① 非洲各国只有采用科学社会主义才能最终实现非洲的完全解放和政治统一。

其次，号召开展全非规模的阶级斗争和人民战争。恩克鲁玛认为，在非洲国家中，只有用社会主义革命才能彻底打倒资产阶级，才能完成社会的根本改造。而社会主义革命的途径只有一条，就是武装斗争。在全非规模上进行武装斗争的首要前提是要建立一个"全非性的工人阶级政党"。其次是建立一支全非人民革命军，以统一革命武装力量。最后，社会主义革命必须开展以农村为根据地的游击战争。

最后，非洲革命是"世界社会主义革命的重要组成部分"。恩克鲁玛认为，世界范围内的斗争不再是国家或权力集团之间的斗争，而是压迫者和被压迫者之间、社会主义世界和资本主义世界之间的最后决战。因此，在最后决战的阶段不存在置身于主要冲突之外的第三世界。由此，非洲革命是世界社会主义革命的一部分，它将促进世界社会主义革命的胜利。

---

① ［美］戴维·奥塔韦、玛丽娜·奥塔韦：《非洲共产主义》，魏培忠、艾平、肖援朝、王平译，东方出版社1986年版，第24页。

3.莫桑比克的科学社会主义

莫桑比克位于非洲东南部，东与马达加斯加隔海相望，北接坦桑尼亚，西邻赞比亚、马拉维和津巴布韦，南与南非和斯威士兰接壤。独立之前是仅次于安哥拉的非洲第二大葡属殖民地。1977年，莫桑比克解放阵线第三次代表大会在马普托举行。此时的莫桑比克经历了独立初期的混乱，开始趋于稳定。不同于刚果和加纳，莫桑比克是独立之后立即宣布奉行马克思主义的科学社会主义，并被认为是非洲第一个真正的社会主义国家，但是随着东欧剧变，它公开易帜，改奉民主社会主义，实行多党制。

1977年2月3—7日，在首都马普托召开的莫解阵第三次全国代表大会，标志着莫桑比克社会主义理论的形成和确立。在大会召开前，莫桑比克花费很大力气帮助民众认识和熟悉马克思列宁主义的基本概念，并指出马克思列宁主义是在长期的斗争中对莫桑比克面临的具体问题作出的回答。按照莫桑比克正式宣布的提法，党的意识形态是"莫桑比克人民的革命经验与马克思列宁主义普遍原则"的结合。莫桑比克社会主义理论的主要内容有以下四点：

第一，只有科学社会主义一种社会主义。马谢尔·萨莫拉（1933—1986）认为，马克思首创的科学社会主义是工人阶级的科学的意识形态，并且只有这一种社会主义，不存在其他色彩或者特殊地理的社会主义。此外，萨莫拉也指出，社会主义也是一种制度。它是全世界被压迫的劳动阶级在夺取政权、建立新社会的斗争中创造的。社会主义社会是普遍性与特殊性的统一，社会主义社会是共产主义社会的过渡。[1]

第二，经过"人民民主革命阶段"过渡到社会主义。莫桑比克领导人认识到，社会主义不是一蹴而就的。他们把莫桑比克革命分为三个阶段，即民族民主革命阶段、人民民主革命阶段和社会主义革命阶段。第一阶段的任务随着民族独立的实现已经完成，社会主义革命要经过"民族民主革命"和"人民民主革命"两个阶段才能在莫桑比克爆发。在人民民主阶段，要通过"加强阶级斗争"和创造"新人"及发展国家控制的经济才能完成。关于培养"新人"，莫解阵把殖民地时期的莫桑比克社会看作一个传统的封建社会，它是一个保守、停滞、具有严格等级制度的社会，也是一个压制青年、妇女和革新的社会。这样的社会应该称之为老人统治。新人要抛弃殖民地的心理，也要抛弃传统的心

---

[1] 参见唐大盾等：《非洲社会主义新论》，教育科学出版社1994年版，第272页。

理，改变经济和社会基础、社会的基础结构等。

从莫解阵第三次代表大会上公布的党纲党章和《经济和社会指导方针》也能看出其对马克思列宁主义的遵从。莫解阵在这个方针中提出要以农业为基础，以工业为动力和决定性因素，其中特别强调促进农业中社会主义的发展，扩大和巩固国家在经济中的作用；形成强有力的工人阶级，在先锋党的组织和领导下担负对社会的领导。因此，莫桑比克建立了一套"计划和指导经济的国家机器"，巩固"决定和支配经济进程的国有部门"。

莫桑比克最重要的任务是在工人阶级的领导下，建立无产阶级专政；彻底变革社会生产关系，发展经济，在经济上实现社会主义化；以农业为基础，大力发展重工业；彻底消除贫困和依附，反对压迫、剥削等。只有经过这一阶段，才能进入社会主义革命阶段。而这一阶段必然是长期的、艰苦的。

第三，必须加强阶级斗争。莫解阵领导人认为，反对殖民统治的战争结束，并不意味着阶级斗争的结束。莫桑比克独立后，仍然存在三个剥削阶级：殖民资产阶级、本地资产阶级和封建阶级。虽然这些阶级并不强大，但是也不能忽视他们，要防止他们与帝国主义勾结，制止和消灭殖民资产阶级在莫桑比克内部培养代理人。在萨莫拉看来，在意识形态领域开展斗争和加强阶级斗争，就意味着取得组织上、军事上、经济上、社会文化和外交上的全面胜利。

另外，阶级斗争的重要性之所以受到过分的强调，是因为它被看作是不断加强无产阶级，使之能够在革命中发挥领导作用的整个过程的关键。由于关于阶级斗争的概念更多的是从纯粹的理论中得出来的，因此文件中关于阶级斗争的各种定义是含糊不清的。尽管如此，莫桑比克的阶级斗争有两个方面，一是对外与帝国主义斗争，二是对内防止剥削阶层的形成。

莫解阵完全接受了工人阶级必然要成为占主导地位的政治力量这一观点。他们认识到，工人阶级必须成为领导阶级，因为他们不占有生产资料，本身具有"集体"意识。但是他们也认识到，在莫桑比克，由于工人阶级人数很少，政治觉悟不高，他们还不能进行领导，因此阶级斗争被看作解决这两个问题的主要办法。

第四，革命先锋党的领导是关键。莫解阵三大报告中明确了莫桑比克的社会主义建设，离不开革命先锋党的领导。这个党懂得如何领导工农群众和其他劳动者，经历阶级斗争的各个时期，经历各种经济、政治和思想斗争。这个党的思想和理论基础是马克思列宁主义，并根据莫桑比克阶级斗争的具体条件，实行马克思列宁主义的普遍原则。

莫桑比克虽然明确表示遵从马克思主义规定的道路，但事实上，第三次代表大会以来莫解阵很大程度上是按照苏联对马克思主义的解释得出来的经验治理莫桑比克的。

总体而言，莫桑比克从民族解放战争向马克思列宁主义的转变是顺利的。它信奉马克思主义有坚定的根基，但是那些根据马克思列宁主义意识形态设想的政策和根据"莫桑比克人民革命经验"得出的政策之间出现潜在的冲突。

1989 年，随着苏联东欧局势的变化，许多奉行非洲社会主义的国家纷纷改旗易帜，尤其是苏联解体后，以苏联为靠山的一些国家完全失去了凭藉，宣布放弃社会主义，有些宣布结束非洲社会主义的发展道路；一些执政党纷纷修改党章党纲，删除其中的"社会主义"、"马克思列宁主义"等内容。从非洲社会主义的政治实践来看，这些国家基本上都实行一党制和中央集权体制，突出执政党在国家事务中的绝对领导地位，执政党最高领导人往往集党、政、军大权于一身。其根本原因有两个方面，一是受到苏联社会主义模式一元化政治的影响；二是这些国家领导人认为这种政治体制符合非洲传统的决策一致性和在一致意见基础上行动的政治文化。

第二节　马克思主义在拉丁美洲

拉丁美洲是除欧洲本土外最早受到马克思主义思潮影响的地区之一。从 19 世纪下半叶起，该地区便涌现出了不少具有国际影响力的马克思主义理论家和革命家。尽管马克思主义对拉丁美洲依附与不发达的历史宿命有着一针见血的洞察，但以马克思主义为指导的革命运动在拉丁美洲的发展却远没有想象中的顺利。

20 世纪中叶，民族解放运动的高涨造就了马克思主义在拉丁美洲最具吸引力的年代。此后，随着革命形势的转变和世界格局的变化，马克思主义在拉丁美洲的角色变得越来越游离。尽管马克思主义的革命性不逊于任何拉美主流思潮，而拉丁美洲的理论界和实践领域向来不乏马克思主义的追随者，但时代赋予马克思主义和马克思主义者的机会仍然太少，拉丁美洲依附与不发达的历史由此延续。

一、马克思主义在拉丁美洲的传播与发展

拉丁美洲是欠发达资本主义国家中较早传播和实践马克思主义的地区之一。在殖民文化、移民文化和土著文化的多重影响下，拉丁美洲的马克思主义呈现出了独特的发展路径和命题。

自 19 世纪中叶起，各种社会主义思潮开始在拉丁美洲竞相传播，并逐步衍化为该地区 20 世纪最为重要的政治运动之一。受国际共产主义运动的影响，拉丁美洲的社会主义运动始终贯穿着科学社会主义和多元社会主义的历史流变与斗争。前者以坚持马克思主义为指导的古巴社会主义为代表，而后者则以长期主导拉美政坛的民主社会主义、民族社会主义等非资本主义、非共产主义的"中间道路"为主。一百多年来，拉美左翼围绕"什么是马克思主义"、"马克思主义在拉丁美洲的有效性"、"如何实践马克思主义"等基本问题，展开了激荡起伏的历史争锋与时代探索。

（一）马克思主义在拉丁美洲的早期传播（1870—1916）

尽管拉丁美洲与欧洲在地缘上相去甚远，但就文化源流而言，深受殖民文化浸染的拉丁美洲无疑是欧洲文明在外围最为重要的势力范围之一。尤其是殖民地时期占统治地位的土生白人阶层，在拉美独立运动爆发前就已成为欧洲人道主义、理性主义等新思潮的拥趸。自 19 世纪初独立运动后，拉丁美洲的知识分子试图通过欧美新思想的启蒙，探索建立拉美本土的哲学体系，并逐渐形成了一种把社会弊病归咎于现行体制、进而向外寻求发展经验的思维传统。

发端于西方文明的马克思主义就是在这样的历史背景和诉求下，进入了现代拉丁美洲的视野。马克思主义不是作为一种成熟而可行的本土学说出现在拉丁美洲的，而是作为年轻工人和知识分子慢慢吸收的一种意识形态逐渐进入该

地区的。①

19 世纪 40 年代，圣西门、傅立叶等的欧洲空想社会主义思潮相继传入阿根廷、墨西哥等国，阿根廷诗人、政治活动家何塞·埃斯特万·埃切维里亚②和智利哲学家、政治家弗朗西斯科·比尔瓦奥等人成为在拉美传播马克思主义的先行者。此时的拉丁美洲依然是实证主义的天下，社会主义的语汇在当地还相当陌生。随后，一些在巴黎公社运动、意大利复兴运动和西班牙废除君主制革命中流亡到拉美的欧洲移民，给拉丁美洲带来了无政府主义、工团主义及社会主义等新概念和新思想。19 世纪 60 年代，少数阿根廷知识分子在学习了马克思起草的《国际工人协会成立宣言》和《国际工人协会共同章程》后，把马克思的思想传播到了古巴、智利及墨西哥等国。1872 年，巴黎公社流亡者埃米里·杜马在阿根廷建立了"第一国际"的首个拉美支部③，并创办了阿根廷的第一份社会主义刊物《劳动者报》（El Trabajador）。此后，古巴（1889）、巴西（1892）和智利（1899）等国相继建立了社会主义政党。1884 年，《共产党宣言》在墨西哥出版。1889 年，阿根廷代表参加了在巴黎召开的第二国际成立大会。1895 年，《资本论》在阿根廷布宜诺斯艾利斯出版发行，这是该书首次在拉丁美洲用西班牙文发行。

19 世纪 90 年代，许多拉美社会主义者把马克思主义同康德、孔德或斯宾塞的哲学联系起来，使阿根廷早期工人阶级带有一定的折衷主义而非革命色彩，同期成立的社会党也具有明显的改良主义和修正主义倾向。无政府工团主义与社会主义间日益严重的理论分歧，成为阻碍拉美马克思主义发展的重要羁绊。而此时拉丁美洲的大部分地区仍处于手工业阶段，工人阶级尚未被完全组织和动员起来，拉美知识界对"通过阶级斗争实现社会正义"的马克思主义并不热衷，如何实现经济增长才是大多数知识精英的关切所在。

---

① 参见［美］谢尔顿·B.利斯：《拉丁美洲的马克思主义思潮》，林爱丽译，东方出版社 1990 年版，第 45 页。

② 何塞·埃斯特万·埃切维里亚（1805—1851），曾于 1825—1830 年留学法国，追崇法国空想社会主义思想，后在 1829—1852 年反阿根廷独裁斗争中成为思想领袖，1839 年出版《社会主义原理》一书。作为阿根廷社会主义传统的开拓者之一，何塞支持欧洲 1848 年革命，主张用经济平等消灭贫困，但并不寻求社会革命及改造，本质上属于小资产阶级社会主义者。

③ ［美］谢尔顿·B.利斯：《拉丁美洲的马克思主义思潮》，林爱丽译，东方出版社 1990 年版，第 34 页。

19世纪末20世纪初，欧美资本源源不断地流入拉丁美洲，地区工业得到了一定发展，城市化进程也不断推进。拉丁美洲许多知识分子仍将发展出路寄托于欧美资本主义道路，而来自欧洲的新工业移民却为地区发展带来了更为激进的新思想。其中，占主导地位的无政府工团主义者认为，工团主义有利于工人经济利益的维护和改善，罢工是工人掌握自身命运、决战工业化进程进而消灭资本主义的重要手段。为争取比欧洲更为优越的劳动及生活条件，这些有社会主义倾向的工人纷纷组织起来，提名候选人竞选公职，以推动社会福利和社保立法，从而为20世纪的政治经济斗争积累了相关经验。

20世纪的拉美知识分子不再像19世纪那样偏执地相信渐进改良能自动带来社会进步，社会实践的种种教训使许多人开始转向激进资产阶级改革或社会主义革命。随着20世纪世界形势的纵深发展，拉丁美洲逐渐被资本主义世界体系深度裹挟，马克思主义在拉丁美洲不再有违和感，越来越多的知识分子开始从中寻求可行的进步方案。

（二）十月革命与拉美共产主义运动的兴衰（1917—1958）

20世纪初，由于美国对古巴、多米尼加、海地、尼加拉瓜、巴拿马及墨西哥等加勒比国家接二连三的军事侵扰，各种反殖民主义、反帝国主义的新思想在拉丁美洲迅速传播，进一步激发了拉美人民自19世纪初以来的解放精神和独立诉求。拉丁美洲的知识分子逐渐认识到，帝国主义是地区社会经济形势不断恶化的始作俑者，纷纷揭露外国资本的贪婪与剥削。与此同时，各种马克思主义和非马克思主义的论战与冲突、激进主义和改良主义的分化与重组在拉丁美洲此起彼伏。

1917年俄国十月革命的胜利和1919年共产国际的建立，进一步推动了马克思主义在拉丁美洲的传播与实践。一些拉美国家纷纷建立了共产党，如阿根廷共产党（1918年成立阿根廷国际社会党，1920年改名为共产党）、墨西哥共产党（1919）和乌拉圭共产党（1920）等，巴西、哥伦比亚、古巴、智利、秘鲁、萨尔瓦多等国均组成了以工人队伍为基础的无产阶级政党，也有少数政党仅面向作家、学者及学生等知识分子群体。20世纪20年代，拉丁美洲的共产党人纷纷遵照共产国际的指示，积极动员本国无产阶级高举反帝国主义的旗帜。这一时期，最具代表性的拉美马克思主义思想家是时任秘鲁共产党（1928年创立秘鲁社会党，1930年改称秘鲁共产党）总书记的何塞·卡洛斯·马里亚特吉。被独裁政府迫害离境的马里亚特吉，在流亡欧洲时深受马克思主义熏陶，并于 1923 年回国后大力宣传马克思主义，积极投身于秘鲁的革命道路，创作了《关于秘鲁国情的七篇论文》等拉美马克思主义名篇。而秘鲁政治家、哲学家、阿普拉党（APRA）创始人维克托·劳尔·阿亚·德拉托雷等受到马克思主义影响却不是马克思主义者的拉美思想家在反帝国主义的同时，还为拉丁美洲的解放事业贡献了"印第安美洲主义"、"团结全世界被压迫人民"、"土地及工业国有化"等新思想。

20 世纪 20 年代末 30 年代初，共产国际断绝了同拉丁美洲社会党人的所有联盟，视其为小资产阶级，并否定了社会党人关于"拉丁美洲仍为半殖民地"的历史论断。而在资本主义大萧条时期，拉丁美洲的激进左翼却得到了许多小资产阶级的拥护。哥斯达黎加、厄瓜多尔、巴拉圭和委内瑞拉等越来越多的拉美国家都相继成立了共产党或以其他名称命名的无产阶级政党，并提出了为经济独立和政治民主而斗争的党纲。此外，被 1927 年苏共十五大彻底否定的托洛茨基主义开始在拉丁美洲流行，拉美各主要共产党都出现了因托派纷争而引发的组织分裂。而社会民主主义在拉丁美洲的影响则有所下降，其理论弱点在于割裂了拉丁美洲为数不多的工业无产阶级和众多农民群体间应有的历史联系。

随着 20 世纪 30 年代欧洲法西斯主义的兴起，社会党人和共产党人是拉丁美洲最早主张反法西斯主义，并警示欧洲有可能爆发战争的社会政治群体。1935 年，左翼宗派主义暂告一段落，共产党和社会党纷纷表示出合作意愿，甚至同开明资本家结成了反法西斯主义同盟。第二次世界大战期间，拉丁美洲的马克思主义者尽可能地避免了与美帝国主义的摩擦，转而支持泛美团结计划。第二次世界大战结束后，在冷战的重重压力下，拉美共产党人重新把帝国主义视为头号敌人，并试图建立广泛的"反封反帝阵线"，例如由拉美左翼政党和进步力量集结而成的"人民阵线"即提出了"联合竞选"和"共同打击法西斯主义"等战略。此后，因路线和组织分歧，拉美共产党不断分化。1956 年，受苏共二十大"和平共处"、"和平竞赛"、"和平过渡"理论的影响，许多拉美共产党纷纷倒向改良主义路线，主张与本国资产阶级合作，为摆脱封建主义、实现资本主义阶段性发展和共产主义而奋斗，从而进一步丧失了其独立性与革命性。

与此同时，经历了两次世界大战"真空期"的拉美城市无产阶级在地区工业化进程中日益壮大。拉丁美洲的马克思主义者们开始把发展问题同阶级意识联系起来，认为拉丁美洲有可能通过不断壮大的工人阶级，跨越资本主义的"卡夫丁峡谷"，在达到全面工业化前实现不发达社会中的马克思主义革命与解放。尽管此时社会主义运动的领导者仍以知识分子为主，但没有工会和工人的支持，已然无法实现相应的社会影响力。

除"道路问题"外，民主问题也成为拉美各界关注的焦点。因第二次世界大战而引发的民主诉求，为拉丁美洲的马克思主义者提供了新的视野和舞台。《大西洋宪章》和联合国等国际新规制的出现，激发了拉美人民反对地区独裁、谋求立宪民主的热情，拉美无产阶级政党纷纷把社会主义理想同实现各国经济、政治及社会民主相结合。

（三）古巴革命与拉美马克思主义本土化的曲折探索（1958—1990）

十月革命后的拉美共产主义运动一波三折，而冷战时期的发展更加不易。一方面，地区权贵和美帝国主义疯狂镇压拉美革命者，另一方面，美国继续通过"大棒"、"金元"并举的政策扶植地区代理人，支持古巴、海地、巴拉圭、多米尼加和委内瑞拉等国独裁政府所谓的"民主化"进程。每况愈下的社会经济形势和人民群众不断恶化的生存环境，使越来越多的拉美知识分子、工人、学生，甚至牧师开始质疑资本主义的前途，并纷纷转向更为激进的政治立场，马克思主义由此成为指导拉丁美洲革命最为重要的理论工具之一。

苏联和中国社会主义的进步，极大地增强了拉丁美洲革命者力图解决地区依附与不发达问题的信心和决心。而中苏论战与国际共产主义运动的分裂，既破坏了拉美马克思主义者的同一性，又为其摆脱教条主义、自主探索社会主义的多样性，提供了历史契机。20世纪50年代，一批受20世纪三四十年代激进思想家影响并逐渐成熟起来的拉美新一代马克思主义思想家、革命家不断开创地区革命的新局面，1959年古巴革命成为引领这一潮流的时代标杆。1961年，菲德尔·卡斯特罗宣布古巴为社会主义国家，从而开启了拉美历史上社会主义制度建设的元年。1965年，"先革命、后举旗"的古巴社会主义通过合并三股革命力量，再次开创性地建立了拉美共运史上最具代表性的无产阶级执政党——古巴共产党。

20世纪60年代，拉美左翼思想家们试图把经典马克思主义与本土思潮相结合，从而创造出更贴合拉丁美洲历史与现实的革命思想。这些以马克思恩格斯、列宁、毛泽东、葛兰西等经典马克思主义为指导，结合了卡斯特罗、格瓦拉、托洛茨基等拉美革命者思想，并融会了拉美民族主义、印第安主义、存在主义，甚至基督教神学等解放思潮的尝试，共同造就了拉美思想史上一段既活跃又纷扰的年代。

与此同时，旨在解决地区发展问题的现代化范式开始在拉美思想界活跃起来，"增长、变革与发展"是其主要的理论关切点。这其中，既有西方学术界为第三世界国家开出的"发展经济学"药方，也有自 20 世纪 40 年代末兴起的、以"拉美经委会主义"为代表的一批本土发展理论。从马克思主义视角阐释拉美发展问题的"马克思主义依附论"集中代表了这一时期拉美马克思主义的理论成果。

20 世纪七八十年代，受帝国主义、地区寡头和军事独裁等内外因素的影响，马克思主义在拉丁美洲的境遇并不乐观。尽管如此，拉丁美洲的社会主义运动和革命解放事业依然在曲折中艰难前行。这其中，既有智利阿连德领导的人民团结阵线社会主义、圭亚那伯纳姆倡导的合作社会主义、委内瑞拉争取社会主义运动的新社会主义等以社会主义为目标的制度探索，也有以尼加拉瓜桑地诺民族解放阵线、萨尔瓦多法拉本多·马蒂民族解放阵线等为代表的民主革命运动。

（四）苏东剧变后的拉美替代运动（1991—2017）

苏东剧变后的十年间，包括拉美共产党在内的拉美左翼政党大都经历了一段意识形态的迷茫与困惑期，组织分裂或改旗易帜成为这些政党不得不面对的残酷现实。作为 20 世纪地区左翼阵营中的一股重要力量，拉美绝大多数共产党尽管起步较早，分布较广，但由于其纲领、路线、组织等方面的偏差，错失了许多发展良机。而究其根本，缺乏马克思主义的理论自觉和实践自信，是拉美共产党长期游离于地区政治主场的重要原因。

20 世纪八九十年代，作为新自由主义主试验场的拉丁美洲备受煎熬。20 世纪末 21 世纪初，为抵抗新自由主义全球化的厄运，在低谷中徘徊多时的拉美左翼终于集中爆发，这其中最具代表性的事件是拉美左翼政权的崛起和地区替代运动的勃兴。委内瑞拉的查韦斯政府、厄瓜多尔的科雷亚政府、玻利维亚的莫拉莱斯政府、尼加拉瓜的奥尔特加政府、巴西的卢拉政府、阿根廷的基什内尔政府等大多具有民族主义倾向的左翼政权，一致反对新自由主义在拉丁美洲的消极影响，主张探索适合本国国情和拉美现实的替代道路，积极推动地区团结与一体化。其中，委内瑞拉、厄瓜多尔、玻利维亚、尼加拉瓜等激进左翼政府还提出了各具特色的拉美"21 世纪社会主义"，倡导建立符合拉美本土价值观、维护国家主权和基本人权的社会主义模式。此外，以墨西哥萨帕塔民族解放运动、巴西"无地农民运动"、阿根廷"断路者"运动等为代表的拉美社会运动，以圣保罗论坛、"拉美进步力量汇合"大会（ELAP）等为代表的拉美左翼政党地区性组织以及世界社会论坛等公民论坛，成为推进拉美替代运动最重要的非官方力量。

尽管在拉美众多后新自由主义的替代方案中，马克思主义依然不是最受青睐的选择，但其科学性与革命性已然在拉美人民，尤其是拉美知识分子中留下了难以磨灭的印象。尤其是 21 世纪头十年，席卷全球的资本主义经济危机再次引起了人类对资本主义制度的深入批判与反思。苏东剧变后一度在拉美遭遇"信任危机"的马克思主义又重回人们的视野，拉美思想界关于"马克思主义与拉丁美洲"的讨论愈加热烈，有拉美学者更是将这一现象称作"拉美马克思主义在思想和政治上的重新武装"。阿根廷、玻利维亚、厄瓜多尔、古巴、委内瑞拉等国的左翼政党和学界，纷纷推出了与马克思主义理论与实践相关的各类研讨会、学会、网站、课程及出版物等。这些回顾与总结马克思主义世界历史影响和意义，并展望拉美 21 世纪马克思主义发展前景的努力，必将进一步促进拉丁美洲对自身历史命运及方向的自省与自觉。

二、经典马克思主义对拉丁美洲的影响

革命精神向来是拉丁美洲社会传统的重要组成部分，西蒙·玻利瓦尔、何塞·马蒂等拉美革命先驱一致认为——人类理所当然地要通过革命走向社会正义的更高目标。这一传统使拉美人比较容易接受马克思的革命理论，尽管他的理论有别于玻利瓦尔和马蒂的思想。①

在拉丁美洲，依附与不发达的历史宿命一再表明，包括实证主义在内的各

---

① ［美］谢尔顿·B.利斯：《拉丁美洲的马克思主义思潮》，林爱丽译，东方出版社 1990 年版，第 7 页。

种理论政策均难以在资本主义世界体系的二元格局下，彻底解决外围资本主义的发展问题。而马克思主义或许是除实证主义外，对拉丁美洲尤其是拉美知识分子影响最为深远和广泛的理论工具。这些通常比工人、农民、小手工业者及印第安人等社会阶层更容易接受马克思主义的拉美知识分子，大都以揭示社会现实、改造社会不公为己任，主要来自学生、教授、新闻工作者、专业人员和艺术家等群体，其中不乏创作过小说或诗歌的思想家和活动家，但极少有单纯的文学家和哲学家。尽管马克思主义在拉丁美洲的实践依然艰难，但马克思主义的解放哲学无疑对许多不相信现行制度的拉美知识分子具有强烈而持久的吸引力。今天，在古巴、阿根廷、巴西、秘鲁、玻利维亚、委内瑞拉等国的一些大学中，依然延续着马克思主义研究和运动的相关传统及资源。

对拉丁美洲而言，经典马克思主义不仅为其带来了新的世界观和方法论，更为其认识自身的历史命运和方位提供了重要启思。尽管马克思和恩格斯在其著作中曾零星论述过拉丁美洲殖民统治、独立运动及帝国主义侵略等历史与现实问题，但其出发点大多为了阐述欧美资本主义对外扩张的逻辑和事实，其中不少文献来自欧美而非拉美本土，而真正从拉美外围资本主义国家视角回应其自身发展诉求的论述并不多见。在19世纪的马克思恩格斯著作中未能得到充分关注的拉丁美洲，终于在20世纪的列宁、托洛茨基、毛泽东和葛兰西等人的马克思主义著述中找到了共鸣。

（一）列宁的帝国主义论与拉丁美洲

列宁主义为拉丁美洲等外围国家和地区的革命思想及行动提供了一种切实可行的理论框架。在50多卷的列宁全集中，仅有18次提到了拉丁美洲。[①] 列宁关于革命主观条件及社会主义者准备同时用武装起义和议会手段夺取政权的意见，在拉丁美洲产生了巨大的影响。列宁认为，必须消除体力劳动者和脑力劳动者的差别，每个劳动者都必须有解除一切文化束缚和充分发展其才能的机会，这些意见均得到了后来拉丁美洲社会主义者的采纳。

对拉丁美洲的列宁主义者来说，共产国际意味着俄国革命的胜利是可以效仿的，应在所有资本主义国家建立共产党，并使其成为社会主义国际体系的组

---

① [美] 谢尔顿·B.利斯：《拉丁美洲的马克思主义思潮》，林爱丽译，东方出版社1990年版，第36页。

成部分；以革命的方式消灭殖民主义、资本主义和帝国主义。列宁指出，革命的决定因素是政治组织的性质，而非社会或经济发展所处的阶段，从而使马克思主义更贴合拉丁美洲的历史与现实。

列宁的帝国主义论，是经典马克思主义中最切中拉丁美洲发展困题的理论。列宁认为，欧美垄断资本主义存在利益失衡的内在矛盾，用民族主义反对西方帝国主义的主张在拉丁美洲等受欧美投资影响的欠发达地区具有深厚的群众基础。列宁指出，拉丁美洲国家是一些形式上独立，但经济与外交严重依附帝国主义的"附属国"，这一观点为 20 世纪 60 年代末和 70 年代拉美的马克思主义和非马克思主义学者阐发"依附论"提供了重要的理论支撑。

（二）托洛茨基的"不断革命论"与拉丁美洲

美国马克思主义阐述者唐纳德·霍奇斯认为，拉丁美洲的托洛茨基主义者流派众多，但一般都不接受斯大林关于革命首先经过资产阶级革命、后经历社会主义革命的观点，而认同托洛茨基关于这两个阶段有所重合、视革命为单一过程的不断革命论，并希望发生世界革命以实现无产阶级专政。

阿根廷思想家利沃里奥·胡斯托认为，拉丁美洲的托洛茨基主义思潮有两种明显倾向。一派不强调拉丁美洲的半殖民地位及帝国主义在该地区的影响，而把民族资产阶级描绘为工人的主要敌人，赞成直接进行社会主义斗争，并认为拉丁美洲的一些国家已经完成资产阶级民主革命，且不承认中国革命对拉丁美洲具有现实参考意义。另一派则强调拉丁美洲的半殖民地地位，视帝国主义为地区的首要敌人，提出反帝国主义的土地革命是走向社会主义的第一步，认为中国的革命经验对拉丁美洲意义重大。

斯大林从未放弃国际革命，但他认为革命能在一国胜利，即便该国还处于资本主义发展的落后阶段。托洛茨基认为革命必须超越国界才能保存下去，其他国家无产阶级的支持对革命必不可少，无产者必须领导革命。他还主张把农民融入社会主义制度中去，而不是让他们继续成为可能的小资产阶级反对派。①

托洛茨基于 1940 年在墨西哥遭暗杀前，曾创作了许多关于拉丁美洲的著

---

① ［美］谢尔顿·B.利斯：《拉丁美洲的马克思主义思潮》，林爱丽译，东方出版社 1990 年版，第 38 页。

述。他认为，拉丁美洲的法西斯主义是依附的表现，并断言必须展开反帝斗争，以消灭法西斯主义。托洛茨基认为，罗斯福提出的睦邻政策本质上是门罗主义和美帝国主义的，其目的在于巩固美国在西半球的霸权统治。他认为，在资本主义国家的控制下，组织拉丁美洲的工人或农民起义并非上全之策，反对独裁的最好方式是土地革命，应团结无产阶级，在拉丁美洲建立社会主义联合国，不断推进反对睦邻计划的地区革命。今天，拉丁美洲的托洛茨基主义者依然认为，社会主义者试图与资本主义和平共处的政策是极其危险的。

拉丁美洲是世界托派研究的重镇，托派研究的队伍和成果层出不穷。阿根廷"托洛茨基的马克思主义思想"系列研讨会主办方认为，在当前资本主义危机条件下，托洛茨基的革命遗产对反对寡头资产阶级统治的世界具有现实意义，托洛茨基思想是唯一的"战略性"马克思主义，始终保持着社会主义革命的政治目标，主张为摆脱剥削和贫困而斗争。关于托洛茨基的贡献，拉美学者认为托洛茨基是马克思主义革命传统的继承者，20世纪斯大林主义把马克思主义变成了为苏联国家官僚政权服务的教条，而革命马克思主义传统则由托洛茨基主义者保留下来；托洛茨基和列宁、罗莎·卢森堡一样，在20世纪社会政治的新条件下，继承了马克思恩格斯的"革命马克思主义"。拉美托派研究的学者认为，不断革命理论、苏维埃民主（或工人委员会）与社会主义、资本主义危机与过渡理论是托洛茨基政治思想的三大理论核心；托洛茨基对马克思主义做出了创造性解释，托洛茨基不仅和列宁一起领导了最早的武装斗争，而且对消灭野蛮资本主义的革命进行了"创造性"解释，反对像第二国际那样对马克思主义做机械教条的重复。①

（三）毛泽东思想与拉丁美洲

在拉丁美洲，毛泽东思想曾被视为一种可行的革命模式。毛泽东思想把马克思主义批判地应用于非工业的中国社会，并强调创新而非复制革命思想。毛泽东接受了关于马克思主义必须适应历史和必须本土化的观点。毛泽东认为，革命的中心任务和最高形式是武装夺取政权，拉丁美洲、亚洲和非洲是世界革命的中心，是世界的农村，控制这些地区，就封锁了原材料市场，使帝国主义

---

① 参见袁东振：《拉丁美洲马克思主义报告》，载《国外马克思主义研究报告2011》，人民出版社2012年版。

遭受挫败。

毛泽东认同列宁关于无产阶级觉悟不是自发产生，而必须由先锋队加以促进的思想，但他认为一个民族主义者可以同时是一个国际主义者，两者间没有不可逾越的矛盾。拉丁美洲的知识分子由于具有深刻的民族主义传统，所以赞同毛泽东关于彻底改造中国社会的政治社会纲领，及其关于工人阶级只有民族解放才能解放自己的思想。在关于"民族资产阶级历史作用"这个重大问题上，毛泽东认为，可以在一定程度上依靠非买办的资产阶级，因为它还没有勾结帝国主义而背叛国家。

毛泽东认为，依附性社会中的敌对阶级由于反对帝国主义剥削的共同要求而联合起来，一个有政治觉悟、武装起来和有献身精神的民族是不可战胜的。拉丁美洲的毛泽东主义者修改了托洛茨基的不断革命论。他们认为，以美国为首的资本主义国家不会容许社会主义蔓延开来，所以强调只有继续革命才能使社会主义在世界力量对比中获胜。①

（四）葛兰西的"文化领导权"与拉丁美洲

意大利共产党领导人、理论家安东尼奥·葛兰西的思想在拉美马克思主义者中颇受欢迎，尤其是他关于在保守独裁的社会如何解决社会主义革命各种问题的思想。葛兰西研究意大利社会的方法，特别是关于知识分子作用和文化领导权的思想，给致力于拉美变革的人们提供了可行的参考。

葛兰西认为，革命是等不来的，无产阶级政党应发动群众的革命意识，做好政治、社会、经济和文化革命各方面的准备，尽管资本主义像马克思预言的那样还没有被消灭，但革命运动能够持续不断。葛兰西从意大利的人文主义出发，为开明的知识分子架设了一座走向社会主义的桥梁。拉丁美洲的马克思主义者认为，只要他们成功地利用各种国内组织机构和制度，并使之解决资产阶级无法解决的问题，那么这座桥梁就是意义重大的。葛兰西认为，造就一种具有高度认同的新文化，必须培养知识分子的历史意识，并通过知识分子向他人加以解释和引领。拉丁美洲的知识分子赞同葛兰西关于"实证主义是仅限于使社会特权阶层得到发展的哲学体系"，法西斯主义是资本家赖以维持

---

① ［美］谢尔顿·B. 利斯：《拉丁美洲的马克思主义思潮》，林爱丽译，东方出版社 1990 年版，第 40 页。

其经济制度的唯一办法，从而增加了拉丁美洲马克思主义者消灭资本主义的紧迫感。

葛兰西主张把农村组织起来，打破农民所受的传统控制，强调必须反击有组织教会的宣传，创建一支民兵队伍，让农民加入政治生活，工农联盟是争取社会主义道路必不可少的因素。

综上所述，经典马克思主义对拉丁美洲，尤其是拉丁美洲知识阶层的影响最为深远，而另一个值得关注的历史事实是——这些受到马克思主义影响的拉美知识分子、政治家和活动家并不全是马克思主义者。一方面，一些对马克思主义颇有研究的拉美知识分子自称非马克思主义者，他们认为以独立身份和中间立场从事马克思主义相关工作，更有利于活动的顺利进行；另一方面，拉美复杂多变的社会文化源流决定了其思想政治光谱的多元传统，一些政党或运动的指导思想并不唯一，且面临不断地调整与变化，复杂的历史现实使拉美知识界和政界对经典马克思主义、拉美本土马克思主义及马克思主义者的界定和认知存在不少争议与分歧。以拉美左派为例，自确立现代政治体制以来，拉美左翼就从未停止过分化与重组的脚步。拉美著名左翼学者豪尔赫·卡斯塔涅达认为，拉美一类左派起源于共产国际、俄国革命和世界社会主义运动，这类左派所走的道路与世界其他地区左派基本相似，曾在劳工、学术界和知识界中发挥过重要影响；另一类左派起源于拉美自身，特别源于拉美民众主义传统；民众主义左派是另一种完全不同的左派，经常持反共立场。拉美上述两类左派之间的关系通常是不和谐的，有时联合，有时又处于交战状态。[①] 因此，拉美左翼并不一定都是马克思主义的拥护者，反对和曲解马克思主义的左翼知识分子和政治家大有人在，而右翼人士也并非全是马克思主义的反对者。因此，单纯通过政治派别判断其同马克思主义的源流关系和亲疏程度，既不科学，也不现实。总之，在拉丁美洲，做何种意义上的马克思主义者，既取决于个人的主观选择，更受制于政治宏观环境与微观条件。不少左翼人士被泛泛地贴上了马克思主义激进分子或进步分子的标签，而旗帜更加鲜明的左翼分子则被精确地归入了列宁主义者、托洛茨基主义者、毛主义者或葛兰西主义者的队伍。

---

① 参见《国外马克思主义研究报告2007》，人民出版社2007年版，第144页。

三、拉美马克思主义的本土化探索

马克思主义在拉丁美洲的传播有两个并行不悖的历史进程，一是拉美各界对马克思主义经典思想的不断解读和研究，二是马克思主义与拉丁美洲实际相结合的本土化探索。后者既包括各种革命与解放、依附与不发达的理论争鸣，又包括与马克思主义相关的左翼社会政治运动和古巴社会主义等实践探索。

拉美马克思主义的本土化探索，一方面，体现了马克思主义对拉丁美洲社会、历史、政治、经济、哲学、宗教等各方面的深远影响，另一方面，更折射出了拉美本土文化的尊严与个性、拉美社会结构的复杂与多元及拉美历史命运的多舛与不屈。

（一）拉美马克思主义的理论形态

理论争鸣是拉美马克思主义本土化的重要领域，它既代表着拉美历史前进的风向，又往往蕴藏着拉美解放事业的未尽之意。尽管拉美马克思主义的理论争鸣并不总以马克思主义为名，也非建立在严谨的逻辑论证之上，更不以社会科学某一领域为界，但其独有的叙事风格、深刻的历史洞察与犀利的现实批判却无不体现着马克思主义的立场、观点与方法。拉丁美洲的马克思主义思想家认为，他们对人类负有特殊的责任，必须毫无拘束地进行批判，进而在阶级社会中实现社会正义。与此同时，他们力图保持多元文化和个人自由等传统。他们一方面促进一种拉丁美洲意识，即西半球共同利益感，同时又努力维护本地区或本国所独有的特点。①

在马克思主义传入拉丁美洲后的 100 多年中，拉美各国涌现出了一大批马克思主义思想家。如阿根廷的阿尼瓦尔和杜塞尔，玻利维亚的萨瓦莱塔和加西亚，巴西的多斯·桑托斯、罗维、萨德尔，哥斯达黎加的鲁伊斯，智利的艾米利奥和聂鲁达，厄瓜多尔的伊卡萨和埃切维利亚，墨西哥的阿尔法罗和里维拉，秘鲁的巴列霍和马里亚特吉，乌拉圭的加莱亚诺和委内瑞拉的席尔瓦等。

---

① ［美］谢尔顿·B. 利斯：《拉丁美洲的马克思主义思潮》，林爱丽译，东方出版社 1990 年版，第 9 页。

1. 关于革命与解放

"革命与解放"是拉美马克思主义最为重要的议题之一。围绕革命与解放的性质、方式、主体等，不仅古巴，而且其他拉美马克思主义理论家依据各国国情和地区传统，都提出了各具特色的理论主张和实践纲领。

（1）马里亚特吉主义

兴起于20世纪20年代的马里亚特吉主义，系拉美早期马克思主义思想家、秘鲁革命家何塞·卡洛斯·马里亚特吉对"秘鲁及拉美社会主义"相关问题的理论著述。马里亚特吉的代表性论著包括《关于秘鲁国情的七篇论文》（1928）、《捍卫马克思主义》（1934）及发表在《阿毛塔》杂志上的系列文章等。

作为秘鲁社会党（1930年改称共产党）创始人，马里亚特吉充分肯定了马克思主义对秘鲁和拉美革命的重大指导意义，并认为"拉丁美洲的未来是社会主义的"。1919年至1923年，身处欧洲的马里亚特吉受到克罗齐、索列尔和葛兰西等欧洲马克思主义的影响，逐渐从空想社会主义者转变成了一名科学社会主义者。回国后的马里亚特吉把欧洲先进思想、拉美土著主义和农民斗争经验结合在一起，创作了拉美马克思主义本土化的重要理论成果。

马里亚特吉主义的思想内核包括：（1）承认马克思主义的科学性，尤其是马克思主义历史唯物主义和辩证唯物主义，划清与庸俗唯物主义和经济决定论的界限；认为马克思主义是开放发展的思想体系，应避免欧洲中心主义和教条主义的束缚。（2）用马克思主义的立场、观点和方法分析拉美本土问题，寻求自主发展。在《关于秘鲁国情的七篇论文》中，马里亚特吉提出，秘鲁的根本问题不是理论界所认为的人种问题，而是社会经济问题，尤其是不公平的土地制度问题，变革土地制度是解决一系列问题的突破口，并受俄罗斯村社的启发，主张通过农民组织恢复古代印加人的土地村社公有制。为减少外部依附，马里亚特吉倡导基于传统文化之上的思想独立，认为"我们应该用我们自己的现实，用我们自己的语言创造出印第安美洲的社会主义"。（3）重视精神作用，强调宗教的积极作用。马里亚特吉认为，俄国的共产主义不适宜秘鲁等印第安人国家，马克思主义中的决定论因素会抑制宗教民族和国家的创造力，革命者的力量在于信仰，而非科学。马里亚特吉虽坚持历史唯物主义和辩证唯物主义，但其某些观点却表现出了印第安人的神话传统和拉美天主教传统对正统马克思主义的反抗。

（2）马克思主义的解放神学

解放神学是拉美 20 世纪 60 年代末 70 年代初兴起的一种基督教社会主义思潮，在拉丁美洲影响深远。第二次世界大战后，拉美革命形势高涨，而宗教界则频现危机，为团结占人口绝大多数的教徒积极参与革命斗争，拉美一批有解放精神的教会人士开始站在下层人民的立场上，大胆探索把穷人从剥削、压迫、异化中解放出来的道路。解放神学主张用马克思主义的社会分析方法批判资本主义社会，认为未来社会应同资本主义彻底决裂，社会主义才是拉美的出路，才能把人从各种奴役中解放出来。解放神学还强调实践和阶级斗争的重要性，认为旨在消灭一切不公正的解放斗争等同于遵循上帝的律令，号召拉美信徒积极投身到解放穷人的斗争中去。

尽管解放神学深受马克思主义影响，但其本身并不属于马克思主义的范畴，而是一种激进的乌托邦思想，一种人道主义思潮。其中，"马克思主义的解放神学"是解放神学中最进步、最接近马克思主义立场的一派，但其思想渊源来自西方马克思主义，而非正统马克思主义。绝大多数解放神学家从来没有正面承认过唯物史观，而仅限于借用马克思主义作为社会历史的分析工具，马克思主义的解放神学家接受的是葛兰西、法兰克福学派式的政治，是文化层次的马克思主义，而非恩格斯《自然辩证法》中的辩证唯物史观或苏联式的经济决定论。解放神学的马克思主义代表主要有"穿着教士袍的切·格瓦拉"——哥伦比亚游击队员托雷斯和曾任尼加拉瓜桑地诺民族解放阵线革命政府文化部长的卡德纳尔等。

20 世纪 70 年代，拉丁美洲的宗教保守势力逐渐取代了解放神学运动的高潮，梵蒂冈也改变了对解放神学的态度，但解放神学并没有消失，作为一种宗教实践仍然存在于拉美基层人民的宗教生活中。

2. 关于依附与不发达

"依附"与"独立"、"不发达"与"发展"是贯穿拉美近现代史的两对线索性词汇，围绕这两对矛盾展开的学理剖析和实践运动，极大地丰富了我们对拉丁美洲解放史、斗争史和发展史的认识与讨论。纵观 16 世纪地理大发现至 2008 年资本主义世界经济危机期间的世界历史，依附与不发达仍然是概括拉美历史与现实最为精当的表达，而拉美人民争取地区独立和发展的斗争亦从未停歇。随着资本主义生产方式和世界经济体系历经的技术进步和组织革新，拉丁美洲外围资本主义的依附性发展也显现出了形式各异的阶段性特征与矛盾。

拉丁美洲的依附与帝国主义源流息息相关。英国工业革命开启了世界两极分化的历史进程，"中心—外围"结构在资本主义工业生产的马达声中初现雏形。一边是英国、欧洲、美国、日本先后成为世界资本主义体系的工业中心，另一边是亚非拉地区不断沦陷为宗主国的外围市场和原材料产地。"中心国家"资本主义对外扩张的原动力决定了外围国家在世界资本主义体系中的附庸地位——国际分工的最低端、生产结构单一、技术水平落后、收入水平低下。独立运动以来，拉美经济大致经历了初级产品出口外向增长模式（1870—1930）、进口替代工业化内向增长模式（1930—1983）、新自由主义外向增长模式（1982—21 世纪初）的演进。19 世纪中叶至 1930 年，拉美国家迫于国内生产力低下及国内市场狭小的压力，普遍走上了出口单一农矿业初级产品的道路。该模式在给拉美带来大量外资和短期收益的同时，也让拉美国家陷入了难缠的比较优势陷阱，进一步加剧了拉美二元经济结构的失衡、脆弱与依附。20世纪上半叶，国际局势风云变幻，尤其是 20 世纪 30 年代的资本主义大萧条使长期奉行初级产品出口模式的拉美经济遭受重创，如梦初醒的地区大国开始率先在薄弱的工业基础上探索进口替代工业化发展模式。第二次世界大战后，依附的历史与现实使拉美知识分子深刻地认识到，发达国家的发展理论根本无法解答发展中国家的不发达现象，拉美国家必须自主思考依附、不发达和发展问题，通过转变发展模式寻求出路。从四五十年代的拉美结构主义经济理论到六七十年代的依附论，再到八九十年代新自由主义退潮后的新发展主义理论，拉美本土知识界始终没有停止前进的脚步。

20 世纪 50 年代末，古巴革命一举成功，拉美地区的独裁政府相继下台，拉美国家面临"社会主义革命抑或资本主义工业化"的历史性选择。旨在研究帝国主义扩张后果及外围国家社会经济结构与变化规律的依附论由此诞生。"依附理论"之所以在拉美思想史及第三世界发展理论史上享有特殊地位和深远影响，很大程度上源于它精当地概括了拉丁美洲在资本主义世界经济体系中、相当长一段时间内的历史宿命——外围资本主义的依附性生长与发展。

马克思主义依附论和结构主义依附论构成了依附理论的两大流派。前者批判吸收了普雷维什主义在依附现象分析方面的研究成果，力求以严谨的马克思主义方法重新确定分析范畴，解释资本主义生产方式的运动规律在拉美国家呈现的特殊性。后者则是从普雷维什主义内部发展而来、对其抱折衷改良的态度。马克思主义依附论旨在通过分析帝国主义体系的前途与命运，唤起人民的革命意识，以期通过社会革命改变内部结构，打破依附状态。而结构主义依附论则更多地吸收了熊彼特主义和凯恩斯主义资产阶级经济理论的改良主义成分，主张通过地区一体化、利用外资和发展国内市场等发展民族资本主义。

马克思主义依附论的代表人物——巴西著名经济学家多斯桑托斯认为，任何发达的贸易都意味着独立生产者（这里指不同的国家）之间的某种分工，然而这一分工是根据统治和剥削利益实行的，这种统治和剥削长期以来已使屈从于统治国强加条件的那些国家处于持久的落后状态[①]，依附是指某些国家的经济受到其他国家经济发展和扩张制约的状况。[②] 多斯桑托斯进一步指出，依附结构在不同历史时期的变化是依附形成与发展过程中内外因相互作用的结果，依附形式不仅制约着不发达国家的国际关系，还制约着依附国的生产方向、资本积累形式、经济再生产和社会政治结构等，不同的依附关系促成依附国不同的社会经济内部结构。[③] 多斯桑托斯还分析了历史上三种依附形式——殖民地依附、工业—金融依附和工业—技术依附的特点。殖民地依附的特点是商业资本和金融资本同殖民主义政府结盟，通过在殖民地占有土地、矿山和劳动力来主宰欧洲国家与殖民地间的经济关系。工业—金融依附形成于19世纪末，其特点在于帝国主义霸权中心的大资本统治和通过在附属国原料及农产品生产中的投资进行扩张，以满足霸权中心的消费需求，在附属国形成面向出口或外向型生产结构。第二次世界大战后出现的工业—技术依附时逢跨国公司扩张和新的国际分工产生，其特点是跨国公司开始在不发达国家与国内市场相联系的工业部门投资。[④]

（二）拉美马克思主义实践探索

拉丁美洲的马克思主义本土化实践，除了古巴社会主义制度探索之外，还有以左翼党领导的社会主义运动。

① 参见 [巴西] 多斯桑托斯等：《帝国主义与依附》，毛金里等译，社会科学文献出版社1999年版，第50页。

② 参见 [巴西] 多斯桑托斯等：《帝国主义与依附》，毛金里等译，社会科学文献出版社1999年版，第6页。

③ 参见 [巴西] 多斯桑托斯等：《帝国主义和依附》，毛金里等译，社会科学文献出版社1999年版，第310—311页。

④ 参见袁兴昌：《对依附理论的再认识——依附理论的主要组成部分及基本思想》，《拉丁美洲研究》1990年第5期。

拉丁美洲的社会主义传统源于 19 世纪的欧洲共产主义运动。1848 年欧洲革命失败后，共产主义同盟的部分成员开始在拉丁美洲传播革命思想，组织革命运动。1871 至 1875 年，第一国际在墨西哥、阿根廷等国建立拉美支部。

1917 年十月革命胜利后，马克思列宁主义在拉丁美洲得到了更为广泛的传播，一批崭新的无产阶级政党和工会组织在拉美各国纷纷成立，拉美社会主义运动与苏维埃俄国、共产国际的联系也进一步加强。1918 年，拉美历史上第一个无产阶级政党——阿根廷国际社会党（1920 年更名为阿根廷共产党）诞生，截至 1943 年共产国际解散，拉美国家已先后组建了 20 余支无产阶级政党。第二次世界大战后，在国内独裁、美国白劳德主义、中苏论战、苏东剧变等国内外形势的冲击下，拉丁美洲的社会主义运动几经沉浮。一方面，古巴社会主义、智利阿连德社会主义、秘鲁军事社会主义、尼加拉瓜桑解阵社会主义、圭亚那合作社会主义和格林纳达社会主义等代表性政治实践成为拉美社会主义运动史上的经典片段；另一方面，马里亚特吉、卡斯特罗、格瓦拉等一批杰出的无产阶级革命家、思想家为拉丁美洲的社会主义运动贡献了宝贵的精神遗产。

拉丁美洲的社会主义流派纷繁林立，但就其指导思想、主导力量和斗争方式而言，可将其区分为科学社会主义和杂糅了各种元素的多元社会主义。古巴社会主义以马克思主义为指导，由无产阶级政党领导，通过民族民主革命夺取政权，是目前学界公认的、拉丁美洲现行的、唯一的科学社会主义模式，而拉丁美洲社会主义运动史上的绝大部分理论与实践均可归为多元社会主义的行列，如民主社会主义、民族社会主义、基督教社会主义、托派社会主义等非马克思主义的社会主义流派。①

---

① 拉丁美洲的多元社会主义，大多主张在资本主义制度框架内，实行多元主义的社会改良与合作方案，倡导民主、自由、平等、正义等普世价值，具有短时、局部、温和等实践特征，民族主义与理想主义情结深重。19 世纪末 20 世纪初传入拉丁美洲的社会民主主义是该地区多元社会主义运动中最具代表性的流派之一。目前，拉丁美洲的社会民主主义政党多达 60 余支，派系林立，主张各异，参政地位不同，涵盖从左到右的政治光谱，但立党传统大多包括非马克思主义、民族主义和民众主义，普遍主张"第三条道路"、阶级合作及资本主义"和平长入"社会主义等。就阶级本质及其主张而言，拉美许多社会主义运动实属社会民主主义范畴，如智利阿连德领导的"人民团结阵线"社会主义、巴西劳工党倡导的"劳工社会主义"等。近年来，拉美社会民主主义左倾化现象凸显，其中左翼的政治面貌和主张在一定程度上迎合了选举政治中的大众诉求，但资产阶级改良主义的阶级本性决定了其政治立场的模棱两可和社会改造方案的空想性及不彻底性。

除古巴社会主义具有相对成熟的制度经验外，拉美社会主义大都以左翼党领导的社会政治运动为主要实践形式，而"对待马克思主义的态度"是区分这些社会主义运动的重要标尺。拉美马克思主义本土化视阈下的社会主义运动，主要指各种以马克思主义为指导或参考，以实现社会主义价值或制度为目标，由无产阶级政党领导或参与领导，试图夺取政权并建立一定制度模式的社会主义探索。严格意义上的科学社会主义探索在拉丁美洲并不多见。各种以马克思主义为旗号的社会主义运动大都主张把马克思主义普遍原理与本国实际相结合。但囿于种种主客观条件，这种结合往往以牺牲马克思主义的科学性与革命性为代价，从而给拉美的社会主义实践造成了许多非马克思主义的困扰和结局。对寻求社会主义未来的拉美左翼党而言，"社会主义究竟能走多远"既取决于实践的成熟，更取决于理论的彻底。没有科学的革命理论和彻底的革命纲领，没有坚实的革命根基和严密的革命组织，就无从在外围资本主义的生产关系、经济结构和制度形态中冲出一条社会主义的新路。以 20 世纪的拉美社会主义运动为例，尽管曾有不少高潮，但大都昙花一现，以共产党为代表的拉美无产阶级政党除为数不多的个案外，长期在野，势单力薄，处境边缘。而苏东剧变后的拉美无产阶级政党力量有所回升，以共产党为名的政党多达 20 余支，除古巴共产党长期执政外，巴西、委内瑞拉、乌拉圭、智利等国的共产党均曾跻身于参政党行列，但总体影响力仍不乐观。

进入 21 世纪以来，拉美左翼政治力量的重组、执政与联合为拉美社会主义运动的复兴提供了可能。肇始于 2008 年的资本主义经济危机，使深受外围资本主义羁绊的拉丁美洲再次掀起了替代资本主义的理论与实践热潮。尤其是拉美思想界、政界有关拉美"21 世纪社会主义"的理论争鸣和委内瑞拉、玻利瓦尔、厄瓜多尔等国各具特色的"21 世纪社会主义"实践模式，为拉丁美洲的后新自由主义道路提供了替代选择。

以委内瑞拉总统查韦斯、玻利维亚总统莫拉莱斯、厄瓜多尔总统科雷亚为代表的拉美左翼领导人及其执政党，先后在本国开展了各具特色的拉美"21世纪社会主义"探索，为推进地区社会经济变革与团结极尽努力。拉美左翼领导人倡导的"21世纪社会主义"执政纲领主要包括：（1）在政治方面，保留代议制民主体制和多党竞争，同时鼓励和扩大基层民主与政治参与；（2）在经济方面，加强国家对经济的干预和调控，对资本和市场进行一定的限制，使资本和市场服务于社会，力图建立国有经济、混合经济及私营经济共生共荣的、可持续的、合理的经济模式；（3）在社会方面，发展社会福利，促进社会公正；（4）在对外关系方面，谋求国际关系民主化，反对霸权主义，倡导南南合作。

拉美"21世纪社会主义"的兴起再次唤醒了拉美进步人士对马克思主义的集体怀念，遗憾的是在这波难得的粉色浪潮中，马克思主义依然不是主角。较为普遍的观点认为，拉美"21世纪社会主义"是杂糅了印第安主义、玻利瓦尔主义、马克思主义、天主教、解放神学、民族主义等拉丁美洲特殊历史文化因素而形成的非主流社会主义运动，"是基督教教义、印第安主义、玻利瓦尔主义、马克思主义、卡斯特罗思想和托洛茨基主义等各种思想的综合体"①，但与科学社会主义和传统社会主义没有内在联系。由此可见，各种思想和观念的杂糅成就了拉美"21世纪社会主义"的内核，因此把拉美"21世纪社会主义"视为拉美马克思主义本土化的最新成果显然过于乐观，也不尽科学。拉美"21世纪社会主义"是变化发展中的新政治运动，是更加强调本土特色、替代色彩和地区合作的新社会主义流派。拉美"21世纪社会主义"的出现既有历史必然性，也包含一定的历史局限性，因而被拉美学者形象地称之为——未曾革命的"革命"。未来，拉美"21世纪社会主义"仍有待突破和超越外围资本主义的生产关系、经济结构和制度形态。

时代在变，马克思主义也在发展，马克思主义在当代拉丁美洲的有效性既体现在理论中，也体现在实践中，更体现在理论与实践的辩证统一中。今天的拉美"21世纪社会主义"虽不能直接代表马克思主义在拉丁美洲的最新发展，但它却是根植于拉美马克思主义传统、与马克思主义走得最近的当代思潮与运动，因此拉美"21世纪社会主义"依然值得我们从马克思主义的视角深入考察和研究。

总之，拉美马克思主义源流丰富，庞杂多元，须历史地辩证地看待其历史进步性和局限性。面对拉丁美洲依附与不发达的历史与现实，马克思主义革命哲学在拉美掀起了一浪又一浪反对旧秩序的解放运动，不仅丰富了第三世界国家反对帝国主义压迫的斗争经验，还从一定程度上把马克思主义从教条主义的禁锢下解放出来，试图开创一种既符合拉美国家实际又富有拉美特色的马克思主义本土化路径。与此同时，拉美马克思主义的理论与实践仍缺少一定的建设性、战略性、组织性，在后新自由主义时代选择"革命还是改良"依然是困扰

---

① 徐世澄：《委内瑞拉查韦斯"21世纪社会主义"初析》，《马克思主义研究》2010年第10期。

拉美进步力量的历史课题。尽管前途未卜，但拉美人民始终坚信"另一个世界是可能的"，马克思主义能否成为 21 世纪拉丁美洲实现替代发展的精神源泉，仍有待新的理论和实践探索。

参考文献

著作类

段忠桥主编：《当代国外社会思潮》，中国人民大学出版社 2010 年版。

唐大盾等：《非洲社会主义新论》，教育科学出版社 1994 年版。

俞吾金等：《国外马克思主义哲学流派新编》，复旦大学出版社 2002 年版。

张一兵、胡大平：《西方马克思主义哲学的历史逻辑》，南京大学出版社 2003 年版。

[德] 阿多尔诺：《否定的辩证法》，张峰译，重庆出版社 1993 年版。

[美] 阿莉森·贾格尔：《女权主义政治与人的本质》，孟鑫译，高等教育出版社 2009 年版。

[意] 贝尔纳多·瓦利：《欧洲共产主义的由来》，张慧德译，中国社会科学出版社 1983 年版。

《贝林格言论集 1973—1981》，人民出版社 1984 年版。

[加] 本·阿格尔：《西方马克思主义概论》，慎之等译，中国人民大学出版 1991 年版。

[美] 伯特尔·奥尔曼：《辩证法的舞蹈：马克思方法的步骤》，田世锭等译，高等教育出版社 2006 年版。

[南非] 达里尔·格雷泽、[英] 戴维·M.沃克尔：《20 世纪的马克思主义》，王立胜译，江苏人民出版社 2011 年版。

[英] 大卫·佩珀：《生态社会主义：从深生态学到社会正义》，刘颖译，山东大学出版社 2005 年版。

[美] 戴维·奥塔韦、玛丽娜·奥塔韦：《非洲共产主义》，魏培忠、艾平、肖援朝、王平译，东方出版社 1986 年版。

[英] 戴维·麦克莱伦：《马克思以后的马克思主义》，李智译，中国人民大学出版社 2008 年版。

[美] 丹尼斯·德沃金：《文化马克思主义在战后英国》，李丹凤译，人民出版社

2008 年版。

[意] 德拉－沃尔佩：《卢梭和马克思》，赵培杰译，重庆出版社 1993 年版。

[英] 多布：《资本主义发展之研究》，滕茂桐译，新民书店 1951 年版。

[比利时] 厄尔奈斯特·曼德尔：《晚期资本主义》，马清文译，黑龙江人民出版社 1983 年版。

[比利时] 厄尔奈斯特·曼德尔：《论马克思主义经济学》下卷，廉佩直译，商务印书馆 1979 年版。

[英] 恩斯特·拉克劳、查特尔·墨菲：《领导权与社会主义的策略》，尹树广、鉴传今译，黑龙江人民出版社 2003 年版。

[英] 恩斯特·拉克劳：《我们时代革命的新反思》，孔明安、刘振怡译，黑龙江人民出版社 2006 年版。

[美] 弗雷德里克·詹姆逊：《马克思主义与形式》，钱佼汝、李自修译，百花洲文艺出版社 1995 年版。

[美] 弗雷德里克·詹明信：《晚期资本主义的文化逻辑》，陈清侨译，生活·读书·新知三联书店 1997 年版。

[意] 葛兰西：《葛兰西文选：1916—1935》，中央编译局国际共运史研究所编译，人民出版社 1992 年版。

[意] 葛兰西：《狱中札记》，曹雷雨等译，中国社会科学出版社 2000 年版。

[德] 哈贝马斯：《交往行动理论》（第一、二卷），洪佩郁等译，重庆出版社 1994 年版。

[英] 霍尔等编：《文化身份问题研究》，庞璃译，河南大学出版社 2010 年版。

[德] 霍克海默、阿多尔诺：《启蒙辩证法》，渠敬东等译，上海人民出版社 2006 年版。

[德] 霍克海默：《批判理论：霍克海默选集》，李小兵等译，重庆出版社 1989 年版。

[德] 柯尔施：《卡尔·马克思：马克思主义的理论和阶级运动》，熊子云等译，重庆出版社 1993 年版。

[德] 柯尔施：《马克思主义和哲学》，王南湜等译，重庆出版社 1989 年版。

[法] 雷蒙·阿隆：《想象的马克思主义：从一个神圣家族到另一个神圣家族》，姜志辉译，上海译文出版社 2012 年版。

[英] 雷蒙德·威廉斯：《马克思主义与文学》，王尔勃等译，河南大学出版社 2008 年版。

[英] 雷蒙德·威廉斯：《文化与社会》，吴松江等译，北京大学出版社 1991 年版。

[美] 莉斯·沃格尔：《马克思主义与女性受压迫：趋向统一的理论》，虞晖译，高等教育出版社 2009 年版。

[美] 罗伯特·布伦纳:《马克思社会发展理论》,张秀琴等译,中国人民大学出版社 2015 年版。

[美] 罗伯特·诺齐克:《无政府、国家与乌托邦》,姚大志等译,中国社会科学社出版社 1991 年版。

[加] 罗伯特·韦尔、凯·尼尔森主编:《分析马克思主义新论》,鲁克俭译,中国人民大学出版社 2002 年版。

[匈] 卢卡奇:《关于社会存在的本体论》,白锡堃等译,重庆出版社 1993 年版。

[匈] 卢卡奇:《历史与阶级意识》,杜章智等译,商务印书馆 1992 年版。

[匈] 卢卡奇:《卢卡奇自传》,李渚青等译,社会科学文献出版社 1986 年版。

[法] 路易·阿尔都塞:《保卫马克思》,顾良译,商务印书馆 1984 年版。

[法] [法] 路易·阿尔都塞、艾蒂安·巴里巴尔:《读〈资本论〉》,李其庆、冯文光译,中央编译出版社 2001 年版。

[法] 阿尔都塞:《哲学与政治:阿尔都塞读本》,吉林人民出版社 2003 年版。

[美] 罗斯玛丽·帕特南·童:《女性主义思潮导论》,艾晓明等译,华中师范大学出版社 2002 年版。

[美] 马尔库塞:《爱欲与文明》,黄勇等译,上海译文出版社 1987 年版。

[美] 马尔库塞:《单向度的人》,刘继译,上海译文出版社 1989 年版。

[美] 马尔库塞:《理性和革命》,程志民等译,重庆出版社 1993 年版。

[法] 梅洛－庞蒂:《辩证法的历险》,杨大春等译,上海译文出版社 2009 年版。

[希] 尼克斯·波朗查斯:《政治权力与社会阶级》,中国社会科学出版社 1982 年版。

[英] 佩里·安德森:《思想的谱系:西方思潮的左与右》,袁银传等译,社会科学文献出版社 2010 年版。

[英] 佩里·安德森:《西方马克思主义探讨》,高铦等译,人民出版社 1981 年版。

[斯洛文尼亚] 齐泽克主编:《图绘意识形态》,方杰译,南京大学出版社 2002 年版。

[斯洛文尼亚] 齐泽克:《意识形态的崇高客体》,季广茂译,中央编译出版社 2014 年版。

[意] 乔·乌尔班主编:《欧洲共产主义——它在意大利等国的渊源及其前途》,石益仁译,新华出版社 1980 年版。

[美] 乔恩·埃尔斯特:《理解马克思》,何怀远等译,中国人民大学出版社 2008 年版。

[法] 萨特:《辩证理性批判》(上),林骧华等译,安徽文艺出版社 1998 年版。

[法] 萨特:《科学与辩证法:萨特哲学论文集》,潘培庆等译,安徽文艺出版社 1998 年版。

[埃] 萨米尔·阿明:《资本主义的危机》,彭淑祎、贾瑞坤译,社会科学文献出版

社.2003 年版。

[埃] 萨米尔·阿明：《世界规模的积累》，杨明柱、杨光、李宝源译，社会科学文献出版社 2008 年版。

[美] 斯图亚特·西姆：《后马克思主义思想史》，吕增奎等译，江苏人民出版社 2011 年版。

[法] 尚·布希亚：《物体系》，林志明译，上海世纪出版集团 2001 年版。

[西] 圣地亚哥·卡里略：《"欧洲共产主义"与国家》，钟琪译，商务印书馆 1982 年版。

[英] 斯图亚特·霍尔编：《表征：文化表征与意指实践》，徐亮等译，商务印书馆 2003 年版。

[意] 陶里亚蒂：《议会和争取社会主义的斗争》，《陶里亚蒂言论集》第二卷，世界知识出版社 1966 年版。

[英] 特里·伊格尔顿：《二十世纪西方文学理论》，吴晓明译，北京大学出版社 2007 年版。

[英] 特里·伊格尔顿：《理论之后》，商正译，商务印书馆 2009 年版。

[英] 特里·伊格尔顿：《文化的观念》，方杰译，南京大学出版社 2006 年版。

[美] 谢尔顿·B.利斯：《拉丁美洲的马克思主义思潮》，林爱丽译，东方出版社 1990 年版。

[法] 雅克·比岱等主编：《当代马克思辞典》，社会科学文献出版社 2011 年版。

[澳] 伊安·亨特：《分析的和辩证的马克思主义》，徐长福等译，重庆出版社 2010 年版。

[美] 伊曼纽尔·沃勒斯坦：《现代世界体系》第一、二卷，郭方、刘新成、张文刚译，社会科学文献出版社 2013 年版。

[美] 伊曼纽尔·沃勒斯坦：《沃勒斯坦精粹》，黄光耀、洪霞译，南京大学出版社 2003 年版。

[美] 约翰·贝拉米·福斯特：《马克思的生态学：唯物主义与自然》，刘仁胜等译，高等教育出版社 2006 年版。

[美] 约翰·罗默：《社会主义的未来》，余文烈译，重庆出版社 1997 年版。

[美] 约瑟芬·多诺万：《女权主义的知识分子传统》，赵育春译，江苏人民出版社 2003 年版。

[美] 约瑟夫·祁雅理：《二十世纪法国思潮》，吴永泉等译，商务印书馆 1987 年版。

[美] 詹姆斯·奥康纳：《自然的理由：生态学马克思主义研究》，唐正东等译，南京大学出版社 2003 年版。

[美] A.施密特：《马克思的自然概念》，欧力同、吴仲昉译，商务印书馆 1988

年版。

[英] G.A. 科恩：《卡尔·马克思的历史理论：一个辩护》，段忠桥译，高等教育出版社 2008 年版。

[英] G.A. 科恩：《如果你是平等主义者，为何如此富有?》，霍政欣译，北京大学出版社 2009 年版。

[英] G.A. 科恩：《拯救正义与平等》，陈伟译，复旦大学出版社 2014 年版。

[英] G.A. 科恩：《为什么不要社会主义》，段忠桥译，人民出版社 2011 年版。

[巴西] 多斯桑托斯等：《帝国主义与依附》，毛金里等译，社会科学文献出版社 1999 年版。

Barrett M, *Women's Oppression Today: The Marxist/Feminist Encounter*, Verso, 1988.

David Anderson, Terry Eagleton, PalgraveMacmillan, 2004.

Douglas Kellner（eds.), Karl Korsch: *Revolutionary Theory*, University of Texas Press, 1977.

E.P.Thompson, *Making History:Writings on History and Culture*, the New Press, 1994.

E.P.Thompson, *The poverty of theory, or An orrery of errors,* London: Merlin Press, 1995.

Floyd K, *The Reification of Desire: Toward A Queer Marxism*, London: University of Minnesota Press, 2009.

Frederic Jameson, *Representing Capital: Commentary on Volume One*, London & New York:Verso, 2011.

Frederic Jameson, *Valences of the Dialectic*, Verso, 2009.

Georg Lukacs, *The Young Hegel: Studies in the Relations between Dialectics and Economics*, translated by Rodney Livingstone, London:Merlin Press, 1975.

Gorz, A. *La Morale de l'Histoire*, Le Seuil, Paris, 1959.

Gorz, A. *Farewell to the Working Class*, Pluto Press, London and Sydney, 1997.

Henri Lefebvre, *Critique of Everyday Life, Vol. I: Introduction*, trans. John Moore, Preface by 97, Michel Trebtish, Verso Press, London and New York, 1991.

Henri Lefebvre, *La révolution urbaine*, Gallimard, 1970.

Henri Lefebvre, *The Survival of Capitalism, Reproduction of the Relations of Production,* trans. Frank Bryant, Allison & Busby, London, 1978.

Henri Lefebvre, *The Production of Space*, trans. Donald Nicholson-Smith, Blackwell Ltd., 1991.

Henri Lefebvre, *Dialectical Materialism,* translated by Hohn Sturrock, Minneapolis and Lodon: University of Minnesota Press, 2009.

J. Romer（ed.），*Analytical Marxism*，Cambridge University Press, 1985.

John Brannigan, *New Historicism and Cultural Materialism,* MacMillan Press LTD, 1998.

Keith Laybour, *Marxism in Britain: Dissent, decline and re-emergence 1945-c.2000,* London and New York: Routledge, 2006.

Kuhn A, Wolpe A, *Feminism and Materialism: Women and Modes of Production.* London; Boston: Routledge and K. Paul, 1978.

Lucio Colletti, *Marxism and Hegel*, translated by Lawrence Garner, London: NLB, 1973.

Martin Jay, *Marxism and Totality: the adventures of a concept from Lukács to Habermas,* Berkeley: University of California Press.

Max Horkheimer, *Between Philosophy and Social Science: Selected Early Writings,* translated by G. Frederick Hunter etc., The MIT Press, 1993.

Nick Stevenson, *Culture, Ideology and Socialism,* Avebury: Ashagy Publishing Limited, 1995.

Paul M.Sweezy, *The Theory of Capitalist Development,* New York: Monthly Review Press, 1942.

Stuart Hall etc., *Culture, Media, Language: Working Papers in Cultural Studes, 1972–79,* Taylor&Francies, 2005.

Terry Eagleton, *Ideology: An Introduction*, Verso, 2007.

T. Aston and C. Phipin edts., *The Brenner Debate: Agrarian Class Structure and Economic Development in Pre-Industrial Europe*, Cambridge University Press, 1985.

论文类

段忠桥：《20 世纪 70 年代以来英美的马克思主义研究》，《中国社会科学》2005 年第 5 期。

张一兵：《西方马克思主义、后（现代）马克思思潮和晚期马克思主义》，《当代国外马克思主义评论》，人民出版社 2000 年版。

［美］道格拉斯·凯尔纳：《文化马克思主义与文化研究》，张秀琴、王葳蕤译，载《学术研究》2011 年第 11 期。

［美］戴维·施韦卡特：《市场社会主义：一个辩护》，载［美］伯特尔·奥尔曼：《市场社会主义——社会主义者之间的争论》，新华出版社 2000 年版。

［美］罗·雷·拉兹、韩兴华：《美国新左派运动的特征及其影响》，《史学集刊》1984 年第 3 期。

[英] 拉克劳、墨菲:《后马克思主义的理论和实践》,尹树广译,《马克思主义与现实》2003 年第 2 期。

[美] 罗·雷·拉兹:《美国新左派运动的特征及其影响》,韩兴华译,《史学集刊》1984 年第 3 期。

[美] 拉·杜娜耶夫斯卡娅:《马克思的"新人道主义""民族学笔记"和妇女解放》,《马列主义研究资料》1987 年第 2 期。

[德] 贡德·弗兰克:《不发达的发展》,载 [美] 查尔斯·威尔伯主编:《发达与不发达问题的政治经济学》,商务印书馆 2015 年版。

[法] 梅洛－庞蒂:《关于存在主义的争论》,《哲学译丛》1983 年第 2 期。

[南非] D.格拉泽:《非洲的马克思主义运动》,《马克思主义与现实》2014 年第 4 期。

Ajit Zacharias, Competition and Profitability: A Critique of Robert Brenner, in *Review of Radical Political Economics*, 2002.

Andrew Milner, Culture Materialism, Culturalism and Post-Culturlism: The Legacy of Raymond Williams, Theory, *Culture & Society,* SAGA,Vol.11, 1994.

Ben Fine etc., Addressing the World Economy: Two Steps Back, in *Capital & Class*, 1999.

Chris Rojek, Stuart Hall and the antinomian tradition, *International Journal of Cultural Studies*, 1 (1998).

Eric Hobsbawm, From Feudalism to Capitalism, *Marxism Today*, August, 1962.

Francis Mulhern, Comment on "Ideology and Literary Form", *New Left Review*, I / 91, May-June 1975.

Gimenez M, Vogel L,"Marxist−Feminist Thought Today", *Science & Society*, 2005.

Gérard Duménil etc., Brenner on Competition, in *Capital & Class*, 2001.

Ingraham C, Hennessy R,Materialist Feminism: AReader in Class, Difference, and Women's Lives, New York : Routledge, 1997.

Interview: Luckacs and his Life and Work, *New Left Review*, 1971 (68).

John Gerring, Ideology: A Definitional Analysis, *Political Research Quarterly*, 1997 (50).

Jorge Larrain, Stuart Hall and the Marxist Concept of Ideology, *Critical Dialogues in Cultural Studies*, Edited by David Morley etc., London and New York: Routledge, 1996.

Lawrence Grossberg, History, Politics and Postmodernism: Stuart Hall and Cultural Studies, *Journal of Communication Inquiry*, 10 (1986).

Maurice Dobb, From Feudalism to Capitalism, *Marxism Today*, September, 1962.

Norman Birnbaum, The Sociological Study of Ideology (1940–60): a Trend Report and

Bibliography, *Current Sociology,* 1960（9）.

Paul M. Sweezy, Feudalism-to-Capitalism revisited, *Science & Society*, 50（1）, Spring, pp. 81-84, 1986.

Peter Osborne and Lynne Segal, Interview Stuart Hall: Culture and Power, *Radical Philosophy,* 86（November / December, 1997）.

R.H. Hilton and Christopher Hill, The Transition from Feudalism to Capitalism, *Science & Society*, 17（4）, 1953.

Rober Brenner, Dobb on the transition from feudalism to capitalism, *Cambridge Journal of Economics*, 1978（2）.

Robert Brenner, Marx's First Mode of the Transition to Capitalism, in Marx en Perspective, Paris: Editions L'Ecole des Hauts Etudes en *Sciences Sociales,* 1983.

Robert Brenner, World System Theory and the Transition to Capitalism: Historical and Theoretical Perspectives, in Perspektiven des Weltssystems, ed. J, Blaschke Berlin, *Campus Verlag*, 1983.

Stuart Hall, Signification, Reprensentation, *Ideology*: Althusser and the Post-Structuralist.

Debates, *Critical Studies in Mass Comunication*, 2（1985）.

Stuart Hall, The Problem of Ideology-Marxism without Guarantees, *Journal of Communication Inquiry*, 10（1986）.

大 事 记

1920 年

春　路得维希·冯·米塞斯发表《社会主义国家的经济计算》一文，认为经济运行无法计划，开始了与社会主义经济学家的论战。

1921 年

3 月 8 日——16 日　布尔什维克党通过了由战时共产主义过渡到新经济政策的决议，希望利用市场和商品货币关系发展经济，逐步过渡到社会主义，这引起了西方左翼学者和右翼学者极大的关注。
苏俄开始实行向社会主义过渡的经济政策。

1922 年

12 月 30 日　苏维埃社会主义共和国联盟（即苏联）成立。

1923 年

2 月 3 日　法兰克福大学社会研究所成立，格律恩堡任第一任所长，该所成为法兰克福学派的摇篮。

春　格奥尔格·卢卡奇《历史与阶级意识》一书在柏林出版。他在书中提出物化、总体性、主体—客体辩证法、阶级意识等一系列概念和思想，被誉为西方共产主义的"圣经"。

秋　　　卡尔·柯尔施在《社会主义和工人运动史文库》上发表《马克思主义和哲学》一文，把马克思主义理解为社会革命的总体理论，并提出马克思主义发展三阶段论，在国际上引起强烈反响。

1927 年

冬　　　卡尔·考茨基出版《唯物主义历史观》，全面阐述唯物史观。

2 月　　马丁·海德格尔出版《存在与时间》，把异化问题引入哲学讨论中心。

1929 年

2 月 8 日　安东尼奥·葛兰西开始在狱中写《狱中札记》。

1930 年

11 月　　赖希迁居德国，开展性—政治运动。

1931 年

马克斯·霍克海默尔出任法兰克福大学社会研究所所长，提出从现代工业社会的整体进行跨学科的综合研究。此后，研究所开始转向对资本主义社会、文化等上层建筑的分析，将马克思主义同其他学派理论相结合而创立起"社会批判理论"。

1932 年

6 月　　霍克海默尔提出以开创"新型理论"（即后来的"社会批判理论"）为法兰克福社会研究所的新方向，并创办《社会研究杂志》（1932—1933 年在德国莱比锡出版）。

1933 年

1 月 30 日　希特勒在德国执政。

4 月   卢卡奇重新回到苏联科学院哲学研究所工作。在《我走向马克思主义的道路》一文中，再度就《历史与阶级意识》一书中的问题作了检查。

1934 年

5 月   法兰克福社会研究所迁至美国，并入哥伦比亚大学社会学系。

1935 年

柯尔施发表《为什么我是一个马克思主义者》一文，提出准确理解马克思主义的四条准则

1936 年

柯尔施发表《马克思主义的主导原则的再阐述》一文，提出马克思主义的四大主导基本原则：历史具体性原则；具体运用的原则；革命文化的原则；革命实践的原则。

霍克海默尔在《社会研究杂志》上发表题为《传统理论和批判理论》的文章，首次使用了"社会批判理论"的概念。

针对米塞斯、哈耶克等对经济计算可行性的质疑，波兰著名社会主义经济学家奥斯卡·李沙德·兰格撰写了《社会主义经济理论》，提出了模拟市场机制的社会主义解决方案，即兰格模式。兰格模式标志着市场社会主义的形成，兰格也因此成为市场社会主义的开山鼻祖。

1938 年

9 月 3 日   "第四国际"（又称"世界社会主义革命党"）成立。

11 月   霍克海默尔与阿多诺开始合著《启蒙辩证法》，为法兰克福学派社会批判理论提供了理论基础。

1941 年

1 月   埃里希·弗洛姆出版《逃避自由》。

3 月　　马尔库塞出版《理性和革命》一书。

1943 年

秋　　萨特出版《存在与虚无》，运用现象学的原理，系统阐述存在主义哲学。

1945 年

1 月　　梅洛－庞蒂出版《知觉现象学》，认为萨特的《存在与虚无》中的自由只解释个人的决定，提出"身体—主体"说。

9 月 2 日　　第二次世界大战胜利。

1946 年

10 月 29 日　　萨特发表《存在主义是一种人道主义》的讲演。

1947 年

1 月　　弗洛姆出版《逃避自由》的续集——《为自己的人》。

葛兰西的《狱中札记》在意大利开始出版（1951 年出齐）。该书系统阐发实践哲学、意识形态和文化领导权、知识分子等问题。在国际思想界产生了广泛影响。

2 月　　列斐伏尔出版《日常生活批判》，认为遍及日常生活中的异化现象使人片面化，主张通过对日常生活的批判达到"全面的人"、"总体的人"。

6 月　　霍克海默尔和阿多诺合著的《启蒙辩证法》出版，认为人不应该统治自然，而应和自然和解。本书是法兰克福学派发展的代表作。

1948 年

9 月　　霍克海默尔、阿多诺主持的社会研究所迁回联邦德国法兰克福（于1950 年完成）。马尔库塞留在美国哥伦比亚大学。法兰克福学派的主要成员开始在联邦德国和美国两地活动。

1950 年

6 月 27 日　　南斯拉夫通过了《关于劳动集体管理国家经济企业和高级经济联合组织的基本法》，标志着南斯拉夫社会主义自治制度的开始。

1951 年

11 月　　　　法兰克福社会研究所新所建成。出版《法兰克福社会学丛刊》。

1952 年

12 月　　　　丹尼尔·贝尔，当代美国批判社会学和文化保守主义思潮的代表人物。发表《英国的马克思社会主义》一文，考察马克思主义在英国的失败的遭遇。

1953 年

7 月　　　　　雅克·拉康，法国作家、学者、精神分析学家，也被认为是结构主义者。在《象征，真实和想象》一文中，首次提出"回到弗洛伊德"的口号。

1955 年

1 月　　　　　赫伯特·马尔库塞的《爱欲与文明》出版。提出一种心理分析学的哲学，试图以弗洛伊德主义来"补充"马克思主义所欠缺的社会心理学部分，从而把两者加以综合，形成"弗洛伊德主义的马克思主义"。

4 月 28 日　　梅洛－庞蒂发表《辩证法的历险》。该书使梅洛－庞蒂和萨特最终分手。

1956 年

1 月 1 日　　弗洛姆出版《爱的艺术》，这部著作是他最流行的作品。在这部著作中他概括并补充了《逃避自由》和《为自己的人》及其他著作中的人性理论，可以说这是他思想理论体系比较成熟完善后的一部力作。

2 月 14—
25 日

苏联共产党举行第二十次代表大会。赫鲁晓夫作报告，提出和平共处的总路线，肯定向社会主义过渡的形式的多样化，批评斯大林搞的"个人迷信"，强调创造性地而不是教条主义地研究并运用马克思理论的重要性。

10 月 23 日

匈牙利事件发生。

1958 年

3 月 1 日

马尔库塞发表《苏联的马克思主义》，提出马克思主义的经济理论已经过时，列宁的经济理论是错误的。该书是法兰克福学派把矛头转向马克思主义的最初表现。

4 月

南斯拉夫党中央通过《南斯拉夫共产主义者联盟纲领》，系统总结南斯拉夫社会主义革命和建设的经验教训，体现了南斯拉夫形式的马克思主义的形成。

1960 年

2 月

英国左派知识分子的主要刊物《新左派评论》出版，介绍、研究当代马克思主义。

4 月

让－保罗·萨特《辩证理性批判》第一卷问世。该书声称要用存在主义人学补充马克思主义人学的"飞地"，引起激烈争论。

11 月

南斯拉夫哲学联合会在布莱德举行《关于主体和客体、实践和反映论问题》的讨论会，涉及物质与意识、唯物主义与唯心主义、客观辩证法与主观辩证法、人、自由、决定论、实践等问题，产生激烈争论。

A.施密特，西方马克思主义者，德国人。在《马克思的自然观》（博士论文）中，他认为辩证法是主体和客体的相互作用，不存在于自然界中，否定了恩格斯的自然辩证法。

1962 年

1 月

赖希《性革命》英文版出版，原文首次出版于 1936 年。

弗洛姆发表《在幻想锁链的彼岸》。该书认为，弗洛伊德的理论缺少对社会因素的分析，马克思的理论则缺少对心理因素的分析，两者的综合，可以达到辩证法和人道主义指导的心理分析理论。

2 月　G.A.科恩，牛津大学著名政治哲学家，是国际公认的社会政治理论家、分析马克思主义理论学派和"九月学圈"的创建者之一。他在《科学革命的结构》，提出范式论和科学发展的动态模式概念，认为科学是科学共同体的共同活动，科学革命体现为规范的转化。

9 月 27 日　美国生物学家雷切尔·卡森出版《寂静的春天》。开始从生态学的角度阐述人类和自然的关系，这标志着新的"生态学时代"的开始。

1963 年

夏　尤尔根·哈贝马斯，德国哲学家、社会学家。批判学派的法兰克福学派的第二代代表人物之一。他在《理论与实践》指出，由于发达工业社会中科学技术的进步，马克思当时所阐发的许多问题，如经济基础和上层建筑、国家、无产阶级的状况和使命等都起了重大变化，马克思主义已变成为苏联的国家意识。

5 月　布洛赫出版《图宾根哲学序论》第一、二卷（第一卷英文本取名《未来的哲学》），进一步阐发希望哲学。

1964 年

1 月　马尔库塞出版《单向度的人》。认为在发达工业社会中，人丧失了最可贵的第二向度——否定和批判精神。该书一度成为学生造反运动的"圣经"。

6 月 21 日　雅克·拉康与玛诺尼等人组建法国精神分析学派，不久即更名为巴黎弗洛伊德学派。

1965 年

1 月　列斐伏尔发表《元哲学》。提出元哲学的主要任务是研究现代生活中异化的特殊形式。

3 月　　　路易斯·阿尔都塞，法国著名哲学家、"结构主义马克思主义"的奠基人。发表论文集《保卫马克思》和《阅读〈资本论〉》，开始了他运用结构主义方法解释马克思著作的历程，构成了有别于正统马克思主义的"结构主义马克思主义"思想体系，并在法国形成了一个学派。论文集《保卫马克思》认为《德意志意识形态》是马克思著作中的一个"认识论断裂"（之前为意识形态阶段，之后为科学阶段）。《阅读〈资本论〉》提出"症候阅读法"，主张像马克思批判地阅读英国政治经济学著作一样地阅读马克思的著作。

10 月 12 日　波兰著名哲学家亚当·沙夫发表《马克思主义与个人》，阐述了马克思主义的人道主义和形形色色的人道主义的区别。

1966 年

夏　　　西奥多·阿多诺，法兰克福学派重要成员，德国哲学家社会学家。发表《否定的辩证法》，认为哲学上寻找形而上学的和认识论上的绝对的出发点这种还原主义，会导向极权主义，否定的辩证法的目的是通过普遍的否定消解极权主义，使哲学的概念向事物和生活开放。

10 月　　美国自由主义女性主义者成立了维护女性权利、争取女性解放的组织——全国妇女组织。

12 月　　英国女权主义思想家朱丽叶·米切尔的《妇女：最漫长的革命》的发表被视为第二波女性主义运动时期马克思主义女性主义和社会主义女性主义理论纲领性文件。

1967 年

1 月　　　雅克·德里达，20 世纪下半期最重要的法国思想家之一，西方解构主义的代表人物，法国著名的哲学家。出版《论文字学》，该书从解构主义的基本精神出发着重追溯了文字概念的历史，引起了人们的关注。作为解构主义哲学的代表人物，他的思想在 20 世纪 60 年代以后掀起了巨大波澜，成为欧美知识界最有争议性的人物。

3 月　　　《历史与阶级意识》再版。卢卡奇认为该书的影响主要来自书中的错误部分。

1968 年

1 月　第四国际的曼德尔《马克思主义经济理论》一书出版完成（上卷 1962 年，下卷 1968 年）。重申马克思主义关于资本的本质，并把这一观点运用于 20 世纪的现实。

4 月　霍克海默尔发表《批判理论》。

5 月　法国爆发"五月风暴"，并引发了"新社会运动"。马尔库塞等成为学生运动的精神领袖，并在支持学生运动中发挥了很大作用。

8 月　哈贝马斯出版《作为"意识形态"的技术与科学》一书，强调发达工业社会中科技的进步和管理上的协调，巩固了资本主义制度，宣传"马克思主义过时"论。

1969 年

5 月　马尔库塞发表《论解放》。他的生态思想主要集中在此书中。

9 月　玛格丽特·本斯顿发表《妇女解放的政治经济学》，掀起了关于家务劳动讨论热潮，第一次将马克思主义思想工具应用于妇女问题。

1970 年

1 月 1 日　马尔库塞发表《五篇论文：精神分析、政治和乌托邦》。提出"非压抑的升华"、"性解放"、"性欲文明"为其乌托邦的理想。

8 月　凯特·米莱特的《性政治》和费尔斯通的《性的辩证法》出版。她们都对"父权制"进行了详细的分析和批判。

12 月 2 日　米歇尔·福柯，法国哲学家，后现代主义代表人之一，在 1970 年就任法兰西学院院士时所发表的就职演讲《话语的秩序》。

1971 年

8 月　约翰·罗尔斯出版《正义论》。该书自问世后，在西方国家引起了广泛重视，被视为第二次世界大战后西方政治哲学、法学和道德哲学中最重要的著作之一。该书主要理论贡献表现在政治哲学上重新采用社会契约论和自然法学说，全面论述了自己"作为公平的正义"的基本理论，并对功利主义作了相当深刻而全面的批评。

11 月 1 日　　葛兰西《狱中札记》英文全译本首次在伦敦出版。

11 月 30 日　　马尔库塞发表《反革命与造反》一文，对 60 年代西欧学生造反运动作历史回顾和理论总结。提出了马克思的"自然解放"的理论，号召开展"生态革命"、"自然革命"，通过解放自然来实现彻底的人类解放。

1972 年

1 月 1 日　　列斐伏尔的《现代世界的日常生活》出版，认为马克思揭露的异化现象仍然存在，并出现新的情况，主张在政治上废除国家，实行自治。

春　　艾伦·伍德于年美国《哲学与公共事务》杂志发表《马克思对正义的批判》一文。

5 月 1 日　　第四国际的曼德尔的《晚期资本主义》出版。认为，随着技术的进步和活劳动力在生产过程中逐步被排斥，剩余价值会自动降低，生产力的发展必然导致资本主义生产关系和资本主义国家的消灭等等。

10 月　　罗马俱乐部发表《增长的极限》，第一次系统科学地论证并揭露"无限的经济增长"是当今全球环境恶化的根源，向世人敲响了环境保护的警钟，激发起全球性的环境研究和绿色生态运动热潮。

11 月 9 日　　波普尔发表《客观知识：一个进化论的研究》，提出"三个世界"理论。

1973 年

1 月　　哈贝马斯出版《晚期资本主义的合法化问题》。认为在晚期资本主义，通过国家的干预、组织和管理，危机可能从经济领域转到其他领域而缓和，阶级调和已成为社会结构基础。

1976 年

1 月　　莱易斯出版《满足的极限》。

5 月 18 日　　哈贝马斯出版《论重建历史唯物主义》。认为要根据新的历史条件重建历史唯物主义。

1977 年

4 月　西共总书记圣地亚哥·卡里略出版《"欧洲共产主义"和国家》，系统阐述欧洲共产主义的理论与主张。

1978 年

威廉姆·肖的《马克思的历史理论》与科恩的《卡尔·马克思的历史理论———一种辩护》一经发表便引起了西方历史学者和新马克思主义者的关注，成为分析马克思主义理论的重要著作。

1979 年

加拿大马克思主义学者本·阿格尔在《西方马克思主义概论》中，开始明确提出"生态学马克思主义"的概念。

9 月　科恩与乔恩·埃尔斯特合作在伦敦召开了一次以"剥削理论研究"为主题的周末会议。此后直至 1981 年，该会议每年举办一次。

1980 年

1 月 1 日　英国戴维·麦克莱伦出版《马克思以后的马克思主义》一书，系统探讨马克思以后马克思主义在世界的发展。在马克思主义的发展线索、当代马克思主义的特征多方面，提出了一些独特见解。

科尔内发表了《短缺经济学》，提出了宏观控制下的自由市场模式。

1 月　德国成立了世界上第一个"绿党"，并公开提出替代资本主义的"生态社会主义"的口号，这标志着生态学马克思主义成为一种政治理想。雅克·拉康宣布解散巴黎弗洛伊德学派，同年 2 月，组建新的"弗洛伊德主义事业"学派。

1981 年

1 月 1 日　艾伦·伍德的《卡尔·马克思》出版。科恩于同年在英刊《心智：新系列》1983 年 1 月号（总第 92 卷第 367 期）发表书评。他在这篇书评中认同了伍德的历史唯物主义立场，但并不认可伍德所论称的马克思不认为资本主义是不正义的论断，他对辩证法的拒斥反映了分析的马克思主义的一个基本立场。

1 月 27 日	约翰·罗默，美国著名经济学家和政治学家，是分析马克思主义的开创者之一，是"九月学圈"的创始成员之一。出版《马克思经济理论的分析基础》。
8 月	哈贝马斯出版《交往行为理论》。
9 月	"九月学圈"学术团体成立，标志着分析马克思主义流派正式开启分析马克思主义的学术活动。

1982 年

6 月	罗默出版《剥削和阶级的一般理论》，后一部著作被公认是科恩以后"分析的马克思主义"的最重要的著作。在该著作中罗默重点阐述了著名的理论"一般剥削理论"。

1985 年

1 月	乔恩埃尔斯特，美国哥伦比亚大学政治学教授，美国艺术与科学院院士和挪威科学院院士，是分析马克思主义的开创者之一，与科恩、罗默、威廉姆肖、艾伦伍德、莱特等著名学者组成了一个有着明确宗旨、纲领和活动规范的学术团体——"九月学圈"。埃尔斯特在《理解马克思》一书中探讨了阶级的定义、阶级意识和阶级斗争等问题，从集体行动的角度对马克思阶级理论进行了再阐释，被称为"百科全书式的著作"。

1986 年

3 月 31 日	罗默出版《分析的马克思主义》。

1987 年

夏	戴维·米勒发表《一个市场社会主义方案：它意指什么？为什么要倡导它？》，他是合作制的市场社会主义模式的创建者，关于市场社会主义的观点基本上体现在这篇文章以及此后其发表的一系列文章中。
8 月	在瑞典绿党的倡议下召开国际绿党大会，标志着绿党成为国际政治舞台上的一支重要力量。

1988 年

5 月 　德国著名的当代生态学马克思主义者瑞尼尔·格伦德曼出版《马克思与支配自然：异化、技术和共产主义》。

1989 年

10 月 27 日 　高兹出版《经济理性批判》，该书把资本主义社会的生态危机延伸到资本主义经济理性的批判。

1991 年

9 月 5 日 　瑞尼尔·格伦德曼出版《马克思主义与生态学》。

秋 　分析的马克思主义和市场社会主义的代表约翰·罗默在苏东剧变前后重新关注和研究市场社会主义，撰写了《市场社会主义：一个蓝图》。同年，与 P.E. 巴德汉一起主编的论文集《市场社会主义：一个蓝图》，充分展现了对市场社会主义的探索。

10 月 10 日 　高兹出版《资本主义，社会主义，生态学》，书中他集中论述了资本主义、社会主义与生态学的关系，阐述了他对社会主义未来和生态社会主义发展道路的基本看法。

12 月 25 日 　苏联解体。

1992 年

1 月 　美国弗朗西斯·福山的《历史的终结和最后的人》出版。阐述苏联与东欧剧变后的政治哲学观点。认为从此以后，自由民主制度与共产主义的矛盾及意识形态上的对立已经解决，历史走向终结。人也成为没有追求的空虚的人，即"最后的人"。

埃尔斯特出版《局部正义：社会机构如何分配稀缺物品和必要负担》，提出著名的"局部正义理论"，在书中埃尔斯特表示出强烈希望发展出一个概念的、理论性的框架来解释社会对于稀缺物品和必要负担的分配的愿望。

1993 年

夏　美国亨廷顿发表《文明的冲突》，论述冷战后的政治哲学。认为冷战后的冲突不是经济上的与意识形态上的，而是民族与集团之间的冲突，并断言儒家文明与伊斯兰文明对双方的利益、权力和价值观念构成严重挑战。这种观点引起全世界的讨论。

7 月 22 日　戴维·佩珀，英国西方马克思主义的代表人物之一。出版《生态社会主义：从深生态学到社会正义》。他主张建立起一种激进的绿色政治，竭力寻找一种理想的社会主义模式来取代当今资本主义，摆脱当前生态危机日益严重的趋势。

1994 年

1 月 1 日　罗默出版《分析的马克思主义的基础》。

1997 年

6 月 30 日　亚当·沙夫于德国《马克思主义杂志》1997 年第 2 期发表文章《需要一种新的左派》。文中阐述了他希望谋求"绿"和"红"政治力量的汇合，即生态运动与共产主义运动的结合，要求建立一个由绿党、生态运动、妇女运动和一切寻求社会变革的非暴力运动与社会组织组成的广泛的群众性联盟的愿望。

12 月 19 日　詹姆斯·奥康纳，美国生态学马克思主义的著名代表人物。在他出版的《自然的理由：生态学马克思主义研究》中体现了他的生态学马克思主义思想。奥康纳通过对马克思主义的历史唯物主义的诘难和修正来建立生态学马克思主义理论。

1999 年

3 月 22 日　保罗·柏克特，美国生态学马克思主义学家，出版《马克思和自然：一种红和绿的视角》。在书中他从政治经济学的角度来分析马克思主义，论述了马克思主义与生态学的一致性，详细阐述了马克思的劳动价值论和共产主义理论中所具有的生态内涵，从而证明了马克思的生态学本质。

2000 年

3 月 约翰·贝拉米·福斯特，美国俄勒冈大学的社会学教授，出版《马克思的生态学：唯物主义和自然》。他从唯物主义的哲学角度来探讨马克思的生态学，分析了生态学的唯物主义起源，论述了马克思的唯物主义理论，提出了新陈代谢断裂理论。

2001 年

9 月 乔尔·克沃尔与洛威在巴黎举行的"生态与社会主义"论坛上发布了《生态社会主义宣言》。

2002 年

5 月 3 日 乔尔·克沃尔，美国政治家、学者、作家和生态社会主义者。出版《自然的敌人》，鲜明地指出"资本是自然的敌人"，要求构建"生产者的自由联合"的生态社会主义。

2006 年

3 月 23 日 保罗·柏克特出版《马克思主义和生态经济学》。

2009 年

12 月 7—18 日 哥本哈根全球气候变化会议。

2016 年

1 月 15 日 保罗·柏克特与约翰·贝拉米·福斯特合作出版了《马克思与地球：一种反批判》。

索　引

主题索引

人名索引

后　记

　　本卷展示的是20世纪20年代以来马克思主义在非社会主义国家的发展，时间跨度近一个世纪，与其他多卷在时间上相互交叉。之所以没有把本卷内容按历时顺序分散到相关各卷，而是单列一卷集中进行论述，是为了能够更完整地呈现俄国"十月革命"以后西方资本主义国家以及其他非社会主义国家的历史变化，以及在相应背景下马克思主义在这些国家和地区发展演化的总体脉络和内在逻辑。

　　本卷各章的作者和分工如下：卷首语（黄继锋）。第一章、第二章（张秀琴）。第三章：第一节（刘怀玉）；第二节（梁树发、刘怀玉）；第三节（陈硕、刘怀玉）；第四节（汤建龙、刘怀玉）。第四章：第一节（黄继锋、傅强）；第二节（黄继锋、曾庆娣、宋德孝）。第五章：第一节（张秀琴）；第二节（张晓萌）；第三节（郭咔咔）。第六章：第一节（雷晓欢）；第二节（张晓萌）；第三节（张晓萌、常佩瑶）。第七章：钱秋月。第八章：第一节（雷晓欢）；第二节（贺钦）。大事年表由张晓萌编制。索引由王瞻编制。

　　本卷的完成和出版离不开各方的支持和帮助。在此，十分感谢《马克思主义发展史》十卷本编委会和中国人民大学马克思主义学院给予我的信任和支持，感谢各位作者的通力配合和辛勤劳作，感谢人民出版社郇中建编审、毕于慧编审、高华梓编辑为本卷出版所付出的大量心血和支持。

　　由于本卷所涵盖的内容十分庞杂，也由于作者水平所限，不足和缺憾在所难免，诚挚期待大家的批评指正。

黄继锋

2018 年 12 月 30 日于人民大学

编　后　语

马克思主义是不断发展的开放的理论，始终站在时代前沿，引领时代发展。总结自马克思主义诞生以来的发展史，是全部马克思主义理论研究者的一件大事，更是一件难事。中国人民大学作为我国马克思主义教学与研究高地，始终重视这项工作。从 1996 年《马克思主义史》（四卷本）出版，历经了 27 年的光阴，在新时代的呼唤下，这部《马克思主义发展史》（十卷本）终于呈现在各位读者面前。这是一部由中国人民大学组织编写、以推进马克思主义中国化时代化为主旨的巨著，具有科研启动时间早、参研人数多、设计体量大、理论难度高、持续时间长等显著特点。这部书得到了中央有关部门和领导同志的高度重视，先后入选国家出版基金项目和国家出版"十三五"规划项目，受到来自中共中央党校、中国社会科学院、北京大学、中央民族大学等高校和研究机构同人的鼎力相助，更有中国人民大学党委和人民出版社的全力支持。在一路关注和支持下，人大人践行着人民大学的优良传统和红色基因，以高度的理论使命感为指引，以扎实的马克思主义理论功底为支柱，敢于担当、求真务实、团结协作，以"一马当先"精神完成了这部鸿篇巨著。

以责任担当精神书写理论创新的辉煌篇章。时代是思想之母，实践是理论之源，理论之树常青是源于其始终随着实践的变化而发展。人大人想要承担起"十卷本"的编写重任，也一定能够承担起这项历史重任。自学校诞生之日起，一代代人大人紧扣时代脉搏，根据时代变化和实践发展，不断深化认识，不断总结经验，不断推动理论创新和实践创新的良性互动，用思想之力量发社会之先声。我们在 2014 年作出编写这部书的决定绝不是一个偶然，而是历史的必然。党的十八大召开，标志着中国特色社会主义进入新时代。一年多之后，编写这套丛书作为重大科研课题正式获批立项。这一年多的时间虽然短暂，但新时代的精神已经鲜明彰显。此后，一些新理念新思想新战略不断涌现，其中所蕴含着的一些重大而崭新的理论问题已深刻展现出来，我国的社会生活也在发生着深刻变化。特别是党的十九大明确提出习近平新时代中国特色社会主义思想，实现了马克思主义中国化新的飞跃，更加充分证明开展《马克思主义发展史》（十卷本）的编写工作是一项非常正确的决定。这是中国人民大学及其马克思主义理论学者对时代精神强力召唤的真诚回应，是所肩负的崇高历史责任的自觉担当。

以求真务实精神描绘人大学派的精神底色。习近平总书记曾寄语哲学社会科学工作者，要"自觉以回答中国之问、世界之问、人民之问、时代之问为学术己任"。人大人始终以"立学为民、治学报国"为学术追求，以实事求是、求真务实的精神直面"世界怎么了"、"人类向何处去"的时代之题，创作出了一大批经世济民、历久弥新的学术成果。《马克思主义发展史》（十卷本）便是这样一部回应时代需要和现实国情的学术巨著。一方面，习近平新时代中国特色社会主义思想是马克思主义中国化时代化的原创性成果，是马克思主义发展史上又一里程碑式的重大发展。为了推进理论的体系化、学理化，本书在编写过程中坚持"两个结合"，坚守好马克思主义魂脉和中华优秀传统文化根脉，新设专章，从学科角度重点研究阐释我们党提出的新理念新论断中的原理性理论成果，把握相互的内在联系，不断深化对党的理论创新的规律性认识。另一方面，将马克思主义发展史与党的百年历史、党的二十大接轨，充分彰显马克思主义在当代中国的理论进展和思想伟力，系统阐释马克思主义中国化理论在哲学、政治经济学和科学社会主义等相关学科的最新成果，呈现马克思主义理论在中华大地上的勃勃生机。

以团结协作精神汇聚著书立言的磅礴力量。时光荏苒，一瞬九载春秋，这个过程虽然"道阻且长"，但人大人"行则将至"。我们常说，讲团结就是讲政治，服从集体、凝心聚力；讲协作就是讲效率、术业专攻、高效落实。自课题立项之日起，时任中国人民大学党委书记、本书编委会主任靳诺教授就高度关注并全力支持本书的编写工作；年逾八旬的庄福龄教授首倡编写十卷本《马克思主义发展史》，亲自主持本书的筹划和编写大纲的制定，病榻上仍心系本书编写直至逝世；杨瑞森教授临危受命"挑起大梁"，特别是在第十卷的编撰中，亲自召集一批知名专家发挥专长、打磨书稿；更有一大批中青年马克思主义理论学者参与到本书的编写工作之中。中国人民大学党委作为团结协作的"领头羊",统筹各方面工作,不忘著书立说的初心使命;各位总主编、各卷主编及作者服从安排、相互协作,尽心竭力、数易其稿,才使如此鸿篇巨著得以优质、高效地产出。正是一代代人大人讲团结、重协作,汇聚成了人才荟萃、名家云集的中国人民大学马克思主义理论教学与研究高地,凝结成了《马克思主义发展史》(十卷本)这部心血之作。特别需要提到的是,人民出版社高度重视、全力支持本书出版工作,毕于慧编审全程参与本书的编写、出版等工作,为这套十卷本的高效优质出版提供了重要保证。

本书的编写工作即将告一段落,我们力求将马克思主义发展至今的历程、观点、人物、事件等完整地呈现于此书。这部书立足中国特色社会主义新时代,整合近年来最新的马克思恩格斯著作手稿、马克思主义理论最新研究观点,以整体性的视野详述马克思主义 170 余年来形成、发展和在新的实践中不断深化的历史过程。这既是几代人大人的心血之作,也期待能够成为马克思主义发展史研究的扛鼎之作。新征程上,人大人将以坚持党的领导为根本统领,以传承红色基因为文化血脉,以扎根中国大地为发展根基,以加快建设中国特色、世界一流的社会主义大学为目标使命,继续发扬"一马当先"精神,充分发挥中国人民大学马克思主义理论研究底蕴深厚的优势,始终担当起人大马理学派应有的历史使命,踔厉奋发,笃行不怠,为不断推动当代中国马克思主义和二十一世纪马克思主义发展作出应有的贡献!

本书编委会

2023 年 10 月

项目统筹：毕于慧

责任编辑：高华梓　毕于慧

封面设计：石笑梦

版式设计：周方亚

责任校对：陈艳华

图书在版编目（CIP）数据

马克思主义发展史.第八卷，马克思主义在非社会主义国家的传播与发展：
 1923 年以来 / 黄继锋 主编 . — 北京：人民出版社，2020.12（2025.7 重印）
 ISBN 978 − 7 − 01 − 019862 − 0

I.①马⋯　II.①黄⋯　III.①马克思主义 − 历史 − 1923—2017　IV.① A81

中国版本图书馆 CIP 数据核字（2018）第 225445 号

马克思主义发展史（第八卷）
MAKESI ZHUYI FAZHANSHI (DIBAJUAN)

——马克思主义在非社会主义国家的传播与发展（1923 年以来）

黄继锋　主编　张秀琴　副主编

人民出版社 出版发行

（100706　北京市东城区隆福寺街 99 号）

北京中科印刷有限公司印刷　新华书店经销

2020 年 12 月第 1 版　2025 年 7 月北京第 4 次印刷
开本：710 毫米 ×1000 毫米 1/16　印张：39.25
字数：645 千字

ISBN 978 − 7 − 01 − 019862 − 0　定价：176.00 元

邮购地址 100706　北京市东城区隆福寺街 99 号
人民东方图书销售中心　电话（010）65250042　65289539